EL PLACER DE LEER Y ESCRIBIR

Antología de lecturas

EL PLACER DE LEER Y ESCRIBIR

Antología de lecturas

EDITORIAL PLAZA MAYOR

El placer de leer y escribir
Antología de lecturas

Producción editorial
y diagramación: Mariíta Rivadulla & Associates

EDICIÓN 2012 (2ª)

1500 Avda. Ponce de León, Local 2
El Cinco
San Juan, Puerto Rico 00926
P.O. Box 3148
Guaynabo, P.R. 00970-3148
www.editorialplazamayor.com
e-mail: ventas@editorialplazamayor.com
ISBN: 978-1-56328-219-5

Impreso en Puerto Rico

Extreme Graphics

ÍNDICE

Drama

"ASSESSMENT" Y BIBLIOGRAFÍA

PRÓLOGO

"El arte de escribir fructifica y adquiere sentido en el placer de la lectura".

Luis Racionero

Este libro surge como un deseo de un grupo de colegas que compartimos una misma visión de cómo debemos facilitar el proceso de enseñanza-aprendizaje de la lecto-escritura. Somos fieles creyentes de que se aprende a escribir, leyendo y escribiendo. Nuestra experiencia como docentes, así como infinidad de investigaciones que se han realizado en este campo avalan el enfoque integrador de la lectura y la escritura. Se ha comprobado científicamente que para quien desea o necesita desarrollar la escritura es imprescindible la lectura. Enseñar la literatura como fuente de lecto-escritura plantea una nueva posibilidad para aprender a leer y a escribir. Este enfoque promueve que las actividades académicas integren la lectura y escritura como medios para desarrollar la comunicación escrita.

El libro que tienes en tus manos es fruto de nuestras convicciones y pretende fomentar un cambio de actitud en los[1] estudiantes sobre la percepción que tienen de los textos literarios. Generalmente, no han podido aprender a disfrutar de ellos. Sus vivencias, en muchas ocasiones, hacen que relacionen la lectura con experiencias negativas. Como consecuencia, no han podido descubrir ese mundo de posibilidades, de encantamientos, de aventuras y conocimientos que nos ofrece la lectura. Interactuar con el texto mientras se lee fomenta el placer de conversar con el autor. Cuando el estudiante se convierte en autor porque

[1] Reconocemos la importancia del lenguaje inclusivo, sin embargo, decidimos utilizar la forma masculina para facilitar la lectura de esta Antología.

reescribe el texto leído al relacionarlo con su realidad, descubre el placer de la lectura.

A tales efectos, la teoría que sustenta la conceptualización del libro es la lecto-escritura. Por consiguiente, el punto de partida para la escritura es la lectura. El libro consiste de una selección antológica de diversos géneros: cuento, ensayo, poesía y teatro. Además, incluimos una breve introducción a cada uno de ellos.[2] Hemos querido brindarle al lector la oportunidad de tener a su disposición una muestra representativa de las literaturas puertorriqueña, hispanoamericana y española. Además, para brindarle la oportunidad al estudiante de adquirir un conocimiento literario más amplio, hemos incluido obras literarias clásicas y contemporáneas. Utilizando la experiencia docente, los autores seleccionamos las lecturas tomando en consideración los intereses de los estudiantes y la pertinencia de los temas que tratan. Éstas van dirigidas a fomentar el placer de leer y a desarrollar la redacción.

Por medio de este libro, esperamos que los alumnos puedan experimentar la literatura como arte facilitador para el fomento de las destrezas de la comunicación escrita; que puedan despertar plenamente su sensibilidad e interrelacionar sus experiencias y su cultura con los temas e ideas plasmados en las lecturas seleccionadas. Así descubrirán que la lectura y la redacción son herramientas útiles de aprendizaje e investigación. Vivirán la lectura y la redacción como goce estético, lúdico y creativo; desmitificándose de una vez y para siempre la idea de que leen y escriben sólo los sabios y entendidos.

Como ya hemos expresado anteriormente, estamos convencidos de que la lectura y la escritura son procesos que facilitan el desarrollo de las destrezas de comunicación. Por lo tanto, hemos elaborado, como complemento de esta antología, un cuaderno de trabajo en el cual se incluyen actividades de redacción para cada uno de los textos literarios antologados. Hemos conjugado actividades de análisis literario tradicional, con otras innovadoras que promueven la creatividad del pensamiento y la redacción. Éstas pretenden provocar en nuestros estudiantes el deseo y la satisfacción de verse a sí mismos como escritores. Además, se presentan actividades especiales y un apéndice con recomendaciones para que el estudiante aprenda a revisar sus escritos.

---

[2] Sólo ofrecemos al estudiante información básica sobre el género. Esto responde a la teoría en que se apoya esta Antología. De ninguna forma, pretendemos elaborar un tratado sobre los géneros literarios.

La simbiosis lectura-escritura les servirá a los estudiantes para el encuentro de una mayor madurez intelectual y emocional porque se verán a sí mismos como seres proactivos que pueden aportar en la búsqueda del conocimiento. Nuestra misión sea, pues, la de facilitadores en este loable proceso al compartir el placer de leer y escribir.

Los autores

El proceso de la lectura

Leer es una de las metas fundamentales de la enseñanza. Los educadores consideramos la lectura como una de las destrezas más importantes, ya que es la base para adquirir el conocimiento. Un estudiante no puede lograr el aprendizaje sin haber desarrollado previamente y a cabalidad la habilidad de leer bien, que no es otra cosa que comprender.

La lectura, al igual que la escritura, es una herramienta indispensable para alcanzar el conocimiento en las diversas disciplinas. Los estudios realizados demuestran que el hábito de la lectura tiende a formar personas receptivas al cambio y orientadas hacia el futuro, que ayuda a promover un mayor desarrollo social. Leer nos lleva a experimentar diversas emociones, a compartir las experiencias de otros, a confrontar puntos de vista y sobre todo a sentir placer estético. Además, la lectura nos acerca al conocimiento y a la información. Nos permite conocer lugares y acontecimientos; nos hace posible saber cómo funciona un sistema y una determinada estructura, etc. La lectura nos permite conocer y disfrutar el mundo. En definitiva, leer no es otra cosa que comprender e interpretar textos escritos de diversos tipos con diferentes intenciones y objetivos. Esto contribuye de manera decisiva a la autonomía de los seres humanos y a la convivencia en sociedad.

Como mencionamos anteriormente, leer no es otra cosa que comprender un texto; sin embargo, existen quienes tienen la noción equivocada a considerar que la lectura es ante todo la decodificación de las letras. Está más que probado que esto no es lo que nos convierte en lectores. Leer es mucho más que un simple acto mecánico de descifrar las letras, es un acto de razonamiento. Es, precisamente, lo que se necesita para poder interpretar el mensaje escrito a partir del texto y de los conocimientos previos del lector.[1] La decodificación es sólo la base necesaria para aprender a leer en su sentido más amplio.

Cuando leemos reescribimos el texto. Esto significa que leer es interactuar con el autor y con uno mismo. No es memorizar los contenidos de la lectura ni consumir las ideas del autor, sino crearlas y recrearlas. El lector construye el significado en su interacción con el texto y esa es la finalidad del proceso de la lectura.

El proceso de la lectura no es una actividad solitaria. Como todo acto de comunicación, cuando el lector realiza una interpretación del mensaje es como si dialogara con el autor para descifrar la intención del mismo. Por lo tanto, la comprensión varía de estudiante a estudiante, pues cada uno posee unas vivencias únicas, tiene unas relaciones muy particulares con la página impresa y además, sus habilidades para procesar un texto son diferentes. De ahí, que no exista una sola interpretación aunque se haya enfatizado lo contrario en los modelos académicos tradicionales.

El lector debe tener claro cuál es el propósito de su lectura: disfrutar, para distraerse, obtener información, adquirir conocimientos específicos, actualizar conocimientos, recordar, realizar una tarea, revisar, corregir y comunicar un escrito, entre otros. La intención, el objetivo o propósito de la lectura determinará la forma en que el lector se enfrenta al texto y esto incide en la comprensión del mismo.

De acuerdo con Solé (1994), el proceso de la lectura es uno interno, inconsciente, del que no tenemos prueba hasta que al comenzar a leer nuestras predicciones no se cumplen; en otras palabras, hasta que comprobamos que en el texto no está lo que esperábamos leer. Como parte del proceso, el lector debe comprender el mensaje para que pueda ir construyendo ideas sobre el contenido del texto y extraer del mismo aquello que le interesa. Esto sólo puede hacerlo mediante una lectura individual, profunda, que le permita avanzar y retroceder, detenerse, pensar, recapitular, relacionar la información nueva con el conocimiento previo que posee.

[1] Colomer y Camps, 1996.

Además, el lector deberá tener la oportunidad de hacerse preguntas, decidir qué es lo importante y qué es secundario.

Muchos estudiosos (Solé, 1994; Robb, 1995; Palincsar y Brown, 1984) dividen el proceso de la lectura en tres subprocesos, a saber: antes de la lectura, durante la lectura y después de la lectura. Existe un consenso entre todos los investigadores sobre las actividades que los lectores llevan a cabo en cada uno de ellos y de las preguntas que debemos acostumbrarnos a contestar desde que nos iniciamos en la lectura. Por eso, nos ofrecen unas excelentes guías que debemos utilizar para convertirnos en lectores competentes. Recordemos lo que dijo Daniel Pennac a propósito de la lectura: "La lectura es un acto de creación permanente."[2] Las siguientes preguntas deberán siempre guiar al lector, según el subproceso en que se encuentre para recrear el texto.

ANTES DE LA LECTURA:

¿Para qué voy a leer?

(Determina el propósito de la lectura)

- Obtener información precisa.
- Seguir instrucciones.
- Obtener información de carácter personal.
- Aprender.
- Revisar un escrito propio.
- Placer.
- Presentar un informe oral o escrito.
- Practicar la lectura en voz alta.
- Informar qué se ha comprendido.

¿Qué sé de este texto, tema o autor?

(Activa el conocimiento previo)

¿De qué trata este texto?

(Establece hipótesis, predicciones)

[2] Pennac, 1993., p.24

¿Qué me dice su estructura?
(Define el género por sus características, por su estructura)

DURANTE LA LECTURA:

- Aclarar posibles dudas acerca del texto.
- Resumir el texto mentalmente.
- Releer partes confusas.
- Formular hipótesis o predicciones.
- Formular preguntas sobre lo leído.
- Consultar el diccionario.
- Pensar en voz alta para asegurar la comprensión.
- Crear imágenes mentales para visualizar descripciones.

DESPUÉS DE LA LECTURA:

- Hacer resúmenes orales o escritos.
- Formular y responder preguntas.
- Recontar.
- Utilizar organizadores gráficos, etc.

En resumen, el estudiante adquiere el conocimiento de las generaciones anteriores a través de la lectura de textos literarios. Además, encuentra respuestas a múltiples preguntas que, en cada etapa de la existencia, salen a su paso. Jorge Luis Borges expresó: "El libro es la extensión de la memoria y la imaginación de la humanidad". Con el texto escrito se abre un infinito canal de comunicación entre el autor y el lector, por lo que cada lectura es una vivencia personal, única y diferente. Estas señales luminosas nos impulsan a ampliar los niveles de comunicación. De lectores nos transformamos en escritores autónomos y activos, capaces de evaluar, interpretar, analizar y redactar de manera crítica y reflexiva.

PUERTO RICO HISPANOAMÉRICA ESPAÑA

CUENTO
CUENTO

INTRODUCCIÓN AL CUENTO

Lo que se conoce en el mundo de la literatura como narrativa abarca la novela, el cuento, las leyendas, la crónica y la biografía, entre otros géneros. Todos ellos son relatos de sucesos los cuales ocurren en un espacio y tiempo específico. Sin embargo, se les diferencia porque cada uno de ellos tiene unas peculiaridades propias de su género.

A través de los años el género del **cuento** ha ido sufriendo transformaciones y actualmente existen múltiples definiciones. Parece que los críticos y los autores no se han podido poner de acuerdo. No obstante, para efectos pedagógicos vamos a definir cuento, según sus características. Luis Leal en *El cuento hispanoamericano* lo define como una narración breve en extensión, de carácter ficticio pero creíble, que se enfoca en una sola trama o un solo conflicto. Para otros, como Edgar Allan Poe, lo importante es dejar una impresión en el lector. Por su parte, Julio Cortázar le añade que se debe desarrollar en un "límite físico". En resumen, el cuento debe ser corto, narrar un sólo suceso, tener pocos personajes, desarrollarse en un ambiente limitado y provocar alguna impresión en el lector. Todo esto es consecuencia de la brevedad. El autor de un cuento está en libertad para seleccionar el tema de todo el panorama infinito que ofrece la imaginación.

El cuentista usa otras técnicas narrativas para crear su obra maestra: el cuento. Algunas de ellas son: incrustaciones de escenas retrospectivas (consiste en traer escenas del pasado a la acción presente). A veces, utiliza el monólogo interior[1] o fluir de conciencia para lograr las escenas retrospectivas o, simplemente, se funden el uno con el otro. Otras técnicas narrativas que encontramos en el cuento son las siguientes: el **diálogo**, el **método epistolar**, el **diario**, la **memoria** o la **crónica periodística**, entre otras. También suelen intercalar en la narración el sueño de algún personaje u otra historia.

El cuento moderno y contemporáneo no sólo se distingue del tradicional por su libertad formal de estilo y en las múltiples técnicas utilizadas sino, porque presenta un mundo fragmentado, un mundo fantástico y maravilloso, un mundo característico de la complejidad social que ha definido al siglo XX. Por eso, vemos que algunos cuentistas hacen uso de oraciones largas donde se viola la sintaxis y se crea una sensación de torbellino. Esto busca describir el caos emocional en que se halla algún personaje. Puede haber ausencia de signos de puntuación para dar la impresión de lo acelerado que se vive y el caos contemporáneo, que ese movimiento produce, se manifiesta a través de la técnica del fluir de conciencia. El uso de técnicas es tan variado como la imaginación misma del autor y sólo corresponde al lector impartirle significado reescribiendo el cuento durante su lectura.

En cuanto a los **elementos básicos del cuento**, podemos mencionar cuatro. El primero de éstos es la **acción** o la trama. La diferencia entre acción y asunto es que la primera es todo lo que sucede, mientras que el segundo, es el resumen de esa acción. Por su parte, el ambiente incluye el lugar donde ocurre la acción, la época y la atmósfera. Los **personajes** son los actantes o los que intervienen directa o indirectamente en el conflicto. Por último, el **tema** es el mensaje que el autor quiere comunicarnos a través de aquello que nos narra. Se

---

[1] Se define monólogo interior como el discurso de un personaje en el que expresa sus sentimientos más íntimos, es decir, exteriorizar todo lo que ocurre en la mente del personaje.

relaciona directamente con la visión que tiene el cuentista del mundo. Además, puede expresar la posición ideológica del autor frente al conflicto que plantea en el cuento, su percepción del mundo o de la realidad que lo rodea, entre otros.

Otro aspecto importante en una narración es el **punto de vista o voz narrativa**. Éste nos dice quién nos relata la acción del cuento: si es en primera persona, la acción la cuenta uno de los personajes (no tiene que ser necesariamente el protagonista); si es en tercera persona puede ser un personaje o un narrador externo a la acción.

Todos los cuentos tienen una secuencia en la que se narran los hechos. A ello nos referimos cuando hablamos de la **estructura**. En el cuento tradicional podemos identificar las siguientes partes en orden secuencial: introducción o exposición, desarrollo y desenlace. Cabe destacar que el punto culminante (clímax) o nudo se encuentra en el desarrollo. Sin embargo, en la narrativa moderna el orden secuencial se rompe, pues la narración no siempre es lineal, sino que el narrador puede llevarnos del presente al pasado o viceversa. En ocasiones, se juega sucesivamente con los dos planos del tiempo, alternándolos.

Hemos presentado los elementos básicos para deconstruir y construir el significado del cuento leído; así como también, tu propio cuento.

Para ayudarte en tus inicios como cuentista, puedes seguir los consejos que dejó Horacio Quiroga en el *Decálogo del perfecto cuentista*, que a continuación te presentamos.[2]

I. Cree en el maestro —Poe, Maupassant, Kipling, Chéjov— como en Dios mismo.

II. Cree que tu arte es una cima inaccesible. No sueñes en dominarla. Cuando puedas hacerlo lo conseguirás sin saberlo tú mismo.

III. Resiste cuanto puedas a la imitación, pero imita si el influjo es demasiado fuerte. Más que cualquier otra cosa, el desarrollo de la personalidad es una larga paciencia.

---

[1] Quiroga, H. 1993. pp.112-114

IV. Ten fe ciega, no en tu capacidad para el triunfo, sino en el ardor en que lo deseas. Ama a tu arte como a tu novia, dándole todo el corazón.

V. No empieces a escribir sin saber desde la primera palabra a dónde vas. En un cuento bien logrado las tres primeras líneas tienen casi la misma importancia que las últimas tres.

VI. Si quieres expresar con exactitud esta circunstancia: "Desde el río soplaba un viento frío", no hay en lengua humana más palabras que las apuntadas para expresarla. Una vez dueño de las palabras no te preocupes de observar si son consonantes o asonantes.

VII. No adjetives sin necesidad. Inútiles serán cuantas colas adhieras a un sustantivo débil. Si hayas el que es preciso, él, sólo, tendrá un color incomparable. Pero hay que hallarlo.

VIII. Toma los personajes de la mano y llévalos firmemente hasta el final, sin ver otra cosa que el camino que trazaste. No te distraigas viendo tú lo que ellos no pueden o no les importa ver. No abuses del lector. Un cuento es una novela depurada de ripios. Ten esto por una verdad absoluta aunque no lo sea.

IX. No escribas bajo el imperio de la emoción. Déjala morir y evócala luego. Si eres capaz entonces de revivirla tal cual fue, has llegado, en arte, a la mitad del camino.

X. No pienses en los amigos al escribir, ni la impresión que hará tu historia. Cuenta como si el relato no tuviera interés más que para el pequeño ambiente de tus personajes, de los que pudiste haber sido uno. No de otro modo se obtiene la vida en el cuento.

José Luis González

La noche que volvimos a ser gente

¿Que si me acuerdo? Se acuerda el Barrio entero si quieres que te diga la verdad, porque eso no se le va a olvidar ni a Trompoloco, que ya no es capaz de decir ni dónde enterraron a su mamá hace quince días. Lo que pasa es que yo te lo puedo contar mejor que nadie por esa casualidad que tú todavía no sabes. Pero antes vamos a pedir unas cervezas bien frías porque con esta calor del diablo quién quita que hasta me falle la memoria.

Ahora sí, salud y pesetas. Y fuerza donde tú sabes. Bueno, pues de eso ya van cuatro años y si quieres te digo hasta los meses y los días porque para acordarme no tengo más que mirarle la cara al barrigón ése que tú viste ahí en la casa cuando fuiste a procurarme esta mañana. Sí, el mayorcito, que se llama igual que yo pero que si hubiera nacido mujercita hubiéramos tenido que ponerle Estrella o Luz María o algo así. O hasta Milagros, mira, porque aquello fue... Pero si sigo así voy a contarte el cuento al revés, o sea desde el final y no por el principio, así que mejor sigo por donde iba.

Bueno, pues la fecha no te la digo porque ya tú la sabes y lo que te interesa es otra cosa. Entonces resulta que ese día le había dicho yo al *foreman*, que era un judío buena persona y ya sabía su poquito de español, que me diera un *overtime* porque me iban a hacer falta los chavos para el parto de mi mujer, que ya estaba en el último mes y no paraba de sacar cuentas. Que si lo del canastillo, que si lo de la comadrona... Ah, porque ella estaba empeñada en dar a luz en la casa y no en la clínica donde los doctores y las norsas no hablan español y además sale más caro.

Entonces a las cuatro acabé mi primer turno y bajé al come-y-vete ése del italiano que está ahí enfrente de la factoría. Cuestión de echarme algo a la barriga hasta que llegara a casa y la mujer me recalentara la comida, ¿ves? Bueno, pues me metí un par de *hot dogs* con una cerveza mientras le tiraba un vistazo al periódico hispano que había comprado por la mañana, y en eso, cuando estaba leyendo lo de un latino que había hecho tasajo a su corteja porque se la estaba pegando con un chino, en eso, mira, yo no sé si tú crees en esas cosas, pero como que me entró un presentimiento. O sea que sentí que esa noche iba a pasar algo grande, algo que yo no podía decir lo que iba a ser. Yo digo que uno tiene que creer porque tú me dirás qué tenía que ver lo del latino y el chino y la corteja con eso que yo empecé a sentir. A sentir, tú sabes, porque no fue que lo pensara, que eso es distinto. Bueno, pues acabé de mirar el periódico y volví rápido a la factoría para empezar el *overtime*.

Entonces el otro *foreman*, porque el primero ya se había ido, me dice: ¿Qué, te piensas hacer millonario para poner un casino en Puerto Rico? Así, relajando, tú sabes, y vengo yo y le digo, también vacilando: No, si el casino ya lo tengo. Ahora lo que quiero poner es una fábrica. Y me dice: ¿Una fábrica de qué? Y le digo: Una fábrica de humo. Y entonces me pregunta: ¿Ah, sí? ¿Y qué vas a hacer con el humo? Y yo bien serio, con una cara de palo que había que ver: ¡Adiós!... ¿y qué voy a hacer? ¡Enlatarlo! Un vacilón, tú sabes, porque ese *foreman* era todavía más buena persona que el otro. Pero porque le conviene, desde luego: así nos pone de buen humor y nos saca el jugo en el trabajo. Él se cree que yo no lo sé, pero cualquier día se lo digo para que vea que uno no es tan ignorante como parece. Porque esta gente aquí a veces se imagina que uno viene de la última sínsora y confunde el papel de lija con el papel de inodoro, sobre todo cuando uno es trigueñito y con la morusa tirando a caracolillo.

Pero, bueno, eso es noticia vieja y lo que tengo que contarte es otra cosa. Ahora, que la condenada calor sigue y la cerveza ya se nos acabó. La misma marca, ¿no? *Okay*. Pues como te iba diciendo, después que el *foreman* me quiso vacilar y yo lo dejé con las ganas, pegamos a trabajar en serio. Porque eso sí, aquí la guachafita y el trabajo no son compadres. *Time is money*, ya tú sabes. Pegaron a llegarme radios por el *assembly line* y yo a meterles los tubos: chan, chan. Sí, yo lo que hacía entonces era poner los tubos. Dos a cada radio, uno en cada mano: chan, chan. Al principio, cuando no estaba impuesto, a veces se me pasaba un radio y entonces, ¡muchacho!, tenía que correrle detrás y al mismo tiempo echarle el ojo al que venía seguido, y creía que me iba a volver loco. Cuando salía del trabajo sentía como que llevaba un baile de San Vito en todo el cuerpo. A mí me está que por eso en este país hay tanto borracho y tanto vicioso. Sí, chico, porque cuando tú quedas así lo que te pide el cuerpo es un juanetazo de lo que sea, que por lo general es ron o algo así, y ahí se va acostumbrando uno. Yo digo que por eso las mujeres se defienden mejor en el trabajo de factoría, porque ellas se entretienen con el chismorreo y la habladuría y el comentario, ¿ves?, y no se imponen a la bebida.

Bueno, pues ya tenía yo un rato metiendo tubos y pensando boberías cuando en eso viene el *foreman* y me dice: Oye, ahí te buscan. Yo le digo: ¿A quién, a mí? Pues claro, me dice, aquí no hay dos con el mismo nombre. Entonces pusieron a otro en mi lugar para no parar el trabajo y ahí voy yo a ver quién era el que me buscaba. Y era Trompoloco, que no me dice ni qué hubo sino que me espeta: Oye, que te vayas para tu casa que tu mujer se está pariendo, Sí, hombre, así de sopetón. Y es que el pobre Trompoloco se cayó del coy allá en Puerto Rico cuando era chiquito y según decía su mamá, que en paz descanse, cayó de cabeza y parece que del golpe se le ablandaron los sesos. Tuvo un tiempo, cuando yo lo conocí aquí en el Barrio, que de repente se ponía a dar vueltas como loco y no paraba hasta que se mareaba y se caía al suelo. De ahí le vino el apodo. Eso sí, nadie abusa de él porque su mamá era muy buena persona, *medium* espiritista ella, tú sabes, y ayudaba a mucha gente y no cobraba. Uno le dejaba lo que podía, ¿ves?, y si no podía no le dejaba nada. Entonces hay mucha gente que se ocupa de que Trompoloco no pase necesidades. Porque él siempre fue huérfano de padre y no tuvo hermanos, así que como quien dice está solo en el mundo.

Bueno, pues llega Trompoloco y me dice eso y yo digo: Ay, mi madre, ¿y ahora qué hago? El *foreman*, que estaba pendiente de lo que pasaba porque esa gente nunca le pierde ojo a uno en el trabajo, viene y me pregunta: ¿Cuál es el *trouble*? Y yo le digo: Que vienen a buscarme porque mi mujer se está pariendo. Y entonces el *foreman* me dice: Bueno, ¿y qué tú estás esperando? Porque déjame decirte que ese *foreman* también era judío y para los judíos la familia siempre es lo primero. En eso no son como los demás americanos, que entre hijos y padres y entre hermanos se insultan y hasta se dan por cualquier cosa. Yo no sé si será por la clase de vida que la gente lleva en este país. Siempre corriendo detrás del dólar, como los perros ésos del canódromo que ponen a correr detrás de un conejo de trapo. ¿Tú los has visto? Acaban echando el bofe y nunca alcanzan el conejo. Eso sí, les dan comida y los cuidan para que vuelvan a correr al otro día, que es lo mismo que hacen con la gente, si miras bien la cosa. Así que en este país todos venimos a ser como perros de carrera.

Bueno, pues cuando el *foreman* me dijo que qué yo estaba esperando, le digo: Nada, ponerme el *coat* y agarrar el *subway* antes de que mi hijo vaya a llegar y no me encuentre en casa. Contento que estaba yo ya, ¿sabes?, porque iba a ser mi primer hijo y tú sabes cómo es eso. Y me dice el *foreman*: No se te vaya a olvidar ponchar la tarjeta para que cobres la media hora que llevas trabajando, que de ahora palante es cuando te van a hacer falta los chavos. Y le digo: Cómo no, y agarro el *coat* y poncho la tarjeta y le digo a Trompoloco, que estaba parado allí mirando las máquinas como eslembao: ¡Avanza, Trompo, que vamos a llegar tarde! Y bajamos las escaleras corriendo para no esperar el ascensor y llegamos a la acera, que estaba bien *crowded* porque a esa hora todavía había gente saliendo del trabajo. Y digo yo: ¡Maldita sea, y que tocarme la hora del *rush*! Y Trompoloco que no quería correr: Espérate, hombre, espérate, que yo quiero comprar un dulce. Bueno, es que Trompoloco es así ¿ves?, como un nene. Él sirve para hacer un mandado, si es algo sencillo, o para lavar unas escaleras del *building* o cualquier cosa que no haya que pensar. Pero si es cuestión de usar la calculadora, entonces búscate a otro. Así que vengo y le digo: No, Trompo, qué dulce ni qué carajo. Eso lo compras allá en el Barrio cuando lleguemos. Y él: No, no, en el Barrio no hay de los que yo quiero. Ésos nada más se consiguen en Brooklyn. Y le digo: Ay, tú estás loco, y en seguida me arrepiento porque eso es lo único que no se le puede decir a Trompoloco. Y se para ahí en la acera, más serio que un chavo de queso, y me dice: No, no, loco no. Y le digo: No, hombre, si yo no dije loco, yo dije bobo. Lo que pasa es que tú oíste mal. ¡Avanza, que el dulce te lo llevo yo mañana! Y me dice: ¿Seguro que tú no me dijiste loco Y yo: ¡Seguro, hombre! Y él: ¿Y mañana me llevas dos dulces? Mira, loco y todo lo que tú quieras, pero bien que sabe aprovecharse. Y a mí casi me entra la risa y le digo: Claro, chico, te llevo hasta tres si quieres. Y entonces vuelve a poner buena cara y me dice: Está bien, vámonos, pero tres dulces, acuérdate, ¿ah? Y yo, caminando para la entrada del *subway* con Trompoloco detrás: Sí, hombre, tres. Después me dices de cuáles son.

Y bajamos casi corriendo las escaleras y entramos en la estación con aquel mar de gente que tú sabes cómo es eso. Yo pendiente de que Trompoloco no se fuera a quedar atrás porque con el apeñuscamiento y los arrempujones a lo mejor le entraba miedo y quién iba a responder por él. Cuando viene el tren expreso lo agarro por un brazo y le digo: Prepárate y echa palante tú también, que si no nos quedamos afuera. Y él me dice: No te ocupes, y cuando se abre la puerta y salen los que iban a bajar, nos metemos de frente y quedamos prensados entre aquel montón de gente que no podíamos ni mover los brazos. Bueno, mejor, porque así no había que agarrarse de los tubos. Trompoloco iba un poco azorado porque yo creo que era la primera vez que viajaba en *subway* a esa hora, pero como me tenía a mí al lado no había problema, y así seguimos hasta Columbus Circle y allí cambiamos de línea porque teníamos que bajarnos en la 110 y Quinta para llegar a casa, ¿ves?, y ahí volvimos a quedar como sardinas en lata.

Entonces yo iba contando los minutos, pensando si ya mi hijo habría nacido y cómo estaría mi mujer. Y de repente se me ocurre: Bueno, y yo tan seguro de que va a ser macho y a lo mejor me sale una chancleta. Tú sabes que uno siempre quiere que el primero sea hombre. Y la verdad es que eso es un egoísmo de nosotros, porque a la mamá le conviene más que la mayor sea mujer para que después la ayude con el trabajo de la casa y la crianza de los hermanitos. Bueno, pues en eso iba yo pensando y sintiéndome ya muy padre de familia, te das cuenta, cuando... ¡fuácata, ahí fue! Que se va la luz y el tren empieza a perder impulso hasta que se queda parado en la mismita mitad del túnel entre dos estaciones. Bueno, la verdad es que de momento no se asustó nadie. Tú sabes que eso de que las luces se apaguen en el *subway* no es nada del otro mundo: en seguida vuelven a prenderse y la gente ni pestañea. Y eso de que el tren se pare un ratito antes de llegar a una estación tampoco es raro. Así que de momento no se asustó nadie. Prendieron las luces de emergencia y todo el mundo lo más tranquilo. Pero empezó a pasar el tiempo y el tren no se movía. Y yo pensando: Coño, qué mala suerte, ahora que tenía que llegar pronto. Pero todavía creyendo que sería cuestión de un ratito, ¿ves? Y así pasaron como tres minutos más y entonces una señora empezó a toser. Una señora americana ella, medio viejita, que estaba cerca de mí. Yo la miré y vi que estaba tosiendo como sin ganas, y pensé: Eso no es catarro, eso es miedo. Y pasó otro minuto y el tren seguía parado y entonces la señora le dijo a un muchacho que tenía al lado, un muchacho alto y rubio él, tofete, con cara como de irlandés, le dijo la señora: Oiga, joven, ¿a usted esto no le está raro? Y él le dijo: No, no se preocupe, eso no es nada. Pero la señora como que no quedó conforme y siguió con su tosesita y entonces otros pasajeros empezaron a tratar de mirar por las ventanillas, pero como no podían moverse bien y con la oscuridad que había allá afuera, pues no veían nada. Te lo digo porque yo también traté de mirar y lo único que saqué fue un dolor de cuello que me duró un buen rato.

Bueno, pues siguió pasando el tiempo y a mí empezó a darme un calambre en una pierna y ahí fue donde me entró el nerviosismo. No, no por el calambre, sino porque pensé que ya no iba a llegar a tiempo a casa. Y decía yo para entre mí: No, aquí tiene que haber pasado algo, ya es demasiado de mucho el tiempo que tenemos aquí parados. Y como no tenía nada que hacer, puse a funcionar el coco y entonces fue que se me ocurrió lo del suicidio. Bueno, era lo más lógico, ¿por qué no? Tú sabes que aquí hay muchísima gente que ya no se quieren para nada y entonces van y se trepan al Empire State y pegan el salto desde allá arriba y creo que cuando llegan a la calle ya están muertos por el tiempo que tardan en caer. Bueno, yo no sé, eso es lo que me han dicho. Y hay otros que se le tiran por delante al *subway* y quedan que hay que recogerlos con pala. Ah, no, eso sí, a los que brincan desde el Empire State me imagino que habrá que recogerlos con secante. No, pero en serio, porque con esas cosas no se debe relajar, a mí se me ocurrió que lo que había pasado era que alguien se le había tirado debajo al tren que iba delante de nosotros, y hasta pensé: Bueno, pues que en paz descanse pero ya me chavó a mí, porque ahora sí que voy a llegar tarde. Ya mi mujer debe estar pensando que Trompoloco se perdió en el camino o que yo ando borracho por ahí y no me importa lo que está pasando en casa. Porque no es que yo sea muy bebelón, pero de vez en cuando, tú me entiendes... Bueno, y ya que estamos hablando de eso, si quieres cambiamos de marca, pero que estén bien frías a ver si se nos acaba de quitar la calor.

¡Aaajá! Entonces… ¿por dónde iba yo? Ah sí, estaba pensando en eso del suicidio y qué sé yo, cuando de repente —¡rán!— vienen y se abren las puertas del tren. Sí, hombre, sí, allí mismo en el túnel. Y como eso, a la verdad, era una cosa que yo nunca había visto, entonces pensé: Ahora sí que a la puerca se le entorchó el rabo. Y en seguida veo que allá abajo frente a la puerta estaban unos como inspectores o algo así porque tenían uniforme y traían unas linternas de ésas como faroles. Y nos dice uno de ellos: *Take it easy* que no hay peligro. Bajen despacio y sin empujar. Y ahí mismo la gente empezó a bajar y a preguntarle al *mister* aquél: ¿Qué es lo que pasa, qué es lo que pasa? Y él: Cuando estén todos acá abajo les voy a decir. Yo agarré a Trompoloco por el brazo y le dije: ¿Ya tú oíste? No hay peligro, pero no te vayas a apartar de mí. Y él me decía que sí con la cabeza, porque yo creo que del susto se le había ido hasta la voz. No decía nada, pero parecía que los macos se le iban a salir de la cara: los tenía como platillos y casi le brillaban en la oscuridad, como a los gatos.

Bueno, pues fuimos saliendo del tren hasta que no quedó nadie adentro. Entonces, cuando estuvimos todos alineados allá abajo, los inspectores empezaron a recorrer la fila que nosotros habíamos formado y nos fueron explicando, así por grupos, ¿ves?, que lo que pasaba era que había habido un *blackout* o sea que se había ido la luz en toda la ciudad y no se sabía cuándo iba a volver. Entonces la señora de la tosesita, que había quedado cerca de mí, le preguntó al inspector: Oiga, ¿y cuándo vamos a salir de aquí? Y él le dijo: Tenemos que esperar un poco porque hay otros trenes delante de nosotros y no podemos salir todos a la misma vez. Y ahí pegamos a esperar. Y yo pensando: Maldita sea mi suerte, mira que tener que pasar esto el día de hoy, cuando en eso siento que Trompoloco me jala la manga del *coat* y me dice bien bajito, como en secreto: Oye, oye, panita, me estoy meando. ¡Imagínate tú! Lo único que faltaba. Y le digo: Ay, Trompo, bendito, aguántate, ¿tú no ves que aquí eso es imposible? Y me dice: Pero es que hace rato que tengo ganas y ya no aguanto más. Entonces me pongo a pensar rápido porque aquello era una emergencia, ¿no?, y lo único que se me ocurre es ir a preguntarle al inspector qué se podía hacer. Le digo a Trompoloco: Bueno, espérame un momentito, pero no te vayas a mover de aquí. Y me salgo de la línea y voy y le digo al inspector: *Listen, mister, my friend wanna take a leak*, o sea que mi amigo quería cambiarle el agua al canario. Y me dice el inspector: *Goddamit to hell, can't he hold it in a while?* Y le digo que eso mismo le había dicho yo, que se aguantara, Pero que ya no podía. Entonces me dice: Bueno, que lo haga donde pueda, pero que no se aleje mucho. Así que vuelvo donde Trompoloco y le digo: Vente conmigo por ahí atrás a ver si encontramos un lugarcito. Y pegamos a caminar, pero aquella hilera de gente no se acababa nunca. Ya habíamos caminado un trecho cuando vuelve a jalarme la manga y me dice: Ahora sí que ya no aguanto, *brother*. Entonces le digo: Pues mira, ponte detrás de mí pegadito a la pared, pero ten cuenta que no me vayas a mojar los zapatos. Y hazlo despacito, para que no se oiga. Y ni había acabado de hablar cuando oigo aquello que… bueno, ¿tú sabes cómo hacen eso los caballos? Pues con decirte que parecía que eran dos caballos en vez de uno. Si yo no sé cómo no se le había reventado la vejiga. No, una cosa terrible. Yo pensé: Ave María, éste me va a salpicar hasta el *coat*. Y mira que era de esos cortitos, que no llegan ni a la rodilla, porque a mí siempre me ha gustado estar a la moda, ¿verdad? Y entonces claro, la gente que estaba por allí tuvo que darse cuenta y yo oí que empezaron a murmurar. Y pensé: Menos mal que está oscuro y no nos pueden ver la cara, porque si se dan cuenta que somos puertorriqueños... Ya tú sabes cómo es el asunto aquí. Yo pensando todo eso y Trompoloco que no acababa. ¡Cristiano, las cosas que le pasan a uno en este país! Después las cuentas y la gente no te las cree. Bueno, pues al fin

Trompoloco acabó, o por lo menos eso creí yo porque ya no se oía aquel estrépito que estaba haciendo, pero pasaba el tiempo y no se movía. Y le digo: Oye, ¿ya tú acabaste? Y me dice: Si. Y yo: Pues ya vámonos. Y entonces me sale con que: Espérate, que me estoy sacudiendo. Mira, ahí fue donde yo me encocoré. Le digo: Pero, muchacho, ¿eso es una manguera o qué? ¡Camina por ahí si no quieres que esta gente nos sacuda hasta los huesos después de esa inundación que tú has hecho aquí! Entonces como que comprendió la situación y me dijo: Está bien, está bien, vámonos.

Pues volvimos adonde estábamos antes y ahí nos quedamos esperando como media hora más. Yo oía a la gente alrededor de mí hablando en inglés, quejándose y diciendo que qué abuso, que parecía mentira, que si el alcalde, que si qué sé yo. Y de repente oigo por allá que alguien dice en español: Bueno, para estirar la pata lo mismo da aquí adentro que allá afuera, y mejor que sea aquí porque así el entierro tiene que pagarlo el gobierno. Sí, algún boricua que quería hacerse el gracioso. Yo miré así a ver si lo veía, para decirle que el entierro de él lo iba a pagar la sociedad protectora de animales, pero en aquella oscuridad no pude ver quién era. Y lo malo fue que el chistecito aquél me hizo su efecto, no te creas. Porque parado allí sin hacer nada y con la preocupación que traía yo y todo ese problema, ¿tú sabes lo que se me ocurrió a mí entonces? Imagínate, yo pensé que el inspector nos había dicho un embuste y que lo que pasaba era que ya había empezado la tercera guerra mundial. No, no te rías, yo te apuesto que yo no era el único que estaba pensando eso. Sí, hombre, con todo lo que se pasan diciendo los periódicos aquí, de que si los rusos y los chinos y hasta los marcianos en los platillos voladores... Pues claro, ¿y por qué tú te crees que en este país hay tanto loco? Si ahí en Bellevue ya ni caben y creo que van a tener que construir otro manicomio.

Bueno, pues en esa barbaridad estaba yo pensando cuando vienen los inspectores y nos dicen que ya nos tocaba el turno de salir a nosotros, pero caminando en fila y con calma. Entonces pegamos a caminar y al fin llegamos a la estación, que era la de la 96. Así que tú ves, no estábamos tan lejos de casa, pero tampoco tan cerca porque eran unas cuantas calles las que nos faltaban. Imagínate que eso nos hubiera pasado en la 28 o algo así. La cagazón, ¿no? Pero, bueno, la cosa es que llegamos a la estación y le digo a Trompoloco: Avanza y vamos a salir de aquí. Y subimos las escaleras con todo aquel montón de gente que parecía un hormiguero cuando tú le echas agua caliente, y al salir a la calle, ¡ay, bendito! No, no, tiniebla, no, porque estaban las luces de los carros y eso, ¿verdad? Pero oscuridad sí porque ni en la calle ni en los edificios había una sola luz prendida. Y en eso pasó un tipo con un radio de esos portátiles, y como iba caminando en la misma dirección que yo, me le emparejé y me puse a oír lo que estaba diciendo el radio. Y era lo mismo que nos había dicho el inspector allá abajo en el túnel, así que ahí se me quitó la preocupación ésa de la guerra. Pero entonces me volvió la otra, la del parto de mi mujer y eso, ¿ves?, y le digo a Trompoloco: Bueno, paisa, ahora la cosa es en el carro de don Fernando, un ratito a pie y otro andando, así que a ver quién llega primero. Y me dice él: Te voy, te voy, riéndose, ¿sabes?, como que ya se le había pasado el susto.

Y pegamos a caminar bien ligero porque además estaba haciendo frío. Y cuando íbamos por la 103 o algo así, pienso yo: Bueno, y si no hay luz en casa, ¿cómo habrán hecho para el parto? A lo mejor tuvieron que llamar la ambulancia para llevarse a mi mujer a alguna clínica y ahora yo no voy a saber ni dónde está. Porque, oye, lo que es el día que uno se levanta de malas... Entonces con esa idea en la cabeza entré yo en la recta final que parecía un campeón: yo creo que no tardamos ni cinco minutos de la 103 a casa. Y ahí mismo entro y agarro por aquellas escaleras oscuras que no veía ni los escalones y... Ah, pero ahora va a empezar lo bueno, lo que tú quieres que yo te cuente porque tú no estabas en Nueva York ese día, ¿verdad? *Okay*. Pues entonces vamos a pedir otras cervecitas porque tengo el gaznate más seco que aquellos arenales de Salinas donde yo me crié.

Pues como te iba diciendo. Esa noche rompí el récord mundial de tres pisos de escaleras en la oscuridad. Ya ni sabía si Trompoloco me venía siguiendo. Cuando llegué frente a la puerta del apartamento traía la llave en la mano y la metí en la cerradura al primer golpe, como si la estuviera viendo. Y entonces, cuando abrí la puerta, lo primero que vi fue que había cuatro velas prendidas en la sala y unas cuantas vecinas allí sentadas, lo más tranquilas y dándole a la sin hueso que aquello parecía la olimpiada del bembeteo. Ave María, y es que ése es el deporte favorito de las mujeres. Yo creo que el día que les prohiban eso se forma una revolución más grande que la de Fidel Castro. Pero eso sí, cuando me vieron entrar así de sopetón les pegué un susto que se quedaron mudas de repente. Cuantimás que yo ni siquiera dije buenas noches sino que ahí mismo empecé a preguntar: Oigan, ¿y qué ha pasado con mi mujer? ¿Dónde está? ¿Se la llevaron? Y entonces una de las señoras viene y me dice: No, hombre, no, ella está ahí adentro lo más bien. Aquí estábamos comentando que para ser el primer parto... Y en ese mismo momento oigo yo aquellos berridos que empezó a pegar mi hijo allá en el cuarto. Bueno, yo todavía no sabía si era hijo o hija, pero lo que si te digo es que gritaba más que Daniel Santos en sus buenos tiempos. Y entonces le digo a la señora: Con permiso, doña, y me tiro para el cuarto y abro la puerta y lo primero que veo es aquel montón de velas prendidas que eso parecía un altar de iglesia. Y la comadrona allí trajinando con las palanganas y los trapos y esas cosas, y mi mujer en la cama quietecita, pero con los ojos bien abiertos. Y cuando me ve dice, así con la voz bien finita: Ay, mi hijo, qué bueno que ya llegaste. Yo ya estaba preocupada por ti. Fíjate, bendito, y que preocupada por mí, ella que era la que acababa de salir de ese brete del parto. Sí, hombre, las mujeres a veces tienen esas cosas. Yo creo que por eso es que les aguantamos sus boberías y las queremos tanto, ¿verdad? Entonces yo le iba a explicar el problema del *subway* y eso, cuando me dice la comadrona: Oiga, ese muchacho es la misma cara de usted. Venga a verlo, mire. Y era que estaba ahí en la cama al lado de mi mujer, pero como era tan chiquito casi ni se veía. Entonces me acerco y le miro la carita, que era lo único que se le podía ver porque ya lo tenían más envuelto que pastel de hoja. Y cuando yo estoy ahí mirándolo me dice mi mujer: ¿Verdad que salió a ti? Y le digo: Sí, se parece bastante. Pero yo pensando: No, hombre, ése no se parece a mí ni a nadie, si lo que parece es un ratón recién nacido. Pero es que así somos todos cuando llegamos al mundo, ¿no? Y me dice mi mujer: Pues salió machito, como tú lo querías. Y yo, por decir algo: Bueno, a ver si la próxima vez formamos la parejita. Yo tratando de que no se me notara ese orgullo y esa felicidad que yo estaba sintiendo, ¿ves? Y entonces dice la comadrona: Bueno, ¿y qué nombre le van a poner? Y dice mi mujer: Pues el mismo del papá, para que no se le vaya a olvidar que es suyo. Bromeando, tú sabes, pero con su pullita. Y yo le digo: Bueno, nena, si ése es tu gusto... Y en eso ya mi hijo se había callado y yo empiezo a oír como una música que venía de la parte de arriba del *building*, pero una música que no era de radio ni de disco, ¿ves?, sino como de un conjunto que estuviera allí mismo, porque a la misma vez que la música se oía una risería y una conversación de mucha gente. Y le digo a mi mujer: Adiós, ¿y por ahí hay bachata? Y me dice: Bueno, yo no sé, pero parece que sí porque hace rato que estamos oyendo eso. A lo mejor es un *party* de cumpleaños. Y digo yo: ¿Pero así, sin luz? Y entonces dice la comadrona: Bueno, a lo mejor hicieron igual que nosotros, que salimos a comprar velas. Y en eso oigo yo que Trompoloco me llama desde la sala: Oye, oye, ven acá. Sí, hombre, Trompoloco que había llegado después que yo y se había puesto a averiguar. Entonces salgo y le digo: ¿Qué pasa? Y me dice: Muchacho, que allá arriba en el rufo está chévere la cosa. Sí, en el rufo, o sea en la azotea. Y digo yo: Bueno, pues vamos a ver qué es lo que pasa. Yo todavía sin imaginarme nada, ¿ves?

Entonces agarramos las escaleras y subimos y cuando salgo para afuera veo que allí estaba casi todo el *building*: doña Lula la viuda del primer piso, Cheo el de Aguadilla que había cerrado el cafetín cuando se fue la luz y se había metido en su casa, las muchachas del segundo que ni trabajan ni están en el *welfare* según las malas lenguas, don Leo el ministro pentecostés que tiene cuatro hijos aquí y siete en Puerto Rico, Pipo y los muchachos de doña Lula y uno de los de don Leo, que ésos eran los que habían formado el conjunto con una guitarra, un güiro, unas maracas y hasta unos timbales que no sé de dónde los sacaron porque nunca los había visto por allí. Sí un cuarteto. Oye, ¡y sonaba! Cuando yo llegué estaban tocando "Preciosa" y el que cantaba era Pipo, que tú sabes que es independentista y cuando llega a aquella parte que dice: *Preciosa, preciosa te llaman los hijos de hijos de la libertad*, subía la voz que yo creo que lo oían hasta en Morovis. Y yo allí parado mirando a toda aquella gente y oyendo la canción, cuando viene y se me acerca una de las muchachas del segundo piso, una medio gordita ella que creo que se llama Mirta, y me dice: Oiga, qué bueno que subió. Véngase para acá para que se dé un palito. Ah, porque tenían sus botellas y unos vasitos de cartón allí encima de una silla, y yo no sé si eran de Bacardí o Don Q, porque desde donde yo estaba no se veía tanto, pero le digo en seguida a la muchacha: Bueno, si usted me lo ofrece yo acepto con mucho gusto. Y vamos y me sirve el ron y entonces le pregunto: Bueno, ¿y por qué es la fiesta, si se puede saber? Y en eso viene doña Lula, la viuda, y me dice: Adiós, ¿pero usted no se ha fijado? Y yo miro así como buscando por los lados, pero doña Lula me dice: No, hombre, cristiano, por ahí no. Mire, para arriba. Y cuando yo levanto la cabeza y miro, me dice: ¿Qué está viendo? Y yo: Pues la luna. Y ella: ¿Y qué más? Y yo: Pues las estrellas. ¡Ave María, muchacho, y ahí fue donde yo caí en cuenta! Yo creo que doña Lula me lo vio en la cara porque ya no me dijo nada más. Me puso las dos manos en los hombros y se quedó mirando ella también, quietecita, como si yo estuviera dormido y ella no quisiera despertarme. Porque yo no sé si tú me lo vas a creer, pero aquello era como un sueño. Había salido una luna de este tamaño, mira, y amarilla amarilla como si estuviera hecha de oro, y el cielo estaba todito lleno de estrellas como si todos los cocuyos del mundo se hubieran subido hasta allá arriba y después se hubieran quedado a descansar en aquella inmensidad. Igual que en Puerto Rico cualquier noche del año, pero era que después de tanto tiempo sin poder ver el cielo, por ese resplandor de los millones de luces eléctricas que se prenden aquí todas las noches, ya se nos había olvidado que las estrellas existían. Y entonces, cuando llevábamos yo no sé cuánto tiempo contemplando aquel milagro, oigo a doña Lula que me dice: Bueno, y parece que no somos los únicos que estamos celebrando. Y era verdad. Yo no podría decirte en cuántas azoteas del Barrio se hizo fiesta aquella noche, pero seguro que fue en unas cuantas, porque cuando el conjunto de nosotros dejaba de tocar, oíamos clarita la música que llegaba de otros sitios. Entonces yo pensé muchas cosas. Pensé en mi hijo que acababa de nacer y en lo que iba a ser su vida aquí, pensé en Puerto Rico y en los viejos y en todo lo que dejamos allá nada más que por necesidad, pensé tantas cosas que algunas ya se me han olvidado, porque tú sabes que la mente es como una pizarra y el tiempo como un borrador que le pasa por encima cada vez que se nos llena. Pero de lo que sí me voy a acordar siempre es de lo que le dije yo entonces a doña Lula, que es lo que te voy a decir ahora para acabar de contarte lo que tú querías saber. Y es que, según mi pobre manera de entender las cosas, aquélla fue la noche que volvimos a ser gente.

José Luis González

Una caja de plomo que no se podía abrir

Esto sucedió hace dos años, cuando llegaron los restos de Moncho Ramírez, que murió en Corea. Bueno, eso de "los restos de Moncho Ramírez" es un decir, porque la verdad es que nadie llegó a saber nunca lo que había dentro de aquella caja de plomo que no se podía abrir. De plomo, sí, señor, y que no se podía abrir; y eso fue lo que puso como loca a doña Milla, la mamá de Moncho, porque lo que ella quería era ver a su hijo antes de que lo enterraran y... Pero más vale que yo empiece a contar esto desde el principio.

Seis meses después que se llevaron a Moncho Ramírez a Corea, doña Milla recibió una carta del gobierno que decía que Moncho estaba en la lista de los desaparecidos en combate. La carta se la dio doña Milla a un vecino para que se la leyera porque venía de los Estados Unidos y estaba en inglés. Cuando doña Milla se enteró de lo que decía la carta, se encerró en sus dos piezas y se pasó tres días llorando. No les abrió la puerta ni a las vecinas que fueron a llevarle guarapillos.

En el ranchón se habló muchísimo de la desaparición de Moncho Ramírez. Al principio algunos opinamos que Moncho seguramente se había perdido en algún monte y ya aparecería el día menos pensado. Otros dijeron que a lo mejor los coreanos o los chinos lo habían hecho prisionero y después de la guerra lo devolverían. Por las noches, después de comer, los hombres nos reuníamos en el patio del ranchón y nos poníamos a discutir esas dos posibilidades, y así vinimos a llamarnos "los perdidos" y "los prisioneros", según lo que pensáramos que le había sucedido a Moncho Ramírez. Ahora que ya todo eso es un recuerdo, yo me pregunto cuántos de nosotros pensábamos, sin decirlo, que Moncho no estaba perdido en ningún monte ni era prisionero de los coreanos o los chinos, sino que estaba muerto. Yo pensaba eso muchas veces, pero nunca lo decía, y ahora me parece que a todos les pasaba igual. Porque no está bien eso de ponerse a dar por muerto a nadie —y menos a un buen amigo como era Moncho Ramírez, que había nacido en el ranchón— antes de saberlo uno con seguridad. Y además, ¿cómo íbamos a discutir por las noches en el patio del ranchón si no había dos opiniones diferentes?

Dos meses después de la primera carta, llegó otra. Esta segunda carta, que le leyó a doña Milla el mismo vecino porque estaba en inglés igual que la primera, decía que Moncho Ramírez había aparecido. O, mejor dicho, lo que quedaba de Moncho Ramírez. Nosotros nos enteramos de eso por los gritos que empezó a dar doña Milla tan pronto supo lo que decía la carta. Aquella tarde todo el ranchón se vació en las dos piezas de doña Milla. Yo no sé cómo cabíamos allí, pero allí estábamos toditos, y éramos unos cuantos como quien dice. A doña Milla tuvieron que acostarla las mujeres cuando todavía no era de noche porque de tanto gritar, mirando el retrato de Moncho en uniforme militar, entre una bandera americana y un águila con un mazo de flechas entre las garras, se había puesto como tonta. Los hombres nos fuimos saliendo al patio poco a poco, pero aquella noche no hubo discusión porque ya todos sabíamos que Moncho estaba muerto y era imposible ponerse a imaginar.

Tres meses después llegó la caja de plomo que no se podía abrir. La trajeron una tarde, sin avisar, en un camión del Ejército, cuatro soldados de la Policía Militar con rifles y guantes blancos. A los cuatro soldados los mandaba un teniente, que no traía rifle, pero sí una cuarenta y cinco en la cintura. Ése fue el primero en bajar del camión. Se plantó en medio de la calle, con los puños en las caderas y las piernas abiertas, y miró la fachada del ranchón como mira un hombre a otro cuando va a pedirle cuentas por alguna ofensa. Después volteó la cabeza y les dijo a los que estaban en el camión:

–Sí, aquí es. Bájense.

Los cuatro soldados se apearon, dos de ellos cargando la caja, que no era del tamaño de un ataúd, sino más pequeña y estaba cubierta con una bandera americana.

El teniente tuvo que preguntar a un grupo de vecinos en la acera cuál era la pieza de la viuda de Ramírez (ustedes saben cómo son estos ranchones de Puerta de Tierra: quince o veinte puertas, cada una de las cuales da a una vivienda, y la mayoría de las puertas sin número ni nada que indique quién vive allí). Los vecinos no sólo le informaron al teniente que la puerta de doña Milla era la cuarta a mano izquierda, entrando, sino que siguieron a los cinco militares dentro del ranchón sin despegar los ojos de la caja cubierta con la bandera americana.

El teniente, sin disimular la molestia que le causaba el acompañamiento, tocó a la puerta con la mano enguantada de blanco. Abrió doña Milla y el oficial le preguntó:

—¿La señora Emilia viuda de Ramírez?

Doña Milla no contestó en seguida. Miró sucesivamente al teniente, a los cuatro soldados, a los vecinos, a la caja.

—¿Ah? —dijo como si no hubiera oído la pregunta del oficial.

—Señora, ¿usted es doña Emilia viuda de Ramírez?

Doña Milla volvió a mirar la caja cubierta con la bandera. Levantó una mano, señaló, preguntó a su vez con la voz delgadita:

—¿Qué es eso?

El teniente repitió, con un dejo de impaciencia:

—Señora, ¿usted es…

—¿Qué es eso, ah? —volvió a preguntar doña Milla, en ese trémulo tono de voz con que una mujer se anticipa siempre a la confirmación de una desgracia–. Dígame, ¿qué es eso?

El teniente volteó la cabeza, miró a los vecinos. Leyó en los ojos de todos la misma interrogación. Se volvió nuevamente hacia la mujer; carraspeó; dijo al fin:

–Señora... El Ejército de los Estados Unidos...

Se interrumpió, como quien olvida de repente algo que está acostumbrado a decir de memoria.

—Señora… —recomenzó—. Su hijo, el cabo Ramón Ramírez...

Después de esas palabras dijo otras que nadie llegó a escuchar porque ya doña Milla se había puesto a dar gritos, unos gritos tremendos que parecían desgarrarle la garganta.

Lo que sucedió inmediatamente después resultó demasiado confuso para que yo, que estaba en el grupo de vecinos detrás de los militares, pueda recordarlo bien. Alguien empujó con fuerza y en unos instantes todos nos encontramos dentro de la pieza de doña Milla. Una mujer pidió agua de azahar a voces, mientras trataba de impedir que doña Milla se clavara las uñas en el rostro. El teniente empezó a decir: "¡Calma! ¡Calma!", pero nadie le hizo caso. Más y más vecinos fueron llegando, como llamados por el tumulto, hasta que resultó imposible dar un paso dentro de la pieza. Al fin varias mujeres lograron llevarse a doña Milla a la otra habitación. La hicieron tomar agua de azahar y la acostaron en la cama. En la primera pieza quedamos sólo los hombres. El teniente se dirigió entonces a nosotros con una sonrisa forzada:

—Bueno, muchachos... Ustedes eran amigos del cabo Ramírez, ¿verdad?

Nadie contestó. El teniente añadió:

—Bueno, muchachos... En lo que las mujeres se calman, ustedes pueden ayudarme, ¿no? Pónganme aquella mesita en el medio de la pieza. Vamos a colocar ahí la caja para hacerle la guardia.

Uno de nosotros habló entonces por primera vez. Fue el viejo Sotero Valle, que había sido compañero de trabajo en los muelles del difunto Artemio Ramírez, esposo de doña Milla y papá de Moncho. Señaló la caja cubierta con la bandera americana y empezó a interrogar al teniente:

—¿Ahí... ahí...?

—Sí, señor —dijo el teniente—. Esa caja contiene los restos del cabo Ramírez. ¿Usted conocía al cabo Ramírez?

—Era mi ahijado —contestó Sotero Valle, muy quedo, como si temiera no llegar a concluir la frase.

—El cabo Ramírez murió en el cumplimiento de su deber —dijo el teniente, y ya nadie volvió a hablar.

Eso fue como a las cinco de la tarde. Por la noche no cabía la gente en la pieza: habían llegado vecinos de todo el barrio, que llenaban el patio y llegaban hasta la acera. Adentro tomábamos el café que colaba de hora en hora una vecina. De otras piezas se habían traído varias sillas, pero los más de los presentes estábamos de pie: así ocupábamos menos espacio. Las mujeres seguían encerradas con doña Milla en la otra habitación. Una de ellas salía de vez en cuando a buscar cualquier cosa —agua, alcoholado, café— y aprovechaba, para informarnos:

—Ya está más calmada. Yo creo que de aquí a un rato podrá salir.

Los cuatro soldados montaban guardia, el rifle prensado contra la pierna derecha, dos a cada lado de la mesita sobre la que descansaba la caja cubierta con la bandera. El teniente se había apostado al pie de la mesita, de espaldas a ésta y a sus cuatro hombres, las piernas separadas y las manos a la espalda. Al principio, cuando se coló el primer café, alguien le ofreció una taza, pero él no la aceptó. Dijo que no se podía interrumpir la guardia.

El viejo Sotero Valle tampoco quiso tomar café. Se había sentado desde el principio frente a la mesita y no le había dirigido la palabra a nadie durante todo ese tiempo. Y durante todo ese tiempo no había apartado la mirada de la caja. Era una mirada rara la del viejo Sotero: parecía que miraba sin ver. De repente (en los momentos en que servían café por cuarta vez) se levantó de la silla y se acercó al teniente.

—Oiga —le dijo, sin mirarlo, los ojos siempre fijos en la caja—. ¿Usté dice que mi ahijado Ramón Ramírez está ahí adentro?

—Sí, señor —contestó el oficial.

—Pero… ¿en esa caja tan chiquita?

—Bueno, mire... es que ahí sólo están los restos del cabo Ramírez.

—¿Quiere decir que… que lo único que encontraron...

—Solamente los restos, sí, señor. Seguramente ya había muerto hacía bastante tiempo. Así sucede en la guerra, ¿ve?

El viejo no dijo nada más. Todavía de pie, siguió mirando la caja durante un rato; después volvió a su silla.

Unos minutos más tarde se abrió la puerta de la otra habitación y doña Milla salió apoyada en los brazos de dos vecinas. Estaba pálida y despeinada, pero su semblante reflejaba una gran serenidad. Caminó lentamente, siempre apoyada en las otras dos mujeres, hasta llegar frente al teniente. Le dijo:

—Señor... tenga la bondad... díganos cómo se abre la caja.

El teniente la miró sorprendido.

—Señora, la caja no se puede abrir. Está sellada.

Doña Milla pareció no comprender. Agrandó los ojos y los fijó largamente en los del oficial, hasta que éste se sintió obligado a repetir:

—La caja está sellada, señora. No se puede abrir.

La mujer movió de un lado a otro, lentamente, la cabeza:

—Pero yo quiero ver a mi hijo. Yo quiero ver a mi hijo, ¿usted me entiende? Yo no puedo dejar que lo entierren sin verlo por última vez.

El teniente nos miró entonces a nosotros; era evidente que su mirada solicitaba comprensión, pero nadie dijo una palabra. Doña Milla dio un paso hacia la caja, retiró con delicadeza una punta de la bandera, tocó levemente.

—Señor —le dijo al oficial, sin mirarlo—, esta caja no es de madera, ¿De qué es esta caja, señor?

—Es de plomo, señora. Las hacen así para que resistan mejor el viaje por mar desde Corea.

—¿De plomo? —murmuró doña Milla sin apartar la mirada de la caja—. ¿Y no se puede abrir?

El teniente, mirándonos nuevamentea nosotros, repitió:

—Las hacen así para que resistan mejor el via...

Pero no pudo terminar; no lo dejaron terminar los gritos de doña Milla, unos gritos terribles que a mí me hicieron sentir como si repentinamente me hubiesen golpeado en la boca del estómago:

—¡Moncho! ¡Moncho, hijo mío, nadie va a enterrarte sin que yo te vea! ¡Nadie, mi hijito, nadie...!

Otra vez se me hace difícil contar con exactitud: los gritos de doña Milla produjeron una gran confusión. Las dos mujeres que la sostenían por los brazos trataron de alejarla de la caja, pero ella frustró el intento aflojando el cuerpo y dejándose ir hacia el suelo. Entonces intervinieron varios hombres. Yo no: yo todavía no me libraba de aquella sensación en la boca del estómago. El viejo Sotero Valle fue uno de los que acudieron junto a doña Emilia, y yo me senté en su silla. No me da vergüenza decirlo: o me sentaba o tenía que salir de la pieza. Yo no sé si a alguno de ustedes le ha pasado eso alguna vez. No, no era miedo, porque ningún peligro me amenazaba en aquel momento. Pero yo sentía el estómago duro y apretado como un puño, y las piernas como si súbitamente se me hubiesen vuelto de trapo. Si a alguno de ustedes le ha pasado eso alguna vez, sabrá lo que quiero decir. Y si no... bueno, si no, ojalá que no le pase nunca. O por lo menos que le pase donde la gente no se dé cuenta.

Yo me senté. Me senté y, en medio de la tremenda confusión que me rodeaba, me puse a pensar en Moncho como nunca en mi vida había pensado en él. Doña Milla gritaba hasta enronquecer mientras la iban arrastrando hacia la otra habitación, y yo pensaba en Moncho, en Moncho que nació en aquel mismo ranchón donde también nací yo, en Moncho que fue el único que no lloró cuando nos llevaron a la escuela por primera vez, en Moncho que nadaba más lejos que nadie cuando íbamos a la playa detrás del Capitolio, en Moncho que había sido siempre cuarto bate cuando jugábamos pelota en Isla Grande, antes de que hicieran allí la base aérea... Doña Milla seguía gritando que a su hijo no iba a enterrarlo nadie sin que ella lo viera por última vez. Pero la caja era de plomo y no se podía abrir.

Al otro día enterramos a Moncho Ramírez. Un destacamento de soldados hizo una descarga cuando los restos de Moncho —o lo que hubiera dentro de aquella caja— descendieron al húmedo y hondo agujero de su tumba. Doña Milla asistió a toda la ceremonia de rodillas sobre la tierra.

De todo eso hace dos años. A mí no se me había ocurrido contarlo hasta ahora. Es posible que alguien se pregunte por qué lo cuento al fin. Yo diré que esta mañana vino el cartero al ranchón. No tuve que pedirle ayuda a nadie para leer lo que me trajo, porque yo sé mi poco de inglés. Era el aviso de reclutamiento militar.

CUENTO

PUERTO RICO

Magali García Ramis

Todos los domingos

Ninguno de nosotros jamás ha muerto, así que tengo que decir que no.

—No señora, no, nadie de mi familia ha muerto, por lo menos desde que yo nací, no. Sus ojos negros profundos hurgan dentro de los míos dormidos. La luz tenue de las seis y media de la mañana se filtra por las rendijas de la casucha. Doña Amparo cierra de nuevo los ojos. Está en trance, pienso.

—Yo lo veo ahí, al lado tuyo. Es el espíritu de una muchacha que murió, ¿sabe? Como de dieciocho años, ¿sabe? pero no sé cómo murió. Siempre está contigo. Tú dices que no ha muerto ninguna hermana tuya...

—No tengo hermanas.

—O alguna amiga.

—No tengo amigas.

—Es alguien que está muy cerca de ti, ¿sabe? como de tu casa.

Sí, de mi casa puede ser, pienso. Me distrae el continuo "¿sabe?" de Doña Amparo. Ella trata de mirar adentro de mí, a esa parte de mí que ni yo conozco, y siento que me cierro.

—No puedo ver más, hay interferencias. Date tres baños de agua de flores, ¿sabe? Pa' que el espíritu no te domine.

Para que yo no me domine, sí, sí señora, le digo. Estoy a punto de decirle que me aburren los espíritus, pero como tantas otras cosas, lo digo en silencio y lo guardo en mi memoria. Me levanto del banquillo de madera y voy a darle el dólar. Trato de recordar las instrucciones de mi prima: "Lo pones en una latita que tiene sobre el escritorio". Doña Amparo me mira sin decir palabra y me pongo nerviosa. Echo el peso en la primera lata que veo sin darme cuenta que tiene agua adentro.

—No, ahí no.

Lo dice alarmada. Miro dentro de la lata azul, mohosa. Por un segundo me veo reflejada en el agua. Me veo doble. Mi espíritu y yo, pienso, y sonrío para mí. Perdone, le digo y saco el billete mojado y se lo doy. Me acuerdo entonces que se supone que sientan las vibraciones de los espíritus en el agua. Voy a levantar la cortina vieja para salir del cuartito, pero ella me llama una última vez:

—Oye, ten cuidado, ten cuidado con tu casa, y con las cosas que empujan a uno, como el viento.

Con mi casa. Así que ha mirado dentro de mí. A mí nadie me empuja, ni el viento, sólo yo, pero no vale la pena explicarle.

—Sí, sí, bueno. Buenos días y gracias.

Cuidado, siempre cuidado. Cuidado con mi casa. Cuidado con el viento. Cuidado con el mundo. Vive con cuidado, bocabajo, repite la gente a diario, por eso no entienden. En la sala de espera una docena de personas aguardan turno. Para saber su futuro. Para saber si vale la pena casarse con él aunque bebe mucho. Y para saber quién le echó mal de ojo al niño. Y cuál es la amante del marido. Para saber todo lo que solamente los brujos saben desde tiempo inmemorial y los hombres los buscan —para saber.

La humedad, la humedad tropical, humedad de diciembre en verano, de mañana que anuncia domingo pegajoso, recorre los campos alrededor, y me toca el cuello y la cara al yo salir de la casucha de Doña Amparo la espiritista. Respiro un poco de aire libre. A lo lejos veo la cordillera que se desnuda de la capa de niebla con que pasó la noche. Mis primas aguardan en el automóvil. Están entusiasmadas. Con fe y con incredulidad; con esperanza de que sea cierto y con duda de si lo es, hablan excitadas de lo que les dijo Doña Amparo.

—¿Te gustó?

—Sí, ¡cuéntame lo que te dijo!

—¡Me dijo que todo va a salir bien con Jorge! , me dijo que...

Yo me acomodo en la parte de atrás. Las dejo que hablen. Hoy es domingo. También las dejaría hablar si fuera sábado, o lunes. No me interesa. Sólo quiero llegar a casa. Hoy es domingo, y todos los domingos, mi familia, que nunca muere, tiene que reunirse en la casa de campo, y yo, si no voy a casa, muero de aburrimiento. Odio los domingos, pero si no fuera por ellos, jamás podría ir a mi casa. En el camino de regreso me embobo mirando los montes. Es lo más fuerte que hay, los montes, un monte, cualquier monte. El viento entra por la ventana y me besa los ojos. Miro los montes otra vez, dentro de una horas, estaré dentro de ellos.

La señal, la señal de la cruz. El esposo de bigote negro a la esposa menuda. La madrina a la ahijada. El hermano mayor al menor, rociándole de una vez agua bendita por toda la cara. La abuela al nieto impaciente. La madre al niño en brazos. Todos hacen la señal de la cruz. Todo el pueblo, generación tras generación, moja sus dedos en la misma pileta de agua amarillenta, y todos hacen la señal de la cruz al salir de la vieja iglesia al domingo caluroso que espera afuera. Y yo, por costumbre y sin querer, al entrar en la iglesia que huele a esperma derretida y a polvo de pueblo pequeño hago la señal de la cruz.

Y al lado mío, en el umbral de la puerta, la señal de la cruz sin ton ni son hace el idiota. Durante toda la misa lo miro a él en vez de al altar. Sus ojos verdes, acuosos, miran de soslayo a todos los feligreses que se alejan de él. Apesta a pollo, a gallinero en tiempo de sequía, a mugre que carcome sus ropas. Mientras el padre americano rubio y altísimo como los ángeles de las estampitas religiosas suda desde el altar su padrei nuestrou que estais en lous cielous, el idiota del pueblo, deforme de la cintura para abajo, se tambalea hacia una esquina y desparrama agua bendita y señales de la cruz que se quedan flotando en el aire.

—Ave María Purísima...

Es lo primero que oigo al regresar a la misa. Ya se está terminando, este padre rompe el récord, pienso, o es que estuve ida tanto tiempo con el idiota. Es mejor venir a la iglesia de pueblo a misa, que a la parroquia en Santurce a oir los sermones de los curas españoles, ¡pero hoy se ha ido tan rápido!

–Ave María Purísima, niña, ¿por qué no fuiste a comulgar hoy con la familia?

Es lo primero que oigo al salir de la iglesia. Ahí viene tía Pía con una de sus cantaletas. En realidad se llama Elena pero le digo Pía por lo piadosa...

—Hoy que todos comulgamos juntos por ser el santo de Papá, hasta tus hermanitos fueron con él al comulgatorio, y tú siempre...

Y yo, siempre, me invento una excusa.

—Es que me olvidé que íbamos a comulgar todos y me comí un guineo horita...

Es una excusa barata, pero no entendería si le digo que estaba mirando a un idiota haciendo señales de la cruz en el aire porque me diría que la idiota soy yo. Me voy de su lado y saludo a los Abuelos y a los tíos y a las tías y a todos. Nos montamos en los automóviles y pasamos por la gallera a recoger a Papi y a tío Gustavo. Ellos no tienen que ir a misa. Son los herejes de la familia, según tía Pía. Yo quisiera ser hereje pero no me atrevo.

Llegamos a la casa de campo. Es domingo. Ya conozco todo de memoria. Las risas de mis primos y hermanos en el patio. La vista desde el balcón de la casa con San Juan minúsculo a lo lejos. El olor a arroz con pollo acabado de matar por las regordetas manos de tía Pura. El tufo de ron de tío Alberto. Las manías de Abuelo y Abuela con las faldas cortas. La conversación de bailes y novios de mis primas. Lo único que cambia es el color. Los domingos en el campo son azul y verde o gris y verde. Hoy es un domingo azul y verde.

Es la hora del almuerzo. Los grandes comen en una mesa en el balcón. Los chiquitos en el patio, en una mesa de tablas que les hacen sobre las rocas enormes que rodean la casa. Como no hay mesa intermedia, yo me siento con mis hermanos y primos en las rocas. Con ellos se come bien y no hacen preguntas tontas. Gustavo José, el más travieso de mis hermanos gemelos, tiene un lagartijo amarrado con una cinta y lo pone sobre la mesa. Lo hacemos invitado de honor y le damos comida. Luego lo bautizamos con agua de colonia y le ponemos de nombre Domingo Pío ya que es domingo...

Ya todos almuerzan, para luego caer en el sopor. Papi y los tíos juegan dominó. Los abuelos descansan y juegan con los recuerdos.

Los niños brincan y juegan con la risa. Y Mami y las tías caminan por el balcón y desde allí recitan las cuatro líneas dominicales: Qué bonita vista tenemos. Mira cómo han crecido las flores. Niños no corran con palos en la mano que si se caen se los pueden enterrar. Y, Niñas no se vayan a andaretear por ahí que uno nunca sabe dónde hay maleantes. Si tan solo una vez se equivocaran y dijeran algo como Niño no andes corriendo con las flores que te puedes andaretear por ahí y miran cómo han crecido los maleantes; pero no. Nada rompe el esquema de los domingos. Solo el color, y mi casa.

Espero a que todos se entretengan en algo, para que nadie me llame y nadie me siga. Sin que se den cuenta, salgo por el portón. Bajo hacia la quebrada por un camino enfangado, y cruzo por sobre las rocas. Por el platanal del vecino, arriba de la loma, y luego volver a entrar a nuestra finca por el monte más alto. Caminar a la izquierda hasta llegar al bosque de bambúas. Y por donde forman un arco, empieza el camino que lleva a casa. Acá arriba casi no se oyen las voces. Y una vez que entro por el arco, no se oye nada excepto los sonidos del monte. Las bambúas gigantescas se mueven con la brisa y los rayos de luz también se mueven, buscando llegar a la tierra aunque los árboles casi no los dejan. Es un camino húmedo, como la nave de una iglesia vieja. Y al final, donde se encontraría un altar, se encuentra mi casa. No tiene puertas ni ventanas, así que los árboles y las flores y los lagartijos verdes y las arañitas naranjas viven dentro de ella. No tiene techo tampoco, y un rayo de luz enorme entra a borbotones a esta hora de la tarde e ilumina la escalera que abre hacia ambos lados del segundo piso. Les paso la mano a los árboles que conozco, miro cuáles flores han nacido y cuáles han muerto, y me siento en el balcón que no tiene vista de la ciudad sino del bosque.

Me recuesto de las paredes de piedra gris, oscuras, que llevan allí tanto tiempo como los árboles gigantescos que las rodean. Es mi casa. Lo más mío que tengo. Lo único mío. Tuvo que haber una familia fantástica viviendo aquí, pienso. Una familia con niños y tíos y abuelos. Y padres preocupados por sus hijos. Y una cocina con olor a arroz con pollo. Y una hija que se sentaba aquí. Como yo. A mirar los árboles y a sentir la presencia de ésta, su casa. Y quizás un día vio a un hombre y a una mujer en un rincón del patio, escondidos en un claro entre las bambúas, haciéndose el amor. Jíbaros de la montaña, o primos de la casa. Allí, quedando allí tanto rato, que cuando iba bajando el sol la luz tan suave reflejada en las bambúas los hacía fundirse con ellas y verse verdes, como los vi yo, como los vio ella. Tengo que cuidarme de mí, de mi casa. Miro más allá del arco, afuera, y veo que el tiempo pasa y debo regresar antes que sea tarde. Y ya es tarde y mañana es lunes y luego pasa la semana. Y es sábado. Y están bajando sus libros del carro. Mis hermanos están encantados y corren con su ropa y su radio y tiran todo en la sala y vuelven a salir. Al llegar él al balcón Mami le besa, y Papi le da un abrazo. Es mi primo mayor, algo como el favorito de la familia. De pequeños jugábamos juntos aquí. Viene a quedarse en casa en lo que los tíos pasean por España buscando más familia de la que ya tenemos.

—Hola, José Julián, —digo desde la puerta.

—Hola linda, hace tiempo que no nos vemos, —dice, y sonríe. Pienso que he sido yo quien le ha traído acá. Y nos miramos unos segundos más de lo que usualmente uno se mira.

—¿No le das un beso a tu primo, niña?, ¡Qué jíbara ésta! —dice Mami.

Sí, sí, Mami, digo en mi mente. Me acerco. Beso su mejilla demasiado suave. Como todos los hombres de la familia, José Julián es medio lampiño.

—¡Ay José me dicen que tú eres inteligente para las matemáticas —dice Mami con voz de mamá preocupada por las notas de la hija. —Mira a ver si ayudas a esta criatura porque lo que es matemática...

—No te preocupes, tía, voy a hacer que estudie una hora diaria incluyendo sábados y domingos, y tú verás cómo aprende— y sonríe y me mira.

A mí no me está nada gracioso y le miro callada. No, para esto no fue que te traje. Le miro, y se me ocurre que nos habíamos visto muchas veces antes pero nunca nos habíamos mirado. Te ayudo, le digo; y, Bueno, dice él. Caminamos al garage.

—¿Por qué me miras así?

—No, si yo no te estoy mirando, es el espíritu de una muchacha de dieciocho años que murió, la que te mira.

—Ah. ¿Y de dónde la sacaste?

—De casa, es de mi casa.

–¿De tu casa? no sabía que estuviera embrujada. Oye tía —grita— no me habían dicho nada.

—¿De qué hablan?

—Del espíritu.

—Ay, otra vez con eso. La culpa la tienen tus primas que la llevaron donde una espiritista. Tú sabes que yo con eso de supersticiones no voy...

—No, tía, ni se preocupe, si es lo mismo que tener un ángel de la guarda al lado.

Ya empieza a molestar a Mami, que es super-católica ya que tiene que serlo por Papi y por ella. Pero Mami se ríe. Papi dice que José Julián nació "parao", porque todos lo quieren.

—Gracias por defenderme —le digo— en nombre del espíritu.

—Ah, pues si es para el espíritu ni hablar, a la orden siempre.

Y vuelve a sonreír. Y mientras saca la última maleta del baúl el sábado se va muriendo. Y nos quedamos mirándonos. Mirándonos. Mirándonos.

Y siempre está con nosotros, desde que llegó. Y todas las noches nos cuenta chistes, y de lo que pasa en la Universidad, y de las fiestas a que a veces va.

—Anoche tuve que ir de acompañante de una niña que iba a debutar. Ya estoy harto de eso pero es que Mami se lo había prometido a su mamá hace años, y tuve que ir.

Papi baja el periódico, sonríe una de esas sonrisas que solo los hombres de bigote finito pueden hacer para que le chispee malicia por la boca, y pregunta:

—¿Gozaste mucho? Tengo entendido que ella es una monería.

—Sí, claro, tío Felipe. La familia entera es monísima. Ella es una pequeña elefantita, los hermanos dos elefantones, y junto con la mamá y el papá elefantes, son muy bellos, si tú eres elefante también. Era tan gorda que te juro que los chichos se le salían por encima del escote y no sabía cómo agarrarla para bailar.

—Eso te pasa por estar agarrando carnes ajenas, hombre —— contesta Papi con voz sabia.

—¡Felipe por favor!

Mami es muy correcta, muy correcta, pero también sonríe. Creo que me caen bien, mi familia inmediata, aunque tengo serias dudas sobre el resto.

Y luego el sábado, el domingo. La misa, la comida, la vista, los juegos. Pero hoy, además, José Julián. Me siento en una roca a mirarle. Se ha trepado a un árbol de mangó. Quizás le aburre la familia. Oye, le digo bajito, ¿quieres salirte de todo esto y dar una caminata? Bueno, contesta él. Desde que se mudó con sus papás al sur no viene todos los domingos con el resto de la familia. Te aburre la familia, lo sé, igual que a mí. No, sólo que no tenemos mucho en común. Tú y yo sí. Tú y yo sí. Creo que me gustaría enseñarte mi casa, José Julián, te gustará.

—Ven —le digo—, vamos a caminar.

Y él no pregunta, sino que camina a mi lado. Por el camino enfangado, por sobre la quebrada, por el platanal, a la izquierda las bambúas. Caminamos sin hablar.

—Hemos llegado —digo de momento.

—¿Aquí?

—Sí, yo vivo aquí.

—¿Aquí en la cima de un monte?

—No, en la casa.

José Julián, ¿quieres verla? Y le tomo de la mano. Caminamos por la fila de bambúas hasta encontrar el arco y por allí entramos al vórtice verde. Mientras más caminamos más verde se pone el bosque. Verde violento a un lado, y verde suave. Verde amarillo, verdeolvidado. Ya no se oye nada del mundo afuera, y sobre nosotros las bambúas cantan. Las hojas muertas cantan también al pasarles nosotros por encima. Y la casa espera. Caminamos hasta el balcón. Es mi casa, a cada rato sueño con ella, le explico pero no se puede explicar. Qué te parece. Silencio. ¿Estás aquí? José Julián dime cómo te gusta mi casa. José Julián mira las paredes.

—Así debe ser el limbo –dice, rompiendo al fin el silencio desde que salimos de la casa de campo.

—¿Cómo, sin puertas ni ventanas?

—No, gris, sin blanco ni negro.

Nos sentamos bajo los árboles, y en las escaleras y en el balcón.

—Aquí hubo una vez una familia idéntica a nosotros.

—Ah, sí. ¿Y qué les sucedió?

—No sé, están por ahí, yo creo.

—Ah, conque ésta es tu casa embrujada.

Para qué contestar. Parece que no entiende, tampoco.

—Oye, no te sientas mal, me gusta tu casa, pero es tan escondida. Te gustaría que fuera como la de la familia, con vista.

—Aquí las luces son distintas, no parece algo real.

Pero lo es, qué importa lo que parezca. Y tiene vista, ¿ves? se ven los árboles y entre ellos el cielo.

—Todos los domingos miro por aquí al cielo y así sé si es un domingo azul y verde o gris y verde.

–Sí veo.

Lo dice, pero no ve nada. Yo creí que tú ibas a entender.

—No tenía idea de que por aquí hubiera una casa abandonada.

No está bandonada, yo vivo aquí.

—¿Nadie más sabe de esta casa abandonada?

Sí, como no, todos los que vivimos en ella.

—Debe ser un poco peligroso para ti andar sola por estos sitios.

Ah, se preocupa por mí.

—No, no es peligroso – digo al fin.

—Nunca has encontrado a nadie aquí – no lo pregunta, sino que lo afirma.

—Una vez, sí.

—¿A quién?

—A Nadie.

—¿cómo?

—A Nadie que conozco. Ellos no me vieron.

—¿Qué hacían por acá? ¿Quiénes eran?

—¿Te cuento? Eran un hombre y una mujer. Allí, entre las bambúas, se hacían el amor; nunca había visto nada como eso.

—¿Pero quiénes van a venir hasta acá para eso? Serían jíbaros de por aquí.

—No, yo no sé. Eran verdes.

—¿Verdes? Ah, claro, marcianos.

No, esa frase no cabe aquí, la voy a borrar de tu boca. Eran un hombre y una mujer de esta casa.

—Se hacían el amor —insisto—. Y alguien como yo quizás también los vio.

—O se lo imaginó.

—Los vio.

Y regresamos a la casa de familia. No le he dicho que no diga nada de mi casa porque sé que no lo hará.

El lunes en la noche Mami nos da la noticia. Vamos a tener una hermanita. Un hermanito, dicen los gemelos. No, hermana, para que seamos dos y dos. Vamos a ponerlo a votación y que la mayoría gane, sugiere Papi. Será lo que Dios quiera, dice Mami, que siempre lo deja todo a Dios para terminar una discusión. José Julián, quiero que tú seas el padrino, dice ella. No, él no puede ser padrino de nadie porque es hereje como yo, agrega Papi antes de que él conteste. Sí, seré el padrino, tía, me gustaría mucho, a lo mejor me regenero.

Al otro día vamos con Mami a comprar cosas de bebé. Mis hermanos quieren comprarle un oso mecánico. No, no, el bebé no podrá usar eso en mucho tiempo, dice Mami. Nos encontramos con una señora amiga de Mami. Cuando Mami le cuenta ella sonríe de oreja a oreja y la felicita.

—Pero que fue eso, ¿contaron mal los días? —dice y ríe hacia adentro, como en un vacío.

—Yo, si Dios me los manda, los cojo – responde Mami ceremoniosamente. Dios y yo. Yo y Dios. Mami y Dios. Mami y Papi. No me imagino a Mami y a Papi haciéndose el amor. José Julián, ¿te puedes imaginar a tus papás haciendo el amor? El se ríe. No, mira que no. Ah, ¿entonces no soy yo sola? No, creo que a todo el mundo le da trabajo imaginarse a los papás haciéndolo. A menos, quizás, que lo hayan visto, le digo. O que lo hayan hecho, contesta. De momento le miro, y aunque no quiero, me pongo colorada. Me gustaría saber si él lo ha hecho. Casi seguro que sí, ningún muchacho de universidad anda por ahí, virgen, imagino. Hay tantas cosas que me gustaría preguntarle. ¿Hay algo que me quieres preguntar? me dice. Sí, ¿tú crees que es malo? Malo, ¿qué? Hacerse el amor. No, nunca. ¿Nunca?, y ¿si uno no está casado? Nunca. Mami dice que sí. Y tú qué piensas. La iglesia dice que sí y tú eres un hereje. Y tú qué piensas, vuelve a repetir. Yo creía que sí. ¿Creías? No sé. Mira, no creas todo lo que te enseñan. El mundo no es malo y bueno o realidad y ficción o blanco y negro solamente, es más, casi todo es gris. Como el limbo, digo, y le miro. Como tu casa, responde, y me mira.

Y hoy es domingo y volvemos a la casa, y corremos siempre tomados de la mano. Las manos. Las abro. Las toco. Las miro. Toco cada uno de sus dedos y beso el centro de su mano. Y él hace lo mismo, y besa las mías. Ya que te traje hasta aquí, le digo, te quiero dar algo. Te voy a dar la mitad de mi casa. Pero lo haré por escrito. Por si alguien muere. O por si alguien se va. Ah, sí, ya es tarde, hay que irse. O por si alguien se va.

Al llegar a casa redactamos el documento. TÍTULO DE PROPIEDAD, fecha: Todos los Domingos. Yo, en pleno y dudoso uso de todas mis facultades por la presente admito, digo y repito que la propiedad que llaman Casa Abandonada, la cual será aludida a través de este documento como Nuestra Casa, de ahora en adelante, es gris, y es nuestra, en vez de mía... Y luego lo firmamos y lo enterramos al lado de un roble enclenque donde nadie jamás mira.

Y hoy domingo no vamos a la casa de campo. En estos meses Abuelo está enfermo y nos turnamos quedándonos con él en la ciudad. Hoy nos toca a nosotros, y Mami va a preparar una gran comida en la terraza de la casa de los Abuelos. Me mandan a San Juan a comprar cocas mallorquinas. Es algo así como la comunión. Se supone que toda la familia la come junta, y todos los domingos, cuando no vamos al campo, comemos coca. Yo me llevo a José Julián. Es un día gris y verde, un domingo tristón, caminamos por las calles casi desiertas de San Juan. Calles de nadie, calles de todos. Vamos al Parque de las Palomas. Nos sentamos en un banco a ver el mar. Al otro lado de la bahía están las montañas, y en ellas, nuestra casa. Los dos pensamos lo mismo. Y yo lo sé sin preguntarle. Llevamos ya tanto tiempo juntos, que casi nos leemos la mente. A veces, andamos tomados de la mano, cuando no hay ningún familiar ni ningún conocido cerca. No porque sea malo, sino para que no malinterpreten, dice José Julián. Desde el parque oímos el agua que palpita despacio allá abajo, a orillas de la ciudad. Nos asomamos a verla. La espuma salta y lame las grietas de las viejas murallas, grietas abiertas al sol caliente desde hace tantos años. El parque a nuestro alrededor está desierto. Voy a darle un beso a José Julián en su mejilla lampiña, pero como pensamos a la vez, él vira su cara hacia mí en el mismo segundo, y nos damos un beso. Abajo, a ritmo de lamento, el mar besa a San Juan y se aleja. Besa y aleja. Besa. Y se hace tarde.

De alguna manera tiene que irse, así como vino; tiene que irse porque sus padres regresan de España. Ya ha pasado el tiempo. Hoy es el último domingo en mucho tiempo que iremos juntos a nuestra casa. Después de almorzar comenzamos a caminar fuera del portón de la casa de campo. Qué amores le han dado a ésta con José Julián, dice tía Pura complacida de verme hablando con alguien de la familia. Las familias, pienso, jamás se dan cuenta…

—Tengan mucho cuidado por la quebrada. Traigan fresas si las encuentran. Regresen temprano, no anden por los montes de noche. Traigan flores de cera si ven alguna florecida— y mil cosas más que no oímos, se oyen a lo lejos. Encargos de familia, como siempre que uno sale de viaje.

Hoy el sol alumbra sin calor. Y el verde no brilla. Una vez que entramos al camino, nos tomamos de la mano y andamos despacio. Te vuelves a vivir con tus papás y nunca más vas a venir a nuestra casa. Nunca no existe, eso lo inventaron los hombres, que inventaron el siempre también, dice, y aprieta mi mano. Si ya vives aquí eres de aquí, así que no podrás irte. Fue muy linda esta casa en sus tiempos. ¿No crees que es linda ahora? Tenemos poco tiempo. Lo sé, le digo. Afuera hay tiempo, aquí no. Lo sé, contesta. ¿Llevas mucho tiempo esperándome? Sí, hace años, le digo. De aquí nos pueden ver desde la casa, vamos a aquél claro entre las bambúas. Caminamos suavemente como si no estuviéramos allí. Entonces nos hemos mirado a través de tanto tiempo. Y luego ya no nos vemos. Y damos vueltas por todo el monte, por todo el piso de yerba. Y hojas con musgo y flores y telarañas finísimas que rompemos sin querer, damos vueltas. Y en el aire damos vuelta y yo doy vueltas. Y mi traje rosa flota donde lo dejamos junto a unos árboles que están bocarriba. Y sus ojos no los veo mirándome. Y él flota en el aire en algo que no sé que, es mi cuerpo, que es el de él pero es lo mismo. José Julián, digo, y qué, me respondo, no, nada, digo, que es nuestra casa. Que no tiene puertas ni ventanas, y está abierta a todo, y a un beso, y no entiendo dónde termino yo y comienza él, y sus manos tiemblan junto a mis muslos que tiemblan junto a las flores que tiemblan junto a las hojas verde suelto, verde de caminos, caminos que se extienden hasta el cielo entre los árboles que se mueven, y así con ellos nos movemos o ellos se mueven con nosotros, mueven sus hojas, mueven sus ramas, y respiran juntos; juntos los dos respiramos y, el monte bajo nosotros y el viento libre respira y nos toca con sus dedos de brisas, y temblamos, y sigue su camino. Y ya no nos movemos más.

Quiero pensar. Quiero poder entender qué me pasa. Quiero poder pasar todo por mi memoria de nuevo, como una película, pero no puedo. De regreso a casa han llevado a Mami al hospital, parece que mi hermana va a nacer dos meses antes de tiempo. Sé que será nena porque mis hermanos y yo hicimos una encuesta familiar, y el voto decisivo, el de Abuelo, fue a favor de una hermana para mí, y Abuelo está seguro. El ya está bien de nuevo. Nadie de mi familia jamás muere. Sólo nacen, o los crean, o se los inventan. Yo tengo que quedarme en casa con los gemelos. Qué tontería, yo debo estar al lado de Mami ahora. Hoy domingo la noche llegó muy suave y trajo de la mano una llovizna inútil, un llover a medias, tan a medias como una mujer acostada, sola, en una cama. No tiene sentido. Miro mi cuerpo. Hay algo de muerte en él, aquí, acostado, solo. Mis pies mirando al techo. Mis muslos quietos. Mi mente consciente. Mis músculos inertes. Todos parecen deletrear FIN. Hoy domingo.

Mi hermanita está de blanco. Tiene los ojazos enormes abiertos, aunque todavía no creo que vea. Hoy es domingo y la van a bautizar. El padre la toma en brazos y le dice algo al demonio de que no se le acerque. Si el diablo pudiera contestar imagino que le diría un par de groserías al padre. Quizás deberíamos darle tres baños de agua de flores, se me ocurre, pero supongo que no, que hay que bautizarla para que no vaya a parar al Limbo. Toda la familia ha venido de la Isla para el bautizo. Y luego hemos ido a la casa de campo, a una gran reunión familiar. En medio de tanta gente se me hace fácil escaparme. Y me vengo a casa, a donde no existe el tiempo, a vivir. Si calculo en horas, no sé cuántas llevo. Ya se hace de noche y echo a correr. Hoy hay un viento tremendo, y asusta un poco el ruido que hace, además de que no veo nada por el camino. Supongo que estarán todos preocupados, pero saben que todos los domingos me gusta ir de paseo sola, a caminar a ver el monte. Ya oigo sus voces, y veo la luz de la casa.

—Mírala, ahí viene por fin. ¡Muchacha de Dios! ¿Qué haces andareteando sola por el campo a esta hora? Yo no vengo, me traen, no soy de Dios, ni de nadie, no ando sola sino con mi casa le contesto pero no lo digo.

—Ven, vente y come algo, llevas más de cinco horas caminando sola, y toda la familia está esperando para saludarte —dice Mami. A ella, le hago caso. Entro a una de las habitaciones; en la cama, mi hermanita, minúscula, duerme. No parece posible. Llevo tantos meses imaginándome que tengo una hermana, y ahora está, aquí, de verdad. Salgo al balcón y comienzo a saludar primos y parentela. Tía Pura trae a un muchacho del brazo.

—A que no te acuerdas de él – me dice entusiasmada.

Yo lo miro.

—Es tu primo José Julián. Hace años, cuando eran chiquitos, ustedes jugaban y se iban a caminar por los montes, ¿no te acuerdas?

Es mi primo mayor, algo como el favorito de la familia. Hace años, cuando éramos pequeños, jugábamos juntos, y nos íbamos a caminar por los montes. Me acuerdo.

—Hola José Julián —le digo.

—Hola linda, hace tiempo que no nos vemos —dice, y sonríe.

—Y adivina qué —continúa Tía Pura— él y tus tíos se vuelven a mudar a San Juan, después de tanto tiempo. Ahora vendremos la familia completa de nuevo todos los domingos. Todos los domingos. Vendremos la familia completa de nuevo. Los insectos zumban alrededor de las bombillas. La noche lo acapara todo. El coquí marca el tiempo con su canto. Lo he notado en una fracción de segundo, mientras miro a José Julián.

–¿Pero no le das un beso? ¡Qué jíbara ésta!

Me le acerco. Beso su mejilla demasiado suave. Afuera de nosotros la familia celebra. Vas a venir todos los domingos, pienso. Y nos quedamos mirándonos. Mirándonos. Mirándonos.

Magali García Ramis

La familia de todos nosotros

La noche que curamos a la tía Ileana (todavía no se sabe cómo aunque nosotros insistimos en que sabemos porqué), la familia de todos nosotros decidió que éramos locos.

—No fue derrotismo, te digo que era dolor de alma.

—Es derrotismo, es el derrotismo de siempre de nuestra familia.

—¡Ay cállense por dios!, —nos gritó uno de ellos.

Pero Geño, mi tío Geño, se empeñó en anotar como causante: Derrotismo, y yo le peleé y decidí escribir esta aclaración porque no hay derecho, no hay derecho.

Llevábamos diez años viviendo en la casa nueva, cuando enfermó mi tía Ileana. Le llegó de repente el miedo y su casa se le hizo temible. Dejó de comer. Dejó de ir a misa. Dejó morir su jardín. Su cara se puso color ceniza, y en un sólo día, se hizo vieja.

—Me voy a morir— nos dijo cuando fuimos a visitarla, y mi familia se echó a llorar no tanto por el dolor, sino por la tristeza, pues todos habíamos sido tan fuertes siempre y la tía Ileana parecía que se había vencido. Mi madre, que había sido enfermera y podía hacer crecer las plantas y curaba la reinitas heridas con sus grandes manos como ramas de robles, echó a todo el mundo de allí y comenzó a airear la casa para que ella sanara. Creo que nunca quise tanto a mi madre como en aquellos días, cuando la acompañaba a la casa de la tía a limpiar y a preparar guisos fuertes y té de hojas de naranja que le metíamos en el cuerpo cucharada a cucharada para que no se nos secara. El tío Octavio, su marido, se había quedado mudo del susto y con sus ojazos de perro fiel nos miraba, sin decir nada. Luego de varios días la tía no mejoraba y a veces, entre sus "me voy a morir" decía también: "Quiero ver a Geño".

Nuestra familia discutió el caso y siempre pendiente a hacer lo más conveniente, decidió que enviáramos por el tío Geño.

—Escríbele espeshal deliveri— me dijo mi madre esa noche, porque yo era la única que todavía me carteaba con el tío Geño, y unos días más tarde, una noche de luna llena, el tío Geño arribó a San Juan. Tía lleana se puso contenta, pero igual se siguió muriendo. Entonces decidimos que estudiaríamos juntos el caso a la luz de la historia familiar para buscar las raíces de la rendición de la Tía lleana.

Geño y yo éramos los cronistas oficiales de nuestra familia. Según el pacto que habíamos hecho, él llevaría las crónicas de la familia desde antes de yo nacer, hasta justo cumplidos los ocho años y tres meses míos que fue cuando yo empecé a recopilar también todo lo referente a nuestra familia. De ahí en adelante, por siete años las llevaría yo, y luego por siete años él; y luego uno de nuestros hijos cuando nosotros no pudiéramos ya ver para escribir, aunque estaríamos vivitos y coleando, porque sí que íbamos a durar mucho mucho tiempo, eso estaba en las líneas de la mano que nos las había leído Ana con un libro de bolsillo. Así, juntos, íbamos a ser un Fray Bartolomé de Las Casas, sólo que éramos en asociación Fray Sor Geño Lydia de La Casa.

Llevábamos las crónicas con bastante seriedad, aunque la familia pensara que eran tonterías. Teníamos un archivo de fotos, uno de documentos y otro de la historia en sí. Allí estaban anotados los bautizos, las primeras comuniones, los casamientos, las extremasunciones, los funerales, las confirmaciones e, inclusive, una orden sacerdotal. Todos los ritos y sacramentos, excepto las confesiones, estaban debidamente anotados y clasificados en las crónicas de nuestro apenas siglo de existencia como familia, y allí fuimos a investigar.

Desde que destruyeron la casa de familia nos mudamos todos menos dos o tres tíos y tías a una casa nueva, sin cobacha ni sótano, así que las crónicas tuve que guardarlas en un armario de la marquesina, que a ellas no les gustaba porque con todo y diez años, aún olía a nuevo.

—Tenemos que actuar rápido, me dijo Geño, mi tío, que sólo era tío porque era hermano de mami, que si no, ni lo parecía porque sólo me llevaba nueve años. Tenemos que apurarnos o si no no va a haber remedio.

Me parece haber anotado hace mucho tiempo un caso parecido, el de un bisabuelo, pero fue que se sintió derrotado luego de la liberación de los esclavos. Hay otro, de una tía abuela, creo, o una hermana de la tía abuela, que por poco se muere o que se murió, no recuerdo, pero sé que fue porque no actuaron a tiempo.

Las crónicas nos esperaron. Estaban atadas con una soga roja descolorida. Tenían por encima mucha pimienta que les puse para auyentar las polillas, diaciclón para que se espantaran las cucarachas, y guarfarina para matar a los ratones arrieros que les daba por morder todo lo que encontraban.

—¡Esto es puro veneno! ¿Cómo se te ocurre echarle tanta porquería? —se burlaba de mí Geño, como si yo no supiera que estaba buscando una excusa para llevarse mis crónicas con él.

—Olvídalo, ni lo intentes, esto no se va para Nueva York.

—No, qué Nueva York ni que ocho cuartos, es que yo no voy a tocar eso así, todo ese veneno lo absorbe uno por los poros.

—Ta' bien déjamelo a mí, yo sí puedo, –le dije y las tomé sola y les quité las envolturas venenosas, y al fin nos sentamos al pie del árbol de atrás y empezamos a leer. Al principio Mami objetó a que yo faltara a clases, pero luego estaba tan preocupada por la tía Ileana, que ni se molestó. Geño y yo leímos. Encontramos una carta del bisabuelo a la familia allá en España diciendo que a su papá le había dado una depresión que los doctores habían descrito como melancolía aguda, porque y que extrañaba su tierra, y que eso, junto a la súbita liberación de los esclavos, cosa que le parecía muy injusta, le había afectado adversamente. Decidieron enviarlo de vuelta a Asturias y que para que mejorara.

—¿Y se curó, Geño?

–Bueno tiene que haberse curado porque luego vivió hasta entrado el siglo. Aquí está. Murió el 19 de noviembre de 1910.

El 20 de noviembre, doctor, cumple ella 56 años. Como ve, no es para tanto, no es para que esté tan desmejorada. Fue algo súbito, le dio con eso de que se iba a morir – explicaba Mami al doctor Parrilla los males de la tía Ileana.

—Yo, sinceramente, Augusta, no le encuentro nada fuera de la presión un poquito alta, pero ya tú sabes que ese es el mal de toda tu familia, y también la encuentro nerviosa. Vamos a recetarle unos calmantitos, nada muy fuerte, y a ver que pasa. No creo que hay que hospitalizarla, ahora, haz que coma.

Eso último no había que decírselo a nadie en nuestra familia. Comíamos como bestias y cuando no nos daba hambre, Abuela o Mami o uno de los tíos se encargaba de abrirnos el apetito porque nada preocupaba más a nuestra familia que el que no comiéramos.

Al cabo de dos semanas, la tía había empeorado mucho. Y ya se le notaba que iba perdiendo peso. Geño y yo habíamos encontrado como cinco casos similares a los de la tía. Pero en una familia tan grande, cinco casos no era mucho decir. Cinco que en algún momento les dio una tristeza enorme y se empezaron a rendir. Geño decía que era el derrotismo, y ahí fue que empezó toda nuestra discusión.

—Hay que salvar a la tía, pero luego de todo este revolú, yo soy quien va a escribir la crónica, y voy a poner que lo que le ha dado es tristeza.

Tristeza del alma.

—No seas cabecidura, tú no entiendes de estas cosas, nosotros somos por naturaleza derrotistas, está en todos estos documentos. A unos les da por morirse, a otros por olvidarlo todo bebiendo, otros se ponen a trabajar como animales —hacemos lo que sea con tal de no pensar en la situación, en esta vida que llevamos. Somos fuertes porque aguantamos, pero desde que nacimos, nacimos ya sintiéndonos derrotados. Además esta crónica me toca a mí, ya se cumplieron tus siete años.

—No, no, y no. La escribo yo. Y se te olvidó añadir que además de morirse y enfermarse, a unos les da por irse, como tú —se lo dije para hacerle doler pero no hizo caso.

—Tú eres muy joven Lydia, no sabes objetivizar, no tienes perspectiva de lo que pasa a la familia.

—Y tú eres muy viejo ya Geño, y tienes miedo —yo le contestaba, porque yo sabía lo de las tristezas.

Pero con todo y nuestras peleas, éramos los únicos que buscábamos.

Una noche, pasadas ya las siete semanas del comienzo de la enfermedad de la tía, nos reunimos en la casa nueva. Mami se la había traído para cuidarla, porque no hay casa como la paterna, decían ellos. Geño y yo seguimos buscando y ellos, en la sala, discutieron. Se acercaba el final y todos presentimos que ya quedaba muy poco que hacer.

—La debimos haber mandado a Boston, a los hospitales buenos de allá —dijo tío Fernando.

—No, lo mejor es salir con ella inmediatamente para Suiza, hay unas casas de descanso increíbles en ese país —decía el primo Arturito.

La tierra, ¿crees que la clave está en la tierra? me dijo Geño muy serio de momento. Porque nosotros sabíamos lo serio de nuestros asuntos y nuestras crónicas, aunque nuestra familia nos miraba de reojo.

—Pero la tía está en su tierra. Al tatarabuelo lo mandaron a España. Al primo Chuco lo mandaron para el campo, donde se crió. A Anabela, allá en los años 30, la mandaron a Vieques, porque había pasado sus veranos allá con las tías y allí tenía las raíces de sus alegrías, pero la tía Ileana está en su tierra, ella es de aquí mismo, de Santurce, no hay donde mandarla —le argumenté.

Nosotros estábamos en el patio, y hasta allí llegaban las voces de dentro de la sala. Tía Teresa decidió mandar a decir diariamente una misa por el pronto restablecimiento de su hermana lleana, y nada más y nada menos que en la iglesia de su patrona, la de Santa Teresita, aunque allí eran más caras las misas porque estaban pagando el aire acondicionado nuevo.

El primo Gualberto se presentó con unas píldoras rejuvenecedoras, de placenta, que habían traído de la Unión Soviética y estuvo insistiendo hasta que le dieron dos de zopetón a la tía lleana. Ramón, el cuñado de tío Fernando trajo una ramita de algo y una oración espiritista que dejó a los pies de la cama de tía lleana; y aunque algunos de nuestra familia se molestaron, nadie dijo ni jí porque cuando hay miedo se cree en todo. Abuela entonces sugirió rezar un rosario todos en familia todos los días, hasta que la tía sanara, pero no el rosario regular, sino el de San José que era tres veces más largo que el otro. Y ese día empezaron. Los únicos que no tomamos parte fuimos Geño, Mami y yo. Mami no se separaba ni un momento de la tía. La hacía levantarse por las mañanas y caminar por el cuarto un ratito. Le traía flores y frutas; Geño y yo pensábamos.

Aquella noche cuando todos dormían nos fuimos al patio y llenamos una caja de zapatos de tierra. De tierra bien negra y olorosa a tierra y nos metimos en el cuarto de la tía y le restregamos bien los pies y las manos con la tierra. Luego la limpiamos pero como estaba oscuro, no quedó muy bien. Al otro día, Mami le lavaba los pies y las manos con una toallita mojada y le decía —lleana, cualquiera diría que estabas en el patio trabajando con tus matas, tienes tanta tierra encima.

Cada tarde se reunieron todos a lo mismo. Rezaron, hablaron, le dieron píldoras y Ramón trajo un talismán que le había preparado un santero cubano recién llegado de Miami. Todos los días hicieron ellos sus rezos y le dieron sus medicamentos. Y todas las noches nosotros le restregamos las manos y los pies con tierra. Y durante el día tan sólo Mami la cuidaba, le hablaba, la peinaba con una suavidad como si la tía de 56 años fuera también una de las reinitas que a cada momento se estrellaban en vuelos bajo por el jardín.

Y de pronto, tan súbito como su deseo de muerte, la tía lleana recibió un deseo de vida. En unos días recobró el color y se bajaba de rato en rato al jardín. Entonces regresó a su casa, y el tío Octavio, que se había quedado viviendo allá sólo todo ese tiempo y cuidando a sus cuatro perros, la recibió como transformado y empezó de nuevo a hablar, que se había quedado casi mudo.

Y sentada la familia de todos nosotros en la sala de la casa nueva luego de la curación de la tía lleana, todos se sentían que habían hecho algo la noche aquella que decidieron rezar y darle píldoras, Abuela estaba segura que fueron los rosarios. Ramón que el espiritismo. El primo Gualberto que las píldoras de placenta, la tía Teresa que las misas y Mami, que no se metía mucho en esos líos, señaló que, quizás la llegada de Geño había animado mucho a la tía, que quería a Geño más que a nadie porque era su hermano menor. Entonces salté yo porque me dolió que me dejaran fuera.

—Fue la tierra de Geño y mía la que curó a la tía lleana —les dije. Y Geño, que entendía tan bien y tan único las cosas mías, les explicó nuestra teoría de las crónicas aunque llegando a la conclusión errónea del derrotismo. Y la familia se nos echó a reir. Les estuvimos más tontos que nunca.

—¿Quienes se creen ustedes que son?

—¿Qué historia familiar ni qué zanganá?, nosotros no tenemos historia.

—Ay, déjense de tonterías. Geño, un hombre hecho y derecho de 24 años, estudiando para una maestría, no debería hablar así.

Y el primo Arturito que era de la edad de Geño pero no era ni una milésima parte de lo inteligente que es Geño, nos dijo: "Pendejos, ¿quiénes se creen ustedes que son?, ¿el Instituto de Cultura? Mira y que crónicas y estupideces de tierra. No me digan que restregándole sucio a la gente los van a curar". —Y se quedaron todos comentando sobre nosotros. Geño se iba a volver enseguida para Nueva York y me dio tanta pena, que dejé que él escribiera la crónica ésta. La víspera de su partida celebramos el total restablecimiento de la tía lleana. Esa fue la noche que Geño me enseñó lo que escribió y que yo decidí escribir esta aclaración.

También fue la noche que nos dijeron locos. Después de darse dos o tres palos, Tío Fernando nos dijo locos y los otros no lo dijeron, pero nos rechazaron igual. Era porque éramos los únicos dos que buscábamos hacia atrás en la familia de todos nosotros y aunque peleábamos por las conclusiones, sabíamos que las premisas eran correctas; sabíamos que no había nada en la religión ni en las píldoras, que todo estaba en la tierra, y en las crónicas de la familia de todos nosotros, que apenas cumplía un siglo de ser familia y todavía no se conocía bien ni conocía bien nuestra tierra.

CUENTO

PUERTO RICO

Edwin Figueroa

El amolador

El silbo sonoro, como un trino, pareció originarse en el jardín. El niño quedó extrañamente impresionado al escucharlo desde su habitación en la segunda planta del señorial chalet en Mansiones del Paraíso. Movido por la curiosidad se impulsó cautelosamente hacia la ventana con los limitados movimientos que sus piernas escayoladas y la silla de ruedas le permitían. El canto era exacto al que había escuchado en sueños noches atrás. Indudablemente debía venir del árbol situado frente a la ventana. Su inmenso follaje llenaba todo el ángulo de su visión hacia el exterior que era como llenar su vida. Tras el viaje de sus padres a Nueva York, Javier permanecía con la anciana abuela y la mujer del servicio doméstico en la espléndida vivienda estilo Mediterráneo donde la familia se había instalado recientemente. Valiéndose de los prismáticos que sus padres le habían obsequiado, llenaba las horas de su obligado confinamiento escudriñando palmo a palmo el inmenso follaje del árbol frente a la ventana. Así llegaron los días finales de su larga convalecencia tras el penoso accidente automovilístico en el que sufrió la fractura de ambas piernas. El majestuoso cuerpo del árbol parecía abarcarlo todo. Pero ahora de pronto creyó que de tanto mirarlo por fin surgía el canto anhelado. El sueño y la vigilia se le fundieron extrañamente en una misma realidad. La abuela, limitada por su sordera parcial, no había entendido cuando el niño le gritó desde la segunda planta: —¿Has oído?—ni el niño captó el sentido real de la respuesta mecánica de la otra voz en la casa.

—¡Es el amolador!

Sin embargo, la brillante sonoridad de la palabra lo cautivó al momento de escucharla. Su resonancia era única. Le pareció que correspondía con maravillosa fidelidad a la riqueza melódica del canto. ¿A qué otra cosa podría corresponder sino a lo que había quedado asociado a su imaginación por tantos días? El árbol prepotente había guardado el secreto que hoy por fin le revelaba. No había lugar a dudas. La gallardía de su ramaje era promesa de algo más. Una señal de vida ya anticipada en el sueño que surtía de su espeso verdor. De tanto contemplarlo se produjo el milagro. Nació el canto. Allí estaba. Sólo correspondía darle nombre: ¡amolador! Al conjuro de la palabra la voz del árbol tomó nombre y forma perfectos en la imagen del ave. Su plumaje debía ser rojo y amarillo brillantes como en el sueño. Sería frágil, nervioso y escurridizo. Sólo podría habitar el corazón del árbol. De la nuez de su silencio absoluto brotó la voz. Javier impulsó las ruedas de su silla y se dio a buscar en la enciclopedia escolar de aves cantoras. Seguramente entre sus páginas estaría el amolador. Quiso reconocerlo por la descripción de su canto. ¿En qué árboles habitan los amoladores? ¿Cuáles son sus costumbres? En vano buscó página tras página los múltiples grabados a todo color. Pero no le importó, allí estaba hecho realidad su anhelo superando la información incompleta de los libros. —Los libros no pueden saberlo todo —pensó.

La abuela se acercó al ventanal, entrecerró un poco los ojos para ajustar su corta visión a la distancia y arrebañó el árbol con la mirada buscando el ave maravillosa que no había podido escuchar. Luego, con sabia precaución para no desilusionar al niño comentó: —Hay aves pequeñas cuyo canto es resonante como una clarinada. No te importe verlo. Lo has oído y su canto te ha llenado de alegría. Ya sabes que existe y eso basta. Un día cuando menos lo pienses se acercará a ti y podrás verlo en todo su esplendor. Entonces conocerás su secreto y se te esclarecerá el misterio como al final de un cuento maravilloso.

El verano les pareció primavera. La presencia del ave en el árbol disipó la creciente tristeza del niño. La soledad melancólica que se apoderaba de su ánimo cada vez que sus padres viajaban al extranjero parecía difuminarse para surgir transformada en dinámica fuerza imaginativa. Ahora la silla de ruedas se movía de un sitio a otro. Sus manos trazaban afanosamente dibujos de pájaros con plumajes de variados colores que iban cubriendo las paredes. Su júbilo transformó la habitación en el lugar más habitable de la casa. Cuando la abuela subía a verlo pasaban largos ratos contemplando el árbol. El niño quería arrancarle el canto con su sola mirada. Mientras tanto la abuela, en sus largos ochenta, le iba inventando historias de seres transformados en aves fabulosas al conjuro de palabras cabalísticas y mil y un encantamientos: —Rodaloma, Rodaloma, quien tome este brebaje diciendo tres veces Rodaloma cobrará la forma del ave que quisiere y comprenderá su lenguaje —otras veces con mímica y voz en falsete—. El perverso brujo Kuruglú me transformó en reinita porque no quise casarme con su hijo —o en el silencio del atardecer—. El nitaino Atabeque y el indio Guayaney convertidos en pitirres llegaron al picacho del Yuquiyú para combatir el espíritu del mal convertido en guaraguao —y luego el prodigio cuando a un mágico conjuro se deshacía el encanto con su consecuente vuelta al punto de partida que inevitablemente venía a ser el punto final de la historia. Los detalles de cada relato se fundían y entreveraban en episodios y aventuras que jamás su mente había podido enhebrar con tanto vuelo imaginativo. La vida de ambos cobró nuevo sentido. Penetraron en mundos de ilusión cada vez más fascinantes. La anciana fue deshaciéndose de cuanto la rodeaba para darle rienda suelta a su imaginación contemplando la gallarda prestancia del árbol. Alguna vez al oscurecer le pareció escuchar el canto.

* * *

Las tierras de El Almendro habían sido expropiadas por secciones; dentelladas que sus pobladores arrabaleros sentían muy adentro en sus espíritus. La corporación urbanística *Builders for Progress* no les daba tregua. El procedimiento legal de expropiación estaba en orden. El plazo reglamentario para proceder con los desahucios había vencido. Las prórrogas que dispone la ley habían caducado. Todo el proceso había sido conducido dentro de la más estricta legalidad. Por algún tiempo quedaron restos de paredes en pie, puertas y palizadas a medio caer, techos descolgados, muebles rotos, trapería, tinajeros y fogones amontonados en pasadizos y corrales llenos de basura. A la sombra de las ruinas crecientes seguían pertinaces los últimos vecinos en espera de la demolición total. Siempre se hacía lugar para el velorio del último difunto o el jolgorio de un bautizo a destiempo y para las jugadas de dominó, para combinar carreras de caballo en quinielas y dupletas clandestinas, para el parejo doble y triple de los topos, para mover la banca oculta de la "bolita" o el alambique de ron clandestino burlador de la ronda policiaca.

Ahora quedaban todavía por allí aferrados cerca del árbol, Anastacio el Amolador con su mujercita Clota en cuya cabeza sólo albergaba la ilusión de ir a vivir a un caserío del gobierno para dejar atrás aquel escondrijo arrabalero.

—Deja esa maldita rueda de amolar, Tacio, y dedícate a negociante. No quisiera verte más amolando tijeras, navajas y cuchillos por esos mundos de Dios. Ya eso no va con estos tiempos. Vámonos, Tacio, que aquí no componemos ná.

—Eso te parece a ti, Clota. Nos llevamos los trastos pero se nos queda algo. No te lo puedo explicar, pero algo se nos queda aquí. Algo que me tiene agarrao a este sitio. Mira el árbol. Míralo a ver si no se ha quedao como un difunto, tan callao. Ese nos ha visto a todos crecer y padecer entre el hambre y la necesidá, pero agarraos a la tierra de la esperanza. Lo del caserío son cuentos de colores. Aquí mal que bien teníamos el pedazo de tierra rodiao de verdor y en medio, como un guardián, el árbol que siempre nos ha dejao respirar aire limpio. No me hace gracia eso de irnos a encajonar a un caserío público. Yo me siento sembrao en este barrio como el árbol a la tierra.

—Tú vives en la Luna. Hay que bregar con los tiempos, Tacio. Abre los ojos y cuenta con lo que tienes frente a las narices. En este sitio estamos viviendo de prestao, por pura fuerza e' cara. Aquí van a levantar una urbanización pa' gente rica, tú lo sabes. Allá to' será nuevecito; pisos de cemento en colores y estufa eléctrica. Lo demás te lo dan a plazos cómodos en La Amiga del Pueblo, esa mueblería que se anuncia que está regalándolo todo. Allá no habrá tecatos que se endroguen, habrá buena escuela pa' los muchachos, médico y medicinas pa' to' el mundo. Una escuela pa' enseñar oficios y muchos deportes para entretener la muchachería. Cualquier problema te lo resuelve el administrador o la trabajadora social y habrá una cooperativa de todos los vecinos. Así lo han dicho la gente del gobierno cada vez que vienen por ahí. No has visto a los ingenieros marcando puntos con el instrumento de la mirillita que usaban para medir. Deja esa rueda de amolar, regálale el silbato a Lalito, el nene de mi hermana, el retardao, pa' que se entretenga y la deje tranquila.

Anastacio tomó entre sus manos la ocarina y miró su carro de amolador, el sencillo mecanismo que él mismo fabricara combinando piezas y desechos de otros artefactos mecánicos. Ahora Clota quería verlo en otro trabajo propio de las personas que viven en caseríos del gobierno. El árbol, el silbato, la máquina de amolar eran parte suya, su pequeña agridulce historia en El Almendro. Alejarse de aquellos seres y aquellas cosas era como cortar el hilo de su vida auténtica.

Los últimos vecinos partieron por fin engañando la tristeza con la ilusión de una nueva vida de progreso y bienestar. Iban arrastrando sus carromatos en los que llevaban lo más pesado de sus haberes. Al anochecer la extraña caravana de sombras cruzó la ciudad contra la silueta geométrica de altos edificios modernos hacia la tierra de promisión.

* * *

—Anastacio, ¿por qué no acabas de botar ese carro de amolar? —entre el hervor de las paredes de cemento tendidos marido y mujer, buscando el sueño en el nuevo caserío—. Ahora la gente tiene toda clase de aparatos eléctricos en sus casas. ¡Qué mucho me gustaría que buscaras otro trabajo! Ponte a vender sandwiches frente a una fábrica o alquílate en un comercio. Eso sí que deja. La gente terminará riéndose de ti al verte empujando ese trasto y silbando como pa' llevarte los ratones detrás. Ya ni la muchachería sale a verte. Nadie piensa en amolar tijeras. Tienes que ponerte en algo pa' estar con lo nuevo. Así no estás en na'.

—No te ciegues, Clota, recuerda que de esa rueda hemos vivido.

—Ahora te ha da'o con estar yendo por donde vivíamos antes, donde estaba el barrio. ¿Qué sacas con silbar la ocarina por aquella urbanización de riquitos que han levantao donde estábamos? Nada menos que ahora se llama Mansiones del Paraíso. El único que te podría reconocer es el árbol que se salvó de milagro porque quedó detrás de las Mansiones. El resto del bosque desapareció. Pero arrecuelda que él, aunque quisiera ya no puede cobijarte con su sombra, ni ser resguardo pa' nadie, está en propiedá ajena y, cuando levanten el centro comercial que según mientan va por esa parte, de seguro que lo limpian también y ojos que te vieron dir. Amás, ¿crees que en aquellos pantiones que han hecho allí alguien va a tener curiosidá por oír de cerca tu silbato? ¡Qué sonso eres! Vendiendo cosas de comer te dejaría más promedio. ¿Tú no has reparao que ahora la gente come a todas horas en la calle? Entonces me podrías cambiar ese televisor por uno que se vea en colores. Anímate.

Antes era fácil, Tacio, con tocar el silbato venían las vecinas con las tijeras y los cuchillos y la muchachería también a ver las estrellitas que saltaban de la rueda de amolar. En las casas la gente se tapaba la cabeza con algo hasta que volviera a sonar el silbato o tocaban algo de metal pa' la buena suerte. Yo recuerdo cuando yo era nena que veía a don Melchor amolando tijeras y me parecía que era un mago. Me quedaba lela viendo las estrellitas que saltaban de la rueda cuando él pedaleaba la máquina y oyendo cuando sonaba el silbato. Llegaba como de bien lejos aquel don Melchor y no se parecía a la gente del barrio. El viejo tenía una barba grande y mucho pelo en la cabeza. Cuando estaba amolando no hablaba mucho, pero se sonreía con nosotros al probar el filo de las tijeras con la yema del dedo y al asentarlas en la piedra de esmeril mojá con agua. Entonces cortaba un trapo con las tijeras pa' demostrarnos que estaban bien afilás. Se metía la mano en el gabán viejo lleno de remiendos que le llegaba a las rodillas y nos daba dulces. Un loco del barrio se inventó la historia de don Melchor y to' el mundo la repetía. Era y que uno de los reyes magos que no quiso volver a su tierra y se había quedao predicando por el mundo como un pobre. Tan zángana yo que me lo creía. En mi casa mi abuela decía que don Melchor era más viejo que Matusalén y que los testamentos de la Biblia.

Los días que andaba por el barrio le daban comida en algunas casas y él les amolaba gratis los cuchillos y las tijeras. De noche se quedaba debajo del árbol en el bosquecito y nos contaba cosas de la Biblia, de una tierra de promisión y de un tal Moisés. Tarde ya, cuando la gente estaba durmiendo, se oía en el silencio el silbato y era como si fuera un pájaro trinando en el árbol. Los gallos de don Mauricio empezaban a cantar de madrugada y ya don Melchor había desaparecido. Cuando se iba y se estaba mucho tiempo sin volver, lo recordábamos y te parecía que nunca lo habías visto y que era parte de los cuentos que él mismo inventaba. Nos decía que un día nos iba a llevar a la tierra de promisión que él buscaba pa' que no viviéramos más en la miseria y la necesidá. Allí no había ni pobres ni ricos. Todo el mundo tenía lo que necesitaba y se querían mucho. Nadie robaba. Era como un bosque mucho más grande que el que rodeaba el barrio donde todos trabajaban y todos sabían tocar instrumentos pa' alegrarse unos a otros. Pero el camino y que empezaba dentro de uno mismo. Y eso era lo que yo no entendía. Por esas cosas la gente decía que don Melchor estaba medio chiflao, pero todo el mundo lo quería y cuando estaba mucho tiempo sin venir nos hacían falta sus disparates. Cirilo me dijo un día que me iba a llevar a ese sitio que decía don Melchor y yo se lo creí. Me llevó a un hotelito sucio por los muelles de San Juan y cuando nos asomamos a la ventana del cuarto me dijo: —¿Tú ves aquella tierra azulosa que casi se borra con el cielo, allá lejos, al otro lado de la bahía? Mañana nos vamos allá, es como la tierra del fulano Moisés que decía don Melchor, pero el camino empieza por aquí dentro de ti y yo te lo voy a enseñar esta noche. Y le vi estrellitas en los ojos y bebimos algo que me abrasó la garganta y empezó a sobarme todo el cuerpo. Lo demás tú lo sabes y, por eso estoy aquí contigo, que me sacaste de aquella pesadilla. Ahora sólo quiero vivir en un sitio donde todo sea limpio y bonito que yo lo pueda tocar con mis manos. Que no sea un sueño, ni un embeleco de palabras bonitas como el cuento de Cirilo. Los amoladores no son pa' esta época, Tacio. Los muchachos saben demasiao y las cosas van cambiando mucho. Los tiempos empujan a uno palante. Sólo Lalito, el retardao de mi hermana, se puede entretener con el silbato. Ahora tenemos nevera y televisor más que na' el televisor, lo que más me gusta si no me lo quita este mes la mueblería. Ve uno esas novelas que te hacen vivir otra vida. Yo estaría el día entero viendo las novelas. Lloran y padecen y se hacen pocasvergüenzas unos a otros y tú ahí tranquila sin moverte. En las noticias se ve el mundo cayéndose y a ti no te pasa na'. Ovídate de los amoladores y ponte a vender sandwiches y hot-dogs que eso es lo que deja, eso es lo que deja, eso es lo que, eso es... —el rostro de don Melchor emergió en su sueño como de un trasmundo, pero sus manos eran las de Cirilo y las estrellitas en sus ojos, unas manos gruesas, velludas que se alargaban hacia su cuerpo y en la pantalla del televisor Anastacio atrapado, mirándolo sin poder alcanzarla tras el cristal frío caminando por las calles, sonando su ocarina, pero el verdadero Tacio permanecía a su lado con los ojos abiertos entre el calor de las paredes de cemento y el golpear doloroso en las sienes, monótono, interminable.

Sobre el asfalto húmedo el chirriar de la llanta desgastada y los pasos lentos de Anastacio, caras en sucesión interminable, calles anchas y calles estrechas, hermosas casas antiguas clausuradas, apretujadas, entre los altos edificios de cristal, supermercados gigantescos, consorcios comerciales para el expendio de comidas rápidas con sus estereotipados inmuebles de feria. Tiendas de ropa elegante y calzado. Sólo el deambular por la ciudad le parecía suficiente bajo la llovizna del verano. Los turistas le tomaban fotos al verlo pasar silbando su ocarina, lento, ensimismado con el silbo juglaresco que ahora le parecía triste. ¡Ah, don Melchor, don Melchor! La conformidad de Clota lo llenaba de desolación. Se sabía fuera de aquella realidad circundante. La pujanza de los tiempos nuevos, el hormigueo de obreros levantando edificios por todas partes, las protestas huelgarias entre agrias arengas clamando justicia frente a las grandes empresas. El urbanismo anonimista lo hacía sentir, sin él saber por qué, extraño en su medio de vida y, sin embargo, no podía dejarlo. La tarde avanzaba con su alboroto de tráfico congestionado, apremiante, en medio de la vocinglería publicitaria. Un imperativo recóndito lo empujaba hasta las afueras. Era el árbol. A medida que se acercaba por atrechos de calles marginales, menos transitadas, su espíritu se descargaba de pesadumbre y recobraba el ánimo de otros tiempos.

* * *

...hemos encontrado la escuela militar ideal para ti, mi querido Javier. Está en Virginia, Melvin y Pat nos la recomendaron. El próximo mes vendrás con nosotros. El doctor Shepland, quien te examinó recientemente, nos comunica que ya estás bien. *Dady* y yo estamos seguros que te gustará la escuela. Hay chicos desde tu edad. La próxima semana estaremos contigo...

* * *

Sobre el asfalto húmedo otra vez el chirriar de la llanta; los pasos lentos y el silbo sonoro ahogado entre los mil ruidos de calles, avenidas y autopistas. La multitud se desplaza entregada al isócrono rito crepuscular tras la jornada del día. En cada atascadura la misma estridente, frenética desesperación. Los semáforos hacen su agosto con el estrés de los conductores atrapando y liberando con sus compuertas cromáticas según el ritmo del rojo, el verde y el naranja. En los televisores la culminación de la novela crepuscular paraliza toda actividad en el seno de las viviendas multipisos, en los caseríos urbanos, en las urbanizaciones de clase media, en los rincones arrabaleros y en las mansiones silenciosas de los suburbios.

El frenazo violento corta el aire como un rayo luego el golpe, el estallido de algo que se quiebra en pedazos y salta por el aire. Tras el impacto, el patinazo de la limusina sobre el pavimento mojado la hace rebotar contra el borde de la acera girando sin control hasta torcer en dirección opuesta. En medio del tumulto repentino, levantado por el asombro inusitado de los transeúntes, el cuerpo de Anastacio, menudo y liviano como un pájaro herido, emerge en brazos anónimos para ser trasladado al asiento trasero de la limusina junto al niño que no acaba de salir de su asombro. Sin perder tiempo, una joven pareja impecablemente vestida, y que acompaña al muchacho rumbo al aeropuerto, se traslada al primer asiento junto al chofer. De inmediato, la pareja ordena al chofer que se dirija al centro de asistencia médica más cercano.

Atrás quedó sobre el pavimento la rueda de amolar, oscura forma girando al aire bajo la lluvia con los rayos torcidos como un signo sin importancia, a la vez que extraño, contra la masa ensombrecida de los altos edificios circundantes. Anastacio permaneció recostado contra el tapizado blanco del coche —pequeño bulto de huesos inmóviles y adoloridos. La cabeza zumbante en delirio de incoherencias que la violencia del golpe hacía crecer y crecer. Por la sombra del rostro sin afeitar y en medio del aturdimiento se abría espacio la mirada extraviada hasta encontrarse con la del niño. —Vamos camino del hospital, señor. Pronto estará bien. Mis padres nos acompañan con el chofer. Saldremos esta noche para los Estados Unidos. Yo me quedaré allá, voy a estudiar, pero ellos volverán pronto y se ocuparán de usted.

En el asiento delantero la elegante mujer, visiblemente nerviosa, le comenta al marido: —*Honey*, el vuelo es el 936 a las 8:30, directo a Filadelfia. ¿Crees que estemos a tiempo *in spite of*... —el marido adelanta el brazo izquierdo con un rápido movimiento y mira el Rado que le ciñe la muñeca; ojea disimuladamente al chofer y le responde: —Vamos bien —y a *sotto voce*, acercándose a su oído—, ten cuidado *darling*, no te desprendas del neceser ni un solo momento. Recuerda que llevamos ahí un cuarto de millón de dólares.

La ocarina en las manos de Anastacio. —*Clota quería que se la regalara a Lalito. Quizás no. Hay que ser agradecido. Don Melchor siempre regalaba algo. Este niño me llevará con sus padres al hospital*— las manos de Javier se extienden para recibir el pequeño instrumento—. En la soledad de la habitación donde convaleció el niño en Mansiones del Paraíso, la abuela contempla el árbol a través de la ventana: —No te preocupes, Javier, hay aves pequeñas cuyo canto es resonante como una clarinada. Algún día se acercará a ti y podrás contemplarlo en todo su esplendor —las señales de la torre de mando ponen en movimiento la nave aérea. La pista está despejada. Los viajeros se acomodan en sus asientos, la azafata les recita la bienvenida y les imparte las instrucciones de rigor. En los audífonos algunos pasajeros escuchan las armoniosas voces de Los Panchos... *siglo veinte carrusel vertiginoso ¿por qué te llevas tan aprisa mi ilusión?* Clota siente un ruido ensordecedor que no la deja oír las palabras reveladoras de toda la intriga de la novela televisada, y sofocada y colérica maldice al pájaro de plata que va ganando altura estruendosamente sobre el residencial público. En el avión Javier recuerda ahora que lleva en el bolsillo el pequeño instrumento que le entregó el hombrecito del accidente. Parecía un silbato, piensa, mientras lo busca en los bolsillos del pantalón. Sí, efectivamente es como una pequeña flauta de juguete. Lo examina curiosamente y lo lleva a los labios. Al sonarlo suavemente se ha producido una extraña reacción entre los viajeros nativos que se dirigen a los Estados Unidos. —¡El amolador! —murmuran entre sí y se vuelven buscando el sílbo sonoro. Una emoción unánime, que los ha tomado por sorpresa, los sume en melancólica añoranza de hondas vivencias que surten de los veneros de la tradición isleña y aflora en ellos el sentimiento de identidad nacional. El pájaro de plata continúa ganando altura mientras atrás queda desdibujada sobre el mar la silueta borrosa de la isla. En el hospital Anastacio delira... ¿venderé sandwiches y *hot-dogs*? No, Clota, no venderé sandwiches ni *hot-dogs*, no venderé sán... mientras siente como si su espíritu fuera acogido lentamente por una sombra de verdor intensa y misteriosa. Javier ha seguido sonando la ocarina abstraído en una lejanía entre el sueño y la vigilia, inmerso en estático asombro. Las palabras de la abuela le llegan como por sortilegio a su conciencia, pero ahora con profundo sentido revelador... *un día cuando menos lo pienses el ave se acercará a ti y podrás contemplarlo en todo su esplendor. Entonces conocerás el misterio, se habrá deshecho el conjuro, para volver al principio de la historia que es como llegar al final de un cuento maravilloso.*

Carmen Lugo Filippi

Milagros, calle Mercurio

"Ha muerto la blanca Caperucita Roja".
Evaristo Rivera Chevremont

Después de haber trabajado en salones elegantes, con estilistas de esos que concursan todos los años en Nueva York o París, el cambio de ambiente me había deprimido bastante, pero traté de ajustarme a mi nuevo medio diciéndome que esto era mucho mejor que vivir alquilada, recibiendo órdenes todo el tiempo por un sueldo y unas propinas que no compensaban el atropellado horario de los viernes sociales y los sábados tumultuosos, cuando una barahúnda de señoras y turistas invadía el cachendoso local de Isla Verde en busca de la belleza perdida. Me entretenía muchísimo con las turistas, sobre todo con las españolas. Junito me las entregaba porque dizque yo tenía clase para tratarlas. Digamos que la única con un haber de tres años universitarios y experiencia en el extranjero era esta servidora y ello me otorgaba la supremacía entre las diez ayudantes de Junito. Claro que tal deferencia había creado al principio resentimiento entre las muchachas y sólo a fuerza de sonrisas y amabilidades había logrado disiparlo. Tal vez fue la sinceridad de mis explicaciones lo que las calmó: tres años de literatura comparada no aseguraban a nadie un puesto en las esferas intelectuales, mucho menos sin haber terminado el dichoso bachillerato. En cierta medida dulcificaba sus amargas frustraciones cuando les aseguraba que muchas mujeres con un flamante diploma en letras se veían obligadas a buscar trabajo en los aeropuertos o a volar como azafatas si no querían morirse de hambre. Más se ganaba con unos cursos de estilismo que con tres años de literatura o de idiomas... Así las manipulaba y me dejaban tranquila rumiar mi propia frustración, que ya era bastante.

Sí, porque nunca me había perdonado haber abandonado tan precipitadamente la Facultad para casarme con Freddie. Debí haber conseguido el diploma, debí haber seguido escribiendo, debí, debí... Todos aseguraban que tenía mucho talento cuando gané el segundo premio en aquel concurso literario del Ateneo. Aún me pregunto qué carajo me cegó. Quizás fue el temor de quedarme solterona: las jamonas empedernidas me horrorizaban, sobre todo, cuando pensaba en mi pobre tía esclavizada cuidando a mi abuela y al tío Manuel. Lo cierto es que cuando apareció Freddie en el panorama perdí la chaveta: él me prometió villas y castillas, viviríamos cerca de la base de Torrejón en Madrid, adonde sería trasladado ese próximo año. ¡Viajes, qué chulería! De Madrid sería fácil ir hasta Francia, donde podría practicar mis dos años de franchute, y de allí no habría que dar más que un saltito a la bellísima Italia.

Esos sueños nunca se realizaron porque Freddie no podía abandonar Madrid y yo salí encinta. Cuando la nena cumplió un año ya me encontraba al borde de una neurosis. La rutina doméstica me aplastaba, necesitaba respirar otros aires y más que nada hablar con alguien que me comprendiera. Freddie se limitaba a contarme sobre sus andanzas en la base, y eso cuando le daba la real gana. Mili, la chica que me peinaba, se compadeció de mi tremenda soledad y me pidió que la ayudara a lavar cabezas por las tardes. Fue así como me inicié en las artes peinoriles: descubrí una habilidad inusitada en mis dedos y mi imaginación se colmaba inventando peinados extravagantes. Mili me aseguró que nunca se había topado con una estilista de mi calibre. Me obligó a seguir un cursillo intensivo de maquillaje y peinados. No la defraudé: fui la primera de la clase.

Aquella fue la época de mi *boom*. Trabajé a gusto en un salón elegantísimo de la Avenida Goya. Todas las empleadillas quedaban boquiabiertas con mi sapiencia: la políglota, me decían. No sólo las deslumbraba delante de las turistas gringas, sino también frente a las francesas. Nunca en verdad me había sentido tan importante.

Aunque mi matrimonio no andaba bien, el trabajo compensaba la aburrida convivencia con mi insulso marido, quien sólo sabía jugar a los caballos y frecuentar el *Officers' Club*.

Cuando vino con el cuento del traslado a Alabama, supe a ciencia cierta que me importaba un comino su carrera militar. Empaqué mis bártulos y le dije un hasta luego que luego se convirtió en adiós definitivo. Fue lo mejor para los dos.

El trabajo en el salón de Junito me distrajo. A veces me divertía con las ridiculeces de varias señoras, perfectos monigotes con ínfulas de grandes damas. Las reconocía al instante y me entregaba placenteramente a la tarea de mortificarlas. Un comentario inocentemente mordaz, una discreta crítica y finalmente ¡zas!, les cortaba los vuelos con sólo corregirles el inglés chapurreado... Tenía tal maestría para bajarles los humos que el mismo Junito se asombraba de mi "savoir faire". Cuando clamaban por un "setting fabuloso" arqueaba las cejas y, solícita, subrayaba con articulación perfecta: ¿el fijador para el cabello grasoso o para el cabello seco? Y ni se diga cuando pedían el "spray profesional". Entonces me inclinaba majestuosamente, como una modelo de Miss Clairol, señalando inocentemente "el aerosol" con proteínas acabado de recibir. El resultado no se hacía esperar: depositaban en mis bolsillos generosas propinas que ascendían al 15% y de paso me obsequiaban con una furtiva mirada de respetuosa admiración.

Hubiera seguido allí a no ser por mi madre, quien cantaleta en mano me convenció de establecer negocio propio en los bajos de su casa en Ponce. "Te irá bien, nena, ya verás", repetía constantemente. "Allí hay clientela segura, no seas boba, piensa que no tienes que pagar local".

Y así fue cómo llegué a la Mercurio, más por complacer a mamá que por gusto propio. Al cabo de dos semanas, ya estaba establecida en aquel primer piso de nuestra modesta casa. Lucía coquetón el lugar con sus paredes recién empapeladas, sus *collages* de cortes y peinados que yo misma había ideado sobre planchas de *plywood* negra y sus tres secadoras idénticas, alineadas frente a un gran espejo de marco sencillo (detestaba los pretenciosos ribetes dorados de los espejos de Woolworth's).

La clientela no se hizo esperar: en vísperas de graduaciones tuve casa llena durante tres largos días. Desfilaron, sobre todo, muchachas de noveno grado con sus respectivas mamás, unas para recorte y peinado, otras para tintes y permanentes, y un número considerable para alisados.

El ambiente era en general humildón (frecuentaban semanalmente cuatro o cinco enfermeras, dos maestras, ocho secretarias y numerosas empleadas de fábricas y tiendas por departamento). No tenía mayores quejas porque hacía mi dinerito sin matarme mucho y además estaba con mami, gran ayuda en aquellos días de soledad. Ahorraba cuanto podía para matricularme nuevamente en la Universidad, mi única ambición entonces.

Fue justamente en esa época cuando vi por vez primera a Milagros. La recuerdo tan vivamente, tal como si estuviera viendo una película española en blanco y negro, de esas bien sombrías que transcurren en un pueblecito de mala muerte, donde la esbelta protagonista de pelo larguísimo camina lentamente y de pronto la cámara se le acerca; perfecto "close-up" algo parsimonioso que resbala por la cara blanquísima y se regodea en las facciones inexpresivas, sobre todo, en la mirada lánguida y como ausente.

Pasaba puntualmente hacia las cuatro, a su regreso de la escuela superior, vestida con su uniforme crema y marrón, impasible pues no sonreía ni al rey de Roma, con la cabeza siempre erguida, los hombros en perfectísimo balance, probablemente para mantener aquella armoniosa combinación de movimientos de sus extremidades, prodigioso mecanismo de exactitud, mediante el cual hombros y piernas avanzaban acompasadamente, sin perder ni un solo instante el rítmico momentum inicial.

Contemplarla, suscitaba en mí un extraño fenómeno de correspondencias: cine, literatura, pintura, música se aunaban desordenadamente para devolverme la ecléctica imagen de una criatura extraña, misteriosa, que bajo ninguna circunstancia pertenecía a aquella calle común y bonachona. Imaginaba a la muchacha revolucionando el salón de Junito con su entrada sorpresiva, despertando miradas de envidia entre más de una señora a dieta y encendiendo la codiciosa admiración de Junito, que se aprestaría sin duda alguna a ofrecerle en bandeja de plata fama y billetes, con tal de que modelara su último peinado en el concurso de estilismo en Nueva York.

Sí, porque constituía para ti un verdadero reto el pelo de Milagros. Incluso fantaseabas con los posibles cortes, verdaderas obras maestras dignas de figurar en *Hair & Style* o en *Jours de France*. Por eso una tarde ya no aguantaste más y en son de chisme le dijiste a doña Fefa: "Bendito, qué pena, la Milagros no se cuida el pelo, se le va a dañar". Y doña Fefa, cuya sin hueso era más bien benévola, te ripostó que la culpa de esa atrocidad era la madre de la muchacha, quien le tenía prohibido que se tocara un solo pelo, tan aleluya esa vieja, tú no sabes, Marina, de lo que es capaz el fanatismo.

Entonces entendiste por qué tampoco se pintaba y por qué usaba siempre, aún en pleno verano aquellas blusas conventuales. Le diste cuerda a Doña Fefa, bautista progre, quien en un santiamén te contó vida y obra de la familia en cuestión. "Vélalas, que a eso de las siete pasan como clavo caliente pal culto".

Fuiste tú, Marina, el clavo caliente que se apostó en el balcón para observar la peregrinación crepuscular de Milagros. La madre avanzaba a trancazos, la Biblia bajo el brazo, y su apocalíptica seriedad contrastaba con el gesto cómicogrotesco de literalmente arrastrar a una niña de siete o seis años a lo sumo, muy parecida a Milagros, por lo que dedujiste que era su hermana. A un pie de distancia, Milagros las seguía sin alterar en lo más mínimo su rítmico trote. Llevaba también un libro, aunque mucho más delgado ¿de oraciones o himnos, acaso? La sobriedad de aquella figura te sumió en graves reminiscencias cinematográficas de cuando aún tenías aquellas inquietudes de intelectual de tercer año, con asistencia perfecta al cineclub universitario (Buñuel, Bardem, Pasolini y adláteres). Escena típica buñuelesca, dictaminaste ese martes, regodeándote en la sensación de superioridad que te otorgaba tu cultura cinematográfica y tus consuetudinarias discusiones con el pretencioso grupito del pasillo de Humanidades, ¡cuánto los recuerdas a todos!, acuclillados en una esquina de Pedreira, pretendiendo saberlo todo o adoptando actitudes de olímpico cinismo. Por un momento deseaste que hubieran estado allí, contemplando desde la torre las figurillas en Movimiento, para luego elaborar las teorías más abstrusas y de paso enfrascarse en animadas discusiones existencialistas. Pero sólo estabas tú.

A partir de ese martes continuaste observándolas crepuscularmente para añadir matices a tu ya formada imagen. Notaste, por ejemplo, que

Milagros se retrasaba, y por ello su madre se veía obligada a aguardarla durante varios minutos en la esquina Victoria para entonces cruzar la intersección. Anotabas también los leves cambios en el atuendo de la muchacha: un discreto escote en forma de V, una falda más ceñida que de costumbre, unas sandalias baratas pero algo pizpiretas.

No pude retener por más tiempo mi creciente curiosidad y un miércoles las seguí a distancia con el secreto propósito de colarme entre los fieles para así gozar de cerca los misteriosos ritos practicados por aquellas puntuales mujeres. Mi loca imaginación las asociaba con trances histéricos, cuando el mesar de cabellos y el frenético sacudimiento de manos y brazos se sucederían histéricamente. No podía concebir a la pausada Milagros en tal estado de vulgar frenesí.

Lo que presencié esa noche me impresionó muchísimo, tanto que luego me sorprendía a cada momento rememorando las escenas: sobre todo, aquel estrepitoso ¡Manda fuego, señor, manda fuego! ahogado súbitamente por el estallido imprevisto de una pandereta cuya secuela de tintineos duraba varios segundos, a modo de fondo musical para chillones gritos esporádicos de Aleluyas y Glorias, salpicados de lastimosos ayes y suspiros entrecortados. La madre de Milagros se transformaba: aumentaba de estatura (¿irguiéndose acaso en la punta de sus zapatacones?), mientras blandía sus brazos a diestra y siniestra con tal ímpetu que temí varias veces ver a Milagros derribada sobre el banco. Pero lo que en realidad me sacó de quicio y hasta me divirtió por lo contrastante, era la estampa de la muchacha, quien, hierática, contemplaba el espectáculo, ladeando levemente su cabeza con aquel magnífico gesto de indiferencia.

Dos días más tarde, un sábado precisamente, me llevé una gran sorpresa pues allí estaban ambas, esperándome junto a la puerta del salón. La madre se adelantó y sin mayores rodeos me hizo saber que a su hija se le estaba cayendo el pelo y que necesitaba urgentemente algún tratamiento de esos que yo daba.

Examiné con experta circunspección el cuero cabelludo de la esfinge y dictaminé una soriasis aguda. El tratamiento tomaría unas tres semanas, pues la cantidad de pelo de Milagros hacía más difícil los masajes, y cada vez que tenía que aplicarle gorros calientes era una verdadera odisea acomodar aquella bonita maleza. Se me prohibió cortar uno solo de aquellos cabellos: así que la tarea resultaba bastante engorrosa, a no ser por la inesperada oportunidad de poder observar bien de cerca la expresión de la madonita. ¿Sería una retrasada mental, con aires de modelo sanjuanera?

Mientras estuvo allí con la madre, no dijo ni esta boca es mía. Permaneció sentada, mirando fijamente su imagen en el gran espejo del tocador, sin pestañear casi.

Volvió el martes para recibir el primer tratamiento. Esta vez llegó sola. Vestía el uniforme de la escuela y lucía más pálida que de costumbre. La saludé cordialmente y le pregunté ¿qué tal las clases?, a lo que ella respondió con un lacónico "bien". Hice caso omiso de su cortedad y proseguí mi monólogo advirtiéndole del peligro que corría de quedarse calva si no se daba un corte a tiempo, de la necesidad de cuidarse el pelo. "Es como una planta, chica, tienes que podarla", clisé que me pareció oportuno. Me acerqué por detrás y con gesto de peinadora profesional le recogí las mechas en suave remolino, obligándola a mirarse en el espejo, y con un casual "fíjate, qué mona te ves, tan diferente, pareces una artista de película", le coloqué uno de esos peines de moda lleno de miosotis rosados y amarillos. Se conmovió, sí, no cabía duda, porque se echó impetuosamente hacia el frente y miró con admiración el fondo del espejo, como si la imagen no le perteneciera. Luego, sonreída, me echó una ojeada, sin saber qué decir. Le busqué revistas que mostraban diversos tipos de recortes y, mientras le colocaba el gorro caliente, sugerí que escogiera el que más le gustara. "No me dejan recortar", dijo secamente. Pese a ello se sumió en la contemplación de las imágenes.

Durante el tercer tratamiento, Milagros parecía menos cohibida. Incluso me pedía revistas y hasta fotonovelas, tipo de literatura esencial en cualquier salón de belleza. Recuerdo cuando le presté aquel Vanidades que traía un largo artículo ilustrado sobre cómo maquillarse de acuerdo con el tipo de rostro. De cuando en vez la muchacha interrumpía la lectura para hacerme una pregunta acerca de tal o cual término. La precisión en la manera de formular las preguntas acusaba un espíritu incisivo e inteligente. Aproveché la ocasión para averiguar qué haría al terminar la escuela superior y sus comentarios fueron evasivos. Se sumió en la contemplación de las fotos y pasó largo rato sin volver a abrir la boca.

En una ocasión, no sé si fue martes o jueves, Milagros llegó a eso de las tres al salón. No tenía clientes ese día, natural flojera de mediados de mes, así que la dejé unos treinta minutos sola, mientras iba hasta el "Supply" a hacer varias compras urgentes, creo que unas cajas de placentas.

Al regresar, me extrañó mucho escuchar música, pues no había dejado el radio puesto. Entré sin hacer ruido y sorprendí a Milagros de espaldas, frente al aparato colocado en un improvisado anaquel junto a la puerta del fondo. Me sorprendió gratamente oirla repetir con tímida voz de contralto el hit del momento: "Tu amor es un periódico de ayer/ fue titular que alcanzó página entera". Pero quedé aún más divertida cuando, balanceándose rítmicamente, la Milagros repetía con voz de falsete una y otra vez aquel "... y para qué leer un periódico de ayer/ y para qué leer un periódico de ayer". No interrumpí su acto, al contrario la dejé inmersa en su contoneo. Pareció abochornada cuando me alcanzó a ver. Fingí no prestar atención a la escena y continué la rutinaria colocación de productos en las tablillas. Con gesto indiferente le indiqué que podía continuar escuchando la música. Fue inútil. Ni siquiera el salsudo estribillo de "La vida te da sorpresas, sorpresas te da la vida..." logró arrancarla del súbito hieratismo. Su rigidez repentina me provocó lástima.

El tratamiento llegó a su término con exitosos resultados. Se despidió un jueves agradecidísima, llevándose un paquete de revistas envueltas en papel de estraza.

Siempre que regresaba de la escuela se detenía unos minutos para saludarme. Noté, sin embargo, que durante las últimas semanas de noviembre pasaba a eso de las cinco. Pensé que se debía a un cambio de horario y no le puse más atención a ese detalle. Andaba en esos días muy atareada entre telas y costureras porque la nena iba a ser paje en la boda de mi prima.

Aquel primer lunes de diciembre, lo aproveché para recoger, por encargo de mi prima, las puchas que llevarían las damas y algunas otras chucherías que adornarían las mesas de los invitados durante la recepción. Respetaba por conveniencia el mandamiento de los zapateros y jamás abría el local ese día. Entre una y otra diligencia, llegué a casa a eso de las cinco. No bien puse los pies en la esquina, noté que algo anormal ocurría. Divisé a lo lejos cuatro o cinco vecinas reunidas frente a la casa de doña Fina. Gesticulaban ostentosamente, por lo que deduje que algo gordo se cocía en el ambiente. Fui directamente hacia ellas y he de decir que me recibieron en su sacrosanto seno con una expresión de ¿malevolencia?, ¿conspiración?, ¿complacencia?, ¿piadosa consternación? Doña Fina soltó su rollo sin que tuviera que hacerle la más mínima solicitud. "Fue a eso de las cuatro, nena, yo estaba barriendo las hojas de esas dichosas quenepas cuando vi pasar una patrulla. ¿A quién habrán asaltao?, tú sabes, Marinita, con tanto crimen, es lo único en que se piensa... El carro se paró frente a los aleluyas y vi a Rada, mi sobrino, el que es guardia, tú lo has visto. ¿Y a que no te imaginas a quién bajaron de la patrulla? ¡A la Milagros, nena, a la Milagros! Creí que le había pasao algún accidente y corrí a ver, pa ayudal. Pero nena, lo que vi aún no lo creo, ¡pol poco me caigo de culetazo! La Milagros no se parecía, era otra, to pintarreá, con un emplaste...! La metieron pa dentro y yo la seguí, porque doña Luisa se había quedao pasmá en la puerta. Rada me hizo señas que me saliera. ¡La que se folmó, Marinita, la de San Quintín, fíjate que los gritos se oían hasta en la Calle Reina, yo no me imaginaba cuánta mala palabra sabía doña Luisa, polque de puta pa bajo le espetó una salta de palabras sucias... Me da vergüenza, nena, repetirlas. ¡Hasta hija de Satanás la llamó!"

"Yo me vine pa ca a esperar a Rada, tú sabes que él siempre viene a tomal café, así que me senté en el balcón y al ratito llegó él, colorao y nervioso. ¡Lo que me contó, Marinita, por eso digo que del agua mansa me libre Dios! No se puede creer en nadie, nena, la Milagros tan seriecita, tan mosquita muerta y mira lo que hacia cuando salía de la escuela, na menos que esnuándose en un club de la carretera pa Guayanilla, esnuándose, oye eso, y que esnuándose!".

Respiró hondo y nos contempló a todas, gozándose en nuestro claro estupor, en nuestras miradas incrédulas y a la vez suplicantes. Con suma complacencia estiraba la oración de transición, aquella que nos introduciría en el antro pecaminoso, mágica frase de pase, santo y seña que abriría el misterioso recinto para permitirnos contemplar el secreto ritual de la sacerdotisa...

"Rada fue en la patrulla a ese club de Guayanilla porque alguien había choteao y que allí un chorro de viejos ricos de Ponce se juntaban a ver nenas esnuándose, eso que llaman estritís... Él y dos guardias más los cogieron a tos por sorpresa, con las manos en la masa, porque entraron callaítos y dice Rada que to estaba como boca de lobo, lo único que se veía y que era una mesa grande con luces de esas que dan vueltas, claro, si allí era que se hacían las pocavelgüenzas, cómo no iban a habel luces, y de las grandes... Toítos los viejos veldes y que arremolinaos, cayéndoseles las babas, eso sí con musiquita y tragos, chorro de degeneraos, hasta médicos y abogaos había en la pandolga..."

Y mientras doña Fina, ya incontenible, recuenta la escena, vas recreando, Marina, cada detalle, fascinada ante el abismal mundo que en ese instante cobra forma, dejándote arrastrar por la facilidad con que se dibujan y desdibujan las imágenes sugeridas, vértigo visual que te obliga a reclinarte sobre el quenepo para así poder mantener la secuencia del tropel de escenas y cortes que transcurren ininterrumpidamente.

Ahí está Rada colándose por la discreta puerta que un falso cortinaje de cuentas azuladas se empeña en disimular. Se adentra sin mayores dificultades, pero la repentina oscuridad lo obliga a tantear las paredes, hasta que de pronto divisa más adelante otro nutrido cortinaje similar al primero: separa con suavidad las cuentas para no delatar su presencia y escurre su cachetuda cara en el improvisado hueco... Ni una sola voz. Sólo jadeantes respiraciones rezongan sobre la sinuosa melodía que en cámara lenta se desgrana. Renovadas capas de humo se acumulan alrededor de un punto impreciso que misteriosamente aparece y desaparece cuando la luz caprichosa del girante reflector se detiene unos segundos. El Rada avanza hacia el grupo y aupándose capta el momento efímero cuando la azulada luz descubre una blanquísima masa vibrante que se enrosca al compás de las quejosas notas de un saxofón. Ya no puede apartar sus ojos del improvisado altar e hipnotizado como todos aquellos acólitos sexagenanos, sólo aguarda el gran retorno de la luz. Si, porque ahora, bien despacito, el reflector se complace en recorrer pícaramente el gracioso pie que se levanta a la vez que los platillos estallan jubilosos una y otra vez. La masa lechosa inicia su sensual contoneo, mientras el estribillo pegajoso de la melodía se impone. Esta vez la luz indiscreta persigue los convulsivos movimientos y el Rada entonces se excita viendo cómo la serpentosa figura se yergue de espaldas y muestra con estudiada morosidad dos perfectas redondeces que contrastan con la llana geografía del suave torso. Y así, de espaldas, la gata sigilosa levanta los brazos a la altura de la nuca en espera del platillazo decisivo, aquél que le indicará cuándo ha de arrancar la hebilla que retiene su pelo, movimiento imprescindible que precede a la frontal y apoteósica voltereta final, reveladora de las más íntimas desnudeces. Los jadeos parecen haber cesado bajo el influjo de ese momento perfecto: conspiración simultánea de flechadas miradas hambrientas que hieren al unísono la imagen indefensa de la diosa-ninfa. Y ahí está Milagros, ante los asombrados ojos del Rada, quien parpadea incrédulo, quien se frota los ojos para despertar y ver siempre aquellos muslos lechosos, adornados por un montoncito de pelo lleno de pizpiretos miosotis. Ajeno ahora a las roncas risitas, a los libidinosos conjuros de los sexagenarios sacerdotes, a los obstinados trompetazos que van sosteniendo la puesta en pie de la Milagros, el Rada no despega sus ojos de los menudos senos que comienzan a flotar y sólo el estruendoso platillazo final lo devuelve a la realidad.

Así debió ser, Marina. El rito se cumplió y la Milagros fue ovacionada pese a los gritos del recién indignado Rada, quien de vuelta al deber, ordenaba, revólver en mano, encender todas las luces. "Y se almó la de San Quintín, Marinita, un corre-corre tremendo, pero como casi tos eran unos viejos churrientos se amansaron rápido, los que eran abogaos trataron de meterle miedo a Rada con jueces amigos y qué se yo. Total, que a ellos no les hubiera pasao na, aquí esas cosas se tapan con la política y el dinero... y como Rada no quería perjudical a la Milagros los dejó ilse sin denunciarlos pa así poder trael la aleluya a la mai. Ese si que es un muchacho noble..."

Contemplas, Marina, la casita silenciosa al final de la calle y te preguntas en cuál rincón estará Milagros doliéndose de los golpes y en espera de los implacables moretones que irán floreciendo a medida que caiga la noche.

De pesadilla en pesadilla vadeas los intermitentes desvelos y el amanecer te sorprende con la imagen obsesiva del Rada en trance ante el altar pecaminoso. Y durante este martes sombrío, en tu ir y venir por el salón, la escena te persigue y por más que quieres abreviarla, no puedes, porque se adhiere con obstinación a tu pantalla.

Por eso no te has dado cuenta de que son casi ya las once y aún no has puesto en orden los rolos y las hebillas. ¡Qué impresionable eres, Marina, esa mocosa ha alterado el orden de tu sacrosanta rutina! Pules cuidadosamente la formica de las improvisadas coquetas y con una hoja húmeda de periódico frotas los espejos que te entregan de pronto la imagen de la Milagros, sí, de ella misma, ¿estarás soñando? Pero no, allí está junto a la puerta, mirándote parsimoniosamente, sin pestañear, un poco ladeada a causa de la maleta que lleva en la mano izquierda... Sin volverte la examinas en el espejo... Sí, es ella, no cabe duda; un tanto diferente por la indumentaria que consiste en unos ceñidos mahones color vino. ¿Qué deseas, Milagros?, casi susurras, incapaz de mirarla de frente, aunque siempre observando el espejo. Ella entonces da un paso decidido y saca del bolsillo derecho de su pantalón un flamante billete de veinte, billete que blande, airosa, y con tono suave, pero firme, hace su reclamo: "Maquillame en *shocking red*, Marina, y córtame como te dé la gana". Un temblequeo, apenas perceptible, comienza a apoderarse de tus rodillas, pero aun así no logras apartar los ojos del espejo donde la Milagros se agranda, asume dimensiones colosales, viene hacia ti, sí, viene hacia ti en busca de una respuesta, de esa respuesta que ella urge y que tendrás que dar, no puedes aplazarla, Marina, mírate y mírala, Marina, ¿qué responderás?

Carmen Lugo Filippi

Recetario de incautos

Escribo: más que cantar, cuento cosas.
Gloria Fuertes

Cuando comenzó a revolver la pila de recortes, cinco cucarachas descomunales se precipitaron despavoridas por los bordes de las tablillas polvorientas. ¡Qué asco!, habría que fumigar pronto aquel rincón de almacenaje, si no quería verse devorada por aquellos ejércitos proliferantes. De buena gana hubiera comenzado el exterminio en esos mismos instantes, pero lo apremiante de la situación la hizo reconsiderar su impulso: tenía que conseguir una receta exótica y al mismo tiempo de fácil preparación. Estaba segura de que si examinaba con calma los recortes y las revistas, encontraría lo que buscaba, sólo tenía que resvestirse de paciencia y dominar su ansiedad creciente pues al fin y al cabo no se trataba esta noche de una visita tan importante como para alterarse en tal forma… ¿o si lo era? No quería engañarse, lo sabía perfectamente bien: se proponía impresionarlos aunque fuera lo último que hiciera en su vida. No podía tolerar la idea de que la encontraran no solamente recién divorciada, gorda, algo envejecida y, para colmo de males, con tantos apuros. Era, después de todo, tan humillante tener que enfrentase nada menos que a su hermana y a Paco en aquellas condiciones. Habría que hacer de tripas corazón y lucir feliz, reidora como antes, disimular su obesidad con una faja *Playtex* y corregir con *Maybelline* las arrugas más obvias. Seguiría el consejo de Vanidades para ojos y párpados caídos: sombra clara hacia arriba y hacia afuera, luego una línea firme que rodeara la cuenca del ojo con angulación ligeramente levantada, las cejas bien arqueadas y, claro está, el toque mágico de un poco de *rimmel* sólo en el borde.

Total, a Paco también se le notarían las arrugas y la barriga —once años no pasan en balde—, y tú muy bien recuerdas que a Doris le encantaba cocinar abundantes pastas con queso parmesano (dieta perfecta, según Cosmopolitan, para hacer engordar hasta una cola de bacalao).

Te sonríes al imaginar a Doris cachetuda y con papada y eso te causa un gran alivio y te hace volver entusiasmada a las recetas que has coleccionado durante años, previendo ocasiones como éstas o imaginando invitados importantes a quienes fascinar con tu cocina exquisita, tu mesa impecable y tus "Mil violines de amor" punzando suavemente la penumbra de la pequeña sala-comedor iluminada por tan sólo dos candelabros. Ahí está Paco, nostálgicamente sonreído, mirándote a través de las llamitas vacilante, frotándose con suavidad el bigote: "¡No sabía que cocinaras tan bien!, ¿por qué no me lo habías dicho?". En ese instante habría que arquear aún más las cejas, levantar la barbilla, ladearse levemente y responder algo verdaderamnte ingenioso: "Fui, soy y seré un cofre de sorpresas". Pero no. Quizás conviniera sonreír enigmáticamente, soslayando la mirada de él, no es prudente ahora arrepentirse de que pudo haber sido y no fue, Moneró tenía gangosamente la razón, y menos cuando Doris estaría como un alacrán, presta para enterrar su ponzoña al menor movimiento en falso. No. Tenía que impresionar a Doris, demostrarle que no sólo de lasaña vive el hombre, quien durante sus años en New Jersey no había aprendido a hacer una comida de película, que los spaguettis y los canelones eran vulgares comparados con su cena de telenovela crepuscular.

¿Un cocktail de camarones para empezar? Era de fácil preparación, si seguía la receta de aquel Buen Hogar que ofrecía "platos fáciles para una comida buffet". Buscó afananosamente entre las revistas: las portadas desparramadas ofrecían un portento de variedad uniformada. Rostros, rostros y más rostros en primeros planos; perfectas caras ovaladas con inmensos ojos azules, verdiazules, verde intenso, amarillos o ligeramente violetas.

¿ES USTED INOLVIDABLE?
UNA FÓRMULA MÁGICA PARA ADELGAZAR SIN DEJAR DE COMER
TRIUNFADORA SEXUALMENTE CON SU ESPOSO
EL COMEDOR PERFECTO DE LA PRINCESA LEE RADZIWILL
ASÍ VIVEN LOS DUQUES DE ALBA

Escenografías de sueños comenzaron a asomarse entre las esplendorosas fotografías. Una debilidad creciente la hizo tenderse en el sofá de tonos desvaídos. Abruptamente invadió los interiores de aquella casa de maravillas y poco a poco sintió una inesperada transformación al hallar más anchos los espacios, más claras las luces, al descubrir —¡qué portento!— la mullida hondura de una butaca, la fina marquetería de un aparador, la pulcra blancura de una albenda, los cálidos matices de un afelpado... Iba de una estancia a otra escuchando arrobada los acordes de aquel regio vals que impetuosamente crecía; soñándose duquesa en aquel su nuevo bosque de tapices habitados por ninfas perseguidas por machos cabríos, caballos alados y unicornios; contemplándose en espejos de alinde que colocados frente a frente, multiplicaban hasta el cansancio los jarrones neblinosos, casi a punto de estallar con tantas azaleas, lirios, hortensias, heliotropos y rosas.

¡Ah!, cuánto hubiera querido prolongar indefinidamente su ir y venir vertiginoso entre las porcelanas de *Limoges*, apiladas locamente en pesados aparadores de caoba, voltear graciosamente aquel piano crepuscular que se reflejaba en melancólicas lunas biseladas, palpar los cojines de terciopelo, las cristalerías y los argentados cubiertos, admirar los bodegones embetunados, colmados de faisanes y codornices... Sí, hubiera querido regresar al comedor, pasando primero por el vestíbulo de las pinturas, donde hermosos arlequines lucían sus ropas carnavalescas e intemporales naturalezas muertas dormían su apacible siesta. ¡Ah!, ¡quién hubiera podido llegar hasta la mesa de corte victoriano sin alterar en lo más mínimo aquel momento redondamente perfecto! Se hubiera sentado discretamente a la mesa, mostrando la condescendiente amabilidad de una modelo parisina, esa deferencia distante, plagada de una leve melancolía que se hace resaltar aún más con la ropa oscura y el peinado aparentemente descuidado. Se hubiera solazado en la contemplación de aquel derroche de candelabros y vajillas de plata; hubiera sido testigo del ceremonioso desfile de bandejas colmadas de aves espléndidamente aderezadas con salsas de acuciosa elaboración; hubiera paladeado visualmente los alfinges, las hojuelas, los rellenos trufados y ajerezados...

Pero nunca llegó hasta la mesa... La pésima ventilación la obligó a ponerse de pie: se desperezó sin ganas, recogió su paquete de revistas y recortes y se dirigió a la cocina. Una vez allí extendió sobre el mostrador de formica rosada las recetas más llamativas. Afanosamente se dio a la tarea de leer la lista de ingredientes de suculentas salsas y fue como pescar en un río revuelto millares de palabras de todas tallas y colores, exóticas especias que se deslizaban igual que anguilas entre el ir y venir de sus dedos afanosos, fragantes yerbas que le recordaban, no sabía por qué, extrañas botánicas costeras, sensuales condimentos a cuyo sólo nombre se excitaban califas y marajás soñolientos. Y ante aquel lujurioso derroche de nombres —tarragonsalsifiperfoliadazafranperejil— que apretadamente luchaban por asirse a su memoria, se sintió cohibida, con la terrible sensación de poquedad tantas veces experimentada a lo largo de sus treinta y seis años. Pero no. Tenía que vencer su tontuna timidez y atreverse a explorar aquellos aromas extranjeros, tenía que ser capaz de lograr las sutilezas del unto, las aleaciones mágicas de yerbas y especias, el feliz parto de las carnes chorreantes de néctares voluptuosos. Y ya con el firme propósito de hacer un inventario de sus provisiones, abrió las puertas de la alacena. Su mirada resbaló en infructuosa peregrinación por las latas *Campbell's* alineadas simétricamente, para luego deslizarse entre salsas de tomate y habichuelas cocidas en agua y sal. Dio media vuelta, recogió rápidamente las revistas y, al cerrar sus ojos unos instantes, vio a Doris, cachetuda y con papada, inspeccionando con franca alevosía la mesa recién puesta, y Paco que ahora se inclina hacia ti, frotándose con suavidad los bigotes, gesto de Arturo de Córdoba que aún te fascina, más todavía cuando te susurra: "¡Qué habichuelas salsudas tan estupendas!". Y súbitamente estallas en una jubilosa carcajada mientras lanzas sin vacilaciones, una a una, las revistas a la basura, repitiéndote el recién descubierto estribillo: "Pendeja, eres una grandísima pendeja".

Juan Antonio Ramos

Hay una mosca en mi plato

Y saben que la mosca también sabe y los vigila: saben que lo que en realidad tenemos son moscas de la guarda que nos cuidan a toda hora de caer en pecados auténticos…
Augusto Monterroso, Las Moscas

Hacía tiempo que no comía una gandinguita tan rica (le faltó un chilín de pique, pero en estos tiempos no se puede exigir más). Dejó un montoncito de sobras esquiniaditas en el plato (mirándolas con pena, pero había que dejar algo). Allanó un poco el solar central y justo en el huequito la depositó sin que nadie se diera cuenta.

—¡Moza… mozo, venga acá si me hace el favor!

—¿Qué desea, señor?

—Hay una mosca en mi plato.

El muchacho lampiño con cotita roja despintada tartamudeó, miró a los lados para verificar la distracción de los parroquianos (todos se mantenían ocupados en lo suyo), se inclinó disimuladamente y, en efecto, descubrió una pobre mosca sepultada bajo el emborujo reseco de arroz, habichuelas y lascas de gandinga.

—La verdá es que no sé cómo ha sido —deshaciéndose en disculpas el mozo —porque aquí tenemos aire acondicionado y escrines —muy educado, muy trompudito el mozo —y además cuidamos y expurgamos bien lo que servimos —muy mozo el mozo con su correcta toallita doblada en el antebrazo —de manera que aún no me explico cómo se coló…

—Yo tampoco me lo explico —atajó él, sin piedad— pero lo cierto es que sí se coló —y señaló con el hocico a la mosca intrusa—. Bien, me supongo que no tendré que pagar un centavo por ésta... El muchacho mostró unos cachetes desinflados, perplejos, confundidos—, no, bueno, digo sí, pero, bueno, espérese un momentito— y desapareció por una puerta amplia que daba al fondo. Al instante regresó con un hombre regordete, de expresión cansada y orejas robustas. El mozo indicó con el dedo y el gordo se convenció; exhaló un ventarrón de contrariedad y se excusó sin muchos deseos de hacerlo.

La cosa es que Agapito Sánchez, desde hacía algún tiempo, había descubierto el infalible secreto de comer de gratis en donde le diera la gana, gracias al truco de la mosca muerta en el plato de comida. La idea le surgió al leer una entrevista hecha a un frustrado comerciante que desistió de establecer una cadena de restaurantes, debido a que continuamente surgían clientes que se quejaban porque encontraban "cosas" en la comida. Agapito no se tomó mucho tiempo en cuajar la idea. Mientras cavilaba, llevó sus dos chaquetas y los tres pantalones de salir al *laundry*, y a la semana tenía bien definida la estrategia a seguir. Seleccionó cuidadosamente los puntos de ataque, tomando en cuenta el distanciamiento existente entre los mismos. También delineó la acción a base de alternar los lugares de acuerdo a la categoría: una fonda hoy; mañana o pasado un *Coffee Shop* regularzón, dos días más adelante, un restaurancito decentón... Hacía ahorros que le servían para cocinarse algo en la casa, pasaba un poquito de hambre, pero se desquitaba bien desquitado luego (siempre había para la cervecita y el cine; para mujeres no había —por el momento). Por lo regular sus incursiones no variaban; un ceño más, un ceño menos, un rebuzno más, un rebuzno menos, pero a la larga o a la corta accedían a dejarle ir sin pagar. El único (y serio) problema que vislumbraba era el seguro y paulatino agotamiento de la "minita". Pronto no le quedarían lugares a donde ir. Pero esa era una preocupación que no se le podía dar mucha cabeza y que disipaba cuando el hambre apretaba.

Hoy Agapito escogió un restaurante chino. Y mira que le costó, porque a él no hay quien le venga con esos mejunges dulces para la carne, que si pato (pato, figúrense) a la Jau-Chen-Fun-Chin, que Choumín que es más carne guisada que otra cosa, que si Jai-Li-Jijili-

Ji-Chu, que son como unas guábaras pasadas por agua de sal y vinagre, no me juegue… La otra preocupación era pedirlo: se sentía horriblemente ridículo tratando de articular esa lengua endiablada propia de una película de karate. En ésas estaba cuando el mozo se le acercó entregándole el menú y preguntándole si quería tomarse algo antes de ordenar. Agapito Sánchez pegó un brinco que poco se lleva el techo al tropezarse con el lunar peludo en el cachete izquierdo del flaco famélico que le hablaba con pulcritud.

—No, no quiero nada por el momento.

¿En dónde Agapito había visto a ese enclenque que de chino no tenía nada más que la jinchera? Puso en función su precaria memoria y ante sus ojos desfiló una caravana de cuchitriles, comivetes, restaurantes, fondas de mala y buena muerte, pero no acertaba a ubicarlo en ninguna parte. ¿No será de Guadiana? ¿Habría notado su sobresalto? ¿Lo habría reconocido? Podría ser un hermano gemelo. En caso de que así fuera, ¿habrían sacado ambos el mismo lunar, en el mismo cachete y exactamente el mismo tipo de lunar asquerosamente greñudo? ¿No estaría poniendo sobre aviso al jefe? Ya mismo se correría la voz y los demás compañeros romperían a mirarlo, más que a mirarlo, a vigilarlo, a escudriñarlo, así nadie puede comer, con ojos pegados a la nuca de uno, le caería mal la comida, y con lo poco que le gustaban a él los ensartos chinos… Mejor abandonaba el lugar sin hacer mucho alboroto y se empujaba en cualquier kiosko un sandwish criollo con… pero ya no hay tiempo pues el jincho del lunar abominable regresa con la libretita y el lápiz, con los ojos tiesos lo examina (así cree Agapito), tarda en lanzar la pregunta, Agapito no disimula el nerviosismo y hasta coge el menú al revés y el chino le parece más chino y no entiende ni papa, el mozo le dice, me permite, y le endereza el cartón, gracias, qué bruto soy, verdá, y alcanza a ver "chicken" y "rice", olvídate, se dice, lo demás que lo pronuncie el chino de quincaya este. Agapito no siente hambre, hace rato que se le espantó pero ya está adentro, que sea lo que Dios quiera, ¿con qué sale esto? pregunta Agapito, ¿cómo que con qué sale?, sorprendido el mozo, ahí lo dice, quiero decir, Agapito endereza el pescuezo, si viene con tostones o papitas fritas o guineítos, el mozo lo mira paciente, no incrédulo no, en realidad este plato es esto, esto y lo otro, Agapito no entiende nada y mira hipnotizado el lunar erizado en matojos de pelos negrísimos, bien, dice el mozo, ¿nada de tomar?, que se chave, se dice Agapito, tráigame una Corona, pero que esté bien fría (qué pantalones), ajá, anota el mozo sacudiendo levemente el lunar, se aleja repasando lo apuntado, mientras Agapito todavía considera la posibilidad de limpiarse, pero no, ya me quedo, si el mozo lo hubiese reconocido habría dejado caer cualquier comentario, cualquir puyita y Agapito la habría cogido al vuelo, mejor se tranquiliza y espera con cautela, que es lo peor que podría pasar, que los descubran, que lo pesquen, lavar los platos sería el castigo, la vergüenza no le importaba tanto, se largaría a otro ambiente donde no estuviera quemao, empezaría de nuevo, lugares es lo más que hay, ahí se acerca nuevamente con la Corona sudada, y una canasta de pan con ajo, crujiente, mmmmmm, veremos lo que pasa mientras se empiezan a calmar las tripas, y los ramalazos de hambre rebrotan y se imponen a los nervios, el tipo no me conoce, no es el único con un lunar ahí, el pan está fresco y se deja comer, la cerveza abre el apetito, arde la barriga, y se adormece la mente, calma mi hermano, tranquilo, gajes del oficio, un día más en la calle, ya verás, ahí viene, qué rápido, te mira a lo buenagente, el miedo inventa unas cosas, éntrale a la melcocha esa que se ve deliciosa, gracias, le dices, él se retira silencioso y cortés, a lo chino sin serlo, mmmmmm, rico, mmmmmm, el lunar te trae agua con hielito, mmmmmm, no te ha reconocido, olvídate, síguelo, tienes que tomar aliento los nervios se fueron de vacaciones, y estás en lo tuyo, te trae más pan, ¿qué es lo de éste? no te detengas a razonar, mojas el pan en la salsita, listo, sigues con la pechuga roída por el costado, mmmmmm, estos chinos son la changa, lo que te perdías, Juchipín o como se llame, está por la maceta, le metes el diente al pedazo que te queda para hacerte cargo del muslo y de lo que no te habías dado cuenta es que el lunar te vigila desde aquella mesita medio escondida, se te paró el Chojilinfú en el estómago, se te atraganta el pellejo dulce del muslo cuando te percatas de su mirada, es el mismo, de dónde, dónde diablos, dejó que cogieras confianza y no te quita los ojos de encima, sin embargo no te mira con ganas, qué sé yo cómo, el tipo se las sabe, te lanzó el anzuelo y caíste, te llenó el buche, sabe que eres esmayao, coge, confíate, te sigue mirando, jum, y que maricón no es, porque se le notaría por encima, además esa no es mirada de afeminao, mientras tanto no has reparado en que acabaste con casi todo y necesitas algunas sobras para la operación, quizá en ese charquito de salsa podría zambullir la mosca, pero ese cabrón te sigue mirando, coño, si lo llamara alguien, esto está lleno, ¿acaso soy el único cliente para él?, el mozo al fin parpadea y después de mirarlo dos segundos más, cambia la vista lentamente y se levanta perdiéndose en las mesas tras la columna, Agapito aprovecha la oportunidad y mete la mano en el bolsillo, adiós cará, pues estará aquí, puñeta, no traje la cajita, ahora sí que me fastidié, esto nada más me faltaba, calcula en su mente y no tiene ni para pagar la cerveza, el tipo avanza sin hacer ruido, por entre las mesas, con estilo y con el lunar sereno, observa el plato engrasado, toma un tenedor y revuelve la salsa, mira a Agapito, Agapito lo mira a él —la garganta anudada, los ojos suplicantes—, el mozo hace una mueca casi imperceptible, se lleva la mano al lunar, se arranca un vello y lo deja caer en el plato.

—Cuanto lamento que haya encontrado esto en su comida. Mil perdones. Pierda usted cuidado, no tendrá que pagar nada. ¿Desea algo más…? Por cuenta nuestra, claro.

Agapito Sánchez se repuso como pudo de su perplejidad, continuó sin recordar el lugar donde había visto el lunar, y ni tonto ni perezoso, con esa cara de lechuga que Dios le dio, se enderezó en la silla como un marqués y pidió un alcacélser, si tiene la bondad, por aquello de aliviar mi estómago resentido por este percance.

Juan Antonio Ramos

Jogging

Alfredo no recuerda cuándo vio los primeros *joggers* en la urbanización, pero lo cierto es que le parecieron ridículos y absurdos, y no se imaginaba patrocinando esa fiebre que duraría, como todas las fiebres, seis meses a lo sumo. Los seis meses pasaron y la urbanización siguió poblándose de trotadores a toda hora, con distintos estilos e indumentarias, en distintos grupos y rutas, y de distintos sexos y edades. Asimismo, los periódicos se fueron contaminando de partes insignificantes, que pronto ganaron categoría de artículos y finalmente de reportajes, con fotos y testimonios de individuos saludables y contentos, que echaban bendiciones a la medicinal costumbre de correr.

La primera vez que Alfredo corrió fue en una tarde calurosa de junio. Seleccionó como punto de partida la avenida colindante de Villa Olga, la cual está retirada de su vecindario inmediato. Se fue en el carro a espaldas de su mujer (los nenes estarían jugando en el parque). Lucía un *suit* verde y unos tenis atléticos. Pensó que Gloria se escandalizaría no sólo al saber que él también era víctima del arrollador follón, sino al constatar el dinero invertido en el aparatoso atuendo. Cerró bien el carro, empuñó las llaves, miró a todos lados, y arrancó en un trote indeciso, seguro de que algún observador oculto lo estaría comparando con una albóndiga astronauta.

Regresó a su casa frustrado, convencido de que eso no era lo suyo. Por suerte Gloria no estaba, así que se metió al baño sin dilación sintiendo en sus pantorrillas los primeros rigores del descabellado desarreglo.

Al día siguiente, tras haber superado la depresión de la tarde anterior, estuvo puntual en el mismo sitio. Caminó un trecho, mirando alternadamente hacia el carro, hasta que ensayó un trotecito que, para su sorpresa, lo llevó a recorrer el doble de la distancia del primer día. Así estuvo dos días más hasta que se lo confesó a su mujer, quien, sin dejarlo terminar, estalló en unas carcajadas tan ofensivas que estuvieron a punto de hundirlo definitivamente.

Pero Alfredo estaba decidido, y contra viento y marea persistiría hasta correr como un maratonista. Pronto pudo estrujarle los primeros resultados a Gloria cuando le mostró la panza levemente rebajada. Para esos días Alfredo se atrevía a salir corriendo de su casa. Abandonaba apresuradamente las calles comprometedoras y siempre alcanzaba a imaginar alguna rechifla antipática.

El progreso alcanzado por Alfredo era tan sorprendente que podía ir hasta la avenida y regresar sin tomar descansos. Para su regocijo, perdía peso continuamente, al punto que el uniforme le empezó a bailar. Tenía tal dominio de su ruta que podía señalar en qué lugares había perros, qué calles estaban más despejadas de tránsito, y qué tramos se hacían más tortuosos por los pedruscos, los chichones o los hoyos.

Un buen día se aventuró a salir de la urbanización por un casi ignorado boquete que daba a Pájaros. Comprendió que tenía que correr con cuidado debido a que la carretera era más estrecha, sin aceras, en curvas, y los carros pasaban volando bajito. También pensó que el lugar le era prácticamente desconocido y que quienes se arriesgaban a lanzarse por allí lo hacían en grupo... Se concentró en lo que hacía y de aquel experimento obtuvo una nueva ruta que pasearía orondo, y referiría, restándole importancia, a los anonadados vecinos en el bar de Caquín.

Los vecinos fueron los primeros en darse cuenta de la paulatina y gradual transformación de Alfredo, quien caminaba regodeado al colmado de la esquina, saludando, preguntando por la salud de quien fuera, admirando el verdor de las gramas, felicitando a fulano por el arreglo hecho a la casa, envidiando cordialmente el automóvil recién adquirido por zutano... Los compañeros de trabajo repararon de buenas a primeras, en el frugal almuerzo de Alfredo, y adjudicaron únicamente a la dieta las libras perdidas. Notaron, además, que Alfredo ya no se encerraba en su oficina al mediodía, y, en cambio, se quedaba a escuchar los chistes y chismes, y hasta hacía sus aportaciones. No se sabe quién corrió la voz de que Alfredo se tiraba al cuerpo camisas Pierre Cardin, usaba pantalones más entallados, y se preocupaba por cubrir con mejor gusto su calvita incipiente, como tampoco se sabe quién regó el bochinche de que le echaba flores a la nueva secretaria, e incluso la invitaba a almorzar al nuevo restaurante vegetariano a tres cuadras de la compañía... Gloria tardó más que nadie en reconocer los cambios experimentados por Alfredo. Los empezó a advertir en las tardes, cuando exigía menos arroz y habichuelas. Luego se maravilló cuando su compañero decidió prescindir de los granos para conformarse con carnes y vegetales. En las noches celebraba los anuncios de unos mahones perturbadores y soltaba comentarios en el Show de Iris Chacón. La cama volvió a ser —después de tantos años— algo más que un armazón con colchón para alojar ronquidos...

Por otro lado, como corredor, Alfredo estaba muy lejos de ser aquel mojigato trotón que se recluía en un paraje desierto. No sólo deglutía con sus fortalecidas piernas distancias respetables, sino que además, derrochaba gracia y precisión en sus movimientos. Ahora adoptaba al correr una posición erguida, los brazos y las piernas se movían en perfecta armonía y a un ritmo uniforme. Aspiraba el aire por las fosas nasales y lo expulsaba por la boca, tal y como lo aconsejaban los magacines especializados en la materia. Dejaba caer los brazos para relajarse o para librarse de calambres. Su tranco se ajustaba a las exigencias de la superficie. A medida que perfeccionaba su estilo y aumentaba su resistencia, se imponía retos más estimulantes, que estuvieran a la altura de sus recién adquiridas aptitudes.

Ese ánimo expansionista y aventurero fue lo que lo llevó una tarde a torcer a la izquierda y no a la derecha como acostumbraba al salir de la urbanización, y al cabo de un rato se encontró con predios desconocidos que prometían seguras compensaciones. Era una carretera más angosta y sinuosa que la de Pájaros. No recordaba haberla transitado. Los alrededores poseían una belleza y quietud poco disfrutadas por él y la gente de su vecindario. Había muy pocas casas y la brisa estaba en todas partes. El silencio era alterado por ocasionales chillidos, o por la enramada crujiente, y, en aquel momento, por voces que Alfredo captó a la distancia. Conforme avanzaba percibía con mayor claridad altos susurros de dos, quizá tres hombres emboscados que al advertirlo estremecieron el ramaje que los ocultaba. Alfredo creyó verlos agachados hacia un bulto que aparentemente arrastraban. Sintió miedo, no halló prudente virar, pero lo hizo apretando el paso. Pensó en la graduación de Alfredito, en un anfiteatro repleto de chiquitines chillones, y un telón púrpura con letras enormes forradas de escarcha amarilla, la directora dirigiéndose a la concurrencia, los padres amonestando a los pequeños e inquietos graduandos que señalan hacia los bastidores, la directora contrariada por el alboroto interrumpe, vuelve la cabeza y presencia, como todos, el instante en que unos hombres agachados arrastran un bulto y lo ocultan tras el cortinaje, Alfredo parpadea y se ubica en la oficina del presidente, asiste a una reunión de importancia, todos los jefes de departamentos están presentes, la nueva secretaria lo observa a hurtadillas, el presidente saluda, da la bienvenida, informa, Alfredo ha olvidado el cartapacio, pide permiso para ausentarse un momento, camina hasta la puerta y cuando sale nota que al final del pasillo unos hombres agachados arrastran un bulto confuso, Alfredo jadea extenuado y atraviesa calles, perros sarnosos le salen al paso, lo hostigan, dobla esquinas, sube y baja cuestas empapado en sudor, por fin da con su urbanización, con su calle, con su casa, las rodillas no dan más, arrastra los pies gastados, llama y nadie contesta, supone que Gloria estará en el cuarto de atrás, cuando se dirige al patio su mujer abre la puerta de la cocina.

—¿Volviste? —Mira a su marido con una suerte de lastimoso asombro–: Muchacho, te ves muerto.

Alfredo entra encorvado, con las manos en la cintura, pisando las gotas de sudor que se desprenden de la punta de la nariz.

—Tú has cogido esa vaina muy a pecho, Alfredo. Enfríate primero antes de bañarte. ¿Quieres agua?

Alfredo hace un gesto confuso con la mano y Gloria opta por dejarlo tranquilo. La inevitable escena regresa a él tan pronto cierra los ojos. Gloria descongela el pollo y comienza a mondar las papas de la dieta. Alfredo la observa pensativo y abrumado por la decepción y el abrupto recorte que tendrá que hacerle a sus inmodestas aspiraciones. Será cuestión de dar vueltitas a la manzana como hace todo el mundo.

—Pon a cocinar un poco de arroz —ordena malhumorado mientras se saca los tenis.

Edgardo Sanabria Santaliz

Fantasida

Se le acerca un leproso suplicándole y, puesto de rodillas, le dice: "Si quieres, puedes limpiarme". Compadecido de él extendió su mano, le tocó y le dijo: "Quiero, queda limpio". Y al instante, le desapareció la lepra y quedó limpio.
Marcos 1:40-42

Cuentan los vecinos que descubrieron el carro ése un viernes por la mañana estacionado en el solar vacío de la esquina. Era un Chevrolet del 57, mohoso, descascarado, pintado (o mejor sería decir despintado) de cinco o seis colores, sin parachoques ni atrás ni alante y con los cristales astillados y cubiertos por dentro (dondequiera menos un pequeño rectángulo libre en el parabrisas de al frente y otro detrás) con *"contact paper"* de flores. Al principio el hecho no les pareció extraño puesto que no era la primera vez que en el barrio habían dejado abandonada una de esas cacharras inservibles y ellos se habían tenido que matar telefoneando semanas y semanas a Obras Públicas para que vinieran a recogerla porque afeaba el sitio y servía de refugio a toda clase de alimañas. De igual manera se dispusieron a actuar en esta ocasión, pero los detuvo un suceso insólito, y fue que llegó a sus oídos que en el interior del viejo automóvil había alguien, y no sólo eso, sino que además ese alguien llevaba ya unos cuantos días sin salir de allí, según reveló la pandilla de muchachos que solía jugar pelota en el solar (con la fiel clandestinidad de los clubes infantiles habían logrado mantener el secreto hasta ahora, hasta que uno de ellos no pudo aguantarse por más tiempo y se lo sopló a sus papás).

—¡¿Un hombre viviendo ahí metido?! ¿Cómo va a ser? ¿Que durante todo este tiempo ustedes no lo han visto salir ni una sola vez, ni moverse, ni nada? ¿Y por qué no lo dijeron antes, ah? ¿Y si es alguien que han matado y los asesinos escondieron el cadáver en ese carro? ¿Ustedes no pensaron en eso? ¿Y si la policía ahora viene y nos pone en tres y dos por no haberle avisado? ¿Ustedes se creen que en la vida todo es juego y más juego?

La bola del acontecimiento rodó de casa en casa en menos de lo que canta un gallo. A la media hora ya había un grupo bastante nutrido de vecinos congregados en el solar, todos rodeando el Chevrolet de gomas medio vacías que los miraba inútilmente con sus focos cegados a pedradas por los títeres. Parecía un mastodonte herido, o una ballena agonizante que llevaba en sus entrañas a un desconocido Jonás. Poco a poco empezaron a acercarse y a asomar las caras curiosas por los rectángulos de los parabrisas. ¡Era cierto! ¡Había un hombre acostado en el asiento trasero y envuelto en sábanas y frisas! De encontrarse vivo se estaría asando, con esas ventanas así cerradas y la capota ardiendo, como una parrilla, bajo el sol. Tenía que ser un loco: mira y que con esta calor de mil demonios embollarse como para pasar un invierno en Alaska. A menos que estuviese enfermo, o que —volviendo a la primera conjetura— se tratara de algo peor…

Uno de los vecinos, el más valiente, dio unos cuantos golpecitos en el vidrio para ver si el hombre reaccionaba, pero ni pestañeó siquiera. Ese mismo vecino, al rato, fue el que se decidió y abrió una de las puertas por la que introdujo casi todo el cuerpo. Cuando salió uno o dos minutos más tarde, estaba tan pálido como si le hubieran echado un cubo de pintura blanca por la cabeza. Delante de todos tartamudeó: "Dice que lo ayudemos, que lo han botado de todas partes porque tiene AIDS".

Lo que ocurrió acto seguido, más que una estampida, fue un correcorre apocalíptico que en cosa de segundos dejó el solar más desierto que el Sahara. Fue exactamente como el anuncio de televisión de las cucarachas que están atracándose un banquete opíparo en la cocina, y de repente las cubre una sombra gigantesca, y ellas miran hacia arriba y gritan acorraladas: "¡¡¡RAID-S!!!" La polvareda de la huida tardó en descender y posarse sobre la carrocería del auto confiriéndole la apariencia de que, efectivamente, había atravesado un desierto.

En sus casas, esa noche, lo que se escuchaba era esto:

—¡Nuestros hijos, Dios mío, que llevan días jugando en el solar, expuestos al contagio! ¡Ay, qué vamos a hacer! ¿Y si les da el AIDS? ¿Y si se nos pega a todos? ¡Maldición (rayos y centellas), tenía que venir el maricón o el drogadicto éste a parquearse aquí! ¡Ojalá se mueran todos! ¡Son la plaga de la humanidad! ¡Hay que acabar con todos ellos, ponerlos en fila contra el paredón, llevarlos en masa a una isla del Pacífico y tirar una atómica! ¿Qué va a ser de nuestros retoños, tan sanos, tan inocentes?

Mientras así se lamentaban encerrados en sus hogares, sin atreverse a llamar a la policía ni a los hospitales (porque con toda seguridad pondrían en cuarentena al barrio entero, o secuestrarían a sus habitantes para utilizarlos como conejillos de Indias en algún laboratorio norteamericano o francés, donde estudiarían los efectos del SIDA en los ciudadanos normales), una sombra se desplazaba por las calles vacías en dirección del solar. Llevaba en sus manos algo así como un candungo de lata que quizás contuviese agua fresca, agua buena para beber y para lavar un cuerpo sudado y sucio de su propia inmundicia. Nadie estaba al tanto de su paso por las calles, y nadie lo sabría hasta que, minutos después, comenzaran a salir los vecinos del refugio de sus casas, atraídos por el resplandor enorme de la hoguera que estaría ardiendo en el solar...

Desperté de pronto y lo primero que sentí fue un alivio tremendo al caer en la cuenta de que todo aquel asunto había sido sólo una pesadilla, una fantasía soñada que sin embargo no era tan fantástica, porque enseguida recordé que escasamente una semana atrás, en algún telenoticiero de esos que pasan a las 5:00 de la tarde, había visto un reportaje sobre un muchacho que vivía en su carro porque tenía SIDA y nadie quería socorrerlo. Resultaba obvio que las tristes imágenes que vi habían quedado guardadas en mi interior (como un pedazo de queso o de fruta que, olvidado en la despensa, se descompone) hasta salir a flote en el sueño, que no fue sino una válvula de escape para la ansiedad que me produjo el hecho consignado, hecho que en el sueño se mostraba sacado fuera de quicio ya que, por supuesto, los seres humanos no somos capaces (¿o sí lo somos?) de actuar de una forma tan abyecta. Menos mal que en la vida real le brindamos apoyo a quien lo necesita, porque si dejáramos de hacerlo la realidad se transformaría en la pesadilla que tuve. Menos mal que compartimos con el que nada tiene, y acompañamos al que se encuentra solo, y nos tratamos con delicadeza y respeto, y carecemos de prejuicios de toda índole, porque, si no, vivir no valdría la pena. Menos mal que nos amamos los unos a los otros.

Mayra Santos Febres

Un poquito de alegría

En Puerto Rico las Navidades son una intensa temporada de celebraciones que comienza la noche de *Thanksgiving* y termina el 18 de enero, con la fiesta de San Sebastián en el Viejo San Juan. Como la Isla siempre ha sido colonia —primero de España y luego de los Estados Unidos— nosotros los puertorriqueños hemos trasformado las tradiciones heredadas de ambas "madrastras patrias" y poco a poco hemos ido desarrollando "costumbres" que apenas se asemejan a las originales. En nuestra versión de *Thanksgiving*, o, como nosotros lo llamamos, "Día del Pavo", no se sirve la típica *cranberry sauce* (una "salsa" de arándanos agrios que más bien parece una accidentada plasta de frutas), ni el *pumpkin pie* (la tan popular tarta de calabazas) ni batatas al horno (de la anaranjada y no de la batata amarilla que sabe a pan de miel). A nadie le interesa ver el gran partido de fútbol americano, aunque ya nos lo transmiten por televisión cable. Eso sí, nos quedamos con el pavo, adobándolo con especias que le dan sabor a pernil celebratorio. Así dimos con el injerto culinario que llamamos el "pavochón". Lleva de relleno una mezcla de plátano molido con mucho ajo y pimienta, estilo mofongo. Servimos el "pavochón" con morcilla, gandinga, arroz con gandules y otras delicias confeccionadas con mucho esmero. De postre siempre se ofrece tembleque.

Así transformamos los platos importados, a fuerza de imaginación y cariño. Traducimos sus sabores a nuestros paladares, acostumbrados al gusto de la cocina campesina, a los divinos sazones de la comida de esclavos. Así convertimos *Thanksgiving* en el Día del Pavo, en un banquete mágico de sabrosa alegría. Hacemos con la comida lo que hemos hecho con las tradiciones, juntamos un poquito de esto con unas sobras de aquello. La cocina se vuelve emblema de nuestra identidad cultural: una mezcla de lo antiguo y lo moderno, de lo rural y lo urbano, de lo taíno, lo africano y lo español, todo condimentado con angustia, alegría, sudores, vitalidad.

Nochebuena, sin embargo, es una fiesta más puertorriqueña, con personalidad propia. Aunque se podría argumentar que esta fiesta es una continuación de la temporada festiva iniciada con el Día del Pavo, ella conserva un calor y una magia especial. Es una fiesta épica, un premio al final de la carrera de obstáculos que son las pequeñas luchas cotidianas. Llegar a Nochebuena sano de cuerpo y alma, con la capacidad de reír, regalar, recibir y celebrar, no es poca cosa en ningún lugar del mundo, mucho menos en Puerto Rico.

Precisamente por estas razones, mi hermano Juan Carlos y yo siempre nos sentíamos nerviosos cada vez se acercaba la víspera de la Navidad. Era a causa de nuestra madre, Mariana Febres Falú. Nos volvía locos a todos con sus excéntricas preparaciones para celebrar Nochebuena. Todavía no sé por qué le excitaban tanto estas fiestas. Quizás era porque trabajaba duro todo el año, agobiada con las exigencias de ser maestra, madre y esposa. Cada Nochebuena se empeñaba celebrar por todo lo alto, como si esa Navidad fuera su última oportunidad de superarse a sí misma y lograr degustar un rato más un poco de felicidad.

Nosotros nos convertíamos en su pequeño ejército: día tras día mi madre insistía en que Papi pintara la casa entera, aunque las paredes estuvieran impecables. Semana tras semana nos arrastraba a mí y a mi hermano a los centros comerciales en busca de los adornos más vistosos. Y así, cada año, hacía preparaciones para celebrar una fiesta que aniquilara el recuerdo de la anterior. Cada una de sus fiestas tenía que ser la madre de todas las fiestas de Navidad. Días antes de la víspera, trasformaba el barrio entero en un carnaval bullicioso de luces y adornos. Mientras tanto, iba cotejando sus listas de tareas para movilizar a todos los vecinos —a doña Victoria le tocaba traer el ron, a doña Olga los pasteles, a don Agapito el lechón y a don Cheo el equipo estereofónico. Cada tía, abuela y prima tenía órdenes de ayudar en esto o en aquello. Cuando por fin llegaba Nochebuena, todos nosotros lucíamos nuestros mejores trajes de gala, nuestra mejor cara navideña y nuestras mejores intenciones de celebrar el nacimiento de Cristo como si naciera allí, en nuestro barrio, por vez primera. Aquella tenía que ser la Navidad más divertida de nuestras vidas. Más nos valía... o tendríamos que rendirles cuentas a Mariana.

Ahora que lo pienso, me parece que el entusiasmo de mi madre era demasiado excesivo. Quizás sería por sus experiencias de infancia, por todas esas Navidades marcadas por la pobreza y la escasez, sin una buena comida, sin luces y sin adornos, sin nada que celebrar. Pero mi madre pertenecía al clan de las Febres, mujeres que sacaban las fuerzas de donde no las tenían para superar cualquier obstáculo. Siempre me parecieron invencibles todas ellas: mis tías Cruzjosefa, Cusita, Nena, Cuca, Cuchira, y mi madre, Mariana. Ante mis ojos se imponían con la fuerza de torres de bronce, reluciendo dentro de esa piel de un marrón rojizo, reluciente y perfumado. Aún rodeadas de trabajos y de congoja, nunca dudé que ellas sabían muy bien lo que era la alegría. Y lo demostraban bien. Siempre reían, en cada reunión, en cada funeral. Sus risas eran un gozo y un desafío a la tristeza, sobretodo durante la época de Navidad.

Mi padre era otra cosa. Era el único que lograba resistir la fiebre navideña de mi madre. De vez en cuando nos sacaba a pasear, nos llevaba en excursiones por las montañas o asistía a alguna actividad especial de la escuela. Pero nunca se aparecía en reuniones familiares, y menos cuando estaban mis tías. Y en las Navidades, ni hablar. Nunca nos explicó por qué. Pero claro, mi padre nunca nos explicó muchos de sus actos.

Juan Santos siempre fue un hombre muy callado. Ahora es predicador y maneja una pequeña iglesia pentecostal frente a su casa. Vive con mi medio hermano Carlos Juan. De joven fue un jugador de béisbol relativamente exitoso y también maestro de historia. Nuestra casa siempre estuvo llena de mapas y libros de historia. Cada noche, mi padre se pasaba horas preparando clases en el comedor, con sus libros y sus mapas desparramados por toda la mesa. Sus manos siempre olían a tinta. Recuerdo un juego, el único que jugaba con nosotros. Papi se sentaba en el sofá de la sala. Nos llamaba a mí y a Juan Carlos y, como un sargento, nos preguntaba en alta voz: "¿Cuál es la capital de Nicaragua?" Nosotros contestábamos gritando: "¡Managua!" "¿Y la del Japón?" "¡Tokio!" "¿Y la de Checoslovaquia?" "¡Praga!" Después de alguna sesión de juegos, mi hermano y yo soñábamos con viajar a esos lugares con nuestro padre. Tomándonos de las manos, nuestro padre nos preguntaría nombres de capitales y nos contaría curiosidades sobre sus productos agrícolas, sus guerras civiles, sus tesoros arqueológicos. En esas fantasías, nuestro padre jugaría con nosotros los juegos más inverosímiles —a las escondidas en el Partenón, a las carreras por las escaleras del Vaticano. Estaría feliz.

Fue por mi padre que me enteré que Puerto Rico era colonia. Una noche, después de su juego, nos explicó que los puertorriqueños no teníamos una capital auténtica, como la tenía Nicaragua, y que tampoco teníamos historia, porque jamás ganamos nuestra independencia en una guerra. A veces pienso que ésta era la raíz de su malhumor. Quizás estaba frustrado por no tener un país verdaderamente suyo, un gran país que pudiera apoyar sus ilusiones de ser un hombre libre, triunfador. A veces, cuando discutía con mi madre, que era pro-colonia, la acusaba enfurecido de ser una cobarde colonizada. Y Mami se reía desafiante diciéndole: "Ay negro, ¡si yo soy más puertorriqueña que tú! Mi corazón está acá, pero el dinero está allá. Y yo no pienso morirme de hambre ni una vez más en mi vida. ¿A cambio de qué, de la libertad? Déjame decirte algo, papito. No hay libertad en la pobreza." Y sin oirle una sola palabra más, mi madre subía el volumen de la radio, se acomodaba sus pantaloncitos cortos de mahón de ????????? se ponía a limpiar, y a limpiarse del mal rato. Después de una de esas discusiones políticas, Mami dejaba la casa reluciente. Nuestros uniformes colgaban impecables de los ganchos del armario. Los pisos brillaban y las plantas del jardín se relamían sus hojas recién regadas.

Así era que mi madre podía al fin olvidar que su marido la había llamado cobarde. "Mira y que cobarde yo," refunfuñaba para sí. "Estará loco. Si no fuera por mi 'cobardía,' no estaríamos tan bien como estábamos."

Y realmente estábamos muy bien, sobre todo si se nos comparaba al resto de los vecinos. Teníamos la casa más grande del barrio y dos carros. Mis padres, Juan y Mariana, esa pareja de negros elegantes e inteligentes, hasta podían darse el lujo de matricular a sus dos hijos en colegios particulares. Los dos trabajaban como maestros en escuelas "modelos" para niños dotados.

Rumor corría que sus puestos sólo podían ser ocupados por maestros que tuvieran buenas conexiones en el Departamento de Educación. "Claro, como las hermanas de Mariana trabajan para el gobierno," murmuraban los vecinos, a veces, cuando nos veían pasar. Yo me ponía furiosa con los comentarios. Era cierto que las hermanas de mi madre tenían importantes puestos en la administración en poder y que movieron conexiones para que consideraran a mis padres para estos puestos. Pero también era cierto que los dos trabajaban como mulas; mi padre siempre oliendo a tinta y a tiza quemada y mi madre con la garganta inflamada y la voz ronca de tanto estar repitiendo tablas de multiplicar. Quería matar a los vecinos cuando los oía hablar así, quería insultarlos. Pero Mami siempre me calmaba. "Nena, eso es envidia," me decía. "No, les hagas caso. Cuando los oigas chismear, sonríe, para que sepan que sus comentarios no pueden tocarte. Que tienen que buscarse otra manera para hacerte llorar."

Así vivimos todos, mi familia y yo. Así crecimos y vimos años pasar, uno tras otro, y entre peleas, chismes e ilusiones rendimos nuestros tributos a sus llegadas, sus partidas, sus muertes y sus Nochebuenas. Pero siempre hay una Navidad que no se olvida. Tendría yo diez u once años. Esa Nochebuena la íbamos a celebrar en casa de mi abuela. Mis tías también irían. El plan era cenar allí y luego pasar por la casa de los vecinos contiguos, con quienes mi madre había organizado una fiesta para la calle entera. Nosotros, los Febres, llevaríamos la comida, y doña Gladys y don Agapito pondrían la casa y la música. Don Agapito había vivido en la ciudad casi toda la vida pero era oriundo de Cidra, un pueblo del interior de la Isla. Por eso conocía a muchos músicos expertos en aguinaldos, seis chorreos y otras canciones típicas, de esas que siempre tocan en las lechoneras y en los pequeños restaurantes del campo los domingos, mientras la clientela come y bebe a sus anchas y baila entre niños traviesos embarrados en grasa de lechón. Uno de ellos, don Benny, era taxista de día, pero músico de profesión. Dirigía un grupo musical muy bien equipado con altavoces, micrófonos y equalizador de sonido. Hasta contaban con teclado electrónico y una caja de música que era la sensación de las lechoneras. La presencia de don Benny en nuestra fiesta garantizaba tremendo jolgorio.

Esa noche, antes de salir, mi madre intentó persuadir a mi padre para que la acompañara a la fiesta en casa de don Agapito. Estábamos todos apretujados en el baño arreglándonos. Mi madre me peinaba frente al gran espejo del baño y mi padre nos miraba cariñoso. Juan Carlos andaba todavía a medio vestir y aguardaba, sentado en el inodoro, a que mi madre lo ayudara a buscar un zapato perdido. Mami se había puesto un vestido negro de espaldas descubiertas. La luz del baño brillaba contra su piel oscura y tersa. Ya se había puesto las medias y los zapatos, pero todavía llevaba rolos en el pelo. Todos estábamos de buen humor, sobre todo yo. Había convencido a mis padres que permitieran un pintalabios de brillo con sabor a banana que compré en la farmacia de la esquina con mi propia mesada. Y ahí estaba el famoso lipgloss en su potecito, listo para embellecer mis labios. Yo estaba muy orgullosa de mi poder de persuasión. Pensar que había convencido a mis padres de dejarme usar maquillaje a la tierna edad de once años.

Mami tenía la pomada *Vitapoint* en una mano y el peine grande de plástico en la otra. Desenredaba mi pelo cuidadosamente y después me lo dividía en porciones para trenzar. Mientras tanto, yo le pasaba las horquillas y sujetaba dos lazos blancos, cuidando de que no se ensuciaran. Con ellos Mami adornaría la punta de mis trenzas para dar el último toque de elegancia a mi ajuar de Navidad.

En lo que terminaba, mi madre le dijo a mi padre:

—Coño, Juan, ven con nosotros. No me puse tan bonita para bailar sola toda la noche.

—¿Y tus hermanas, van a estar?

—Claro, negro —le respondió, sonriente y distraída.

—Entonces yo no voy.

La respuesta de mi padre cayó como un cubo de agua fría en medio del baño. De pronto se le ensombreció la cara a mi madre. A través del espejo, yo podía ver cómo sus ojos se convertían en dos puñales filosos. La mirada de mi madre podía sacar sangre, igual que el filo del cuchillo de mi abuela para degollar a gallinas, cuando quería hacer un asopao. Eché una mirada nerviosa a mi alrededor. Mi hermano seguía ahí, sentado en el inodoro, sin enterarse de nada. Me imagino que pensaría que esta era una de las muchas discusiones de siempre, un simple malentendido que no tendrían mayor consecuencia que un silencio tenso de algunas horas. Un silencio que mi madre rompería con su risa, con su escoba, sus trastes de cocina, alguna canción. Pero yo sabía que esta discusión no era como las otras. Nunca había visto así a los ojos de mi madre. Querían degollar a Papi. Lo iban a matar. Aquellos puñales lo rajarían, lo despellejarían y lo echarían en un caldero hasta que se cocinara bien.

Mi padre cambió de estrategia. Suavizó la voz, pero se mantuvo firme:

—Por favor, Mariana, no insistas. Sabes que no soporto a tus hermanas. En el trabajo nunca dejan de recordármelas. No veo por qué tengo que aguantarlas en Nochebuena también.

—Después de lo que han hecho por nosotros...

—Hemos ganado lo que tenemos con mucho esfuerzo. No les debemos nada.

—Ave María, Juan, tú sabes que eso no es cierto.

—Mira, Mariana, prefiero morirme antes que pasarme la noche escuchando la gritería de esas mujeres y haciendo de anfitrión —alzó la voz, ya no podía disimular su enojo— ¡Quién se lo podría imaginar! Esas hermanas tuyas, tan elegantes, tan profesionales. ¡Pero ponles una musiquita y ábreles una botella de ron, para que veas que rápido te montan un espectáculo! Les encanta hacer el ridículo.

—Ten cuidado con lo que dices de mis hermanas— dijo mi madre tristemente. Pero sus ojos la traicionaban. Sus ojos brillaban como de fiera. Era increíble que mi padre no lo notara. Sólo tenía que verla al espejo.

—Ay, Papi, cállate ya —murmuré muy bajito, tan sólo yo me oía —Mami te va a apuñalar con esos ojos... ¿Por qué no te das cuenta? —Pero él no hacía caso. Continuaba afilando la furia de mi madre—. Papi, ya, por favor, no sigas... –Yo quería que mis capacidades de persuasión funcionaran ahora... quería que mi *lipgloss* se transformara en un micrófono oculto, que mis palabras pudieran advertirle a Papi que se acercaba una tormenta de cuchillos en los ojos de mi madre. Pero no le llegó el mensaje.

—Es la verdad. Esas hermanas tuyas son insoportables. Y tú las defiendes como si...

—¡Son mis hermanas!— Por fin estalló mi madre, mientras se arrancaba los rolos junto con mechones de pelo que tiraba por dondequiera. De dos zancazos cruzó el pasillo rumbo al dormitorio, encontró el zapato perdido de mi hermano y se lo atacuñó en el pie mientras seguía gritando.

—¡Estoy harta de esta mierda! ¡Sólo quería pasarlo bien con la familia, con toda mi familia! ¿Acaso eso es mucho pedir?— Terminó de vestir a Juan Carlos en menos de lo que canta un gallo; ahí estaba mi pobre hermano, vestidito y perfumado en medio de aquella batalla y sin saber dónde meterse.

—¡Si no querías ir, me lo pudiste haber dicho de otra forma! ¿Por qué tienes que venir a joderme las Navidades?

—¡No hables así delante de los niños... –vociferó mi padre tratando de usar el regaño para calmar a mi mamá.

—¡Hablo como me dé la gana!— Mami gritó y salió pasillo abajo como un torbellino. Juan Carlos y yo corrimos detrás de ella, ansiosos. Mi padre quedó atrás, parado en la puerta del baño, la cara sin expresión, la postura abatida.

Mi madre abrió la puerta de su Volkswagen azul con lágrimas en los ojos. Adentro el Volky olía a pino, como las Navidades. Pero a Juan Carlos y a mí no nos olían ni las azucenas. Estábamos melancólicos y nerviosos camino a casa de abuela. Mi hermano me miraba en silencio, a mí, su hermana mayor, en busca de algún consuelo, alguna respuesta que le explicara lo que pasó en el baño, aquella hecatombe. Esperaba un plan. Que yo le propusiera consolar a Mami o que defendiéramos a nuestro papá, o que montáramos una pataleta y nos escapáramos del carro para provocar una crisis familiar que contentara a nuestros padres, como ocurría en las telenovelas. ¿Pero qué iba a saber yo lo que teníamos que hacer? ¿Por qué tenía que tragarme esa quemazón en la garganta y esta tragedia? ¿Por una idiota fiesta de Nochebuena en casa del idiota de don Agapito? Me puse a mirar ventanilla afuera sin hacerle caso a los ojos suplicantes de mi hermano. Si lo seguía mirando iba a echarme a llorar.

Cuando llegamos a casa de abuela la comida ya estaba sobre la mesa. Mis tías pululaban por la casa. Los músicos empezaban a llegar, a descargar sus instrumentos y sus equipos de sonido. Todo era felicidad y alegría. Pero mi hermano, mi madre y yo andábamos como flotando en un vacío. Yo sentía que el corazón se me quería salir del pecho. Parecía que en cualquier momento Juan Carlos iba a romper a llorar. Mi madre saludaba a sus hermanas con una sonrisa forzada, medio sosa. Ni siquiera recuerdo si la cena de aquella Nochebuena me gustó; creo que ni la probé.

Después de cenar, todos nos sentamos en balcón de la abuela a mirar a los músicos prepararse para la fiesta de don Agapito. Ellos conectaban sus guitarras y cuatros a amplificadores con extensiones eléctricas. En el trajín, la panza de don Benny se asomaba por los botones de su camisa a rayas y cuando se doblaba para enchufar los cables al altavoz, se le veían las nalgas. —¡Miren la alcancía de don Benny! bromeaban mis primas Mayrita y Astrid, aguantando la risa, mientras señalaban las carnes fofas de don Benny que desbordaban sus pantalones. Desde el balcón se podían distinguir las bandejas de aperitivos, que lucían todo su esplendor en una mesa al lado de la barra. Titi Cuca y titi Cusita las habían organizado con mucho esmero antes de que llegáramos. —Para entretenernos —decían ellas— después de domarle las greñas a Mami, y a Cruzjosefa, nos sobró un montón de tiempo entre las manos.

Esa Nochebuena soplaba un aire fresco, humedecido por los pequeños aguaceros que siempre caen en las tardes de diciembre. La brisa olía a salitre y a azahar. De repente, comenzó a sonar la música. Esa fue señal suficiente para que el clan Febres se levantara del balcón, ayudara a la abuela a buscar su caja de dientes, sus espejuelos postizos y las llaves. Cruzamos la acera. Llegamos a casa de don Agapito, y mi madre hizo lo que nunca, se apartó a un rincón, cerveza en mano. Titi Cuchira y Titi Cruzjosefa fueron animarla.

–Pero, muchacha, olvídate de ese tipo. No dejes que te dañe la noche. Mira, Mamita, tómate un poco de coquito, anda, un traguito.

Mi madre se tomó un sorbo del coquito y otro de cerveza y

continuó conversando con sus hermanas. Poco a poco empezaba a sonreir. Mi hermano y yo observábamos de lejos cómo volvía en sí, cómo iba lentamente retornando a ser la mujer simpática y fiestera de siempre. Mariana Febres y su risa. Mariana Febres, limpiándose de toda congoja. Mariana Febres convirtiendo el insulto en fiesta y la Navidad en un evento qué recordar. Ya asumía plenamente su papel de anfitriona, riéndose y saludando a los invitados. En medio de la fiesta, don Benny le dedicó una canción y ella agarró de la mano a don Agapito y lo arrastró al centro de la marquesina a bailar.

No lo podía creer. Ahí estaba mi madre bailando como si nada hubiera pasado. ¡Después de que sus ojos quisieron degollar a mi padre! ¡Después de explotarme el pecho con sus gritos! ¿Estar ahí bailando cuando hace apenas unas horas se deshacía en lágrimas, empujándonos carro adentro como si fuéramos unos guiñapos? ¿Para qué tanto show? Mi padre estaría en casa dando vueltas, o en el carro, matando el tiempo solo, como siempre. Y mi madre acá, con nosotros, ocupándose de hacer reir. Toda esa ira, toda esa angustia, para nada. Furiosa, salí de la casa de don Agapito y fui a sentarme en el balcón de la abuela. No estaba para celebraciones. Abrí la cartera, saqué el *lipgloss* y lo miré. Ningún mensaje enviado, ninguno recibido. Compadecida de mi suerte, abrí el potecito y me puse un poco de brillo en los labios.

No sé cuánto tiempo estuve sola, sentada en aquel balcón. Sólo recuerdo que de pronto vi a Mami acercándose con su más amplia sonrisa.

—Ahí estás, nena —me dijo— te he buscado por todas partes. ¿Quieres una alcapurria? Doña Gladys va a freir unas ahora mismo.

Tan pronto como la miré, se me saltaron las lágrimas. Volví la cabeza para que no me viera. Mami se sentó a mi lado silenciosamente, y ahí se quedó, muy callada, pegada a mí, esperando. Yo no podía hablar. Los pensamientos, confusos e incoherentes, no se convertían en palabras. Quería decirle que no debería tratar a Papi de esa forma, aunque a veces se portara como un idiota. Quería gritarle que no debería estar tan alegre, que debía sentirse confundida y amargada como yo. Pero no me salían las palabras. Sólo podía sentir los ojos ahogados en lágrimas y agarrar el potecito de brillo entre ambas manos.

Después de un rato habló ella.

—Tú no te preocupes. Fue solamente una discusión. La gente pelea todo el tiempo.

—Pero los padres no deben pelearse, sobre todo en Nochebuena.

—Y esa mentira, ¿quién te la contó?

—Nadie pelea tanto como Papi y tú. Eso no puede estar bien.

—Lo más probable. Pero no puedes permitir que se te dañe la fiesta. Hoy es Nochebuena.

—Ya no tengo ganas de esperar la Navidad.

—¿Cómo que no? Siempre debes tener ilusiones, siempre debes esperar los buenos momentos. Si no los esperas, nunca llegan.

—¿Y si nunca llegan, Mami, por más que los espere?

—Siempre llegan. Pero los tienes que llamar.

—¿Cómo se hace eso?

—Riendo y bailando. Al principio puede que no te salga, que no te den las ganas. Pero de repente, tus pies se hacen ligeros, la boca se ríe sola. Y ahí vas, otra vez, alegre y feliz como una lombriz.

—Pero eso sólo dura un ratito, lo que dura la música. Cuando se acaba la fiesta, se acaba esa felicidad.

—A veces eso es lo que necesitas, un poquito, un chispitín de alegría para levantarte el corazón. Después, tú misma te las arreglarás— me decía, mirando el cielo.

Mi madre se quedó conmigo un rato más. Cogidas de la mano, contemplamos las estrellas, escuchamos música y cantamos de memoria algún aguinaldo. Ahí sentadas en el balcón de la abuela, solitas las dos. Cuando volvimos a la terraza de don Agapito, bailamos juntas. Y ocurrió lo que Mami dijo. Me empecé a sentir bien. Hasta tomé coquito que abuela me sirvió en un dedal. Creo que me emborraché un poquito. Cuando terminó la fiesta, le di un beso a don Agapito. Mi beso en su mejilla olió a coco, a canela y ron.

—Mariana, esta hija tuya está de lo más contentita... –le dijo a Mami.

–Adiós, Agapito, ¿Y qué esperabas? A fin de cuentas, es del clan de las Febres.

Sandunguera desde chiquita. Nació con la música por dentro.

Mayra Santos Febres

La oreja de Van Gogh

Que juegue dominó, que yo juegue dominó, que me siente en la sala de los noticieros a enterarme de matanzas, mientras los dedos corren a encontrar marfil y conchas, plástico imitando coordenadas del vacío en un rectángulo; yo, que me consiga una novia para llevar a reuniones familiares a inmolarse. Que ella juegue también al dominó y los perros y los gatos de marca que le compré de regalo, que el titilar fregado de las fichas la enloquezca, hueso contra madera, borrones del azar que ignora seduciendo; juntos todos y alegremente convocados en la sala de la casa. O en la marquesina, o en la terracita de aluminios y enredaderas, o en diagonal a la barra empotrada en bloques ornamentales, soltando su hálito de hielo. Las frías, garganta profunda abajo, que cierren el pacto con los dioses de urbanización, las panzas que recrezcan ante la ofrenda. En presencia de los dioses tutelares, yo, que hipotequé vida y futuro para mudarme a una comunidad controlada donde todo el mundo juegue al dominó, madres, padres, hijos, primos, abuelos y mascotas, todo el mundo contando su puntaje, anotando signos, endeudándose hasta las tapas para vencer y traer al próximo juego los mágicos artefactos que el clan pide para reconocer supremacías. Beepers que vibren e interrumpan, teléfonos celulares que delaten, cadenas de finísimos metales en eslabones gordos como un dedo. Y los dedos aprisionados en aros de pedrería, en uñas de seda, que reposen un poco del fregado para acudir a cierta cita con los pelos *midnight auburn*, las botellas, con las cotas de bebés y los retratos junto a Reyes Magos en centros comerciales. El clan, que mire embelesado el combate de fichas sobre la mesa. Y que piense en el milagro de una mesita desmontable como campo de batalla, como agón detectable en cauríes Ifá marcados por la sabiduría de milenios. El juego del dominó, que sea el *aleph*, la promesa de felicidad y destino claro para el más hábil del clan, del vecindario, de la humanidad entera. Que una chucha sea el vehículo de nexos con las fuerzas del ingenio, del arrojo, de la suprema fuerza violenta. Un tranque de juego que sea sacrificio imprescindible para después borrar a trasiego de brazos los designios del azar sobre la faz de la tierra. ¡Que todo el mundo juegue al dominó! como si a Van Gogh no le faltara una oreja.

Para el clan, esto es dato insignificante. Convencidos, piensan que el dominó puede suplantar la oreja gacha de Van Gogh, corregir la historia, hacer del holandés tan sólo un queso, o un pariente más "de allá afuera", en ilustre juego, que en vez de preocuparse por la luz y lo que ésta le hace a las cosas, decida no hacer más que perfeccionar el arte de la estrategia y el azar sobre una mesa, probarse el más jaiba; ah de ayes, josear lo sagrado que se empotra en las manos, el cinto y la chequera; ver la batalla ahí, en el tablero, transformada en mito épico, ganar, para que su clan reverencie su corona de marca, tres patas-spoilers en su acura, carruaje tirado por neptunos si jetski. Como si un capicú pudiese aliviar del todo la obsesión de alimentar las extrañas relaciones que lo atan a uno al mundo, al hermano, por ejemplo; a Teodoro, que se murió rapidito después de Van Gogh, o fue al revés, de todos modos pasó luego de lo de la oreja, que es lo importante, lo de la oreja; como si eso se pudiera remediar con un buen juego de dominó entre los vecinos de la calle; berreándole a sus respectivas para que le traigan una fría mientras sudan su estrategia y sus hormonas. Eso, como si un doble seis bien puesto remediara que Van Gogh, un día como otro cualquiera, decidiera cercenarse la oreja, una de sus dos orejas, que no tenía más. ¡Quéee dominó! lo que yo quiero saber es si han encontrado la oreja, en cuánto la vendieron, qué coleccionista la compró, en qué líquidos clínicamente destilados la conservan, cómo es que determinan la cantidad de luz suficiente para que refulja como debe refulgir la oreja de un genio. Sólo entonces desistiré de mi empeño...

Él era pintor, lo que yo ansío ser. Pintó en sangre lienzo y caballete, pintó los labios de Teodoro con sus jugos porque eso haría yo si pudiera. Ir donde mi hermano, que no viviría tirado en una cama de hospital, y en su baño cortarme una oreja. Un corte perfecto me daría con cristales desinfectados de hospital, cristales empañados de la casa, de todas las casas de vecinas que averiguan entre cristales qué hago yo con tanta caja, tanto folio y tantas tarjetitas, metido de sol a sol en el depósito de libros raros de la Universidad. Ellas averiguan preguntando por qué no me pongo a engordar, a hablar de política, a ir a la Iglesia, buscarme una novia y jugar al dominó. ¿Qué es lo que se cree la gente, que porque uno vive con madre, padre y hermano en urbanizaciones calcinadas por el sol, enrejadas de aburrimiento, convertidas en asilos de convalecencia, que uno no puede pensar en la oreja de un ilustrísimo pintor? A ver, ¿cómo dejar de pensar en el perdido pabellón auditivo ante la noticia de que el año pasado vendieron uno de sus cuadros en treinta y siete millones de dólares, ante las notas de exhibición del bebé verde ese tan magistral o de las estrellas dementes en miles de museos alrededor del mundo? Cómo, mientras uno sabe que el pobre de Van Gogh sigue muriendo en los sanatorios del infierno, enfermo y en la más rotunda ignominia, que cuando vivo y gacho, no logró vender ni una de sus pinturitas. Teodoro se la pasaba protestando, desesperado con él y la sangre que se sacaba en cromos de sus pesadillas. Intentaba convencer a posibles compradores, o a su hermano obnubilado para que pintara más a tono con los tiempos. Ante el fracaso, aguantaba y esperaba otras oportunidades; y aunque dudó, jamás abandonó al hermano en sus visiones ni en sus combates con los demonios del espejo. Balance entre clan y ego, Teodoro intercediendo por su amantísimo hermano ante el padre pastor que le jodió a ambos su sentido de realidad, su manera de comunicarse con el resto del universo. Ellos que hablaban del padre y se amaban amantísimos como hermanos que eran; uno no más fuerte que el otro, uno no más coronado por la tecnología de sus pares, me pregunto, ¿por qué yo no, ah? ¿Por qué carezco de aliados en mi clan? ¿Por qué vivo en un país que no es Holanda, un país sin museos ni bibliotecas apropiadas pero harto de sustituciones, carros nuevos, becas federales para estudiar estilismo? Pues precisamente porque vivo en este país y no en otro es que tengo que preocuparme por el paradero de esa oreja. Yo sé lo que es carecer y encima cortarse pedazos.

Llevo más de cinco años tratando de encontrar el paradero de esa oreja. Por eso empecé a trabajar donde trabajo. Mi plan es hacerme el encubierto y posar para que así, de manera azarosa, catalogando fichas, recibiendo y anaquelando biografías de artistas me tope, abra, dé con un volumen misterioso y ahí esté, seca, marchita, pero todavía incólume a pesar de los años, una obra maestra más, la Oreja de Van Gogh. Todo el mundo pensará que es accidente. Pero no, ese hallazgo será fruto de un elaborado plan maestro. Dos veces en semana subo al depósito de libros raros, me llevo un pañito con desinfectante para quitarles la capa de hongos que se los está comiendo, abro volumen por volumen, huelo, busco y rebusco entre las páginas amarillentas: estériles, demacradas por la humedad. Mantengo impecables registros de mi pesquisa, anoto cada volumen antes de descartarlo. Así voy urdiendo mi estrategia, la cual combino con el minucioso estudio de los planos de esta biblioteca. Como resultado de mis investigaciones, he llegado a conclusiones prodigiosas que no hacen más que sustentar mi teoría. Porque, que alguien me diga si no es cosa sospechosa, díganme si no es ocurrencia de quien quiere esconder objetos importantes para la historia de la humanidad, cambiar el curso de un río, secar terrenos anegados, y en las colindancias de una vaquería construir una biblioteca. Una biblioteca-vaquería, absurdo de la naturaleza, sin ventilación, sin sistemas de catalogaciones eficientes, una tumba húmeda para almacenar libros que florecen en los anaqueles, con páginas arrancadas por manos nunca identificables. Hacer de entrada una biblioteca inservible para la búsqueda del conocimiento y dejarla ahí, como un mausoleo, guardando cadáveres exquisitos. Ocurrente la mente diábolica que pensó lo que pensó para esconder un invaluable tesoro. Pero, igual de ocurrente pueden ser otras mentes, la mía, por ejemplo.

Si el hallazgo asegurara mi destino. La oreja de Van Gogh en mis manos acarrearía trabajo, dinero para caballetes, pinturas, material de instalaciones, quizás hasta para la cura de un hermano que me amara amantísico, y se llamara Teodoro. Transformaría a la madre y el padre en aliados. Al fin dejarían de fastidiar con lo del dominó, las cuentas, los achaques familiares. En vez de tanto rezar, me acompañarían a museos y sabrían de otros mundos, galaxias enteras de posibilidad.

Me pregunto, ¿qué le habrá pasado por la cabeza a los Van Goghes, a los hermanos, sobre todo? Porque aunque pelearon, jamás uno derrotó al otro. Se rehusaron a ganar. La derrota para ellos siempre fue más deliciosa que el triunfo. La agonía entre ellos siempre más alucinante que la vida. Uno se dejó vencer por el sentido práctico del clan para convertirse en el sostén del otro y recordarle su falta. El otro se contentó con ser orate de la especie, la pesadilla del uno que le garantizaba algún tipo de cordura. Perdieron ambos, deleitosamente. Los dos, fichas de tranque en el juego.

Ese lazo misterioso entre ellos y que solamente ellos entendían, quizás el padre pastor, sufriendo de la misma locura laboriosa que heredaron. ¿No sería por eso en realidad lo de la oreja y no por el rotundo y esquizoide enchule del pintor? Vicente y Teodoro su hermano —o sería al revés, Theodore y Vincent— un amor parecido al definitivamente esquizoide y siempre hambriento amor que se tienen todos los hermanos del mundo; que se tenían ellos y por eso fueron las cartas, las alianzas y las muertes. Me imagino cómo sería la historia si fuese sobre dos hermanos de aquí, Vicente y Teodoro; que al chiquito le digan Teo y al grande Chen. Con padrecito igual a los que van a la Iglesia Pentecostal, se compran un altoparlante para salir a predicar la palabra con los nenes, no los deja salir a ninguna parte ni jugar al dominó porque el dominó es juego del diablo. ¡Que de allí saliera un pintor…, un genio… un hermano!

Las cartas. Theodore y Vincent se escribían imaginándose dos niños perdidos en una isla tropical, como el niño Gauguin. En aquellas islas no había religión, ni urbanizaciones calcinadas, ni bibliotecas carcomidas por los hongos. Allí ellos no tienen que jugar a ser otros, ni tan siquiera escribirse, porque jugando entre las olas se podían tocar, y hasta besarse en los labios. Nadie tenía que recurrir a cortarse una oreja. Nadie tenía que descuajarse a cantos ni morirse al tiempito que el otro. Nadie tenía que jugar dominó para no verse a los ojos, para no verle los ojos a los demás que se sientan a la mesa, se aproximan a la nevera, cierran el portón y no saben, no quieren saber, no les interesa preguntarse nada de nada...

A que está aquí. Todo el mundo me dice que no pero por mi madre santa que está aquí. A ver, ¿en qué otro lugar va a estar la famosa oreja? Si alguien fuera a esconder un tesoro invaluable, una gema de la historia, ¿dónde más la escondería? En los Champs Elysées no va a ser. Tiene que ser en una isla caribeña, como harían los piratas, en una isla caribeña con una universidad que tenga un depósito de libros raros, podridos de hongos, con helechos naciéndole entre las páginas. Sólo en un lugar así puede descansar libre de culpa la oreja de un gran pintor.

Si yo llevo cinco años y medio buscando la oreja de Van Gogh, ¿por qué no puede aparecer frente a mis ojos? En esta mismísima isla han aparecido retratos de Toussaint L'Ouverture en cuartos clausurados. Han aparecido narcotesoros, animadores de televisión achicharrados en carros europeos. Han aparecido hasta copos de nieve en parques públicos. Que aparezca la oreja de Van Gogh no es ninguna novedad. Hay mucho espacio que cubrir, demasiados recovecos que no he cotejado todavía.

Perder yo el tiempo jugando al dominó...

Loreina Santos Silva

La coquiña enamorada

Paré la guagüita Honda Civic frente a un invernadero donde mostraban filas y filas de bromelias florecidas. Escogí la más hermosa con tres espigas rojas y algo de amarillo y naranja en los pétalos. ¡Una verdadera fantasía!

Al llegar a mi casa, busqué una base antigua de bronce, apropiada al tamaño de la planta, la coloqué en la misma y la puse en el tablero empotrado bajo el ventanal de la sala.

Toda la vida había soñado con la presencia de un coquí entre las plantas que decoran la casa, se me antojaba algo superromántico. Mi pasión por esta diminuta ranita empezó en mi niñez. Tendría unos cinco años, cuando atraída por su persistente coquiar y a pesar de lo difícil que era rastrear la procedencia de su sonido, los perseguía hasta dar con su escondite. Entonces me las ingeniaba para cazarlos y retenerlos en un refugio improvisado con mis dos manitas acocadas; me alejaba a un rincón donde nadie pudiera descubrirme y esperaba con una paciencia innombrada que me cantara su enardeciente, "coquí, coquí, coquí...". No recuerdo cuántos logré cazar, lo que sí recuerdo es que los muy bribones nunca me complacieron y que luego de cansarme de esperar y muy frustrada con el fracaso, los devolvía al lugar de donde los había raptado.

Ahora, de uno de los huequitos entre las hojas de la bromelia salía el ansiado canto con un brío tan poderoso que repercutía a todos los rincones de la casa. Nunca había escuchado un coquiar tan alto, tan preciso, tan persistente. Oyéndolo, recordé cuando le suplicaba a los que apresaba en mi niñez, "Canta coquiño, canta. "Ajá" —me dije— ese es el nombre que te pondré, "Coquiño". El nuevo huésped, quedaba bautizado, además de convertirse en parte de la rutina familiar.

Todas las mañanas, Coquiño salía de paseo y no regresaba hasta por la tarde húmedo y reluciente. No hacía una semana que vivía con nosotros, cuando una Coquiña, atraída por su potente canto, entró por debajo de la puerta francesa y dando saltitos se acercó a la bromelia. Ya el don Coquiño, impuesto a nuestra presencia, se acomodaba en la punta de una de las hojas a darnos su habitual serenata, "coquí, coquí, coquí…" La Coquiña, calculando que la bocina del tocadiscos estaba a un pie, paralela a la bromelia, se trepó para poder observar y escuchar mejor al viril invasor en su territorio. Emocionada por las notas desquiciadoras que emitía el erótico Coquiño, le viroteaba los ojos en redondo con un coqueteo obvio e insinuante. El Coquiño, "melao melamba", ante la agresiva, asertiva, al grano con lo que quiero y muy feminista Coquiña, inflaba más y más la gaita. A partir de ese coqueteo, "me tumbas o te tumbo", se quedaron a dormir juntitos en pleno alboroto de zafra:

—coquí, coquí, coquí...
—co, co, co...
—coquí, coquí, coquí...
—co, co, co...

Por las mañanas, salían, uno detrás del otro, a correr mundo y regresaban a la tardecita para empezar el ritual del canto. La Coquiña, más feminista y liberada que nunca, al oír el emocionado coquiar del Coquiño, no sólo viroteaba la pupila en redondo sino que hacía un raspe de garganta y el caderamen a la derecha y un raspe de garganta y el caderamen a la izquierda, con estertores y remeneos del nalgatorio que dejaban a la Chacón tímida y chiquitita.

A manera de sofocar un poco el desorden, decidí poner el tocadiscos pero ni la salsa, ni la plena, ni el merengue, ni el danzón, ni el bolero o la pieza clásica detenían a la "rumba macumba" pareja. Los muy charros creyeron que les estaba poniendo acompañamiento. Ambos se metían debajo del tocadiscos y ajustaban magistralmente su ritmo a la salsa, la plena, etcétera, etcétera, etcétera...

Yo, fascinada con la inteligencia del Coquiño y la Coquiña, le distorsionaba el canto:

—quicó, cucú, quiqué, cocú, quicú...

Ellos respondían al reto como guiados por varitas de magia.

Lo cierto es que Coquiño era genial y por eso Coquiña, que no se quedaba atrás, estaba loca por él.

A veces, cuando por obligaciones profesionales, tenía que ausentarme de la casa por varios días, los dos me esperaban en el viejo tocador de la puerta y cuando introducía la llave, saltaban a mi brazo para darme la bienvenida. Recuerdo que la primera vez que lo hicieron los asusté con mi grito. Uno de los viajes que hice, fue demasiado largo y pienso que se mudaron al jardín. Serían las dos de la mañana cuando volvimos del aeropuerto y mis queridos coquiños no estaban en la puerta. Agotada por el largo vuelo, me senté en uno de los sillones para recuperar la casa y ¡zas!, en fila los saltarines, llegaron al sillón. Ambos me miraban inquisitivamente con los ojos relucientes por el brillo del amor, como si quisieran que les contara todo lo que hice en Buenos Aires, Rosario y Salta. Al vaivén de mi cuerpo, se mecieron un rato...

La verdad es que Coquiño y Coquiña eran tan especiales que pasaron a ser parte del anecdotario de nuestra familia hasta el punto de que se hablaba de ellos en la correspondencia y en las conversaciones telefónicas, pues todo el mundo preguntaba por los pormenores de sus vidas con prioridad a otros asuntos.

Una mañana, al cabo de varios meses, al abrir la puerta de la entrada para ir a regar el jardín, vi a mi pobre Coquiño tieso y estirado y con una palidez mortal. Pensé. "¡Qué hermoso animalito, en la premonición de que se le acercaba su último momento, había hecho un esfuerzo para llegar hasta la puerta y comunicarnos su deceso!" Y no pude suprimir las lágrimas. Lo levanté del suelo y lo llevé lejos para que la Coquiña no viera el trágico espectáculo. Hice un hoyito bajo el flamboyán azul donde hasta hoy reposan sus restos con los sueños compactos de su Coquiña...

Esa noche, no hubo coquiares al compás de la música. La Coquiña correteaba como loca por todas las habitaciones buscando su Coquiño. Conforme pasaban los días, su desesperación e instinto la llevaban a todos los lugares más húmedos de la casa: la bañera, el lavamanos, el inodoro, el fregadero, los lavaderos... Tal parecía que el único propósito de su vida era encontrarlo. Al final era tanta su angustia, tal su desenfreno que lo buscaba por los muebles, las paredes y los techos...

Apenada por su locura, una noche, después de verla regresar tan compungida al triste huequito de su lecho, saqué la bromelia de la casa y la llevé al lugar más remoto del jardín. Confieso que lo hice con la esperanza de ver si, luego de las torrenciales lluvias, el alegre y vibrante clamor de los coquíes le llenaban aquel inmenso vacío...

Loreina Santos Silva

A pique

Me sacan de las profundas aguas en la costa de Fajardo. Sí, me sacan de entre los escombros del unimotor. Los buzos me encuentran sentado y amarrado al asiento. Cortan las correas pero mi cuerpo queda tieso, en posición de copiloto. Estoy mordido por los peces para el completo desangre de mi cuerpo. Llevo catorce horas a merced de esas bocas hambrientas con dientes afilados dispuestas a dentellear hasta las ondas magnéticas de mi atribulado sistema celular. Yo que soy blanco, ahora parezco de papel. Y es que en estas madréporas de Icacos, me rondan las bestias marinas con ojos glotones. Veo cuando un buzo encuentra a Cano tan tieso y picoteado como a mí. Negri, Cano y yo, el Colorao, apodados por el pelo. somos amigos desde niños. Los tres vamos a la misma escuela. Los tres compartimos juegos, intereses y diversiones hasta que nos graduamos de la superior. Los vecinos de Puerta de Tierra comentan que lo único que nos falta hacer juntos es dar del cuerpo. Los tres pasamos el tiempo libre armando "kits" de aviones, nada nos da mayor gusto. Tenemos tremenda colección porque los armamos en lo que se pela un huevo. Ese interés nos lleva a estudiar mecánica de avión, sobre todo, descifrar el más mínimo misterio de esos pájaros metálicos que plagan el espacio. La mayor parte de nuestras vidas, la pasamos en el aeropuerto.

Los tres nos casamos en un lapso de menos de un año. Vamos por la vida, como íntimos amigos, compartiendo luchas, logros, tristezas, alegrías con nuestras respectivas familias. Nuestros niños comparten juegos y peleítas de rutina. Celebramos juntos todos los días especiales. Cumpleaños, aniversarios, padres, madres...En verdad somos una gran familia.

Una tarde, después del trabajo, vamos a darnos la fría. Negri se desahoga, está a punto de un divorcio. Nos lo cuenta a lágrima viva. Insiste, "Sin ella y sin mis hijos no puedo vivir. Estoy desesperado. No quiero ni pensar que no voy a a despedirme de mis niños con la bendición antes de que se duerman. No puedo entender que ella no me quiera. El mundo se me viene abajo".

A lágrima viva nos dice que se quiere morir. Tratamos de consolarlo con genuino cariño. Le damos algunas ideas de cómo bregar con la situación. Varios días después de la escena del *"pond of tears"* lo notamos más tranquilo. Nos alegramos porque parece que la situación ha mejorado. Negri nos invita a rentar un avioncito para ir de compras a San Tomás. Nos parece una tremenda idea. Con el entusiasmo de siempre nos anotamos a la renta y nos alistamos para el viaje.

Salimos a eso de las cinco de la tarde. Una vez en el aire, a considerable altura, Negri empieza las piruetas. Es ahora que nos confiesa que quiere suicidarse. Le da con pasar por entre los condominios de Isleta Marina. Esos jueguitos me aterran. Le digo que suspenda la guachafita. No me hace caso. Baja, dando voltaretas en el aire. Roza el mástil de un velero. Sube y baja jugueteando con la suerte hasta caer al agua. El avión pierde un ala. No es lo mismo llamar la muerte que verla venir. Negri trata de elevarse. No lo logra. El unimotor se va a pique. Negri está en una silla de ruedas recordando a cada instante el desastroso filocidio.

Isabel Allende

Dos palabras

Tenía el nombre de Belisa Crepusculario, pero no por fe de bautismo o acierto de su madre, sino porque ella misma lo buscó hasta encontrarlo y se vistió con él. Su oficio era vender palabras. Recorría el país, desde las regiones más altas y frías hasta las costas calientes, instalándose en las ferias y en los mercados, donde montaba cuatro palos con un toldo de lienzo, bajo el cual se protegía del sol y de la lluvia para atender a su clientela. No necesitaba pregonar su mercadería, porque de tanto caminar por aquí y por allí, todos la conocían. Había quienes la aguardaban de un año para otro, y cuando aparecía por la aldea con su atado bajo el brazo hacían cola frente a su tenderete. Vendía a precios justos. Por cinco centavos entregaba versos de memoria, por siete mejoraba la calidad de los sueños, por nueve escribía cartas de enamorados, por doce inventaba insultos para enemigos irreconciliables. También vendía cuentos, pero no eran cuentos de fantasía, sino largas historias verdaderas que recitaba de corrido, sin saltarse nada. Así llevaba las nuevas de un pueblo a otro. La gente le pagaba por agregar una o dos líneas: nació un niño, murió fulano, se casaron nuestros hijos, se quemaron las cosechas. En cada lugar se juntaba una pequeña multitud a su alrededor para oírla cuando comenzaba a hablar y así se enteraban de las vidas de otros, de los parientes lejanos, de los pormenores de la Guerra Civil. A quien le comprara cincuenta centavos, ella le regalaba una palabra secreta para espantar la melancolía. No era la misma para todos, por supuesto, porque eso habría sido un engaño colectivo. Cada uno recibía la suya con la certeza de que nadie más la empleaba para ese fin en el universo y más allá.

Belisa Crepusculario había nacido en una familia tan mísera, que ni siquiera poseía nombres para llamar a sus hijos. Vino al mundo y creció en la región más inhóspita, donde algunos años las lluvias se convierten en avalanchas de agua que se llevan todo, y en otros no cae ni una gota del cielo, el sol se agranda hasta ocupar el horizonte entero y el mundo se convierte en un desierto. Hasta que cumplió doce años no tuvo otra ocupación ni virtud que sobrevivir al hambre y la fatiga de siglos. Durante una interminable sequía le tocó enterrar a cuatro hermanos menores y cuando comprendió que llegaba su turno, decidió echar a andar por las llanuras en dirección al mar, a ver si en el viaje lograba burlar a la muerte. La tierra estaba erosionada, partida en profundas grietas, sembrada de piedras, fósiles de árboles y de arbustos espinudos, esqueletos de animales blanqueados por el calor. De vez en cuando tropezaba con familias que, como ella, iban hacia el sur siguiendo el espejismo del agua. Algunos habían iniciado la marcha llevando sus pertenencias al hombro o en carretillas, pero apenas podían mover sus propios huesos y a poco andar debían abandonar sus cosas. Se arrastraban penosamente, con la piel convertida en cuero de lagarto y los ojos quemados por la reverberación de la luz. Belisa los saludaba con un gesto al pasar, pero no se detenía, porque no podía gastar sus fuerzas en ejercicios de compasión. Muchos cayeron por el camino, pero ella era tan tozuda que consiguió atravesar el infierno y arribó por fin a los primeros manantiales, finos hilos de agua, casi invisibles, que alimentaban una vegetación raquítica, y que más adelante se convertían en riachuelos y esteros.

Belisa Crepusculario salvó la vida y además descubrió por casualidad la escritura. Al llegar a una aldea en las proximidades de la costa, el viento colocó a sus pies una hoja de periódico. Ella tomó aquel papel amarillo y quebradizo y estuvo largo rato observándolo sin adivinar su uso, hasta que la curiosidad pudo más que su timidez. Se acercó a un hombre que lavaba un caballo en el mismo charco turbio donde ella saciara su sed.

—¿Qué es esto? —preguntó.

—La página deportiva del periódico —replicó el hombre sin dar muestras de asombro ante su ignorancia.

La respuesta dejó atónita a la muchacha, pero no quiso parecer descarada y se limitó a inquirir el significado de las patitas de mosca dibujadas sobre el papel.

—Son palabras, niña. Allí dice que Fulgencio Barba noqueó al Negro Tiznao en el tercer round.

Ese día Belisa Crepusculario se enteró de que las palabras andan sueltas sin dueño y cualquiera con un poco de maña puede apoderárselas para comerciar con ellas. Consideró su situación y concluyó que aparte de prostituirse o emplearse como sirvienta en las cocinas de los ricos, eran pocas las ocupaciones que podía desempeñar. Vender palabras le pareció una alternativa decente. A partir de ese momento ejerció esa profesión y nunca le interesó otra. Al principio ofrecía su mercancía sin sospechar que las palabras podían también escribirse fuera de los periódicos. Cuando lo supo calculó las infinitas proyecciones de su negocio, con sus ahorros le pagó veinte pesos a un cura para que le enseñara a leer y escribir y con los tres que le sobraron se compró un diccionario. Lo revisó desde la A hasta la Z y luego lo lanzó al mar, porque no era su intención estafar a los clientes con palabras envasadas.

Varios años después, en una mañana de agosto, se encontraba Belisa Crepusculario en el centro de una plaza, sentada bajo su toldo vendiendo argumentos de justicia a un viejo que solicitaba su pensión desde hacía diecisiete años. Era día de mercado y había mucho bullicio a su alrededor. Se escucharon de pronto galopes y gritos; ella levantó los ojos de la escritura y vio primero una nube de polvo y enseguida un grupo de jinetes que irrumpió en el lugar. Se trataba de los hombres del Coronel, que venían al mando del Mulato, un gigante conocido en toda la zona por la rapidez de su cuchillo y la lealtad hacia su jefe. Ambos, el Coronel y el Mulato, habían pasado sus vidas ocupados en la Guerra Civil y sus nombres estaban irremisiblemente unidos al estropicio y la calamidad. Los guerreros entraron al pueblo como un rebaño en estampida, envueltos en ruido, bañados de sudor y dejando a su paso un espanto de huracán. Salieron volando las gallinas, dispararon a perderse los perros, corrieron las mujeres con sus hijos y no quedó en el sitio del mercado otra alma viviente que Belisa Crepusculario, quien no había visto jamás al Mulato y por lo mismo le extrañó que se dirigiera a ella.

—A ti te busco —le gritó señalándola con su látigo enrollado y antes que terminara de decirlo, dos hombres cayeron encima de la mujer atropellando el toldo y rompiendo el tintero, la ataron de pies y manos y la colocaron atravesada como un bulto de marinero sobre la grupa de la bestia del Mulato. Emprendieron galope en dirección a las colinas.

Horas más tarde, cuando Belisa Crepusculario estaba a punto de morir con el corazón convertido en arena por las sacudidas del caballo, sintió que se detenían y cuatro manos poderosas la depositaban en tierra. Intentó ponerse de pie y levantar la cabeza con dignidad, pero le fallaron las fuerzas y se desplomó con un suspiro, hundiéndose en un sueño ofuscado. Despertó varias horas después con el murmullo de la noche en el campo, pero no tuvo tiempo de descifrar esos sonidos, porque al abrir los ojos se encontró ante la mirada impaciente del Mulato, arrodillado a su lado.

—Por fin despiertas, mujer —dijo alcanzándole su cantimplora para que bebiera un sorbo de aguardiente con pólvora y acabara de recuperar la vida.

Ella quiso saber la causa de tanto maltrato y él le explicó que el Coronel necesitaba sus servicios. Le permitió mojarse la cara y enseguida la llevó a un extremo del campamento, donde el hombre más temido del país reposaba en una hamaca colgada entre dos árboles. Ella no pudo verle el rostro, porque tenía encima la sombra incierta del follaje y la sombra imborrable de muchos años viviendo como un bandido, pero imaginó que debía ser de expresión perdularia si su gigantesco ayudante se dirigía a él con tanta humildad. Le sorprendió su voz, suave y bien modulada como la de un profesor.

—¿Eres la que vende palabras? —preguntó.

—Para servirte —balbuceó ella oteando en la penumbra para verlo mejor.

El Coronel se puso de pie y la luz de la antorcha que llevaba el Mulato le dio de frente. La mujer vio su piel oscura y sus fieros ojos de puma y supo al punto que estaba frente al hombre más solo de este mundo.

—Quiero ser Presidente —dijo él.

Estaba cansado de recorrer esa tierra maldita en guerras inútiles y derrotas que ningún subterfugio podía transformar en victorias. Llevaba muchos años durmiendo a la intemperie, picado de mosquitos, alimentándose de iguanas y sopa de culebra, pero esos inconvenientes menores no constituían razón suficiente para cambiar su destino. Lo que en verdad le fastidiaba era el terror en los ojos ajenos. Deseaba entrar a los pueblos bajo arcos de triunfo, entre banderas de colores y flores, que lo aplaudieran y le dieran de regalo huevos frescos y pan recién horneado. Estaba harto de comprobar cómo a su paso huían los hombres, abortaban de susto las mujeres y temblaban las criaturas: por eso había decidido ser Presidente. El Mulato le sugirió que fueran a la capital y entraran galopando al Palacio para apoderarse del gobierno, tal como tomaron tantas otras cosas sin pedir permiso, pero al Coronel no le interesaba convertirse en otro tirano; de ésos ya habían tenido bastantes por allí y, además, de ese modo no obtendría el afecto de las gentes. Su idea consistía en ser elegido por votación popular en los comicios de diciembre.

—Para eso necesito hablar como un candidato. ¿Puedes venderme las palabras para un discurso? —preguntó el Coronel a Belisa Crepusculario.

Ella había aceptado muchos encargos, pero ninguno como ése; sin embargo no pudo negarse, temiendo que el Mulato le metiera un tiro entre los ojos o, peor aún, que el Coronel se echara a llorar. Por otra parte, sintió el impulso de ayudarlo, porque percibió un palpitante calor en su piel, un deseo poderoso de tocar a ese hombre, de recorrerlo con sus manos, de estrecharlo entre sus brazos.

Toda la noche y buena parte del día siguiente estuvo Belisa Crepusculario buscando en su repertorio las palabras apropiadas para un discurso presidencial, vigilada de cerca por el Mulato, quien no apartaba los ojos de sus firmes piernas de caminante y sus senos virginales. Descartó las palabras ásperas y secas, las demasiado floridas, las que estaban desteñidas por el abuso, las que ofrecían promesas improbables, las carentes de verdad y las confusas, para quedarse sólo con aquellas capaces de tocar con certeza el pensamiento de los hombres y la intuición de las mujeres. Haciendo uso de los conocimientos comprados al cura por veinte pesos, escribió el discurso en una hoja de papel y luego hizo señas al Mulato para que desatara la cuerda con la cual la había amarrado por los tobillos a un árbol. La condujeron nuevamente donde el Coronel, y al verlo ella volvió a sentir la misma palpitante ansiedad del primer encuentro. Le pasó el papel y aguardó, mientras él lo miraba sujetándolo con la punta de los dedos.

—¿Qué carajo dice aquí? —preguntó por último.

—¿No sabes leer?

—Lo que yo sé hacer es la guerra —replicó él,

Ella leyó en alta voz el discurso. Lo leyó tres veces, para que su cliente pudiera grabárselo en la memoria. Cuando terminó vio la emoción en los rostros de los hombres de la tropa que se juntaron para escucharla y notó que los ojos amarillos del Coronel brillaban de entusiasmo, seguro de que con esas palabras el sillón presidencial sería suyo.

—Si después de oírlo tres veces los muchachos siguen con la boca abierta, es que esta vaina sirve, Coronel —aprobó el Mulato.

—¿Cuánto te debo por tu trabajo, mujer? —preguntó el jefe.

—Un peso, Coronel.

—No es caro —dijo él abriendo la bolsa que llevaba colgada del cinturón con los restos del último botín.

—Además tienes derecho a una ñapa. Te corresponden dos palabras secretas —dijo Belisa Crepusculario.

—¿Cómo es eso?

Ella procedió a explicarle que por cada cincuenta centavos que pagaba un cliente, le obsequiaba una palabra de uso exclusivo. El jefe se encogió de hombros, pues no tenía ni el menor interés en la oferta, pero no quiso ser descortés con quien lo había servido tan bien. Ella se aproximó sin prisa al taburete de suela donde él estaba sentado y se inclinó para entregarle su regalo. Entonces el hombre sintió el olor de animal montuno que se desprendía de esa mujer, el calor de incendio que irradiaban sus caderas, el roce terrible de sus cabellos, el aliento de yerbabuena susurrando en su oreja las dos palabras secretas a las cuales tenía derecho.

—Son tuyas, Coronel —dijo ella al retirarse—. Puedes emplearlas cuanto quieras.

El Mulato acompañó a Belisa hasta el borde del camino, sin dejar de mirarla con ojos suplicantes de perro perdido, pero cuando estiró la mano para tocarla, ella lo detuvo con un chorro de palabras inventadas que tuvieron la virtud de espantarle el deseo, porque creyó que se trataba de alguna maldición irrevocable.

En los meses de setiembre, octubre y noviembre el Coronel pronunció su discurso tantas veces, que de no haber sido hecho con palabras refulgentes y durables el uso lo habría vuelto ceniza. Recorrió el país en todas direcciones, entrando a las ciudades con aire triunfal y deteniéndose también en los pueblos más olvidados, allá donde sólo el rastro de basura indicaba la presencia humana, para convencer a los electores de que votaran por él. Mientras hablaba sobre una tarima al centro de la plaza, el Mulato y sus hombres repartían caramelos y pintaban su nombre con escarcha dorada en las paredes, pero nadie prestaba atención a esos recursos de mercader, porque estaban deslumbrados por la claridad de sus proposiciones y la lucidez poética de sus argumentos, contagiados de su deseo tremendo de corregir los errores de la historia y alegres por primera vez en sus vidas. Al terminar la arenga del Candidato, la tropa lanzaba pistoletazos al aire y encendía petardos y, cuando por fin se retiraban, quedaba atrás una estela de esperanza que perduraba muchos días en el aire, como el recuerdo magnífico de un cometa. Pronto el Coronel se convirtió en el político más popular. Era un fenómeno nunca visto, aquel hombre surgido de la guerra civil, lleno de cicatrices y hablando como un catedrático, cuyo prestigio se regaba por el territorio nacional conmoviendo el corazón de la patria. La prensa se ocupó de él. Viajaron de lejos los periodistas para entrevistarlo y repetir sus frases, y así creció el número de sus seguidores y de sus enemigos.

—Vamos bien, Coronel —dijo el Mulato al cumplirse doce semanas de éxitos.

Pero el candidato no lo escuchó. Estaba repitiendo sus dos palabras secretas, como hacía cada vez con mayor frecuencia. Las decía cuando lo ablandaba la nostalgia, las murmuraba dormido, las llevaba consigo sobre su caballo, las pensaba antes de pronunciar su célebre discurso y se sorprendía saboreándolas en sus descuidos. Y en toda ocasión en que esas dos palabras venían a su mente, evocaba la presencia de Belisa Crepusculario y se le alborotaban los sentidos con el recuerdo del olor montuno, el calor de incendio, el roce terrible y el aliento de yerbabuena, hasta que empezó a andar como un sonámbulo y sus propios hombres comprendieron que se le terminaría la vida antes de alcanzar el sillón de los presidentes.

—¿Qué es lo que te pasa, Coronel? —le preguntó muchas veces el Mulato, hasta que por fin un día el jefe no pudo más y le confesó que la culpa de su ánimo eran esas dos palabras que llevaba clavadas en el vientre.

—Dímelas, a ver si pierden su poder —le pidió su fiel ayudante.

—No te las diré, son sólo mías —replicó el Coronel.

Cansado de ver a su jefe deteriorarse como un condenado a muerte, el Mulato se echó el fusil al hombro y partió en busca de Belisa Crepusculario. Siguió sus huellas por toda esa vasta geografía hasta encontrarla en un pueblo del sur, instalada bajo el toldo de su oficio, contando su rosario de noticias. Se le plantó delante con las piernas abiertas y el arma empuñada.

—Tú te vienes conmigo –ordenó.

Ella lo estaba esperando. Recogió su tintero, plegó el lienzo de su tenderete, se echó el chal sobre los hombros y en silencio trepó al anca del caballo. No cruzaron ni un gesto en todo el camino, porque al Mulato el deseo por ella se le había convertido en rabia y sólo el miedo que le inspiraba su lengua le impedía destrozarla a latigazos. Tampoco estaba dispuesto a comentarle que el Coronel andaba alelado, y que lo que no habían logrado tantos años de batallas lo había conseguido un encantamiento susurrado al oído. Tres días después llegaron al campamento y de inmediato condujo a su prisionera hasta el candidato, delante de toda la tropa.

—Te traje a esta bruja para que le devuelvas sus palabras, Coronel, y para que ella te devuelva la hombría —dijo apuntando el cañón de su fusil a la nuca de la mujer.

El Coronel y Belisa Crepusculario se miraron largamente, midiéndose desde la distancia. Los hombres comprendieron entonces que ya su jefe no podía deshacerse del hechizo de esas dos palabras endemoniadas, porque todos pudieron ver los ojos carnívoros del puma tornarse mansos cuando ella avanzó y le tomó la mano.

Juan Bosch

La Mujer

La carretera está muerta. Nadie ni nada la resucitará. Larga, infinitamente larga, ni en la piel gris se la ve vida. El sol la mató; el sol de acero, de tan candente al rojo, un rojo que se hizo blanco. Tornose luego transparente al acero blanco, y sigue ahí, sobre el lomo de la carretera.

Debe hacer muchos siglos de su muerte. La desenterraron hombres con picos y palas. Cantaban y picaban, algunos había, sin embargo, que ni cantaban ni picaban. Fue muy largo todo aquello. Se veía que venían de lejos: sudaban, hedían. De tarde el acero blanco se volvía rojo; entonces en los ojos de los hombres que desenterraban la carretera se agitaba una hoguera pequeñita, detrás de las pupilas.

La muerta atravesaba sabanas y lomas y los vientos traían polvo sobre ella. Después aquel polvo murió también y se posó en la piel gris.

A los lados hay arbustos espinosos. Muchas veces la vista se enferma de tanta amplitud. Pero las planicies están peladas. Pajonales, a distancia. Tal vez aves rapaces coronen cactos. Y los cactos están allá, más lejos, embutidos en el acero blanco.

También hay bohíos, casi todos bajos y hechos con barro. Algunos están pintados de blanco y no se ven bajo el sol. Sólo se destaca el techo grueso, seco, ansioso de quemarse día a día. Las cañas dieron esas techumbres por las que nunca rueda agua.

La carretera muerta, totalmente muerta, está ahí, desenterrada, gris. La mujer se veía primero, como un punto negro, después, como una piedra que hubieran dejado sobre la momia larga. Estaba allí tirada sin que la brisa le moviera los harapos. No la quemaba el sol; tan sólo sentía dolor por los gritos del niño. El niño era de bronce, pequeñín, con los ojos llenos de luz, y se agarraba a la madre tratando de tirar de ella con sus manecitas. Pronto iba la carretera a quemar el cuerpo, las rodillas por lo menos, de aquella criatura desnuda y gritona.

La casa estaba allí cerca, pero no podía verse.

A medida que se avanzaba crecía aquello que parecía una piedra tirada en medio de la gran carretera muerta. Crecía, y Quico se dijo: un becerro, sin duda, estropeado por auto.

Tendió la vista: la planicie, la sabana. Una colina lejana, con pajonales, como si fuera esa colina sólo un montoncito de arena apilada por los vientos. El cauce de un río; las fauces secas de la tierra que tuvo agua mil años antes de hoy. Se resquebrajaba la planicie dorada bajo el pesado acero transparente. Y los cactos, los cactos coronados de aves rapaces.

Más cerca ya, Quico vio que era persona. Oyó distintamente los gritos del niño.

* * * * *

El marido le había pegado. Por la única habitación del bohío, caliente como horno, la persiguió, tirándola de los cabellos y machacándole la cabeza a puñetazos.

¡Hija de mala madre! ¡Hija de mala madre! ¡Te voy a matar como a una perra, desvergonzada!

—Pero si nadie pasó, Chepe: nadie pasó—quería explicar ella.

—¿Qué no? ¡Ahora verás! Y volvió a golpearla.

El niño se agarraba a las piernas de su papá; no sabía hablar aún y pretendía evitarlo. El veía la mujer sangrando por la nariz. La sangre no le daba miedo, no, solamente deseos de llorar, de gritar mucho. De seguro mamá moriría si seguía sangrando.

Todo fue porque la mujer no vendió la leche de cabra, como él se lo mandara; al volver de las lomas, cuatro días después, no halló el dinero. Ella contó que se había cortado la leche; la verdad es que la bebió el niño. Prefirió no tener unas monedas más a que la criaturita sufriera hambre tanto tiempo.

Le dijo después que se marchara con su hijo:

¡Te mataré si vuelves a esta casa!

La mujer estaba tirada en el piso de tierra; sangraba mucho y nada oía. Chepe, frenético, la arrastró hasta la carretera. Y se quedó allí como muerta, sobre el lomo de la gran momia

* * * * *

Quico tenía agua para dos días más de camino, pero casi toda la gastó en rociar la frente de la mujer. La llevó hasta el bohío, dándole el brazo, y pensó en romper su camisa listada para limpiarle la sangre.

Chepe entró por el patio. ¡Te dije que no quería verte más aquí, condenada!

Parece quo no había visto al extraño. Aquel acero blanco, transparente, le había vuelto fiera, de seguro. El pelo era estopa y las córneas estaban rojas.

Quico le llamó la atención; pero él, medio loco, amenazó de nuevo a su víctima iba a pegarle ya. Entonces fue cuando se entabló la lucha entre los dos hombres.

El niño pequeñín, pequeñín, comenzó a gritar otra vez; ahora se envolvía en la falda de su mamá.

La lucha era silenciosa. No decían palabras. Sólo se oían los gritos del muchacho y las pisadas violentas.

La mujer vio cómo Quico ahogaba a Chepe: tenía los dedos engarfiados en el pescuezo de su marido. Éste comenzó por cerrar los ojos; abría la boca y le subía la sangre al rostro.

Ella no supo qué sucedió, pero cerca, junto a la puerta, estaba la piedra; una piedra como lava, rugosa, casi negra, pesada. Sintió que le nacía una fuerza brutal. La alzó. Sonó seco el golpe. Quico soltó él pescuezo del otro, luego dobló las rodillas, después abrió los brazos con amplitud y cayo de espaldas, sin quejarse, sin hacer un esfuerzo. La tierra del piso absorbía aquella sangre tan roja, tan abundante. Chepe veía la luz brillar en ella.

Juan Bosch

Los amos

Cuando ya Cristino no servía ni para ordeñar una vaca, don Pío lo llamó y le dijo que iba a hacerle un regalo.

—Le voy a dar medio peso para el camino. Usté está muy mal y no puede seguir trabajando. Si se mejora, vuelva. Cristino extendió una mano amarilla, que le temblaba.

—Mucha gracia, don. Quisiera coger el camino ya, perev tengo calentura.

—Puede quedarse aquí esta noche, si quiere, y hasta hacerse una tisana de cabrita. Eso es bueno.

Cristino se había quitado el sombrero, y el pelo abundante, largo y negro le caía sobre el pescuezo. La barba escasa parecía ensuciarle el rostro, de pómulos salientes.

—Ta bien, don Pío —dijo; que Dio se lo pague.

Bajó lentamente los escalones, mientras se cubría de nuevo la cabeza con el viejo sombrero de fieltro negro. Al llegar al último escalón se detuvo un rato y se puso a mirar las vacas y los críos.

—Qué animao ta el becerrito —comentó en voz baja.

Se trataba de uno que él había curado días antes. Había tenido gusanos en el ombligo y ahora correteaba y saltaba alegremente.

Don Pío salió a la galería y también se detuvo a ver las reses. Don Pío era bajo, rechoncho, de ojos pequeños y rápidos. Cristino tenía tres años trabajando con él. Le pagaba un peso semanal por el ordeño, que se hacía de madrugada, las atenciones de la casa y el cuido de los terneros. Le había salido trabajador y tranquilo aquel hombre, pero había enfermado y don Pío no quería mantener gente enferma en su casa.

Don Pío tendió la vista. A la distancia estaban los matorrales que cubrían el paso del arroyo, y sobre los matorrales, las nubes de mosquitos. Don Pío había mandado poner tela metálica en todas las puertas y ventanas de la casa, pero el rancho de los peones no tenía puertas ni ventanas; no tenía ni siquiera setos. Cristino se movió allá abajo, en el primer escalón, y don Pío quiso hacerle una última recomendación.

—Cuando llegue a su casa póngase en cura, Cristino.

—Ah, sí, cómo no, don. Mucha gracia —oyó responder.

El sol hervía en cada diminuta hoja de la sabana. Desde las lomas de Terrero hasta las de San Francisco, perdidas hacia el norte, todo fulgía bajo el sol. Al borde de los potreros, bien lejos, había dos vacas. Apenas se las distinguía, pero Cristino conocía una por una todas las reses.

—Vea, don —dijo—, aquella pinta que se aguaita allá debe haber parío anoche a por la mañana, porque no le veo barriga.

Don Pío caminó arriba.

—Usté cree, Cristino? Yo no la veo bien.

—Arrímese pa aquel lao y la verá. Cristino tenía frío y la cabeza empezaba a dolerle, pero siguió con la vista al animal.

—Dése una caminadita y me la arrea, Cristino —oyó decir a don Pío.

—Yo fuera a buscarla, pero me toy sintiendo mal.

—¿La calentura?

—Unjú. Me ta subiendo.

—Eso no hace. Ya usté está acostumbrado, Cristino. Vaya y tráigamela. Cristino se sujetaba el pecho con los dos brazos descarnados. Sentía que el frío iba dominándolo. Levantaba la frente. Todo aquel sol, el becerrito. —¿Va a traérmela —insistió la voz.

Con todo ese sol y las piernas temblándole, y los pies descalzos llenos de polvo.

—¿Va a buscármela, Cristino?

Tenía que responder, pero la lengua le pesaba. Se apretaba más los brazos sobre el pecho. Vestía una camisa de listado sucia y de tela tan delgada que no le abrigaba.

Resonaron pisadas arriba y Cristino pensó que don Pío iba a bajar. Eso asustó a Cristino.

—Ello sí, don —dijo—; voy a dir. Deje que se me pase el frío.

—Con el sol se le quita. Hágame el favor, Cristino. Mire que esa vaca se me va y puedo perder el becerro. Cristino seguía temblando, pero comenzó a ponerse de pie. -Sí; ya voy, don —dijo.

—Cogió ahora por la vuelta del arroyo —explicó desde la galería don Pío.

Paso a paso con los brazos sobre el pecho, encorvado para no perder calor, el peón empezó a cruzar la sabana. Don Pío le veía de espaldas. Una mujer se deslizó par la galería y se puso junto a don Pío.

—¡Qué día tan bonito, Pío! —comentó con voz cantarina.

—El hombre no contestó. Señaló hacia Cristino, que se alejaba con paso torpe, como si fuera tropezando.

—No quería ir a buscarme la vaca pinta, que parió anoche. Y ahorita mismo le di medio peso para el camino.

Calló medio minuto y miró a la mujer, que parecía demandar una explicación.

—Malagradecidos que son, Herminia —dijo. De nada vale tratarlos bien.

Ella asintió con la mirada.

—Te lo he dicho mil veces, Pío —comentó. Y ambos se quedaron mirando a Cristino, que ya era apenas una mancha sobre el verde de la sabana.

María Luisa Bombal

El árbol

El pianista se sienta, tose por prejuicio y se concentra un instante. Las luces en racimo que alumbran la sala declinan lentamente hasta detenerse en un resplandor mortecino de brasa, al tiempo que una frase musical comienza a subir en el silencio, a desenvolverse, clara, estrecha y juiciosamente caprichosa.

"Mozart, tal vez", piensa Brígida. Como de costumbre se ha olvidado de pedir el programa "Mozart, tal vez, o Scarlatti." ¡Sabía tan poca música! Y no era porque no tuviese oído ni afición. De niña fue ella quien reclamó lecciones de piano; nadie necesitó imponérselas, como a sus hermanas. Sus hermanas, sin embargo, tocaban ahora correctamente y descifraban a primera vista, en tanto que ella... Ella había abandonado los estudios al año de iniciarlos. La razón de su inconsecuencia era tan sencilla como vergonzosa: jamás había conseguido aprender la llave de Fa, jamás. "No compredo, no me alcanza la memoria más que para la llave de Sol." ¡La indignación de su padre! "¡A cualquiera le doy esta carga de un hombre solo con varias hijas que educar! ¡Pobre Carmen! Seguramente habría sufrido por Brígida. Es retardada esta criatura".

Brígida era la menor de seis niñas todas diferentes de carácter. Cuando el padre llegaba por fin a su sexta hija, llegaba tan perplejo y agotado por las cinco primeras que prefería simplificarse el día declarándola retardada. "No voy a luchar más, es inútil. Déjenla. Si no quiere estudiar, que no estudie. Si le gusta pasarse en la cocina oyendo cuentos de ánimas, allá ella. Si le gustan las muñecas a los dieciséis años, que juegue." Y Brígida había conservado sus muñecas y permanecido totalmente ignorante.

¡Qué agradable es ser ignorante! ¡No saber exactamente quién fue Mozart, desconocer sus orígenes, sus influencias, las particularidades de su técnica! Dejarse solamente llevar por él de la mano, como ahora.

Y Mozart la lleva, en efecto. La lleva por un puente suspendido sobre un agua cristalina que corre en un lecho de arena rosada. Ella está vestida de blanco, con un quitasol de encaje, complicado y fino como una telaraña, abierto sobre el hombro.

—Estás cada día más joven, Brígida. Ayer encontré a tu marido, a tu ex-marido, quiero decir. Tiene todo el pelo blanco.

Pero ella no contesta, no se detiene, sigue cruzando el puente que Mozart le ha tendido hacia el jardín de sus años juveniles.

Altos surtidores en los que el agua canta. Sus dieciocho años, sus trenzas castañas que desatadas le llegaban hasta los tobillos, su tez dorada, sus ojos oscuros tan abiertos y como interrogantes. Una pequeña boca de labios carnosos, una sonrisa dulce y el cuerpo más liviano y gracioso del mundo. ¿En qué pensaba sentada al borde de la fuente? En nada. "Es tan tonta como linda", decían. Pero a ella nunca le importó ser tonta, ni "planchar" en los bailes. Una por una iban pidiendo en matrimonio a sus hermanas. A ella no la pedía nadie.

¡Mozart! Ahora le brinda una escalera de mármol azul por donde ella baja entre una doble fila de lirios de hielo. Y ahora le abre una verja de barrotes con puntas doradas para que ella pueda echarse al cuello de Luis, el amigo íntimo de su padre. Desde muy niña, cuando todos la abandonaban, corría hacia Luis. Él la alzaba y ella le rodeaba el cuello con los brazos, entre risas que eran como pequeños gorjeos y besos que le disparaba aturdidamente sobre los ojos, la frente y el pelo ya entonces canoso (¿es que nunca había sido joven?) como una lluvia desordenada. "Eres un collar —le decía Luis—. Eres como un collar de pájaros".

Por eso se había casado con él. Porque al lado de aquel hombre solemne y taciturno no se sentía culpable de ser tal cual era: tonta, juguetona y perezosa. Sí; ahora que han pasado tantos años comprende que no se había casado con Luis por amor; sin embargo no atina a comprender por qué, por qué se marchó ella un día, de pronto...

Pero he aquí que Mozart la toma nerviosamente de la mano y arrastrándola en un ritmo segundo por segundo más apremiante, la obliga a cruzar el jardín en sentido inverso, a retomar el puente en una carrera que es casi una huida. Y luego de haberla despojado del quitasol y de la falda transparente, le cierra la puerta de su pasado con un acorde dulce y firme a la vez, y la deja en una sala de conciertos, vestida de negro, aplaudiendo maquinalmente en tanto crece la llama de las luces artificiales.

De nuevo la penumbra y de nuevo el silencio precursor.

Y ahora Beethoven empieza a remover el oleaje tibio de sus notas bajo una luna de primavera. ¡Qué lejos se ha retirado el mar! Brígida se interna playa adentro hacia el mar contraído allá lejos, refulgente y manso, pero entonces el mar se levanta, crece tranquilo, viene a su encuentro, la envuelve, y con suaves olas la va empujando, empujando por la espalda hasta hacerle recostar la mejilla sobre el cuerpo de un hombre. Y se aleja, dejándola olvidada sobre el pecho de Luis.

—No tienes corazón, no tienes corazón —solía decirle a Luis. Latía tan adentro el corazón de su marido que no pudo oírlo sino rara vez y de modo inesperado—. Nunca estás conmigo cuando estás a mi lado —protestaba en la alcoba, cuando antes de dormirse él abría ritualmente los periódicos de la tarde—. ¿Por qué te has casado conmigo?

—Porque tienes ojos de venadito asustado —contestaba él y la besaba. Y ella, súbitamente alegre, recibía orgullosa sobre su hombro el peso de su cabeza cana. ¡Oh, ese pelo plateado y brillante de Luis!

—Luis, nunca me has contado de qué color era exactamente tu pelo cuando eras chico, y nunca me has contado tampoco lo que dijo tu madre cuando te empezaron a salir canas a los quince años. ¿Qué dijo? ¿Se rió? ¿Lloró? ¿Y tú estabas orgulloso o tenías vergüenza? Y en el colegio, tus compañeros ¿qué decían? Cuéntame, Luis, cuéntame...

—Mañana te contaré. Tengo sueño, Brígida, estoy muy cansado. Apaga la luz.

Inconscientemente él se apartaba de ella para dormir, y ella incoscientemente, durante la noche entera, perseguía el hombro de su marido, buscaba su aliento, trataba de vivir bajo su aliento, como una planta encerrada y sedienta que alarga sus ramas en busca de un clima propicio.

Por las mañanas, cuando la mucama abría las persianas, Luis ya no estaba a su lado. Se había levantado sigiloso y sin darle los buenos días, por temor al collar de pájaros que se obstinaba en retenerlo fuertemente por los hombros. —"Cinco minutos, cinco minutos nada más. Tu estudio no va a desaparecer porque te quedes cinco minutos más conmigo, Luis."

Sus despertares. ¡Ah, qué tristes sus despertares! Pero —era curioso— apenas pasaba a su cuarto de vestir, su tristeza se disipaba como por encanto.

Un oleaje bulle, bulle muy lejano, murmura como un mar de hojas. ¿Es Beethoven? No.

Es el árbol pegado a la ventana del cuarto de vestir. Le bastaba entrar para que sintiese circular en ella una gran sensación bienhechora. ¡Qué calor había siempre en el dormitorio por las mañanas! ¡Y qué luz cruda! Aquí en cambio, en el cuarto de vestir, hasta la vista descansaba, se refrescaba. Las cretonas desvaídas, el árbol que desenvolvía sombras como de agua agitada y fría por las paredes, los espejos que doblaban el follaje y se ahuecaban en un bosque infinito y verde. ¡Qué agradable era ese cuarto! Parecía un mundo sumido en un acuario. ¡Cómo parloteaba ese inmenso gomero! Todos los pájaros del barrio venían a refugiarse en él. Era el único árbol de aquella estrecha calle en pendiente que desde un costado de la ciudad se despeñaba directamente al río.

—Estoy ocupado. No puedo acompañarte... Tengo mucho que hacer, no alcanzo a llegar para el almuerzo... Hola, sí, estoy en el Club. Un compromiso. Come y acuéstate... No. No sé. Más vale que no me esperes, Brígida.

—¡Si tuviera amigas! —suspiraba ella. Pero todo el mundo se aburría con ella. ¡Si tratara de ser un poco menos tonta! ¿Pero cómo ganar de un tirón tanto terreno perdido? Para ser inteligente hay que empezar desde chica ¿no es verdad?

A sus hermanas, sin embargo, los maridos las llevaban a todas partes, pero Luis —¿por qué no había de confesárselo a sí misma?—

se avergonzaba de ella, de su ignorancia, de su timidez y hasta de sus dieciocho años. ¿No le había pedido que dijera que tenía por lo menos veintiuno, como si su extrema juventud fuera una tara secreta?

Y de noche ¡qué cansado se acostaba siempre! Nunca la escuchaba del todo. Le sonreía, eso sí, le sonreía con una sonrisa que ella sabía maquinal. La colmaba de caricias de las que él estaba ausente. ¿Por qué se habría casado con ella? Para continuar una costumbre, tal vez para estrechar la vieja relación de amistad con su padre. Tal vez la vida consistía para los hombres en una serie de costumbres consentidas y continuas. Si alguna llegaba a quebrarse, probablemente se producía el desbarajuste, el fracaso. Y los hombres empezaban entonces a errar por las calles de la ciudad, a sentarse en los bancos de las plazas, cada día peor vestidos y con la barba más crecida. La vida de Luis, por lo tanto, consistía en llenar con una ocupación cada minuto del día. ¡Cómo no haberlo comprendido antes! Su padre tenía razón al declararla retardada.

—Me gustaría ver nevar alguna vez, Luis.

—Este verano te llevaré a Europa, y como allá es invierno, podrás ver nevar.

—Ya sé que es invierno en Europa cuando aquí es verano. ¡Tan ignorante no soy!

A veces, como para despertarlo al arrebato del verdadero amor, ella se echaba sobre su marido y lo cubría de besos, llorando, llamándolo: Luis, Luis, Luis...

—¿Qué? ¿Qué te pasa? ¿Qué quieres?

—Nada.

—¿Por qué me llamas de ese modo, entonces?

—Por nada, por llamarte. Me gusta llamarte.

Y él sonreía, acogiendo con benevolencia aquel nuevo juego. Llegó el verano, su primer verano de casada. Nuevas ocupaciones impidieron a Luis ofrecerle el viaje prometido.

—Brígida, el calor va a ser tremendo este verano en Buenos Aires. ¿Por qué no te vas a la estancia con tu padre?

—¿Sola?

—Yo iría a verte todas las semanas de sábado a lunes.

Ella se había sentado en la cama, dispuesta a insultar. Pero en vano buscó palabras hirientes que gritarle. No sabía nada, nada. Ni siquiera insultar.

—¿Qué te pasa? ¿En qué piensas, Brígida?

Por primera vez Luis había vuelto sobre sus pasos y se inclinaba sobre ella inquieto, dejando pasar la hora de llegada a su despacho.

—Tengo sueño... –había replicado Brígida puerilmente, mientras escondía la cara en las almohadas.

Por primera vez él la había llamado desde el Club del almuerzo. Pero ella había rehusado salir al teléfono, esgrimiendo rabiosamente el arma aquella que había encontrado sin pensarlo: el silencio.

Esa misma noche comía frente a su marido sin levantar la vista, contraídos todos sus nervios.

—¿Todavía estás enojada, Brígida?

Pero ella no quebró el silencio.

—Bien sabes que te quiero, collar de pájaros. Pero no puedo estar contigo a toda hora. Soy un hombre muy ocupado. Se llega a mi edad hecho un esclavo de mil compromisos.

—...

—¿Quieres que salgamos esta noche?

—...

—¿No quieres? Paciencia. Dime, ¿llamó Roberto desde Montevideo?

—...

—¡Qué lindo traje! ¿Es nuevo?

—...

—¿Es nuevo, Brígida? Contesta, contéstame...

Pero ella tampoco esta vez quebró el silencio.

Y en seguida lo inesperado, lo asombroso, lo absurdo. Luis que se levanta de su asiento, tira violentamente la servilleta sobre la mesa y se va de la casa dando portazos.

Ella se había levantado a su vez, atónita, tiritando de indignación por tanta injusticia. —"Y yo, y yo" —murmuraba desorientada—, "yo que durante casi un año... cuando por primera vez me permito un reproche... ¡Ah, me voy, me voy esta misma noche! No volveré a pisar nunca más esta casa..." Y abría con furia los armarios de su cuarto de vestir, tiraba desatinadamente la ropa al suelo.

Fue entonces cuando alguien golpeó con los nudillos en los cristales de la ventana.

Había corrido, no supo cómo ni con qué insólita valentía, hacia la ventana. La había abierto. Era el árbol, el gomero que un gran soplo de viento agitaba, el que golpeaba con sus ramas los vidrios, el que la requería desde fuera como para que lo viera retorcerse hecho una impetuosa llamarada negra bajo el cielo encendido de aquella noche de verano.

Un pesado aguacero no tardaría en rebotar contra sus frías hojas. ¡Qué delicia! Durante toda la noche, ella podría oír la lluvia azotar, escurrirse por las hojas del gomero como por los canales de mil goteras fantasiosas. Durante toda la noche oiría crujir y gemir el viejo tronco del gomero contándole de la intemperie, mientras ella se acurrucaría, voluntariamente friolenta, entre las sábanas del amplio lecho, muy cerca de Luis.

Puñados de perlas que llueven a chorros sobre un techo de plata. Chopin. *Estudios* de Federico Chopin.

¿Durante cuántas semanas se despertó de pronto, muy temprano, apenas sentía que su marido, ahora también él obstinadamente callado, se había escurrido del lecho?

El cuarto de vestir: la ventana abierta de par en par, un olor a río y a pasto flotando en aquel cuarto bienhechor, y los espejos velados por un halo de neblina.

Chopin y la lluvia que resbala por las hojas del gomero con ruido de cascada secreta, y parece empapar hasta las rosas de las cretonas, se entremezclan en su agitada nostalgia.

¿Qué hacer en verano cuando llueve tanto? ¿Quedarse el día entero en el cuarto fingiendo una convalecencia o una tristeza? Luis había entrado tímidamente una tarde. Se había sentado muy tieso.

Hubo un silencio.

—Brígida, ¿entonces es cierto? ¿Ya no me quieres?

Ella se había alegrado de golpe, estúpidamente. Puede que hubiera gritado: —"No, no; te quiero Luis, te quiero" —si él le hubiese dado tiempo, si no hubiese agregado, casi de inmediato, con su calma habitual:

—En todo caso, no creo que nos convenga separarnos, Brígida. Hay que pensarlo mucho.

En ella los impulsos se abatieron tan bruscamente como se habían precipitado. ¡A qué exaltarse inútilmente! Luis la quería con ternura y medida; si alguna vez llegaba a odiarla la odiaría con justicia y prudencia. Y eso era la vida. Se acercó a la ventana, apoyó la frente contra el vidrio glacial. Allí estaba el gomero recibiendo serenamente la lluvia que lo golpeaba, tranquila y regular. El cuarto se inmovilizaba en la penumbra, ordenado y silencioso. Todo parecía detenerse, eterno y muy noble. Eso era la vida. Y había cierta grandeza en aceptarla así, mediocre, como algo definitivo, irremediable. Y del fondo de las cosas parecía brotar y subir una melodía de palabras graves y lentas que ella se quedó escuchando: "Siempre". "Nunca"... Y así pasan las horas, los días y los años. ¡Siempre! ¡Nunca! ¡La vida, la vida!

Al recobrarse cayó en la cuenta que su marido se había escurrido del cuarto. ¡Siempre! ¡Nunca!...

Y la lluvia, secreta e igual, aún continuaba susurrando en Chopin.

El verano deshojaba su ardiente calendario. Caían páginas luminosas y enceguecedoras como espadas de oro, y páginas de una humedad malsana como el aliento de los pantanos; caían páginas de furiosa y breve tormenta, y páginas de viento caluroso, del viento que trae el "clavel del aire" y lo cuelga del inmenso gomero.

Algunos niños solían jugar al escondite entre las enormes raíces convulsas que levantaban las baldosas de la acera, y el árbol se llenaba de risas y de cuchicheos. Entonces ella se asomaba a la ventana y golpeaba las manos; los niños se dispersaban asustados, sin reparar en su sonrisa de niña que a su vez desea participar en el juego.

Solitaria, permanecía largo rato acodada en la ventana mirando el tiritar del follaje —siempre corría alguna brisa en aquella calle que se despeñaba directamente hasta el río— y era como hundir la mirada en un agua movediza o en el fuego inquieto de una chimenea. Una podía pasarse así las horas muertas, vacía de todo pensamiento, atontada de bienenstar.

Apenas el cuarto empezaba a llenarse del humo del crepúsculo ella encendía la primera lámpara, y la primera lámpara resplandecía en los espejos, se multiplicaba como una luciérnaga deseosa de precipitar la noche.

Y noche a noche dormitaba junto a su marido, sufriendo por rachas. Pero cuando su dolor se condensaba hasta herirla como un puntazo, cuando la asediaba un deseo demasiado imperioso de despertar a Luis para pegarle o acariciarlo, se escurría de puntillas hacia el cuarto de vestir y abría la ventana. El cuarto se llenaba instantáneamente de discretos ruidos y discretas presencias, de pisadas misteriosas, de aleteos, de sutiles chasquidos vegetales, del dulce gemido de un grillo escondido bajo la corteza del gomero sumido en las estrellas de una calurosa noche estival.

Su fiebre decaía a medida que sus pies desnudos se iban helando poco a poco sobre la estera. No sabía por qué le era tan fácil sufrir en aquel cuarto.

Melancolía de Chopin engranando un estudio tras otro, engranando una melancolía tras otra, imperturbable.

Y vino el otoño. Las hojas secas revoloteaban un instante antes de rodar sobre el césped del estrecho jardín, sobre la acera de la calle en pendiente. Las hojas se desprendían y caían... La cima del gomero permanecía verde, pero por debajo el árbol enrojecía, se ensombrecía como el forro gastado de una suntuosa capa de baile. Y el cuarto parecía ahora sumido en una copa de oro triste.

Echada sobre el diván, ella esperaba pacientemente la hora de la cena, la llegada improbable de Luis. Había vuelto a hablarle, había vuelto a ser su mujer sin entusiasmo y sin ira. Ya no lo quería. Pero ya no sufría. Por el contrario, se había apoderado de ella una inesperada sensación de plenitud, de placidez. Ya nadie ni nada podría herirla. Puede que la verdadera felicidad esté en la convicción de que se ha perdido irremediablemente la felicidad. Entonces empezamos a movernos por la vida sin esperanzas ni miedos, capaces de gozar por fin todos los pequeños goces, que son los más perdurables.

Un estruendo feroz, luego una llamarada blanca que la echa hacia atrás toda temblorosa.

¿Es el entreacto? No. Es el gomero, ella lo sabe.

Lo habían abatido de un solo hachazo. Ella no pudo oír los trabajos que empezaron muy de mañana. "Las raíces levantaban las baldosas de la acera y entonces, naturalmente, la comisión de vecinos..."

Encandilada se ha llevado las manos a los ojos. Cuando recobra la vista se incorpora y mira a su alrededor. ¿Qué mira? ¿La sala bruscamente iluminada, la gente que se dispersa? No. Ha quedado aprisionada en las redes de su pasado, no puede salir del cuarto de vestir. De su cuarto de vestir invadido por una luz blanca, aterradora. Era como si hubieran arrancado el techo de cuajo; una luz cruda entraba por todos lados, se le metía por los poros, la quemaba de frío. Y todo lo veía a la luz de esa fría luz; Luis, su cara arrugada, sus manos que surcan gruesas venas desteñidas, y las cretonas de colores chillones. Despavorida ha corrido hacia la ventana. La ventana abre ahora directamente sobre una calle estrecha, tan estrecha que su cuarto se estrella casi contra la fachada de un rascacielo deslumbrante. En la planta baja, vidrieras y más vidrieras llenas de frascos. En la esquina de la calle, una hilera de automóviles alineados frente a una estación de servicio pintada de rojo. Algunos muchachos, en mangas de camisa, patean una pelota en medio de la calzada.

Y toda aquella fealdad había entrado en sus espejos. Dentro de sus espejos había ahora balcones de níquel y trapos colgados y jaulas con canarios.

Le habían quitado su intimidad, su secreto; se encontraba desnuda en medio de la calle, desnuda junto a un marido viejo que le volvía la espalda para dormir, que no le había dado hijos. No comprende cómo hasta entonces no había deseado tener hijos, cómo había llegado a conformarse a la idea de que iba a vivir sin hijos toda su vida. No comprende cómo pudo soportar durante un año esa risa de Luis, esa risa demasiado jovial, esa risa postiza de hombre que se ha adiestrado en la risa proque es necesario reír en determinadas ocasiones.

—¡Mentira! Eran mentiras su resignación y su serenidad; quería amor, sí, amor, y viajes y locuras, y amor, amor…

—Pero Brígida ¿por qué te vas? ¿por qué te quedabas? —había preguntado Luis.

Ahora habría sabido contestarle:

—¡El árbol, Luis, el árbol! Han derribado el gomero.

Marcos Denevi

Apocalipsis

La extinción de la raza de los hombres se sitúa aproximadamente a fines del siglo XXXII. La cosa ocurrió así: las máquinas habían alcanzado tal perfección que los hombres ya no necesitaban comer, ni dormir, ni hablar, ni escribir, ni hacer el amor, ni siquiera pensar. Les bastaba apretar botones y las máquinas lo hacían todo por ellos. Gradualmente fueron desapareciendo las Biblias, los Leonardo da Vinci, las mesas y los sillones, las rosas, los discos con las nueve sinfonías de Beethoven, las tiendas de antigüedades, el vino de Burdeos, las oropéndolas, los tapices flamencos, todo Verdi, las azaleas, el palacio de Versalles. Sólo había máquinas. Después los hombres empezaron a notar que ellos mismos iban desapareciendo, gradualmente, y que en cambio las máquinas se multiplicaban. Bastó poco tiempo para que el número de los hombres quedase reducido a la mitad y el de las máquinas aumentase al doble. Las máquinas terminaron por ocupar todo el espacio disponible. Nadie podía moverse sin tropezar con una de ellas. Finalmente, los hombres desaparecieron. Como el último se olvidó de desconectar las máquinas, desde entonces seguimos funcionando.

Julio Cortázar

Casa tomada

Nos gustaba la casa porque aparte de espaciosa y antigua (hoy que las casas antiguas sucumben a la más ventajosa liquidación de sus materiales) guardaba los recuerdos de nuestros bisabuelos, el abuelo paterno, nuestros padres y toda la infancia.

Nos habituamos Irene y yo a persistir solos en ella, lo que era una locura pues en esa casa podían vivir ocho personas sin estorbarse. Hacíamos la limpieza por la mañana, levantándonos a las siete, y a eso de las once yo le dejaba a Irene las últimas habitaciones por repasar y me iba a la cocina. Almorzábamos a mediodía, siempre puntuales; ya no quedaba nada por hacer fuera de unos pocos platos sucios. Nos resultaba grato almorzar pensando en la casa profunda y silenciosa y cómo nos bastábamos para mantenerla limpia. A veces llegamos a creer que era ella la que no nos dejó casarnos. Irene rechazó dos pretendientes sin mayor motivo, a mí se me murió María Esther antes que llegáramos a comprometernos. Entramos en los cuarenta años con la inexpresada idea de que el nuestro, simple y silencioso matrimonio de hermanos, era necesaria clausura de la genealogía asentada por los bisabuelos en nuestra casa. Nos moriríamos allí algún día, vagos y esquivos primos se quedarían con la casa y la echarían al suelo para enriquecerse con el terreno y los ladrillos; o mejor, nosotros mismos la voltearíamos justicieramente antes de que fuese demasiado tarde. Irene era una chica nacida para no molestar a nadie. Aparte de su actividad matinal se pasaba el resto del día tejiendo en el sofá de su dormitorio. No sé por qué tejía tanto, yo creo que las mujeres tejen cuando han encontrado en esa labor el gran pretexto para no hacer nada. Irene no era así, tejía cosas siempre necesarias, tricotas para el invierno, medias para mí, mañanitas y chalecos para ella. A veces tejía un chaleco y después lo destejía en un momento porque algo no le agradaba; era gracioso ver en la canastilla el montón de lana encrespada resistiéndose a perder su forma de algunas horas. Los sábados iba yo al centro a comprarle lana; Irene tenía fe en mi gusto, se complacía con los colores y nunca tuve que devolver madejas. Yo aprovechaba esas salidas para dar una vuelta por las librerías y preguntar vanamente si había novedades en literatura francesa. Desde 1939 no llegaba nada valioso a la Argentina.

Pero es de la casa que me interesa hablar, de la casa y de Irene, porque yo no tengo importancia. Me pregunto qué hubiera hecho Irene sin el tejido. Uno puede releer un libro, pero cuando un pulóver está terminado no se puede repetirlo sin escándalo. Un día encontré el cajón de abajo de la cómoda de alcanfor lleno de pañoletas blancas, verdes, lila. Estaban con naftalina, apiladas como en una mercería; no tuve valor de preguntarle a Irene qué pensaba hacer con ellas. No necesitábamos ganarnos la vida, todos los meses llegaba la plata de los campos y el dinero aumentaba. Pero a Irene solamente la entretenía el tejido, mostraba una destreza maravillosa y a mí se me iban las horas viéndole las manos como erizos plateados, agujas yendo y viniendo y una o dos canastillas en el suelo donde se agitaban constantemente los ovillos. Era hermoso.

Cómo no acordarme de la distribución de la casa. El comedor, una sala con gobelinos, la biblioteca y tres dormitorios grandes quedaban en la parte más retirada, la que mira hacia Rodríguez Peña. Solamente un pasillo con su maciza puerta de roble aislaba esa parte del ala delantera donde había un baño, la cocina, nuestros dormitorios y el *living* central, al cual comunicaban los dormitorios y el pasillo. Se entraba a la casa por un zaguán con mayólica, y la puerta cancel daba al *living*. De manera que uno entraba por el zaguán, abría la cancel y pasaba al *living*; tenía a los lados las puertas de nuestros dormitorios, y al frente el pasillo que conducía a la parte más retirada; avanzando por el pasillo se franqueaba la puerta de roble y más allá empezaba el otro lado de la casa, o bien se podía girar a la izquierda justamente antes de la puerta y seguir por un pasillo más estrecho que llevaba a la cocina y al baño. Cuando la puerta estaba abierta advertía uno que la casa era muy grande; si no, daba la impresión de un departamento de los que se edifican ahora, apenas para moverse; Irene y yo vivíamos siempre en esta parte de la casa, casi nunca íbamos más allá de la puerta de roble, salvo para hacer la limpieza, pues es increíble cómo se junta tierra en los muebles. Buenos Aires será una ciudad limpia, pero eso lo debe a sus habitantes y no a otra cosa. Hay demasiada tierra en el aire, apenas sopla una ráfaga se palpa el polvo en los mármoles de las consolas y entre los rombos de las carpetas de macramé; da trabajo sacarlo bien con plumero, vuela y se suspende en el aire, un momento después se deposita de nuevo en los muebles y los pianos.

Lo recordaré siempre con claridad porque fue simple y sin circunstancias inútiles. Irene estaba tejiendo en su dormitorio, eran las ocho de la noche y de repente se me ocurrió poner al fuego la pavita del mate. Fui por el pasillo hasta enfrentar la entornada puerta de roble, y daba la vuelta al codo que llevaba a la cocina cuando escuché algo en el comedor o la biblioteca. El sonido venía impreciso y sordo, como un volcarse de silla sobre la alfombra o un ahogado susurro de conversación. También lo oí, al mismo tiempo o un segundo después, en el fondo del pasillo que traía desde aquellas piezas hasta la puerta. Me tiré contra la puerta antes de que fuera demasiado tarde, la cerré de golpe apoyando el cuerpo; felizmente la llave estaba puesta de nuestro lado y además corrí el gran cerrojo para más seguridad.

Fui a la cocina, calenté la pavita, y cuando estuve de vuelta con la bandeja del mate le dije a Irene:

—Tuve que cerrar la puerta del pasillo. Han tomado la parte del fondo.

Dejó caer el tejido y me miró con sus graves ojos cansados.

—¿Estás seguro?

Asentí.

—Entonces —dijo recogiendo las agujas— tendremos que vivir en este lado.

Yo cebaba el mate con mucho cuidado, pero ella tardó un rato en reanudar su labor. Me acuerdo que tejía un chaleco gris; a mí me gustaba ese chaleco.

Los primeros días nos pareció penoso porque ambos habíamos dejado en la parte tomada muchas cosas que queríamos. Mis libros de literatura francesa, por ejemplo, estaban todos en la biblioteca. Irene extrañaba unas carpetas, un par de pantuflas que tanto la abrigaban en invierno. Yo sentía mi pipa de enebro y creo que Irene pensó en una botella de Hesperidina de muchos años. Con frecuencia (pero esto solamente sucedió los primeros días) cerrábamos algún cajón de las cómodas y nos mirábamos con tristeza.

—No está aquí.

Y era una cosa más de todo lo que habíamos perdido al otro lado de la casa.

Pero también tuvimos ventajas. La limpieza se simplificó tanto que aun levantándose tardísimo, a las nueve y media por ejemplo, no daban las once y ya estábamos de brazos cruzados. Irene se acostumbró a ir conmigo a la cocina y ayudarme a preparar el almuerzo. Lo pensamos bien y se decidió esto: mientras yo preparaba el almuerzo, Irene cocinaría platos para comer fríos de noche. Nos alegramos porque siempre resulta molesto tener que abandonar los dormitorios al atardecer y ponerse a cocinar. Ahora nos bastaba con la mesa en el dormitorio de Irene y las fuentes de comida fiambre.

Irene estaba contenta porque le quedaba más tiempo para tejer. Yo andaba un poco perdido a causa de los libros, pero por no afligir a mi hermana me puse a revisar la colección de estampillas de papá, y eso me sirvió para matar el tiempo. Nos divertíamos mucho, cada uno en sus cosas, casi siempre reunidos en el dormitorio de Irene que era más cómodo. A veces Irene decía:

—Fíjate este punto que se me ha ocurrido. ¿No da un dibujo de trébol?

Un rato después era yo el que le ponía ante los ojos un cuadradito de papel para que viese el mérito de algún sello de Eupen y Malmédy. Estábamos bien y poco a poco empezábamos a no pensar. Se puede vivir sin pensar.

(Cuando Irene soñaba en alta voz yo me desvelaba en seguida. Nunca pude habituarme a esa voz de estatua o papagayo, voz que viene de los sueños y no de la garganta. Irene decía que mis sueños consistían en grandes sacudones que a veces hacían caer el cobertor.

Nuestros dormitorios tenían el *living* de por medio, pero de noche se escuchaba cualquier cosa en la casa. Nos oíamos respirar, toser, presentíamos el ademán que conduce a la llave del velador, los mutuos y frecuentes insomnios.

Aparte de eso todo estaba callado en la casa. De día eran los rumores domésticos, el roce metálico de las agujas de tejer, un crujido al pasar las hojas del álbum filatélico. La puerta de roble, creo haberlo dicho, era maciza. En la cocina y el baño, que quedaban tocando la parte tomada, nos poníamos a hablar en voz más alta o Irene cantaba canciones de cuna. En una cocina hay demasiado ruido de loza y vidrios para que otros sonidos irrumpan en ella. Muy pocas veces permitíamos allí el silencio, pero cuando tornábamos a los dormitorios y al *living*, entonces la casa se ponía callada y a media luz, hasta pisábamos más despacio para no molestarnos. Yo creo que era por eso que de noche, cuando Irene empezaba a soñar en alta voz, me desvelaba en seguida.)

Es casi repetir lo mismo salvo las consecuencias. De noche siento sed, y antes de acostarnos le dije a Irene que iba hasta la cocina a servirme un vaso de agua. Desde la puerta del dormitorio (ella tejía) oí ruido en la cocina; tal vez en la cocina o tal vez en el baño porque el codo del pasillo apagaba el sonido. A Irene le llamó la atención mi brusca manera de detenerme, y vino a mi lado sin decir palabra. Nos quedamos escuchando los ruidos, notando claramente que eran de este lado de la puerta de roble, en la cocina y el baño, o en el pasillo mismo donde empezaba el codo casi al lado nuestro.

No nos miramos siquiera. Apreté el brazo de Irene y la hice correr conmigo hasta la puerta cancel, sin volvernos hacia atrás. Los ruidos se oían más fuerte pero siempre sordos, a espaldas nuestras. Cerré de un golpe la cancel y nos quedamos en el zaguán. Ahora no se oía nada.

—Han tomado esta parte —dijo Irene. El tejido le colgaba de las manos y las hebras iban hasta la cancel y se perdían dabajo. Cuando vio que los ovillos habían quedado del otro lado, soltó el tejido sin mirarlo.

–¿Tuviste tiempo de traer alguna cosa? –le pregunté inútilmente.

–No, nada.

Estábamos con lo puesto. Me acordé de los quince mil pesos en el armario de mi dormitorio. Ya era tarde ahora.

Como me quedaba el reloj pulsera, vi que eran las once de la noche. Rodeé con mi brazo la cintura de Irene (yo creo que ella estaba llorando) y salimos así a la calle. Antes de alejarnos tuve lástima, cerré bien la puerta de entrada y tiré la llave a la alcantarilla. No fuese que a algún pobre diablo se le ocurriera robar y se metiera en la casa, a esa hora y con la casa tomada.

Gabriel García Márquez

El ahogado más hermoso del mundo

Los primeros niños que vieron el promontorio oscuro y sigiloso que se acercaba por el mar, se hicieron la ilusión de que era un barco enemigo. Después vieron que no llevaba banderas ni arboladura, y pensaron que fuera una ballena. Pero cuando quedó varado en la playa le quitaron los matorrales de sargazos, los filamentos de medusas y los restos de cardúmenes y naufragios que llevaba encima, y sólo entonces descubrieron que era un ahogado.

Habían jugado con él toda la tarde, enterrándolo y desenterrándolo en la arena, cuando alguien los vio por casualidad y dio la voz de alarma en el pueblo. Los hombres que lo cargaron hasta la casa más próxima notaron que pesaba más que todos los muertos conocidos, casi tanto como un caballo, y se dijeron que tal vez había estado demasiado tiempo a la deriva y el agua se le había metido dentro de los huesos. Cuando lo tendieron en el suelo vieron que había sido mucho más grande que todos los hombres, pues apenas si cabía en la casa, pero pensaron que tal vez la facultad de seguir creciendo después de la muerte estaba en la naturaleza de ciertos ahogados. Tenía el olor del mar, y sólo la forma permitía suponer que era el cadáver de un ser humano, porque su piel estaba revestida de una coraza de rémora y de lodo.

No tuvieron que limpiarle la cara para saber que era un muerto ajeno. El pueblo tenía apenas unas veinte casas de tablas, con patios de piedras sin flores, desperdigadas en el extremo de un cabo desértico. La tierra era tan escasa, que las madres andaban siempre con el temor de que el viento se llevara a los niños, y a los pocos muertos que les iban causando los años tenían que tirarlos en los acantilados. Pero el mar era manso y pródigo, y todos los hombres cabían en siete botes. Así que cuando encontraron el ahogado les bastó con mirarse los unos a los otros para darse cuenta de que estaban completos.

Aquella noche no salieron a trabajar en el mar. Mientras los hombres averiguaban si no faltaba alguien en los pueblos vecinos, las mujeres se quedaron cuidando al ahogado. Le quitaron el lodo con tapones de esparto, le desenredaron del cabello los abrojos submarinos y le rasparon la rémora con fierros de desescamar pescados. A medida que lo hacían, notaron que su vegetación era de océanos remotos y de aguas profundas, y que sus ropas estaban en piltrafas, como si hubiera navegado por entre laberintos de corales. Notaron también que sobrellevaba la muerte con altivez, pues no tenía el semblante solitario de los otros ahogados del mar, ni tampoco la catadura sórdida y menesterosa de los ahogados fluviales. Pero solamente cuando acabaron de limpiarlo tuvieron conciencia de la clase de hombre que era, y entonces se quedaron sin aliento. No sólo era el más alto, el más fuerte, el más viril y el mejor armado que habían visto jamás, sino que todavía cuando lo estaban viendo no les cabía en la imaginación.

No encontraron en el pueblo una cama bastante grande para tenderlo ni una mesa bastante sólida para velarlo. No le vinieron los pantalones de fiesta de los hombres más altos, ni las camisas dominicales de los más corpulentos, ni los zapatos del mejor plantado. Fascinadas por su desproporción y su hermosura, las mujeres decidieron entonces hacerle unos pantalones con un buen pedazo de vela cangreja, y una camisa de bramante de novia, para que pudiera continuar su muerte con dignidad. Mientras cosían sentadas en círculo, contemplando el cadáver entre puntada y puntada, les parecía que el viento no había sido nunca tan tenaz ni el Caribe había estado nunca tan ansioso como aquella noche, y suponían que esos cambios tenían algo que ver con el muerto. Pensaban que si aquel hombre magnífico hubiera vivido en el pueblo, su casa habría tenido las puertas más anchas, el techo más alto y el piso más firme, y el bastidor de su cama habría sido de cuadernas maestras con pernos de hierro, y su mujer habría sido la más feliz. Pensaban que habría tenido tanta autoridad que hubiera sacado los peces del mar con sólo llamarlos por sus nombres, y habría puesto tanto empeño en el trabajo que hubiera hecho brotar manantiales de entre las piedras más áridas y hubiera podido sembrar flores en los acantilados. Lo compararon en secreto con sus propios hombres, pensando que no serían capaces de hacer en toda una vida lo que aquél era capaz de hacer en una noche, y terminaron por repudiarlos en el fondo de sus corazones como los seres más escuálidos y mezquinos de la tierra. Andaban extraviadas por esos dédalos de fantasía, cuando la más vieja de las mujeres, que por ser la más vieja había contemplado al ahogado con menos pasión que compasión, suspiró:

—Tiene cara de llamarse Esteban.

Era verdad. A la mayoría le bastó con mirarlo otra vez para comprender que no podía tener otro nombre. Las más porfiadas, que eran las más jóvenes, se mantuvieron con la ilusión de que al ponerle la ropa, tendido entre flores y con unos zapatos de charol, pudiera llamarse Lautaro. Pero fue una ilusión vana. El lienzo resultó escaso, los pantalones mal cortados y peor cosidos le quedaron estrechos, y las fuerzas ocultas de su corazón hacían saltar los botones de la camisa. Después de la media noche se adelgazaron los silbidos del viento y el mar cayó en el sopor del miércoles. El silencio acabó con las últimas dudas: era Esteban. Las mujeres que lo habían vestido, las que lo habían peinado, las que le habían cortado las uñas y raspado la barba no pudieron reprimir un estremecimiento de compasión, cuando tuvieron que resignarse a dejarlo tirado por los suelos. Fue entonces cuando comprendieron cuánto debió haber sido de infeliz con aquel cuerpo descomunal, si hasta después de muerto le estorbaba. Lo vieron condenado en vida a pasar de medio lado por las puertas, a descalabrarse con los travesaños, a permanecer de pie en las visitas sin saber qué hacer con sus tiernas y rosadas manos de buey de mar, mientras la dueña de casa buscaba la silla más resistente y le suplicaba muerta de miedo siéntese aquí Esteban, hágame el favor, y él recostado contra las paredes, sonriendo, no se preocupe señora, así estoy bien, con los talones en carne viva y las espaldas escaldadas de tanto repetir lo mismo en todas las visitas, no se preocupe señora, así estoy bien, sólo para no pasar por la vergüenza de desbaratar la silla, y acaso sin haber sabido nunca que quienes le decían no te vayas Esteban, espérate siquiera hasta que hierva el café, eran los mismos que después susurraban ya se fue el bobo grande, qué bueno, ya se fue el tonto hermoso. Esto pensaban las mujeres frente al cadáver un poco antes del amanecer. Más tarde, cuando le taparon la cara con un pañuelo para que no le molestara la luz, lo vieron tan muerto para siempre, tan indefenso, tan parecido a sus hombres, que se les abrieron las primeras grietas de lágrimas en el corazón. Fue una de las más jóvenes la que empezó a sollozar. Las otras, alentándose entre sí, pasaron de los suspiros a los lamentos, y mientras más sollozaban más deseos sentían de llorar, porque el ahogado se les iba volviendo cada vez más Esteban, hasta que lo lloraron tanto que fue el hombre más desvalido de la tierra, el más manso y el más servicial, el pobre Esteban. Así que cuando los hombres volvieron con la noticia de que el ahogado no era tampoco de los pueblos vecinos, ellas sintieron un vacío de júbilo entre las lágrimas.

—¡Bendito sea Dios —suspiraron—: es nuestro!

Los hombres creyeron que aquellos aspavientos no eran más que frivolidades de mujer. Cansados de las tortuosas averiguaciones de la noche, lo único que querían era quitarse de una vez el estorbo del intruso antes de que prendiera el sol bravo de aquel día árido y sin viento. Improvisaron unas angarillas con restos de trinquetes y botavaras, y las amarraron con carlingas de altura, para que resistieran el peso del cuerpo hasta los acantilados. Quisieron encadenarle a los tobillos un ancla de buque mercante para que fondeara sin tropiezos en los mares más profundos donde los peces son ciegos y los buzos se mueren de nostalgia, de manera que las malas corrientes no fueran a devolverlo a la orilla, como había sucedido con otros cuerpos. Pero mientras más se apresuraban, más cosas se les ocurrían a las mujeres para perder el tiempo. Andaban como gallinas asustadas picoteando amuletos de mar en los arcones, unas estorbando aquí porque querían ponerle al ahogado los escapularios del buen viento, otras estorbando allá para abrocharle una pulsera de orientación, y al cabo de tanto quítate de ahí mujer, ponte donde no estorbes, mira que casi me haces caer sobre el difunto, a los hombres se les subieron al hígado las suspicacias y empezaron a rezongar que con qué objeto tanta ferretería de altar mayor para un forastero, si por muchos estoperoles y calderetas que llevara encima se lo iban a masticar los tiburones, pero ellas seguían tripotando sus reliquias de pacotilla, llevando y trayendo, tropezando, mientras se les iba en suspiros lo que no se les iba en lágrimas, así que los hombres terminaron por despotricar que de cuándo acá semejante alboroto por un muerto al garete, un ahogado de nadie, un fiambre de mierda. Una de las mujeres, mortificada por tanta indolencia, le quitó entonces al cadáver el pañuelo de la cara, y también los hombres se quedaron sin aliento.

Era Esteban. No hubo que repetirlo para que lo reconocieran. Si les hubieran dicho Sir Walter Raleigh, quizás, hasta ellos se habrían impresionado con su acento de gringo, con su guacamaya en el hombro, con su arcabuz de matar caníbales, pero Esteban solamente podía ser uno en el mundo, y allí estaba tirado como un sábalo, sin botines, con unos pantalones de sietemesino y esas uñas rocallosas que sólo podían cortarse a cuchillo. Bastó con que le quitaran el pañuelo de la cara para darse cuenta de que estaba avergonzado, de que no tenía la culpa de ser tan grande, ni tan pesado ni tan hermoso, y si hubiera sabido que aquello iba a suceder habría buscado un lugar más discreto para ahogarse, en serio, me hubiera amarrado yo mismo un áncora de galeón en el cuello y hubiera trastabillado como quien no quiere la cosa en los acantilados, para no andar ahora estorbando con este muerto de miércoles, como ustedes dicen, para no molestar a nadie con esta porquería de fiambre que no tiene nada que ver conmigo. Había tanta verdad en su modo de estar, que hasta los hombres más suspicaces, los que sentían amargas las minuciosas noches del mar temiendo que sus mujeres se cansaran de soñar con ellos para soñar con los ahogados, hasta ésos, y otros más duros, se estremecieron en los tuétanos con la sinceridad de Esteban.

Fue así como le hicieron los funerales más espléndidos que podían concebirse para un ahogado expósito. Algunas mujeres que habían ido a buscar flores en los pueblos vecinos regresaron con otras que no creían lo que les contaban, éstas se fueron por más flores cuando vieron al muerto, y llevaron más y más, hasta que hubo tantas flores y tanta gente que apenas si se podía caminar. A última hora les dolió devolverlo huérfano a las aguas, y le eligieron un padre y una madre entre los mejores, y otros se le hicieron hermanos, tíos y primos, así que a través de él todos los habitantes del pueblo terminaron por ser parientes entre sí. Algunos marineros que oyeron el llanto a la distancia perdieron la certeza del rumbo, y se supo de uno que se hizo amarrar al palo mayor, recordando antiguas fábulas de sirenas. Mientras se disputaban el privilegio de llevarlo en hombros por la pendiente escarpada de los acantilados, hombres y mujeres tuvieron conciencia por primera vez de la desolación de sus calles, la aridez de sus patios, la estrechez de sus sueños, frente al esplendor y la hermosura de su ahogado. Lo soltaron sin ancla, para que volviera si quería, y cuando lo quisiera, y todos retuvieron el aliento durante la fracción de siglos que demoró la caída del cuerpo hasta el abismo. No tuvieron necesidad de mirarse los unos a los otros para darse cuenta de que ya no estaban completos, ni volverían a estarlo jamás. Pero también sabían que todo sería diferente desde entonces, que sus casas iban a tener las puertas más anchas, los techos más altos, los pisos más firmes, para que el recuerdo de Esteban pudiera andar por todas partes sin tropezar con los travesaños, y que nadie se atreviera a susurrar en el futuro ya murió el bobo grande, qué lástima, ya murió el tonto hermoso, porque ellos iban a pintar las fachadas de colores alegres para eternizar la memoria de Esteban, y se iban a romper el espinazo excavando manantiales en las piedras y sembrando flores en los acantilados, para que en los amaneceres de los años venturos los pasajeros de los grandes barcos despertaran sofocados por un olor de jardines en altamar, y el capitán tuviera que bajar de su alcázar con su uniforme de gala, con su astrolabio, su estrella polar y su ristra de medallas de guerra, y señalando el promontorio de rosas en el horizonte del Caribe dijera en catorce idiomas, miren allá, donde el viento es ahora tan manso que se queda a dormir debajo de las camas, allá donde el sol brilla tanto que no saben hacia dónde girar los girasoles, sí, allá, es el pueblo de Esteban.

Guadalupe Loaeza

Se llama Rigoberta

"Te voy a adelantar dos meses de tu sueldo", le dijo la patrona a Rigoberta cuando la vio llegar con su ropa bien viejita, la misma con la que trabajó en la finca. "Me das vergüenza, ¡qué serías para mis amigos! Mis amigos son personalidades, así es que te tienes que cambiar; ¡cómo estás!", le dijo casi casi tapándose la nariz. La señora del señor tomó su bolsa de charol y muy digna salió en su coche a comprar un huipil, un corte nuevo y un par de zapatos para la nueva sirvienta que le había traído Candelaria, india también. En ese entonces, Rigoberta tenía trece años, y aunque comprendía un poco el castellano, no hablaba una sola palabra.

"¡Rigobeeertaaa! ¡Rigobeeertaaa!", le gritó la señora cuando llegó del mercado donde había comprado las cosas. Tal vez, Rigoberta pensó que se estaba muriendo por la intensidad de los gritos pero con el tiempo se dio cuenta de que ése era su tono de voz. Llegó corriendo. "Toma —le dijo la patrona entregándole un paquete—; no te compré los zapatos porque no te alcanzó con el dinero de los dos meses, que tienes que trabajar". Rigoberta tomó las cosas y fue a su cuarto a bañarse y a cambiarse. Ya limpia, se fue a hacer la cama de la señora. Cuando terminó, vino la patrona a revisar su trabajo. "Repite esa cama porque no la hiciste bien", le reprochó. Dice Rigoberta: "Yo la maltrataba en mi mente. Me decía: si pudiera mandar a esta mujer a la montaña y si pudiera hacer el trabajo que mi madre hace. Yo creo que ni siquiera era capaz".

Por la noche, Rigoberta se fue a dormir a su cuarto, donde guardaban cajas, bolsas de plástico y la basura. Y se acostó en una camita, donde la otra sirvienta le había colocado un petate. Como tenía costumbre cuando trabajaba en la finca, se despertó a las tres de la mañana. Y así, despierta, tal vez se acordó de lo que había cenado: unos pocos de frijoles con unas tortillas bien tiesas. Quizá, en esos momentos, se acordó de lo que le dieron de comer al perro de la casa, blanco y bien lindo: pedazos de carne, arroz; es decir, la misma comida que los señores. "Me sentía muy marginada. Menos que el animal que existía en esa casa", dice Rigoberta en sus memorias.

Varios meses trabajó Rigoberta con esa patrona, porque "yo no era capaz de desobedecer. Y estos patrones abusaban de toda mi obediencia. Abusaban de toda mi sencillez". Además, Rigoberta tenía que pagar los dos meses que la señora había gastado en su ropa. Finalmente, Rigoberta regresó a su casa porque uno de sus hermanos le vino a avisar: "Papá está en la cárcel".

Seguramente el viernes 16 de octubre de 1992, veinte años después, esta misma patrona (mucho más vieja) estaba viendo como todas las noches, la televisión. Es probable que cuando terminó la telenovela de las siete, mientras el locutor anunciaba quién había recibido el premio Nobel de la Paz, haya reconocido la imagen a todo color de Rigoberta y exclamado con voz de pito: "¡Quéeeee! No es cierto. Es que no puede ser posible que esa india que tuve de sirvienta en mi casa ahora sea premio Nobel de la Paz. Pero si no sabía hablar castellano, ni sabía leer ni escribir. Pero si dormía en el cuarto de los cachivaches. Pero si es una india quiché. Yo he de haber comido muchos tamales. No es posible y estoy alucinando. Es que ¡no es cierto! ¡Vieeejo! ¡Vieejo!, ven rápido. Mira quién ganó el premio de la Paz. ¿Te acuerdas de aquella india que trabajó al mismo tiempo que Cande? Sí, sí, sí, Rigoberta. Bueno, pues Rigoberta Menchú ahora es una personalidad. Habría que hacerle una cena en su honor. Ahora es una personalidad, ¡como nuestros amigos! ¿Te das cuenta?".

Ahora sí que sirvientas vemos y premios Nobel no sabemos…

Gabriela Mistral

La enemiga

Soñé que ya era la tierra, que era un metro de tierra oscura a la orilla de un camino. Cuando pasaban al atardecer, los carros cargados de heno, el aroma que dejaban en el aire me estremecía al recordarme el campo en que nací; cuando después pasaban los segadores enlazados, evocaba también; al llorar los bronces crepusculares, el alma mía recordaba a Dios bajo su polvo ciego.

Junto a mí, el suelo formaba un montoncillo de arcilla roja, con un contorno como de pecho de mujer y yo, pensando en que también pudiera tener alma, le pregunté:

—¿Quién eres tú?

—Yo soy, dijo, tu Enemiga, aquella que así sencillamente, terriblemente, llamabas tú: la Enemiga.

Yo le contesté:

—Yo odiaba cuando aún era de carne, carne con juventud, carne con soberbia. Pero ahora soy polvo ennegrecido y amo hasta el cardo que sobre mí crece y las ruedas de las carretas que pasan magullándome.

—Yo tampoco odio ya, dijo ella, y soy roja como una herida porque he padecido, y me pusieron junto a ti, porque pedí amarte.

—Yo te quisiera más próxima, respondí, sobre mis brazos, los que nunca te estrecharon.

—Yo te quisiera, respondió, sobre mi corazón, en el lugar de mi corazón que tuvo la quemadura de tu odio.

Pasó un alfarero, una tarde, y, sentándose a descansar, acarició ambas tierras dulcemente...

—Son suaves, dijo: son igualmente suaves, aunque una sea oscura y la otra sangrienta. Las llevaré y haré con ellas un vaso.

Nos mezcló el alfarero como no se mezcla nada en la luz: más que dos brisas, más que dos aguas. Y ningún ácido, ninguna química de los hombres, hubiera podido separarnos.

Cuando nos puso en un horno ardiente, alcanzamos el color más luminoso y el más bello que se ha mostrado al sol: era una rosa viviente de pétalo recién abierto...

Cuando el alfarero lo sacó del horno ardiente, pensó que aquello ya no era lodo, sino una flor: como Dios, ¡el había alcanzado a hacer una flor!

Y el vaso dulcificaba el agua hasta el punto que el hombre que lo compró gustaba verterle los zumos más amargos: el ajenjo, la cicuta, para recogerlos melificados. Y si el alma misma de Caín se hubiera podido sumergir en el vaso, hubiera ascendido de él como un panal, goteante de miel.

Senel Paz

El lobo, el bosque y el hombre nuevo

Ismael y yo salimos del bar y nos despedimos, lo siento David, pero ya son las dos y me quedé con aquella necesidad de conversar, de no estar solo. Ya iba a meterme en el cine cuando me arrepentí, casi llegando a la taquilla, y me pareció que mejor llamaba a Vivian, pero me arrepentí, casi llegando al teléfono, y me dije: mira, David, lo mejor-mejor es que te vayas a esperar la guagua a Coppelia, la Catedral del Helado. Y entonces... ah, Diego.

Así, la Catedral del Helado, le llamaba a este sitio un maricón amigo mío. Digo maricón con afecto y porque a él no le gustaría que lo dijera de otra manera. Tenía su teoría. "Homosexual es cuando te gustan hasta un punto y puedes controlarte", decía, "y también aquellos cuya posición social (quiero decir, política) los mantiene inhibidos hasta el punto de convertirlos en uvas secas". Me parece que lo estoy oyendo, de pie en la puerta del balcón, con la taza de té en la mano. "Pero los que son como yo, que ante la simple insinuación de un falo perdemos toda compostura, mejor dicho, nos descocamos, esos somos maricones, David, ma-ri-co-nes, no hay más vuelta que darle".

Nos conocimos precisamente aquí, en el Coppelia, un día de esos en que uno no sabe si cuando termine la merienda va a perderse calle arriba o calle abajo. Vino hasta mi mesa, y murmurando "con permiso" se instaló en la silla de enfrente con sus bolsas, carteras, paraguas, rollos de papel y la copa de helado. Le eché una ojeada: no había que ser muy sagaz para ver de qué pata cojeaba; y habiendo chocolate, había pedido fresa. Estábamos en una de las áreas más céntricas de la heladería, tan cercana a su vez a la universidad, por lo que en cualquier momento podía vernos alguno de mis compañeros. Luego me preguntarían que quién era la damisela que me acompañaba en Coppelia, que por qué no la traía a la Beca y la presentaba. Por joder, sin mala intención, pero como nunca me defiendo tan mal ni me pongo tan nervioso como cuando soy inocente, la broma pasaría a sospecha, y si a eso se agrega que David es un poco misterioso y David cuida mucho su lenguaje, ¿lo han oído decir alguna vez "cojones, me cago en la pinga"?, y David no tiene novia desde que Vivian lo dejó, ¿lo dejó ella?, ¿y por qué lo dejó?, cualquier cálculo razonable aconsejaba dejar el helado y salir pitando, lo mismo calle arriba que calle abajo. Pero en esa época ya yo no hacía cálculos razonables, como antes, cuando de tantos cálculos por poco hago mierda mi vida... Sentí como si una vaca me lamiera el rostro. Era la mirada libidinosa del recién llegado, lo sabía, esta gente es así, y se me trancó la boca del estómago. En los pueblos pequeños los afeminados no tienen defensa, son el hazmerreír de todos y evitan exhibirse en público; pero en La Habana, había oído decir, son otra cosa, tienen sus trucos. Si cuando me volviera a mirar le soltaba un sopapo que lo tirara al suelo vomitando fresa, desde allí mismo me gritaría, bien alto para que todo el mundo lo oyera: "Ay, papi, ¿por qué? Te juro que no miré a nadie, mi cielo".

Así es que, por mí, que lamiera cuanto quisiera, no iba a caer en la provocación. Y cuando comprendió que la vaciladera no le daría resultados, colocó otro bulto sobre la mesa. Sonreí para mis adentros porque me di cuenta de que se trataba de una carnada, y no estaba dispuesto a morderla. Sólo miré de reojo y vi que eran libros, ediciones extranjeras, y el de arriba-arriba, por eso mismo, por ser el de arriba, quedó al alcance de mi vista: *Seix Barral, Biblioteca Breve, Mario Vargas Llosa, La guerra del fin del mundo*. ¡Madre mía, ese libro, nada menos! Vargas Llosa era un reaccionario, hablaba mierdas de Cuba y el socialismo donde quiera que se paraba, pero yo estaba loco por leer su última novela y mírala allí: los maricones todo lo consiguen primero. "Con tu permiso, voy a guardar", dijo él e hizo desaparecer los libros en una bolsa de larguísimos tirantes que le colgaba del cuello. "Me cago en su madre", pensé, "este tipo tiene más bolsas que los canguros". "Tengo más bolsas que un canguro", dijo él con una sonrisita. "Es un material demasiado explosivo para exhibirlo en público. Nuestros policías son cultos. Pero si te interesan, te los muestro... en otro lugar". Me cambié el carnet rojo de militante de la Unión de jóvenes Comunistas de un bolsillo a otro: que comprendiera que mis intereses de lector no creaban ninguna intimidad entre nosotros, ¿o prefería que llamara a uno de sus cultos policías? No captó para nada el mensaje. Me miró con otra sonrisa y se dedicó a recoger con la puntica de la cuchara una puntica de helado que se llevó a la puntica de la lengua: "Exquisito, ¿verdad? Es lo único que hacen bien en este país. Ahorita los rusos se antojan de que les den la receta, y habrá que dársela". ¿Por qué tiene uno que aguantarle eso a un maricón? Me llené la boca de helado y empecé a masticarlo. Dejó pasar unos segundos. "Yo a ti te conozco. Te he visto muchísimas veces paseando por ahí, con un periodiquito bajo el brazo. Chico, como te gusta Galiano". Silencio de mi parte. "Un amigo mío al que no se le nota nada y que también te conoce, te vio en un encuentro provincial de no me acuerdo qué y me dijo que eras de Las Villas, como Carlos Loveira". Pegó un gritico: había descubierto una fresa casi intacta en el helado. "Hoy es mi día de suerte, me encuentro maravillas". Silencio de mi parte. "Se habla de los orientales y los habaneros, pero a ustedes, los de Las Villas, les encanta ser de Las Villas. Qué bobería". Se esforzaba en montar la fresa en la cuchara, pero la fresa no se quería montar. Yo había terminado el helado y ahora no sabía cómo irme, porque ése es otro de mis problemas: no sé iniciar ni terminar una conversación, oigo todo lo que me quieran decir aunque me importe un pito. "¿Te interesó Vargas Llosa, compañero militante de la Juventud?", dijo empujando la fresa con el dedo. "¿Lo leerías? Jamás van a publicar obras suyas aquí. Esa que viste, su última novela, me la acaba de enviar Goytisolo de España". Y se quedó mirándome. Empecé a contar: cuando llegara a cincuenta me ponía de pie y me iba pa'l carajo. Me dejó llegar a treinta y nueve. Se llevó la cucharilla a la boca y, saboreando más la frase que la fresa, dijo: "Yo, si vas conmigo a casa y me dejas abrirte la portañuela botón por botón, te la presto, *Torvaldo*".

De haber sabido el efecto que me iban a producir sus palabras, Diego hubiera evitado aquel lance. Tocó la tecla que no se me podía tocar. La sangre me subió a la cabeza, las venas del cuello se me hincharon, sentí mareos y la vista se me nubló. Cuatro años atrás, a mi profesora de literatura en el preuniversitario, que no sólo era una profesora de literatura frustrada sino también una directora de teatro frustrada, le llegó la oportunidad de su vida cuando la escuela no alcanzó el primer lugar en la emulación interbecas por falta de trabajo cultural. Fue a ver al director y lo convenció, primero, de que a Rita y a mí nos sobraba talento histriónico, y después, de que ella podía guiarnos con mano segura en *Casa de muñecas*, una obra que, si bien extranjera, pero ya lo dijo Martí, compañero director insértese el mundo en nuestra República, estaba libre de ponzoñas ideológicas y figuraba en el programa de estudios revisado por el Ministerio el verano pasado. El director aceptó encantado (era la oportunidad de su vida), y Rita ni se diga: su miedo escénico le impedía responder al pase de lista en clase, pero estaba secreta y perdidamente enamorada de mí. Yo en cambio, di un no rotundo. Tenía un concepto demasiado alto de la hombría como para meterme a actor, y no tanto yo como mis compañeros. Para convencerme, el director tomó el camino más corto: me planteó el asunto como una tarea, una tarea, Álvarez David, que le sitúa la Revolución, gracias a la cual usted, hijo de campesinos paupérrimos, ha podido estudiar; el escenario principal de la lucha contra el imperialismo no está en estos momentos en una obra de teatro, déjeme decirle; está en esos países de la América Latina donde los jóvenes de su edad enfrentan a diario la represión, mientras que a usted lo que le estamos pidiendo es algo tan sencillo como interpretar un personaje de *Ibsen*. Acepté. Y no porque no me quedara más remedio. Me convenció. Tenía razón. En una semana me aprendí mi papel y también el de Rita, pues ella se tomaba tan a pecho su amor secreto por mí que se quedaba en blanco cada vez que me le acercaba. Era una de esas muchachas pálidas, indefensas, feas y por lo general huérfanas que con tanta frecuencia se enamoran de mí y de las que yo, por pena y porque no me gusta que nadie se traumatice, acabo por hacerme novio. La noche de la representación única, la misma en que Diego me descubrió y fichó para toda la vida, a su miedo escénico se sumó el nerviosismo por el público, el nerviosismo por el jurado y el nerviosismo mayor y definitivo por ser aquella la última ocasión en que estaría en mis brazos, o más bien en los de aquel tipo del siglo XIX que yo representaba en el traje concebido por la profesora de literatura. Y ya cerca del final no pudo más y se quedó muda en medio del escenario, mirándome con ojos de carnero degollado. A la profesora comenzó a faltarle el aire, al director se le partió un diente y el público cerró los ojos. Fui yo, el actor por encargo, quien no perdió la ecuanimidad en aquel momento difícil de la Patria y el Teatro. "Estás preocupada y guardas silencio, Nora", le dije acercándomele lentamente con la esperanza de darle el pie o propinarle una patada en la espinilla. "Ya sé: tenemos que hablar ¿Me siento? Seguro que va a ser largo". Pero nada, lo de Rita iba en serio y la obra tuvo que continuar convertida en un monólogo autocrítico de *Torvaldo* hasta que la profesora de literatura reaccionó, hizo bajar dos pantallas y al Compás de El lago de los cisnes, la única música disponible en la cabina, comenzó a proyectar diapositivas de trabajadoras y milicianas, citas del Primer Congreso de Educación y Cultura y poemas de Juana de Ibarbourou, Mirta Aguirre y suyos propios, con todo lo cual, opinó después, la pieza adquirió un alcance y actualidad que el texto de lbsen, en sí, no tenía. "Es la vergüenza más grande que he pasado en mi vida", me confesaba Diego después. "No hallaba cómo esconderme en la butaca, la mitad del público rezaba por ti y alguien habló de provocar un cortocircuito. Además, con aquella chaqueta roja de cuadros verdes y los bombachos negros parecías disfrazado de bandera africana. Nos conmovió tu sangre fría, la inocencia con que hacías el ridículo. Por eso fuimos tan pródigos en los aplausos". Y eso fue lo peor, la lástima con que me aplaudieron. Mientras los escuchaba, iluminado por los reflectores, rogaba con toda el alma que se produjera un efecto de amnesia total sobre todos y cada uno de los presentes y que nunca, jamás, *never*, ¿me oyes, Dios?, me encontrara con uno de ellos, alguien que me pudiera identificar. A cambio, me comprometí a pensarlo dos veces cuando volvieran a asignarme una tarea, a no masturbarme, y a estudiar una carrera científico-técnica, que eran las que necesitaba el país entonces. Y cumplí, excepto en lo de la carrera científico-técnica, porque en lo de la masturbación Dios tuvo que comprender que se debió al desespero y la inexperiencia; pero Él, por su parte, me fallaba: olvidaba su palabra y me ponía delante, en el Coppelia y un día en que ni siquiera estaba lúcido, a un Fulano que por haberme visto en aquel trance creía poder chantajearme.

"No, no; es una broma", se asustó Diego al verme al borde de la apoplejía. "Disculpa, fue jugando, naturalmente, para entrar en confianza. Toma, bebe un poco de agua. ¿Quieres ir al Cuerpo de Guardia del Calixto?" "¡No!", dije poniéndome de pie y tomando una decisión tajante. "Vamos a tu casa, vemos los libros, conversamos lo que haya que conversar, y no pasa nada". Los nervios me dieron por eso. Me miró boquiabierto. "¡Recoge!" Pero una cosa era descargar sus bultos y otra recogerlos, así que mientras lo hizo tuvo tiempo para reponerse. "Antes voy a precisarte algunas cuestiones porque no quiero que luego vayas a decir que no fui claro. Eres de esas personas cuya ingenuidad resulta peligrosa. Yo, uno: soy maricón. Dos: soy religioso. Tres: he tenido problemas con el sistema; ellos piensan que no hay lugar para mí en este país, pero de eso, nada, yo nací aquí; soy, antes que todo, patriota y lezamiano, y de aquí no me voy ni aunque me peguen candela por el culo. Cuatro: estuve preso cuando lo de la UMAP. Y cinco: los vecinos me vigilan, se fijan en todo el que me visita. ¿Insistes en ir?" "Sí", dijo el hijo de los campesinos paupérrimos, con una voz ronca que yo apenas reconocí.

El apartamento, que en lo sucesivo llamaré *la guarida*, pues no escapaba de esa costumbre que tienen los habaneros de bautizar sus viviendas cuando son minúsculas y viven solos (ya conocería *La Gaveta*, *El Closet*, *El Asteroides*, *La Alternativa*, *Donde-se-da y no-se - pide*) consistía en una habitación con baño, parte del cual se había transformado en cocina. El techo, a un kilómetro del suelo, se adornaba en las esquinas y el centro con unas plastas de vaca que en La Habana llaman plafones, y al igual que las paredes y los muebles estaba pintado de blanco, mientras que los detalles de decoración y carpintería, los útiles de cocina, la ropa de cama y, demás, eran rojos. O blanco, o rojo, excepto Diego, que se vestía con tonos que iban del negro a los grises más claros, con medias blancas y gafas y pañuelo rosados. Aquel día casi todo el espacio lo ocupaban santos de madera, todos con unas caras que deprimían a cualquiera. "Estas tallas son una maravilla", aclaró en cuanto entramos, para dejar claro que se trataba de arte y no de religión. "Germán, el autor, es un genio. Va a armar un revuelo en nuestras artes plásticas que no quieras ver. Ya se interesó el agregado cultural de una embajada y ayer nos llamaron de la corresponsalía de EFE". Yo conocía poco de arte, pero tiempo después, cuando el funcionario de Cultura opinó que no, que no transmitían ningún mensaje alentador me pareció que no le faltaba razón, y se lo dije a Diego. "¡Que transmita Radio Reloj!", chilló. "Esto es arte. Y no es por mí, David, compréndelo. Es por Germán. En cuanto la noticia llegue a Santiago de Cuba se arma el titingó. Puede que hasta lo boten del trabajo".

Pero esto fue después, los problemas con la exposición de Germán. Ahora estoy en el centro de la guarida, rodeado de santos con dolor de estómago y convencido de haberme equivocado de lugar. En cuanto pudiera tumbarle el libro me iba echando. "Siéntate", invitó él, "voy a preparar un té para disminuir la tensión".

Fue a cerrar la puerta. "¡No!", lo atajé. "Como quieras, así le facilitamos la labor a los vecinos. Siéntate en esa butaca. Es especial, no se la ofrezco a todo el mundo". Pasó al baño, y por encima del chorro de orine, oí su voz. "La uso exclusivamente para leer a John Donne y a Kavafis, aunque lo de Kavafis es una haraganería mía. Se le debe leer en silla vienesa o a horcajadas sobre un muro sin repellar". Reapareció, aclarando que John Donne era un poeta inglés totalmente desconocido entre nosotros, y que él, el único que poseía una traducción de su obra, no se cansaba de circularla entre la juventud. "Llegará el momento en que se hable de él hasta en el bar Los Dos Hermanos, te lo aseguro. Pero, siéntate, chico". La butaca de John Donne se hundió hasta dejarme el culo más bajo que los pies, pero con un simple movimiento hallé la comodidad perfecta. "¿Pongo música? Tengo de todo. Originales de María Melibrán, Teresa Stratas, Renata Tebaldi y la Callas, por supuesto. Son mis preferidas. Ellas, y Celina González. ¿Cuál prefieres?" "Celina González no sé quién es", dije con toda sinceridad y Diego se dobló de la risa. La gente de La Habana cree que porque uno es del interior se pasa la vida en guateques campesinos. "Muy bien, muy bien. Te has ganado el honor de ser el primero en escuchar un disco de la Callas que acabo de recibir de Florencia, con su interpretación de *La Traviata*, de 1955, en la Scala de Milán. Florencia de Italia, se entiende". Puso el disco y pasó a la cocina. "¿Cuál es tu gracia? Yo me llamo Diego. Siempre me hacen el chiste de Digo Diego. Es como a Antón, que le hacen el de Antón Pirulero. ¿Tú cómo te llamas?" "Juan Carlos Rondón, para servirte". Asomó la cabeza. "Que mentiroso, villareño al fin. Te llamas David. Yo lo sé todo de todo el mundo. Bueno, de la gente interesante. Tú escribes". Cuando vino con el servicio de té tropezó y me derramó encima un poco de leche. No se tranquilizó hasta que accedí a quitarme la camisa. La lavó en un dos por tres y la tendió en el balcón junto a un mantón de Manila que también llevó del baño. Se sentó frente a mí, y colocó sobre mis piernas un cartucho de chocolatines. "Por fin podemos conversar en paz. Propón tú el tema, no quiero imponerte nada". En lugar de responder, bajé la cabeza y clavé la vista en una loseta. "¿No se te ocurre nada? Bueno, ya sé, te contaré cómo me hice maricón".

Le ocurrió cuando tenía doce años y estudiaba en un colegio de curas como interno. Una tarde, no recordaba por qué razón, necesitó encender una vela, y como no encontraba fósforos pasó al dormitorio de los alumnos del último nivel, entrando, sin darse cuenta, por la parte de los baños. Allí, bajo la ducha, desnudo, estaba uno de los basquetbolistas de la escuela, todo enjabonado y cantando "Nosotros, que nos queremos tanto, ¿debemos separarnos?, no me preguntes más...". "Era un muchacho pelirrojo, de pelo ensortijado", precisó con un suspiro, "con esa edad que no son los catorce ni los quince. Un chorro de luz que entraba de lo alto, más digno de los rosetones de Nótre Dame que de la claraboya de nuestro convento de los Hermanos Maristas, lo iluminaba por la espalda, sacando tornasoles de su cuerpo salpicado de espuma". El muchacho estaba excitado, añadió, tenía agarrada la verga y era a ella a quien le cantaba, y Diego quedó fascinado, sin poder apartar la vista del otro, que lo miraba y se dejaba mirar. No hubo palabras: el semidiós lo tomó del brazo, lo volteó contra la pared y lo poseyó. Regresé al dormitorio con la vela apagada, dijo, "pero iluminado por dentro, y con el pálpito de haber comprendido el mundo de sopetón". El destino, sin embargo, le reservaba una amarga sorpresa. Dos días después, al ir a prender otra vela, se enteró de que su violador había muerto de una patada en la cabeza; tratando de recuperar una pelota, se había metido entre las patas del mulo que acarreaba el carbón para la escuela, y éste, insensible a sus encantos, le propinó una coz fulminante. "Desde entonces", concluyó Diego mirándome, "mi vida ha consistido en eso, en la búsqueda del ideal del basquetbolista. Tú te le das un aire".

Era obvio que conocía a la perfección la técnica de despertar el interés de reclutas y estudiantes, y también la de relajar a los tensos, como aclararía después. Consistía esta última en hacernos oír o ver lo que no queríamos oír ni ver, y daba excelentes resultados con los comunistas, diría. Sin embargo, no avanzaba conmigo. Yo había llegado, como los otros, me había sentado en la butaca especial, como ellos, pero, como ninguno, había clavado la vista en la loseta y de allí no lograba despegármela. Se había sentido tentado a mostrarme la revista porno que guardaba para los más difíciles, o a brindarme de la botella de Chivas Regal en la que siempre quedaban cuatro dedos de cualquier ron, pero se contuvo, porque no era eso lo que esperaba de mí; y al final de la tarde, cuando comenzó a sentir hambre, comprendió que no estaba dispuesto a compartir conmigo sus reservas, y que no se le ocurría cómo dar por terminada la visita. Se quedó callado, pensativo. Había deseado mucho este encuentro, confesaría luego, desde que me vio por primera vez en el teatro interpretando a Torvaldo. Incluso lo había soñado y varias veces estuvo a punto de abordarme en la calle Galiano, porque desde el principio tuvo la intuición de nuestra amistad. Pero ahora yo, tieso y mudo en el centro de la guarida, le resultaba tan soso que empezó a creer que, como en tantas otras ocasiones, había sido víctima de un espejismo, de su propensión a adjudicarles sensibilidad y talento a los que teníamos carita de yo-no-fui. Realmente le sorprendía y le dolía equivocarse conmigo. Yo era su última carta, el último que le quedaba por probar antes de decidir que todo era una mierda y que Dios se había equivocado y Carlos Marx mucho más, que eso del hombre nuevo, en quien él depositaba tantas esperanzas, no era más que poesía, una burla, propaganda socialista, porque si había algún hombre nuevo en La Habana no podía ser uno de esos forzudos y bellísimos de los

Comandos Especiales, sino alguien como yo, capaz de hacer el ridículo, y él se lo tenía que topar un día y llevarlo a la guarida, brindarle té y conversar; carajo, conversar, no estaba siempre pensando en lo mismo, como me explicaría en otra de sus peroratas. "Me voy" dije yo por fin, poniéndome de pie, y lo miré, nos miramos. Me habló sin incorporarse de la silla. "David, vuelve. Creo que hoy no me he sabido explicar. Quizás te he parecido superfluo. Como todo el que habla mucho, hablo boberías. Es porque soy nervioso, pero me he sentido distinto conversando contigo. Conversar es importante, dialogar mucho más. No tengas miedo de volver, por favor. Sé respetar y medirme como cualquier persona y puedo ayudarte muchísimo, prestarte libros, conseguirte entradas para el ballet, soy amiguísimo de Alicia Alonso y me gustaría presentarte un día en casa de la Loynaz, a las cinco de la tarde, un privilegio que sólo yo puedo proporcionarte. Y quisiera obsequiarte con un almuerzo lezamiano, algo que no ofrezco a todo el mundo. Sé que la bondad de los maricones es de doble filo, como apunta el propio Lezama en alguna parte de su obra, pero no en este caso. ¿Quieres saber por qué me gusta hablar contigo? Corazonadas. Creo que nos vamos a entender, aunque seamos diferentes. Yo sé que la Revolución tiene cosas buenas, pero a mí me han pasado otras muy malas, y además, sobre algunas tengo ideas propias. Quizás esté equivocado, fíjate. Me gustaría discutirlo, que me oyeran, que me explicaran. Estoy dispuesto a razonar, a cambiar de opinión. Pero nunca he podido conversar con un revolucionario. Ustedes sólo hablan con ustedes. Les importa bien poco lo que los demás pensemos. Vuelve. Dejaré a un lado el tema de la mariconería, te lo juro. Toma, llévate *La guerra del fin del mundo*, y mira, también *Tres tristes tigres*, eso tampoco vas a conseguirlo en la calle". "¡No!", dije con una energía que lo asustó. "¿Por qué David, qué importancia tiene?" "¡No!", y salí con un portazo.

Eso estuvo bien, me dije en la calle, aún con el portazo en los oídos: ni quitarle los libros ni aceptarlos como regalo. Y mi Espíritu, que dentro de mí había estado todo el tiempo preocupado, se relajó y comenzó a experimentar cierto orgullo por su muchacho, que al final-final no fallaba. Era lo que esperaba de mí, su joven comunista que en las reuniones terminaba por pedir la palabra y, aunque no se expresara bien, decía lo que pensaba y ya Bruno lo había requerido dos veces. Eso, con mi Espíritu, porque con mi Conciencia la cosa no es tan fácil, y antes de llegar a la esquina pedía que le explicara, pero despacio y bien, David Álvarez, por qué, si era hombre, había ido a casa de un homosexual; si era revolucionario, había ido a casa de un contrarrevolucionario; y si era ateo, había ido a casa de un creyente. Todo esto mientras yo avanzaba, subía al ómnibus y asimilaba empujones. ¿Por qué delante de mí se podía ironizar con la Revolución (tu Revolución, David), y, ensalzar el morbo y la podredumbre sin que yo saliera al paso? ¿No sentí el carnet en el bolsillo, o es que solamente lo llevaba en el bolsillo? ¿Quién eres realmente tú, muchachito? ¿Ya se te va a olvidar que no eres más que un guajirito de mierda que la Revolución sacó del fango y trajo a estudiar a La Habana? Pero si una cosa he aprendido en la vida es a no responderle a mi Conciencia en situaciones de crisis. En cambio, la sorprendí al bajarme en la universidad, subir la escalinata a toda prisa, buscar a Bruno, llevarlo a mi rincón y preguntarle qué se hace, a quién se le informa cuando uno conoce a alguien que recibe libros extranjeros, habla mal de la Revolución y es religioso. ¿Qué tal ahora, Conciencia? A Bruno le pareció tan importante el caso que se quitó los espejuelos y me llevó a ver a otro compañero, y en cuanto vi al otro compañero tuve la certeza de que iba a meter la pata otra vez. Tenía, como Diego, la mirada clara y penetrante, como si ese día los de miradas claras y penetrantes se hubieran puesto de acuerdo para joderme. Me pasó a un despacho, me indicó una silla que no era vienesa ni un carajo y me dijo que cantara. Le dije que nosotros los revolucionarios siempre teníamos que estar alertas, con la guardia en alto; y que por eso, por estar alerta y con la guardia en alto, había conocido a Diego, lo había acompañado a su casa y sabía de él lo que ahora sabía. Enseguida me resultaron sospechosos sus libros extranjeros y sus pullitas. ¿Comprendía? O no comprendía o el cuento no lo impactaba. Bostezó una vez y hasta hojeó unos papeles mientras simulaba escucharme. Y ése es otro de mis problemas: me pongo mal cuando alguien se aburre con lo que cuento y entonces empiezo a manotear y agrego cualquier cantidad de detalles. “El tipo es contrarrevolucionario”, enfaticé. ”Tiene contacto con el agregado cultural de una embajada y le interesa influir a los jóvenes". "Es decir", esperaba que dijera el compañero, "que fuiste a casa del maricón contrarrevolucionario y religioso porque siempre hay que estar alertas, ¿no es así?" "Claro". Pero no dijo eso. Me miró con su mirada clara y penetrante y un escalofrío me recorrió el espinazo porque me pareció adivinar lo que iba a decir: "Qué miserable comemierda eres, chiquito, qué tronco de oportunista engorda en ti". Pero no, tampoco dijo eso. Sonrió, y me habló en un tono condescendiente, irónico o afectuoso, a mi elección: "Sí, siempre hay que estar alertas. ¿David te llamas, no? El enemigo actúa donde menos uno se lo imagina, David. Averigua con qué embajada tiene contactos, anota lo que pregunte sobre movimientos militares y ubicación de dirigentes, y nos volveremos a ver. Ahora tienes esa tarea, ahora eres un agente. ¿Okey?" Éste es Ismael. Llegaremos a ser amigos, a querernos como hermanos, y un día le ofreceré un almuerzo lezamiano porque también en su vida hubo una profesora de literatura.

Bajé la escalinata de la universidad cinematográficamente: una marcha militar de fondo y yo descendiendo a toda prisa, y en lo alto, la bandera de la estrella solitaria, ondeando. Cuando llegué a la Beca me di un baño de agua caliente y abundante, mucha agua caliente y abundante cayéndome en la cocorotina, hasta que sentí que la última angustia del día se iba por el tragante, y podría dormir. Pero para cerrar el día en alto, decidí estudiar un poco y me tiré en la cama. Ese fue mi error. Desde mi cama se ve el mar que estaba hermoso y tranquilo, de un azul intenso, y el mar me hace un efecto terrible. Dentro de mí, además de la Conciencia y el Espíritu, vive la Contraconciencia, que es más hija de puta todavía y empezó a moverse y a querer despertar y hacer sus preguntas, y con mi Contraconciencia sí que no puedo. Una sola de sus preguntas me puede llevar hasta el piso veinticuatro y tirarme de cabeza al vacío. Dejé el libro y ante el espejo del baño me dije: "Cojones, me cago en la pinga". Y le prometí a aquel que me miraba que lo iba a ayudar, que bajo ninguna circunstancia volvería a casa de éste, ni de ningún otro Diego, por mamá.

No cumplí mi palabra, y Diego tampoco la suya. "Los homosexuales caemos en otra clasificación aún más interesante que la que te explicaba el otro día. Esto es, los homosexuales propiamente dichos —se repite el término porque esta palabra conserva, aun en las peores circunstancias, cierto grado de recato— ; los maricones —ay, también se repite—, y las locas, de las cuales la expresión más baja son las denominadas locas de carroza. Esta escala la determina la disposición del sujeto hacia el deber social o la mariconería. Cuando la balanza se inclina al deber social, estás en presencia de un homosexual. Somos aquellos —en esta categoría me incluyo— para quienes el sexo ocupa un lugar en la vida pero no el lugar de la vida. Como los héroes o los activistas políticos, anteponemos el Deber al Sexo. La causa a la que nos consagramos está antes que todo. En mi caso, el sacerdocio es la Cultura nacional, a la que dedico lo mejor de mi intelecto y mi tiempo. Sin autosuficiencias, mi estudio de la poesía femenina cubana del siglo XIX, mi censo de rejas y guardavecinos de las calles Oficios, Compostela, Sol y Muralla, o mi exhaustiva colección de mapas de la Isla desde la llegada de Colón, son indispensables para el estudio de este país. Algún día te mostraré mi inventario de edificios de los siglos XVII y XVIII, cada uno acompañado de un dibujo a plumilla del exterior y partes principales del interior, algo realmente importante para cualquier trabajo futuro de restauración. Todo esto, así como mi papelería, entre la cual lo más preciado son siete textos inéditos de Lezama, es fruto de muchos desvelos, querido, como lo es también mi estudio comparado de la jerga de los bugarrones del Puerto y el Parque Central. Quiero decir, que si me encuentro en ese balcón donde ondea el mantón de Manila, estilográfica en mano, revisando mi texto sobre la poética de las hermanas Juana y Dulce María Borrero, no abandono la tarea aunque vea pasar por la acera al más portentoso mulato de Marianao y éste, al verme, se sobe los huevos. Los homosexuales de esta categoría no perdemos tiempo a causa del sexo, no hay provocación capaz de desviarnos de nuestro trabajo. Es totalmente errónea y ofensiva la creencia de que somos sobornables y traidores por naturaleza. No, señor, somos tan patriotas y firmes como cualquiera. Entre una picha y la cubanía, la cubanía. Por nuestra inteligencia y el fruto de nuestro esfuerzo nos corresponde un espacio que siempre se nos niega. Los marxistas y los cristianos, óyelo bien, no dejarán de caminar con una piedra en el zapato hasta que reconozcan nuestro lugar y nos acepten como aliados, pues, con más frecuencia de la que se admite, solemos compartir con ellos una misma sensibilidad frente al hecho social. Los *maricones* no merecen explicación aparte, como todo lo que queda a medio camino entre una y otra cosa; lo comprenderás cuando te defina a *las locas*, que son muy fáciles de conceptualizar. Tienen todo el tiempo un falo incrustado en el cerebro y sólo actúan por y para él. La perdedera de tiempo es su característica fundamental. Si el tiempo que invierten en flirtear en parques y baños públicos lo dedicaran al trabajo socialmente útil, ya estaríamos llegando a eso que ustedes llaman comunismo y nosotros paraíso. Las más vagas de todas son las llamadas *de carroza*. A éstas las odio por fatuas y vacías, y porque por su falta de discreción y tacto, han convertido en desafíos sociales actos tan simples y necesarios como pintarse las uñas de los pies. Provocan y hieren la sensibilidad popular, no tanto por sus amaneramientos como por su zoncera, por ese estarse riendo sin causa y hablando siempre de cosas que no saben. El rechazo es mayor aún cuando la loca es de raza negra, pues entre nosotros el negro es símbolo de virilidad. Y si las pobres viven en Guanabacoa, Buenavista o pueblos del interior, la vida se les convierte en un infierno, porque la gente de esos lugares es todavía más intolerante. Esta tipología es aplicable a los heterosexuales de uno y otro sexo. En el caso de los hombres, el eslabón más bajo, el que se corresponde con las locas de carroza y está signado por la perdedera de tiempo y el ansia de fornicación perpetua, lo ocupan los *picha-dulce*, quienes pueden ir a echar una carta al correo, pongamos por caso, y en el trayecto meterle mano hasta a una de nosotras, sin menoscabo de su virilidad, sólo porque no pueden contenerse. Entre las mujeres la escala termina naturalmente en las putas, pero no en las que pululan en los hoteles a la caza de turistas o cualesquiera otras que lo hacen por interés, de las cuales tenemos pocas, como bien dice la propaganda oficial, sino aquellas que se entregan por el único placer, como acertadamente dice el vulgo, de ver la leche correr. Ahora bien, tanto las locas y los picha-dulce como las carretillas, existen en este paraíso bajo las estrellas, y al decir eso no hago más que suscribir lo que dijo un escritor inglés: "las cosas desagradables de este mundo no pueden eliminarse con mirar sencillamente hacia otra parte".

Y así, con este y otros temas, fuimos haciéndonos amigos, habituándonos a pasar las tardes juntos, bebiendo té en aquellas tazas que eran valiosísimas, decía, y convertimos en algo sagrado los almuerzos de los domingos, para los que reservábamos los asuntos más interesantes. Yo andaba descalzo por la guarida, me quitaba la camisa y abría el refrigerador a mi antojo, acto este que en los provincianos y los tímidos expresa, mejor que ningún otro, que se ha llegado a un grado absoluto de confianza y relajamiento. Diego insistía en leer mis escritos, y cuando por fin me atreví a entregarle un texto, me hizo esperar dos semanas sin hacer comentarios, hasta que por fin lo puso sobre la mesa. "Voy a ser franco. Apriétate el cinturón: no sirve. ¿Qué es eso de escribir *mujic* en lugar de guajiro? Denota lecturas excesivas de las editoriales Mir y Progreso. Hay que comenzar por el principio, porque talento tienes". Y tomó en sus manos las riendas de mi educación. "Léete", me decía entregándome el libro, "*Azúcar y población en las Antillas*"... y yo me lo leía. "Léete *Indagación del choteo*", y yo me lo leía. "Léete *Americanismos y cubanismos literarios*" y yo me lo leía. "Léete *Contrapunteo cubano del tabaco y el azúcar*", y yo me lo leía. "Éste lo forras con una cubierta de la revista Verde Olivo, y no lo dejes al alcance de los curiosos: es *El monte*, ¿me entiendes? Y para la lírica aquí tienes *Lo cubano en la poesía*; y algo que es oro molido: una colección completa de *Orígenes*, como no la tiene ni el propio Rodríguez-Feo. Ésa la irás llevando número a número. Y aquí está, pero esto sí que es para después, todo lo que hacemos no es más que una preparación para llegar a ella, la obra del Maestro, poesía y prosa. Ven, ponle la mano encima, acaríciala, absorbe su savia. Un día, una tarde de noviembre, cuando es más bella la luz habanera, pasaremos frente a su casa, en la calle Trocadero. Vendremos de Prado, caminando por la acera opuesta, conversando y como despreocupados. Tú llevarás puesto algo azul, un color que tan bien te queda, y nos imaginaremos que el Maestro vive, y que en ese momento espía por las persianas. Huele el humo de su tabaco, oye su respiración entrecortada. Dirá: "Mira a esa loca y su garzón, cómo se esfuerza ella en hacerlo su pupilo, en vez de deslizarle un buen billete de diez pesos en la chaqueta". No te ofendas, él es así. Sé que apreciará mi esfuerzo y admitirá tu sensibilidad e inteligencia, y aunque sufrió incomprensiones, le alegrará en particular tu condición de revolucionario. Ese día le resultará más grata su tarea de leer durante media hora partes de su obra a los burócratas del Consejo de Cultura que han sido destinados al reino de Proserpina, un auditorio bastante amplio, por cierto". En mapas desplegados por el piso, ubicábamos los edificios y plazas más interesantes de la Habana Vieja, los vitrales que no se podían dejar de ver, las rejas de entramado más sutil, las columnas citadas por Carpentier, y trozos de muralla de trescientos años de antigüedad. Me confeccionaba un itinerario preciso que yo seguía al pie de la letra, y regresaba, emocionado, a comentar lo visto en la intimidad del apartamento, cerrado a cal y canto, mientras tomábamos champola, pru oriental o batido de chirimoya, y escuchábamos a Saumell, Caturla, Lecuona, el Trío Matamoros o, bajito, por los vecinos, a Celia Cruz y la Sonora Matancera. En cuanto al ballet, que era su fuerte, no me perdía una función. Él siempre conseguía entradas para mí por muy difíciles que estuvieran, y en los casos verdaderamente críticos, me cedía su invitación. En el teatro no nos saludábamos aunque coincidiéramos a la entrada o la salida, fingíamos no vernos, y nunca su puesto quedaba cerca del mío. Para evitar encuentros, yo permanecía en la sala durante los entreactos, contando las vocales en los textos de los programas. "Lo que más me maravilla de nuestra amistad", solía decir, "es que sé tanto de ti como al principio. Cuéntame algo, viejo. Tu primera experiencia sexual, a qué edad te empezaste a venir, cómo son tus sueños eróticos. No trates de tupirme; con esos ojitos que tienes, cuando te desbocas debes ser candela". "¿Y por qué —volvía a la carga en cuanto yo me entiesaba— ahora que somos como hermanos, no permites que te vea desnudo? Te advierto, no puedo retener en la memoria la figura de un hombre al que no le haya visto la pirinola. Total, que me la imagino: la tuya debe ser tierna como una palomita; aunque déjame decirte, hay muchachos así de tu tipo, sensibles y espirituales, que sin embargo, cuando se desnudan, se mandan tremendo fenómeno".

Para el almuerzo lezamiano me hizo venir de cuello y corbata. El traje me lo prestó Bruno, que además me obligó a aceptarle diez pesos, pensando que llevaba una chiquita a Tropicana. La calidad excepcional del almuerzo, como decía el propio Lezama en *Paradiso*, según supe después, se brindaba en el mantel de encajes, ni blanco ni rojo, sino color crema, sobre el que destellaba la perfección del esmalte blanco de la vajilla con sus contornos de un verde quemado. Diego destapó la sopera, donde humeaba una cuajada sopa de plátanos. "Te he querido rejuvenecer", dijo con sonrisa misteriosa, "transportándote a la primera niñez, y para eso le he añadido a la sopa un poco de tapioca..." "¿Eso qué es?" "Yuca, niño, no me interrumpas. He puesto a sobrenadar unas rositas de maíz, pues hay tantas cosas que nos gustaron de niño y que sin embargo nunca volvemos a disfrutar. Pero no te intranquilices, no es la llamada sopa del oeste, pues algunos *gourmets*, en cuanto ven el maíz, creen ver ya las carretas de los pioneros rumbo a la California, en la pradera de los indios sioux. Y aquí debo mirar hacia la mesa de los garzones", interrumpió su extraña recitación, que yo aprobaba con una sonrisita bobalicona, pretendiendo que lo seguía en el juego. "Troquemos", dijo recogiendo los platos una vez que tomamos la estupenda sopa, "el canario centellea por el langostino remolón: y hace su entrada el segundo plato en un pulverizado *suflé* de mariscos, ornado en la superficie por una cuadrilla de langostinos, dispuestos en coro, unidos por parejas, con sus pinzas distribuyendo el humo brotante de la masa apretada como un coral blanco. Forma parte también del *suflé* el pescado llamado emperador y langostas que muestran el asombro cárdeno con que sus carapachos recibieron la interrogación de la linterna al quemarles los ojos saltones». No encontré palabras para elogiar el *suflé*, y esa incapacidad mía o de la lengua, resultó ser el mejor elogio. "Después de ese plato de tan lograda apariencia de colores abiertos, semejantes a un flamígero muy cerca ya de un barroco, y que sin embargo continúa siendo gótico por el horneo de la masa y por alegorías esbozadas por el langostino, remansemos la comida con una ensalada de remolacha embarrada de mayonesa con espárragos de Lubek; y atiende bien, Juan Carlos Rondón, porque llega el clímax de la ceremonia". Y al ir a trinchar una remolacha, se desprendió entera la rodaja y fue a caer al mantel. No pudo evitar un gesto de fastidio, y quiso rectificar el error, pero volvió la remolacha a sangrar, y al recogerla por tercera vez, por el sitio donde había penetrado el trinchante se rompió la masa, deslizándose; una mitad quedó adherida al tenedor, y la otra volvió a caer al mantel, quedando señalados tres islotes de sangría sobre los rosetones. Yo abrí la boca, apenado por el incidente, pero él me miró con regocijo: "Han quedado perfectas", dijo "esas tres manchas le dan en verdad el relieve de esplendor a la comida". Y casi declamando, agregó: "En la luz, en la resistente paciencia del artesanado, en los presagios, en la manera como los hilos fijaron la sangre vegetal, las tres manchas entreabrieron una sombría expectación". Sonrió, y feliz y divertido, me reveló el secreto: "Estás asistiendo al almuerzo familiar que ofrece doña Augusta en las páginas de *Paradiso*, capítulo séptimo. Después de esto podrás decir que has comido como un real cubano, y entras, para siempre, en la cofradía de los adoradores del Maestro, faltándote, tan sólo, el conocimiento de su obra". A continuación comimos pavo asado, seguido de crema helada también lezamiana, de la que me ofreció la receta para que yo a mi vez la trasladara a mi madre. "Ahora Baldovina tendría que traer el frutero, pero a falta suya iré por él. Me disculparás las manzanas y las peras, que he sustituido por mangos y guayabas, lo que no está del todo mal al lado de mandarinas y uvas. Después nos queda el café, que tomaremos en el balcón mientras te recito poemas de Zenea, el vilipendiado, y pasaremos por alto los habanos, que a ninguno de los dos interesan. Pero antes", añadió con súbita inspiración, cuando su vista tropezó con el mantón de Manila, "un poco de baile flamenco", y me deleitó con un vertiginoso taconeo que cortó de repente. "Lo odio", dijo arrojando el mantón lejos de sí. "No sé si un día me podrás perdonar, David". Lo mismo pensaba yo, que de repente empecé a sentirme mal, porque mientras disfrutaba del almuerzo no pude evitar que algunas de mis neuronas permanecieran ajenas al convite, sin probar bocado y con la guardia en alto, razonando que las langostas, camarones, espárragos de Lubek y uvas, sólo las podía haber obtenido en las tiendas especiales para diplomáticos y por tanto constituían pruebas de sus relaciones con extranjeros, lo que yo debía informar al compañero, que todavía no era Ismael, en mi calidad de agente.

Pasó el tiempo felizmente, y un sábado, cuando llegué para el té, Diego sólo entreabrió la puerta. "No puedes pasar. Tengo aquí a uno que no quiere que le vean la cara y la estoy pasando de lo mejor. Regresa más tarde, por favor". Me fui, pero sólo hasta la acera de enfrente, para verle la cara al que no quería que se la vieran. Diego bajó enseguida, solo. Lo noté nervioso, miró para uno y otro lado de la calle, y a toda prisa dobló en la esquina. Me apuré y, alcancé a verlo subir a un carro diplomático semioculto en un pasaje. Tuve que ocultarme tras una columna, porque salían disparados. ¡Diego en un carro diplomático! Un dolor muy fuerte se me instaló en el pecho. Dios mío, todo era cierto. Bruno llevaba razón, Ismael se equivocaba cuando decía que a esta gente había que analizarla caso por caso. No. Siempre hay que estar alertas: los maricones son traidores por naturaleza, por pecado original. Y en cuanto a mí, de doblez nada. Podía olvidarme de eso y ser feliz: lo mío había sido puro instinto de clase. Pero no alcanzaba a alegrarme. Me dolía. Qué dolor da que un amigo te traicione, qué dolor, por tu madre, y qué rabia descubrir que había sido estúpido una vez más, que otro me manejó como quiso. Qué mal te sientes cuando no te queda más remedio que reconocer que los dogmáticos tienen razón y que tú no eres más que un gran comemierda sentimental, dispuesto a encariñarte con cualquiera. Llegué al Malecón, y como suele ocurrir, la naturaleza se puso a tono con mi estado de ánimo: el cielo se encapotó en un dos por tres, se escucharon truenos cada vez más cerca, y en el aire empezó a flotar un aire de lluvia. Mis pasos me llevaban directamente a la universidad, en busca de Ismael, pero tuve la lucidez —o lo que fuese, porque la lucidez en mí es un poco difícil de admitir—, de comprender que no resistiría un tercer encuentro con él, con su mirada clara y penetrante, y me detuve. El segundo había ido después del almuerzo lezamiano, cuando necesité poner mi cabeza en orden para que no me estallara. "Me confundí", le dije entonces, "ese muchacho es buena persona, un pobre diablo, y no vale la pena seguir vigilándolo". "¿Pero no decías que era un contrarrevolucionario?", comentó con ironía. "Aun en este punto debemos admitir que su relación con la Revolución no ha sido como la nuestra. Es difícil estar con quien te pide que dejes de ser como eres para aceptarte. En resumen...". Y no resumí nada, no tenía aún confianza con Ismael como para agregar lo que me hubiera gustado: "Actúa como es, como piensa. Se mueve con una libertad interior que ya quisiera para mí, que soy militante". Ismael me miraba y sonreía. Lo que diferenciaba las miradas claras y penetrantes de Diego e Ismael (para cerrar contigo, Ismael, porque éste no es tu cuento), es que la de Diego se limitaba a señalarte las cosas, y la de Ismael te exigía que, si no te gustaban, comenzaras a actuar allí mismo, para cambiarlas. Es por esto que era el mejor de los tres. Me habló de cualquier cosa, y al despedirnos, me colocó una mano en el hombro y me pidió que no nos dejáramos de ver. Entendí que me liberaba de mi compromiso de agente y que comenzaba nuestra amistad. ¿Qué pensaría ahora, cuando le dijera lo que acababa de descubrir? Regresé al edificio de Diego dispuesto a esperarlo el tiempo necesario. Volvió en taxi en medio de un aguacero. Subí tras él y entré antes de que pudiera cerrar la puerta. "Ya el novio se fue", bromeó. "¿Y esa cara? ¿No me irás a decir que estás celosito?" "Te vi cuando subías a un carro diplomático". No se lo esperaba. Me miró sin color, se dejó caer en una silla y bajó la cabeza. La levantó al rato, diez años más viejo. "Vamos, estoy esperando". Ahora vendrían las confesiones, el arrepentimiento, las súplicas de perdón, confesaría el nombre del grupúsculo contrarrevolucionario a que pertenecía y yo iría directamente a la policía, iría a la policía. "Te lo iba a decir, David, pero no quería que te enteraras tan pronto. Me voy".

Me voy, en el tono en que lo había dicho Diego, tiene entre nosotros una connotación terrible. Quiere decir que abandonas el país para siempre, que te borras de su memoria y lo borras de la tuya, y que, lo quieras o no, asumes la condición de traidor. Desde un principio lo sabes y lo aceptas porque viene incluido en el precio del pasaje. Una vez que lo tengas en la mano no podrás convencer a nadie de que no lo adquiriste con regocijo. Éste no podía ser tu caso, Diego. ¿Qué ibas a hacer tú lejos de La Habana, de la cálida suciedad de sus calles, del bullicio de los habaneros? ¿Qué podías hacer en otra ciudad, Diego querido, donde no hubiera nacido Lezama ni Alicia bailara por última vez cada fin de semana? ¿Una ciudad sin burócratas ni dogmáticos por criticar, sin un David que te fuera tomando cariño? "No es por lo que piensas", dijo. "Sabes que a mí en política me da lo mismo ocho que ochenta. Es por la exposición de

Germán. Eres muy poco observador, no sabes el vuelo que tomó eso. Y no lo botaron a él del trabajo, me botaron a mí. Germán se entendió con ellos, alquiló un cuarto y viene a trabajar para La Habana como artesano de arte. Reconozco que me excedí en la defensa de las obras, que cometí indisciplinas y actué por la libre, aprovechándome de mi puesto, pero, ¿qué? Ahora, con esa nota en el expediente, no voy a encontrar trabajo más que en la agricultura o la construcción, y dime, ¿qué hago yo con un ladrillo en la mano?, ¿dónde lo pongo? Es una simple amonestación laboral, ¿pero quién me va a contratar con esta facha, quién va a arriesgarse por mí? Es injusto, lo sé, la ley está de mi parte y al final tendrían que darme la razón e indemnizarme. Pero, ¿qué voy a hacer? ¿Luchar? No. Soy débil, y el mundo de ustedes no es para los débiles. Al contrario, ustedes actúan como si no existiéramos, como si fuéramos así sólo para mortificarlos y ponernos de acuerdo con la gusanera. A ustedes la vida les es fácil: no padecen complejos de Edipo, no les atormenta la belleza, no tuvieron un gato querido que vuestro padre les descuartizó ante los ojos para que se hicieran hombres. También se puede ser maricón y fuerte. Los ejemplos sobran. Estoy claro en eso. Pero no es mi caso. Yo soy débil, me aterra la edad, no puedo esperar diez o quince años a que ustedes recapaciten, por mucha confianza que tenga en que la Revolución terminará enmendando sus torpezas. Tengo treinta años. Me quedan otros veinte de vida útil, a lo sumo. Quiero hacer cosas, vivir, tener planes, pararme ante el espejo de *Las Meninas*, dictar una conferencia sobre la poesía de Flor y Dulce María Loynaz. ¿No tengo derecho? Si fuera un buen católico y creyera en otra vida no me importaba, pero el materialismo de ustedes se contagia, son demasiados años. La vida es ésta, no hay otra. O en todo caso, a lo mejor es sólo ésta. ¿Tú me comprendes? Aquí no me quieren, para qué darle más vueltas a la noria, y a mí me gusta ser como soy, soltar unas cuantas plumas de vez en cuando. Chico, ¿a quién ofendo con eso, si son mis plumas?"

Sus últimos días aquí no siempre fueron tristes. A veces lo encontraba eufórico, revoloteando entre paquetes y papeles viejos. Tomábamos ron y escuchábamos música. "Antes de que vengan a hacer el inventario, llévate mi máquina de escribir, la cocinilla eléctrica y este abridor de latas. Le será muy útil a tu mamá. Éstos son mis estudios sobre arquitectura y urbanística: ¿muchos, verdad? Y buenos. Si no me alcanza el tiempo, los envías anónimamente al Museo de la Ciudad. Aquí están los testimonios sobre la visita de Federico García Lorca a Cuba. Incluye un itinerario muy detallado y fotografías de lugares y personas con pies de grabados redactados por mí. Aparece un negro sin identificar. Guarda para ti la antología de poemas al Almendares, complétala con algún otro que aparezca, aunque ya el Almendares no está para poemas. Mira esta foto: yo en la Campaña de Alfabetización. Y éstas son de mi familia. Me las llevaré todas. Este tío mío era guapísimo, se atragantó con una papa rellena. Aquí estoy con mamá, mira qué buena moza. A ver, ¿qué más quiero dejarte? Ya te llevaste la papelería, ¿no? Los artículos que consideres más potables envíalos a *Revolución y Cultur*a, donde quizás alguien sepa apreciarlos; selecciona temas del siglo pasado, pasan mejor. El resto entrégalo en la Biblioteca Nacional, ya sabes a quién. Ese contacto no lo pierdas, de vez en cuando llévale un tabaco y no te ofendas si te dice algún piropo, que él de ahí no pasa. Te dejaré también el contacto con el Ballet. Y éstas, David Álvarez, las tazas en que tanto té hemos bebido, quiero dejártelas en depósito. Si algún día se presenta la oportunidad, me las envías. Como te dije, son de porcelana de Sévres. Pero no es por eso, pertenecieron a la familia Loynaz del Castillo y son un regalo. Bueno, te voy a ser sincero, me las afané. Mis discos y libros ya salieron, los tuyos te los llevaste y esos que quedan ahí son para despistar a los del inventario. Consígueme un afiche de Fidel con Camilo, una bandera cubana pequeña, la foto de Martí en Jamaica y la de Mella con sombrero; pero rápido, porque es para enviar por valija diplomática con las fotos de Alicia en *Giselle* y mi colección de monedas y billetes cubanos. ¿Quieres el paraguas para tu mamá, o la capa?" Yo lo iba aceptando todo en silencio, pero a veces me venía alguna esperanza y te devolvía las cosas: "Diego, ¿y si le escribimos a alguien? Piensa en quién pudiera ser. O yo voy y le pido una entrevista a algún funcionario, tú me esperas afuera". Me miraba con tristeza y no aceptaba el tema. "¿No conoces a algún abogado, uno de esos medio gusanos que quedan por ahí? ¿O a alguien que ocupé un puesto importante y sea maricón tapado? Le has hecho favores a muchísima gente. Yo me gradúo en julio, en octubre ya estoy trabajando, te puedo dar cincuenta pesos al mes". Me callaba cuando veía que se le aguaban los ojos, pero siempre encontraba el modo de recuperarse. "Te voy a dar el último consejo: pon atención a la ropa que te pones. Tú no serás un Alain Delon, pero tienes tu encanto y ese aire de misterio que, digan lo que digan, siempre abre las puertas". Era yo quien no encontraba qué decir, bajaba la cabeza y me ponía a reordenar sus paquetes, a revisarlos. "¡No!, eso no, no lo desenvuelvas. Son los inéditos de Lezama. No me mires así. Te juro que jamás haré mal uso de ellos. Te juré también que nunca me iría y me voy, pero esto es distinto. Nunca negociaré con ellos ni los entregaré a nadie que los pueda manipular políticamente. Te lo juro. Por mi madre, por el basquetbolista, por ti vaya. Si puedo capear el temporal sin utilizarlos, los devolveré. ¡No me mires así! ¿Crees que no comprendo mi responsabilidad? Pero si me veo muy apretado, me pueden sacar de apuro. Me has hecho sentir mal. Sírveme un trago y vete".

A medida que se fue aproximando la fecha de la partida, fue languideciendo. Dormía mal y adelgazó. Yo lo acompañaba el mayor tiempo posible, pero me hablaba poco, creo que a veces no me veía. Acurrucado en la butaca de John Donne, con un libro de poemas y un crucifijo en las manos, pues su religiosidad se había exacerbado, parecía haber perdido color y vida. María Callas lo acompañaba, cantando bajito y suave. Un día se quedó (te quedaste, Diego, no voy a olvidar esa mirada tuya), mirándome con una intensidad especial. "Dime la verdad, David", me preguntó, "¿tú me quieres?, ¿te ha sido útil mi amistad?, ¿fui irrespetuoso contigo?, ¿tú crees que yo le hago daño a la Revolución?" María Callas dejó de cantar. "Nuestra amistad ha sido correcta, sí, y yo te aprecio". Sonrió. "No cambias. No hablo de aprecio, sino de amor entre amigos. Por favor, no les tengamos más miedo a las palabras". Era también lo que yo había querido decir, ¿no?, pero tengo esa dificultad, y para que estuviera seguro de mi afecto y de que, en alguna medida, yo era otro, había cambiado en el curso de nuestra amistad, era más el yo que siempre había querido ser, añadí: "Te invito mañana a almorzar en El Conejito. Voy temprano y hago la cola. Tú sólo tienes que llegar antes de las doce. Pago yo. ¿O prefieres que venga a buscarte y vamos juntos?" "No, David, no hace falta. Todo está bien como ha sido. "Sí, Diego, insisto. Sé lo que te estoy diciendo". "Bueno, pero al Conejito, no. En Europa me haré vegetariano". Y si lo que yo quería, o necesitaba, era exhibirme con él, si eso me servía para ponerme en paz conmigo o algo, bueno, concedido. Llegó al restaurante a las doce menos diez, cuando el gentío se apiñaba ante la puerta, bajo una sombrilla japonesa y con un vestuario que permitía distinguirlo a dos cuadras de distancia. Gritó mi nombre con los dos apellidos desde la acera opuesta, agitando el brazo, que se había llenado de pulseras. Cuando estuvo junto a mí me besó en la mejilla y se puso a describirme un vestido precioso que acababa de ver en una vidriera y que me podía quedar pintado; pero para sorpresa suya y mía y de la cola defendí, con un énfasis que lo opacó, otra línea de moda, porque eso tenemos los tímidos, si nos destrabamos somos brillantes. Celebramos, con el almuerzo, la eficacia de su técnica para desalmidonar comunistas. Y pasando a mi formación literaria, agregó otros títulos a la lista de mis lecturas pendientes. "No olvides a la condesa de Merlín, empieza a investigarla. Entre esa mujer y tú se va a producir un encuentro que dará que hablar". Terminamos con el postre en Coppelia, y luego en la guarida con una botella de Stolichnaya. Estuvo maravilloso hasta que se acabó la bebida. "He necesitado este vodka ruso para decirte las dos últimas cosas. Dejaré para el final la más difícil. Creo, David, que te falta un poco de iniciativa. Debes ser más decidido. No te corresponde el papel de espectador, sino el de actor. Te aseguro que esta vez te desempeñarás mejor que en *Casa de muñecas*. No dejes de ser revolucionario. Dirás que quien soy yo para hablarte así. Pero sí, tengo moral, alguna vez te declaré que soy patriota y lezamiano. La Revolución necesita de gente como tú, porque los yanquis no, pero la gastronomía, la burocracia, el tipo de propaganda que ustedes hacen y la soberbia, pueden acabar con eso, y sólo la gente como tú puede contribuir a evitarlo. No te va a ser fácil, te lo advierto, vas a necesitar mucho espíritu. Lo otro que debo decirte, deja ver si puedo, porque se me cae la cara de vergüenza, sírveme el poquito de vodka que queda, es esto: ¿recuerdas cuando nos conocimos en Coppelia? Ese día me porté mal contigo. Nada fue casual. Yo andaba con Germán, y, cuando te vimos, apostamos a que te traería a la guarida y te metería en la cama. La apuesta fue en divisas, la acepté para animarme a abordarte, pues siempre me infundiste un respeto que me paralizaba.

Cuando te derramé la leche encima, era parte del plan. Tu camisa junto al mantón de Manila, tendidos en el balcón, eran la señal de mi triunfo. Germán, naturalmente, lo ha regado por ahí, y más ahora que me odia. Incluso en algunos círculos, como en los últimos tiempos sólo me dediqué a ti, me llaman la *Loca Roja*, y otros creen que esta ida mía no es más que un paripé, que en realidad soy una espía enviada a Occidente. No te preocupes demasiado que esa duda flote en torno a un hombre; lejos de perjudicarlo, le da misterio, y son muchas las mujeres que caen en sus brazos atraídas por la idea de reintegrarlos en el buen camino. ¿Me perdonas?" Yo guardé silencio, de lo que él interpretó que sí, que lo perdonaba. "¿Ya ves?, no soy tan bueno como crees. ¿Hubieras sido tú capaz de una cosa así, a mis espaldas?" Nos miramos. "Bien, ahora voy a hacer el último té. Después de eso te vas y no vuelvas más. No quiero despedidas". Eso fue todo. Y cuando estuve en la calle, una fila de pioneros me cortó el paso. Lucían los uniformes como acabados de planchar y llevaban ramos de flores en la mano; y aunque un pionero con flores desde hacía rato era un gastado símbolo del futuro, inseparable de las consignas que nos alientan a luchar por un mundo mejor, me gustaron, tal vez por eso mismo, y me quedé mirando a uno, que al darse cuenta me sacó la lengua; y entonces le dije (le dije, no le prometí), que al próximo Diego que se atravesara en mi camino lo defendería a capa y espada, aunque nadie me comprendiera, y que no me iba a sentir más lejos de mi Espíritu y de mi Conciencia por eso, sino al contrario, porque si entendía bien las cosas, eso era luchar por un mundo mejor para ti, pionero, y para mí. Y quise cerrar el capítulo agradeciéndole a Diego, de algún modo, todo lo que había hecho por mí, y lo hice viniendo a Coppelia y pidiendo un helado como éste. Porque había chocolate, pero pedí fresa.

Horacio Quiroga

A la deriva

El hombre pisó algo blanduzco y enseguida sintió la mordedura en el pie. Saltó adelante y al volverse, con un juramento, vio a una yararacusú que arrollada, sobre sí misma, esperaba otro ataque.

El hombre echó una veloz ojeada a su pie, donde dos gotitas de sangre engrosaban dificultosamente, y sacó el machete de la cintura. La víbora vio la amenaza y hundió más la cabeza en el centro mismo de su espiral; pero el machete cayó de plano, dislocándole las vértebras.

El hombre se bajó hasta la mordedura, quitó las gotitas de sangre y durante un instante la contempló. Un dolor agudo nacía de los dos puntitos violeta y comenzaba a invadir todo el pie. Apresuradamente se ligó el tobillo con un pañuelo y siguió por la picada hacia su rancho.

El dolor aumentaba, con sensación de tirante abultamiento y de pronto el hombre sintió dos o tres fulgurantes punzadas que, como relámpagos, habían irradiado desde la herida hasta la mitad de la pantorrilla. Movía la pierna con dificultad; una metálica sequedad de garganta, seguida de sed quemante, le arrancó un nuevo juramento.

Llegó por fin al rancho y se echó de brazos sobre la rueda de un trapiche. Los dos puntitos violetas desaparecían ahora en una monstruosa hinchazón del pie entero. La piel parecía adelgazada y a punto de ceder, de tensa. Quiso llamar a su mujer y la voz se quebró en un ronco arrastre de garganta reseca. La sed lo devoraba.

—¡Dorotea!— alcanzó a lanzar en un estertor— ¡Dame caña!

Su mujer corrió con un vaso lleno, que el hombre sorbió de tres tragos. Pero no había sentido gusto alguno.

—¡Te pedí caña, no agua! —rugió de nuevo— ¡Dame caña!

—¡Pero es caña, Paulino!— protestó la mujer, espantada.

—¡No, me diste agua! ¡Quiero caña, te digo!

La mujer corrió otra vez, volviendo con la damajuana. El hombre tragó, uno tras otro, dos vasos, pero no sintió nada en la garganta.

—Bueno, esto se pone feo— murmuró entonces, mirando su pie, lívido y ya con lustre gangrenoso. Sobre la honda ligadura del pañuelo la carne desbordaba enormemente.

Los dolores fulgurantes se sucedían en continuos relampagueos y llegaban ahora hasta la ingle. La atroz sequedad de garganta, que el aliento parecía caldear más, aumentaba a la par. Cuando pretendió incorporarse, un fulminante vómito lo mantuvo medio minuto con la frente apoyada en la rueda del palo.

Pero el hombre no quería morir y, descendiendo hasta la costa, subió a la canoa. Sentóse en la popa y comenzó a palear hasta el centro del Paraná. Allí la corriente del río lo llevaría antes de cinco horas a Tacurú-Pacú.

El hombre, con sombría energía, pudo efectivamente llegar hasta el medio del río; pero allí sus manos dormidas dejaron caer la pala en la canoa y tras un nuevo vómito —de sangre esta vez— dirigió una mirada al sol que ya trasponía el monte.

La pierna entera, hasta medio muslo, era ya un bloque deforme y durísimo que reventaba la ropa. El hombre cortó la ligadura y abrió el pantalón con su cuchillo, el dolor era terrible. El hombre pensó que no podría jamás llegar él solo a Tacurú-Pacú y se decidió a pedir ayuda a su compadre Alves, aunque había mucho tiempo que estaban disgustados.

La corriente del río se precipitaba ahora hacia la costa brasileña y el hombre pudo fácilmente atracar. Se arrastró por la picada en cuesta arriba; pero a los veinte metros, exhausto, quedó tendido de pecho.

—¡Alves!– gritó con cuanta fuerza pudo y prestó oído en vano.

—¡Compadre Alves! ¡No me niegue este favor!— clamó de nuevo, alzando la cabeza del suelo.

En el silencio de la selva no se oyó un solo rumor. El hombre tuvo aún valor para llegar hasta su canoa, y la corriente, cogiéndola de nuevo, la llevó velozmente a la deriva.

El Paraná corre allí en el fondo de una inmensa hoya, cuyas paredes, altas de cien metros, encajonan fúnebremente el río. Desde las orillas, bordeadas de negros bloques de basalto, asciende el bosque, negro también. Adelante, a los costados, detrás, la eterna muralla lúgubre, en cuyo fondo el río arremolinado se precipita en incesantes borbollones de agua fangosa. El paisaje es agresivo y reina en él un silencio de muerte. Al atardecer, sin embargo, su belleza sombría calma y cobra una majestad única.

El sol había caído ya, cuando el hombre, semitendido en el fondo de la canoa, tuvo un violento escalofrío. Y de pronto, con asombro, enderezó pesadamente la cabeza: se sentía mejor. Las pierna le dolía apenas, la sed disminuía y, su pecho, libre ya, se abría en lenta inspiración.

El veneno comenzaba a irse, no había duda. Se hallaba casi bien y, aunque no tenía fuerzas para mover la mano, contaba con la caída del rocío para reponerse del todo. Calculó que antes de tres horas estaría en Tacurú-Pacú.

El bienestar avanzaba y con él una somnolencia llena de recuerdos. No sentía ya nada ni en la pierna ni el vientre. ¿Viviría aún su compadre Gaona en Tacurú-Pacú? Acaso viera también a su ex patrón míster Dougald y al recibidor del obraje.

¿Llegaría pronto? El cielo, al poniente se abría ahora en pantalla de oro, y el río se había coloreado también. Desde la costa paraguaya, ya entenebrecida, el monte dejaba caer sobre el río, su frescura crepuscular en penetrantes efluvios de azahar y miel silvestre. Una pareja de guacamayos cruzó muy alto y en silencio hacia el Paraguay.

Allá abajo, sobre el río de oro, la canoa derivaba velozmente, girando a ratos sobre sí misma, ante el borbollón de un remolino. El hombre que iba en ella se sentía cada vez mejor y pensaba, entretanto, en el tiempo justo que había pasado sin ver a su ex patrón Dougald. ¿Tres años? Tal vez no tanto. ¿Dos años y nueve meses? Acaso. ¿Ocho meses y medio? Eso sí, seguramente.

De pronto sintió que estaba helado hasta el pecho. ¿Qué sería? Y la respiración también…

Al recibidor de maderas de mister Dougald, Lorenzo Cubilla, lo había conocido en Puerto Esperanza un Viernes Santo… ¿Viernes? Sí, o jueves…

El hombre estiró lentamente los dedos de la mano.

–Un jueves…

Y cesó de respirar.

Horacio Quiroga

La gallina degollada

Todo el día, sentados en el patio, en un banco, estaban los cuatro hijos idiotas del matrimonio Mazzini-Ferraz. Tenían la lengua entre los labios, los ojos estúpidos, y volvían la cabeza con toda la boca abierta.

El patio era de tierra, cerrado al Oeste por un cerco de ladrillos. El banco quedaba paralelo a él, a cinco metros, y allí se mantenían inmóviles, fijos los ojos en los ladrillos. Como el sol se ocultaba tras el cerco al declinar, los idiotas tenían fiesta. La luz enceguecedora llamaba su atención al principio; poco a poco sus ojos se animaban; se reían al fin estrepitosarnente, congestionados por la misma hilaridad ansiosa, mirando el sol con alegría bestial, como si fuera comida.

Otras veces, alineados en el banco, zumbaban horas enteras imitando al tranvía eléctrico. Los ruidos fuertes sacudían asimismo su inercia, y corrían entonces alrededor del patio, mordiéndose la lengua y mugiendo. Pero casi siempre estaban apagados en un sombrío letargo de idiotismo, y pasaban todo el día sentados en su banco, con las piernas colgantes y quietas, empapando de glutinosa saliva el pantalón.

El mayor tenía doce años y el menor, ocho. En todo su aspecto sucio y desvalido se notaba la falta absoluta de un poco de cuidado maternal.

Esos cuatro idiotas, sin embargo, habían sido un día el encanto de sus padres. A los tres meses de casados, Mazzini y Berta orientaron su estrecho amor de marido y mujer y mujer y marido hacia un porvenir mucho más vital: un hijo. ¿Qué mayor dicha para dos enamorados que esa honrada consagración de su cariño, libertado ya del vil egoísmo de un mutuo amor sin fin ninguno y, lo que es peor para el amor mismo, sin esperanzas posibles de renovación?

Así lo sintieron Mazzini y Berta, y cuando el hijo llegó, a los catorce meses de matrimonio, creyeron cumplida su felicidad. La criatura creció bella y radiante hasta que tuvo año y medio. Pero en el vigésimo mes sacudiéronlo una noche convulsiones terribles y a la mañana siguiente no conocía más a sus padres. El médico lo examinó con esa atención profesional que está visiblemente buscando la causa del mal en las enfermedades de los padres.

Después de algunos días los miembros paralizados de la criatura recobraron el movimiento; pero la inteligencia, el alma, aun el instinto, se habían ido del todo. Había quedado profundamente idiota, baboso, colgante, muerto para siempre sobre las rodillas de su madre

—¡Hijo, mi hijo querido! —sollozaba ésta sobre aquella espantosa ruina de su primogénito.

El padre, desolado, acompañó al médico afuera.

—A usted se le puede decir: creo que es un caso perdido. Podrá mejorar, educarse en todo lo que le permita su idiotismo, pero no mas allá.

—¡Sí!..., ¡sí!... —asentía Mazzini—. Pero dígame: ¿Usted cree que es herencia, que...?

—En cuanto a la herencia paterna, ya le dije lo que creí cuando vi a su hijo. Respecto a la madre, hay allí un pulmón que no sopla bien. No veo nada más, pero hay un soplo un poco rudo. Hágala examinar detenidamente.

Con el alma destrozada de remordimiento, Mazzini redobló el amor a su hijo, el pequeño idiota que pagaba los excesos del abuelo. Tuvo asimismo que consolar, sostener sin tregua a Berta, herida en lo más profundo por aquel fracaso de su joven maternidad.

Como es natural, el matrimonio puso todo su amor en la esperanza de otro hijo. Nació éste, y su salud y limpidez de risa reencendieron el porvenir extinguido. Pero a los dieciocho meses las convulsiones del primogénito se repetían, y al día siguiente el segundo hijo amanecía idiota.

Esta vez los padres cayeron en honda desesperación. ¡Luego su sangre, su amor estaban malditos! ¡Su amor, sobre todo! Veintiocho años él, veintidós ella, y toda su apasionada ternura no alcanzaba a crear un átomo de vida normal. Ya no pedían más belleza e inteligencia, como en el primogénito: ¡pero un hijo, un hijo como todos!

Del nuevo desastre brotaron nuevas llamaradas de dolorido amor, un loco anhelo de redimir de una vez para siempre la santidad de su ternura. Sobrevinieron mellizos, y punto por punto repitióse el proceso de los dos mayores.

Mas por encima de su inmensa amargura quedaba a Mazzini y Berta gran compasión por sus cuatro hijos. Hubo que arrancar del limbo de la más honda animalidad no ya sus almas, sino el instinto mismo, abolido. No sabían deglutir, cambiar de sitio, ni aun sentarse. Aprendieron al fin a caminar, pero chocaban contra todo, por no darse cuenta de los obstáculos. Cuando los lavaban mugían hasta inyectarse de sangre el rostro. Animábanse sólo al comer o cuando veían colores brillantes u oían truenos. Se reían entonces, echando afuera lengua y ríos de baba, radiantes de frenesí bestial. Tenían, en cambio, cierta facultad imitativa; pero no se pudo obtener nada más.

Con los mellizos pareció haber concluido la aterradora descendencia. Pero pasados tres años, Mazzini y Berta desearon de nuevo ardientemente otro hijo, confiando en que el largo tiempo transcurrido hubiera aplacado a la fatalidad.

No satisfacían sus esperanzas. Y en ese ardiente anhelo que se exasperaba en razón de su infructuosidad, se agriaron. Hasta ese momento cada cual había tornado sobre sí la parte que le correspondía en la miseria de sus hijos; pero la desesperanza de redención ante las cuatro bestias que habían nacido de ellos echó afuera esa imperiosa necesidad de culpar a los otros, que es patrimonio específico de los corazones inferiores.

Iniciáronse con el cambio de pronombres: tus hijos. Y como a más del insulto había la insidia, la atmósfera se cargaba.

—Me parece —díjole una noche Mazzini, que acababa de entrar y se lavaba las manos —que podrías tener más limpios a los muchachos.

Berta continuó leyendo como si no hubiera oído.

—Es la primera vez —repuso al rato —que te veo inquietarte por el estado de tus hijos.

Mazzini volvió un poco la cara a ella con una sonrisa forzada.

—De nuestros hijos, me parece…

—Bueno, de nuestros hijos. ¿Te gusta así? —alzó ella los ojos.

Esta vez Mazzini se expresó claramente:

—Creo que no vas a decir que yo tenga la culpa, ¿no?

—¡Ah, no! —se sonrió Berta, muy pálida —; pero yo tampoco, supongo... ¡No faltaba más!… —murmuró.

—¿Que no faltaba más?

—¡Que si alguien tiene la culpa no soy yo, entiéndelo bien! Eso es lo que te quería decir.

Su marido la miró un momento, con brutal deseo de insultarla.

—¡Dejemos! —articuló al fin, secándose las manos.

—Como quieras; pero si quieres decir...

—¡Berta!

—¡Como quieras!

Éste fue el primer choque, y le sucedieron otros. Pero en las inevitables reconciliaciones sus almas se unían con doble arrebato y ansia por otro hijo.

Nació así una niña. Vivieron dos años con la angustia a flor de alma, esperando siempre otro desastre.

Nada acaeció, sin embargo, y los padres pusieron en su hija toda su complacencia, que la pequeña llevaba a los más extremos límites del mimo y la mala crianza.

Si aún en los últimos tiempos Berta cuidaba siempre de sus hijos, al nacer Bertita olvidóse casi del todo de los otros. Su solo recuerdo la horrorizaba como algo atroz que la hubieran obligado a cometer. A Mazzini, bien que en menor grado, pasábale lo mismo.

No por eso la paz había llegado a sus almas. La menor indisposición de su hija echaba ahora afuera, con el terror de perderla, los rencores de su descendencia podrida. Habían acumulado hiel sobrado tiempo para que el vaso no quedara distendido, y al menor contacto el veneno se vertía afuera. Desde el primer disgusto emponzoñado habíanse perdido el respeto; y si hay algo a que el hombre se siente arrastrado con cruel fruición es, cuando ya se comenzó, a humillar del todo a una persona.

Antes se contenían por la mutua falta de éxito; ahora que éste había llegado, cada cual, atribuyéndolo a sí mismo, sentía mayor la infamia de los cuatro engendros que el otro habíale forzado a crear.

Con estos sentimientos, no hubo ya para los cuatro hijos mayores afecto posible. La sirvienta los vestía, les daba de comer, los acostaba, con visible brutalidad. No los lavaban casi nunca. Pasaban casi todo el día sentados frente al cerco, abandonados de toda remota caricia.

De ese modo Bertita cumplió cuatro años, y esa noche, resultado de las golosinas que sus padres eran incapaces de negarle, la criatura tuvo algún escalofrío y fiebre. Y el temor a verla morir o quedar idiota tornó a reabrir la eterna llaga.

Hacía tres horas que no hablaban, y el motivo fue, como casi siempre, los fuertes pasos de Mazzini.

— ¡Mi Dios! ¿No puedes caminar más despacio? ¿Cuántas veces...?

—Bueno, es que me olvido; ¡se acabó! No lo hago a propósito.

Ella se sonrió, desdeñosa:

—¡No, no te creo tanto!

—Ni yo jamás te hubiera creído tanto a ti..., ¡tisiquilla!

—¡Qué! ¿qué dijiste?...

—¡Nada!

—¡Sí, te oí algo! Mira: ¡no sé lo que dijiste; pero te juro que prefiero cualquier cosa a tener un padre como el que has tenido tú!

Mazzini se puso pálido.

—¡Al fin! —murmuró con los dientes apretados—. ¡Al fin, víbora, has dicho lo que querías!

—¡Sí, víbora, sí! ¡Pero yo he tenido padres sanos, ¿oyes? ¡sanos! ¡Mi padre no ha muerto de delirio! ¡Yo hubiera tenido hijos como los de todo el mundo! ¡Ésos son hijos tuyos, los cuatro tuyos!

Mazzini explotó a su vez.

—¡Víbora tísica! ¡Eso es lo que te dije, lo que te quiero decir! ¡Pregúntale, pregúntale al médico quién tiene la mayor culpa de la meningitis de tus hijos; mi padre o tu pulmón picado, víbora!

Continuaron cada vez con mayor violencia, hasta que un gemido de Bertita selló instantáneamente sus bocas. A la una de la mañana la ligera indigestión había desaparecido y, como pasa fatalmente con todos los matrimonios jóvenes que se han amado intensamente una vez siquiera, la reconciliación llegó, tanto más efusiva cuanto infames fueran los agravios.

Amaneció un espléndido día, y mientras Berta se levantaba escupió sangre. Las emociones y mala noche pasada tenían, sin duda, gran culpa. Mazzini la retuvo abrazada largo rato y ella lloró desesperadamente, pero sin que ninguno se atreviera a decir una palabra.

A las diez decidieron salir, después de almorzar. Como apenas tenían tiempo, ordenaron a la sirvienta que matara una gallina.

El día, radiante, había arrancado a los idiotas de su banco. De modo que mientras la sirvienta degollaba en la cocina al animal, desangrándolo con parsimonia (Berta había aprendido de su madre este buen modo de conservar la frescura de la carne), creyó sentir algo como respiración tras ella. Volvióse, y vió a los cuatro idiotas, con los hombros pegados uno a otro, mirando estupefactos la operación. Rojo... rojo...

—¡Señora! Los niños están aquí en la cocina.

Berta llegó; no quería que jamás pisaran allí. ¡Y ni aun en estas horas de pleno perdón, olvido y felicidad reconquistada podía evitarse esa horrible visión! Porque, naturalmente, cuanto más intensos eran los raptos de amor a su marido e hija, más irritado era su humor con los monstruos.

—¡Que salgan, María! ¡Échelos! ¡Échelos, le digo!

Las cuatro bestias, sacudidas, brutalmente empujadas, fueron a dar a su banco.

Después de almorzar salieron todos. La sirvienta fue a Buenos Aires y el matrimonio a pasear por las quintas. Al bajar el sol volvieron; pero Berta quiso saludar un momento a sus vecinas de enfrente. Su hija escapóse en seguida a casa.

Entretanto los idiotas no se habían movido en todo el día de su banco. El sol había traspuesto ya el cerco, comenzaba a hundirse, y ellos continuaban mirando los ladrillos, más inertes que nunca.

De pronto algo se interpuso entre su mirada y el cerco. Su hermana, cansada de cinco horas paternales, quería observar por su cuenta. Detenida al pie del cerco, miraba pensativa la cresta. Quería trepar, eso no ofrecía duda. Al fin decidióse por una silla desfondada, pero aun no alcanzaba. Recurrió entonces a un cajón de kerosene, y su instinto topográfico hízole colocar vertical el mueble, con lo cual triunfó.

Los cuatro idiotas, la mirada indiferente, vieron cómo su hermana lograba pacientemente dominar el equilibrio y como en puntas de pie apoyaba la garganta sobre la cresta del cerco, entre sus manos tirantes. Viéronla mirar a todos lados y buscar apoyo con el pie para alzarse más.

Pero la mirada de los idiotas se había animado; una misma luz insistente estaba fija en sus pupilas. No apartaban los ojos de su hermana, mientras creciente sensación de gula bestial iba cambiando cada línea de sus rostros.

Lentamente avanzaron hacia el cerco. La pequeña, que habiendo logrado calar el pie, iba ya a montar a horcajadas y a caerse del otro lado, seguramente, sintióse cogida de una pierna. Debajo de ella, los ocho ojos clavados en los suyos le dieron miedo.

—¡Soltáme!, ¡dejáme! —gritó sacudiendo la pierna. Pero fue atraída.

—¡Mamá! ¡Ay, mamá! ¡Mamá, papá! —lloró imperiosamente. Trató aún de sujetarse del borde, pero sintióse arrancada y cayó.

—¡Mamá! ¡Ay, ma...! –no pudo gritar más. Uno de ellos le apretó el cuello, apartando los bucles como si fueran plumas, y los otros la arrastraron de una sola pierna hasta la cocina, donde esa mañana se había desangrado la gallina, bien sujeta, arrancándole la vida segundo por segundo.

Mazzini, en la casa de enfrente, creyó oír la voz de su hija.

—Me parece que te llama —le dijo a Berta.

Prestaron oído, inquietos, pero no oyeron más. Con todo, un momento después se despidieron, y mientras Berta iba a dejar su sombrero, Mazzini avanzó en el patio:

—¡Bertita!

Nadie respondió.

—¡Bertita! —alzó más la voz, ya alterada.

Y el silencio fue tan fúnebre para su corazón siempre aterrado, que la espalda se le heló del horrible presentimiento.

—¡Mi hija, mi hija! —corrió ya desesperado hacia el fondo. Pero al pasar frente a la cocina vió en el piso un mar de sangre. Empujó violentamente la puerta, entornada, y lanzó un grito de horror.

Berta, que ya se había lanzado corriendo a su vez al oír el angustioso llamado del padre, oyó el grito y respondió con otro. Pero al precipitarse en la cocina, Mazzini, lívido como la muerte, se interpuso, conteniéndola:

—¡No entres! ¡No entres!

Berta alcanzó a ver el piso inundado de sangre. Sólo pudo echar sus brazos sobre la cabeza y hundirse a lo largo de él con un ronco suspiro.

Juan Rulfo

No oyes ladrar los perros

Tú que vas allá arriba, Ignacio, díme si no oyes alguna señal de algo o si ves alguna luz en alguna parte.

—No se ve nada.

—Ya debemos estar cerca.

—Sí, pero no se oye nada.

—Mira bien.

—No se ve nada.

—Pobre de ti, Ignacio.

La sombra larga y negra de los hombres siguió moviéndose de arriba abajo, trepándose a las piedras, disminuyendo y creciendo según avanzaba por la orilla del arroyo. Era una sola sombra, tambaleante.

La luna venía saliendo de la tierra, como una llamarada redonda.

—Ya debemos estar llegando a ese pueblo, Ignacio. Tú que llevas las orejas de fuera, fíjate a ver si no oyes ladrar los perros. Acuérdate que nos dijeron que Tonaya estaba detrasito del monte. Y desde qué horas que hemos dejado el monte. Acuérdate, Ignacio.

—Sí, pero no veo rastro de nada.

—Me estoy cansando.

—Bájame.

El viejo se fue reculando hasta encontrarse con el paredón y se recargó allí, sin soltar la carga de sus hombros. Aunque se le doblaban las piernas, no quería sentarse, porque después no hubiera podido levantar el cuerpo de su hijo, al que allá atrás, horas antes, le habían ayudado a echárselo a la espalda. Y así lo había traído desde entonces.

—¿Cómo te sientes?

—Mal.

Hablaba poco. Cada vez menos. En ratos parecía dormir. En ratos parecía tener frío. Temblaba. Sabía cuándo le agarraba a su hijo el temblor por las sacudidas que le daba, y porque los pies se le encajaban en los ijares como espuelas. Luego las manos del hijo, que traía trabadas en su pescuezo, le zarandeaban la cabeza como si fuera una sonaja.

Él apretaba los dientes para no morderse la lengua y cuando acababa aquello le preguntaba:

—¿Te duele mucho?

—Algo —contestaba él.

Primero le había dicho: "Apéame aquí... Déjame aquí... Vete tú solo. Yo te alcanzaré mañana o en cuanto me reponga un poco." Se lo había dicho como cincuenta veces. Ahora ni siquiera eso decía.

Allí estaba la luna. Enfrente de ellos. Una luna grande y colorada que les llenaba de luz los ojos y que estiraba y oscurecía más su sombra sobre la tierra.

—No veo ya por dónde voy —decía él.

Pero nadie le contestaba.

El otro iba allá arriba, todo iluminado por la luna, con su cara descolorida, sin sangre, reflejando una luz opaca. Y él acá abajo.

—¿Me oíste, Ignacio? Te digo que no veo bien.

Y el otro se quedaba callado.

Siguió caminando, a tropezones. Encogía el cuerpo y luego se enderezaba para volver a tropezar de nuevo.

—Este no es ningún camino. Nos dijeron que detrás del cerro estaba Tonaya. Ya hemos pasado el cerro. Y Tonaya no se ve, ni se oye ningún ruido que nos diga que está cerca. ¿Por qué no quieres decirme qué ves, tú que vas allá arriba, Ignacio?

—Bájame, padre.

—¿Te sientes mal?

—Sí.

—Te llevaré a Tonaya a como dé lugar. Allí encontraré quien te cuide. Dicen que allí hay un doctor. Yo te llevaré con él. Te he traído cargando desde hace horas y no te dejaré tirado aquí para que acaben contigo quienes sean.

Se tambaleó un poco. Dio dos o tres pasos de lado y volvió a enderezarse.

—Te llevaré a Tonaya.

—Bájame.

Su voz se hizo quedita, apenas murmurada:

—Quiero acostarme un rato.

—Duérmete allí arriba. Al cabo te llevo bien agarrado.

La luna iba subiendo, casi azul, sobre un cielo claro. La cara del viejo, mojada en sudor, se llenó de luz. Escondió los ojos para no mirar de frente, ya que no podía agachar la cabeza agarrotada entre las manos de su hijo.

—Todo esto que hago, no lo hago por usted. Lo hago por su difunta madre. Porque usted fue su hijo. Por eso lo hago. Ella me reconvendría si yo lo hubiera dejado tirado allí, donde lo encontré, y no lo hubiera recogido para llevarlo a que lo curen, como estoy haciéndolo. Es ella la que me da ánimos, no usted. Comenzando porque a usted no le debo más que puras dificultades, puras mortificaciones, puras vergüenzas.

Sudaba al hablar. Pero el viento de la noche le secaba el sudor. Y sobre el sudor seco, volvía a sudar.

—Me derrengaré, pero llegaré con usted a Tonaya, para que le alivien esas heridas que le han hecho. Y estoy seguro de que, en cuanto se sienta usted bien, volverá a sus malos pasos. Eso ya no me importa. Con tal que se vaya lejos, donde yo no vuelva a saber de usted. Con tal de eso… Porque para mí usted ya no es mi hijo. He maldecido la sangre que usted tiene de mí. La parte que a mí me tocaba la he maldecido. He dicho: "¡Que se le pudra en los riñones la sangre que yo le di!" Lo dije desde que supe que usted andaba trajinando por los caminos, viviendo del robo y matando gente… Y gente buena. Y si no, allí está mi compadre Tranquilino. El que lo bautizó a usted. El que le dio su nombre. A él también le tocó la mala suerte de encontrarse con usted. Desde entonces dije: "Ese no puede ser mi hijo."

—Mira a ver si ya ves algo. O si oyes algo. Tú que puedes hacerlo desde allá arriba, porque yo me siento sordo.

—No veo nada.

—Peor para ti, Ignacio.

—Tengo sed.

—¡Aguántate! Ya debemos estar cerca. Lo que pasa es que ya es muy noche y han de haber apagado la luz en el pueblo. Pero al menos debías oir si ladran los perros. Haz por oír.

—Dame agua.

—Aquí no hay agua. No hay más que piedras. Aguántate. Y aunque la hubiera, no te bajaría a tomar agua. Nadie me ayudaría a subirte otra vez y yo solo no puedo.

—Tengo mucha sed y mucho sueño.

—Me acuerdo cuando naciste. Así eras entonces. Despertabas con hambre y comías para volver a dormirte. Y tu madre te daba agua, porque ya te habías acabado la leche de ella. No tenías llenadero. Y eras muy rabioso. Nunca pensé que con el tiempo se te fuera a subir aquella rabia a la cabeza... Pero así fue. Tu madre, que descanse en paz, quería que te criaras fuerte. Creía que cuando tú crecieras irías a ser su sostén. No te tuvo más que a ti. El otro hijo que iba a tener la mató. Y tú la hubieras matado otra vez si ella estuviera viva a estas alturas.

Sintió que el hombre aquel que llevaba sobre sus hombros dejó de apretar las rodillas y comenzó a soltar los pies, balanceándolos de un lado para otro. Y le pareció que la cabeza, allá arriba, se sacudía como si sollozara.

Sobre su cabello sintió que caían gruesas gotas, como de lágrimas.

—¿Lloras, Ignacio? Lo hace llorar a usted el recuerdo de su madre, ¿verdad? Pero nunca hizo usted nada por ella. Nos pagó siempre mal. Parece que, en lugar de cariño, le hubiéramos retacado el cuerpo de maldad. ¿Y ya ve? Ahora lo han herido. ¿Qué pasó con sus amigos? Los mataron a todos. Pero ellos no tenían a nadie. Ellos bien hubieran podido decir: "No tenemos a quién darle nuestra lástima." ¿Pero usted, Ignacio?

Allí estaba ya el pueblo. Vio brillar los tejados bajo la luz de la luna. Tuvo la impresión de que lo aplastaba el peso de su hijo al sentir que las corvas se le doblaban en el último esfuerzo. Al llegar al primer tejabán, se recostó sobre el pretil de la acera y soltó el cuerpo, flojo, como si lo hubieran descoyuntado.

Destrabó difícilmente los dedos con que su hijo había venido sosteniéndose de su cuello y, al quedar libre, oyó cómo por todas partes ladraban los perros.

—¿Y tú no los oías, Ignacio? —dijo—. No me ayudaste ni siquiera con esta esperanza.

Antonio Skármeta

El ciclista de San Cristóbal

...y abatirme tanto, tanto que fui tan alto, tan alto, que le di a la caza alcance.
San Juan de la Cruz

Además era el día de mi cumpleaños. Desde el balcón de la Alameda vi cruzar parsimoniosamente el cielo ese Sputnik ruso del que hablaron tanto los periódicos y no tomé ni así tanto porque al día siguiente era la primera prueba de ascención de la temporada y mi madre estaba enferma en una pieza que no sería más grande que un closet. No me quedaba más que pedalear en el vacío con la nuca contra las baldosas para que la carne se me endureciera con firmeza y pudiera patear mañana los pedales con ese estilo mío al que le dedicaron un artículo en "Estadio". Mientras mamá levitaba por la fiebre, comencé a pasearme por los pasillos consumiendo de a migaja los queques que me había regalado la tía Margarita, apartando acuciosamente los trozos de fruta confitada con la punta de la lengua y escupiéndolos por un costado que era una inmundicia. Mi viejo salía cada cierto tiempo a probar el ponche, pero se demoraba cada vez cinco minutos en revolverlo, y suspiraba, y después le metía picotones con los dedos a las presas de duraznos que flotaban como náufragos en la mezcla de blanco barato, y pisco, y orange, y panimávida.

Los dos necesitábamos cosas que apuraran la noche y trajeran urgente la mañana. Yo me propuse suspender la gimnasia y lustrarme los zapatos; el viejo le daba vueltas al guía con la probable idea de llamar una ambulancia, y el cielo estaba despejado, y la noche muy cálida, y mamá decía entre sueños "estoy incendiándome", no tan débil como para que no lo oyéramos por entre la puerta abierta.

Pero esa era una noche tiesa de mechas. No aflojaba un ápice la crestona. Pasar la vista por cada estrella era lo mismo que contar cactus en un desierto, que morderse hasta sangrar las cutículas, que leer una novela de Dostoiewsky. Entonces papá entraba a la pieza y le repetía a la oreja de mi madre los mismos argumentos inverosímiles, que la inyección le bajaría la fiebre, que ya amanecía, que el doctor iba a pasar bien temprano de mañana antes de irse de pesca a Cartagena.

Por último le argumentamos trampas a la oscuridad. Nos valimos de una cosa lechosa que tiene el cielo cuando está trasnochado y quisimos confundirla con la madrugada (si me apuraban un poco hubiera podido distinguir en pleno centro algún gallo cacareando).

Podría ser cualquier hora entre las tres y las cuatro cuando entré a la cocina a preparar el desayuno. Como si estuvieran concertados, el pitido de la tetera y los gritos de mi madre se fueron intensificando. Papá apareció en el marco de la puerta.

—No me atrevo a entrar —dijo.

Estaba gordo y pálido y la camisa le chorreaba simplemente. Alcanzamos a oír a mamá diciendo: que venga el médico.

—Dijo que pasaría a primera hora en la mañana —repitió por quinta vez mi viejo.

Yo me había quedado fascinado con los brincos que iba dando la tapa sobre las patadas del vapor.

—Va a morirse —dije.

Papá comenzó a palparse los bolsillos de todo el cuerpo. Señal que quería fumar. Ahora le costaría una barbaridad hallarlos y luego pasaría lo mismo con los fósforos y entonces yo tendría que encendérselo en el gas.

—¿Tú crees?

Abrí las cejas así tanto, y suspiré.

—Pásame que te encienda el cigarrillo.

Al aproximarse a la llama, noté confundido que el fuego no me dañaba la nariz como todas las otras veces. Extendí el cigarro a mi padre, sin dar vuelta la cabeza, y conscientemente puse el meñique sobre el pequeño manojo de fuego. Era lo mismo que nada. Pensé: se me murió este dedo o algo, pero uno no podía pensar en la muerte de un dedo sin reírse un poco, de modo que extendí toda la palma y esta vez toqué con las yemas las cañerías del gas, cada uno de sus orificios, revolviendo las raíces mismas de las llamas. Papá se paseaba entre los extremos del pasillo cuidando de echarse toda la ceniza sobre la solapa, de llenarse los bigotes de mota de tabaco. Aproveché para llevar la cosa un poco más adelante, y puse a tostar mis muñecas, y luego los codos, y después otra vez todos los dedos. Apagué el gas, le eché un poco de escupito a las manos, que las sentía secas, y llevé hasta el comedor la cesta con pan viejo, la mermelada en tarro, un paquete flamante de mantequilla.

Cuando papá se sentó a la mesa, yo debía haberme puesto a llorar. Con el cuello torcido, hundió la vista en el café amargo como si allí estuviera concentrada la resignación del planeta, y entonces dijo algo, pero no alcancé a oírlo, porque más bien parecía sostener un incrédulo diálogo con algo íntimo, un riñón por ejemplo, o un fémur. Después se metió la mano por la camisa abierta y se mesó el ensamble de pelos que le enredaban el pecho. En la mesa había una cesta de ciruelas, damascos y duraznos un poco machucados. Durante un momento las frutas permanecieron vírgenes y acunadas, y yo me puse a mirar a la pared como si me estuvieran pasando una película o algo. Por último agarré prisco y me lo froté sobre la solapa hasta sacarle un brillo harto pasable. El viejo nada más que por contagio levantó una ciruela.

—La vieja va a morirse —dijo.

Me sobé fuertemente el cuello. Ahora estaba dando vueltas al hecho de que no me hubiera quemado. Con la lengua le lamí los conchos al cuesco y con las manos comencé a apretar las migas sobre la mesa, y las fui arrejuntando en montoncitos, y luego las disparaba con el índice entre la taza y la panera. En el mismo instante que tiraba el cuesco contra un pómulo, y me imaginaba que tenía manso cocho en la muela poniendo cara de circunstancia, creí descubrir el sentido de porqué me había puesto incombustible si puede decirse. La cosa no era muy clara, pero tenía la misma evidencia que hace pronosticar una lluvia cuando el queltehue se viene soplando fuerte: si mamá iba a morirse, yo también tendría que emigrar del planeta. Lo del fuego era como una sinopsis de una película de miedo, o a lo mejor era puro blá-blá mío, y lo único que pasaba era que las idas al biógrafo me habían enviciado.

Miré a papá, y cuando iba a contárselo, apretó delante de los ojos sus mofletudas palmas hasta hacer el espacio entre ellas impenetrable.

—Vivirá —dije. Uno se asusta con la fiebre.

—Es como la defensa del cuerpo.

Carraspeé.

—Si gano la carrera tendremos plata. La podríamos meter en una clínica pasable.

—Si acaso no se muere.

Escupí sobre el hombro el cuesco lijadito de tanto menearlo. El viejo se alentó a pegarle un mordiscón a un durazno harto potable. Oímos a mamá quejarse en la pieza, esta vez sin palabras. De tres tragadas acabé con el café, casi reconfortado que me hiriera el paladar. Me eché una marraqueta al bolsillo y al levantarse, el pelotón de migas fue a refrescarse en una especie de pocilla de vino sólo en apariencia fresca, porque desde que mamá estaba en cama las manchas en el mantelito duraban de a mes, pidiendo por lo bajo.

Adopté un tono casual para despedirme, medio agringado dijéramos.

—Me voy.

Por toda respuesta, papá torció el cuello y aquilató la noche.

—¿A qué hora es la carrera? —preguntó, sorbiendo un poco del café.

Me sentí un cerdo, y no precisamente de esos giles simpáticos que salen en las historietas.

—A las nueve. Voy a hacer un poco de pre-calentamiento.

Saqué del bolsillo las horquetas para sujetarme las bastillas y agarré de un tirón la bolsa con el equipo. Simultáneamente estaba tarareando un disco de los Beatles, uno de esos sicodélicos.

—Tal vez te convendría dormir un poco —sugirió papá. —Hace noches que...

—Me siento bien —dije, avanzando hacia la puerta.

—Bueno, entonces.

—Que no se te enfríe el café.

Cerré la puerta tan dulcemente como si me fuera de besos con una chica, y luego le aflojé el candado a la bicicleta desprendiéndola de las barras de la baranda. Me la instalé bajo el sobaco, y sin esperar el ascensor corrí los cuatro pisos hasta la calle. Allí me quedé un minuto acariciando las llantas sin saber para dónde emprenderlas, mientras que ahora sí soplaba un aire madrugado, un poco frío, lento.

La monté y de un solo envión de los pedales resbalé por la cuneta y me fui bordeando la Alameda hasta la Plaza Bulnes, y le ajusté la redondela a la fuente de la plaza, y enseguida torcí a la izquierda hasta la boite del Negro Tobar y me ahuaché bajo el toldo a oír la música que salía del subterráneo. Lo que fregaba la cachimba era no poder fumar, no romper la imagen del atleta perfecto que nuestro entrenador nos había metido al fondo de la cabeza. A la hora que llegaba entabacado, me olía la lengua y pa'fuera se ha dicho. Pero además de todo, yo era como un extranjero en la madrugada santiaguina. Tal vez fuera el único muchacho de Santiago que tenía a su madre muriéndose, el único y absoluto gil en la galaxia que no había sabido agenciarse una chica para amenizar las noches sabatinas sin fiestas, el único y definitivo animal que lloraba cuando le contaban historias tristes. Y de pronto ubiqué el tema del cuarteto, y precisamente la trompeta de Lucho Aránguiz fraseando eso de "no puedo darte más que amor, nena, eso es todo lo que te puedo dar", y pasaron dos parejas silenciosas frente al toldo, como cenizas que el malón del colegio había derramado por las aceras, y había algo lúgubre e inolvidable en el susurro del grifo esquinero, y parecía surgido del mar plateado encima de la pileta el carricoche del lechero, lento a pesar del brío de sus caballos, y el viento se venía llevando envoltorios de cigarrillos, de chupetes helados, y el baterista arrastraba el tema como un largo cordel que no tiene amarrado nada en la punta —shá-shá-dá-dá— y salió del subterráneo un joven ebrio a secarse las narices traspirado, los ojos patinándole, rojos de humo, el nudo de la corbata dislocado, el pelo agolpado sobre las sienes, y la orquesta le metió al tango, *sophisticated*, siempre el mismo, siempre uno busca lleno de esperanzas, y los edificios de la Avenida Bulnes en cualquier momento podían caerse muertos, y después el viento soplaría aún más descoyuntador, haría veleta de navío, barcazas y mástiles de los andamiajes, haría barriles de alcohol de los calefactores modernos, transformaría en gaviotas las puertas, en espuma los parquets, en peces los radios y las planchas, los lechos de los amantes se incendiarían, los trajes de gala los calzoncillos los brazaletes serían cangrejos, y serían moluscos, y serían arenilla, y a cada rostro el huracán le daría lo suyo, la máscara al anciano, la carcajada rota al liceano, a la joven virgen el polen más dulce, todos derribados por las nubes, todos estrellados contra los planetas, ahuecándose en la muerte, y yo entre ellos pedaleando el huracán con mi bicicleta diciendo no te mueras mamá, yo cantando Lucy en el cielo y con diamantes, y los policías inútiles con sus fustas azotando potros imaginarios, a horcajadas, sobre el viento, azotados por parques altos como volantines, por estatuas, y yo recitando los últimos versos aprendidos en clase de castellano, casi a desgano, dibujándole algo pornográfico al cuaderno de Aguilera, hurtándole el cocaví a Kojman, clavándole un lápiz en el trasero al Flaco Leiva, yo recitando, y el joven se apretaba el cinturón con la misma parsimonia con que un sediento de ternura abandona un lecho amante, y de pronto cantaba frívolo, distraído de la letra, como si cada canción fuera apenas un chubasco antes del sereno, y después bajaba tambaleando la escalera, y Luchito Aránguiz agarraba un solo de "uno" en trompeta y comenzaba a apurarlo, y todo se hacía jazz, y cuando quise buscar un poco del aire de la madrugada que me enfriase el paladar, la garganta, la fiebre que se me rompía entre el vientre y el hígado, la cabeza se me fue contra la muralla, violenta, ruidosa, y me aturdí, y escarbé en los pantalones, y extraje la cajetilla, y fumé con ganas, con codicia, mientras me iba resbalando contra la pared hasta poner mi cuerpo contra las baldosas, y entonces crucé las palmas y me puse a dormir dedicadamente.

Me despertaron los tambores, guaripolas y clarines de algún glorioso que daba vueltas a la noria de Santiago rumbo a ninguna guerra, aunque engalanados como para una fiesta. Me bastó montarme y acelerar la bici un par de cuadras, para asistir a la resurrección de los barquilleros, de las ancianas míseras, de los vendedores de maní, de los adolescentes lampiños con camisas y botas de moda. Si el reloj de San Francisco no mentía esta vez, me quedaban justo siete minutos para llegar al punto de largada en el borde del San Cristóbal.

Aunque a mi cuerpo se lo comían los calambres, no había perdido la precisión de la puntada sobre la goma de los pedales. Por lo demás había un sol de este volado y las aceras se veían casi despobladas.

Cuando crucé el Pío Nono, la cosa comenzó a animarse. Noté que los competidores que bordeaban el cerro calentando el cuerpo, me piropeaban unas miradas de reojo. Distinguí a López del Audax limpiándose las narices, a Ferruto del Green trabajando con un bombín la llanta, y a los cabros de mi equipo oyendo las instrucciones de nuestro entrenador.

Cuando me uní al grupo, me miraron con reproche pero no soltaron la pepa. Yo aproveché la coyuntura para botarme a divo.

—¿Tengo tiempo para llamar por teléfono? —dije.

El entrenador señaló el camarín.

—Vaya a vestirse.

Le pasé la máquina al utilero.

—Es urgente —expliqué. —Tengo que llamar a la casa.

—¿Para qué?

Pero antes de que pudiera explicárselo, me imaginé en la fuente de soda del frente entre niños candidatos al zoológico y borrachitos pálidos marcando el número de casa para preguntarle a mi padre... ¿qué? ¿Murió la vieja? ¿Pasó el doctor por la casa? ¿Cómo sigue mamá?

—No tiene importancia —respondí—. Voy a vestirme.

Me zambullí en la carpa, y fui empiluchándome con determinación. Cuando estuve desnudo procedí a arañarme los muslos y luego las pantorrillas y los talones hasta que sentí el cuerpo respondiéndome. Comprimí minuciosamente el vientre con la banda elástica, y luego cubrí con las medias de lanilla todas las huellas granates de mis uñas. Mientras me ajustaba los pantaloncillos y apretaba con su elástico la camiseta, supe que iba a ganar la carrera. Trasnochado, con la garganta partida y la lengua amarga, con las piernas tiesas como de mula, iba a ganar la carrera. Iba a ganarla contra el entrenador, contra López, contra Ferruto, contra mis propios compañeros de equipo, contra mi padre, contra mis compañeros de colegio y mis profesores, contra mis mismos huesos, mi cabeza, mi vientre, mi disolución, contra mi muerte y la de mi madre, contra el presidente de la república, contra Rusia y Estados Unidos, contra las abejas, los peces, los pájaros, el polen de las flores, iba a ganarla contra la galaxia.

Agarré una venda elástica y fui prensándome con doble vuelta el empeine, la planta y el tobillo de cada pie. Cuando los tuve amarrados como un solo puñetazo, sólo los diez dedos se me asomaban carnosos, agresivos, flexibles.

Salí de la carpa. "Soy un animal" pensé cuando el juez levantó la pistola, "voy a ganar esta carrera porque tengo garras y pezuñas en cada pata". Oí el pistoletazo y de dos arremetidas filudas, cortantes sobre los pedales, cogí la primera cuesta puntero. En cuanto aflojó el declive, dejé no más que el sol se me fuera licuando lentamente en la nuca. No tuve necesidad de mirar muy atrás para descubrir a Pizarnick del Ferroviario, pegado a mi trasera. Sentí piedad por el muchacho, por su equipo, por su entrenador que le habría dicho "si toma la delantera, pégate a él hasta donde aguantes, calmadito, con seso, ¿entiendes?", porque si yo quería era capaz ahí mismo de imponer un tren que tendría al muchacho vomitando en menos de cinco minutos, con los pulmones revueltos, fracasado, incrédulo. En la primera curva desapareció el sol, y alcé la cabeza hasta la virgen del cerro, y se veía dulcemente ajena, incorruptible. Decidí ser inteligente, y disminuyendo bruscamente el ritmo del pedaleo, dejé que Pizarnick tomara la delantera. Pero el chico estaba corriendo con la biblia en el sillín: aflojó hasta ponérseme a la par, y pasó fuerte a la cabeza un muchacho rubio del State Français. Ladeé el cuello hacia la izquierda y le sonreí a Pizarnick. "¿Quién es? le dije. El muchacho no me devolvió la mirada "¿Qué?, jadeó. "¿Quién es?", repetí. "El que pasó adelante." Parecía no haberse percatado que íbamos quedando unos metros atrás. "No lo conozco", dijo. "¿Viste qué máquina era? "Una Legnano" repuse. "¿En qué piensas?" Pero esta vez no conseguí respuesta. Comprendí que había estado todo el tiempo pensando si ahora que yo había perdido la punta, debía pegarse al nuevo líder. Si siquiera me hubiese preguntado, yo le habría prevenido; lástima que su biblia transmitía con sólo una antena. Una cuesta más pronunciada, y buenas noche los pastores. Pateó y pateó hasta arrimársele al rucio, y casi con desesperación miró para atrás tanteando la distancia. Yo busqué por los costados a algún otro competidor para meterle conversa, pero estaba solo a unos veinte metros de los cabecillas, y al resto de los rivales recién se les asomaban las narices en la curvatura. Me amarré con los dedos el repiqueteo del corazón, y con una sola mano ubicada en el centro fui maniobrando la manigueta. ¡Cómo podía estar tan solo, de pronto! ¿Dónde estaban el rucio y Pizarnick? ¿Y González, y los cabros del club, y los del Audax Italiano? ¿Por qué comenzaba a faltarme el aire, por qué el espacio se arrumaba sobre los techos de Santiago, aplastante? ¿Por qué el sudor hería las pestañas y se encerraba en los ojos para nublar todo? Ese corazón mío no estaba latiendo así de fuerte para meterle sangre a mis piernas, ni para arderme las orejas, ni para hacerme más duro el trasero en el sillín, y más coces los enviones. Ese corazón mío me estaba traicionando, le hacía el asco a la empinada, me estaba botando sangre por las narices, instalándome vapores en los ojos, me iba revolviendo las arterias, me rotaba en el diafragma, me dejaba perfectamente entregado a un ancla, a mi cuerpo hecho una soga, a mi falta de gracia, a mi sucumbimiento.

—¡Pizarnick! —grité. —¡Para, carajo, que me estoy muriendo!

Pero mis palabras ondulaban entre sien y sien, entre los dientes de arriba y los de abajo, entre la saliva y las carótidas. Mis palabras eran un perfecto círculo de carne: yo jamás había dicho nada. Nunca había conversado con nadie sobre la tierra. Había estado todo el tiempo repitiendo una imagen en las vitrinas, en los espejos, en las charcas invernales, en los ojos espesos de pintura negra de las muchachas. Y tal vez ahora —pedal con pedal, pisa y pisa, revienta y revienta— le viniera entrando el mismo silencio a mamá —y yo iba subiendo y subiendo y bajando y bajando— la misma muerte azul de la asfixia —pega y pega rota y rota— la muerte de narices sucias y sonidos líquidos en la garganta —y yo torbellino serpenteo turbina engranaje corcoveo— la muerte blanca y definitiva —¡a mí nadie me revolcaba, madre!— y el jadeo de cuantos, tres cuatro cinco diez ciclistas que me irían pasando, o era yo que alcanzaba a los punteros, y por un instante tuve los ojos entreabiertos sobre el abismo y debí apretar así duramente fuertemente las pestañas para que todo Santiago no se lanzase a flotar y me ahogara llevándome alto y luego me precipitara astillándome la cabeza contra una calle empedrada, sobre basureros llenos de gatos, sobre esquinas canallas. Envenenado, con la mano libre hundida en la boca, mordiéndome luego las muñecas, tuve el último momento de claridad: una certeza sin juicio, intraducible, cautivadora, lentamente dichosa, de que si, que muy bien, que perfectamente hermano, que este final era mío, que mi aniquilación era mía, que bastaba que yo pedaleara más fuerte y ganara una carrera para que se la jugara a mi muerte, que hasta yo mismo podía administrar lo poco que me quedaba de cuerpo, esos dedos palpitantes de mis pies afiebrados, finales, dedos ángeles pezuñas tentáculos, dedos garras bisturíes, dedos apocalípticos, dedos definitivos, deditos de mierda, y tirar el timón a cualquier lado, este u oeste, norte o sur, cara y sello, o nada, o tal vez permanecer siempre nortesuresteoestecarasello, moviéndome inmóvil, contundente.

Entonces me llené la cara con esta mano y me abofeteé el sudor y me volé la cobardía; ríete imbécil me dije, ríete poco hombre, carcajéate porque estás solo en la punta, porque nadie mete finito como tú la pata para la curva del descenso.

Y de un último encumbramiento que me venía desde las plantas llenando de sangre linda, bulliciosa, caliente, los muslos y las caderas y el pecho y la nuca y la frente, de un coronamiento, de una agresión de mi cuerpo a Dios, de un curso irresistible, sentí que la cuesta aflojaba un segundo y abrí los ojos y se los aguanté al sol, y entonces sí las llantas se despidieron humosas y chirriantes, las cadenas cantaron, el manubrio se fue volando como una cabeza de pájaro, agudo contra el cielo, y los rayos de la rueda hacían al sol mil pedazos y los tiraban por toda parte, y entonces oí, ¡oí Dios mío!, a la gente avivándome sobre camionetas, a los muchachitos que chillaban al borde de la curva del descenso, al altoparlante dando las ubicaciones de los cinco primeros puestos; y mientras venía la caída libre, salvaje sobre el nuevo asfalto, uno de los organizadores me baldeó de pé a pá riéndose, y veinte metros adelante, chorreando, riendo, fácil, alguien me miró, una chica colorina, y dijo "mojado como joven pollo", y ya era hora de dejarme de pamplinas, la pista se resbalaba, y era otra vez, tiempo de ser inteligente, de usar el freno, de ir bailando la curva como un tango o un vals a toda orquesta.

Ahora el viento que yo iba inventando (el espacio estaba sereno y transparente) me removía la tierra de las pupilas, y casi me desnuco cuando torcí el cogote para ver quién era el segundo. El rucio, por supuesto. Pero a menos que tuviera pacto con el diablo, podría superarme en el descenso, y nada más que por un motivo bien simple que aparece técnicamente explicado en las revistas de deportes y que puede resumirse así: yo nunca utilizaba el freno de mano, me limitaba a planificar el zapato en las llantas cuando se esquinaban las curvas. Vuelta a vuelta, era la única fiera compacta de la ciudad con mi bicicleta. Los fierros, las latas, el cuero, el sillín, los ojos, el foco, el manubrio, eran un mismo argumento con mi lomo, mi vientre, mi rígido montón de huesos.

Atravesé la meta y me descolgué de la bici sobre la marcha. Aguanté los palmoteos en el hombro, los abrazos del entrenador, las fotos de los cabros de "Estadio", y liquidé la Coca-Cola de una zampada. Después tomé la máquina me fui bordeando la cuneta rumbo al departamento.

Una vacilación tuve frente a la puerta, una última desconfianza, tal vez la sombra de una incertidumbre, el pensamiento de que todo hubiera sido una trampa, un truco, como si el destello de la Vía Láctea, la multiplicación del sol en las calles, el silencio, fueran la sinopsis de una película que no se daría jamás, ni en el centro, ni en los biógrafos de barrio, ni en la imaginación de ningún hombre.

Apreté el timbre, dos, tres veces, breve y dramático. Papá abrió la puerta, apenitas, como si hubiera olvidado que vivía en una ciudad donde la gente va de casa en casa golpeando portones, apretando timbres, visitándose.

—¿Mamá? —pregunté.

El viejo amplió la abertura, sonriendo.

—Está bien —me pasó la mano por la espalda e indicó el dormitorio–. Entra a verla.

Carraspeé que era un escándalo y me di vuelta en la mitad del pasillo.

—¿Qué hace?

—Está almorzando —repuso papá.

Avancé hasta el lecho, sigiloso, fascinado por el modo elegante en que iba echando las cucharadas de sopa entre los labios. Su piel estaba lívida y las arrugas de la frente se le habían metido un centímetro más adentro, pero cuchareaba con gracia, con ritmo, con... hambre.

Me senté en la punta del lecho absorto.

—¿Cómo te fue? —preguntó, pellizcando una galleta de soda

Esgrimí una sonrisa de película.

–Bien, mamá, bien.

El chal rosado tenía un fideo de cabello de ángel sobre la solapa

Me adelanté a retirarlo. Mamá me suspendió la mano en el movimiento, y me besó dulcemente la muñeca

—¿Cómo te sientes, vieja?

Me pasó ahora la mano por la nuca, y luego me ordenó las mechas sobre la frente.

—Bien hijito. Názle un favor a tu madre, ¿quieres?

La consulté con las cejas.

—Ve a buscar un poco de sal. Esta sopa está desabrida.

Me levanté, y antes de dirigirme al comedor pasé por la cocina a ver a mi padre.

—¿Hablaste con ella? ¿Está animada, cierto?

Lo quedé mirando mientras me rascaba con fruición el pómulo.

—¿Sabes lo que quiere, papá? ¿Sabes lo que mandó a buscar?

—Quiere sal, viejo. Quiere sal. Dice que está desabrida la sopa, y que quiere sal, ¿comprendes?

Giré de un envión sobre los talones y me dirigí al aparador en busca del salero. Cuando me disponía a retirarlo, vi la ponchera destapada en el centro de la mesa. Sin usar el cucharón, metí hasta el fondo un vaso, y chorreándome sin lástima, me instalé el líquido en el fondo de la barriga. Sólo cuando vino la resaca, me percaté que estaba un poco picadito. Culpa del viejo de mierda que no aprende nunca a ponerle la tapa de la cacerola al ponche. Me serví otro trago, qué iba a hacerle.

Pedro Antonio Valdez

La señal lejana del siete

El ángel se le apareció en el sueño y le entregó un libro cuya única escritura era un siete. En el desayuno miró servidas siete tazas de café. Haciendo un leve ejercicio de memoria reparó en que había nacido día siete, mes siete, hora siete. Abrió el periódico casualmente en la página siete y encontró la foto de un caballo con el número siete que competiría en la carrera siete. Era hoy su cumpleaños y todo daba siete. Entonces recordó la señal del ángel y se persignó con gratitud. Entró al banco a retirar todos sus ahorros. Empeñó sus pertenencias, hipotecó la casa y consiguió préstamo. Luego llegó al hipódromo y apostó todo el dinero al caballo del periódico, coincidencialmente en la ventanilla siete. Sentóse —sin darse cuenta— en la butaca siete de la fila siete. Esperó. Cuando arrancó la carrera, la grada se puso de pie uniformemente y estalló en un desorden desproporcionado; pero él se mantuvo con serenidad. El caballo siete cogió la delantera entre el tamborileo de los cascos y la vorágine de polvo. La carrera finalizó precisamente a las siete y el caballo siete, de la carrera siete, llegó en el lugar número siete.

Pedro Antonio Valdez

La verdadera historia de Caperucita y el Lobo

Juran los ancianos de la aldea —a quienes nunca se había consultado para escribir la historia—, que esa tarde el cazador no mató al Lobo, ya que al entrar a la cabaña quedose boquiabierto. Y que la Caperucita aceptó darle su mano a cambio de que dejara ir al Lobo y guardara silencio. Dicen que el Lobo se estableció en Nueva York, donde vendió sus derechos a la Disney y emprendió una carrera de político que hasta hoy le ha dado muchos frutos. Que Caperucita murió de parto y el cazador abandonó a la criatura en el hospital y encerrose para siempre en su cabaña del bosque. Y lamentan con discreción no haber tenido jamás el valor de contarle al Hombre Lobo la verdad sobre sus orígenes.

Mario Vargas Llosa

El sueño de Pluto

En la soledad de su estudio despabilado por el frío amanecer, don Rigoberto se repitió de memoria la frase de Borges con la que acababa de toparse: "En el adulterio suelen participar la ternura y la abnegación". Pocas páginas después de la cita borgiana, la carta compareció ante él, indemne a los años corrosivos:

Querida Lucrecia:

Leyendo estas líneas te llevarás la sorpresa de tu vida y, acaso, me despreciarás. Pero, no importa. Aun si hubiera una sola posibilidad de que aceptaras mi propuesta contra un millón de que la rechaces, me lanzaría a la piscina. Te resumo lo que necesitaría horas de conversación, acompañada de inflexiones de voz y gesticulaciones persuasivas.

Desde que (por las calabazas que me diste) partí del Perú, he trabajado en Estados Unidos, con bastante éxito. En diez años he llegado a gerente y socio minoritario de esta fábrica de conductores eléctricos, bien implantada en el estado de Massachusetts. Como ingeniero y empresario he conseguido abrirme camino en esta mi segunda patria, pues desde hace cuatro años soy ciudadano estadounidense.

Para que lo sepas, acabo de renunciar a esta gerencia y estoy vendiendo mis acciones en la fábrica, por lo que espero obtener un beneficio de seiscientos mil dólares, con suerte algo más. Lo hago porque me han ofrecido la rectoría del TIM (Technological Institute of Mississippi), el college donde estudié y con el que he mantenido siempre contacto. La tercera parte del estudiantado es ahora *hispanic* (latinoamericana). Mi salario será la mitad de lo que gano aquí. No me importa. Me ilusiona dedicarme a la formación de estos jóvenes de las dos Américas que construirán el siglo XXI. Siempre soñé con entregar mi vida a la Universidad y es lo que hubiera hecho de quedarme en el Perú, es decir, si te hubieras casado conmigo.

"¿A qué viene todo esto?", te estarás preguntando, "¿Por qué resucita Modesto, después de diez años, para contarme semejante historia?" Llego, queridísima Lucrecia.

He decidido, entre mi partida de Boston y mi llegada a Oxford, Mississippi, gastarme en una semana de vacaciones cien mil de los seiscientos mil dólares ahorrados. Vacaciones, dicho sea de paso, nunca he tomado y no tomaré en el futuro, porque, como recordarás, lo que me ha gustado siempre es trabajar. Mi *job* sigue siendo mi mejor diversión. Pero, si mis planes salen como confío, esta semana será algo fuera de lo común. No la convencional vacación de crucero en el Caribe o playas con palmeras y tablistas en Hawaii. Algo muy personal e irrepetible: la materialización de un antiguo sueño. Allí entras tú en la historia, por la puerta grande. Ya sé que estás casada con un honorable caballero limeño, viudo y gerente de una compañía de seguros. Yo lo estoy también, con una gringuita de Boston, médica de profesión, y soy feliz, en la modesta medida en que el matrimonio permite serlo. No te propongo que te divorcies y cambies de vida, nada de eso. Sólo, que compartas conmigo esta semana ideal, acariciada en mi mente a lo largo de muchos años y que las circunstancias me permiten hacer realidad. No te arrepentirás de vivir conmigo estos siete días de ilusión y los recordarás el resto de tu vida con nostalgia. Te lo prometo.

Nos encontraremos el sábado 17 en el aeropuerto Kennedy, de New York, tú procedente de Lima en el vuelo de Lufthansa, y yo de Boston. Una limousine nos llevará a la suite del Plaza Hotel, ya reservada, con, incluso, indicación de las flores que deben perfumarla. Tendrás tiempo para descansar, ir a la peluquería, tomar un sauna o hacer compras en la Quinta Avenida, literalmente a tus pies. Esa noche tenemos localidades en el Metropolitan para ver la Tosca de Puccini, con Luciano Pavarotti de Mario Cavaradossi y la Orquesta

Sinfónica del Metropolitan dirigida por el maestro Edouardo Muller. Cenaremos en Le Cirque, donde, con suerte, podrás codearte con Mick Jagger, Henry Kissinger o Sharon Stone. Terminaremos la velada en el bullicio de Regine's.

El Concorde a París sale el domingo a mediodía, no habrá necesidad de madrugar. Como el vuelo dura apenas tres horas y media —inadvertidas, por lo visto, gracias a las exquisiteces del almuerzo recetado por Paul Bocusse— llegaremos a la Ciudad Luz de día. Apenas instalados en el Ritz (vista a la Place Vendóme garantizada) habrá tiempo para un paseo por los puentes del Sena, aprovechando las tibias noches de principios de otoño, las mejores según los entendidos, siempre que no llueva. (He fracasado en mis esfuerzos por averiguar las perspectivas de precipitación pluvial parisina ese domingo y ese lunes, pues, la NASA, vale decir la ciencia meteorológica, sólo prevé los caprichos del cielo con cuatro días de anticipación.) No he estado nunca en París y espero que tú tampoco, de modo que, en esa caminata vespertina desde el Ritz hasta Saint-Germain, descubramos juntos lo que, por lo visto, es un itinerario atónito. En la orilla izquierda (el Miraflores parisino, para entendernos) nos aguarda, en la abadía de SaintGermain des Prés, el inconcluso Réquiem de Mozart y una cena Chez Lipp, brasserie alsaciana donde es obligatoria la choucroute (no sé lo que es, pero, si no tiene ajo, me gustará). He supuesto que, terminada la cena, querrás descansar para emprender, fresquita, la intensa jornada del lunes, de modo que esa noche no atollan el programa discoteca, bar, boíte ni antro del amanecer.

A la mañana siguiente pasaremos por el Louvre a presentar nuestros respetos a la Gioconda, almorzaremos ligero en La Closerie de Lilas o La Coupole (reverenciados restaurantes snobs de Montpartnasse), en la tarde nos daremos un baño de vanguardia en el Centre Pompidou y echaremos una ojeada al Marais, famoso por sus palacios del siglo XVIII y sus maricas contemporáneos. Tomaremos té en La marquise de Sévigné, de La Madelaine, antes de ir a reparar fuerzas con una ducha en el Hotel. El programa de la noche es francamente frívolo: aperitivo en el Bar del Ritz, cena en el decorado modernista de Maxim's y fin de fiesta en la catedral del striptease: el Crazy Horse Saloom, que estrena su nueva revista "¡Qué calor!" (Las entradas están adquiridas, las mesas reservadas y maitres y porteros sobornados para asegurar los mejores sitios, mesas y atención.)

Una limousine, menos espectacular pero más refinada que la de New York, con chofer y guía, nos llevará la mañana del martes a Versalles, a conocer el palacio y los jardines del Rey Sol. Comeremos algo típico (bistec con papas fritas, me temo), en un bistrot del camino, y, antes de la Ópera (Otelo, de Verdi, con Plácido Domingo, por supuesto) tendrás tiempo para compras en el Faubourg Saint-Honoré, vecino del Hotel. Haremos un simulacro de cena, por razones meramente visuales y sociológicas, en el mismo Ritz, donde —expertos *dixit*— la suntuosidad del marco y la finura del servicio compensan lo imaginativo del menú. La verdadera cena la tendremos después de la ópera, en La Tour d'Argent, desde cuyas ventanas nos despediremos de las torres de Notre Dame y de las luces de los puentes reflejadas en las discursivas aguas del Sena.

El Orient Express a Venecia sale el miércoles al mediodía, de la gare Saint Lazare. Viajando y descansando pasaremos ese día y la noche siguiente, pero, según quienes han protagonizado dicha aventura ferrocarrilera, recorrer en esos camarotes *belle époque* la geografía de Francia, Alemania, Austria, Suiza e Italia, es relajante y propedéutico, excita sin fatigar, entusiasma sin enloquecer y divierte hasta por razones de arqueología, debido al gusto con que ha sido resucitada la elegancia de los camarotes, aseos, bares y comedores de ese mítico tren, escenario de tantas novelas y películas de la entreguerra. Llevaré conmigo la novela de Agatha Christie, Muerte en el Orient Express, en versión inglesa y española, por si se te antoja echarle una ojeada en los escenarios de la acción. Según el prospecto, para la cena *aux chandelles* de esa noche, la etiqueta y los largos escotes son de rigor.

La suite del Hotel Cipriani, en la isla de la Giudecca, tiene vista sobre el Gran Canal, la Plaza de San Marco y las bizantinas y embarazadas torres de su iglesia. He contratado una góndola y al que la agencia considera el guía más preparado (y el único amable) de la ciudad lacustre, para que en la mañana y tarde del jueves nos familiarice con las iglesias, plazas, conventos, puentes y museos, con un corto intervalo al mediodía para un tentempié —una pizza, por ejemplo— rodeados de palomas y turistas, en la terraza del Florian. Tomaremos el aperitivo —una pócima inevitable llamada Bellini— en el Hotel Danielli y cenaremos en el Harry's Bar, inmortalizado por una pésima novela de Hemingway. El viernes continuaremos la maratón con una visita a la playa del Lido y una excursión a Murano, donde todavía se modela el vidrio a soplidos humanos (técnica que rescata la tradición y robustece los pulmones de los nativos). Habrá tiempo para *souvenirs* y echar una mirada furtiva a una villa de Palladio. En la noche, concierto en la islita de San Giorgio —I Musici Veneti— con piezas dedicadas a barrocos venecianos, claro: Vivaldi, Cimarosa y Albinoni. La cena será en la terraza de Danielli, divisando, noche sin nubes mediante, como "manto de luciérnagas" (resumo guías) los faroles de Venecia. Nos despediremos de la ciudad y del Viejo Continente, querida Lucre, siempre que el cuerpo lo permita, rodeados de modernidad, en la discoteca Il gatto nero, que imanta a viejos, maduros y jóvenes adictos al jazz (yo no lo he sido nunca y tú tampoco, pero uno de los requisitos de esta semana ideal es hacer lo nunca hecho, sometidos a las servidumbres de la mundanidad).

A la mañana siguiente —séptimo día, la palabra fin ya en el horizonte— habrá que madrugar. El avión a París sale a las diez, para alcanzar el Concorde a New York. Sobre el Atlántico, cotejaremos las imágenes y sensaciones almacenadas en la memoria a fin de elegir las más dignas de durar.

Nos despediremos en el Kennedy Airport (tu vuelo a Lima y el mío a Boston son casi simultáneos) para, sin duda, no vernos más. Dudo que nuestros destinos vuelvan a cruzarse. Yo no regresaré a París y no creo que tú recales jamás en el perdido rincón del Deep South, que, a partir de octubre podrá jactarse de tener el único Rector *hispanic* de este país (los dos mil quinientos restantes son gringos, africanos o asiáticos).

¿Vendrás? Tu pasaje te espera en las oficinas limeñas de Lufthansa. No necesitas contestarme. Yo estaré de todos modos el sábado 17 en el lugar de la cita. Tu presencia o ausencia será la respuesta. Si no vienes, cumpliré con el programa, solo, fantaseando que estás conmigo, haciendo real, ese capricho con el que me he consolado estos años, pensando en una mujer que, pese a las calabazas que cambiaron mi existencia, seguirá siendo siempre el corazón de mi memoria.

¿Necesito precisarte que ésta es una invitación a que me honres con tu compañía y que ella no implica otra obligación que acompañarme? De ningún modo te pido que, en esos días del viaje —no sé de qué eufemismo valerme para decirlo— compartas mi lecho. Queridísima Lucrecia; sólo aspiro a que compartas mi sueño. Las suites reservadas en New York, París y Venecia tienen cuartos separados con llaves y cerrojos, a los que, si lo exigen tus escrúpulos, puedo añadir puñales, hachas, revólveres y hasta guardaespaldas. Pero, sabes que nada de eso hará falta, y que, en esa semana, el buen Modesto, el manso Pluto como me apodaban en el barrio, será tan respetuoso contigo como hace años, en Lima, cuando trataba de convencerte de que te casaras conmigo, y apenas si me atrevía a tocarte la mano en la oscuridad de los cinemas.

Hasta el aeropuerto de Kennedy o hasta nunca, Lucre,

MODESTO (PLUTO)

Don Rigoberto se sintió atacado por la fiebre y el temblor de las tercianas. ¿Qué respondería Lucrecia? ¿Rechazaría indignada la carta de ese resucitado? ¿Sucumbiría a la frívola tentación? En la lechosa madrugada, le pareció que sus cuademos esperaban el desenlace con la misma impaciencia que su atormentado espíritu.

Miguel de Cervantes

El licenciado Vidriera

Paseándose dos caballeros estudiantes por las riberas de Tormes, hallaron en ellas, debajo de un árbol, durmiendo, a un muchacho de hasta edad de once años, vestido como labrador. Mandaron a un criado que le despertase; despertó, y preguntáronle de adónde era y qué hacía durmiendo en aquella soledad. A lo cual el muchacho respondió que el nombre de su tierra se le había olvidado y que iba a la ciudad de Salamanca a buscar un amo a quien servir, por sólo que le diese estudio. Preguntáronle si sabía leer; respondió que sí, y escribir también.

—Desa manera —dijo uno de los caballeros—, no es por falta de memoria habérsete olvidado el nombre de tu patria.

—Sea por lo que fuere —respondió el muchacho—: que ni el della ni el de mis padres sabrá ninguno hasta que yo pueda honrarlos a ellos y a ella.

—Pues ¿de qué suerte los piensas honrar? —preguntó el otro caballero.

—Con mis estudios —respondió el muchacho—, siendo famoso por ellos; porque yo he oído decir que de los hombres se hacen los obispos.

Esta respuesta movió a los dos caballeros a que le recibiesen y llevasen consigo, como lo hicieron, dándole estudio de la manera que se usa dar en aquella Universidad a los criados que sirven. Dijo el muchacho que se llamaba Tomás Rodaja, de donde infirieron sus amos, por el nombre y por el vestido, que debía de ser hijo de algún labrador pobre. A pocos días le vistieron de negro, y a pocas semanas dio Tomás muestras de tener raro ingenio, sirviendo a sus amos con tanta fidelidad, puntualidad y diligencia que, con no faltar un punto a sus estudios, parecía que sólo se ocupaba en servirlos, y como el buen servir del siervo mueve la voluntad del señor a tratarle bien, ya Tomás Rodaja no era criado de sus amos, sino su compañero. Finalmente, en ocho años que estuvo con ellos se hizo tan famoso en la Universidad por su buen ingenio y notable habilidad, que de todo género de gentes era estimado y querido. Su principal estudio fue de leyes; pero en lo que más se mostraba era en letras humanas, y tenía tan felice memoria, que era cosa de espanto; e ilustrábala tanto con su buen entendimiento, que no era menos famoso por él que por ella.

Sucedió que se llegó el tiempo que sus amos acabaron sus estudios y se fueron a su lugar, que era una de las mejores ciudades de la Andalucía. Lleváronse consigo a Tomás, y estuvo con ellos algunos días; pero como le fatigasen los deseos de volver a sus estudios y a Salamanca —que enhechiza la voluntad de volver a ella a todos los que de la apacibilidad de su vivienda han gustado— , pidió a sus amos licencia para volverse. Ellos, corteses y liberales, se la dieron, acomodándole de suerte que con lo que le dieron se pudiera sustentar tres años.

Despidióse dellos, mostrando en sus palabras su agradecimiento, y salió de Málaga —que ésta era la patria de sus señores—, y al bajar de la cuesta de la Zambra, camino de Antequera, se topó con un gentilhombre a caballo, vestido bizarramente de camino, con los criados también a caballo. Juntóse con él y supo cómo llevaba su mismo viaje. Hicieron camarada,[1] departieron de diversas cosas, y a pocos lances dio Tomás muestras de su raro ingenio y el caballero las dio de su bizarría, y cortesano trato, y dijo que era capitán de infantería por Su Majestad y que su alférez estaba haciendo la compañía[2] en tierra de Salamanca. Alabó la vida de la soldadesca; pintóle muy al vivo la belleza de la ciudad de Nápoles, las holguras de Palermo, la

[1] Reunirse dos o más para vivir en compañía.
[2] Reclutando hombres.

abundancia de Milán, los festines de Lombardía, las espléndidas comidas de las hostelerías; dibujóle dulce y puntualmente el *aconcha, patrón; pasa acá, manigoldo; venga la macarela, li polastri, e li macarroni.*[3] Puso las alabanzas en el cielo de la vida libre del soldado y de la libertad de Italia, pero no le dijo nada del frío de las centinelas, del peligro de los asaltos, del espanto de las batallas, de la hambre de los cercos, de la ruina de las minas, con otras cosas deste jaez, que algunos las toman y tienen por añadiduras del peso de la soldadesca, y son la carga principal della. En resolución, tantas cosas le dijo, y tan bien dichas, que la discreción de nuestro Tomás Rodaja comenzó a titubear y la voluntad a aficionarse a aquella vida, que tan cerca tiene la muerte.

El capitán, que don Diego de Valdivia se llamaba, contentísimo de la buena presencia, ingenio y desenvoltura de Tomás le rogó que se fuese con él que él le ofrecía su mesa y aun, si fuese necesario, su bandera, porque su alférez la había de dejar presto.

Poco fue menester para que Tomás tuviese el envite,[4] haciendo consigo en un instante un breve discurso de que sería bueno ver a Italia y Flandes y otras diversas tierras y países, pues las luengas peregrinaciones hacen a los hombres discretos, y que en esto, a lo más largo, podía gastar tres o cuatro años, que añadidos a los pocos que él tenía, no serían tantos que impidiesen volver a sus estudios. Y como si todo hubiera de suceder a la medida de su gusto, dijo al capitán que era contento de irse con él a Italia; pero había de ser condición que no se había de sentar debajo de bandera ni poner en lista de soldado, por no obligarse a seguir su bandera. Y aunque el capitán le dijo que no importaba ponerse en lista, que ansi gozaría de los socorros y pagas que a la compañía se diesen, porque él daría licencia todas las veces que se la pidiese.

—Eso sería —dijo Tomás— ir contra mi conciencia y contra la del señor capitán, y así, más quiero ir suelto que obligado.

—Conciencia tan escrupulosa —dijo don Diego—, más es de religioso que de soldado; pero como quiera que sea, ya somos camaradas.

---

[3] Frases y vocablos italianos manejados por los soldados españoles. La primera *aconcha patron* (de accoinciare) equivaldría a algo así como prepara la comida, patrón. *Manigoldo* significa *bribón. Macarela* es un plato o vianda de carne. Pollos y macarrones completan la lista.

[4] Aceptase.

Llegaron aquella noche a Antequera, y en pocos días y grandes jornadas se pusieron donde estaba la compañía, ya acabada de hacer, y que comenzaba a marchar la vuelta de Cartagena, alojándose ella y otras cuatro por los lugares que le venían a mano. Allí notó Tomás la autoridad de los comisarios, la incomodidad de algunos capitanes, la solicitud de los aposentadores, la industria y cuenta de los pagadores, las quejas de los pueblos, el rescatar de las boletas,[5] las insolencias de los bisoños, las pendencias de los huéspedes,[6] el pedir bagajes más de los necesarios, y, finalmente, la necesidad casi precisa de hacer todo aquello que notaba y mal le parecía.

Habíase vestido Tomás de papagayo,[7] renunciando los hábitos de estudiante, y púsose a lo de Dios es Cristo,[8] como se suele decir. Los muchos libros que tenía los redujo a unas Horas de Nuestra Señora y un Garcilaso sin comento,[9] que en las dos faldriqueras llevaba. Llegaron más presto de lo que quisiera a Cartagena, porque la vida de los alojamientos es ancha y varia y cada día se topan cosas nuevas y gustosas.

Allí se embarcaron en cuatro galeras de Nápoles, y allí notó también Tomás Rodaja la extraña vida de aquellas marítimas casas, a donde lo más del tiempo maltratan las chinches, roban los forzados, enfadan los marineros, destruyen los ratones y fatigan las maretas. Pusiéronle temor las grandes borrascas y tormentas, especialmente en el golfo de León, que tuvieron dos, que la una los echó en Córcega y la otra los volvió a Tolón, en Francia. En fin, trasnochados, mojados y con ojeras, llegaron a la hermosa y bellísima ciudad de Génova, y desembarcándose en su recogido mandrache,[10] después de haber visitado una iglesia, dio el capitán con todas sus camaradas en una hostería, donde pusieron en olvido todas las borrascas pasadas con el presente *gaudeamus*.[11]

---

[5] Alude a las boletas de alojamiento obligado a los soldados en los pueblos donde se instalabanlas compañías.

[6] *Huéspedes* no en el sentido actual, sino en el de las personas que daban hospedaje a otras.

[7] Por los colores y las plumas de la indumentaria soldadesca.

[8] Es decir, a lo jaque y valentón.

[9] Es decir, una edición de las poesías de Garcilaso de la Vega sin notas o comentarios, como los que llevagan algunas del XVI, v. gr., la de Fernando de Herrera de 1580.

[10] *Mandrache* o mandraccio: puerto no natural, sino hecho por la mano del hombre.

[11] Fiesta o convite.

Allí conocieron la suavidad del Treviano, el valor del Montefrascón, la fuerza del Asperino, la generosidad de los dos griegos Candia y Soma, la grandeza del de las Cinco Viñas, la dulzura y apacibilidad de la señora Guarnacha, la rusticidad de la Chéntola, sin que entre todos estos señores osase parecer la bajeza del Romanesco. Y habiendo hecho el huésped la reseña de tantos y tan diferentes vinos, se ofreció de hacer parecer allí, sin usar de tropelía,[12] ni como pintados en mapa, sino real y verdaderamente, a Madrigal, Coca Alaejos, y a la Imperial más que Real Ciudad recámara del dios de la risa; ofreció a Esquivias, a Alanís, a Cazalla, Gualdalcanal y la Membrilla, si que se le olvidase de Ribadavia y de Descargamaría. Finalmente, más vinos nombró el huésped, y más les dio, que pudo tener en sus bodegas el mismo Baco.

Admiráronle también al buen Tomás los rubios cabellos de las ginovesas y la gentileza y gallarda disposición de los hombres, la admirable belleza de la ciudad, que en aquellas peñas parece que tiene las casas engastadas, como diamantes en oro. Otro día se desembarcaron todas las compañías que habían de ir al Piamonte; pero no quiso Tomás hacer este viaje, sino irse desde allí por tierra a Roma y a Nápoles, como lo hizo, quedando de volver por la gran Venecia y por Loreto a Milán y al Piamonte, donde dijo don Diego de Valdivia que le hallaría si ya no los hubiesen llevado a Flandes, según se decía.

Despidióse Tomás del capitán de allí a dos días, y en cinco llegó a Florencia, habiendo visto primero a Luca, ciudad pequeña, pero muy bien hecha, y en la que mejor que en otras partes de Italia, son bien vistos y agasajados los españoles. Contentóle Florencia en extremo así por su agradable asiento como por su limpieza, sumptuosos edificios, fresco río y apacibles calles. Estuvo en ella cuatro días, y luego se apartó a Roma, reina de las ciudades y señora del mundo. Visitó sus templos, adoró sus reliquias y, admiró su grandeza, y así como por las uñas del león se viene en conocimiento de su grandeza y ferocidad, así él sacó la de Roma por sus despedazados mármoles, medias y enteras estatuas, por sus rotos arcos y derribadas termas, por sus magníficos pórticos y anfiteatros grandes, por su famoso y santo río, que siempre llena sus márgenes de agua y las beatifica con

[12] Arte mágica que muda las apariencias de las cosas.

las infinitas reliquias de cuerpos de mártires que en ellas tuvieron sepultura; por sus puentes, que parece que se están mirando unas a otras, y por sus calles, que con sólo el nombre cobran autoridad sobre todas las de las otras ciudades del mundo: la vía Apia, la Flaminia, la Julia, con otras deste jaez. Pues no le admiraba menos la división de sus montes dentro de sí misma: el Celio, el Quirinal y el Vaticano, con los otros cuatro, cuyos nombres manifiestan la grandeza y majestad romana. Notó también la autoridad del Colegio de los Cardenales, la majestad del Sumo Pontífice, el concurso y variedad de gentes y naciones. Todo lo miró y notó y puso en su punto. Y habiendo andado la estación de las siete iglesias,[13] y confesádose con un penitenciario, y besado el pie de Su Santidad, lleno de *agnusdeis* y cuentas,[14] determinó irse a Nápoles, y por ser tiempo de mutación,[15] malo y dañoso para todos los que en él entran o salen de Roma, como hayan caminado por tierra, se fue por mar a Nápoles, donde a la admiración que traía de haber visto a Roma añadió la que le causó ver a Nápoles, ciudad, a su parecer y al de todos cuantos la han visto, la mejor de Europa, y aun de todo el mundo.

Desde allí se fue a Sicilia, y vio a Palermo, y después a Micina,[16] de Palermo le pareció bien el asiento y belleza, y de Micina, el puerto, y de toda la isla, la abundancia, por quien propiamente y con verdad es llamado granero de Italia. Volvióse a Nápoles y a Roma, y de allí fue a Nuestra Señora de Loreto, en cuyo santo templo no vio paredes ni murallas; porque todas estaban cubiertas de muletas, de mortajas, de cadenas, de grillos, de esposas, de cabelleras, de medios bultos de cera y de pinturas y retablos, que daban manifiesto indicio de las innumerables mercedes que muchos habían recebido de la mano de Dios por intercesión de su divina Madre, que aquella sacrosanta imagen suya quiso engrandecer y autorizar con muchedumbre de milagros, en recompensa de la devoción que le tienen

---

[13] Las iglesias de San Pedro, San Pablo, San Juan de Letrán, San Sebastián, Santa María La Mayor, San Lorenzo y Santa Cruz.

[14] Cuentas de rosario. El agnusdei era un objeto de devoción consistente en una lámina gruesa de cera con la imagen del Cordero o de algún santo impresa, y que bendecía y consagraba el Sumo Pontífice.

[15] Caniculares, el tiempo más riguroso del estío.

[16] Mesina.

aquellos que con semejantes doseles tienen adornados los muros de su casa. Vio el mismo aposento y estancia donde se relató la más alta embajada y de más importancia que vieron, y no entendieron, todos los cielos, y todos los ángeles, y todos los moradores de las moradas sempiternas.[17]

Desde allí, embarcándose en Ancona, fue a Venecia, ciudad que a no haber nacido Colón en el mundo no tuviera en él semejante: merced al Cielo y al gran Hernando Cortés, que conquistó la gran Méjico para que la gran Venecia tuviese en alguna manera quien se le opusiese. Estas dos famosas ciudades se parecen en las calles, que son todas de agua: la de Europa, admiración del mundo antiguo; la de América, espanto del mundo nuevo. Parecióle que su riqueza era infinita, su gobierno prudente, su sitio inexpugnable, su abundancia mucha, sus contornos alegres, y, finalmente, toda ella en sí y en sus partes digna de la fama que de su valor por todas las partes del orbe se extiende, dando causa de acreditar más esta verdad la máquina de su famoso arsenal, que es el lugar donde se fabrican las galeras, con otros bajeles que no tienen número.

Por poco fueran los de Calipso[18] los regalos y pasatiempos que halló nuestro curioso en Venecia, pues casi le hacían olvidar de su primer intento. Pero habiendo estado un mes en ella, por Ferrara, Parma y Plasencia volvió a Milán, oficina de Vulcano,[19] ojeriza del reino de Francia, ciudad, en fin, de quien se dice que puede decir y hacer, haciéndola magnífica la grandeza suya y de su templo y su maravillosa abundancia de todas las cosas a la vida humana necesarias. Desde allí se fue a Aste, y llegó a tiempo que otro día marchaba el tercio a Flandes. Fue muy bien recebido de su amigo el capitán, y en su compañía y camarada pasó a Flandes, y llegó a Amberes, ciudad no menos para maravillar que las que había visto en Italia. Vio a Gante, y a Bruselas, y vio que todo el país se disponía a tomar las armas para salir en campaña el verano siguiente.

[17] Alude Cervantes a la piadosa tradición, según la cual la basílica de Loreto albergaba la casa de la Virgen María en Nazaret, llevada allí por los ángeles. En esa casa es dnde "se relató la más alta embajada", es decir, la de la Anunciación a la Virgen, por el arcángel Gabriel.

[18] La ninga que, en la Odisea homérica, retuvo a Ulises en la isla Ogigia.

[19] Oficina del Vulcano, por la fama de los arneses y armas que allí, en las herrerís milanesas, se forjaban.

Y habiendo cumplido con el deseo que le movió a ver lo que había visto, determinó volverse a España y a Salamanca a acabar sus estudios, y como lo pensó lo puso luego por obra, con pesar grandísimo de su camarada, que le rogó, al tiempo del despedirse, le avisase de su salud, llegada y suceso. Prometióselo ansí como lo pedía, y por Francia volvió a España, sin haber visto a París, por estar puesta en armas.[20] En fin, llegó a Salamanca, donde fue bien recebido de sus amigos, y con la comodidad que ellos le hicieron prosiguió sus estudios, hasta graduarse de licenciado en Leyes.

Sucedió que en este tiempo llegó a aquella ciudad una dama de todo rumbo y manejo. Acudieron luego a la añagaza y reclamo todos los pájaros del lugar, sin quedar vademécum[21] que no la visitase. Dijéronle a Tomás que aquella dama decía que había estado en Italia y en Flandes, y por ver si la conocía, fue a visitarla, de cuya visita y vista quedó ella enamorada de Tomás. Y él, sin echar de ver en ello, si no era por fuerza y llevado de otros no quería entrar en su casa. Finalmente, ella le descubrió su voluntad y le ofreció su hacienda. Pero como él atendía más a sus libros que a otros pasatiempos, en ninguna manera respondía al gusto de la señora, la cual, viéndose desdeñada y, a su parecer, aborrecida y que por medios ordinarios y comunes no podía conquistar la roca de la voluntad de Tomás, acordó de buscar otros modos a su parecer más eficaces y bastantes para salir con el cumplimiento de sus deseos. Y así, aconsejada de una morisca, en un membrillo toledano dio a Tomás unos destos que llaman hechizos, creyendo que le daba cosa que le forzase la voluntad a quererla: como si hubiese en el mundo yerbas, encantos ni palabras suficientes a forzar el libre albedrío, y así, las que dan estas bebidas o comidas amatorias se llaman *venéficas*; porque no es otra cosa lo que hacen sino dar veneno a quien las toma, como lo tiene mostrado la experiencia en muchas y diversas ocasiones.

---

[20] Es decir, en estado de guerra con España, en época anterior —según señala González Amezúa— a la Paz de Vervins (1598).

[21] *Vademecum* era el cartapacio propio de los estudiantes. Por metonimia, éstos eran así llamados.

[22] Es decir, a tener movimientos convulsivos.

Comió en tan mal punto Tomás el membrillo que al momento comenzó a herir de pie y de mano[22] como si tuviera alferecía, y sin volver muchas horas en sí estuvo, al cabo de las cuales volvió como atontado, y dijo con lengua turbada y tartamuda que un membrillo que había comido le había muerto, y declaró quién se le había dado. La justicia, que tuvo noticia del caso, fue a buscar la malhechora; pero ya ella, viendo el mal suceso, se había puesto en cobro, y no pareció jamás.

Seis meses estuvo en la cama Tomás, en los cuales se secó y se puso, como suele decirse, en los huesos, y mostraba tener turbados todos los sentidos, y aunque le hicieron los remedios posibles, sólo le sanaron la enfermedad del cuerpo, pero no de lo del entendimiento; porque quedó sano, y loco de la más extraña locura que entre las locuras hasta entonces se había visto. Imaginóse el desdichado que era todo hecho de vidrio, y con esta imaginación, cuando alguno se llegaba a él, daba terribles voces pidiendo y suplicando con palabras y razones concertadas que no se le acercasen, porque le quebrarían: que real y verdaderamente él no era como los otros hombres: que todo era de vidrio, de pies a cabeza.

Para sacarle desta extraña imaginación, muchos, sin atender a sus voces y rogativas, arremetieron a él y le abrazaron, diciéndole que advirtiese y mirase como no se quebraba. Pero lo que se granjeaba en esto era que el pobre se echaba en el suelo dando mil gritos, y luego le tomaba un desmayo del cual no volvía en sí en cuatro horas, y cuando volvía era renovando las plegarias y rogativas de que otra vez no le llegasen. Decía que le hablasen desde lejos, y le preguntasen lo que quisiesen, porque a todo les respondería con más entendimiento, por ser hombre de vidrio y no de carne: que el vidrio, por ser de materia sutil y delicada, obraba por ella el alma con más promptitud y eficacia que no por la del cuerpo, pesada y terrestre.

Quisieron algunos experimentar si era verdad lo que decía, y así, le preguntaron muchas y difíciles cosas, a las cuales respondió espontáneamente con grandísima agudeza de ingenio; cosa que causó admiración a los más letrados de la Universidad y a los profesores de la Medicina y Filosofía, viendo que en un sujeto donde se contenía tan extraordinaria locura como era el pensar que fuese de vidrio se encerrase tan grande entendimiento que respondiese a toda pregunta con propiedad y agudeza.

Pidió Tomás le diesen alguna funda donde pusiese aquel vaso quebradizo de su cuerpo, porque al vestirse algún vestido estrecho no se quebrase, y así, le dieron una ropa parda y una camisa muy ancha, que él se vistió con mucho tiento y se ciñó con una cuerda de algodón. No quiso calzarse zapatos en ninguna manera, y el orden que tuvo para que le diesen de comer sin que a él le llegasen fue poner en la punta de una vara una vasera[23] de orinal, en la cual le ponían alguna cosa de fruta de las que la sazón del tiempo ofrecía. Carne ni pescarlo, no lo quería; no bebía sino en fuente o en río, y esto, con las manos; cuando andaba por las calles iba por la mitad dellas, mirando a los tejados, temeroso no le cayese alguna teja encima y le quebrase; los veranos dormía en el campo al cielo abierto, y los inviernos se metía en algún mesón, y en el pajar se enterraba hasta la garganta, diciendo que aquélla era la más propia y más segura cama que podían tener los hombres de vidrio. Cuando tronaba temblaba como un azogado, y se salía al campo, y no entraba en poblado hasta haber pasado la tempestad.

Tuviéronle encerrado sus amigos mucho tiempo; pero viendo que su desgracia pasaba adelante, determinaron de condescender con lo que él les pedía, que era le dejasen andar libre, y así, le dejaron, y él salió por la ciudad, causando admiración y lástima a todos los que le conocían.

Cercáronle luego los muchachos; pero él con la vara los detenía, y les rogaba le hablasen apartados porque no se quebrase: que por ser hombre de vidrio era muy tierno y quebradizo. Los muchachos, que son la más traviesa generación del mundo, a despecho de sus ruegos y voces, le comenzaron a tirar trapos, y aun piedras, por ver si era de vidrio, como él decía; pero él daba tantas voces y hacia tales extremos, que movía a los hombres a que riñesen y castigasen a los muchachos por que no le tirasen.

Mas un día que le fatigaron mucho se volvió a ellos, diciendo:

—¿Qué me quereis, muchachos porfiados como moscas, sucios

---

[23] Canasta de paja.

como chinches, atrevidos como pulgas? ¿Soy yo, por ventura, el monte Testacho[24] de Roma, para que me tiréis tantos tiestos y tejas?

Por oírle reñir y responder a todos le seguían siempre muchos, y los muchachos tomaron y tuvieron por mejor partido antes oílle que tiralle. Pasando, pues, una vez por la ropería de Salamanca, le dijo una ropera:

—En mi ánima, señor Licenciado, que me pesa de su desgracia; pero ¿qué haré, que no puedo llorar?

El se volvió a ella, y muy mesurado le dijo:

—*Filiae Hierusalem, plorate super vos el super filios vestros.*[25]

Entendió el marido de la ropera la malicia del dicho y díjole:

—Hermano Licenciado Vidriera —que así decía él que se llamaba—, más tenéis de bellaco que de loco.

—No se me da un ardite —respondió él—, como no tenga nada de necio.

Pasando un día por la casa llana y venta común[26] vio que estaban a la puerta della muchas de sus moradoras, y dijo que eran bagajes del ejército de Satanás que estaban alojados en el mesón del Infierno.

Preguntóle uno que qué consejo o consuelo daría a un amigo suyo que estaba muy triste porque su mujer se le había ido con otro.

A lo cual respondió:

—Dile que dé gracias a Dios por haber permitido le llevasen de casa a su enemigo.

—Luego ¿no irá a buscarla? —dijo el otro.

—Ni por pienso —replicó Vidriera—; porque sería el hallarla un perpetuo y verdadero testigo de su deshonra.

—Ya que eso sea así —dijo el mismo—, ¿qué haré yo para tener paz con mi mujer?

Respondióle:

—Dale lo que hubiere menester; déjala que mande a todos los de su casa; pero no sufras que ella mande a ti.

Díjole un muchacho:

---

[24] El monte Testaccio, formado por fragmentos de cacharros y piezas de alfarería.

[25] Del Evangelio de San Lucas (XXIII, 28): "Hijas de Jerusalén, no lloréis por mí, sino por vosotras y por vuestros hijos".

[26] Mancebía.

—Señor Licenciado Vidriera, yo me quiero desgarrar[27] de mi padre porque me azota muchas veces.

Y respondióle:

—Advierte, niño, que los azotes que los padres dan a los hijos honran y los del verdugo afrentan.

Estando a la puerta de una iglesia, vio que entraba en ella un labrador de los que siempre blasonan de cristianos viejos, y detrás dél venía uno que no estaba en tan buena opinión como el primero, y el Licenciado dio grandes voces al labrador, diciendo:

—Esperad, Domingo, a que pase el Sábado.[28]

De los maestros de escuela decía que eran dichosos, pues trataban siempre con ángeles, y que fueran dichosísimos si los angelitos no fueran mocosos. Otro le preguntó que qué le parecía de las alcahuetas. Respondió que no lo eran las apartadas, sino las vecinas.

Las nuevas de su locura y de sus respuestas y dichos se extendió por toda Castilla, y llegando a noticia de un príncipe o señor que estaba en la Corte, quiso enviar por él, y encargóselo a un caballero amigo suyo que estaba en Salamanca que se lo enviase, y topándole el caballero un día, le dijo:

—Sepa el señor Licenciado Vidriera que un gran personaje de la Corte le quiere ver y envía por él.

A lo cual respondió:

—Vuesa merced me excuse con ese señor, que yo no soy bueno para palacio, porque tengo vergüenza y no sé lisonjear.

Con todo esto, el caballero le envió a la Corte,[29] y para traerle usaron con él desta invención: pusiéronle en unas árganas[30] de paja, como aquellas donde llevan el vidrio, igualando los tercios con piedras, y entre paja puestos algunos vidrios, porque se diese a entender que como vaso de vidrio le llevaban. Llegó a Valladolid, entró de noche, y desembanastáronle en la casa del señor que había enviado por él, de quien fue muy bien recebido, diciéndole:

---

[27] Apartar, separar.

[28] Llama *Sábado* al descendiente de indios por ser tal día el de su fiesta religiosa y anteceder al *Domingo* (nombre del labrador).

[29] En la época en que se sitúa la acción de la novela la Corte estaba en Valladolid.

[30] Cestas o angarillas, con la armadura de arcos, propias para transportar cosas frágiles.

—Sea muy bien venido el señor Licenciado Vidriera. ¿Cómo ha ido en el camino? ¿Cómo va de salud?

A lo cual respondió:

—Ningún camino hay malo como se acabe, si no es el que va a la horca. De salud estoy neutral, por que están encontrados mis pulsos con mi celebro.

Otro día, habiendo visto en muchas alcándaras muchos neblíes y azores y otros pájaros de volatería, dijo que la caza de altanería[31] era digna de príncipes y de grandes señores; pero que advirtiesen que con ella echaba el gusto censo sobre el provecho a más de dos mil por uno. La caza de liebres dijo que era muy gustosa, y más cuando se cazaba con galgos prestados.

El caballero gustó de su locura, y dejóle salir por la ciudad, debajo del amparo y guarda de un hombre que tuviese cuenta que los muchachos no le hiciesen mal, de los cuales y de toda la Corte fue conocido en seis días, y a cada paso, en cada calle y en cualquiera esquina, respondía a todas las preguntas que le hacían; entre las cuales le preguntó un estudiante si era poeta, porque le parecía que tenía ingenio para todo.

A lo cual respondió:

—Hasta ahora no he sido tan necio ni tan venturoso.

—No entiendo eso de necio y venturoso —dijo el estudiante.

Y respondió Vidriera:

—No he sido tan necio que diese en poeta malo, ni tan venturoso que haya merecido serlo bueno.

Preguntóle otro estudiante que en qué estimación tenía a los poetas. Respondió que a la ciencia, en mucha; pero que a los poetas, en ninguna. Replicáronle que por qué decía aquello. Respondió que del infinito número de poetas que había, eran tan pocos los buenos, que casi no hacían número. Y así, como si no hubiese poetas, no los estimaba; pero que admiraba y reverenciaba la ciencia de la poesía porque encerraba en sí todas las demás ciencias: porque de todas se sirve, de todas se adorna, y pule y saca a luz sus maravillosas obras, con que llena el mundo de provecho, de deleite y de maravilla.

---

[31] Caza de altanería o de cetrería con aves rapaces que podían remontarse muy alto.

Añadió más:

-Yo bien sé en lo que se debe estimar un buen poeta, porque se me acuerda de aquellos versos de Ovidio que dicen:

Cura ducum fuerunt olim regumque poetæ:
Præmiaque anfiqui magna tulere chori,
Sanctaque maiestas, el erat venerabile nomen
Valibus, el largæ sæpe dabantur opes.[32]

Y menos se me olvida la alta calidad de los poetas, pues los llama Platón intérpretes de los dioses, y dellos dice Ovidio:

Est Deus in nobis, agitante calescimus illo. [33]

Y también dice:

At sacri vates, el Divum cura vocamur.[34]

Esto se dice de los buenos poetas; que de los malos, de los churrulleros,[35] ¿qué se ha de decir sino que son la idiotez y la arrogancia del mundo?

Y añadió más:

—¡Qué es ver a un poeta destos de la primera impresión cuando quiere decir un soneto a otros que le rodean, las salvas que les hace diciendo: "Vuesas mercedes escuchen un sonetillo que anoche a cierta ocasión hice, que, a mí parecer, aunque no vale nada, tiene un no sé qué de bonito!" Y en esto tuerce los labios, pone en arco las cejas y se rasca la faldriquera, y de entre otros mil papeles mugrientos y medio rotos, donde queda otro millar de sonetos, saca el que quiere relatar, y al fin le dice, con tono melifluo y alfeñicado. Y si acaso los que le escuchan, de socarrones o de ignorantes, no le alaban, dice: "O vuesas mercedes no han entendido el soneto, o yo no le he sabido decir, y así será bien recitarle otra vez y que vuesas mercedes le presten más

---

[32] Versos de *Ars amandi*, III: "Fueron en otro tiempo los poetas delicia de los dioses y los reyes. Los antiguos cantos obtuvieron grandes premios, y la sagrada majestad y el venerable nombre eran para los poetas, a quienes se les concedían frecuentemente grandes riquezas.

[33] *Fasti*, VI: "Hay un dios ennosotros, con su agitación nos enardecemos".

[34] Amores, III, elegía IX: "A los poetas se nos considera adivinos y cuidados por los dioses.

[35] Falsos, como se decía de los soldados que recibían ese nombre.

atención, porque en verdad en verdad que el soneto lo merece". Y vuelve como primero a recitarle, con nuevos ademanes v nuevas pausas. Pues, ¿qué es verlos censurar los unos a los otros? ¿Qué diré del ladrar que hacen los cachorros y modernos a los mastinazos antiguos y graves? ¿Y qué de los que murmuran de algunos ilustres y excelentes sujetos donde resplandece la verdadera luz de la poesía que, tomándola por alivio y entretenimiento de sus muchas y graves ocupaciones, muestran la divinidad de sus ingenios y la alteza de sus conceptos, a despecho y pesar del circunspecto ignorante que juzga de lo que no sabe y aborrece lo que no entiende, y del que quiere que se estime y tenga en precio la necedad que se sienta debajo de doseles y la ignorancia que se arrima a los sitiales?

Otra vez le preguntaron qué era la causa de que los poetas, por la mayor parte, eran pobres. Respondió que porque ellos querían, pues estaba en su mano ser ricos, si se sabían aprovechar de la ocasión que por momentos traían entre las manos, que eran las de sus damas, que todas eran riquísimas en extremo, pues tenían los cabellos de oro, la frente de plata bruñida, los ojos de verdes esmeraldas, los dientes de marfil, los labios de coral y la garganta de cristal transparente, y que lo que lloraban eran líquidas perlas. Y más, que lo que sus plantas pisaban, por dura y estéril tierra que fuese, al momento producía jazmines y rosas, y que su aliento era de puro ámbar, almizcle y algalia, y que todas estas cosas eran señales y muestras de su mucha riqueza. Estas y otras cosas decía de los malos poetas; que de los buenos siempre dijo bien y los levantó sobre el cuerno de la luna.

Vio un día en la acera de San Francisco unas figuras pintadas de mala mano, y dijo que los buenos pintores imitaban la naturaleza; pero que los malos la vomitaban. Arrimóse un día con grandísimo tiento, por que no se quebrase, a la tienda de un librero, y díjole:

—Este oficio me contentara mucho si no fuera por una falta que tiene.

Preguntóle el librero se la dijese. Respondióle:

—Los melindres que hacen cuando compran un privilegio de un libro, y la burla que hacen a su autor si acaso le imprime a su costa, pues en lugar de mil y mil quinientos imprimen tres mil libros, y cuando el autor piensa que se venden los suyos, se despachan los ajenos.

Acaeció este mismo día que pasaron por la plaza seis azotados, y diciendo el pregón: "Al primero, por ladrón", dio grandes voces a los que estaban delante dél, diciéndoles:

—Apartaos, hermanos, no comience aquella cuenta por alguno de vosotros.

Y cuando el pregonero llegó a decir: "Al trasero...", dijo:

—Aquél debe de ser el fiador de los muchachos.[36]

Un muchacho le dijo:

—Hermano Vidriera, mañana sacan a azotar a una alcagüeta.

Respondióle:

—Si dijeras que sacaban a azotar a un alcagüete, entendiera que sacaban a azotar un coche.[37]

Hallóse allí uno destos que llevan sillas de manos, y díjole:

—De nosotros, Licenciado, ¿no tenéis qué decir?

—No —respondió Vidriera—, sino que sabe cada uno de vosotros más pecados que un confesor; mas es con esta diferencia: que el confesor los sabe para tenerlos secretos, y vosotros, para publicarlos por las tabernas.

Oyó esto un mozo de mulas, porque de todo género de gente le estaba escuchando contino,[38] y díjole:

—De nosotros, señor Redoma, poco o nada hay que decir, porque somos gente de bien y necesaria en la república.

A lo cual respondió Vidriera:

—La honra del amo descubre la del criado. Según esto, mira a quién sirves y veras cuán honrado eres: mozos sois vosotros de la más ruin canalla que sustenta la tierra. Una vez, cuando no era de vidrio, caminé una jornada en una mula de alquiler tal, que le conté ciento y veinte y una tachas, todas capitales y enemigas del género humano. Todos los mozos de mulas tienen su punta de rufianes, su punta de cacos, y su es no es de truhanes. Si sus amos (que así llaman ellos a

---

[36] El chiste que hace Vidriera alude a cómo los muchachos solían ser azotados en el trasero.

[37] Alude Vidriera a cómo, en su época, no pocas tercerías y entrevistas amorosas tenían lugar en los coches. A este respecto, F. Rodríguez Marín recordó, entre otros textos, el siguiente de *Las zahurdas de Plutón*, de Quevedo, al hacer decir a un cochero: "No se probará que en mi coche entrase nadie con buen pensamiento. Llegó a tanto que para casarse y saber si una era doncella, se hacía información si había entrado en él, porque era señal de corrupción".

[38] Continuamente.

los que llevan en sus mulas) son boquimuelles,[39] hacen más suertes en ellos que las que echaron en esta ciudad los años pasados. Si son extranjeros, los roban; si estudiantes, los maldicen; si religiosos, los reniegan, y si soldados, los tiemblan. Estos, y los marineros y carreteros y harrieros, tienen un modo de vivir extraordinario y sólo para ellos: el carretero pasa lo más de la vida en espacio de vara y media de lugar, que poco más debe de haber del yugo de las mulas a la boca del carro, canta la mitad del tiempo y la otra mitad reniega. Y en decir: "Háganse a zaga" se les pasa otra parte, y si acaso les queda por sacar alguna rueda de algún atolladero, más se ayudan de dos pésetes[40] que de tres mulas. Los marineros son gente gentil[41], inurbana, que no sabe otro lenguaje que el que se usa en los navíos; en la bonanza son diligentes, y en la borrasca, perezosos; en la tormenta mandan muchos y obedecen pocos; su Dios es su arca y su rancho, y su pasatiempo, ver mareados a los pasajeros. Los harrieros son gente que ha hecho divorcio con las sábanas y se ha casado con las enjalmas; son tan diligentes y presurosos, que a trueco de no perder la jornada perderán el alma; su música es la del mortero; su salsa, la hambre; sus maitines, levantarse a dar sus piensos, y sus misas, no oír ninguna.

Cuando esto decía, estaba a la puerta de un boticario, y volviéndose al dueño, le dijo:

—Vuesa merced tiene un saludable oficio, si no fuese tan enemigo de sus candiles.

—¿En qué modo soy enemigo de mis candiles? —preguntó el boticario.

Y respondió Vidriera:

—Esto digo porque en faltando cualquiera aceite la suple el del candil que está más a mano, y aún tiene otra cosa este oficio bastante a quitar el crédito al más acertado médico del mundo.

Preguntándole por qué, respondió que había boticario que, por no decir que faltaba en su botica lo que recetaba el médico, por las cosas que le faltaban ponía otras que a su parecer tenían la misma

---

39 Fácilmente engañables.

40 Juramentos.

41 *Gentil* no significa aquí a*mable* o *delicado*. Se alude a *gentilidad* como *paganismo*, no *cristianismo*.

virtud y calidad, no siendo así, y con esto, la medicina mal compuesta obraba al revés de lo que había de obrar la bien ordenada.

Preguntóle entonces uno qué sentía de los médicos, y respondió esto:

—Honora medicum propter necessitatem, etenim creavit eum Altissimus. A Deo enim est omnis medela, el a rege accipiet donationem. Disciplina medici exaltabit caput illius, el in conspectu magnatum collaudabitur. Altissimus de terra creavil medicinam, et vir prudens non abhorrebit illam.[42] Esto dice —dijo— el Eclesiástico de la Medicina y de los buenos médicos, y de los malos se podría decir todo al revés, porque no hay gente más dañosa a la república que ellos. El juez nos puede torcer o dilatar la justicia; el letrado, sustentar por su interés nuestra injusta demanda; el mercader, chuparnos la hacienda; finalmente, todas las personas con quien de necesidad tratamos nos pueden hacer algún daño; pero quitarnos la vida sin quedar sujetos al temor del castigo, ninguno. Sólo los médicos nos pueden matar y nos matan sin temor y a pie quedo, sin desenvainar otra espada que la de un *récipe*.[43] Y no hay descubrirse sus delictos, porque al momento los meten debajo de la tierra. Acuérdaseme que cuando yo era hombre de carne, y no de vidrio, como agora soy, que a un médico destos de segunda clase le despidió un enfermo por curarse con otro, y el primero, de allí a cuatro días, acertó a pasar por la botica donde receptaba el segundo, y preguntó al boticario que cómo le iba al enfermo que él había dejado, y que si le había receptado alguna purga el otro médico. El boticario le respondió que allí tenía una recepta de purga que el día siguiente había de tomar el enfermo. Dijo que se la mostrase, y vio que al fin della estaba escrito: *Sumat dilúculo*,[44] y dijo: "Todo lo que lleva esta purga me contenta, si no es este dilúculo, porque es húmido demasiadamente".

Por estas y otras cosas que decía de todos los oficios se andaban tras él, sin hacerle mal y sin dejarle sosegar; pero, con todo esto, no se pudiera defender de los muchachos si su guardián no le defendiera. Preguntóle uno qué haría para no tener envidia a nadie. Respondióle:

---

[42] *Eclesiastés*, XXXVIII, 1-4: "Honra al médico por la necesidad, pues lo creó el Altísimo. De Dios pues, viene toda medicina, y del rey recibirá dones. La sabiduría del médico exaltará su cabeza y será alabado entre los magnates. El Altísimo creó la medicina de la tierra, y el varón prudente no la aborrecerá".

[43] Una receta.

[44] "Tómese al amanecer".

—Duerme: que todo el tiempo que durmieres serás igual al que envidias.

Otro le preguntó qué remedio tendría para salir con tina Comisión[45] que había dos años que la pretendía. Y díjole:

-Parte a caballo y a la mira de quien la lleva, y acompáñale hasta salir de la ciudad, y así saldrás con ella.

Pasó acaso una vez por delante donde él estaba un juez de comisión que iba de camino a una causa criminal, y llevaba mucha gente consigo y dos alguaciles; preguntó quién era, y como se lo dijeron, dijo:

—Yo apostaré que lleva aquel juez víboras en el seno, pistoletes en la cinta y rayos en las manos, para destruir todo lo que alcanzare su comisión. Yo me acuerdo haber tenido un amigo que en una comisión criminal que tuvo dio una sentencia tan exorbitante, que excedía en muchos quilates a la culpa de los delincuentes. Preguntéle que por qué había dado aquella tan cruel sentencia y hecho tan manifiesta injusticia. Respondióme que pensaba otorgar la apelación, y que con esto dejaba campo abierto a los señores del Consejo para mostrar su misericordia moderando y poniendo aquella su rigurosa sentencia en su punto y debida proporción. Yo le respondí que mejor fuera haberla dado de manera que les quitara de aquel trabajo, pues con esto le tuvieran a él por juez recto y acertado.

En la rueda de la mucha gente que, como se ha dicho, siempre le estaba oyendo, estaba un conocido suyo en hábito de letrado, al cual otro le llamó señor licenciado, y sabiendo Vidriera que el tal a quien llamaron licenciado no tenía ni aun título de bachiller, le dijo:

—Guardaos, compadre, no encuentren con vuestro título los frailes de la redempción de cautivos, que os le llevarán por mostrenco.

A lo cual dijo el amigo:

—Tratémonos bien, señor Vidriera, pues ya sabéis vos que soy hombre de altas y profundas letras.

Respondióle Vidriera:

—Ya yo sé que sois un Tántalo[46] en ellas, porque se os van por altas y no las alcanzáis de profundas.

---

[45] Salir con una *comisión:* obtenerla.

[46] Personaje mitológico condenado a padecer hambre, al no alcanzar los alimentos próximos a él.

Estando una vez arrimado a la tienda de un sastre, viole que estaba mano sobre mano, y díjole:

—Sin duda, señor maeso, que estáis en camino de salvación.

—¿En qué lo veis? —preguntó el sastre.

—¿En qué lo veo? —respondió Vidriera—. Véolo en que pues no tenéis que hacer, no tendréis ocasión de mentir.

Y añadió:

— Desdichado del sastre que no miente y cose las fiestas: cosa maravillosa es que casi en todos los deste oficio apenas se hallará uno que haga un vestido justo, habiendo tantos que los hagan pecadores.

De los zapateros decía que jamás hacían, conforme a su parecer, zapato malo; porque si al que se le calzaban venía estrecho y apretado, le decían que así había de ser, por ser de galanes calzar justo, y que en trayéndolos dos horas vendrían más anchos que alpargates, y si le venían anchos decían que así habían de venir, por amor de la gota.

Un muchacho agudo que escribía en un oficio de provincia le apretaba mucho con preguntas y demandas, y le traía nuevas de lo que en la ciudad pasaba, porque sobre todo discantaba y a todo respondía. Este le dijo una vez:

—Vidriera, esta noche se murió en la cárcel un banco[47] que estaba condenado a ahorcar.

A lo cual respondió:

—El hizo bien a darse priesa a morir antes que el verdugo se sentara sobre él.

En la acera de San Francisco estaba un corro de ginoveses, y pasando por allí, uno dellos le llamó, diciéndole:

—Lléguese acá el señor Vidriera y cuéntenos un cuento.[48]

—No quiero, porque no me le paséis a Génova.[49]

Topó una vez a una tendera que llevaba delante de sí una hija suya muy fea, pero muy llena de dijes, de galas y de perlas, y díjole a la madre:

---

[47] Un cambista.

[48] El chiste que a este propósito hace seguidamente vidriera se basa en la doble acepción de *cuento* como *relato* y como *millón*.

[49] Era proverbial el considerar que los banqueros solían ser genoveses, y que éstos se quedaban con el dinero de los españoles.

—Muy bien habéis hecho en empedralla, por que se pueda pasear.

De los pasteleros dijo que había muchos años que jugaban a la dobladilla[50] sin que les llevasen a la pena, porque habían hecho el pastel de a dos de a cuatro, el de a cuatro de a ocho, y el de a ocho de a medio real, por sólo su albedrío y beneplácito. De los titereros decía mil males: decía que era gente vagamunda y que trataba con indecencia de las cosas divinas, porque con las figuras que mostraban en sus retablos volvían la devoción en risa, y que les acontecía envasar en un costal todas o las más figuras del Testamento Viejo y Nuevo y sentarse sobre él a comer y beber en los bodegones y tabernas; en resolución, decía que se maravillaba de como quien podía no les ponía perpetuo silencio en sus retablos, o los desterraba del reino.

Acertó a pasar una vez por donde él estaba un comediante vestido como un príncipe, y en viéndole, dijo:

—Yo me acuerdo haber visto a éste salir al teatro enharinado el rostro y vestido un zamarro de revés, y con todo esto, a cada paso, fuera del tablado, jura a fe de hijodalgo.

—Débelo de ser —respondió uno—, porque hay muchos comediantes que son muy bien nacidos hijosdalgo.

—Así será verdad— replicó Vidriera—; pero lo que menos ha menester la farsa es personas bien nacidas; galanes sí, gentiles hombres y de expeditas lenguas. También sé decir dellos que en el sudor de su cara ganan su pan con inllevable trabajo, tomando contino[51] de memoria, hechos perpetuos gitanos, de lugar en lugar y de mesón en venta, desvelándose en contentar a otros, porque en el gusto ajeno consiste su bien propio. Tienen más, que con su oficio no engañan a nadie, pues por momentos sacan su mercaduría a pública plaza, al juicio y a la vista de todos. El trabajo de los autores[52] es increíble, y su cuidado, extraordinario, y han de ganar mucho para que al cabo del año no salgan tan empeñados que les sea forzoso hacer pleito de acreedores. Y con todo esto son necesarios en la república, como lo son las florestas, las alamedas y las vistas de recreación, y como lo son las cosas que honestamente recrean.

---

[50] Tal vez un juego de naipes en que se iba doblando la cantidad jugada.

[51] Cotinuamente.

[52] No los de comedias. En la época de Cervantes eran llamados autores los directores de las compañías teatrales.

Decía que había sido opinión de un amigo suyo que el que servía a una comedianta, en sola tina servía a muchas damas juntas, como era a una reina, a una ninfa, a una diosa, a una fregona, a una pastora, y muchas veces caía la suerte en que sirviese en ella a un paje y a un lacayo, que todas estas y más figuras suele hacer una farsanta.

Preguntóle uno que cuál había sido el mas dichoso del mundo. Respondió que *Nemo*; porque *Nemo novit patreni; Nemo sine crimine vivit; Nemo sua sorte contentus; Nemo ascendit in coelum.*[53]

De los diestros[54] dijo una vez que eran maestros de una ciencia o arte que cuando la habían menester no la sabían, y que tocaban algo en presumptuosos, pues querían reducir a demostraciones matemáticas, que son infalibles, los movimientos y pensamientos coléricos de sus contrarios. Con los que se teñían las barbas tenía particular enemistad, y riñendo una vez delante dél dos hombres que el uno era portugués, éste dijo al castellano, asiéndose de las barbas, que tenía muy teñidas:

-Por istas barbas que teño no rostro...

A lo cual acudió Vidriera:

—Olhay, home, naon digáis *teño,*[55] sino *tiño.*

Otro traía las barbas jaspeadas y de muchos colores, culpa de la mala tinta; a quien dijo Vidriera que tenía las barbas de muladar overo.[56] A otro, que traía las barbas por mitad blancas y negras por haberse descuidado, y los cañones crecidos, le dijo que procurase de no porfiar ni reñir con nadie porque estaba aparejado a que le dijesen que mentía por la mitad de la barba.[57]

Una vez contó que una doncella discreta y bien entendida, por acudir a la voluntad de sus padres, dio el sí de casarse con un viejo

---

[53] Nemo en latín significa nadie. Entonces todos estos dichos latinos vienen a decir que *nadie hace a su padre, nadie vive sin crimen, nadie está contento de su suerte, nadie sube al cielo.* Recuérdese que en la Odisea, Ulises, cautivo del cíclope Polifemo, dice a éste llamarse *Nadie*. Cuando al cíclope, cegado por Ulises, se le pregunta quién le hizo daño, responde que *nadie*. Cabría asimismo recordar la entonación simbólica de que se carga el nombre del *Capitán Nemo* en las famosas novelas de Julio Verne Veinte mil meguas de viaje submarino y La isla misteriosa.

[54] Maestros en el arte de la espada.

[55] "Mirad, hombre, no digáis teño (tengo). La correcta palabra portuguesa sería tenho.

[56] Es decir, basurero de color overo.

[57] Descaradamente.

todo cano, el cual la noche antes del día del desposorio se fue, no al río Jordán,[58] como dicen las viejas, sino a la milla del agua fuerte y plata,[59] con que renovó de manera su barba, que la acostó de nieve y la levantó de pez. Llegóse la hora de darse las manos, y la doncella conoció por la pinta y por la tinta la figura, y dijo a sus padres que le diesen el mismo esposo que ellos le habían mostrado, que no quería otro. Ellos le dijeron que aquel que tenía delante era el mismo que e habían mostrado y dado por esposo. Ella replicó que no era, y trajo testigos como el que sus padres le dieron era un hombre grave y lleno de canas, y que pues el presente no las tenía, no era él, y se llamaba a engaño. Atúvose a esto, corrióse el teñido y deshízose el casamiento.

Con las dueñas tenía la misma ojeriza que con los escabechados;[60] decía maravillas de su *permafoy*,[61] de las mortajas de sus tocas, de sus muchos melindres, de sus escrúpulos y de su extraordinaria miseria. Amohinábanle sus flaquezas de estómago, sus vaguidos de cabeza, su modo de hablar, con más repulgos que sus tocas, y, finalmente, su inutilidad y sus vainillas[62].

Uno le dijo:

—¿Qué es esto, señor Licenciado, que os he oído decir mal de muchos oficios y jamás lo habéis dicho de los escribanos, habiendo tanto que decir?

A lo cual respondió:

—Aunque de vidrio, no soy tan frágil que me deje ir con la corriente del vulgo, las más veces engañado. Paréceme a mí que la gramática de los murmuradores y el *la, la, la* de los que cantan son los escribanos; porque así como no se puede pasar a otras ciencias si no es por la puerta de la Gramática, y como el músico primero murmura que canta, así los maldicientes, por donde comienzan a mostrar la malignidad de sus lenguas es por decir mal de los escribanos y alguaciles y de los otros ministros de la justicia, siendo un oficio el del escribano sin el cual andaría la verdad por el mundo a sombra de tejados, corrida y maltratada, y así dice el *Eclesiástico: In manu Dei*

[58] Bautizarse en las aguas del Jordán significa nacer de nuevo, rejuvenecer.
[59] Nitrato de plata.
[60] Los que se tiñen las canas.
[61] Locución francesa “per ma foi”: por mi fe.
[62] Labor de vainica.

potestas hominis est, et super faciem scribae imponet honorem.[63] Es el escribano persona pública, y el oficio de juez no se puede ejercitar cómodamente sin el suyo. Los escribanos han de ser libres, y no esclavos, ni hijos de esclavos; legítimos, no bastardos ni de ninguna mala raza nacidos. Juran de secreto fidelidad y que no harán escritura usuraria; que ni amistad ni enemistad, provecho o daño los moverá a no hacer su oficio con buena y cristiana conciencia. Pues si este oficio tantas buenas partes requiere, ¿por qué se ha de pensar que de más de veinte mil escribanos que hay en España se lleve el diablo la cosecha, como si fuesen cepas de su majuelo? No lo quiero creer, ni es bien que ninguno lo crea; porque, finalmente, digo que es la gente más necesaria que había en las repúblicas bien ordenadas, y que si llevaban demasiados derechos, también hacían demasiados tuertos, y que destos dos extremos podía resultar un medio que les hiciese mirar por el virote.[64]

De los alguaciles dijo que no era mucho que tuviesen algunos enemigos, siendo su oficio, o prenderte, o sacarte la hacienda de casa, o tenerte en la suya en guarda y comer a tu costa. Tachaba la negligencia e ignorancia de los procuradores y solicitadores, comparándolos a los médicos, los cuales, que sane o no sane el enfermo, ellos llevan su propina, y los procuradores y solicitadores, lo mismo, salgan o no salgan con el pleito que ayudan.

Preguntóle uno cuál era la mejor tierra. Respondió que la temprana y agradecida. Replicó el otro:

—No pregunto eso, sino que cuál es mejor lugar: Valladolid o Madrid.

Y respondió:

—De Madrid, los extremos; de Valladolid, los medios.

—No lo entiendo —repitió el que se lo preguntaba.

Y dijo:

—De Madrid, cielo y suelo; de Valladolid, los entresuelos.

Oyó Vidriera que dijo un hombre a otro que así como había

---

63 *Eclesiastés*, X: "En la mano de Dios está el poder del hombre, y sobre la persona del escriba pondrá su honor".

64 Atender cada uno con vigilancoa a lo que ha de hacer.

entrado en Valladolid, había caído su mujer muy enferma, porque la había probado la tierra.[65]

A lo cual dijo Vidriera:

—Mejor fuera que se la hubiera comido, si acaso es celosa.

De los músicos y de los correos de a pie decía que tenían las esperanzas y las suertes limitadas, porque los unos la acababan con llegar a serlo de a caballo, y los otros con alcanzar a ser músicos del Rey. De las damas que llaman cortesanas decía que todas, o las más, tenían más de corteses que de sanas.

Estando un día en una iglesia vio que traían a enterrar a un viejo, a bautizar a un niño y a velar una mujer, todo a un mismo tiempo, y dijo que los templos eran campos de batalla donde los vicios acaban, los niños vencen y las mujeres triunfan.

Picábale una vez una avispa en el cuello, y no se la osaba sacudir, por no quebrarse; pero, con todo eso, se quejaba. Preguntóle uno que cómo sentía aquella avispa, si era su cuerpo de vidrio. Y respondió que aquella avispa debía de ser murmuradora, y que las lenguas y picos de los murmuradores eran bastantes a desmoronar cuerpos de bronce, no que[66] de vidrio.

Pasando acaso un religioso muy gordo por donde él estaba, dijo uno de sus oyentes:

—De hético no se puede mover el padre.

Enojóse Vidriera, y dijo:

—Nadie se olvide de lo que dice el Espíritu Santo: *Nolite tangere christos meos.*[67]

Y subiéndose más en cólera, elijo que mirasen en ello, y verían que de muchos santos que de pocos años a esta parte había canonizado la Iglesia y puesto en el número de los bienaventurados, ninguno se llamaba el capitán don Fulano, ni el secretario don tal de don Tales, ni el Conde, Marqués o Duque de tal parte, sino fray Diego, fray Jacinto, fray Raimundo, todos frailes y religiosos; porque las religiones son los Aranjueces[68] del cielo, cuyos frutos, de ordinario, se ponen en la mesa de Dios.

---

[65] Le había sentado mal el clima.

[66] Cuanto más.

[67] *Paralipómenos*, I, XVI, 22: "No queráis tocar a mis ungidos".

[68] Encarecimiento de la riqueza en flores y frutos de Aranjuez.

Decía que las lenguas de los murmuradores eran como las plumas del águila: que roen y menoscaban todas las de las otras aves que a ellas se juntan. De los gariteros y tahúres decía milagros: decía que los gariteros eran públicos prevaricadores, porque en sacando el barato[69] del que iba haciendo suertes, deseaban que perdiese y pasase el naipe adelante, por que el contrario las hiciese y él cobrase sus derechos. Alababa mucho la paciencia de un tahúr, que estaba toda una noche jugando y perdiendo, y con ser de condición colérico y endemoniado, a trueco de que su contrario no se alzase, no descosía la boca, y sufría lo que un mártir de Barrabás. Alababa también las conciencias de algunos honrados gariteros que ni por imaginación consentían que en su casa se jugase otros juegos que polla y cientos; [70] y con esto, a fuego lento, sin temor y nota de malsines, sacaban al cabo del mes más barato que los que consentían los juegos de estocada, del reparolo, siete y llevar, y pinta en la del punto.[71]

En resolución, él decía tales cosas, que si no fuera por los grandes gritos que daba cuando le tocaban o a él se arrimaban, por el hábito que traía, por la estrecheza de su comida, por el modo con que debía, por el no querer dormir sino al cielo abierto en el verano y el invierno en los pajares, como queda dicho, con que daba tan claras señales de su locura, ninguno pudiera creer sino que era uno de los más cuerdos del mundo.

Dos años o poco más duró en esta enfermedad, porque un religioso de la Orden de San Jerónimo, que tenía gracia y ciencia particular en hacer que los mudos entendiesen y en cierta manera hablasen, y en curar locos, tomó a su cargo de curar a Vidriera, movido de caridad, y le curó y sanó, y volvió a su primer juicio, entendimento y discurso. Y así como le vio sano, le vistió como letrado y le hizo volver a la Corte, adonde, con dar tantas muestras de cuerdo como las había dado de loco, podía usar su oficio y hacerse famoso por él.

Hízolo así, y llamándose el Licenciado Rueda, y no Rodaja, volvió a la Corte, donde apenas hubo entrado, cuando fue conocido de los muchachos; mas como le vieron en tan diferente hábito del que solía, no le osaron dar grita ni hacer preguntas; pero seguíanle, y decían unos a otros:

---

[69] *Vid.* nota 15 de La *Gitanilla.*

[70] Juegos de naipes.

[71] Estos juegos se caracterizaban por su rápida ejecución.

—¿Este no es el loco Vidriera? A fe que es él. Ya viene cuerdo. Pero también puede ser loco bien vestido como mal vestido: preguntémosle algo, y salgamos desta confusión.

Todo esto oía el Licenciado, y callaba, y iba más confuso y más corrido que cuando estaba sin juicio.

Pasó el conocimiento de los muchachos a los hombres, y antes que el Licenciado llegase al patio de los Consejos llevaba tras de sí más de doscientas personas de todas suertes. Con este acompañamiento, que era más que de un catedrático,[72] llegó al patio, donde le acabaron de circundar cuantos en él estaban. El, viéndose con tanta turba a la redonda, alzó la voz y dijo:

—Señores, yo soy el Licenciado Vidriera, pero no el que solía: soy ahora el Licenciado Rueda. Sucesos y desgracias que acontecen en el mundo por permisión del Cielo me quitaron el juicio, y las misericordias de Dios me lo han vuelto. Por las cosas que dicen que dije cuando loco podéis considerar las que diré y haré cuando cuerdo. Yo soy graduado en Leyes de Salamanca, adonde estudié con pobreza y adonde llevé segundo en licencias:[73] de do se puede inferir que más la virtud que el favor me dio el grado que tengo. Aquí he venido a esta gran mar de la Corte para abogar y ganar la vida; pero si no me dejáis, habré venido a bogar y granjear la muerte: por amor de Dios que no hagáis que el seguirme sea perseguirme y que lo que alcancé por loco, que es el sustento, lo pierda por cuerdo. Lo que solíades preguntarme en las plazas, preguntádmelo ahora en mi casa, y veréis que el que os respondía bien, según dicen, de improviso os responderá mejor de pensado.

Escucháronle todos y dejáronle algunos. Volvióse a su posada con poco menos acompañamiento que había llevado.

Salió otro día, y fue lo mismo; hizo otro sermón, y no sirvió de nada. Perdía mucho y no ganaba cosa; y viéndose morir de hambre determinó de dejar la Corte y volverse a Flandes, donde pensaba valerse de las fuerzas de su brazo, pues no se podía valer de las de su ingenio.

Y poniéndolo en efeto, dijo al salir de la Corte:

—¡Oh Corte, que alargas las esperanzas de los atrevidos preten-

---

[72] *Alude al cortejo que acompañaba al catedrático en el día de su elección como tal.*

[73] Es decir, que obtuvo el puesto segundo entre todos los licenciados.

dientes y acortas las de los virtuosos encogidos, sustentas abundantemente a los truhanes desvergonzados y matas de hambre a los discretos vergonzosos!

Esto dijo y se fue a Flandes, donde la vida que había comenzado a eternizar por las letras la acabó de eternizar por las armas, en compañía de su buen amigo el capitán Valdivia, dejando fama en su muerte de prudente y valentísimo soldado.

Miguel Delibes

En una noche así

Yo no sé qué puede hacer un hombre recién salido de la cárcel en una fría noche de Navidad y con dos duros en el bolsillo. Casi lo mejor si, como en mi caso, se encuentra solo es ponerse a silbar una banal canción infantil y sentarse al relente del parque a observar cómo pasa la gente y los preparativos de la felicidad de la gente. Porque lo peor no es el estar solo, ni el hiriente frío de la Nochebuena, ni el terminar de salir de la cárcel, sino el encontrarse uno a los treinta años con el hombro izquierdo molido por el reuma, el hígado trastornado, la boca sin una pieza y hecho una dolorosa y total porquería. Y también es mala la soledad y la conciencia de la felicidad aleteando en torno, pero sin decidirse a entrar en uno. Todo eso es malo como es malo el sentimiento de todo ello y como es absurda y torpe la pretensión de reformarse uno de cabo a rabo en una noche como ésta, con el hombro izquierdo molido por el reuma con un par de duros en el bolsillo.

La noche está fría, cargada de nubes grises, abultadas y uniformes que amenazan nieve. Es decir, puede nevar o no nevar, pero el que nieve o no nieve no remediará mi reuma, ni mi boca desdentada, ni el horroroso vacío de mi estómago. Por eso fui donde había música y me encontré a un hombre con la cara envuelta en una hermosa bufanda, pero con un traje raído, cayéndosele a pedazos. Estaba sentado en la acera, ante un café brillantemente iluminado, y tenía entre las piernas, en el suelo, una boina negra, cargada de monedas de poco valor. Me aproximé a él y me detuve a su lado sin decir palabra porque el hombre interpretaba en ese momento en su acordeón *El Danubio Azul* y hubiera sido un pecado interrumpirle. Además, yo tenía la sensación de que tocaba para mí y me emocionaba el que un menesteroso tocase para otro menesteroso en una noche como ésta. Al concluir la hermosa pieza le dije:

—¿Cómo te llamas?

Él me miró con las pupilas semiocultas bajo los párpados superiores, como un perro implorando para que no le den más puntapiés. Yo le dije de nuevo:

—¿Cómo te llamas?

Él se incorporó y me dijo:

—Llámame Nicolás.

Recogió la gorra, guardó las monedas en el bolsillo y me dijo:

—¿Te parece que vayamos andando?

Y yo sentía que nos necesitábamos el uno al otro, porque en una noche como ésta un hombre necesita de otro hombre y todos del calor de la compañía. Y le dije:

—¿Tienes familia?

Me miró sin decir nada. Yo insistí y dije:

—¿Tienes familia?

Él dijo, al fin:

—No te entiendo. Habla más claro.

Yo entendía que ya estaba lo suficientemente claro, pero le dije:

—¿Estás solo?

Y él dijo: :

—Ahora estoy contigo.

—¿Sabes tocar andando? —le dije yo.

—Sé —me dijo.

Y le pedí que tocara *Esta noche es Nochebuena* mientras caminábamos y los escasos transeúntes rezagados nos miraban con un poco de recelo y yo, mientras Nicolás tocaba, me acordaba de mi hijo muerto y de la Chelo y de dónde andaría la Chelo y de dónde andaría mi hijo muerto. Y cuando concluyó Nicolás, le dije:

—¿Quieres tocar ahora *Quisiera ser tan alto como la luna, ay, ay?*

Yo hubiera deseado que Nicolás tocase de una manera continuada, sin necesidad de que yo se lo pidiera, todas las piezas que despertaban en mí un eco lejano o un devoto recuerdo, pero Nicolás se interrumpía a cada pieza y yo había de rogarle que tocara otra cosa en su acordeón y para pedírselo había de volver de mi recuerdo a mi triste realidad actual y cada incorporación al pasado me costaba un estremecimiento y un gran dolor.

Y así, andando, salimos de los barrios céntricos y nos hallábamos —más a gusto— en pleno foco de artesanos y menestrales. Y hacía tanto frío que hasta el resuello del acordeón se congelaba en el aire como un jirón de niebla blanquecina. Entonces le dije a Nicolás:

—Vamos ahí dentro. Hará menos frío.

Y entramos en una taberna destartalada, sin público, con una larga mesa de tablas de pino sin cepillar y unos bancos tan largos como la mesa. Hacía bueno allí y Nicolás se recogió la bufanda. Vi entonces que tenía media cara sin forma, con la mandíbula inferior quebrantada y la piel arrugada y recogida en una pavorosa cicatriz. Tampoco tenía ojo derecho en ese lado. Él me vio mirarle y me dijo:

—Me quemé.

Salió el tabernero, que era un hombre enorme con el cogote recto y casi pelado y un cuello ancho, como de toro. Tenía las facciones abultadas y la camisa recogida por encima de los codos. Parecía uno de esos tipos envidiables que no tienen frío nunca.

—Iba a cerrar —dijo.

Y yo dije:

—Cierra. Estaremos mejor solos.

El me miró y, luego, miró a Nicolás. Vacilaba. Yo dije:

—Cierra ya. Mi amigo hará música y beberemos. Es Nochebuena.

Dijo Nicolás:

—Tres vasos.

El hombrón, sin decir nada, trancó la puerta, alineó tres vasos en el húmedo mostrador de cinc y los llenó de vino. Apuré el mío y dije:

—Nicolás, toca *Mambrú se fue a la guerra*, ¿quieres?

El tabernero hizo un gesto patético. Nicolás se detuvo. Dijo el tabernero:

No; tocará antes *La última noche que pasé contigo*. Fue el últi tango que bailé con ella.

Se le ensombreció la mirada de un modo extraño. Y mientr Nicolás tocaba le dije:

—¿Qué?

Dijo él:

—Murió. Va para tres años.

Llenó los vasos de nuevo y bebimos y los volvió a llenar y volvimos a beber y los llenó otra vez y otra vez bebimos y después, sin que yo dijera nada. Nicolás empezó a tocar *Mambrú se fue a la guerra* con mucho sentimiento. Noté que me apretaba la garganta y dije:

—Mi chico cantaba esto cada día.

El tabernero llenó otra vez los vasos y dijo sorprendido:

—¿Tienes un hijo que sabe cantar?

Yo dije:

—Le tuve.

El dijo:

—También mi mujer quería un hijo y se me fue sin conseguirlo. Ella era una flor, ¿sabes? Yo no fui bueno con ella y se murió. ¿Por qué será que mueren siempre los mejores?

Nicolás dejó de tocar. Dijo:

—No sé de qué estáis hablando. Cuando la churrera me abrasó la cara la gente bailaba *La morena de mi copla*. Es de lo único que me acuerdo.

Bebió otro vaso y tanteó en el acordeón *La morena de mi copla*. Luego lo tocó ya formalmente. Volvió a llenar los vasos el tabernero y se acodó en el mostrador. La humedad y el frío del cine no parecían transmitirse a sus antebrazos desnudos. Yo le miraba a él y miraba a Nicolás y miraba al resto del recinto despoblado y entreveía en todo ello un íntimo e inexplicable latido familiar. A Nicolás le brillaba el ojo solitario con unos fulgores extraños. El tabernero dulcificó su dura mirada y, después de beber dijo:

—Entonces ella no me hacía ni fu ni fa.

Parecía como si las cosas no pudieran ser de otra manera y a veces yo la quería y otras veces la maltrataba, pero nunca me parecía que fuera ella nada extraordinario.

263

no

as

...al perderla, me dije: "Ella era una flor". Pero ya la cosa ...nedio y a ella la enterraron y el hijo que quería no vino ...ı son las cosas.

...anto duró su discurso, yo me bebí un par de copas; por ...co, con la mayor inocencia. Yo no buscaba en una noche como ...a embriaguez, sino la sana y caliente alegría de Dios y un am-... y firme propósito de enmienda. Y la música que Nicolás arran-...ba del acordeón estimulaba mis rectos impulsos y me empujaba a ...amarle a él y a amar al tabernero y a amar a mi hijo muerto y a perdonar a la Chelo su desvío. Y dije:

—Cuando el chico cayó enfermo yo la dije a la Chelo que avisara al médico y ella me dijo que un médico costaba diez duros. Y yo dije: "¿Es dinero eso?" Y ella dijo: "Yo no sé si será dinero o no, pero yo no lo tengo". Y yo dije, entonces: "Yo, tampoco lo tengo, pero eso no quiere decir que diez duros sean dinero".

Nicolás me taladraba con su ojo único enloquecido por el vino. Había dejado de tocar y el acordeón pendía desmayado de su cuello, sobre el vientre, como algo frustrado prematuramente muerto. El instrumento tenía mugre en las orejas y en las notas y en los intersticios del fuelle; pero sonaba bien y lo demás no importaba. Y cuando Nicolás apuró otra copa, le bendije interiormente porque se me hacía que bebía música y experiencia y disposición para la música. Le dije:

—Toca *Silencio en la noche*, si no estás cansado.

Pero Nicolás no me hizo caso; quizá no me entendía. Su único ojo adquirió de pronto una expresión retrospectiva. Dijo Nicolás:

—¿Por qué he tenido yo en la vida una suerte tan perra? Un día yo vi en el escaparate de una administración de loterías el número veintiuno y me dije: "Voy a comprarle; alguna vez ha de tocar el número veintiuno". Pero en ese momento pasó un vecino y me dijo: "¿Qué miras en ese número, Nicolás? La lotería no cae en los números bajos". Y yo pensé: "Tiene razón; nunca cae la lotería en los números bajos". Y no compré el número veintiuno y compré el cuarenta y siete mil doscientos treinta y cuatro.

Nicolás se detuvo y suspiró. El tabernero miraba a Nicolás, con atención concentrada. Dijo:

—¿Cayó por casualidad, el gordo en el número veintiuno?

A Nicolás le brillaba, como de fiebre, el ojo solitario. Se aclaró la voz con un carraspeo y dijo:

—No sé; pero en el cuarenta y siete mil doscientos treinta y cuatro no me tocó ni el reintegro. Fue una cochina suerte la mía.

Hubo un silencio y los tres bebimos para olvidar la negra suerte de Nicolás. Después bebimos otra copa para librarnos, en el futuro, de la suerte perra. Entre los tres iba cuajando un casi visible sentimiento de solidaridad. Bruscamente el tabernero nos volvió la espalda y buscó un nuevo frasco en la estantería. Entonces noté yo debilidad en las rodillas y dije:

—Estoy cansado; vamos a sentarnos.

Y nos sentamos Nicolás y yo en el mismo banco y el tabernero, con la mesa por medio, frente a nosotros; y apenas sentados, el tabernero dijo:

—Yo no sé qué tenía aquella chica que las demás no tienen. Era rubia, de ojos azules y a su tiempo, se movía bien. Era una flor. Ella me decía: "Pepe, tienes que vender la taberna y dedicarte a un oficio más bonito". Y yo la decía: "Sí, encanto". Y ella me decía: "Es posible que entonces tengamos un hijo". Y yo la decía: "Sí, encanto". Y ella decía: "Si tenemos un hijo, quiero que tenga los ojos azules como yo". Y yo la decía: "Sí, encanto". Y ella decía...

Balbucí yo:

—Mi chico también tenía los ojos azules y yo quería que fuese boxeador. Pero la Chelo se plantó y me dijo que si el chico era boxeador ella se iba. Y yo la dije: "Para entonces ya serás vieja; nadie te querrá". Y ella se echó a llorar. También lloraba cuando el chico se puso malito y yo, aunque no lloraba, sentía un gran dolor aquí.

Y la Chelo me echaba en cara el que yo no llorase, pero yo creo que el no llorar deja el sentimiento dentro y eso es peor. Y cuando llamamos al médico, la Chelo volvió a llorar porque no teníamos los diez duros y yo la pregunté: "¿Es dinero eso?" El chico no tenía los ojos azules por entonces, sino pálidos y del color del agua. El médico, al verlo, frunció el morro y dijo: "Hay que operar en seguida". Y yo dije: "Opere". La Chelo me llevó a un rincón. Y me dijo: "¿Quién va apagar todo esto? ¿Estás loco?" Yo me enfadé: "¿Quién ha de pagarlo? Yo mismo", dije. Y trajeron una ambulancia y aquella noche yo no me fui a echar la partida, sino que me quedé junto a mi hijo, velándole. Y la Chelo lloraba silenciosamente en un rincón, sin dejarlo un momento.

Hice un alto y bebí un vaso. Fuera sonaban las campanas anunciando la misa del Gallo. Tenían un tañido lejano y opaco aquella noche y Nicolás se incorporó y dijo:

—Hay nieve cerca.

Se aproximó a la ventana, abrió el cuarterón, lo volvió a cerrar y me enfocó su ojo triunfante:

—Está nevando ya —dijo—. No me he equivocado.

Y permanecimos callados un rato, como si quisiésemos, escuchar desde nuestro encierro el blando posarse de los copos sobre las calles y los tejados. Nicolás volvió a sentarse y el tabernero dijo destemplado:

—¡Haz música!

Nicolás ladeó la cabeza y abrió el fuelle del acordeón en abanico. Comenzó a tocar *Adiós, muchachos, compañeros de mi vida*. El tabernero dijo:

—Si ella no se hubiera emperrado en pasar aquel día con su madre, aún estaría aquí, a mi lado. Pero así son las cosas. Nadie sabe lo que está por pasar. También si no hubiera tabernas el chófer estaría sereno y no hubiera ocurrido lo que ocurrió. Pero el chófer tenía que estar borracho y ella tenía que ver a su madre y los dos tenían que coincidir en la esquina precisamente, y nada más. Hay cosas que están escritas y nadie puede alterarlas.

Nicolás interrumpió la pieza. El tabernero le miró airado y dijo:

—¿Quieres tocar de una vez?

—Un momento —dijo Nicolás—. El que yo no comprara el décimo de lotería con el número veintiuno aquella tarde fue sólo culpa mía y no puede hablarse de mala suerte. Esa es la verdad. Y si la churrera me quemó es porque yo me puse debajo de la sartén. Bueno. Pero ella estaba encima y lo que ella decía es que lo mismo que me quemó pudo ella coger una pulmonía con el aire del acordeón. Bueno. Todo eso son pamplinas y ganas de embrollar las cosas. Yo la dije: "Nadie ha pescado una pulmonía con el aire de un acordeón, que yo sepa". Y ella me dijo: "Nadie abrasó a otro con el aceite de freír los churros". Yo me enfadé y dije: "¡Caracoles, usted a mí!" Y la churrera dijo: "También pude yo pescar una pulmonía con el aire del acordeón".

A Nicolás le brillaba el ojo como si fuese a llorar. Al tabernero parecía fastidiarle el desahogo de Nicolás.

—Toca; hoy es Nochebuena —dijo.

Nicolás sujetó entre sus dedos el instrumento. Preguntó:

—¿Qué toco?

El tabernero entornó los ojos, poseído de una acuciante y turbadora nostalgia:

—Toca de nuevo *La última noche que pasé contigo*, si no te importa.

Escuchó en silencio los primeros compases, como arrobado. Luego dijo:

—Cuando bailábamos, ella me cogía a mí por la cintura en vez de ponerme la mano en el hombro. Creo que no alcanzaba a mi hombro porque ella era pequeñita y por eso me agarraba por la cintura. Pero eso no nos perjudicaba y ella y yo ganamos un concurso de tangos. Ella bailaba con mucho sentimiento el tango. Un jurado la dijo: "Chica, hablas con los pies". Y ella vino a mí a que la besara en los labios porque habíamos ganado el concurso de tangos y porque para ella el bailar bien el tango era lo primero y más importante en la vida después de tener un hijo.

Nicolás pareció despertar de un sueño.

—¿Es que no tienes hijos? —preguntó.

El tabernero arrugó la frente.

—He dicho que no. Iba a tener uno cuando ella murió. Para esos asuntos iba a casa de su madre. Yo aún no lo sabía.

Yo bebí otro vaso antes de hablar. Tenía tan presente a mi hijo muerto que se me hacía que el mundo no había rodado desde entonces. Apenas advertí la ronquera de mi voz cuando dije:

—Mi hijo murió aquella noche y la Chelo se marchó de mi lado sin despedirse. Yo no sé qué temería la condenada, puesto que el chico ya no podría ser boxeador. Pero se fue y no he sabido de ella desde entonces.

El acordeón de Nicolás llenaba la estancia de acentos modulados como caricias. Tal vez por ello el tabernero, Nicolás y un servidor nos remontábamos en el aire, con sus notas, añorando las caricias que perdimos. Sí, quizá fuera por ello, por el acordeón; tal vez por la fuerza evocadora de una noche como ésta. El tabernero tenía ahora los codos incrustados en las rodillas y la mirada perdida bajo la mesa de enfrente.

Nicolás dejó de tocar. Dijo:

—Tengo la boca seca.

Y bebió dos nuevos vasos de vino. Luego apoyó el acordeón en el borde de la mesa para que su cuello descansara de la tirantez del instrumento. Le miré de refilón y vi que tenía un salpullido en la parte posterior del pescuezo. Pregunté:

—¿No duele eso?

Pero Nicolás no me hizo caso. Nicolás sólo obedecía los mandatos imperativos. Ni me miró esta vez, siquiera. Dijo:

—Mi cochina suerte llegó hasta eso. Una zarrapastrosa me abrasó la cara y no saqué ni cinco por ello. Los vecinos me dijeron que tenía derecho a una indemnización, pero yo no tenía cuartos para llevar el asunto por la tremenda. Me quedé sin media cara y ¡santas pascuas!

Yo volví a acordarme de mi hijo muerto y de la Chelo y pedí a Nicolás que interpretase *Al corro, claró*. Después bebí un trago para entonarme y dije:

—En el reposo de estos meses he reflexionado y ya sé por qué la Chelo se fue de mi lado. Ella tenía miedo de la factura del médico y me dejó plantado como una guarra. La Chelo no me quería a mí. Me aguantó por el chico; si no se hubiera marchado antes. Y por eso me dejó colgado con la cuenta del médico y el dolor de mi hijo muerto. Luego, todo lo demás. Para tapar un agujero tuve que abrir otro agujero y me atraparon. Esa fue mi equivocación: robar en vez de trabajar. Por eso no volveré a hacerlo...

Me apretaba el dolor en el hombro izquierdo y sentía un raro desahogo hablando. Por ello, bebí un vaso y agregué:

—Además...

El tabernero me dirigió sus ojos turbios y cansados, como los de un buey:

—¿Es que hay más? —dijo.

—Hay —dije yo—. En la cárcel me hizo sufrir mucho el reuma

y para curarlo me quitaron los dientes y me quitaron las muelas y me quitaron las anginas; pero el reuma seguía. Y cuando ya no quedaba nada por quitarme me dijeron: "El trescientos trece tome salicilato".

—¡Ah! —dijo Nicolás.

Yo agregué:

—El trescientos trece era yo anteayer.

Y después nos quedamos todos callados. De la calle ascendía un alegre repiqueteo de panderetas y yo pensé, en mi hijo muerto, pero no dije nada. Luego vibraron al unísono las campanas de muchas torres y yo pensé: "¡Caramba, es Nochebuena; hay que alegrarse!". Y bebí un vaso.

Nicolás se había derrumbado de bruces sobre la mesa y se quedó dormido. Su respiración era irregular, salpicada de fallos y silbidos; peor que la del acordeón.

Paloma Díaz-Mas

En busca de un retrato

Las baldosas coloradas de la entrada cuidadosamente bruñidas con cera, la deslumbrante escalerita de claraboya convertida en invernadero para unas plantas casi amenazadoras de puro rozagantes, la casa de largo pasillo y barnizadas maderas, con los montantes de las puertas coquetamente encortinados de una cretona de florecitas muy limpia y muy planchada.

El comedor de nobles muebles de viejo roble, con su suntuosa cancela modernista —lotos rosas y nenúfares azules de pétalos traslúcidos y esmerilados, entre retorcidos pámpanos de un verde botella— que daba a la azotea. Y en ella, de nuevo las baldosas tan brillantes que parecían pintadas con aceite y bajo el sol azaleas, petunias, alegrías, pendientes de la reina, gitanillas, geranios, cóleos morados. Y en la sombra helecho, hiedra enana, cintas y esa planta que nosotros llamamos amor de hombre, pero que en inglés es judío errante y en francés miseria. Y en un rincón los cactus, milagrosamente floridos, y las plantas de olor: la hierbabuena, el sándalo y la albahaca.

Pero sobre todo la cocina: una cocina antigua y grande, de azulejos blancos y armarios de pino pintados de blanco, y blancas cortinas en la ventana y una pila de mármol blanco en la que la abuela María lavaba —montañas de espuma blanca— la blanca loza, para secarla después con un suave paño de algodón blanco. Fuera, sobre las cumbres de las montañas circundantes, muchas veces nevaba.

Y la abuela misma, con su pelo de un blanco nacarado y sus vestidos de dibujos pequeñitos y colores brillantes: parecía una síntesis de la cocina blanca y de las cortinas de florecitas, o tal vez fuese al revés, que el blancor de la cocina y las flores de las tapicerías emanaban precisamente de su persona; siempre tuve la impresión de que la abuela era la casa y la casa era la abuela.

Pero dije que sobre todo la cocina: largas horas de laboriosos platos —pato con peras y pollo con ciruelas, escudella y bacalao con pasas, escalivada y robellones de mil maneras, dorada crema y acariciantes profiteroles calientifríos— en los que la abuela no dejaba inmiscuirse a nadie. Siempre tan pulcra entre grasas y humos, ceñida por su mandil de cuadros blancos y rosas —para los domingos se ponía otro de piqué azul, con aplicaciones de flores blancas de guipur—, ya se dedicaba desde muy temprano a picar verduras y mazar condimentos, a deshuesar frutas y tajar carnes, a caramelizar moldes y ligar salsas, a preparar sofritos y ponderar hierbas, en un sosegado trajín de cacerolas y marmitas, de sartenes y pucheros, de escurridores: y mangas de pastelero, de molinillos y ralladores, de morteros y batidores, de cuencos, tombatruitas y ensaladeras.

Sabía hacer jabón con sosa y grasas viejas, ligar el alioli sólo con el mazo del mortero; elevar montañas de espuma de una clara de huevo. Y además era bella, hermosa como ninguna mujer que yo conociese.

Pero de esto último no me di cuenta hasta el día de la foto. Y quede claro que no son recuerdos de infancia: a la abuela María la conocí siendo ella ya vieja, y yo casi tenía treinta años.

Creo que fue una mañana de verano mientras, en el primer sol de la terraza, sentada en su mecedora de cretonas, la abuela deshuesaba ciruelas pasas para un plato de fiesta. La sorprendí así, como era ella, sentada apaciblemente, en incesante actividad, en su entorno de flores y baldosas rojas. Cuando revelé aquel carrete de fotos había pasado mucho tiempo, yo estaba ya en la ciudad y lejos del pueblo montañoso y de la casita de los azulejos blancos y las baldosas brillantes, y ni siquiera recordaba haberle hecho ese retrato.

Y sin embargo ella estaba allí, y me miraba con el gesto pícaro de quien, pese a todas las precauciones por mí tomadas, no había sido sorprendida: sabía que yo disparaba la foto y había en sus ojos, en su boca, en las arruguitas de las sienes y de las comisuras de los labios un rictus irónico y pilluelo. Su pelo de nácar era casi de un azul untuoso, bajo ese primer sol de la mañana, los ojitos azules casi parecían negros de tan vivos, la oreja pulcra se recortaba sobre el cuello de manteca apenas surcado por una arruga, el escote en pico de su traje de lunares azules y amarillos, se abría coquetón sobre un busto de ochenta años sorprendentemente firme, reposaban sobre los brazos de la mecedora los brazos de la mujer fuerte, y tenía el gesto enérgico y dulce de quien ha hecho frente a muchas cosas y la mayor parte de ellas despiadadas y terribles, la sonrisa burlona de quien sabe que peor las hemos pasado y hemos salido adelante. Y las enternecedoras manos, blanquísimas, de limpias y recortadas uñas, bellas y deformadas por la artrosis; una artrosis que en ellas no parecía una enfermedad ni un defecto, sino la consecuencia de una evolución de la Naturaleza: las falanges torcidas y las articulaciones hinchadas que podría tener un árbol añoso si tuviera manos blancas. Al fondo, florecía una mata de alegrías coloradas y jugaba el gato.

Desde aquel día me gustó imaginar lo hermosa que debía haber sido la abuela María de joven. Porque a una vejez tan dorada y bella, tan pulcra y perfecta, tan vivaz y venerable, sólo podía haber precedido una madurez espléndida, una juventud de belleza fascinante. ¿Cómo sería ella de niña, cuando con trenzas y bata de rayas arrastraba su cabás hacia la cercana escuela del pueblo? Me gustaba imaginármela como una deliciosa preadolescente de rodillas bruñidas y cuello muy planchado, con una trenza gruesa y pesada como una soga, una trenza de azabache que era la envidia de las niñas del pueblo. O, ya púber, almidonada y un poco rígida en su primer traje de mujer: la chica de fascinantes rasgos que no parece advertir su belleza y a quien todos los mozos miran sin atreverse a sacarla a bailar, tan aterradoramente bella les parece. Y luego de mujer casada, una radiante madre joven que pasea en los brazos a su hijo de meses, orgullosa de él y creyendo en su ceguera que es al niño a quien todas las miradas se dirigen. Y de mujer madura y fuerte, enfrentándose al trabajo duro de una recién viuda en aquellos tiempos que los viejos de hoy, cuando recuerdan, llaman aún "los tiempos difíciles" y a veces "los tiempos del hambre". No podía haber sido de otra manera.

Y de ahí mi deseo y luego mi anhelo y luego mi impaciencia, y luego mi obsesión por ver una foto de la abuela María cuando era joven. Porque deseaba ver de una vez lo que debía haber sido una belleza sin igual, sin comparación alguna con la de ninguna otra mujer que yo hubiese visto nunca. Porque una vejez tan dorada y hermosa sólo podía ser la decadencia de una belleza espléndida e incomparable.

Por desgracia, la abuela María parecía no haberse hecho nunca en su vida una fotografía. Y ni preguntando a mi madre, ni a ella misma, ni revolviendo olvidados cajones o rebuscando en viejos álbumes de fotos de familia logré dar con una sola fotografía de su juventud. Parecía como si el tiempo y sus protagonistas, con una especie de extraño pudor, hubiesen hecho lo posible por aquella imagen magnífica.

Me costó años y muchos ruegos que me dejase ver la única foto que se conservaba de sus tiempos jóvenes: la del día de su boda. Consintió en enseñármela una tarde de otoño ya un poco fría en que yo le había rogado mucho. La sacó de una carpeta de cartulina crema con cantos dorados, de entre dos hojitas de papel de seda finas como un soplo. Me preparé para ver lo que yo había imaginado como una belleza fascinante y deslumbradora.

Desde la foto en tonos sepia, entre una columna salomónica truncada y un buquet de flores de trapo, bajo un celaje digno de una aparición angélica, me miraba una pareja pueblerina: él empaquetado en su traje rígido, sentado en silla curul, con los zapatos demasiado embetunados y las manos toscas de quien trabaja en el campo; y ella en pie, no menos tosca e insulsa, una cara inexpresiva de ojos claros y cabello oscuro, de óvalo convencional y un poco burdo, dejando reposar sosamente sobre los hombros del varón sentado unas manos tan anodinas que no denotaban expresión alguna; unas manos que, por no decir, no decían ni del trabajo ni del regalo: podían ser las manos de cualquiera. Y eso era todo: una muchacha de pueblo con su vestido de boda pobre, con un rostro de muñeca de china, con un cuerpo menudo como hay millares, con una mirada en que ninguna luz se reflejaba. La dorada vejez de la abuela María no era, pues, producto de la decadencia de una hermosa juventud: su belleza se había forjado a lo largo de los años, como la belleza de algunos árboles, de algunas rocas, de algunos edificios nobles dignificados por las lluvias y los vientos que pulieron sus piedras.

Javier García Sánchez

El fisonomista

Cuando le conocí apenas si me prestó atención. Él era abierto y muy extrovertido, de esas personas que pronto acaparan el interés de un grupo por su locuacidad y por la brillantez con la que normalmente manifiestan aquello que quieren expresar.

Como digo, al presentarnos no me dedicó más que unas pocas palabras, algo trivial y para salir del paso. Ya no recuerdo qué fue. Con el tiempo empezaríamos a ser grandes amigos. Su rasgo característico, como ya he apuntado, era el don innato de gentes, una rara capacidad que le hacía atraerse a personas de muy diversa índole. Tendría unos treinta y cinco años, llevaba barba y el pelo corto. Su nariz era aguileña y los ojos oscuros, penetrantes. Traducía del inglés como fuente habitual de ingresos y, aun careciendo del título de periodista, se dedicaba a escribir artículos en revistas de cine. Sorprendía a muchos por su memoria para ese tema, pues era un verdadero archivo ambulante de datos. Difícilmente podía resultar pedante a causa de dicha condición, que le colocaba en franca ventaja respecto a los demás a la hora de discutir principalmente sobre cine. Su simpatía compensaba con creces ese despliegue de aparente suficiencia.

Algunas cosas más me habían contado sobre él, anécdotas o episodios sin importancia que no vienen al caso. Diré, no obstante, que el aspecto que me fascinó de tan infrecuente tipo fue algo de lo que, pese a estar más o menos al corriente, quería comprobar con mis propios ojos, averiguar si exageraban o si, por el contrario, en verdad poseía la cualidad de ser un consumado fisonomista.

Al principio no me atreví a preguntárselo de modo directo. Hablábamos mucho, sobre todo él, y creí más idóneo dejar que fuera explayándose por sí mismo. Recuerdo que una vez cogió entre sus manos una revista. Me señaló la foto de un hombre hercúleo que hacía ondear al viento su espada. Era la secuencia de una película.

—¿Ves esta cara? —dijo. Yo afirmé con la cabeza—. Pues adivina quién es —añadió sonriendo. Tuve que rendirme ante la evidencia y reconocer que pese a los esfuerzos hechos no lograba dar con la referencia que él pretendía sonsacarme—. El forzudo aquel que aparecía en la portada de un disco doble, una antología del rock de los sesenta —repuso con aire triunfal. Ahora lo recordaba, sí, pese al evidente cambio de imagen en el cabello, los abalorios y la pésima calidad de la fotografía de aquella portada.

Casi de modo involuntario conseguí que se fomentase en él esa pasión secreta por encontrar cierto parecido entre personas. Para mí fue un juego. Era algo que lo excitaba en lo más íntimo, un reto a su imaginación. Acabó por ser una manía exteriorizada con mucha más frecuencia, incluso, de la que yo deseaba. Estábamos frente a la televisión; por ejemplo, y no podía privarse de hacer comentarios, al estilo de: "Esa locutora se parece al presidente de tal país", o en plena retransmisión deportiva interrumpía para decir: "Fíjate en la cara de aquel árbitro, míralo, ése: parece hermano gemelo de la esposa del panadero". Para mi sorpresa, y también debo reconocer que para mi divertimento, solía acertar siempre. No había otro vencedor sino él en ese permanente rompecabezas de los esquemas y líneas faciales.

Algún tiempo más tarde viajamos a Nueva York en compañía de varios amigos. Allí fue donde su actividad como hábil fisonomista iba a alcanzar un punto álgido. Paseábamos por una céntrica avenida y de repente afirmaba a gritos haber visto pasar dentro de un taxi a una de las esposas de Mickey Rooney, aunque terriblemente envejecida y con gafas oscuras, matizaba. Nadie lo ponía en duda, lo mismo que cuando un día, mientras caminábamos por la Quinta Avenida, se puso serio y dijo:

—Señores, acaban ustedes de cruzarse con la mismísima hija de Gary Cooper. Tiene una cara inconfundible.

Y no podía ocultar su orgullo por el efecto causado cuando, poco después, consultábamos en una voluminosa Enciclopedia del Cine para corroborar su nuevo acierto.

Nuestra amistad, como suele ocurrir a menudo, sufrió altibajos, pero ello obedecía más a problemas externos, a circunstancias ajenas a él y a mí. Una tarde, estando en su casa, empezamos a hablar sobre cosas que, medio en broma, él consideraba "serias". La fe, la existencia, la vida. Y recuerdo que era yo quien en un momento dado discernía tranquilamente sobre tales temas cuando vi sus cejas arquearse mientras me observaba. Un extraño fulgor emanó de sus ojos, que se clavaron en los míos de manera tan intensa que casi me azoré. Sus manos transpiraban sudor y comenzó a levantarse del asiento mientras en sus mejillas nacía una pronunciada palidez. Se puso lívido, del color de la cera. Entreabrió los labios como para decir algo, pero sólo logró verbalizar un ahogado pronombre, "¿Tú?", que repetiría de forma monótona y aterrorizada al tiempo que andaba hacia atrás.

—¿Cómo has tardado tanto en darte cuenta? —le dije lo más serenamente que me fue posible.

Pero ya no me oía. Intenté tranquilizarlo diciéndole que no tenía por qué preocuparse, quitándole importancia a lo que ahora le había dejado sin habla, pegado al tabique.

—Vamos —dije—, ya verás como no pasa nada.

Y me lo llevé.

Carmen Laforet

Rosamunda

Estaba amaneciendo, al fin. El departamento de tercera clase olía a cansancio, a tabaco y a botas de soldado. Ahora se salía de la noche como de un gran túnel y se podía ver a la gente acurrucada, dormidos hombres y mujeres en sus asientos duros. Era aquel un incómodo vagón-tranvía, con el pasillo atestado de cestas y maletas. Por las ventanillas se veía el campo y la raya plateada del mar.

Rosamunda se despertó. Todavía se hizo una ilusión placentera al ver la luz entre sus pestañas semicerradas.

Luego comprobó que su cabeza colgaba hacia atrás, apoyada en el respaldo del asiento, y que tenía la boca seca de llevarla abierta. Se rehizo, enderezándose. Le dolía el cuello —su largo cuello marchito—. Echó una mirada a su alrededor y se sintió aliviada al ver que dormían sus compañeros de viaje. Sintió ganas de estirar las piernas entumecidas —el tren traqueteaba, pitaba—.

Salió con grandes precauciones, para no despertar, para no molestar, "con pasos de hada" —pensó—, hasta la plataforma.

El día era glorioso. Apenas se notaba el frío del amanecer. Se veía el mar entre naranjos. Ella se quedó como hipnotizada por el profundo verde de los árboles, por el claro horizonte de agua.

—"Los odiados, odiados naranjos... Las odiadas palmeras... El maravilloso mar..."

—¿Qué decía usted?

A su lado estaba un soldadillo. Un muchachito pálido. Parecía bien educado. Se parecía a su hijo. A un hijo suyo que había muerto. No al que vivía; al que vivía, no, de ninguna manera.

—No sé si será usted capaz de entenderme —dijo, con cierta altivez—. Estaba recordando unos versos míos. Pero si usted quiere, no tengo inconveniente en recitar...

El muchacho estaba asombrado. Veía a una mujer ya mayor, flaca, con profundas ojeras. El cabello oxigenado, el traje de color verde, muy viejo. Los pies calzados en unas viejas zapatillas de baile, color de plata, y en el pelo una cinta plateada también, atada con un lacito... Hacía mucho que él la observaba.

—¿Qué decide usted? —preguntó Rosamunda, impaciente—. ¿Le gusta o no oír recitar?

—Sí, a mí...

El muchacho no se reía porque le daba pena mirarla. Quizá más tarde se reiría. Además, él tenía interés porque era joven, curioso. Había visto pocas cosas en su vida y deseaba conocer más. Aquello era una aventura. Miró a Rosamunda y la vio soñadora. Entornaba los ojos azules. Miraba al mar.

—¡Qué difícil es la vida!

Aquella mujer era asombrosa. Ahora había dicho esto con los ojos llenos de lágrimas.

—Si usted supiera, joven... Si usted supiera lo que este amanecer significa para mí, me disculparía. Este correr hacia el Sur. Otra vez hacia el Sur...Otra vez a mi casa. Otra vez a sentir ese ahogo de mi patio cerrado, de la incomprensión de mi esposo... No se sonría usted, hijo mío; usted no sabe nada de lo que puede ser la vida de una mujer como yo. Este tormento infinito... Usted dirá que por qué le cuento todo esto, porque tengo ganas de hacer confidencias, yo, que soy de naturaleza reservada... Pues, porque ahora mismo, al hablarle, me he dado cuenta de que tiene usted corazón y sentimiento y porque esto es mi confesión, porque, después de usted, me espera, como quien dice, la tumba... El no poder hablar ya a ningún ser humano... a ningún ser humano que me entienda.

Se calló, cansada, quizá, por un momento. El tren corría, corría... El aire se iba haciendo cálido, dorado. Amenazaba un día terrible de calor.

—Voy a empezar a usted mi historia, pues creo que le interesa... sí. Figúrese usted una joven rubia, de grandes ojos azules, una joven apasionada por el arte... De nombre, Rosamunda... Rosamunda, ¿ha oído?... Digo que si ha oído mi nombre y qué le parece.

El soldado se ruborizó ante el tono imperioso,

—Me parece bien... bien.

—Rosamunda... —continuó ella, un poco vacilante.

Su verdadero nombre era Felisa; pero, no se sabe por qué, lo aborrecía. En su interior siempre había sido Rosamunda, desde los tiempos de su adolescencia. Aquel Rosamunda se había convertido en la fórmula mágica que la salvaba de la estrechez de su casa, de la monotonía de sus horas; aquel Rosamunda convirtió al novio zafio y colorado en un príncipe de leyenda. Rosamunda era para ella un nombre amado, de calidades exquisitas... Pero ¿para qué explicar al joven tantas cosas?

—Rosamunda tenía un gran talento dramático. Llegó a actuar con éxito brillante. Además, era poetisa. Tuvo ya cierta fama desde su juventud... Imagínese, casi una niña halagada, mimada por la vida y, de pronto, una catástrofe... El amor... ¿Le he dicho a usted que era ella famosa? Tenía dieciséis años apenas, pero la rodeaban por todas partes los admiradores. En uno de los recitales de poesía, vio al hombre que causó su ruina. A... A mi marido, pues Rosamunda, como usted comprenderá, soy yo. Me casé sin saber lo que hacía, con un hombre brutal, sórdido y celoso. Me tuvo encerrada años y años. ¡Yo!... Aquella mariposa de oro que era yo... ¿Entiende?

(Sí, se había casado, si no a los dieciséis años, a los veintitrés; pero ¡al fin y al cabo!... Y era verdad que le había conocido un día que recitó versos suyos en casa de una amiga. Él era carnicero. Pero, a este muchacho, ¿se le podían contar las cosas así? Lo cierto era aquel sufrimiento suyo, de tantos años. No había podido ni recitar un solo verso, ni aludir a sus pasados éxitos —éxitos quizá inventados, ya que no se acordaba bien; pero... Su mismo hijo solía decirle que se volvería loca de pensar y llorar tanto. Era peor esto que las palizas y los gritos de él cuando llegaba borracho. No tuvo a nadie más que al hijo aquel, porque las hijas fueron descaradas y necias, y se reían de ella, y el otro hijo, igual que su marido, había intentado hasta encerrarla.)

—Tuve un hijo único. Un solo hijo. ¿Se da cuenta? Le puse Frorisel... Crecía delgadito, pálido, así como usted. Por eso quizá le cuento a usted estas cosas. Yo le contaba mi magnífica vida anterior. Sólo él sabía que conservaba un traje de gasa, todos mis collares... Y él me escuchaba, me escuchaba... como usted ahora, embobado.

Rosamunda sonrió. Sí, el joven la escuchaba absorto. —Este hijo se me murió. Yo no lo pude resistir... Él era lo único que me ataba a aquella casa. Tuve un arranque, cogí mis maletas y me volví a la gran ciudad de mi juventud y de mis éxitos... ¡Ay! He pasado unos días maravillosos y amargos. Fui acogida con entusiasmo, aclamada de nuevo por el público, de nuevo adorada...

¿Comprende mi tragedia? Porque mi marido, al enterarse de esto, empezó a escribirme cartas tristes y desgarradoras: no podía vivir sin mí. No puede, el pobre. Además es el padre de Frorisel, y el recuerdo del hijo perdido estaba en el fondo de todos mis triunfos, amargándome.

El muchacho veía animarse por momentos a aquella figura flaca y estrafalaria que era la mujer. Habló mucho. Evocó un hotel fantástico, el lujo derrochado en el teatro el día de su "reaparición"; evocó ovaciones delirantes y su propia figura, una figura de sílfide cansada", recibiéndolas.

—Y, sin embargo, ahora vuelvo a mi deber... Repartí mi fortuna entre los pobres y vuelvo al lado de mi marido como quien va a un sepulcro.

Rosamunda volvió a quedarse triste. Sus pendientes eran largos, baratos; la brisa los hacía ondular.... Se sintió desdichada, muy "gran dama"... Había olvidado aquellos terribles días sin pan en la ciudad grande.

Las burlas de sus amistades ante su traje de gasa, sus abalorios y sus proyectos fantásticos. Había olvidado aquel largo comedor con mesas de pino cepillado, donde había comido el pan de los pobres entre mendigos de broncas toses. Sus llantos, su terror en el absoluto desamparo de tantas horas en que hasta los insultos de su marido había echado de menos. Sus besos a aquella carta del marido en que, en su estilo tosco y autoritario a la vez, recordando al hijo muerto, le pedía perdón y la perdonaba.

El soldado se quedó mirándola. ¡Qué tipo más raro, Dios mío!

No cabía duda de que estaba loca la pobre... Ahora le sonreía... Le faltaban dos dientes.

El tren se iba deteniendo en una estación del camino. Era la hora del desayuno, de la fonda de la estación venía un olor apetitoso... Rosamunda miraba hacia los vendedores de rosquillas.

—¿Me permite usted convidarla, señora?

En la mente del soldadillo empezaba a insinuarse una divertida historia. ¿Y si contara a sus amigos que había encontrado en el tren a una mujer estupenda y que... ?

—¿Convidarme? Muy bien, joven... Quizá sea la última persona que me convide... Y no me trate con tanto respeto, por favor, Puede usted llamarme Rosamunda... no he de enfadarme por eso.

Antonio Machado

La tierra de Alvargonzález

Una mañana de los primeros días de octubre decidí visitar la fuente del Duero y tomé en Soria el coche de Burgos que había de llevarme hasta Cidones. Me acomodé en la delantera, cerca del mayoral y entre dos viajeros: un indiano que tornaba de Méjico a su aldea natal, escondida en tierra de pinares, y un viejo campesino que venía de Barcelona, donde embarcara a dos de sus hijos para el Plata. No cruzaréis la alta estepa de Castilla sin encontrar gentes que os hablen de Ultramar.

Tomamos la ancha carretera de Burgos, dejando a nuestra izquierda el camino de Osma, bordeado de chopos que el otoño comenzaba a dorar. Soria quedaba a nuestra espalda entre grises colinas y cerros pelados. Soria, mística y guerrera, guardaba antaño la puerta de Castilla como una barbacana hacia los reinos moros que cruzó el Cid en su destierro. El Duero, en torno a Soria, forma una curva de ballesta. Nosotros llevábamos la dirección del venablo.

El indiano me hablaba de Veracruz, mas yo escuchaba al campesino que discutía con el mayoral sobre un crimen reciente. En los pinares de Duruelo, una joven vaquera había aparecido cosida a puñaladas y violada después de muerta. El campesino acusaba a un rico ganadero de Valdeavellano, preso por indicios en la cárcel de Soria, como autor indudable de tan bárbara fechoría, y desconfiaba de la justicia porque la víctima era pobre. En las pequeñas ciudades las gentes se apasionan del juego y de la política como en las grandes del arte y de la pornografía, pero en los campos sólo interesan las labores que reclaman la tierra y los crímenes de los hombres.

—¿Va usted muy lejos? —pregunté al campesino.

—A Covaleda, señor —me respondió— ¿Y usted?

—El mismo camino llevo, porque pienso subir a Urbión y tomaré el valle del Duero. A la vuelta bajaré a Vinuesa por el puerto de Santa Inés.

—Mal tiempo para subir a Urbión. Dios le libre de una tormenta por aquella sierra.

Llegados a Cidones, nos apeamos el campesino y yo, despidiéndonos del indiano, que continuaba su viaje en la diligencia hasta San Leonardo, y emprendimos en sendas caballerías el camino de Vinuesa.

Siempre que trato con hombres del campo pienso en lo mucho que ellos saben y nosotros ignoramos, y en lo poco que a ellos importa conocer cuanto nosotros sabemos.

El campesino cabalgaba delante de mí, silencioso. El hombre de aquellas tierras, serio y taciturno, habla cuando se le interroga, y es sobrio en la respuesta. Cuando la pregunta es tal que pudiera excusarse, apenas se digna contestar. Sólo se extiende en advertencias inútiles sobre las cosas que conoce bien o cuando narra historias de la tierra.

Volví los ojos al pueblecillo que dejábamos a nuestra espalda. La iglesia, con su alto campanario coronado por un hermoso nido de cigüeñas, descuella sobre unas cuantas casuchas de tierra. Hacia el camino real destácase la casa de un indiano, contrastando con el sórdido caserío. Es un hotelito moderno y mundano, rodeado de jardín y verja. Frente al pueblo se extiende una calva serrezuela de rocas grises surcadas de grietas rojizas.

Después de cabalgar dos horas llegamos a la Muedra, una aldea a medio camino entre Cidones y Vinuesa, y a pocos pasos cruzamos un puente de madera sobre el Duero.

—Por aquel sendero —me dijo el campesino, señalando a su diestra— se va a las tierras de Alvargonzález; campos malditos hoy; los mejores, antaño, de esta comarca.

—¿Alvargonzález es el nombre de su dueño? —le pregunté.

—Alvargonzález —me respondió— fue un rico labrador; mas

nadie lleva ese nombre por estos contornos. La aldea donde vivió se llama como él se llamaba: Alvargonzález, y tierras de Alvargonzález a los páramos que la rodean. Tomando esa vereda llegaríamos allá antes que a Vinuesa por este camino. Los lobos, en invierno, cuando el hambre les echa de los bosques, cruzan esa aldea y se les oye aullar al pasar por las majadas que fueron de Alvargonzález, hoy vacías y arruinadas.

Siendo niño, oí contar a un pastor la historia de Alvargonzález, y sé que anda inscrita en papeles y que los ciegos la cantan por tierra de Berlanga.

Roguéle que me narrase aquella historia, y el campesino comenzó así su relato:

Siendo Alvargonzález mozo, heredó de sus padres rica hacienda. Tenía casa con huerta y colmenar, dos prados de fina hierba, campos de trigo y de centeno, un trozo de encinar no lejos de la aldea, algunas yuntas para el arario, cien ovejas, un mastín y muchos lebreles de caza.

Prendóse de una linda moza en tierras del Burgo, no lejos de Berlanga, y al año de conocerla la tomó por mujer. Era Polonia, de tres hermanas, la mayor y la más hermosa, hija de labradores que llaman los Peribáñez, ricos en otros tiempos, entonces dueños de menguada fortuna.

Famosas fueron las bodas que se hicieron en el pueblo de la novia y las tornabodas que celebró en su aldea Alvargonzález. Hubo vihuelas, rabeles, flautas y tamboriles, danza aragonesa y fuegos al uso valenciano. De la comarca que riega el Duero, desde Urbión, donde nace, hasta que se aleja por tierras de Burgos, se habla de las bodas de Alvargonzález y se recuerdan las fiestas de aquellos días, porque el pueblo no olvida nunca lo que brilla y truena.

Vivió feliz Alvargonzález con el amor de su esposa y el medro de sus tierras y ganados. Tres hijos tuvo, y, ya crecidos, puso el mayor a cuidar huerta y abejar; otro, al ganado, y mandó al menor a estudiar en Osma, porque lo destinaba a la iglesia.

Mucha sangre de Caín tiene la gente labradora. La envidia armó pelea en el hogar de Alvargonzález. Casáronse los mayores, y el buen padre tuvo nueras que antes de darle nietos le trajeron cizaña. Malas hembras y tan codiciosas para sus casas, que sólo pensaban en la herencia que les cabría a la muerte de Alvargonzález; por ansia de lo que esperaban no gozaban lo que tenían.

El menor, a quien los padres pusieron en el seminario, prefería las lindas mozas a rezos y latines, y colgó un día la sotana, dispuesto a no vestirse más por la cabeza. Declaró que estaba dispuesto a embarcarse para las Américas. Soñaba con correr tierras y pasar los mares y ver el mundo entero.

Mucho lloró la madre. Alvargonzález vendió el encinar y dio a su hijo cuanto había de heredar.

—Toma lo tuyo, hijo mío, y que Dios te acompañe. Sigue tu idea, y sabe que mientras tu padre viva, pan y techo tienes en esta casa; pero a mi muerte, todo será de tus hermanos.

Ya tenía Alvargonzález la frente arrugada, y por la barba le plateaba el bozo azul de la cara. Eran sus hombros todavía robustos y erguida la cabeza, que sólo blanqueaba en las sienes.

Una mañana de otoño salió solo de su casa; no iba, como otras veces, entre sus finos galgos, terciada a la espalda la escopeta. No llevaba arreo, de cazador ni pensaba en cazar. Largo camino anduvo bajo los álamos amarillos de la ribera, cruzó el encinar, y, junto a una fuente que un olmo gigantesco sombreaba, detúvose fatigado. Enjugó el sudor de su frente, bebió algunos sorbos de agua y acostóse en la tierra.

Y a solas hablaba con Dios Alvargonzález, diciendo:

"Dios, mi señor, que colmaste las tierras que labran mis manos, a quien debo pan en mi mesa, mujer en mi lecho y por quien crecieron robustos los hijos que engendré, por quien mis majadas rebosan de blancas merinas y se cargan de fruto los árboles de mi huerto y tienen miel las colmenas de mi abejar, sabe, Dios mío, que sé cuánto me has dado antes de que me lo quites". Se fue quedando dormido mientras así rezaba, porque la sombra de las ramas y el agua que brotaba la piedra parecían decirle: "Duerme y descansa".

Y durmió Alvargonzález; pero su ánimo no habría de reposar porque los sueños aberrascan el dormir del hombre.

Y Alvargonzález soñó que una voz le hablaba, y veía, como Jacob, una escala de luz que iba del cielo a la tierra. Sería tal vez la franja del sol que filtraban las ramas del olmo.

Difícil es interpretar los sueños que desatan el haz de nuestros propósitos para mezclarlos con recuerdos y temores. Muchos creen adivinar lo que ha de venir estudiando los sueños. Casi siempre yerran, pero alguna vez aciertan. En los sueños malos, que apesadumbran el corazón del durmiente, no es difícil acertar. Son estos sueños memorias de lo pasado, que teje y confunde la mano torpe y temblorosa de un personaje invisible: el miedo.

Soñaba Alvargonzález en su niñez. La alegre fogata del hogar bajo la ancha y negra campana de la cocina y en torno al fuego sus padres y sus hermanos. Las nudosas manos del viejo acariciaban la rubia candela. La madre pasaba las cuentas de un negro rosario. En la pared ahumada colgaba el hada reluciente con que el viejo hacía leña de las ramas de roble.

Seguía soñando Alvargonzález, y era en sus mejores días de mozo. Una tarde de verano y un prado verde tras los muros de una huerta. A la sombra y sobre la hierba, cuando el sol cata, tiñendo de luz anaranjada las copas de los castaños. Alvargonzález levantaba el odre de cuero y el vino rojo cala en su toca, refrescándole la seca garganta. En torno suyo estaba la familia de Peribáñez; los padres y las tres lindas hermanas. De las ramas de la huerta y de la hierba del prado se elevaba una armonía de oro y cristal, como a las estrellas cantasen en la tierra antes de aparecer dispersas en el cielo silencioso. Caía la tarde, y sobre el pinar oscuro aparecía, dotada y jadeante, la luna llena, hermosa luna del amor, sobre el campo tranquilo.

Como si las hadas que hilan y tejen los sueños hubiesen puesto en sus ruecas un mechón de negra lana, ensombrecióle el soñar de Alvargonzález, y una puerta dorada abrióse, lastimando el corazón del durmiente. Y apareció un hueco sombrío, y al fondo por tenue claridad iluminado, el hogar desierto y sin leña. En la pared colgaba de una escarpia el hacha bruñida y reluciente.

El sueño abrióse al claro día. Tres niños juegan a la puerta de la casa. La mujer vigila, cose y a ratos sonríe. Entre los mayores brinca un cuervo negro y lustroso de ojo acerado.

—Hijos, ¿qué hacéis? —les pregunta.

Los niños se miran y callan.

—Subid al monte, hijos míos, y antes que caiga la noche traedme un brazado de leña.

Los tres niños se alejan. El menor, que ha quedado atrás, vuelve la cara y su madre lo llama. El niño vuelve hacia la casa y los hermanos siguen su camino hacia el encinar.

Y es otra vez el hogar, el hogar apagado y desierto, y en el muro colgaba el hacha reluciente.

Los mayores de Alvargonzález vuelven del monte con la tarde, cargados de estepas. Le madre enciende el candil y el mayor arroja astillas y jaras sobre el tronco de roble, y quiere hacer el fuego en el hogar; cruje la leña, y los tueros, apenas encendidos, se apagan. No brota la llama en el lar de Alvargonzález. A la luz del candil brilla el hacha en el muro, y esta vez parece que gotea sangre.

—Padre, la hoguera no prende: está la leña mojada.

Acude el segundo y también se afana por hacer lumbre. Pero el fuego no quiere brotar.

El más pequeño echa sobre el hogar un puñado de estepas, y una roja llama alumbra la cocina, la madre sonríe, y Alvargonzález coge en brazos al hijo y le sienta en sus rodillas, a la diestra del fuego.

—Aunque último has nacido, tú eres el primero en mi corazón y el mejor de mi casta, porque tus manos hacen el fuego.

Los hermanos, pálidos como la muerte, se alejan por los rincones del sueño. En la diestra del mayor brilla el hacha de hierro.

Junto a la fuente dormía Alvargonzález, cuando el primer lucero brillaba en el azul, y una enorme luna teñida de púrpura se asomaba al campo ensombrecido. El agua que brotaba en la piedra parecía relatar una historia vieja y triste: la historia del crimen del campo.

Los hijos de Alvargonzález caminaban silenciosos, y vieron al padre dormido junto a la fuente. Las sombras que alargaban la tarde llegaron al durmiente antes que los asesinos. La frente de Alvargonzález tenía un tachón sombrío entre las cejas, como la huella de una segur sobre el tronco de un roble. Soñaba Alvargonzález que sus hijos venían a matarle, y al abrir los ojos vio que era cierto lo que soñaba.

Mala muerte dieron al labrador los malos hijos a la vera de la fuente. Un hachazo en el cuello y cuatro puñaladas en el pecho pusieron fin al sueño de Alvargonzález. El hacha que tenían de sus abuelos y que tanta leña cortó para el hogar, tajó el robusto cuello que los años no habían doblado todavía, y el cuchillo con que el buen padre cortaba el pan moreno que repartía a los suyos en torno a la mesa, hendido había el más noble corazón de aquella tierra. Porque Alvargonzález era bueno para su casa, pero era también mucha su caridad en la casa del pobre. Como padre habían de llorarle cuantos alguna vez llamaron a su puerta, o alguna vez le vieron en los umbrales de las suyas.

Los hijos de Alvargonzález no saben lo que han hecho. Al padre muerto arrastran hacia un barranco por donde corre un río que busca al Duero. Es un valle sombrío lleno de helechos, hayedos y pinares.

Y lo llevan a la Laguna Negra, que no tiene fondo, y allí lo arrojan con una piedra atada a los pies. La laguna está rodeada de una muralla gigantesca de rocas grises y verdosas, donde anidan las águilas y los buitres. Las gentes de la sierra en aquellos tiempos no osaban acercarse a la laguna ni aun en los días claros. Los viajeros, que, como usted, visitan estos lugares han hecho que se les pierda el miedo.

Los hijos de Alvargonzález tornaban por el valle entre los pinos gigantescos y las hayas decrépitas. No oían el agua que sonaba en el fondo del barranco. Dos lobos asomaron al verles pasar. Los lobos huyeron espantados. Fueron a cruzar el río, y el río tomó por otro cauce, y en seco lo pasaron. Caminaban por el bosque para tornar a su aldea con la noche cerrada, y los pinos, las rocas y los helechos por todas partes les dejaban vereda como si huyesen de los asesinos. Pasaron otra vez junto a la fuente, y la fuente, que contaba su vieja historia, calló mientras pasaban, y aguardó a que se alejasen para seguir contándola.

Así heredaron los malos hijos la hacienda del buen labrador que una mañana de otoño salió de su casa y no volvió ni podía volver. Al otro día se encontró su manta cerca de la fuente y un reguero de sangre camino del barranco. Nadie osó acusar del crimen a los hijos de Alvargonzález, porque el hombre del campo teme al poderoso, y nadie se atrevió a sondar la laguna, porque hubiera sido inútil. La laguna jamás devuelve lo que se traga. Un buhonero que erraba por aquellas tierras fue preso y ahorcado en Soria, a los dos meses, porque los hijos de Alvargonzález le entregaron a la justicia, y con testigos pagados lograron perderle.

La maldad de los hombres es como la Laguna Negra, que no tiene fondo.

La madre murió a los pocos meses. Los que la vieron muerta una mañana, dicen que tenía cubierto el rostro entre las manos frías y agarrotadas.

El sol de primavera iluminaba el campo verde, y las cigüeñas sacaban a volar a sus hijuelos en el azul de los primeros días de mayo. Crotoraban las codornices entre los trigos jóvenes; verdeaban los álamos del camino y de las riberas, y los ciruelos del huerto se llenaban de blancas flores. Sonreían las tierras de Alvargonzález a sus nuevos amos, y prometían cuanto habían rendido al viejo labrador.

Fue un año de abundancia en aquellos campos. Los hijos de Alvargonzález comenzaron a descargarse del peso de su crimen, porque a los malvados muerde la culpa cuando temen el castigo de Dios o de los hombres, pero si la fortuna ayuda y huye el temor, comen su pan alegremente, como si estuviera bendito.

Mas la codicia tiene garras para coger, pero no tiene manos para labrar. Cuando llegó el verano siguiente, la tierra empobrecida parecía fruncir el ceño a sus señores. Entre los trigos había más amapolas y hierbajos que rubias espigas. Heladas tardías habían matado en flor los frutos de la huerta. Las ovejas morían por docenas porque una vieja, a quien se tenía por bruja, les hizo mala hechicería. Y si un año era malo otro peor le seguía. Aquellos campos estaban malditos, y los Alvargonzález venían tan a menos como iban a más querellas y enconos entre las mujeres. Cada uno de los hermanos tuvo dos hijos que no pudieron lograrse porque el odio había envenenado la leche de las madres.

Una noche de invierno ambos hermanos y sus mujeres rodeaban el hogar donde ardía un fuego mezquino que se iba extinguiendo poco a poco. No tenían leña, ni podían buscarla a aquellas horas. Un viento helado penetraba por las rendijas del postigo, y se le oía bramar en la chimenea. Fuera, caía la nieve en torbellinos. Todos miraban silenciosos las ascuas mortecinas, cuando llamaron a la puerta.

—¿Quién será a estas horas? —dijo el mayor—. Abre tú.

Todos permanecieron inmóviles sin atreverse a abrir.

Sonó otro golpe en la puerta y una voz que decía:

—Abrid, hermanos.

—¡Es Miguel! Abrámosle.

Cuando abrieron la puerta, cubierto de nieve y embozado en un largo capote, entró Miguel, el menor de Alvargonzález, que volvía de las Indias.

Abrazó a sus hermanos y se sentó con ellos cerca del hogar. Todos quedaron silenciosos. Miguel tenía los ojos llenos de lágrimas, y nadie le miraba frente a frente. Miguel, que abandonó su casa de niño tornaba hombre rico. Sabía las desgracias de su hogar, mas no sospechaba de sus hermanos. Era su porte, caballero. La tez morena algo quemada, y el rostro enjuto, porque las tierras de Ultramar dejan siempre huella, pero en la mirada de sus grandes ojos brillaba la juventud. Sobre la frente, ancha y tersa, su cabello castaño caía en finos bucles. Era el más bello de los tres hermanos, porque al mayor le afeaba el rostro lo espeso de las cejas velludas, y al segundo los ojos pequeños, inquietos y cobardes, de hombre astuto y cruel.

Mientras Miguel permanecía mudo y abstraído, sus hermanos le miraban al pecho, donde brillaba una gruesa cadena de oro.

El mayor rompió el silencio, y dijo:

—¿Vivirás con nosotros?

—Si queréis —contestó Miguel—. Mi equipaje llegará mañana.

—Unos suben y otros bajan —añadió el segundo—. Tú traes oro y nosotros, ya ves, ni leña tenemos para calentarnos.

El viento batía la puerta y el postigo, y aullaba en la chimenea. El frío era tan grande que estremecía los huesos.

Miguel iba a hablar cuando llamaron otra vez a la puerta. Miró a sus hermanos como preguntándoles quién podría ser a aquellas horas. Sus hermanos temblaron de espanto.

Llamaron otra vez, y Miguel abrió.

Apareció el hueco sombrío de la noche, y una racha de viento le salpicó de nieve el rostro. No vio a nadie en la puerta, mas divisó una figura que se alejaba bajo los copos blancos. Cuando volvió a cerrar, notó que en el umbral había un montón de leña. Aquella noche ardió una hermosa llama en el hogar de Alvargonzález.

Fortuna traía Miguel de las Américas, aunque no tanta como soñara la codicia de sus hermanos. Decidió afincar en aquella aldea donde había nacido, mas como sabía que toda la hacienda era de sus hermanos, les compró una parte, dándoles por ella mucho más oro del que nunca había valido. Cerróse el trato, y Miguel comenzó a labrar en las tierras malditas.

El oro devolvió la alegría al corazón de los malvados. Gastaron sin tino en el regalo y el vicio y tanto mermaron su ganancia, que al año volvieron a cultivar la tierra abandonada.

Miguel trabajaba de sol a sol. Removió la tierra con el arado, limpióla de malas hierbas, sembró trigo y centeno, y mientras los campos de sus hermanos parecían desmedrados y secos, los suyos se colmaron de rubias y macizas espigas. Sus hermanos le miraban con odio y con envidia. Miguel les ofreció el oro que le quedaba a cambio de las tierras malditas.

Las tierras de Alvargonzález eran ya de Miguel, y a ellas tornaba la abundancia de los tiempos del viejo labrador. Los mayores gastaban su dinero en locas francachelas. El juego y el vino llevábanles otra vez a la ruina.

Una noche volvían borrachos a su aldea, porque habían pasado el día bebiendo y festejando en una feria cercana. Llevaba el mayor el ceño fruncido y un pensamiento feroz bajo la frente.

—¿Cómo te explicas tú la suerte de Miguel? —dijo a su hermano—. La tierra le colma de riquezas, y a nosotros nos niega un pedazo de pan.

—Brujería y artes de Satanás —contestó el segundo.

Pasaban cerca de la huerta, y se les ocurrió asomarse a la tapia. La huerta estaba cuajada de frutos. Bajo los árboles, y entre los rosales, divisaron un hombre encorvado hacia la tierra.

—Mírale —dijo el mayor—. Hasta de noche trabaja.

—¡Eh, Miguel! —le gritaron.

Pero el hombre aquel no volvía la cara. Seguía trabajando en la tierra, cortando ramas o arrancando hierbas. Los dos atónitos borrachos achacaron al vino, que les aborrascaba la cabeza, el cerco de luz que parecía rodear la figura del hortelano. Después el hombre se levantó y avanzó hacia ellos sin mirarles, como si buscase otro rincón del huerto para seguir trabajando. Aquel hombre tenía el rostro del viejo labrador. ¡De la laguna sin fondo había salido Alvargonzález para labrar el huerto de Miguel!

Al día siguiente, ambos hermanos recordaban haber bebido mucho vino y visto cosas raras en su borrachera. Y siguieron gastando su dinero hasta perder la última moneda. Miguel labraba sus tierras, y Dios le colmaba de riqueza.

Los mayores volvieron a sentir en sus venas la sangre de Caín, y el recuerdo del crimen les azuzaba al crimen.

Decidieron matar a su hermano, y así lo hicieron.

Ahogáronle en la presa del molino, y una mañana apareció flotando sobre el agua.

Los malvados lloraron aquella muerte con lágrimas fingidas, para alejar sospechas en la aldea donde nadie los quería. No faltaba quien los acusase del crimen en voz baja, aunque ninguno osó llevar pruebas a la justicia.

Y otra vez volvió a los malvados la tierra de Alvargonzález.

Y el primer año tuvieron abundancia porque cosecharon la labor de Miguel; pero al segundo, la tierra se empobreció.

Un día seguía el mayor encorvado sobre la reja del arado, que abría penosamente un surco en la tierra. Cuando volvió los ojos, reparó que la tierra se cerraba y el surco desaparecía.

Su hermano cavaba en la huerta, donde sólo medraban las malas hierbas, y vio que de la tierra brotaba sangre. Apoyado en la azada contemplaba la huerta, y un frío sudor corría por su frente.

Otro día, los hijos de Alvargonzález tomaron silenciosos el camino de la Laguna Negra.

Cuando caía la tarde, cruzaban por entre las hayas y los pinos.

Dos lobos se asomaron a verles; huyeron espantados.

—¡Padre! —gritaron—. Y cuando en los huecos de las rocas el eco repetía: ¡Padre! ¡Padre! ¡Padre!, ya se los había tragado el agua de la laguna sin fondo.

Ana María Matute

Pecado de omisión

A los trece años se le murió la madre, que era lo último que le quedaba. Al quedar huérfano, ya hacía lo menos tres años que no acudía a la escuela, pues tenía que buscarse el jornal de un lado para el otro. Su único pariente era un primo de su padre, llamado Emeterio Ruiz Heredia. Emeterio era el alcalde y tenía una casa de dos pisos asomada a la plaza del pueblo, redonda y rojiza bajo el sol de agosto. Emeterio tenía doscientas cabezas de ganado paciendo por las laderas de Sagrado, y una hija moza bordeando los veinte, morena, robusta, riente y algo necia. Su mujer, flaca y dura como un chopo, no era de buena lengua y sabía mandar. Emeterio Ruiz no se llevaba bien con aquel primo lejano, y a su viuda, por cumplir, la ayudó buscándole jornales extraordinarios. Luego, al chico, aunque lo recogió una vez huérfano, sin herencia ni oficio, no le miró a derechas. Y como él, los de su casa.

La primera noche que Lope durmió en casa de Emeterio, lo hizo debajo del granero. Se le dio cena y un vaso de vino. Al otro día, mientras Emeterio se metía la camisa dentro del pantalón, apenas apuntando el sol en el canto de los gallos, le llamó por el hueco de la escalera, espantando a las gallinas que dormían entre los huecos:

—¡Lope!

Lope bajó descalzo, con los ojos pegados de lagañas. Estaba poco crecido para sus trece años y tenía la cabeza grande, rapada.

—Te vas de pastor a Sagrado.

Lope buscó las botas y se las calzó. En la cocina, Francisca, la hija, había calentado patatas con pimentón. Lope las engulló deprisa, con la cuchara de aluminio goteando a cada bocado.

—Tú ya conoces el oficio. Creo que anduviste una primavera por las lomas de Santa Áurea, con las cabras de Aurelio Bernal.

—Sí, señor.

—No irás solo. Por allí anda Roque el Mediano. Iréis juntos.

—Sí, señor.

Francisca le metió una hogaza en el zurrón, un cuartillo de aluminio, sebo de cabra y cecina.

—Andando— dijo Emeterio Ruiz Heredia.

Lope le miró. Lope tenía los ojos negros y redondos, brillantes.

—¿Qué miras? ¡Andando!

Lope salió, zurrón al hombro. Antes, recogió el cayado, grueso y brillante por el uso, que aguardaba, como un perro, apoyado en la pared.

Cuando iba ya trepando por la loma de Sagrado, lo vio don Lorenzo, el maestro. A la tarde, en la taberna, don Lorenzo lió un cigarrillo junto a Emeterio, que fue a echarse una copa de anís.

—He visto al Lope —dijo—. Subía para Sagrado. Lástima de chico.

—Sí —dijo Emeterio, limpiándose los labios con el dorso de la mano—. Va de pastor. Ya sabe: hay que ganarse el currusco. La vida está mala. El "esgraciao" del Pericote no le dejó ni una tapia en que apoyarse y reventar.

—Lo malo —dijo don Lorenzo, rascándose la oreja con su uña larga y amarillenta— es que el chico vale. Si tuviera medios podría sacarse partido de él. Es listo. Muy listo. En la escuela...

Emeterio le cortó:

—¡Bueno, bueno! Yo no digo que no. Pero hay que ganarse el currusco. La vida está peor cada día que pasa.

Pidió otra de anís. El maestro dijo que sí con la cabeza.

Lope llegó a Sagrado, y voceando encontró a Roque el Mediano. Roque era algo retrasado y hacía unos quince años que pastoreaba para Emeterio. Tendría cerca de cincuenta años y no hablaba casi nunca. Durmieron en el mismo chozo de barro, bajo los robles, aprovechando el abrazo de las raíces. En el chozo sólo cabían echados, y tenían que entrar a gatas, medio arrastrándose. Pero se estaba fresco en el verano y bastante abrigado en el invierno.

El verano pasó. Luego el otoño y el invierno. Los pastores no bajaban al pueblo, excepto el día de fiesta. Cada quince días un zagal les subía la "collera": pan, cecina, sego, ajos. A veces una bota de vino. Las cumbres de Sagrado eran hermosas, de un azul profundo, terrible, ciego. El sol, alto y redondo como una pupila impertérrita, reinaba allí. En la neblina del amanecer, cuando aún no se oía el zumbar de las moscas ni crujido alguno, Lope solía despertarse, con la techumbre de barro encima de los ojos. Se quedaba quieto un rato, sintiendo en el costado el cuerpo de Roque el Mediano, como un bulto aletante. Luego, arrastrándose, salía para el cerradero. En el cielo, cruzados como estrellas fugitivas, los gritos se perdían, inútiles y grandes. Quién sabía hacia qué parte caerían. Como las piedras. Como los años. Un año, dos, cinco.

Cinco años más tarde, una vez Emeterio le mandó llamar, por el zagal. Hizo reconocer a Lope por el médico, y vio que estaba sano y fuerte, crecido como un árbol.

—¡Vaya roble! —dijo el médico que era nuevo. Lope enrojeció y no supo qué contestar.

Francisca se había casado y tenía tres hijos pequeños, que jugaban en el portal de la plaza. Un perro se le acercó, con la lengua colgando. Tal vez le recordaba. Entonces vio a Manuel Enríquez, el compañero de la escuela que siempre le iba a la zaga. Manuel vestía un traje gris y llevaba corbata. Pasó a su lado y les saludó con la mano.

Francisca comentó:

—Buena carrera, ése. Su padre lo mandó estudiar y ya va para abogado.

Al llegar a la fuente volvió a encontrarlo. De pronto, quiso llamarle. Pero se le quedó el grito detenido, como una bola en la garganta.

—¡Eh! —dijo solamente. O algo parecido.

Manuel se volvió a mirarle, y le conoció. Parecía mentira: le conoció. Sonreía.

—¡Lope! ¡Hombre, Lope...!

¿Quién podría entender lo que decía? ¡Qué acento tan extraño tienen los hombres, qué raras palabras salen por los oscuros agujeros de sus bocas! Una sangre espesa iba llenándole la venas mientras oía a Manuel Enríquez.

Manuel abrió una cajita plana, de color de plata, con los cigarrillos más blancos, más perfectos que vio en su vida. Manuel se la tendió, sonriendo.

Lope avanzó su mano. Entonces se dio cuenta de que era áspera, gruesa. Como un trozo de cecina. Los dedos no tenían flexibilidad, no hacían el juego. Qué rara mano la de aquél otro: una mano fría, con dedos como gusanos grandes, ágiles, blancos, flexibles. Qué mano aquélla, de color de cera, con las uñas brillantes, pulidas. Qué mano extraña: ni las mujeres la tenían igual. La mano de Lope rebuscó, torpe. Al fin, cogió el cigarrllo, blanco y frágil, extraño, en sus dedos amazacotados: inútil, absurdo, en sus dedos. La sangre de Lope se le detuvo entre las cejas. Tenía una bola de sangre agolpada, quieta, fermentando entre las cejas. Aplastó el cigarrillo con los dedos y se dio media vuelta. No podía detenerse, ni ante la sorpresa de Manuelito, que seguía llamándole:

—¡Lope! ¡Lope!

Emeterio estaba sentado en el porche, en mangas de camisa, mirando a sus nietos. Sonreía viendo a su nieto mayor, y descansando de la labor, con la bota de vino al alcance de la mano. Lope fue directo a Emeterio y vio sus ojos interrogantes y grises.

—Anda, muchacho, vuelve a Sagrado que ya es hora...

En la plaza había una piedra cuadrada, rojiza. Una de esas piedras, grandes como melones, que los muchachos transportan desde alguna pared derruida. Lentamente, Lope la cogió entre sus manos. Emeterio le miraba, reposado, con una leve curiosidad. Tenía la mano derecha metida entre la faja y el estómago. Ni siquiera le dio tiempo a sacarla: el golpe sordo, el salpicar de su propia sangre en el pecho, la muerte y la sorpresa, como dos hermanas, subieron hasta él, así, sin más.

Cuando se lo llevaron esposado, Lope lloraba. Y cuando las mujeres, aullando como lobas, le querían pegar e ir tras él, con los mantos alzados sobre las cabezas, en señal de duelo, de indignación: "Dios mío, él, que le había recogido. Dios mío, él que le hizo hombre, Dios mío, se habría muerto de hambre si él no le recoge..." Lope sólo lloraba y decía:

—Sí, sí, sí...

Marina Mayoral

Entonces empezó a olvidar

Fue al intentar contarlo, al pretender convertirlo en una sucesión de hechos que sucedieron en el tiempo y de personajes que actuaron de determinada manera cuando me percaté de que había en la historia aspectos en los que no había reparado al vivirla.

Se parece a *Una historia inmortal*, dijo mi hermana. Yo también lo había pensado al comienzo, porque en los primeros momentos tuve la impresión de que era algo extraordinario, fabuloso. Pero, a medida que lo vivía, las diferencias con la película de Orson Welles y con el cuento de Dinesen se me hicieron patentes. Yo no tengo nada en común con el marinero ingenuo e ignorante. Soy joven como él y no soy feo, pero, puestos a escoger, yo no me eligiría para tal función. Habría buscado a alguien más fornido, lo que se llama un ejemplar masculino, o, acaso, a un hombre de inteligencia superior, un sabio de reconocido prestigio o un artista de indudable talento. Aunque, por otra parte, eso aumentaría las dificultades. Los famosos suelen ser recelosos y tacaños de sus bienes. Temerían quizá algún tipo de chantaje o se sentirían expoliados: a muchos les molesta incluso dar su imagen para una foto, cuanto más una parte de su persona. Tampoco es que se les pidiera un riñón o un ojo, pero, sin duda, cualquiera de ellos resultaría menos accesible que yo y los resultados quizá fueran los mismos o peores. La genialidad ya sabemos que no se hereda. Había además otros argumentos que ella utilizó para justificar mi elección: los extremos son siempre peligrosos, era preferible un término medio, un hombre equilibrado, de buena salud, con una buena situación en la vida y sin complicaciones. Y estaba, también, la cuestión de las afinidades: tenía que ser alguien por quien ella se sintiera atraída, ya que, puesta a pasar un rato desagradable, la mesa de operaciones hubiera resultado más aséptica. Me pareció muy razonable.

A mí me daría miedo, dijo mi hermana: alguien que aparece tan misteriosamente, sin saber de dónde, ni quién es, como el marinero de la leyenda: un puerto lejano al anochecer, brumas, oscuridad, una figura que le hace señas de seguirla... Pero era una mañana de sol radiante, en la playa, y no estamos en la India, ni en Hong Kong. A ella le parecía exótico y romántico, había dudado entre esto y las islas griegas, pero aquí había pasado su luna de miel y el recuerdo de aquellos días maravillosos, me dijo, la había decidido por estas tierras. Fue ella misma la que se acercó a mí, y nada de señas, hablaba correctamente inglés y francés y un poco de español.

Ella sí que era una protagonista de leyenda, pero no por misteriosa sino por su belleza: el pelo rubísimo, los ojos azul profundo, la piel de un moreno dorado, luminoso; el cuerpo esbelto, los pechos altos y firmes, las caderas redondas, las piernas largas... Una fantasía erótica, dijo mi hermano mayor, eso era "la sueca" de mis tiempos. Pero Nora era así y además no era grande, ni tenía aspecto de chico guapo travestido. Era una preciosidad y supongo que eso fue el motivo principal que me llevó a colaborar en lo que, contado por ella, me pareció algo maravilloso y al mismo tiempo muy normal. Nora quería tener un hijo, pero su marido, un hombre bastante mayor que ella, era estéril. Los dos pensaban que en lugar de someterse a la inseminación artificial se podía recurrir a un procedimiento mucho más acorde con la naturaleza. Sólo había que buscar a una persona adecuada y mantener la identidad de ellos en secreto a fin de evitar problemas posteriores. De ahí procedía su reserva, nada misteriosa, por tanto, acerca de su nacionalidad, nombre, profesión del marido y cualquier otro dato que pudiera ser utilizado por el padre material de la criatura para localizarlos, en el caso de que intentara algún chantaje en el futuro. Me pareció una postura prudente y más práctica que cualquier documento de renuncia que no serviría más que para complicar la situación, aunque, como ella me dijo, lo fundamental era mi compromiso moral de aceptar el trato, de modo que sin mi palabra de honor de respetarlo no seguiría adelante. Se la di y, consecuentemente, no intenté averiguar nada sobre ella. O sea que me comporté como un caballero español, según mi hermana. O como un orgulloso, dice mi cuñada.

Mi hermano mayor ve las cosas de otro modo. Lo de las afinidades electivas y la atracción le parece un anzuelo vulgar: Nora no me ha elegido por ser un joven más o menos talentoso y prometedor, aparte de sano y de familia acomodada, sino sobre todo por tonto. Él dijo por ingenuo, pero se notaba que quería decir por tonto. Nora podía ser una fresca y utilizar el cuento del hijo para sacarme dinero en el futuro. Sin duda se lo he contado mal, o no pensaría eso de ella. Pero es posible también que haya un poco de envidia en su comentario. Siempre ha ido de triunfador por la vida y no debe entender que Nora me escogiera a mí, estando él aquel día en la playa. Pero aún así es obvio que yo no he sabido comunicar la sensación de confianza que Nora transmitía. No es el tipo de mujer fatal ni devoradora de hombres, con una mujer así yo no me hubiera atrevido, quiero decir que seguramente no habría aceptado participar en el asunto. Nora quiere y respeta a su marido, es una buena esposa y será una buena madre para el chico: es cariñosa, alegre, tranquila. Le dará seguridad en la vida. Tiene en grado sumo la capacidad de escuchar y de provocar la confidencia. A su lado uno se siente con ganas de hablar y de contarle los problemas. Pero mi hermano sigue sin entenderlo: o sea, que para que tú no le hicieras preguntas te confesaba ella a ti, dice. Seguro que le has hablado de toda la familia... De toda no, pero casi. De su mujer sí le he hablado. Nora me preguntó por qué no me había casado; pensaba que la soltería no encajaba con mi personalidad, con mis buenas cualidades, así dijo, y por eso le hablé de mi cuñada. Al comienzo no preguntaba por su curiosidad sino por interés en conocer lo que sería la familia de su hijo; quería saber cualquier cosa que en el futuro pudiera afectarle: si había propensión a alguna enfermedad o rareza, si teníamos facultades especiales para alguna actividad o arte. Se alegró mucho de que yo fuera escritor, se congratulaba de su buena elección, de su ojo clínico, decía. Y así, poco a poco, fuimos hablando de cosas más íntimas.

Lo más difícil de entender es que se haya ido sin despedirse. La noche antes me había dicho "hasta mañana", pero cuando volví al día siguiente la casa estaba cerrada, la cancela exterior, la puerta de entrada, las ventanas; todo. Es una mujer muy cauta, dijo mi cuñada. Se dio cuenta de que te habías enamorado y puso tierra por medio. Un hombre enamorado no atiende a razones, ni respeta promesas. Un poco más y yo habría iniciado pesquisas, indagaciones para saber quién era, de dónde venía, cómo podría encontrarla de nuevo. ¿Acaso no lo había ya intentado? ¿No le había dejado ver la intensidad de mi deseo, mi amor creciente, mi melancolía ante ese hijo de los dos que iba a convertirse en hijo de otro hombre? ¿No había iniciado ya mi chantaje sentimental? No sé de dónde ha sacado mi cuñada todo eso, no sé si estaba en la historia que yo le he contado o ella lo saca de otra historia que los dos conocemos. Es posible que esté en lo cierto y que ésa sea la explicación de aquella partida repentina y sin adiós. Pero quizá haya algo más. Quizá Nora se ha enamorado de ti, dice mi hermana. No querría traicionar a su marido, aquel marido que por evitarle un mal rato accedía a que ella se entregara a otro hombre; un marido que tiene tanta confianza en su mujer, en su fidelidad, en su cariño, en el proyecto de vida en común, que es capaz de dejarle escoger para padre de su hijo al hombre que a ella le guste. Se comprende que a un hombre así no quiera defraudarlo, dice mi hermana. Un bendito, un Juan Lanas, dice mi hermano mayor. Ésa se ha venido de vacaciones y a la vuelta le hace creer que es suyo, ¡menuda pájara! Os ha manejado a los dos. Me pregunto si habrá algo de eso en lo que yo le he contado. Acaso mi sorpresa, mi decepción, mi rabia, mi dolor ante su partida inesperada se comunican a mis palabras. O acaso mi hermano mayor proyecta sobre ellas oscuras intuiciones de otra historia que no quiere saber.

Mi historia, la que yo viví, se acaba ante aquella puerta cerrada, pero cada uno le ha buscado el final que más le gusta. Es muy posible que ella vuelva, dice mi hermana. Su marido se dará cuenta de que está enamorada de otro hombre y no aceptará su sacrificio. Es un hombre bueno, sin duda, y generoso, bastante mayor que ella, muy comprensivo. Nora puede contarle todo lo que ha pasado y lo que siente, porque sabe que él la entenderá, siempre ha sido así. Él le dirá que lo importante ahora es que se tranquilice, que descanse, el niño debe nacer bien. Después habrá tiempo de resolver lo que sea, ella es libre de decidir, como siempre. Mientras, él la cuidará, la mimará, le pondrá la mano en el vientre para oír cómo se mueve la criatura, se reirán juntos y pensarán un nombre. Y a los nueve meses serás sólo un recuerdo romántico, dijo mi cuñada. Y cuando el niño crezca y las amistades empiecen a encontrarle los inevitables parecidos con el padre, ellos cruzarán una mirada cómplice y divertida. Tierna, dice mi hermana, y se acordarán con agradecimiento de ti, de manera que no se entiende esa murria, ella estaba estupenda, de momento te ha salido el ligue muy barato y el hijo vaya usted a saber de quién es, dice mi hermano mayor, o si la historia acaba así no puedo quejarme, lo que pasa es que soy escritor y me gusta hacer literatura, adornar las cosas, hacerme el interesante, seguro que acaba haciendo una novela o un cuento, dice mi cuñada. Pero se parece demasiado a *Una historia inmortal*, dijo mi hermana, tendría que buscarle un final distinto, que ella vuelva, por ejemplo, o que le robe las tarjetas de crédito, dijo mi hermano mayor, o que todo es un sueño, dijo mi cuñada. O una mentira.

Cuando acabé de contarlo era una historia distinta, no sé si más cercana a la realidad o, por el contrario, más alejada de ella. No me importa. Yo necesitaba sacarla fuera de mí, convertirla en algo objetivo, manipulable. Decir:

Yo estaba tranquilamente tomando el sol en la playa y una chica rubia se me acercó. Y seis páginas más adelante decir: La casa estaba cerrada, la cancela exterior, las ventanas, todo. Ahora ya no soy yo el que se desespera, el que intenta en vano recuperar un fantasma o entender, al menos, lo sucedido. Es mi personaje. Yo releo su historia y corrijo la estructura y detalles de estilo. Se la leo a mi hermana que dice que no le gusta el final y a mi cuñada que sonríe y dice: Ya sabía yo que todo era un cuento. ¿No será que quieres darme celos?; y a mi hermano mayor que me dice que soy un tonto por darle tantas vueltas a algo de lo que voy a sacar tan poco provecho.

El marinero también debió de darle muchas vueltas. Se lo contaría primero a sus compañeros de trabajo: era una mujer hermosísima, los ojos verdes como el mar, el pelo de oro, nunca había visto él nada igual. Después, cuando ya no navegaba, se lo contó a su mujer: la llegada al puerto, la figura misteriosa que le hace señas, la casa lujosísima; y a sus hijos cuando crecieron: el marido era un hombre muy poderoso y muy rico, pero no podía tener hijos; y también a sus nietos: hace ya muchos años, en un país lejano... Un día, en la taberna del puerto, oyó a un marinero recién llegado contar su historia; el criado que le hace señas entre las brumas del anochecer, el palacio, una mujer muy bella, de ojos de azabache y pelo largo y negro como la noche... Entonces empezó a olvidar.

Rosa Montero

Mi hombre

Me he casado con un descuartizador de aguacates. Ya comprenderán que mi matrimonio es un fracaso. Cuando conocí a mi marido yo tenía diecinueve años. Por entonces estaba convencida de que el día más hermoso en la vida de una muchacha era el día de su boda, y cada vez que veía una novia me ponía a moquear de emoción como una tonta. Ahora tengo cuarenta y tres años y no me divorcio porque me da miedo vivir sola.

El es un hombre muy bueno. Es decir, no me pega, no se gasta nuestros sueldos en el juego, no apedrea a los gatos callejeros. Por lo demás, es de un egoísmo insoportable. Viene de la oficina y se tumba en el sofá delante de la tele. Yo también vengo de *mi* oficina, pero llego a casa dos horas más tarde y cargada como una mula con la compra del hiper. Que me ayudes, le digo. Que ahora voy, responde. Nunca dice que no directamente. Pero yo termino de subir todas las bolsas y él no ha meneado aún el culo del asiento. Voy a la sala, le grito, le insulto, manoteo en el aire, me rompo una uña. El ni se inmuta. Entonces me siento en una silla de la cocina y me pongo a llorar. Al ratito aparece él, en calcetines. "¿Qué hay de cena?"

Pregunta con su voz más inocente. Hago acopio de aire para soltarle una parrafada venenosa, pero él me intercepta con una habilidad nacida de años de práctica: "Ya sé, te voy a preparar una ensalada que te vas a chupar los dedos", exclama con cara de pillín. Esa ensalada de aguacates y nueces y manzana que tanto le gusta. Así que yo me amanso porque soy idiota y, aunque refunfuñando, le ayudo a sacar los platos, la fruta, los cuchillos, y le ato a la espalda el delantal mientras él mantiene los brazos pomposamente estirados ante sí como si fuera un cirujano a punto de realizar una operación magistral a corazón abierto.

Entonces él empieza a pelar los aguacates y yo, por hacer algo, lavo y corto la lechuga, pico la cebolla, casco y parto las nueces, convierto dos manzanas en pequeños cubitos. Le miro por el rabillo del ojo y él sigue pelando. De modo que saco las patatas, las mondo, las lavo, las corto finitas, que es como a él le gustan; cojo la sartén, echo el aceite, enciendo el fuego, frío primero las patatas bien doradas y luego hago también un par de huevos. El aceite chisporrotea y salta, y, como no tengo puesto el delantal, me mancho de grasa la pechera de la blusa. Le miro: él continúa impertérrito, manipulando morosamente su aguacate. Tan torpe, tan lento y tan inútil que más que cortar el fruto se diría que está haciéndole una meticulosa autopsia. "No sirves para nada", le gruño. Y él me mira con cara de dignidad ofendida. "¡Y encima no me mires así!", chillo exasperada.

Él frunce el ceño y se desanuda el delantal con parsimonia. Después se va a la sala y se deja caer en el sofá, enfrente al televisor, mientras se chupa el pringoso verdín que el aguacate ha dejado en sus dedos. Yo sé que ahora pondré la mesa como todas las noches y cenaremos sin decirnos nada.

Lo más terrible es que, en nuestro fracaso como pareja, apenas si hay batallas de mayor envergadura que estos sórdidos conflictos domésticos. Y no es que me importe mucho hacerme cargo de las labores de la casa. No me gustan, pero si hay que hacerlas, pues se hacen. No, lo que me amarga la vida es su presencia. Porque me encanta cocinar para mi hija, por ejemplo, aunque, por desgracia, viene muy poco a vernos; pero servirle a él me desespera. Será que le odio. Hay momentos en los que no soporto ni su manera de abrir el periódico: estira los brazos y sacude el diario delante de sí, antes de darle la vuelta a la hoja, como quien orea una pieza de tela. Hace muchos años ya que, si no es para discutir, apenas si hablamos.

No siempre fue así. Al principio todo era distinto. Él estudiaba dibujo lineal por las noches. Y soñaba con hacerse arquitecto. Quería ser alguien. Es más, yo *creía* que él era *alguien*. Pero nunca se atrevió a dejar la gestoría. No sé cuándo le perdí la confianza, pero sé que me decepcionó hace ya mucho. No era ni más listo ni más trabajador ni más capaz que yo. Tampoco era más fuerte, me refiero a más fuerte por dentro; por ejemplo, no me sirvió de nada cuando creímos que la niña tenía la meningitis. Y yo, para estar enamorada, necesito admirar al que ha de ser mi hombre. Me has decepcionado, le he dicho muchas veces. Y él se calla y se pone a orear el periódico.

Claro que quizá yo también he cambiado. Antes la vida me parecía un lugar lleno de aventuras, y por las noches, mientras me dormía, la cabeza se me llenaba de imágenes felices: nosotros dos con nuestra hija pequeña, envidiados por todos; él trabajando en un estudio de arquitectura y envidiado por todos; nosotros dos viajando en avión por medio mundo y envidiados por todos. Eran estampas quietas, como las de los álbumes de cromos de mi infancia. Después dejé de pensar en esas cosas, porque estaba siempre tan cansada que me dormía nada más acostarme. Y luego se me pasó la juventud. Llega un día en el que te despiertas y te dices: así que en esto consistía la vida. Poca cosa.

Le he engañado en dos ocasiones. Con dos compañeros de la oficina. Fue un desastre. Yo buscaba el amor a través de ellos y me temo que ellos sólo me buscaban a mí. Los dos estaban casados. Me sentí ridícula. Entre unos y otros, entre estas cosas y todas las demás, se me ha agriado el carácter. Yo de joven era muy alegre. El me lo decía siempre: me encanta tu vitalidad. Y de novios me llamaba *Cascabelito*. Ahora que lo pienso, quizá para él yo también haya sido una decepción: últimamente no hago otra cosa que gruñir, protestar y estar de morros todo el día.

A veces, sin embargo, me despierto de madrugada sin saber dónde estoy. Me rodea la oscuridad, me acosa el vértigo, me encuentro sola e indefensa en la inmensidad de un mundo hostil. Entonces mi brazo tropieza con una espalda blanda y cálida. Y el rítmico sonido de una respiración muy conocida cae en mis oídos como un bálsamo. Es él, durmiendo a mi lado; reconozco su olor, su tacto, su tibieza. Poco a poco, las tinieblas dejan de ser tinieblas y la habitación comienza a reconstruirse a mi alrededor: la mesilla, el despertador, la pared del fondo, la blusa manchada de grasa que me quité anoche y que descansa ahora sobre la silla. La cotidianidad triunfa una vez más sobre el vacío. Me abrazo a su espalda y, medio dormida, contemplo cómo el alba pone una línea de luz sobre el tejado de las casas vecinas. Y entonces, sólo entonces, me digo: es mi hombre.

Rosa Montero

La gloria de los feos

Me fijé en Lupe y Lolo, hace ya muchos años, porque eran, sin lugar a dudas, los raros del barrio. Hay niños que desde la cuna son distintos y, lo que es peor, saben y padecen su diferencia. Son esos críos que siempre se caen en los recreos; que andan como almas en pena, de grupo en grupo, mendigando un amigo. Basta con que el profesor los llame a la pizarra para que el resto de la clase se desternille, aunque en realidad no haya en ellos nada risible, más allá de su destino de víctimas y de su mansedumbre en aceptarlo.

Lupe y Lolo eran así: llevaban la estrella negra en la cabeza. Lupe era hija de la vecina del tercero, una señora pechugona y esférica. La niña salió redonda desde chiquitita; era patizamba y, de las rodillas para abajo, las piernas se le escapaban cada una para un lado como las patas de un compás. No es que fuera gorda: es que estaba mal hecha, con un cuerpo que parecía un torpedo y la barbilla saliéndole directamente del esternón.

Pero lo peor, con todo, era algo de dentro; algo desolador e inacabado. Era guapa de cara: tenía los ojos grises y el pelo muy negro, la boca bien formada, la nariz correcta. Pero tenía la mirada cruda, y el rostro borrado por una expresión de perpetuo estupor. De pequeña la veía arrimarse a los corrillos de los otros niños: siempre fue grandona y les sacaba a todos la cabeza. Pero los demás críos parecían ignorar su presencia descomunal, su mirada vidriosa; seguían jugando sin prestarle atención, como si la niña no existiera. Al principio, Lupe corría detrás de ellos, patosa y torpona, intentando ser una más; pero, para cuando llegaba a los lugares, los demás ya se habían ido. Con los años la vi resignarse a su inexistencia. Se pasaba los días recorriendo sola la barriada, siempre al mismo paso y doblando las mismas esquinas, con esa determinación vacía e inútil con que los peces recorren una y otra vez sus estrechas peceras.

En cuanto a Lolo, vivía más lejos de mi casa, en otra calle. Me fijé en él porque un día los otros chicos le dejaron atado a una farola en los jardines de la plaza. Era en el mes de agosto, a las tres de la tarde. Hacía un calor infernal, la farola estaba al sol y el metal abrasaba. Desaté al niño, lloroso y moqueante; me ofrecí a acompañarle a casa y le pregunté que quién le había hecho eso. "No querían hacerlo", contestó entre hipos: "Es que se han olvidado". Y salió corriendo. Era un niño delgadísimo, con el pecho hundido y las piernas como dos palillos. Caminaba inclinado hacia delante, como si siempre soplara frente a él un ventarrón furioso, y era tan frágil que parecía que se iba a desbaratar en cualquier momento.

Tenía el pelo tieso y pelirrojo, grandes narizotas, ojos de mucho susto. Un rostro como de careta de verbena, una cara de chiste. Por entonces debía de estar cumpliendo los diez años.

Poco después me enteré de su nombre, porque los demás niños le estaban llamando todo el rato. Así como Lupe era invisible, Lolo parecía ser omnipresente: los otros chicos no paraban de martirizarle, como si su aspecto de triste saltamontes despertara en los demás una suerte de ferocidad entomológica. Por cierto, una vez coincidieron en la plaza Lupe y Lolo: pero ni siquiera se miraron. Se repelieron entre sí, como apestados.

Pasaron los años y una tarde, era el primer día de calor de un mes de mayo, vi venir por la calle vacía a una criatura singular: era un esmirriado muchacho de unos quince años con una camiseta de color verde fosforescente. Sus vaqueros, demasiado cortos, dejaban ver unos tobillos picudos y unas canillas flacas; pero lo peor era el pelo, una mata espesa rojiza y reseca, peinada con gomina, a los años cincuenta, como una inmensa ensaimada sobre el cráneo. No me costó trabajo reconocerle: era Lolo, aunque un Lolo crecido y transmutado en calamitoso adolescente. Seguía caminando inclinado hacia delante, aunque ahora parecía que era el peso de su pelo, de esa especie de platillo volante que coronaba su cabeza, lo que le mantenía desnivelado.

Y entonces la vi a ella. A Lupe. Venía por la misma acera, en dirección contraria. También ella había dado el estirón puberal en el pasado invierno. Le había crecido la misma pechuga que a su madre, de tal suerte que, como era cuellicorta, parecía llevar la cara en bandeja. Se había teñido su bonito pelo oscuro de un rubio violento, y se lo había cortado corto, así como a lo *punky*. Estaban los dos, en suma, francamente espantosos: habían florecido, conforme a sus destinos, como seres ridículos. Pero se los veía anhelantes y en pie de guerra.

Lo demás, en fin, sucedió de manera inevitable. Iban ensimismados, y chocaron el uno contra el otro. Se miraron entonces como si se vieran por primera vez, y se enamoraron de inmediato. Fue un 11 de mayo y, aunque ustedes quizá no lo recuerden, cuando los ojos de Lolo y Lupe se encontraron tembló el mundo, los mares se agitaron, los cielos se llenaron de ardientes meteoros. Los feos y los tristes tienen también sus instantes gloriosos.

Soledad Puértolas

Atasco

Cómo hubiera podido prever esta situación, me digo, atrapada en la corriente de coches que permanece detenida en la autopista de La Coruña en dirección a Madrid, bastante lejos todavía de Puerta de Hierro, y me digo también que ayer hubiera debido imaginar el atasco de esta mañana antes de dirigirme, nada más terminar el trabajo, a casa de mi amiga Laura, sólo porque tenía ganas de lamentarme, porque necesitaba un poco de compañía y de consuelo. A estas horas de la mañana, el enfado y la tristeza de ayer no significan nada, apenas nada.

Lo que me importa ahora es que tengo metido en el coche al marido de Laura, un hombre insufrible. Yo conduzco el coche, mi coche. Él ya me anunció desde ayer por la noche, una vez que acepté la invitación de Laura a quedarme a dormir en su casa, que aprovecharía mi vuelta a Madrid para venirse conmigo, porque luego le podría llevar de regreso a casa un compañero de trabajo que vivía muy cerca de la suya. Una vez más, ayer por la tarde olvidé esta obviedad: Laura es una mujer casada, y aquí tengo, a mi lado, en este exasperante trayecto, a este hombre insoportable, un melómano pretencioso que sigue el compás de la música como si le saliera del alma, como si en este momento crítico en el que todos nos dirigimos a trabajar y maldecimos nuestra suerte, nada, absolutamente nada en el mundo, fuera importante sino esto, estas notas armónicas de una sonata de Schubert. La sonata para piano, violín y violoncelo en si bemol mayor, D. 28, ha dicho, y alguna precisión más que no recuerdo. Y lo ha dicho con una pequeña sonrisa de superioridad, de desprecio, y después de haber querido jugar conmigo a las adivinanzas. Me ha cogido desprevenida y he entrado en su juego como una idiota y, naturalmente, mis respuestas —porque he dado varias— han sido, todas, equivocadas. Su irritante y pequeña sonrisa de superioridad aún se ha acentuado más. Pero no pienso darle ninguna explicación sobre el porqué de mis respuestas, no voy a hacer alarde alguno de mis escasos conocimientos musicales —vete a saber si los suyos son tan amplios—, y así estoy ahora, muda, mirando al frente, inmovilizada en esta carretera, envidiando la concordia que tal vez se respire en el interior de los otros coches. Envidio, sobre todo, a los conductores que van solos. Bendita soledad.

Observo a los ocupantes de los coches cercanos. Imagino sus vidas. Hay algunas parejas, supongo que matrimonios. Apenas hablan entre sí. Cada cual parece pensar en sus cosas, mira hacia dentro. Todos parecen acostumbrados al atasco de las mañanas, resignados. No tienen expresión de fastidio. Acaso, de aburrimiento. Pienso en la llegada de cada una de estas personas a su oficina, ese momento en el que el lento trayecto se borra, desaparece como si no hubiera existido, y el hombre o la mujer se dirigen a sus mesas, repentinamente dinámicos, como si acabaran de salir de la ducha y el olor de la colonia no se hubiera ido dispersando en el aire encerrado del coche.

¿Y nosotros?, ¿no parecemos nosotros un matrimonio? Esta inaudita posibilidad hace que me ría, horrorizada, por dentro. ¿Yo casada con este hombre antipático y presuntuoso? Pobre Laura, todavía no puedo entenderlo. Todavía tengo que escuchar algunas veces lo increíblemente guapo que le parece, cuando han transcurrido catorce años desde el día de su boda con él, este hombre que ahora escucha la sonata de Schubert, mueve ligeramente la cabeza, como si la música le estuviera invadiendo por dentro, poseyendo, y parece por completo indiferente a esta prisa que todos tenemos por llegar, por salir de este atasco de una vez.

Pero la sonata, que era breve, se acaba, y él sale de su ensueño. La gente no aprovecha el tiempo, no se organiza, dice el marido de

Laura de repente, y me suelta un discurso sobre la utilidad de los atascos matutinos. Desde luego, él no escucha la radio, ni siquiera la emisora de música clásica, que es la que ahora tengo puesta yo, él se programa su propia música. Los domingos hace la selección para toda la semana, y así sale cada mañana de casa con sus dos o tres cassettes, dispuesto a disfrutar de su hora de trayecto. Ahora se escucha un trío de piano, violín y violoncelo, también de Schubert, pero esta vez ya no me lo ha preguntado; hemos escuchado la voz del locutor anunciándolo. Menos mal.

Y sigue la música de este trío más de media hora después, cuando llegamos a la esquina donde ya me había dicho desde que salimos de su casa que tenía que dejarle. Durante el trayecto me lo ha repetido más de una vez, no me fuera a equivocar, me ha ido guiando, ponte en este carril, a la izquierda, ahora en el de en medio, a la derecha. Cuidado, ahora no, viene un todoterreno muy deprisa, deja que pase.

Siento cada vez más antipatía hacia este hombre previsor que los domingos se dedica a programar la música de los atascos de los días laborables, entre otras muchas cosas que sin duda programará, me irrita este hombre feliz que se ha llevado a vivir a Laura a la periferia de Madrid, a una urbanización tranquila de grandes chalets y grandes jardines, y que —¡al fin!— se despide ahora de mí con una sonrisa satisfecha. Por el retrovisor lo veo, con el traje impecable, los colores suaves, combinados, andando sobre sus zapatos ingleses. Pobre Laura, que sigue enamorada de este hombre feliz que esta mañana se ha subido a mi coche para aprovechar mi viaje a Madrid. Debe de haber calculado con exactitud la cantidad de gasolina que se va a ahorrar hoy.

Y aquí estoy sola de nuevo, ya en Madrid, después de haber pasado la noche en casa de mi amiga Laura, porque me sentía triste y no sabía a quién recurrir, no sabía qué me ayudaría a salir de esa tristeza. Escucho el final del trío de Schubert, ese hombre atormentado. Me quedo con él, compartiendo el abismo.

Soledad Puértolas

Lento regreso a casa

Hay días, muy pocos, en los que me invade una tristeza que no podría definir, como si todo en la vida me hubiera salido mal, como si no encontrara ninguna razón para salir adelante. Ni siquiera tengo ganas de llorar, tampoco soy de esa clase de personas que, en momentos así, o parecidos, se meten en la cama con un somnífero —o varios— y dejan que el tiempo pase. Quizá a la vuelta del sueño todo será mejor.

Menos mal que son pocos, son pocos estos días, pero es entonces cuando entiendo a los suicidas y a todos los desesperados que deambulan por el mundo, que se arrastran, que mueren lentamente.

En uno de esos días tan tristes me acordé de repente de mi primera historia de amor, o de mi primer dolor de amor, ya que no llegó a ser una historia. Me asombró que el recuerdo me la trajera —la historia o el atisbo de la historia— tan vívida. Estaba allí, guardada en un recoveco de la memoria y repentinamente, empujada por la tristeza, cobró vida.

Vi con toda claridad el atardecer de verano en mi ciudad natal en el que regresaba a casa desde el Club de Tenis, las calles aún llenas de calor entre dos luces, la del sol decayendo y la de las farolas empezando a brillar. Por primera vez, caminaba acompañada, no de mis hermanos ni de mis amigas, sino de un chico dos años mayor que yo. Caminaba un poco mareada, como si el firme de la calzada no fuese nada firme sino blando y ondulado. Las calles hasta mi casa, tantas veces recorridas a la ida y a la vuelta del Club de Tenis, no eran las calles de siempre. Aquí y allá surgían cosas distintas, detalles en los que no había reparado jamás. Me fijaba en los troncos de los árboles y me impresionaba la sensación de la corteza dura y agrietada. Miraba los ladrillos oscuros que formaban los muros de las casas y me asombraba que las hubieran construido así, ladrillo a ladrillo. Se me ocurrían cosas en las que nunca había pensado. Cosas pequeñas que repentinamente se habían engrandecido, como, si yo ahora lo mirara todo con lupa.

También recordé a los pobres que dormitaban junto al muro del Hospital de la Caridad, quizá a la espera de la cena o a la espera de que la noche pasara y llegara el desayuno. Siempre me fijaba en sus piernas agrietadas, en sus caras que ya carecían de expresión. Me parecían muy viejos, muy cansados, como si acabaran de llegar de un viaje larguísimo y ya no pudieran más, ya sólo esperaban sus raciones de comida y dormir junto a la tapia del hospital, dormir, y un día no despertar.

Pasé junto a los pobres con aquel chico que se llamaba Nacho a mi lado. Recorrimos la acera del Hospital de la Caridad sin querer mirar a los pobres. Luego llegamos a la plaza polvorienta de donde partía mi calle, y la atravesamos también, y yo volví a mirar el suelo, porque temía caerme sobre la tierra que casi conocía palmo a palmo; esa plaza había sido el lugar de los juegos en mi infancia. Jugaba a la cuerda, al tres en raya, a las casillas. Me había caído muchas veces jugando en esa plaza, pero ahora no estaba jugando, ahora no me fiaba de la tierra, no la veía como un suelo firme, y la miraba para mantener a raya el mareo y poder seguir andando junto al chico que iba a mi lado. Un chico a mi lado por primera vez en mi vida en aquel lento regreso a casa. Un chico enormemente importante para mí. Estaba siempre recostado sobre la pared desconchada que se levantaba a unos metros del extremo de la piscina, el extremo donde la piscina era más honda, ese extremo que me aterrorizaba. Nunca me aventuraba por allí. Todo lo más, pegada al borde. Siempre con la posibilidad de agarrarme al borde si alguien se tiraba a la piscina casi encima de mí o si alguien venía nadando a toda velocidad por detrás y me arrollaba. Tenía un miedo horrible, pero trataba de nadar porque todos los demás lo hacían. No todos los demás: los mejores, los más admirados. ¿Cuándo?, ¿cómo aprendieron a nadar?, me preguntaba yo, ¿al punto de la mañana, cuando la piscina estaba desierta, sólo para ellos, o a última hora de la tarde, antes de que el Club de Tenis cerrara sus puertas y sólo quedaban ellos, los nadadores sempiternos, dueños absolutos de la piscina y del recinto entero?

Nacho, el chico que, asombrosamente, iba a mi lado aquel atardecer, se encontraba entre el reducido grupo de los grandes nadadores, los que llevaban bañador gastado, pegado a la piel, los que se movían por el Club de Tenis como si fuera una prolongación natural de sus casas, los que entraban y salían del agua como si el cemento y la tierra —aún no había césped alrededor de la piscina, eran los años de la sequía eterna— y el agua fueran lo mismo para ellos, lo mismo de fácil.

Yo no me acababa de creer que Nacho estuviera a mi lado, por eso me sentía mareada, sabía que el camino era el de siempre, como eran los mismos los pobres que dormitaban junto al Hospital de la Caridad. Pero ahora buscaba otro tipo de detalles, o, quizá, buscando los conocidos para orientarme, encontraba otros que me parecían sumamente extraños, los ladrillos en los que jamás había pensado, las cortezas de los árboles, los arbustos de la plaza, cubiertos de polvo, el mismo suelo de la plaza, esa tierra marrón que ahora me parecía muy oscura, algo amenazante, como si se pudiera abrir bajo nuestros pies y tragarnos. Tragarme a mí. Nacho seguiría andando, porque, para él, ni el suelo ni nada en el mundo era hostil.

Nacho hablaba, me contaba cosas que ya no puedo recordar, quizá porque en aquel momento tampoco pude escucharle, porque mis cinco sentidos estaban concentrados en el esfuerzo por mantenerme en pie, por no caerme sobre el firme ondulado. Nacho hablaba y de repente me miraba de soslayo, como para corroborar que yo seguía estando ahí, aunque apenas pronunciara palabra. ¿Qué palabras hubiera podido pronunciar yo, qué cosas contar, si siempre había mirado a Nacho desde lejos, si jamás se me había pasado por la cabeza que alguna vez pudiera dirigirse a mí para decirme algo? Sólo esa señal de la cabeza al saludarme si se cruzaba conmigo en la franja de baldosas que bordeaba la piscina. Una señal rápida, un gesto de la cabeza hacia arriba y hacia abajo, ni siquiera un susurro. Lo veía hablar con sus amigos. ¿De qué hablarán?, me preguntaba yo. Se reían. ¿De qué se reirán?, me preguntaba. Pero imaginaba que nunca lo sabría, que nunca accedería a sus conversaciones, que jamás estaría entre ellos, no sólo al lado de Nacho, lo que verdaderamente me parecía imposible y sólo se cumplía en sueños, sino al lado de cualquiera de sus amigos. Apenas me miraban al pasar, sólo ese gesto de la cabeza.

No sé bien lo que sucedió aquella tarde, por qué salí sola del Club de Tenis. Casi siempre salía con alguna amiga o con uno de mis hermanos. Quizá me demorase en el vestuario y la amiga o el hermano no me esperaran, no sé. Pero el caso fue que a la salida coincidí con Nacho y él también estaba solo. Me sonrió y me quedé asombrada, porque no había nadie a nuestro alrededor, de forma que aquella sonrisa era para mí, por mucho que me costara comprenderlo. Y después de la sonrisa salimos a la calle y empezamos a andar juntos como si los dos nos dirigiéramos al mismo lugar. Era mi camino y al parecer también el suyo. Empezó a hablar, y aunque no recuerde sus palabras porque seguramente ni siquiera las pude escuchar, sí supe que me hablaba a mí, porque de vez en cuando me miraba de soslayo y no había nadie más entre nosotros. Eso era lo que me resultaba más extraño, que me hablara a mí.

¿Se estará equivocando?, me preguntaba yo. ¿Me estará confundiendo con otra?, ¿no se da cuenta de que no soy más que yo, esa chica a la que sólo saluda con un gesto silencioso? No se me ocurría nada que decirle y tampoco parecía que hiciera falta. Yo miraba hacia abajo y hacia los muros, tratando de convencerme de que estaba haciendo el trayecto de siempre, y cuanto más miraba, más extraño me parecía todo, más irreconocible, más irreal.

Faltaba ya muy poco para llegar a mi portal y yo no sabía qué iba a ocurrir entonces, si yo misma me detendría y diría adiós, si sería él quien se detendría. ¿Sabía Nacho que yo vivía en esa calle, que estábamos ya a sólo unos metros del portal de mi casa?

Llegamos a mi portal y los dos lo miramos un momento, pero seguimos andando hacia adelante, porque Nacho dijo que podíamos tomar un granizado de limón en los Helados Italianos y supongo que yo emití un débil sí asombrado e incrédulo, un sí casi inaudible, inundado de emoción.

Tomamos el granizado de limón junto a la barra de la heladería. No nos sentamos alrededor de una de las mesas de mármol. Alrededor de las mesas sólo se sentaban las señoras, la gente mayor. Yo sorbí el granizado de golpe y luego me fui bebiendo el agua helada que se iba formando cuando los pequeños trozos de hielo se deshacían. Y entonces sí que hablé, rompí a hablar, sentí en mi interior una oleada de palabras. Le conté a Nacho mis planes de verano. Le hablé de mi abuela y de mi tío soltero, tan guapo, tan seductor. Le hablé mucho de mi tío, quizá para transmitirle la idea de que a mí él no me importaba mucho, de que estaba deseando marcharme de viaje, de que toda mi ilusión se centraba allí, en los largos meses que iba a pasar en casa de la abuela, mi tío yendo y viniendo, haciéndonos bromas, del desorden que reinaba en la casa, repentinamente llena, todos los cuartos ocupados. Le hablé de la extraña ausencia de normas que durante el verano regía los días, aunque en realidad no se trataba de ausencia sino de trastocamiento, y este trastocamiento no acababa de poderse definir. Exageré, desde luego, pero mientras hablaba me lo creía y creía que Nacho me estaba escuchando. Se reía, me miraba con los ojos brillantes. Terminamos los granizados y Nacho los pagó.

Echamos a andar en dirección a mi calle. Así que sabe que ésta es mi calle, me dije, sabe que éste es mi portal.

Nos detuvimos... Nacho tenía las manos en los bolsillos del pantalón. Se balanceaba ligeramente. Dijo:

—Nos vemos mañana.

Nos vemos mañana, repetí, mirándome en el espejo del ascensor, nos vemos mañana. ¿Era una cita?, ¿volveríamos, a la caída de la tarde, a salir juntos del Club de Tenis?, ¿volveríamos a los Helados Italianos a tomar un granizado de limón? O todo eso no había sido nada. Había sucedido porque sí, porque él estaba solo a la salida del tenis y había echado a andar a mi lado sin darle la menor importancia y luego me había invitado a un granizado de limón porque tenía sed y yo estaba con él y tampoco eso tenía ninguna importancia. Como vernos mañana. Porque todos los días nos veíamos. No era una cita. Eran unas palabras que se dicen y que no significan más que eso. Era seguro que nos íbamos a ver.

Me pasé muchas horas de la noche preguntándomelo. Al fin, me quedé dormida, exhausta, sudorosa. Por la mañana tenía fiebre. No pude ir al Club de Tenis en tres días. Cuando volví, no estaba Nacho. No me había contado sus planes de verano. Quizá se había ido a alguna parte. Nadie me dijo nada. Sus amigos eran un grupo lejano. Algunos me saludaban con el leve gesto de siempre. Días después, iniciamos nosotros el veraneo, los casi tres meses pasados en casa de la abuela. Un mundo que no se parecía nada al del Club de Tenis. Una ciudad que no se parecía nada a la ciudad donde estaba el Club de Tenis, donde estaba, o había estado, Nacho, iluminando de lejos mis ojos, la piel oscura, el bañador gastado, los hombros ligeramente vencidos. Nunca pude saber si sus palabras significaban una cita o eran una simple fórmula.

Recordé esta historia —a fin de cuentas, es una historia— uno de mis días tristes. ¿Por qué ha tardado tanto en salir de la zona oscura de los recuerdos perdidos?, me pregunté. Pero era una historia que seguramente sólo se podía recordar en un día de ésos. Y me dije: Quizá esta historia haya sido muy importante, quizá haya determinado muchas otras historias, quizá esa historia me llenó de dolor y desconfianza, y por eso tengo a veces estos accesos de tristeza en los que no comprendo cómo el mundo sigue su ritmo, porque yo no puedo, me encuentro sin fuerzas y sólo comprendo de verdad a los suicidas, a los desesperados, a los que la vida normal que creen que llevan los demás no les sirve, no les basta.

Pero regreso, regreso de esos días negros, y lentamente recupero las fuerzas que el mundo, para seguir girando, pide de mí.

Lourdes Ortiz

El espejo de las sombras

Una mañana se perdió en el espejo. Tenía que encontrarse porque esa noche era Navidad y, si no, no iba a llegar a la cena. Y predecía la cara agria de tía Marta: "Lo peor de este chico es que no respeta las tradiciones". Lo malo del interior del espejo es que los ruidos llegan hasta allí amortiguados, hasta los de la zambomba y los villancicos. Mientras caminaba apartando a su paso una especie de telarañas de cristal, que daban a aquel pasillo estrecho un aire de criptonita de Hollywood, de gran desierto helado, le parecía escuchar entre las brumas de una nieve ficticia la tabarra machacona del "Ande, ande, la marimorena, ande, ande, ande…", y comenzó a ponerse nervioso porque era Nochebuena y el interior de aquel espejo era un laberinto de feria, en cuyas paredes veía reflejado su rostro algo deformado, como en los espejos del Callejón del Gato, y a su alrededor comenzaban a tomar forma otros rostros, que abrían la boca cantando machaconamente: "En el portal de Belén hay estrellas, sol y luna…" Tal vez si marchara hacia atrás… Se trataba de encontrar la salida, aunque por otro lado empezaba a sentirse a gusto allí dentro, rodeado de caras que abrían bocas descomunales y tenía que reconocer que apenas le apetecía presentarse aquella noche en la cena familiar. Antes era otra cosa… antes: ahí estaba él con el pantaloncito corto, dándole a la zambomba junto al Nacimiento. Y podía ver la cajita de cartón con los pedacitos de turrón bien ordenados y los polvorones y los mazapanes. Había por lo menos cuatro de cada. Veía también la mueca estirada de Margarita, la vieja bruja de grandes dientes: "Es injusto, porque cuando se llega a los postres, yo ya no tengo ganas y…" Así que ella comenzó con su cajita de zapatos y pronto la fueron imitando los demás: un reparto equitativo de vacas gordas después de la postguerra. Y durante casi un mes uno volvía a aquella cajita de cartón donde el turrón de coco iba amarilleando y el de yema soltaba una grasa espesa, que tiznaba las paredes. Pero las buenas vinieron luego, varios años después. Ya nadie acudía a la cajita porque había de todo: cena pantagruélica con cascadas de jamón y langostinos cubriendo bandejas y muchos vinos diferentes, catalogados, escogidos, que a él le dejaban probar, mientras todo el mundo se iba emborrachando y hasta tía Marta perdía su compostura y le brillaban los ojitos y cantaba al final aires tristes de su tierra, mientras ellas reían y bailaban y ellos estaban ocurrentes y la velada se prolongaba y daba gusto… les veía reflejados en el espejo, felices, comiendo, riendo y cantando y el tono de las conversaciones se iba haciendo picarón, indiscreto y la tía Marta con las mejillas coloradas ponía el dedo sobre los labios y miraba a los niños y decía: "Que hay ropa tendida" y había grandes carcajadas y ellas invitaban a sus amigos… cada año un amigo distinto: "No iba a pasar la noche solo" y se hacían juegos de prendas y se bailaban tangos y ellos cantaban boleros. Ahora el pasillo se torcía y él se veía adolescente, casi hombre y las músicas se aletargaban: "Pero mira cómo beben los peces en el río… mira cómo beben…" Varias velas que se apagaban y ellas seguían cantando, pero ya no había apenas hombres y la cena desmedida quedaba allí sobre la mesa, cubriendo los huecos, que iban creando sombras, sombras que ahora se alargaban en aquel pasillo de cristal como fantasmas que seguían asistiendo a un festín de vasos rotos y pesadumbres. "Las Nochebuenas dan tristeza", decía la tía Marta, acompañada por todos los que ya no podían estar, recordando anécdotas de momentos dichosos: "Ella hacía, él decía… ¿Os acordáis cuando…?" El pasillo laberíntico se estrechaba y él sabía que tenía que escapar, que tía Marta no iba a perdonárselo si también él faltaba esa noche. Ya no había Nacimiento, sino un árbol cada año más escuálido como si se fuera haciendo de plástico, unipersonal con sus bolitas de colores y sus luces intermitentes. Ellas seguían cantando con mucha convicción, más alto todavía, concentrando en sus voces muchas voces y tía Marta movía la cabeza: "Mi madre lo decía: las hijas suman, los hijos restan... nuevas familias, otras Nochebuenas". Y la cena copiosa se hacía obscena, fuera de tiempo, improcedente y anticuada. En el espejo Laura hermosa y nueva fruncía el ceño, mientras tiraba de la mano de Germán y explicaba que una cena de lujo es otra cosa: más contención, nueva cocina, más delicadeza en el plato y... más adorno. El pasillo de cristal se comprimía ahora con cáscaras de gambas pisoteadas, muslos de pavo, trocitos de mazapán y restos de vino en todas las copas sin beber "... y nosotros nos iremos y no volveremos más". Sabía que si seguía allí dentro iba a llorar. Se trataba sólo de hacer un esfuerzo de voluntad, romper el encantamiento y huir del espejo y de las sombras. Cerró los ojos, apretó los puños y en un instante se encontró en el baño con la maquinilla de afeitar en la mano y vio su rostro enjabonado en el espejo. Y cuando comenzó a silbar el "ande, ande, ande" supo que todos los que ya no estaban silbaban con él y creció de golpe.

Carmen Riera

Volver

Al teléfono la voz angustiada de mi madre, que jamás ha podido entender la diferencia horaria, me despertó a las tantas de una rojiza madrugada. "Tu padre está muy grave y pregunta por ti". Veinticuatro horas de viaje me resultaron más que suficientes para poner en orden los recuerdos. Deseché los peores y con el ánimo a los más agradables, decidida a afrontar con buena cara el mal trago, que suponía reencontrarme, muy posiblemente por última vez, con mi padre después de diez años de distanciamiento. Ni él ni mi madre fueron capaces de aceptar que renunciara a mi empleo en la *Caixa* para dedicarme a escribir y menos aún me perdonaron que me casara por lo civil con un extranjero y continuara, después del divorcio, en Estados Unidos sin querer regresar a su lado para recuperar —eran sus palabras— un punto de sensatez. No les avisé de la hora de mi llegada, ni siquiera les llamé desde el aeropuerto. Quería darles una sorpresa y evitar en el momento del reencuentro, siempre aplazado, la presencia de otros parientes cuya curiosidad les hubiera hecho correr solícitos a esperarme al avión. Así que alquilé un coche.

Cuando mi padre se jubiló decidió dejar la ciudad acompañado de su colección de sellos y de la resignación de mi madre se encerró en Son Gualba, la única finca que no quiso vender, quizá porque en sus habitaciones y salas pretendía escuchar aún el apagado rumor de sus juegos infantiles con que paliar un poco la inexorable decadencia de la vejez.

El paisaje atormentado que rodea la finca —al terreno calcáreo de puntiagudas aristas suceden espesos bosques de pino motejados de oscuro por encinas que se pierden hasta el acantilado— fue también el de los veraneos de mi infancia solitaria, el de casi todos los fines de semana de mi aburrida adolescencia y el que siempre acabó por imponerse en sueños a otros de autopistas en fuga hacia otras autopistas paralelas, cruzadas por otras perpendiculares al que no tuve más remedio que acostumbrarme. Me había familiarizado tanto con el parpadeo de los neones publicitarios, los paneles de anuncios fluorescentes, los reclamos luminosos de gasolineras y moteles, que en el momento de dejar la carretera asfaltada para tomar el camino polvoriento de Son Gualba tuve la impresión de adentrarme en las páginas de uno de mis cuentos infantiles en los que siempre suele aparecer un bosque encantado.

Un atardecer anodino se escondía entre nubes, tras las montañas, cuando tomé la primera curva. Me faltaban aún veinticinco para encontrarme frente a la casa que presentía con las luces abiertas y el humo saliendo de la chimenea, aunque apenas hacía frío y mamá, desde que se desprendió de las acciones de FECSA, se había vuelto tacañísima con la luz. La imaginada humareda, de un blanco denso, algodonoso, me retrotraía a las muelles vacaciones navideñas cuando todavía la finca se explotaba y el padre Estelrich celebraba maitines en la capilla. Una lluvia menuda comenzó a tejer melancólicas blondas sobre los cristales del coche mientras yo iba examinando de memoria viejas fotografías de aquella época que, curiosamente, ya no rechazaba como antes. Al contrario, las contemplaba gustosa y sin rubor, me dejaba invadir por la nostalgia. A medio camino las gotas se hicieron densas, magmáticas, violentas. Con la zozobra de que la tormenta me alcanzara de lleno antes de llegar a casa, aceleré. Los faros sorprendieron los ojos inmóviles de una lechuza. La lluvia arreciaba y un viento de lobos, fuerte y hostil, desequilibraba, a rachas, el coche.

Conozco palmo a palmo los tres kilómetros de camino que separan la carretera de la *clastra* de la casa, en qué lugar termina la espesura del bosque y comienzan los bancales, en qué sitio el camino se cruza con el torrente o dónde crece el único pino piñonero. Recuerdo con obstinada precisión qué panorama se divisa al salir de todas y cada una de las curvas y en qué ángulo de la última vuelta se divisan los muros de la finca, rodeados de árboles frutales. Conozco desde todas las estaciones, desde todas las horas del día, cada rincón de Son Gualba y por eso, por más que la lluvia cayera espesa y la visibilidad fuera casi nula, no puedo haberme equivocado en la distancia.

El aguacero me obligaba a avanzar con lentitud. Reduje la marcha aún más porque entre la curva diez y la once se produce una pendiente muy pronunciada que resulta extremadamente peligrosa cuando se inunda, ya que el terraplén de la parte izquierda, sin ninguna valla de protección, parece a punto de ceder sobre el precipicio. Confieso que el pánico se iba apoderando de mi estado de ánimo. Al miedo por la tormenta se imponía otro peor. Tenía la vivísima impresión de que mi esfuerzo iba a resultar inútil, de que no podía regresar a casa a tiempo de abrazar a mi padre con vida, de que jamás sería posible una reconciliación definitiva.

El parabrisas no daba abasto sometido como estaba a una cortina tan densa que parecía tener también la intención de hundir el capó y el techo del coche. Violentamente, en la oscuridad se me impuso el rostro de mi padre en la agonía, afilado por la muerte. En el rictus amoratado de sus labios ya no cabrían ni los besos ni las palabras. En aquel instante lo hubiera dado todo para encontrarle igual que cuando me fui, por más que siguiera rechazándome.

Con todas mis fuerzas traté de exorcizar aquellas imágenes cambiándolas por otras mejores, como venía haciendo en las últimas horas y casi noté la mano fuerte de mi padre tomando suavemente mi manita de niña miedosa una tarde que el temporal nos cogió también en el bosque y pretendí escuchar de nuevo sus cuentos de hadas y encantamientos que después habría de recrear en mis libros que nunca le oí terminar porque siempre me dormía cuando a la bruja mala se le comenzaban a torcer las cosas. Pero de nuevo la voz de mi madre me sustrajo al presente: "Tu padre está grave y pregunta por ti". Un bache demasiado violento casi me hizo perder el control del coche y al evitarlo con un equivocado frenazo brusco, calé el motor. Fue inútil volver a ponerlo en marcha. Lo intenté una, dos, tres, veinte, cincuenta veces sin ningún resultado. Al principio me respondía con un estertor agónico, luego ni eso. Con los puños cerrados descargué toda mi furia sobre el panel. El reloj marcaba las siete en punto. Fuera era noche cerrada. Implacable volvía a imponerse el rostro de mi padre moribundo. Intuía que sus ojos casi inexpresivos me buscaban por cada rincón del cuarto. Estaba totalmente convencida de que presentía mi presencia muy cerca y que quería hablarme. Magnetizada por su reclamo salí del coche y comencé a andar. La tierra se hundía bajo mis pies como si pisara sobre un lodazal. El ruido de las aguas del torrente me indicó que estaba sólo a un kilómetro de Son Gualba. Avanzaba con mucha dificultad, a tientas, intentando agarrarme a las ramas para vadear la torrentera pero a la vez tratando de evitar sus rasguños. De pronto, algo me hizo tropezar y caí al suelo. A duras penas logré levantarme. El tobillo me dolía terriblemente. Notaba como se iba hinchando aprisionado en la bota. Arrastrando la pierna izquierda conseguí avanzar unos metros y volví a caerme. Debí perder el sentido a causa del dolor.

No sé cuánto tiempo estuve en el suelo pero debió ser bastante porque al levantarme no estaba casi mojada. La lluvia había cesado por completo y el tobillo casi no me dolía. De lejos me llegaba el olor fresco, espirituoso de limones y mandarinas, diluido en un aire finísimo que apenas si movía las hojas de los árboles. La noche se había vuelto de una diafanidad turbadora. A la luz de una luna casi llena me di cuenta de que estaba muy cerca de casa, justo a punto de cruzar la primera verja, la que da al sendero, que, después de rodear el huerto de naranjos, conduce hasta el patio principal. Al abrirla gimieron los goznes, pero ningún perro ladró. Las luces del primer piso, el único que habitaban ahora mis padres, estaban encendidas y salía humo de la chimenea del salón. Tan grande era la necesidad de llegar que no me paré a pensar en cómo finalmente había conseguido mi propósito. Al cruzar el patio, el aroma de las acerolas me impregnó todos los poros de la piel y olí con la misma intensidad que el día de mi partida. Durante diez años intenté encontrar este olor sin conseguirlo en todas las frutas posibles y ahora, finalmente, podía aspirarlo a mis anchas. Cuando me paré en el rellano las piernas me temblaban. No tuve que llamar porque la puerta estaba entreabierta. En la antesala nada había cambiado. Los sillones frailunos estaban milimétricamente adosados en su lugar exacto. Los cuadros con antepasados tétricos cubrían las paredes hasta el techo, como siempre, y como siempre los cobres brillaban sobre los arcones. Incluso las llave que dejé al marchar permanecían sobre la misma bandeja. No pude reprimir cogerlas y las guardé en el bolsillo. Al entornar la puerta, el reloj de pared me recibió con una campanada. La voz de mi madre me llegó desde la cocina.

—María, ¿eres tú? ¡Qué alegría, hija! Me lo decía el corazón.

Y corrí a su lado. Nos abrazamos. La encontré igual. El tiempo había sido absolutamente considerado con ella. Tenía un aspecto inmejorable. Iba peinada, según su costumbre, con el pelo recogido y hasta llevaba el mismo traje azul de lanilla que el día que nos despedimos.

—¿Y papá?

—No sabes lo contento que va a ponerse. ¡Bernardo, Bernardo...! María está aquí, ha vuelto.

En el reloj sonó la última campanada. Eran las siete en punto igual que el día en que me marché.

—Ven, hija. Tu padre tiene la televisión demasiado alta y no nos oye. Como dicen que de hoy no pasa... Espera noticias.

Perpleja, incapaz de preguntar nada, seguí a mi madre al cuarto de estar. Mi padre, en efecto, veía tranquilamente la televisión. En un avance informativo el locutor con cara circunspecta aseguraba que "...la salud de su Excelencia el Jefe del Estado ha entrado en un estado crítico".

Rechacé con violencia, a arañazos, a mi madre y antes de que mi padre pudiera incorporarse de su sillón corrí hasta la puerta convencida de que ellos no existían, que eran únicamente las sombras proyectadas por mis deseos, los fantasmas que al anochecer volvían a ocupar las habitaciones que les pertenecieron, como ocupaban a menudo mi cabeza por más que nos separara una distancia de diez mil kilómetros y diez años de malos entendidos. Pero me equivoqué y cometí un error imperdonable. Fui temerosa hasta la cobardía, estúpidamente racional en un momento en que sólo los sentimientos deberían de haber contado, incapaz de aceptar que los milagros existen fuera de las leyendas y que el deseo tiene fuerza suficiente, más allá de los cuentos, para otorgarnos lo imposible. Sin duda, si hubiera aceptado lo que ocurría integrándome con normalidad a un atardecer de diez años antes, mi padre hubiera muerto diez años después y mi madre tendría mucha más vida por delante. Pero me negué y sobrevino la catástrofe.

Mi padre murió una hora después de mi llegada a Palma sobre las siete de la tarde cuando a mí el dolor me dejó inconsciente sobre el camino enfangado. El médico insiste en que todo lo que me sucedió luego fue producto de una alucinación mía y que por desgracia no llegué a pisar Son Gualba, por mucho que le enseño las llaves —mis llaves— que tomé de la bandeja y le aseguro que mi madre me observa en silencio y con hostilidad mientras persigue con el dedo índice las marcas de unos arañazos inexplicables sobre su mejilla izquierda.

Roma, primavera de 1989.

Miguel de Unamuno

Juan Manso

Y va de cuento…

Era Juan Manso en esta pícara tierra un bendito de Dios, un mosquita muerta que en su vida rompió un plato. De niño, cuando jugaban al burro sus compañeros, de burro hacía él; más tarde fue el confidente de los amoríos de sus camaradas, y cuando llegó a hombre hecho y derecho le saludaban los conocidos con un cariñoso: ¡Adiós, Juanito!

Su máxima suprema fue siempre la del chino: no comprometerse y arrimarse al sol que más calienta.

Aborrecía la política, odiaba los negocios, repugnaba todo lo que pudiera turbar la calma chicha de su espíritu.

Vivía de unas rentillas, consumiéndolas íntegras y conservando entero el capital. Era bastante devoto, no llevaba la contraria a nadie y como pensaba mal de todo el mundo, de todos hablaba bien.

Si le hablabas de política, decía:

-Yo no soy nada; ni fu ni fa; lo mismo me da Rey que Roque; soy un pobre pecador que quiere vivir en paz con todo el mundo.

No le valió, sin embargo, su mansedumbre y al cabo se murió, que fue el único acto comprometedor que efectuó en su vida.

* * *

Un ángel armado de flamígero espadón hacía el apartado de las almas, fijándose en el señuelo con que las marcaban ángeles y demonios en un registro por donde tenían que pasar al salir del mundo. La entrada al registro parecía taquilla de expendeduría en día de corrida mayor. Era tal el remolino de gente, tantos los empellones, tanta la prisa, que tenían todos por conocer su destino eterno, y tal el barullo que imprecaciones, ruegos y disculpas en las mil y una lenguas, dialectos y jergas del mundo armaban, que Juan Manso se dijo:

—¿ Quién me manda meterme en líos? Aquí debe de haber hombres muy brutos.

Esto lo dijo para el cuello de su camisa, no fuera que se lo oyesen.

El caso es que el ángel del flamígero espadón maldito el caso que hizo de él, y así pudo colarse camino de la Gloria.

Iba solo y pian pianito. De vez en vez pasaban alegres grupos, cantando letanías y bailando a más y mejor algunos, cosa que le pareció poco decente en futuros bienaventurados.

Cuando llegó al alto se encontró con una larga cola de gente a lo largo de las tapias del Paraíso, y unos cuantos ángeles que, cual *guindillas* en la tierra, velaban por el orden.

Colocóse Juan Manso a la cola de la cola. A poco llegó un humilde franciscano, y tal maña se dio, tan conmovedoras razones adujo sobre la prisa que le corría por entrar cuanto antes, que nuestro Juan Manso le cedió su puesto, diciéndose:

—Bueno es hacerse amigos hasta en la Gloria eterna.

El que vino después, que ya no era franciscano, no quiso ser menos, y sucedió lo mismo.

En resolución, no hubo alma piadosa que no burlara el puesto a Juan Manso, la fama de cuya mansedumbre corrió por toda la cola y se transmitió como tradición flotante sobre el continuo fluir de gente por ella. Y Juan Manso, esclavo de su buena fama.

Así pasaron siglos al parecer de Juan Manso, que no menos tiempo era preciso para que el corderito empezara a perder la paciencia. Topó por fin cierto día con un santo y sabio obispo, que resultó ser su tataranieto de un hermano de Manso. Expuso éste sus quejas a su tatarasobrino y el santo y sabio obispo le ofreció interceder por él junto al Eterno Padre, promesa en cuyo cambio cedió Juan su puesto al obispo santo y sabio.

Entró éste en la Gloria y, como era de rigor, fue derechito a ofrecer sus respetos al Padre Eterno. Cuando hubo rematado el discursillo, que oyó el Omnipotente distraído, díjole éste:

—¿No traes postdata?— mientras le sondeaba el corazón con su mirada.

—Señor, permitidme que interceda por un uno de sus siervos que allá, a la cola de la cola…

—Basta de retóricas— dijo el Señor con voz de trueno—. ¿Juan Manso?

—El mismo, Señor; Juan Manso que…

—¡Bueno, bueno! Con su pan se lo coma, y tú no vuelvas a meterte en camisa de once varas.

Y volviéndose al ángel introductor de almas, añadió:

—¡Que pase otro!

Si hubiera algo capaz de turbar la alegría inseparable de un bienaventurado, diríamos que se turbó la del santo y sabio obispo. Pero, por lo menos, movido de piedad, acercóse a las tapias de la Gloria, junto a la cuales se extendía la cola, trepó a aquéllas y llamando a Juan Manso, le dijo

—¡Tataratío, cómo lo siento! ¡Cómo lo siento, hijito mío! El Señor me ha dicho que te lo comas con tu pan y que no vuelva a meterme en camisa de once varas. Pero… ¿sigues todavía en la cola de la cola? Ea, ¡hijito mío! Ármate de valor y no vuelvas a ceder tu puesto.

—¡A buena hora, mangas verdes! —exclamó Juan Manso, derramando lagrimones como garbanzos.

Era tarde, porque pesaba sobre él la tradición fatal y ni le pedían ya el puesto, sino que se lo tomaban.

Con las orejas gachas abandonó la cola y empezó a recorrer las soledades y baldíos de ultratumba, hasta que topó con un camino donde iba mucha gente, cabizbajos todos. Siguió sus pasos y se halló a las puertas del Purgatorio.

—Aquí será más fácil entrar —se dijo—, y una vez dentro y purificado, me expedirán directamente al cielo.

—Eh, amigo, ¿adónde va?

Volvióse Juan Manso y hallóse cara a cara con un ángel, cubierto con una gorrita de borla, con una pluma de escribir en la oreja, y que le miraba por encima de las gafas. Después que le hubo examinado de alto a bajo, le hizo dar vuelta, frunció el entrecejo y le dijo:

—¡Hum, *malorum causa*! Eres gris hasta los tuétanos.

...Temo meterte en nuestra lejía, no sea que te derritas. Mejor harás ir al Limbo.

—¡Al Limbo!

Por primera vez se indignó Juan Manso al oír esto, pues no hay varón tan paciente y sufrido que aguante el que un ángel le trate de tonto de capirote.

Desesperado tomó camino del Infierno. No había en éste cola ni cosa que lo valga. Era un ancho Portalón de donde salían bocanadas de humo espeso y negro y un estrépito infernal. En la puerta un pobre diablo tocaba un organillo y se desgañitaba gritando:

—Pasen ustedes, señores, pasen... aquí verán ustedes la comedia humana... Aquí entra el que quiere...

Juan Manso cerró los ojos.

—¡Eh, mocito, alto! —le gritó el pobre diablo.

—¿No dices que entra el que quiere?

—Sí, pero ya ves —dijo el pobre diablo poniéndose serio y acariciándose el rabo—, aún nos queda una chispita de conciencia... y la verdad... tú...

—¡Bueno! ¡Bueno! —dijo Juan Manso volviéndose porque no podía aguantar el humo.

Y oyó que el diablo decía para su capote:

—¡Pobrecillo!

—¡Pobrecillo! Hasta el diablo me compadece.

Desesperado, loco, empezó a recorrer, como tapón de corcho en medio de Océano, los inmensos baldíos de ultratumba, cruzándose de cuando en cuando con el alma de Garibay.

Un día que atraído por el apetitoso olorcillo que salía de la Gloria se acercó a las tapias de ésta a oler lo que guisaban dentro, vio que el Señor, a eso de la caída de la tarde, salía a tomar el fresco por los jardines del Paraíso. Le esperó junto a la tapia, y cuando vio su augusta cabeza, abrió sus brazos en ademán suplicante y con tono un tanto despechado le dijo:

—¡Señor, Señor! ¿No prometiste a los mansos vuestro reino?

—Sí; pero a los que embisten, no a los embolados.

Y le volvió la espalda.

* * *

Una antiquísima tradición cuenta que el Señor, compadecido de Juan Manso, le permitió volver a este pícaro mundo; que de nuevo en él, empezó a embestir a diestro y siniestro con toda la intención de un pobrecito infeliz; que muerto de segunda vez atropelló la famosa cola y se coló de rondón en el Paraíso.

Y que en él no cesa de repetir:

—¡Milicia es la vida del hombre sobre la tierra!

ENSAYO

INTRODUCCIÓN AL ENSAYO

Es de los géneros el más atractivo por las muchas posibilidades que éste ofrece. El **ensayo moderno** tuvo su origen con Miguel de Montaigne en Francia. Escribió "Essais" (1580). Sus ensayos eran escritos cortos e informales en los cuales daba sus opiniones personales sobre hechos y cosas. En la actualidad a este género se le llama en Francia *essai* que significa estudio provisional o incompleto de carácter histórico o científico. No obstante, la palabra "ensayo" no es la única aplicada a este género, pues algunos escritores y a través de distintas épocas lo han llamado: "tratados" (Montalvo), "discursos" (González Prada), "meditaciones" (Ortega y Gasset), disertaciones literarias, etc. Onieva (1992) designa los siguientes términos para el género ensayístico: opúsculo o folleto[1]; estudios o tratados[2]; artículos[3]; panfletos[4]; manifiesto[5]; discurso[6], entre otros.

---

[1] Se refiere a un "ensayo" que generalmente, es más breve que un libro y que por decreto en 1966 consta de más de cuatro páginas y menos de cincuenta.

[2] Estos dos son textos de cierta extensión que sistematizan un determinado saber o materia y están más cerca del lenguaje científico.

[3] Escrito de mayor extensión que se inserta en periódicos, revistas u otras publicaciones similares, a las que tiene fácil acceso el público.

No importan los apelativos que se le den, en esencia, éstos van dirigidos a plantear cuestiones y señalar caminos, más que dar soluciones. A través de él, se comunican ideas, reflexiones, preocupaciones e interrogantes en todas las disciplinas y campos del saber. Por tanto, los contenidos del ensayo son muy variados y el escritor presentará ideas religiosas, filosóficas, morales, estéticas o literarias, científicas, en torno a los problemas sociales y de todo tema que de alguna manera toque al ser humano. Los temas que se pueden tratar en un ensayo son inagotables por su carácter personal, informativo y reflexivo. Esto quiere decir que siempre habrá una gama de posibilidades y temas en la presentación de los mismos. De ahí, que exista una gran libertad en los métodos y estilos que el ensayista utiliza para desarrollarlos.

Por lo antes señalado, podemos definir el género como un escrito en prosa, generalmente breve, que presenta con profundidad, madurez y emoción una interpretación personal sobre cualquier tema sin pretender agotarlo. Es un género fronterizo entre la literatura de creación y la literatura de reflexión o de ideas. Fluctúa por eso, entre la poesía y la didáctica. El ensayo está más próximo a la poesía lírica que al género de la narrativa porque el ensayista puede manifestar sus sentimientos e ideas, sus gustos, sus amores, entre otras cosas, como lo hace el poeta en sus versos.

El ensayo es uno de los géneros más modernos y de mayor cultivo en la actualidad. Se le considera un género abierto porque colinda con otros géneros. Por un lado, se ubica en la frontera entre el tratado y la didáctica, y, por otro, con la crítica y con el periodismo. Por eso, vemos que muchos ensayos se publican primero como artículos periodísticos y luego se recogen en un libro. No debe ser un estudio exhaustivo sino una consideración general bien tratada.

La extensión del ensayo varía, pero tiende a ser principalmente breve. Por ello, es conciso y busca el lenguaje preciso para desarrollar la idea del autor. Su estilo debe ser cuidadoso y elegante sin llegar a la pomposidad.

Generalmente, la estructura del ensayo se compone de tres partes o divisiones: la introducción que es el lugar donde se presenta la tesis del ensayo o tema central; el desarrollo que es la parte más extensa en

---

[4] Es un folleto con un tono agresivo de propaganda política o cualquier clase.
[5] Escrito en que se declara públicamente una doctrina o propósito de interés general.
[6] Exposición de su pensamiento que se hace alguien al público con un fin persuasivo

la cual el autor expone o defiende sus tesis mediante técnicas particulares; y la conclusión, recapitula las ideas principales del ensayo, sugiere soluciones o puede recomendar estudios futuros, entre otras cosas.

Podemos encontrar ensayos de carácter expositivos o argumentativos como formas de elocución, apropiadas para expresar las ideas e información que se tiene sobre un tema de forma **subjetiva** (argumentativo) u **objetiva** (expositivo). La exposición es la presentación de un tema cualquiera con el propósito de darlo a conocer. Las ideas que se presentan deben ser traídas de forma clara y precisa. Por eso, se utilizan primordialmente oraciones enunciativas en lugar de oraciones exclamativas, interrogativas o dubitativas. En ocasiones, se usan preguntas retóricas. Por el contrario, la argumentación consiste en aportar razones que sustenten ideas u opiniones sobre un tema dado. Su propósito es convencer o persuadir. Basta con que el autor defienda razonadamente su punto de vista, o emita su opinión sobre un tema determinado, para que haya argumentación. Sin embargo, a veces es preciso refutar o rechazar las opiniones contrarias a la tesis defendida por el autor (refutación).

El ensayo ofrece un abanico de posibilidades para presentar el tema, utilizando variadas técnicas como, por ejemplo: descripción, diálogo, ilustración, ejemplificación, definición, comparación y contraste, relaciones de causas y efectos, análisis, anécdotas, citas, detalles, datos estadísticos, etc. Por lo general, se combinan varias de éstas para desarrollar el tema.

No cabe duda que de todos los géneros, el ensayo es el que tiene mayor vinculación con el mundo académico y laboral. Escribirás composiciones, contestarás preguntas subjetivas en exámenes, monografías, informes, entre otros escritos. Asimismo, en el campo profesional redactarás continuamente ensayos, ponencias, discursos, artículos, entre otros. La mejor forma de aprender a escribir un buen ensayo es leyéndolos, para poner en práctica las técnicas de redacción que hayas descubierto a través de la lectura.

Kalman Barsy

¿Por qué Deborah?

Cuando vi por la T.V., la recepción que Puerto Rico le tributaba a nuestra flamante Reina Universal de Belleza, interrumpí inmediatamente el artículo que estaba preparando para este "Relevo" —una monserga pesadísima sobre la función social del arte, o algo así— y me atornillé frente al aparato hasta que terminó la transmisión. Para describir mi primera impresión de todo aquello debo recurrir a una frase de la propia Deborah —nuestra Deborah— donde plasmó con genial sencillez todo, pero absolutamente todo lo que estaba pasando —y cito: "No tengo palabras".

Mi segunda impresión es más difícil de definir y mucho más difícil de confesar: tuve envidia de Deborah. ¿Por qué Deborah y no yo? ¿Por qué a nosotros los hombres, por el mero hecho de haber nacido con una genitalia externa, se nos cierran unas puertas que tan glamorosamente se abren para las mujeres? Pensé en esta injusticia y me dio coraje. Si el mundo no estuviera mal hecho, ¿quién sabe si yo, con un poco más de pelo y en mis buenos tiempos, no hubiera tenido también un chance de ser Rey Universal de Belleza? Pasada la primer oleada de envidia y frustración, ya con la cabeza más fría, me puse a pensar que de todos modos la cosa no hubiera sido fácil porque la competencia habría sido seguramente mucha y muy feroz. Esta reflexión me consoló un poco. Aun de haber nacido en un mundo de iguales oportunidades para todos, estadísticamente hablando la posibilidad de ganar habría sido, tal vez, bastante remota. Y sin embargo, ¿quién sabe... ? ¿Qué tenía Deborah, después de todo, que no tuvieran las demás; que no tuviera yo si se pudieran traducir sus atributos a una escala masculina? Me puse a observarla, a estudiar la imagen de Deborah en la pantalla de todos los canales. Observé y tomé nota; apunté sus gestos, el rictus difícil de su sonrisa, su porte de emperatriz de fantasía, el aplomo con que se expresaba y respondía a las preguntas más profundas de sus entrevistadores. La vi salir airosa siempre, sonriente siempre, aun cuando le tocó responder al dificilísimo "¿Cuál es tu mensaje, como Reina, para la juventud puertorriqueña?", o al abismal "¿Tienes novio?". Vi también el amor de su pueblo, las masas populares lanzando vivas a su paso por el residencial de bajos recursos económicos "Lloréns Torres", vi a sus jubilosos compañeros de clase de la escuela privada donde estudió, vi el desfile de alcaldes de los municipios más remotos de la Isla sudando bajo el poliester frente a su trono de emperatriz, vi al Gobernador de Puerto Rico balbuceando loores y ternezas, a los senadores del Senado en pleno, en un frú-frú de corbatas fálicas de estreno ensayando galanuras de pavorreal y requiebros de majo, bañarse en la luz esplendorosa del triunfo internacional de Deborah. Cual zánganos de sombra en el vuelo nupcial de la abeja reina; vi al pueblo entero de fiesta, parados todos los relojes, verdes todos los semáforos, exultante Isla del Encanto en ***rafaelsanchesca*** guaracha de desbordado orgullo nacional, y le rogué a Dios por lo bajo que, por favor no fueran a aparecer ahora ningunas fotos de Deborah desnudita, ningunas "Penthouse" como su predecesora, por favor, que nos hundimos todos en el mar de la vergüenza, catástrofe nacional. Todo eso vi y tomé notas. El resultado es un borrador, una especie de recetario básico para los futuros candidatos a Rey Universal de Belleza cuando hayan sonado las trompetas de la igualdad y la justicia.

—En primer lugar, el candidato deberá ser ***masculino***. Los prototipos intermedios, favor de abstenerse. Los atributos tradicional o históricamente aceptados para el macho deberán ser evidentes en su físico y comportamiento. Recuérdese que el hombre es fuerte, seguro de sí mismo y poco dado a las expresiones de emoción. Aprovecho para observar que en ningún caso podrán abrazarse el ganador y el primer *runner up*, y mucho menos llorar.

—Se considerarán indeseables, sin embargo, los candidatos con un ***exceso*** de atributos varoniles. El Concurso propone un modelo de belleza más espiritual, tipo príncipe azul, donde el atractivo erótico aparezca mediatizado por la finura y el recato. En consecuencia, los cuerpos excesivamente musculosos o con demasiado pelo en el pecho no son bien vistos por el Jurado. De igual modo, los candidatos cuya genitalia resulte ofensivamente abatada bajo el slip de baño tendrán que buscarse una solución, porque definitivamente ***no*** van.

—Obviamente, el candidato deberá ser bello, y esto no es siempre fácil definir. Siguiendo siempre el patrón actual del Concurso, las conclusiones son las siguientes: a) Deberá ser blanco y con un chasis de proporciones caucásicas; vale decir, los grupos étnicos de piernas cortas y tórax plano como los orientales, o de tórax muy corto y cabeza pequeña como los negros, quedan eliminados. De los colores de piel subidos, ni se hable. b) Podrán participar, sin embargo, aquellos individuos que sean ***atípicos*** de su raza y cuando lo que les quede de ella aparezca reducido a una pizca de pimienta para darle un toque de exotismo al conjunto. Los demás, que se busquen su propio concurso, pero no el del Universo.

—Quien pretenda ser electo Rey Universal de Belleza deberá asimismo tener ciertos dones de ***simpatía*** y sociabilidad —lo cual no quiere decir que tenga que ser un Jerry Lewis ni mucho menos. Sabrá cantar un poco, bailar con gracia y tocar, si es posible, algún instrumento musical más bien inofensivo (tocar el trombón o el órgano mayor no ayudan mucho). La palabra justa para definir esta cualidad es "encantador". El candidato deberá ser encantador.

—Lo mismo va para la ***inteligencia***. No quiere decirse que tenga que ser un genio ni que necesite tener opiniones bien pensadas sobre las cosas fundamentales del mundo, pero sí que no puede ser un bestia. Sobre todo, tendrá que expresarse bien, hablar como si en efecto pensara. Se eliminan por esto los que usen "haiga", "estea", "íbanos", "estábanos" y otros modismos que delaten la procedencia de clase (baja) del concursante. De igual modo, ¡cuidado con los acentos regionales demasiado marcados! Evitar la abominable "rr" velar puertorriqueña, por ejemplo. (Fijémonos para esto en el acento deliciosamente neutral de nuestra Deborah, de quien nadie diría que es boricua).

—El candidato a Rey deberá evitar como al diablo todo tema político o socialmente escabroso, declarándose confortablemente "apolítico". Sin embargo, insistirá en temas como la paz mundial y la armonía entre los seres humanos, pero siempre en abstracto, tipo *"We are the world..."*

—Por último, y para terminar estos apuntes, una reflexión filosófica. El candidato recordará siempre que condición esencial del Rey Universal de Belleza es la de ***objeto***, es decir, ser para los otros, existir para la contemplación y gracias a ella. Buen provecho.

Tomás Blanco

Serenata del coquí

En la capital de Puerto Rico, el día suele ser ruidoso hasta la fatiga y el agotamiento, al borde mismo de la neurosis; lleno de griterías, zumbidos y estridencias; atronado de aviones, sofocado de altoparlantes y fonógrafos, ensordecido de velloneras, acuchillado de bocinazos; desgarrado por alborotos de perros malcriados y chiquillos realengos, abacorado y hostigado por insistentes vociferaciones —mecanizadas y ambulatorias— de políticos, anunciantes, locutores, charlatanes y propagandistas...

Mucho de este ruido urbano, pero incivil, se desborda a favor de las carreteras y las radios e inunda buena parte de la zona rural. Y, como aún no cabe todo él en las horas de sol, siempre resta un rezago que se agazapa y requeda en malicioso acecho para resurgir inesperadamente con broncos borbotones o alaridos mecánicos, de rato en rato, durante la noche.

En campo abierto, la noche es sonora; pero de una sonoridad sin exabruptos ni sobresaltos, más bien tranquilizadora y sedante para el que está familiarizado con ella. Son sonidos elementales, naturales, casi amistosos; por lo común, en tono menor, comedidos, sin jactancias. Salvo las clarinadas del gallo, que aquí es no sólo diana del alba y despertador de la aurora, sino reloj de repetición, centinela de la noche que, hora por hora, pasa a su vecino —y éste a otro, y el otro a otra, hasta perderse en la distancia— su presumida voz de alerta. (Si no advierto en son de reto que permanezco en vela —parece proclamar con su altanero "¡Aquí - estoy - yo!"—, pudiera ser que alguien se atreva a perturbar el orden de las cosas y ocurra una catástrofe.)

En su total conjunto, la sonoridad nocturna se expande como en círculos concéntricos hasta las lontananzas; y entonces se dejan oir susurros y murmullos que, usualmente, el bullicio diurno y el rumor ciudadano sobrepujan y callan; pero que, depurados, se filtran por las distancias de la quieta noche. Así, llegan a flor de oído el rumor de los juegos varoniles del mar sobre la playa y los vaivenes del haldeante frufrú que causan los retozos de las frondas con el viento.

Acaso, a media lejanía, un ojisabio múcaro vierte el cántaro de su voz regañona sobre el ubicuo, unánime, monótono y asiduo coro de insectos y batracios. Y por entre esta menuda y parpadeante multitud acústica, que a fuerza de invariable reiteración unísona resulta casi arrulladora, se distingue y destaca la voz duende del coquí, nítida, clara, húmeda, líquida; que es el más típico y característico sonido de la noche puertorriqueña.

El coquí es la vanguardia de la orquesta nocturna. Él es el primero en despertar, apenas puesto el sol, aún no apagadas las luces del crepúsculo. Desde los montes y sabanas llega a las poblaciones; y no es raro que se cuele invisible por entre la más tupida red de calles asfaltadas hasta el mismo corazón de las ciudades, con tal que encuentre allí un palmo de jardín o un poco de tierra humedecida y unos cuantos matojos. Sus ventrílocuas notas adquieren un curioso matiz de intimidad; y, estando fuera de las casas, a poco que se aproxime a ellas, se le escucha como si estuviera bajo techo, compartiendo con uno el aposento; incitándonos, oculto, desde los rincones a que juguemos al esconder con él.

La onomatopeya de su propio nombre reproduce satisfactoriamente el tema de su canto: inacabable repetición rítmica de las dos sílabas, co-quí, la última más aguda y cristalina y algo más prolongada, ambas son netas y precisas, seguidas de una pausa que dura doble tiempo del que toman las dos notas juntas. El timbre es límpido, agradable, bastante semejante al del silbido humano, pero un poco ahuecado y un tanto xilofónico o acuático; sin gran volumen, pero muy resonante. El tono es más de tenor que de barítono, como la llamada de un pájaro de mediano tamaño y excelente garganta. Tiene la turbadora cualidad de engañar al oído en cuanto a la localización de su procedencia. Y, sugiere un estado de obsesión, de soledad, de anhelo. A veces, de tarde en tarde, marca una variación en breve serie de notas —cinco, por lo común, que son, quizá, levemente más rápidas y atenoradas, con el acento siempre recargado en la última: ¡co-qui-qui-qui-quí!

Difícil es que nadie pueda permanecer un par de noches en Puerto Rico sin oír la serenata del coquí. En cambio, muchos han nacido en la isla y vivido aquí toda la vida sin lograr verlo nunca. Por otro lado, a quien no lo conozca y le observe por primera vez en pleno día, se le hará imposible imaginar que lo que mira es el pertinaz cantante nocheriego. Tanto así, que yo estoy por creer en la leyenda que contaba mi antigua niñera, Ma Antonia, cariñosa y magnífica negra de las de pañuelo de Madrás en la cabeza, voluminosa y piernaflaca, y siempre sonreída, limpia, almidonada. Según ella, el coquí debe ser una maravillosa avecita canora, linda como el colibrí, que ha sido encantada; un pajarito, de carácter mimoso, juguetón y sociable, que —sabe Dios, por qué propia travesura o ajena envidia— ha sido condenado a pasarse las noches, solo, completamente aislado en medio de la vida, llamando y llamando y llamando en inútil empeño de lograr compañía; profundamente desolado, pero sin desesperar jamás. Y, si alguien, por fin, tras mucha búsqueda, alcanza a verlo, en ese mismísimo instante se transforma y desfigura de tal modo que no es posible reconocer en él al dueño de la voz que invitaba a buscarlo.

Pero los científicos sabios —que casi siempre tienen gran parte de razón en lo que dicen, aunque con frecuencia se equivocan como cualquier hijo de vecino y, a veces, nada saben de las verdades últimas —afirman que no es así, que todo es pura fantasía. Porque los naturalistas profesionales, en especial los herpetólogos, alegan haber capturado, disecado, estudiado y catalogado al coquí. Y además nos lo han fotografiado a punto de dar su canto al aire con la garganta inflamada como una gaita enorme.

El coquí, dicen ellos, es un minúsculo animalejo, clasificado —quizás un poco arbitrariamente, digo yo, por lo que después se verá entre los anfibios, de la familia de los sapos y las ranas, pero de género zoológico diferente. El nombre y apellido científico de su especie es *Eleutherodactylus Portoricensis*; que traducido literalmente al cristiano quiere decir "el puertorriqueño de los dedos libres".

Porque no se tome a mala parte, eso de su libertad digital, debe aclararse que así se llama por no ser palmípedo, como una rana cualquiera, por no tener ni residuo de membrana natatoria entre los dedos de los pies ni de las manos. Por lo tanto, no está preparado para vivir en el agua. En compensación tiene una especie de disco adherente en la punta de cada uno de sus dedos, y de ellos se sirve para trepar matas arriba, donde acostumbra a vivir. Por eso pienso yo que hay bastante arbitrariedad en clasificarlo como anfibio; pues ni siquiera en su infancia o niñez fue renacuajo acuático. De hecho, el puertorriqueño coquí resulta ser, en la literatura científica, "realmente famoso", según advierte Karl P. Schmidt:

> ..."porque sus huevos y sus embriones fueron base para el artículo de Peters, en que se describía su desarrollo directo, con supresión de la etapa de renacuajo, característica universal del género *eleutherodactyl*; y las ilustraciones de Peters figuran todavía en gran número de textos".

Parece ser que es indígena de Puerto Rico y no se encuentra en ninguna otra isla ni tierra firme. Pero en nuestra antilla abunda casi por dondequiera. Se le halla de Mayagüez a Humacao, de Ponce a Santurce, en el Yunque, a dos mil pies de altura y en Cataño, casi por debajo del nivel del mar. Le gusta habitar en el centro de las plantas bromelias y liliáceas o entre las hojas de las matas de plátano y guineo, pero en caso de necesidad se acoge a cualquier yerba o arbustillo.

Su tamaño es diminuto. Por lo regular, un adulto mide—de proa a popa— treinta y cinco o cuarenta milímetros, poco más o menos; y la parte más ancha del cuerpo (alrededor de unos quince milímetros) es la cabeza. La coloración es notable por sus muchas variaciones. Lo más frecuente es que, por arriba, sea moreno, de diversos matices, entre pardo y ceniciento o melado oscuro, a veces rojizo, a veces casi negro: usualmente moteado y marcado de líneas o bandas. Por debajo es más claro, ambarino, amarillento o verdoso pálido; y, la superficie ventral o interior de los muslos es roja o de un color ferruginoso o rosado vivo.

Tal es el coquí verdadero y genuino, el portorricense, el que al cantar dice claramente co-quí. Porque tiene un pariente de su mismo género, aunque de diversa especie —*Eleutherodactylus Antillensis*— al que la gente también llama vulgarmente coquí. Pero es fácil distinguir entre uno y otro. Por la vista, se les diferencia principalmente, porque el Antillensis o antillano es más pequeño; y muestra un dibujo reticulado y oscuro en la superficie ventral de los muslos. Por el oído es igualmente fácil distinguirlos. El canto del Antillensis es menos canto que el del verdadero coquí; es —por así decirlo— más multitudinario, menos individual; y mucho menos deliberado. Su timbre es bastante más metálico. En realidad, nunca dice co-quí. Emite una frecuente y relativamente larga serie de notas uniformes — Ki-ki-ki-ki-ki-ki-ki-ki-ki... como una campanita un poquitín cascada. Cuando de vez en vez da sólo dos notas, suena algo así como entre kri-i y tri-i o, quizás, entre troi-i y to-i.

Los datos de carácter científico que arriba he anotado, los aprendí yo cuando me picó la curiosidad de averiguar estas cosas, hace bastante tiempo. No sé si de entonces a acá haya cambiado el criterio científico sobre nuestro coquí. Todo podría ser; pues dicen que de sabios es variar de opinión. Y, a lo mejor, a estas fechas, pudiera ser que los naturalistas más documentados estuvieran de acuerdo con la hipótesis de Ma Antonia, mi antigua niñera; que el coquí sea, en verdad, un noctámbulo duende, un misterioso y raro pajarito encantado, que se pasa las noches clamando por haber compañía, sin que nadie pueda jamás encontrarlo en su ser natural. A mí no me extrañaría.

Nemesio Canales

Nuestro machismo

Abundan que es un horror en la crónica policial de estos días, los llamados casos pasionales. Un hombre que por un quítame allá esas pajas deja sin vida a otro hombre, provoca inmediatamente la reprobación general y se le tilda de asesino. Pero basta que la hazaña sea realizada contra una mujer, sea quien sea, para que todos, por un tácito acuerdo, consideremos el hecho como un simple accidente desgraciado y dispensemos al agresor hasta de la obligación de suministrarnos alguna explicación de su conducta. ¿Anda una mujer —esposa, novia, amante, hermana— por el medio? Pues entonces... muy bien; sus razones tendrá el matador o heridor para tomar tan fatal resolución. Y si no tuvo razones, tendría sin duda pasiones, y aquí no ha pasado nada, y cada cual a lo suyo sin acordarse más de lo sucedido. Casi se podría decir que la soledad mira con la misma indulgente mezcla de curiosidad satisfecha y de indiferencia la muerte violenta de una gallina que la de una mujer. Ya veis, ya veis cómo en el seno de este nuestro pueblo, más manso que un cordero, no pasa día sin que en alguna parte un marido, novio o amante celoso o despechado la emprenda a cuchilladas o a tiros con alguna infeliz mujer.

¿Cuál es la causa de ese lamentable fenómeno social que presenciamos con tanta frecuencia? Yo no presumo de psicólogo ni de sociólogo profundo, pero me parece a mí, claro como la luz, que la causa de estos constantes y horribles atropellos contra la humanidad femenina se debe al choque de nuestro bruto machismo ancestral por la realidad de una civilización nueva que nos ha impuesto de hecho la aceptación de una parcial emancipación de nuestra mujer. Ya la mujer puertorriqueña, a diferencia de la mujer española de otros puntos de España y América, va y viene sola por la calle, y se coloca en tiendas y oficinas, y se baña en compañía de los hombres y, en general, aunque de una manera exageradamente tímida, va saliendo, gracias al benéfico influjo de las costumbres yanquis a este respecto, de la triste condición de ave doméstica que tenía y tiene en los demás pueblos de nuestra raza.

Pues bien, mientras por un lado hemos realizado ese avance, por otro lado nuestro machismo bestial y fanfarrón, que ve en toda mujer una muñeca sin alma ni responsabilidad condenada a sufrirnos en silencio, bien como hermana o hija, bien como novia, o amante, o esposa, continúa impertérrito rigiendo nuestra vida, marcándonos la línea de conducta que en toda crisis en que se halle involucrada una mujer debemos observar. Seguimos siendo el macho, los pantalones, el tirano cruel o benigno, que a todas horas hace sentir el peso de su autoridad. O tiranos en nuestra casa donde todo cuanto se hace y se dice y hasta se piensa ha de pasar bajo nuestra olímpica censura, así seamos más brutos que un gorila, o galanes en la calle, donde no hay necedad o grosería que no les disparemos al pasar en forma de piropos.

Así somos: así somos en San Juan y en Lima, y en Zaragoza y en Madrid y en Buenos Aires. La mujer que tenemos en la casa, un cristal, un verdadero cristal que no queremos exponer jamás ni siquiera al roce del aire de la calle. Mirar a esta mujer es una ofensa que reclama de nosotros el inmediato empleo del garrote, del puñal, del revólver. Pero se trata en cambio de la mujer de otra casa, y ¡oh! entonces ya dejamos *incontinenti* nuestro aire adusto de guardianes y con apuesto continente le salimos al encuentro y le llenamos los oídos de eróticas majaderías de galán joven. De modo que, o presas en nuestras casas, condenadas a la terrible inmovilidad de frágiles figurillas de vidrio, o presas también en la calle, fáciles o difíciles presas destinadas a nuestra mesa de voluptuosidades.

Es que vivimos aún sometidos a aquel concepto medieval de la feminidad que sólo reservaba para la mujer —si era bonita— la lisonja verbal aparatosa del caballero, a trueque de lo cual la pobre dama quedaba despojada —por el mero hecho de su sexo— de toda otra participación en las cosas del mundo que no fuesen las sórdidas, oscuras y agobiantes tareas del hogar que todavía hoy se designan con el nombre de oficios domésticos; o bien les concedíamos el alto honor de remendarnos la ropa, barrernos la casa, hacernos la comida, etcétera, o bien las consagrábamos a acudir solícitas, a un gesto del señor, a brindarnos pasivas su amor de odaliscas.

En todo hemos evolucionado: tenemos carreteras, tenemos servicio sanitario, nuestras casas están mejor ventiladas, comemos y vestimos mejor. Pero en lo que respecta ¡ay! a nuestras relaciones con la mujer, ni una pulgada hemos adelantado: seguimos para ellas tan bárbaros como en los recios tiempos de Hernán Cortés. ¿Qué de extraño tiene pues que del choque entre ésta, nuestra barbarie ancestral, y las nuevas costumbres que han ido ensanchando el horizonte social de la mujer, se originen los conflictos, trapisondas y belenes —muchos de ellos sangrientos— que registra la crónica?

Para una persona civilizada, un no rotundo de una mujer pone fin a la cuestión, al pleito amoroso, al problema pasional planteado por él. Basta ver y respetar en la mujer una personalidad tan libre y responsable de sí misma como nosotros, basta mirarla con la ternura o reverencia con que la sabe mirar un yanqui, para que, sobre el ímpetu salvaje de nuestras pasiones, impere nuestro orgulloso deseo de no rebajarnos, de no envilecernos ante nuestros propios ojos procediendo con la grosera violencia de un patán. ¿Se enamoró de otro o se cansó de nosotros, o por alguna causa dejamos de ser objeto de su espontánea predilección? Pues si somos machos y no hombres de hábitos civilizados, si tenemos aún el bárbaro concepto fetichista que tuvieron de los fueros de sus pantalones nuestros antepasados, venga la espada o el revólver… y a tiros o cuchilladas con la infeliz que se atrevió a desviar de nuestros encantos insuperables sus sacrílegos ojos. Pero, hemos perdido en el curso de nuestra evolución espiritual el machismo de cuartel de nuestros abuelos, para volvernos hombres, y, como tales hombres, respetuosos de toda opinión o resolución emanada de una personalidad tan libre como la nuestra, y ya el acto de fuerza no se produce, no puede producirse. No puede producirse, porque hemos incorporado, por la reflexión y el hábito, a nuestro subconsciente una fuerza mucho mayor que la de nuestra tosca vanidad de macho sublevada: la fuerza espiritual del respeto a nosotros mismos que nos subyuga con una sensación horrible de sonrojo cada vez que cedemos a un instinto bajo con sacrificio de otro instinto noble.

Resumen (ya no hay espacio para más): que en presencia del nuevo hecho social inevitable —porque ha sido provocado por causas económicas— de la parcial emancipación de nuestra mujer, no nos queda otro remedio que reajustar toda nuestra vida de relación con el otro sexo de tal suerte que, en nuestras crisis con la mujer, nuestro orgullo consista, no en acudir al garrote o al cuchillo o a la bala, como un vulgar matón de cafetín, sino en hacernos a un lado, quitarnos gentilmente el sombrero y decir con toda urbanidad: "Señora, puesto que no se manda en el corazón y no soy tan estúpido que aspire a imponer por la fuerza lo que no se me da de buen grado, sírvase aceptar con la rendida expresión de mi respeto, la seguridad de que no la he de molestar jamás. Adiós". Eso, o cualquier cosa por el estilo, teatral y campanuda al principio hasta que nos vayamos acostumbrando al acto sencillo y llanote, es lo que deben aprender a hacer en los casos difíciles nuestros Romeos y Otelos. De lo contrario seguiremos, con nuestro machismo fanfarrón y gorilesco, dando el salvaje espectáculo de matar mujeres con la misma facilidad de quien mata gallinas. Para la mujer nueva que nos impone a viva fuerza la evolución económica y social de nuestro pueblo, es hora ya de aprender a ser hombres nuevos, esto es, hombres de tal actitud mental ante el otro sexo, que pase definitivamente a mejor vida, muerto de ridículo, el tipo rezagado, el héroe echegaraico, vanidoso, fanfarrón y asesino, que en un conflicto pasional cree cubrirse de gloria disparando un revólver o blandiendo un puñal.

Rafael Castro Pereda

Dime cómo hablas

Hace meses que circula con muy buena acogida la tercera edición del libro *Dígalo bien... que nada le cuesta*, de la doctora Rosario Núñez de Ortega. Publicado por la Editorial Santillana, se trata de un repertorio de los errores comunes en el español de Puerto Rico y unas guías prácticas de cómo corregirlos. Es resultado de muchos años de dedicación a la enseñanza de la lengua y de investigaciones cuya finalidad no ha sido la erudición, sino el deseo de contribuir a que se hable y escriba con corrección y propiedad el idioma de los puertorriqueños. Para la autora se trata, además, de un derecho de todos.

Hoy está de moda la despreocupación por el buen uso de la lengua. Cunde la idea que los idiomas no necesitan especial y particular atención. El desprestigio de la gramática y el uso correcto del idioma es directamente responsable de que se escriba como se habla, mientras el habla refleja, justamente por ese menosprecio y la pobreza léxica a que conduce, contenidos mentales limitados. Todo es un "chisme", un "lío", un "rollo", en el opuesto, las cosas "nice...mostro"... No porque un lío se defina como tal, es la ausencia de precisión, conocimiento y dominio de lo que las cosas, los fenómenos, los objetos, las situaciones son, lo que lleva a ese mísero puñado de eufemismos.

Las impropiedades en el uso de las palabras proliferan, cuando no escasean las palabras mismas. Incluso, quienes más atención dedicamos al idioma nos sorprendemos en idénticas faltas. Ni siquiera se trata de malas palabras, las palabras más cultas son utilizadas incorrectamente aún por gentes educadas. La paronimia es muchas veces responsable de esta situación, pero la impropiedad en el uso del idioma responde más a la ignorancia, a la pereza, a las traducciones literales y poco pensadas de extranjerismos, a la ya nefasta influencia de los medios de comunicación de masas y a la pedantería de locutores, políticos, predicadores, periodistas y otro personal dado a las extravagancias.

Aclaro que no creo en purismos y considero un gran avance que las academias hayan aceptado impropiedades originadas en etimologías populares, otorgándoles propiedad e incorporándolas a los diccionarios. Los idiomas evolucionan y el uso dicta cambios, entre los que figura la incorporación de voces extranjeras. El purismo en el idioma es una enfermedad, por eso cada lengua tiene los mecanismos apropiados para transformarse sin desfigurarse ni desaparecer.

En realidad, la interferencia léxica es mucho menos amenazante para la salud de un idioma que la sintáctica, que alcanza la estructura misma de la lengua. Los desarrollos en la ciencia y la tecnología, con la numerosísima cantidad de nuevos términos especializados que se producen, particularmente en inglés, alemán y japonés, aunque presentan dificultades en su adopción, traducción o adecuación fonética a otras lenguas, han provocado un nuevo profesional especializado precisamente en el campo de la terminología que colabora estrechamente con los traductores. El traductor, en definitiva, acabará siendo un profesional especializado en los métodos de trabajo terminológico y en los fundamentos teóricos de la terminología si desea enfrentarse con éxito al proceso de transferencia de los nuevos conocimientos científicos y tecnológicos.

En definitiva, las barreras lingüísticas continúan representando un problema para la comunicación, mucho mayor mientras mayor es el grado de especialización, lo que mantiene vigente el viejo y complejo problema de las lenguas en cuanto a sistemas de representación de la realidad. Los idiomas son, con todas sus limitaciones y sin duda sus virtudes fundamentales en la posesión del conocimiento, y desde luego, en la expresión del ser. Por eso la posesión de una lengua natural, su conocimiento, aprecio y dominio, no sólo es un derecho fundamental de individuos y comunidades, es imprescindible para el aprendizaje y manejo de otros idiomas.

Denominar es dominar. La palabra significa, da sentido, domestica la realidad y la permeabiliza a nuestro entendimiento. Podrá ser el lenguaje algo arbitrario en cuanto sistema de signos socialmente sancionado, producto de la historia humana como desde antiguo han propuesto muchos estudiosos, Pero la palabra es la casa que llevamos a cuestas, el hábito y la habitación con que nos cobijamos. No puede ser plenamente objetiva ni pura ninguna lengua porque, en puridad, no hay objetividad mayor alcanzable que el vacío.

Para vivir el hombre necesita dar significado a cuanto toca. Homo faber, homo sapiens, homo loquens, zoon politikon, ser económico… y por qué no el ser que busca y da significado. La vida es el poder más alto que nos ha sido dado. Se nace llorando, se entra a la vida balbuceando, pero se vive y se empieza a catar la vida cuando comenzamos a hablar, a expresar lo que somos. El salvaje tiene sensaciones, impresiones, sentimientos; el hombre que habla —y porque habla piensa—, tiene ideas.

El tartamudeo actual, la supremacía de la impresión sobre la expresión, de la imagen sobre el discurso, atentan contra la capacidad del ser humano para discernir, para enfrentarse al caudal de información con que a diario se le bombardea. La televisión, primera escuela de nuestros niños, enseña que la imagen vale más y les inculca los dos grandes desatinos del nuevo orden: violencia y consumo. Así como se ha hablado de los analfabetos culturales para caracterizar el fracaso de ciertas modas pedagógicas, cabe hablar también, a propósito del mundo de la informática, de los analfabetas informatizados.

El libro que me ha servicio de pie forzado para estas reflexiones no trata, en realidad de estos temas. Pero su utilidad de orden práctico no pretende ser otra cosa que un conjunto de guías para subsanar errores en el decir, y su buena fortuna editorial, no deja de ser un aliciente en un ambiente de tantos descuidos y desatención al idioma. En los idiomas como en la vida, los valores, las normas, hay que conocerlos, aunque sea para transgredirlos.

Rafael Castro Pereda

El español primero

Las rosas, llámeseles con el nombre que se les llame, siempre olerán a rosas. Es un eco de Shakespeare que nos dice que la mentira puede opacar nuestra percepción de la realidad, pero no cambiar la realidad ni la naturaleza de las cosas. Tampoco logrará la campaña de infundios, medias tintas y distorsiones cambiar el verdadero sentido, alcance y significación del proyecto que hace de nuestra lengua española el idioma oficial de Puerto Rico.

No tiene este proyecto de ley, tan valientemente sancionado por los legisladores que han comprendido su importancia histórica para Puerto Rico, no tiene otro sentido que el expresado en el título que inicia estas líneas. Se trata, ni más ni menos, que de privilegiar el idioma desde el cual el pueblo puertorriqueño se ha visto a sí mismo y al mundo, y desde el cual vive como el pez en el agua. No se busca prohibir el aprendizaje de otros idiomas. Nada de eso dice el texto de la nueva ley que parece que muchos han atacado sin leer ni estudiar o sencillamente no han querido entender cegados por su fanatismo o por la vanidad de ver cumplidas sus ambiciones personalistas. Ni mañana, ni pasado mañana, ni en los siguientes mañanas de nuestro porvenir despertaremos bajo la prohibición de hablar, escribir en inglés o aprenderlo en las escuelas, en nuestras casas o en instituciones privadas.

Quienes así piensan o predican están confundidos o pretenden confundir a los demás. La secretaria de Educación, Celeste Benítez, ha dicho claramente que tanto el español como el inglés serán reforzados en el sistema público de educación, y también ha dicho que los métodos y recursos para su enseñanza serán mejorados. La ley no discrimina contra aquéllos que no sepan español o vengan del exterior ignorando nuestra lengua, aunque nos exijan conocer la de ellos. Provee para el recurso de la traducción o el uso directo del inglés. Tampoco se afectará el comercio que sea necesario realizar en inglés, tal y como ocurre en muchas regiones del planeta. Y sería, desde luego, ventajoso para Puerto Rico, que además del inglés como segundo idioma, pudiese quien así lo quisiera, aprender otras lenguas importantes, como el francés.

¿Por qué entonces la alarma? ¿Por qué llamar erróneamente al proyecto *"Spanish Only"*, frase que quiere decir español solamente, y no español primero, que es la lectura apropiada para la nueva ley? La confusión nace, a mi juicio, por la derogación de la Ley de Idiomas de 1902. Esa ley, impuesta por los norteamericanos tras la invasión de 1898, y además impuesta sin el consentimiento de nuestro pueblo, antidemocráticamente y como parte de una ocupación que nos sometió a un gobierno militar, esa ley expresa que en Puerto Rico se utilizarán el inglés y el español indistintamente. Esto es, cualquiera de los dos. En una situación natural de bilingüismo esto funcionaría sin prejuicio para ambas lenguas. Pero en las circunstancias de 1902, no fue así. Vivíamos una situación de extrañamiento en la que, lejos de convivir en comunidad dos idiomas, uno se sobrepuso al otro.

Porque en la práctica resultó que el inglés se impuso como vehículo de enseñanza, desplazando al español que quedó reducido a una mera asignatura como si fuese un idioma ajeno a nuestro pueblo, cuando era al revés. Desde entonces, el español ha venido sufriendo las interferencias y embates de una lengua que representa en Puerto Rico una poderosa fuerza económica y política, y que por su fortaleza internacional no necesita para su salud que nosotros los puertorriqueños sacrifiquemos nuestro idioma y con él nuestra identidad y cultura.

La Ley de idiomas de 1902 facilitaba el camino para la eventual desaparición de nuestros rasgos de identidad y de nuestro quehacer cultural. Alrededor de ello se fue creando un ambiente de menosprecio por las propias cosas, incluyendo el español. Se nos hacía creer, y se nos quiere hacer creer aún que el prestigio, las oportunidades, el porvenir están en el inglés y que el español apenas sirve para el reducido ámbito familiar. Algo que los colegios privados que enseñan todo el inglés incluso están haciendo cambiar, pues muchos jóvenes puertorriqueños se forman con un gran desconocimiento de su propia historia y cultura, y en la edad universitaria, descubren que son incapaces de entender, de comprender lo que leen en español. Con lo cual su bilingüismo resulta una caricatura, y acaban por expresarse a sí mismos en otra lengua que la de sus padres y compatriotas.

Quienes piensan que el sesenta por ciento de nuestro pueblo no habla inglés porque en 1948 se abandonó la enseñanza en este idioma, menos el español, están equivocados. La falta de conocimiento del inglés, y la falta de dominio del español, son consecuencia de una situación anómala, de extrañamiento en la cual ambas lenguas interfieren una con la otra, y ambas acaban por sufrir los estragos de un bilingüismo mal entendido. Que un grupito de privilegiados haya podido hacerse con ambos idiomas no quiere decir que esa sea la situación general del país. Para estar inmersos en dos o más lenguas hace falta dedicación y recursos. De ahí que para un pueblo vivir a dos aguas, oscilante entre dos lenguas, pueda resultar un fastidio, mientras para los intelectuales o para una minoría privilegiada pueda resultar una bendición. De ahí que todo pueblo deba cuidar su idioma, y privilegiarlo, sin que ello signifique que se desentiende de otros idiomas.

Lo que ocurre, a partir del '40, es que la presión de nuestro pueblo por recuperar su lengua logra contener los propósitos colonialistas de la Ley de idiomas de 1902. Volver a esa situación es querer malograr a nuestro pueblo para la historia. Derogar esa ley resultaba un imperativo del momento actual. Es una ley obsoleta que en sí misma no hace de nosotros un pueblo bilingüe ni garantiza la buena salud del inglés. Pero que puede algún día ser utilizada para retornar a los propósitos de entonces y destruir la cultura puertorriqueña y con ello la capacidad de Puerto Rico para continuar fiel a sí mismo. Es esto lo que realmente está en juego.

El hecho mismo de que se haya bautizado esta ley como *"Spanish Only"* es todo un síntoma de las graves distorsiones que genera el dominio colonial que se ejerce sobre Puerto Rico desde 1898. Es una transposición del inglés que pretende dar a las rosas el olor que no tienen. Revela, además, el fracaso del bilingüismo entre nosotros, porque tomada de la frase *"English Only"*, resulta a todas luces una pésima traducción, puesto que se trata de cosas distintas en significación y alcance.

Es curioso que mientras a nosotros se nos exige reducir nuestro idioma a un plano secundario los angloamericanos se pasan la vida con un solo idioma, pues se cuentan entre los pueblos fundamentalmente monolingües. Es curioso también que mientras a los norteamericanos se les reconoce el derecho a hacer del inglés el único idioma de su país, nosotros no podamos siquiera privilegiar el nuestro. Y todavía es sorprendente que esta polémica surja en un momento en que el español se encuentra en plena expansión en el mundo. De manera que tenemos desde nuestros inicios como pueblo un portentoso instrumento de comunicación, que resulta que no debemos privilegiar y aprovechar porque a los mercaderes de la confusión y el miedo no les viene en gana. Basta recordar que el subsecretario de comercio de EE.UU., en su visita reciente a Puerto Rico, nos recordó que en el nuevo mercado común americano que se está gestando, los puertorriqueños tenemos la ventaja de poseer una lengua y cultura hispanas, además de nuestro manejo del inglés. ¿Por qué entonces no privilegiar un idioma del que se derivan tantas ventajas?

En definitiva, se trata de que todo pueblo, por muchos idiomas que conozca su gente, tiene una lengua nacional, que sólo por serlo merece todas las consideraciones y cuidados. Pero también se trata de que en este momento existen unos pocos y formidables instrumentos de comunicación que son universales; el inglés es uno, el francés es otro, y, desde luego, y con mucho, el español. Y no es que los otros no sean primeros, es que el nuestro también lo es, y como es el nuestro no debe existir razón alguna para que aquí, en Puerto Rico, el español no sea el primero.

Y eso es exactamente lo me quiere decir la nueva ley: el español primero.

ENSAYO
PUERTO RICO

Ramón A. Cruz

Geña's Boutique: ¿Asimilación?

Cuando hace algunos años Don Luis Muñoz Marín trajo a la atención del país el uso ridículo del idioma inglés en los nombres de establecimientos comerciales no pensó quizás que el famoso "Agapito's Place" era simplemente la semilla de una aberración que iba a arropar toda la Isla. En aquella ocasión el señalamiento acertado de Don Luis fue alabado por unos y criticado por otros, pero quedó medianamente claro el mensaje: en nuestro deseo de sentirnos importantes, de cubrir nuestro sentido de inferioridad, hasta el idioma nuestro se mutila.

En un remoto barrio de uno de los pueblos del centro de la isla encontré otro ejemplo de lo que preocupó a Muñoz. Era un anuncio grande y atractivo con iluminación que no necesitaba porque el negocio nunca abre de noche y en el barrio todo el mundo sabe dónde está localizado.

Geña's Boutique es simplemente otro entre los miles de ejemplos de anuncios comerciales que encontramos en todos los lugares de Puerto Rico. En este caso específico la dueña, una señora honorable, pero de poca escolaridad, le puso el nombre a su pequeño negocio de ropa sin saber siquiera qué quería decir *boutique*. El nombre se lo trajo su hija, copiado de la zona metropolitana. Para los vecinos del barrio, el negocio sigue siendo la tiendita de Geña y así seguirá llamándose.

Vaya usted por cualquier lugar de la Isla y encontrará los nombres más ridículos, empatando el inglés con el español castizo. El taller de rejas del barrio Maná no se llama así sino Mana's Iron Works. El cafetín de Panchón en un barrio de mi pueblo se llama ahora Panchon's Cocktail Lounge. La barbería de Pepe en el pequeño pueblo del centro de la Isla ya tiene otro flamante nombre: Pepe's Unisex. ¿Sabrá Pepe qué quiere decir el anuncio que acaba de comprar?

Yo creo que las declaraciones recientes del gobernador Rafael Hernández Colón en Harvard donde afirmó que Puerto Rico no se asimilará nunca con la cultura americana, están equivocadas. La asimilación avanza a pasos agigantados. Va torcida, pero crece día a día. El uso del inglés aumenta. Los medios nos bombardean diariamente con este idioma. La verdad es que no tenemos buen dominio oral y escrito del mismo, pero lo usamos distorsionado como en el caso de los nombres de negocios.

Tengo la impresión de que muchos puertorriqueños tratan de esconder un sentido de inferioridad al usar otro idioma para dar nombre a algo que en nuestro vernáculo puede ser más claro y correcto. Puedo estar equivocado, pero la excusa que he escuchado de que al hacer negocios con firmas norteamericanas el nombre en inglés facilita la comunicación no aplica a la mayoría de los casos. ¿Qué negocios hace doña Geña en Estados Unidos? Ninguno. Tampoco va ningún norteamericano a comprar a su negocio. Abra usted la guía telefónica y encontrará que no se trata ya solamente de negocios, sino de nombres de personas que nacieron Pedro o José y ahora se llaman Peter y Joe.

La invasión de vocablos extranjeros no se limita al inglés. Los nombres en francés están de moda. Un listado de nombres de niños de primer grado nos daría la impresión de que estamos en las Naciones Unidas. Hay menos nombres en español que en otros idiomas, algunos en una mezcla de vocablos que nadie entiende. Sabemos de asociaciones y grupos profesionales que llevan a cabo sus reuniones en inglés, y por otra parte, la música que escuchamos en un gran número de estaciones de radio es totalmente norteamericana.

A mi juicio la comunicación y la tecnología harán imposible detener la asimilación lingüística y cultural en Puerto Rico. No estoy haciendo juicio sobre la bondad o maldad de este proceso, pero creo que si vamos a usar idiomas, ya sea el nuestro o el ajeno, debemos usarlos bien. Reconozco el derecho de todo puertorriqueño a ponerle el nombre que se le antoje a su hijo o a su negocio aunque suene ridículo. Sin embargo, creo que conservamos mejor la pureza de nuestro vernáculo si evitamos las mezclas absurdas que vemos a diario. El español no es inferior a ningún otro idioma del mundo. Es parte de nuestra personalidad como pueblo, es la lengua materna, rica, sonora y poética que nos enseñaron nuestros padres.

Debemos aprender inglés y hacerlo bien. No importa el estatus político que exista en Puerto Rico, debemos aprender no sólo buen inglés sino otros idiomas de uso intensivo en el mundo de hoy. No obstante, mientras el medio de comunicación diario entre nosotros sea el español, este idioma debe conservarse en la forma más pura y correcta posible. No creo que Geña le haya puesto el nuevo nombre a su negocio con intención de hacerle daño a su vernáculo. Lo que ella hizo es simplemente producto del enredo cultural y lingüístico que existe en nuestro país. No me asombraría encontrar dentro de muy poco un Bar Perestroika o un colmado Tekura. ¡Qué le vamos a hacer!

José de Diego

¡No!

Breve, sólida, rotunda como un martillazo, he aquí la palabra viril que debe encender los labios y salvar el honor de nuestro pueblo, en estos infelices días de anacrónico imperialismo.

Hace dos o tres años el Dr. Coll y Toste escribió unos brillantes párrafos, para demostrar que los puertorriqueños no saben y debieran saber la potestad de una enérgica afirmación. El sapiente Doctor estaba equivocado: nuestra dolencia moral más grande es una atávica predisposición al otorgamiento irreflexivo y a la blandura de la voluntad, que se doblegan amorosos, como un rosal a un suspiro del viento.

En verdad, la afirmación ha impulsado y resuelto magnas empresas, en la ciencia, en el arte, en la filosofía, en el sentimiento religioso: todos los milagros de la fe y del amor: la muerte de Cristo y la vida de Colón: santos prodigios de afirmaciones que se elevaron a las gloriosas cumbres del espíritu ascendente a la divina luz.

En la evolución política, en la lucha por la libertad, el adverbio afirmativo es casi siempre inútil y siempre funesto; tan suave en todos los idiomas, tan dulce en los romances, superiores en esta voz a la madre lengua latina *"GERTE QUIDEM"*, no tienen la brevedad y la armonía del ***sí*** español, italiano, portugués y también francés, cuando sustituye al ***oui***, en las frases más expresivas, si cantado, nota musical, arpegio de flauta, trino de pájaro, noble y bueno para la melodía, para el ritmo, para el ensueño, para el amor: mas para la protesta, para el ímpetu, para el arrebato, para la ira, para el anatema, para el odio seco y fulminante, como el rasgar de un rayo, el *NO*, la ruda, vasta como un rugido, redonda y ardiente, como el caos productor de la vida por la conflagración de todas las fuerzas del abismo…

Desde las sublevaciones casi prehistóricas de las tribus salvajes contra los caudillos de los imperios asiáticos, la negativa al sometimiento, la protesta contra el tirano, el *NO* de los oprimidos ha sido el verbo, la génesis de la emancipación de los pueblos; y aún, cuando la impotencia de los medios y la virtualidad de los fines, como en nuestra Patria, alejan el fuego revolucionario para la visión ideal, el *NO* debe ser y es la única palabra salvadora de la libertad y la dignidad de los pueblos en servidumbre.

No sabemos decir que *NO* y nos atrae instintivo, inconsciente, como una sugestión hipnótica, el *SÍ* predominante de la palabra sobre el pensamiento, de la forma sobre la esencia, artistas y débiles y bondadosos, como nos han hecho la hermosura y la generosidad de nuestra tierra. Nunca, en términos generales, un puertorriqueño dice, sabe decir que *NO*: "ya veremos", "estudiaré el asunto", "resolveré más adelante"; cuando un puertorriqueño emplea estas alocuciones, ya debe entenderse que no quiere; a lo sumo, une el *SÍ* con el *NO* y de los adverbios afirmativo y negativo hace una conjunción condicional, ambigua, nebulosa, en que la voluntad fluctúa en el aire, como un pajarito sin rumbo ni albergue sobre la planicie de un desierto.

Ellos, los dominadores, ignaramente nos han indicado el concepto y la palabra reveladores del proceso de nuestra evolución dolorosa. La afirmación es la norma de los cuerpos legislativos, aún en el sistema bicameral, en que la afirmación resulta del equilibrio dinámico entre fuerzas contrapuestas o distintas. En nuestra Legislatura, donde una rama es el instrumento de la opresión de un gobierno extraño y la otra el único instrumento de la voluntad del país, la virtud de cada uno de estos cuerpos es simplemente una negativa, cuando los intereses del pueblo y del gobierno son incompatibles. Así, sólo por la debilidad de la Cámara de Delegados en la primera Asamblea Legislativa, pudimos perder en una hora, una legislación plena de sabiduría de los siglos, consustancial con la vida y el desenvolvimiento históricos de Puerto Rico; se nos pudo imponer un sistema administrativo que ensancha los poderes constitucionales del gobierno y reduce la potestad soberana del pueblo. La Cámara dijo que *SÍ*, rindió su voluntad; pudo decir que *NO*, seguir diciendo que *NO* y con una formidable y persistente negativa preservar los elementos de nuestra vida nacional, no concurrir a la ampliación de un régimen de tiranía y dejar, para Dios y para la historia, que el dominador ejerciera solo, solo, solo, el poder con que ha violado el derecho natural, el derecho sobrenatural de nuestro pueblo, y de todos los pueblos, a la soberanía y disposición de sus propios destinos.

Tenemos que aprender a decir *NO*, enarcar los labios, desahogar el pecho, poner en tensión todos los músculos vocales y todas las potencias volitivas para disparar esta O del *NO*, que tal vez resuene en América y en el mundo y que resonará en el cielo con más eficacia que el retumbar de los cañones…

De los cañones, impotentes para perturbar la luz y el curso de una apacible estrella.

Rosario Ferré

La cocina de la escritura

I. DE CÓMO DEJARSE CAER DE LA SARTÉN AL FUEGO

A lo largo del tiempo, las mujeres narradoras han escrito por múltiples razones: Emily Brönte escribió para demostrar la naturaleza revolucionaria de la pasión; Virginia Woolf para exorcizar su terror a la locura y a la muerte; Joan Didion escribe para descubrir lo que piensa y cómo piensa; Clarisse Lispector descubre en su escritura una razón para amar y ser amada. En mi caso, escribir es una voluntad a la vez constructiva y destructiva; una posibilidad de crecimiento y de cambio. Escribo para edificarme palabra a palabra; para disipar mi terror a la inexistencia, como rostro humano que habla. En este sentido, la frase "lengua materna" ha cobrado para mí, en años recientes, un significado especial. Este significado se le hizo evidente a un escritor judío llamado Juan, hace casi dos mil años, cuando empezó su libro diciendo: "En el principio fue el Verbo". Como evangelista, Juan era ante todo escritor, y se refería al verbo en un sentido literario, como principio creador, sean cuales fuesen las interpretaciones que posteriormente le adjudicó la Teología a su célebre frase. Este significado que Juan le reconoció al Verbo yo prefiero atribuírselo a la lengua; más específicamente, a la palabra. El verbo-padre puede ser transitivo o intransitivo, presente, pasado o futuro, pero la palabra-madre nunca cambia, nunca muda de tiempo. Sabemos que si confiamos en ella, nos tomará de la mano para que emprendamos nuestro propio camino.

En realidad, tengo mucho que agradecerle a la palabra. Es ella quien me ha hecho posible una identidad propia, que no le debo a nadie sino a mi propio esfuerzo. Es por esto que tengo tanta confianza en ella, tanta o más que la que tuve en mi madre natural. Cuando pienso que todo me falla, que la vida no es más que un teatro absurdo sobre el viento armado, sé que la palabra siempre está ahí, dispuesta a devolverme la fe en mí misma y en el mundo. Esta necesidad constructiva por la que escribo se encuentra íntimamente relacionada a mi necesidad de amor: escribo para reinventarme y para reinventar el mundo, para convencerme de que todo lo que amo es eterno.

Pero mi voluntad de escribir es también una voluntad destructiva, un intento de aniquilarme y de aniquilar el mundo. La palabra, como la naturaleza misma, es infinitamente sabia, y conoce cuándo debe asolar lo caduco y lo corrompido para edificar la vida sobre cimientos nuevos. En la medida en la que participo de la corrupción del mundo, revierto contra mí misma mi propio instrumento. Escribo porque soy una desajustada a la realidad; porque son, en el fondo, mis profundas decepciones las que han hecho brotar en mí la necesidad de recrear la vida, de sustituirla por una realidad más compasiva y habitable, por ese mundo y por esa persona utópicos que también llevo dentro.

Esta voluntad destructiva por la que escribo se encuentra directamente relacionada a mi necesidad de odio y a mi necesidad de venganza; escribo para vengarme de la realidad y de mí misma, para perpetuar lo que me hiere tanto como lo que me seduce. Sólo las heridas, los agravios más profundos (lo que implica, después de todo, que amo apasionadamente el mundo) podrán quizá engendrar en mí algún día toda la fuerza de la expresión humana.

Quisiera hablar ahora de esa voluntad constructiva y destructiva, en relación a mi obra. El día que me senté por fin frente a mi maquinilla con la intención de escribir mi primer cuento, sabía, ya por experiencia, lo difícil que era ganar acceso a esa habitación propia con pestillo en la puerta y a esas metafóricas quinientas libras al año que me aseguraran mi independencia y mi libertad. Me había divorciado y había sufrido muchas vicisitudes a causa del amor, o de lo que entonces había creído que era el amor: el renunciamiento a mi propio espacio intelectual y espiritual, en aras de la relación con el amado. El empeño por llegar a ser la esposa perfecta fue quizá lo que me hizo volverme, en determinado momento, contra mí misma; a fuerza de tanto querer ser como decían que debía de ser, había dejado de existir, había renunciado a las obligaciones privadas de mi alma.

Entre éstas, la más importante me había parecido siempre vivir intensamente. No agradecía para nada la existencia protegida, exenta de todo peligro, pero también de responsabilidades, que hasta entonces había llevado en el seno del hogar. Deseaba vivir: experimentar el conocimiento, el arte, la aventura, el peligro, todo de primera mano y sin esperar a que me lo contaran. En realidad, lo que quería era disipar mi miedo a la muerte. Todos le tenemos miedo a la muerte, pero yo sentía por ella un terror especial, el terror de los que no han conocido la vida. La vida nos desgarra, nos hace cómplices del gozo y del terror pero finalmente nos consuela, nos enseña a aceptar la muerte como su fin necesario y natural. Pero verme obligada a enfrentar la muerte sin haber conocido la vida, sin atravesar su aprendizaje, me parecía una crueldad imperdonable. Era por eso, me decía, que los inocentes, los que mueren sin haber vivido, sin tener que rendir cuentas por sus propios actos, todos van a parar al Limbo. Me encontraba convencida de que el Paraíso era de los buenos y el Infierno de los malos, de esos hombres que se habían ganado arduamente la salvación o la condena, pero que en el Limbo sólo había mujeres y niños, que ni siquiera sabíamos cómo habíamos llegado hasta allí.

El día de mi debut como escritora, permanecí largo rato sentada frente a mi maquinilla, rumiando estos pensamientos. Escribir mi primer cuento significaba, inevitablemente, dar mi primer paso en dirección del Cielo o del Infierno, y aquella certidumbre me hacía vacilar entre un estado de euforia y de depresión. Era casi como si me encontrara a punto de nacer, asomando tímidamente la cabeza por las puertas del Limbo. Si la voz me suena falsa, me dije, si la voluntad me falla, todos mis sacrificios habrán sido en vano. Habré renunciado tontamente a esa protección que, no empece sus desventajas, me proporcionaba el ser una buena esposa y ama de casa, y habré caído merecidamente de la sartén al fuego.

Virginia Woolf y Simone de Beauvoir eran para mí en aquellos tiempos algo así como mis evangelistas de cabecera; quería que ellas me enseñaran a escribir bien, o a lo menos a no escribir mal. Leía todo lo que habían escrito como una persona que se toma todas las noches antes de acostarse varias cucharadas de una pócima salutífera, que le imposibilitara morir de toda aquella plaga de males de los cuales, según ellas, habían muerto la mayoría de las escritoras que las habían precedido, y aun muchas de sus contemporáneas. Tengo que reconocer que aquellas lecturas no hicieron mucho por fortalecer mi aún recién nacida y tierna identidad de escritora. El reflejo de mi mano era todavía el de sostener pacientemente la sartén sobre el fuego, y no el de blandir con agresividad la pluma a través de sus llamas, y tanto Simone como Virginia, bien que reconociendo los logros que habían alcanzado hasta entonces las escritoras, las criticaban bastante acerbamente. Simone opinaba que las mujeres insistían con demasiada frecuencia en aquellos temas considerados tradicionalmente femeninos, como, por ejemplo la preocupación con el amor, o la denuncia de una educación y de unas costumbres que habían limitado irreparablemente su existencia. Justificados como estaban estos temas, reducirse a ellos significaba que no se había internalizado adecuadamente la capacidad para la libertad. “El arte, la literatura, la filosofia”, me decía Simone, “son intentos de fundar el mundo sobre una nueva libertad humana: la del creador individual, y para lograr esta ambición (la mujer) deberá antes que nada asumir el estatus de un ser que posee la libertad.”

En su opinión, la mujer debería ser constructiva en su literatura, pero no constructiva de realidades interiores sino de realidades exteriores, principalmente históricas y sociales. Para Simone, la capacidad intuitiva, el contacto con las fuerzas de lo irracional, la capacidad para la emoción, eran talentos muy importantes, pero también en cierta forma eran talentos de segunda categoría. El funcionamiento del mundo, el orden de los eventos políticos y sociales que determinan el curso de nuestras vidas están en manos de quienes toman sus decisiones a la luz del conocimiento y de la razón, me decía Simone, y no de la intuición y de la emoción, y era de estos temas que la mujer debería de ocuparse en adelante en su literatura.

Virginia Woolf, por otro lado, vivía obsesionada por una necesidad de objetividad y de distancia que, en su opinión, se habían dado muy pocas veces en la escritura de las mujeres. De las escritoras del pasado, Virginia salvaba sólo a Jane Austen y a Emily Brönte, porque sólo ellas habían logrado escribir, como Shakespeare, "con todos los obstáculos quemados". "Es funesto para todo aquel que escribe pensar en su sexo", me decía Virginia, "y es funesto para una mujer subrayar en lo más mínimo una queja, abrogar, aun con justicia, una causa, hablar, en fin, conscientemente como una mujer. En los libros de esas escritoras que no logren librarse de la cólera habrá deformaciones, desviaciones. Escribirá alocadamente en lugar de escribir con sensatez. Hablará de sí misma, en lugar de hablar de sus personajes. Está en guerra con su suerte. ¿Cómo podrá evitar morir joven, frustrada, contrariada? Para Virginia, evidentemente, la literatura femenina no debería de ser jamás destructiva o iracunda, sino tan armoniosa y translúcida como la suya propia.

Había, pues, escogido mi tema: nada menos que el mundo; así como mi estilo, nada menos que un lenguaje absolutamente neutro y ecuánime, consagrado a hacer brotar la verosimilitud del tema, tal y como me lo habían aconsejado Simone y Virginia. Sólo faltaba ahora encontrar el cabo de mi hilo, descubrir esa ventana personalísima, de entre las miles que dice Henry James que tiene la ficción, por la cual lograría entrar en mi tema: la ventana de mi anécdota. Pensé que lo mejor sería escoger una anécdota histórica; algo relacionado, por ejemplo, a lo que significó para nuestra burguesía el cambio de una sociedad agraria, basada en el monocultivo de la caña, a una sociedad urbana o industrial; así como la pérdida de ciertos valores que aquel cambio había conllevado a comienzos de siglo: el abandono de la tierra; el olvido de un código de comportamiento patriarcal, basado en la explotación, pero también a veces en ciertos principios de ética y de caridad cristiana sustituidos por un nuevo código mercantil y utilitario que nos llegó del norte; el surgimiento, de una nueva clase profesional, con sede en los pueblos, que muy pronto desplazó a la antigua oligarquía cañera como clase dirigente.

Una anécdota basada en aquellas directrices me parecía excelente en todos los sentidos: no había allí posibilidad alguna de que se me acusara de construcciones ni de destrucciones inútiles, en un argumento como aquél. Escogido por fin el contexto de mi trama, coloqué las manos sobre la maquinilla, dispuesta a comenzar a escribir. Bajo mis dedos temblaban, prontas a saltar adelante, las veintiséis letras del alfabeto latino, como las cuerdas de un poderoso instrumento. Pasó una hora, pasaron dos, pasaron tres, sin que una sola idea cruzara el horizonte pavorosamente límpido de mi mente. Había tantos datos, tantos sucesos novelables en aquel momento de nuestro devenir histórico, que no tenía la menor idea de por dónde debería empezar. Todo me parecía digno, no ya de un cuento que indudablemente sería torpe y de principiante, sino de una docena de novelas aún por escribir.

Decidí tener paciencia y no desesperar, pasarme toda la noche en vela si fuere necesario. La madurez lo es todo, me dije, y aquel era, no debía olvidarlo, mi primer cuento. Si me concentraba lo suficiente encontraría por fin el cabo de mi anécdota. Comenzaba ya a amanecer, y el sol había teñido de púrpura la ventana de mi estudio, cuando, rodeada de ceniceros que más bien parecían depósitos de un crematorio de guerra, así como de tazas de café frío que recordaban las almenas de una ciudad inútilmente sitiada, me quedé profundamente dormida sobre las teclas aún silenciosas de mi maquinilla. Afortunadamente, la lección más compasiva que me ha enseñado la vida es que, no importa los reveses a los que uno se ve obligado a enfrentarse, ella nos sigue viviendo, y aquella derrota, después de todo, nada tenía que ver con mi amor por el cuento. Si no podía escribir un cuento, al menos podía escucharlos, y en la vida diaria he sido siempre ávida escucha de cuentos. Los cuentos orales, los que me cuenta la gente en la calle son siempre los que más me interesan, y me maravilla el hecho de que quienes me los cuentan suelen estar ajenos aque lo que me están contando es un cuento. Algo similar me sucedió, algunos días más tarde, cuando me invitaron a almorzar en casa de mi tía.

Sentada a la cabecera de la mesa, mientras dejaba caer en su taza de té una lenta cucharada de miel, escuché a mi tía comenzar a contar un cuento. La historia había tomado lugar en una lejana hacienda de caña, a comienzos de siglo, dijo, y su heroína era una parienta lejana suya que confeccionaba muñecas rellenas de aquel líquido. La extraña señora había sido víctima de su marido, un tarambana y borrachín que había dilapidado irremediablemente su fortuna, para luego echarla de la casa y amancebarse con otra. La familia de mi tía, respetando las costumbres de entonces, le había ofrecido techo y sustento, a pesar de que para aquellos tiempos la hacienda de caña en que vivían se encontraba al borde de la ruina. Había sido para corresponder a aquella generosidad que se había dedicado a confeccionarle a las hijas de la familia muñecas rellenas de miel.

Poco después de su llegada a la hacienda, la parienta, que aún era joven y hermosa, había desarrollado un extraño padecimiento: la pierna derecha había comenzado a hinchársele sin motivo evidente, y sus familiares decidieron mandar a buscar al médico del pueblo cercano para que la examinara. El médico, un joven sin escrúpulos, recién graduado de una universidad extranjera, enamoró primero a la joven, y diagnosticó luego falsamente que su mal era incurable. Aplicándole emplastos de curandero, la condenó a vivir inválida en un sillón, mientras la despojaba sin compasión del poco dinero que la desgraciada había logrado salvar de su matrimonio. El comportamiento del médico me pareció, por supuesto, deleznable, pero lo que más me conmovió de aquella historia no fue su canallada, sino la resignación absoluta con la cual, en nombre del amor, aquella mujer se había dejado explotar durante veinte años.

No voy a repetir aquí el resto de la historia que me hizo mi tía aquella tarde, porque se encuentra recogida en "La muñeca menor", mi primer cuento. Claro, que no lo conté con las mismas palabras con las que me lo relató ella, ni repitiendo su ingenuo panegírico de un mundo afortunadamente desaparecido, en que los jornaleros de la caña morían de inanición, mientras las hijas del hacendado jugaban con muñecas rellenas de miel. Pero aquella historia, escuchada a grandes rasgos, cumplía con los requisitos que me había impuesto: trataba de la ruina de una clase y de su sustitución por otra, de la metamorfosis de un sistema de valores basados en el concepto de la familia, por unos intereses de lucro y aprovechamiento personales, resultado de una visión del mundo inescrupulosa y utilitaria.

Encendida la mecha, aquella misma tarde me encerré en mi estudio y no me detuve hasta que aquella chispa que bailaba frente a mis ojos se detuvo justo en el corazón de lo que quería decir. Terminado mi cuento, me recliné sobre la silla para leerlo completo, segura de haber escrito un relato sobre un tema objetivo, absolutamente depurado de conflictos femeninos y de alcance trascendental, cuando me di cuenta de que todos mis cuidados habían sido en vano. Aquella parienta extraña, víctima de un amor que la había sometido dos veces a la explotación del amado, se había quedado con mi cuento, reinaba en él como una vestal trágica e implacable. Mi tema, bien que encuadrado en el contexto histórico y sociopolítico que me había propuesto, seguía siendo el amor, la queja, y ¡ay! era necesario reconocerlo, hasta la venganza. La imagen de aquella mujer, balconeándose años enteros frente al cañaveral con el corazón roto, me había tocado en lo más profundo. Era ella quien me había abierto por fin la ventana, antes tan herméticamente cerrada, de mi cuento.

Había traicionado a Simone, escribiendo una vez más sobre la realidad interior de la mujer, y había traicionado a Virginia, dejándome llevar por la ira, por la cólera que me produjo aquella historia. Confieso que estuve a punto de arrojar mi cuento al cesto de la basura, deshacerme de aquella evidencia que, en la opinión de mis evangelistas de cabecera, me identificaba con todas las escritoras que se habían malogrado trágicamente en el pasado y en el presente. Por suerte no lo hice; lo guardé en un cajón de mi escritorio en espera de mejores tiempos, de ese día en que quizá llegase a comprenderme mejor a mí misma.

Han pasado diez años desde que escribí "La muñeca menor", y he escrito muchos cuentos desde entonces; creo que ahora puedo objetivar con mayor madurez las lecciones que aprendí aquel día. Me siento menos culpable hacia Simone y hacia Virginia, porque he descubierto que, cuando uno intenta escribir un cuento (o un poema, o una novela), detenerse a escuchar consejos, aun de aquellos maestros que uno más admira, tiene casi siempre como resultado la parálisis de la lengua y de la imaginación. Hoy sé por experiencia que de nada vale escribir proponiéndose de antemano construir realidades exteriores, tratar sobre temas universales y objetivos, si uno no construye primero su realidad interior; de nada vale intentar escribir en un estilo neutro, armonioso, distante, si uno no tiene primero el valor de destruir su realidad interior. Al escribir sobre sus personajes, un escritor escribe siempre sobre sí mismo, o sobre posibles vertientes de sí mismo, ya que, como a todo ser humano, ninguna virtud o pecado le es ajeno.

Al identificarme con la extraña parienta de la "Muñeca Menor", yo había hecho posible ambos procesos: por un lado había reconstruido, en su desventura, mi propia desventura amorosa, y por otro lado, al darme cuenta de cuáles eran sus debilidades y sus fallas (su pasividad, su conformidad, su aterradora resignación), la había destruido en mi nombre. Aunque es posible que también la haya salvado. En cuentos posteriores, mis heroínas han logrado ser más valerosas y más libres, más energéticas y positivas, quizá porque nacieron de las cenizas de la "Muñeca Menor". Su decepción fue, en todo caso, lo que me hizo caer, de la sartén, al fuego de la literatura.

II. DE CÓMO SALVAR ALGUNAS COSAS EN MEDIO DEL FUEGO

He contado cómo fue que escribí mi primer cuento, y quisiera ahora describir cuáles son las satisfacciones que descubro hoy en ese quehacer cuya iniciación me fue, en un momento dado, tan dolorosa. La literatura es un arte contradictorio, quizá el más contradictorio que existe: por un lado es el resultado de una entrega absoluta de la energía, de la inteligencia, pero sobre todo de la voluntad, a la tarea creativa, y por otro lado tiene muy poco que ver con la voluntad, porque el escritor nunca escoge sus temas, sino que sus temas lo escogen a él. Es entre estos dos polos o antípodas que se fecunda la obra literaria, y en ellos tienen también su origen las satisfacciones del escritor. En mi caso, éstas consisten de una voluntad de hacerme útil y de una voluntad de gozo.

La primera, (relacionada a mis temas, a mi intento de sustituir el mundo en que vivo por ese mundo utópico que pienso) es una voluntad curiosa, porque es una voluntad a *posteriori*. La voluntad de hacerme útil, tanto en cuanto al dilema femenino, como en cuanto a los problemas políticos y sociales que también me atañen, me es absolutamente ajena cuando empiezo a escribir un cuento, no obstante la claridad con que la percibo una vez terminada mi obra. Tan imposible me resulta proponerme ser útil a tal o cual causa, antes de comenzar a escribir, como me resulta declarar mi adhesión a tal o cual credo religioso, político o social. Pero el lenguaje creador es como la creciente poderosa de un río, cuyas mareas laterales atrapan las lealtades y las convicciones, y el escritor se ve siempre arrastrado por su verdad.

Es ineludible que mi visión del mundo tenga mucho que ver con la desigualdad que sufre todavía la mujer en nuestra edad moderna. Uno de los problemas que más me preocupa sigue siendo la incapacidad que ha demostrado la sociedad para resolver eficazmente su dilema, los obstáculos que continúa oponiéndole en su lucha por lograrse a sí misma, tanto en su vida privada como en su vida pública. Quisiera tocar aquí someramente, entre la enorme gama de tópicos posibles relacionados a este tema, el asunto de la obscenidad en la literatura femenina.

Hace algunos meses, en la ocasión de un banquete al que asistí en conmemoración del centenario de Juan Ramón Jiménez, se me acercó un célebre crítico, de cabellera ya plateada por los años, para hablarme, frente a un grupo nutrido de personas, sobre mis libros. Con una sonrisa maliciosa, y guiñándome un ojo que pretendía ser cómplice, me preguntó, en un tono titilante y cargado de insinuación, si era cierto que yo escribía cuentos pornográficos y que, de ser así, se los enviara, porque quería leerlos. Confieso que en aquel momento no tuve, quizá por excesiva consideración a unas canas que a distancia se me antojan verdes, el valor de mentarle respetuosamente a su padre, pero el suceso me afectó profundamente. Regresé a mi casa deprimida, temerosa de que se hubiese corrido el rumor, entre críticos insignes, de que mis escritos no eran otra cosa que una transcripción más o menos artística de la *Historia de O*.

Por supuesto que no le envié al egregio crítico mis libros, pero pasada la primera impresión desagradable, me dije que aquel asunto de la obscenidad en la literatura femenina merecía ser examinado más de cerca. Convencida de que el anciano caballero no era sino un ejemplar de una raza ya casi extinta de críticos abiertamente sexistas, que consideran la literatura su feudo privado, decidí olvidarme del asunto, y volver aquel pequeño agravio en mi provecho.

Comencé entonces a leer todo lo que caía en mis manos sobre el tema de la obscenidad en la narrativa femenina. Gran parte de la crítica sobre la narrativa femenina se encuentra hoy formulada por mujeres, y éstas suelen enfocar el problema de la mujer desde ángulos muy diversos: el marxista, el freudiano, o el ángulo de la revolución sexual. Pese a sus diversos enfoques, las críticas femeninas, tanto Sandra Gilbert y Susan Gubar en *The Madwoman in the Attic*, por ejemplo, como Mary Ellen Moers en *Literary Women*; como Patricia Meyer Spacks en *The Female Imagination* o Erica Jong en sus múltiples ensayos, parecían estar de acuerdo en lo siguiente: la violencia, la ira, la inconformidad ante su situación, había generado gran parte de la energía que había hecho posible la narrativa femenina durante siglos. Comenzando con la novela gótica del siglo XVIII, cuya máxima exponente fue Mrs. Radcliffe, y pasando por las novelas de las Brönte, por el *Frankenstein* de Mary Shelley, por *The Mill and ¡he Floss* de George Eliot, así como por las novelas de Jean Rhys, Edith Wharton y hasta las de Virginia Woolf (y ¿qué otra cosa es *Mrs. Dalloway* sino una interpretación sublimada, poética, pero no por eso menos irónica y acusatoria, de la frívola vida de la anfitriona social?), la narrativa femenina se había caracterizado por un lenguaje a menudo agresivo y delator. Iracundas y rebeldes habían sido todas, aunque alguna más irónica, más sabia y veladamente que otras.

Una cosa, sin embargo, me llamó la atención de aquellas críticas, el silencio absoluto que guardaban, en sus respectivos estudios, sobre el uso de la obscenidad en la literatura femenina contemporánea. Ninguna de ellas abordaba el tema, pese al hecho de que el empleo de un lenguaje sexualmente proscrito en la literatura femenina me parecía hoy uno de los resultados inevitables de una corriente de violencia que había abarcado ya varios siglos. Y no era que las escritoras no se hubiesen servido de él: entre las primeras novelistas que emplearon un lenguaje obsceno, de las que publicaron sus novelas en los Estados Unidos luego de levantados los edictos contra el *Ulysses*, en 1933, por ejemplo, se encontraron Iris Murdoch, Doris Lessing y Carson MeCullers, quienes le dieron por primera vez un empleo desenvuelto y desinhibido al verbo "joder". Erica Jong, por otro lado, se había hecho famosa precisamente por el uso de un vocabulario agresivamente impúdico en sus novelas, pero del cual jamás hacía mención en sus bien educados y respetuosos ensayos sobre la literatura femenina contemporánea.

Entrar aquí a fondo en este tema, con todas sus implicaciones sociológicas, (y aún políticas) resultaría imposible, y mi propósito al abordarlo no fue sino dar un ejemplo de esa voluntad de hacerme útil como escritora, de la cual me doy cuenta siempre a *posteriori*. Cuando el insigne crítico me abordó en aquel banquete, señalando mi fama como militante de la literatura pornográfica, nunca me había preguntado cuál era la meta que me proponía al emplear un lenguaje obsceno en mis cuentos. Al darme cuenta de la persistencia con que la crítica femenina contemporánea circunvalaba el escabroso tema, mi intención se me hizo clara: mi propósito había sido precisamente la de volver esa arma, la del insulto sexualmente humillante y bochornoso, blandida durante tantos siglos contra nosotras, contra esa misma sociedad, contra sus prejuicios ya caducos e inaceptables.

Si la obscenidad había sido tradicionalmente empleada para degradar y humillar a la mujer, me dije, ésta debería de ser doblemente efectiva para redimirla. Si en mi cuento "Cuando las mujeres quieren a los hombres" o "De tu lado al paraíso", por ejemplo, el lenguaje obsceno ha servido para que una sola persona se conmueva ante la injusticia que implica la explotación sexual de la mujer, no me importa que me consideren una escritora pornográfica. Me siento satisfecha porque habré cumplido cabalmente con mi voluntad de hacerme útil.

Pero mi voluntad de hacerme útil, así como mi voluntad constructiva y destructiva, no son sino las dos caras de una misma moneda: ambas se encuentran inseparablemente unidas por una tercera

si había llegado a conocer personalmente a Isabel la Negra, muerta hacía pocos años, o si alguna vez había visitado su prostíbulo (sugerencia que inevitablemente me hacía sonrojar con violencia), me dije que la dificultad para reconocer la existencia de la imaginación era un mal de mayor alcance.

Siempre me había parecido que la crítica contemporánea le daba demasiada importancia al estudio de la vida de los escritores, pero aquella insistencia en la naturaleza impúdicamente autobiográfica de mis relatos me confirmó en mis temores. La importancia que han cobrado hoy los estudios biográficos parece basarse en la premisa de que la vida de los escritores hace de alguna manera más comprensibles sus obras, cuando en realidad es a la inversa. La obra del escritor, una vez terminada, adquiere una independencia absoluta de su creador, y sólo puede relacionarse con él en la medida en que le da un sentido profundo o superficial a su vida. Pero este tipo de exégesis de la obra literaria, bastante común hoy en los estudios de la literatura masculina, lo es mucho más en los estudios sobre la literatura femenina. Los tomos que se han publicado recientemente sobre la vida de las Brönte, por ejemplo, sobre la vida de Virginia Woolf, exceden sin duda los tomos de las novelas de éstas. Tengo la solapada sospecha de que este interés en los datos biográficos de las escritoras tiene su origen en el convencimiento de que las mujeres son más incapaces de la imaginación que los hombres, y de que sus obras ejercen por lo tanto un pillaje más inescrupuloso de la realidad que la de sus compañeros artistas.

La dificultad para reconocer la existencia de la imaginación tiene en el fondo un origen social. La imaginación implica juego, irreverencia ante lo establecido, el atreverse a inventar un orden posible, superior al existente, y sin este juego la literatura no existe. Es por esto que la imaginación (como la obra literaria) es siempre subversiva. Concuerdo con Octavio Paz, en que existe algo terriblemente soez en la mente moderna, algo que tolera "toda suerte de mentiras indignas en la vida real, y toda suerte de realidades indignas", pero que no soporta la existencia de la fábula. Esto se refleja en la manera en que la literatura se enseña hoy en nuestras universidades: por medio de un acercamiento principalmente analítico al quehacer literario. En nuestros centros docentes se analiza de mil maneras la obra escrita: según las reglas del estructuralismo, de la sociología, de la estilística, de la semiótica y de muchas escuelas más. Cuando se ha terminado con ella, se la ha vuelto al derecho y al revés, hasta no quedar de ella otra cosa que una nube de sememas y de morfemas que flotan a nuestro alrededor. Es como si la obra literaria hubiera que dignificarla, desentrañándole, como a un reloj cuyos mecanismos se desmontan, sus secretas arandelas y tuercas, cuando lo importante no es tanto cómo funciona, sino cómo marca el tiempo. La enseñanza de la literatura en nuestra sociedad es admisible sólo desde el punto de vista del crítico: ser un especialista, un desmontador de la literatura es un estatus dignificante y remunerante. Ser un escritor, sin embargo, jugar con la imaginación, con la posibilidad del cambio, es un quehacer subversivo, no es ni dignificante ni remunerante. Es por esto que en nuestros centros docentes se ofrecen tan pocos cursos de creación literaria, y es por esto que los escritores se ven, en la mayoría de los casos, obligados a ganarse la vida escribiendo literalmente "por amor al arte".

Aprender a escribir (no a hacer crítica literaria) es un quehacer mágico, pero también muy específico. También el conjuro tiene sus recetas, y los encantadores miden con precisión y exactitud la medida exacta de hechizo que es necesario añadir al caldero de sus palabras. Las reglas de cómo escribir un cuento, una novela o un poema, reglas para nada secretas, están ahí salvadas para la eternidad en vasos cópticos por los críticos, pero de nada le valen al escritor si éste no aprende a usarlas.

La primera lección que los estudiosos de literatura deberían de aprender hoy en nuestras universidades es, no sólo que la imaginación existe, sino que ésta es el combustible más poderoso que alimenta toda ficción. Es por medio de la imaginación que el escritor transforma esa experiencia que constituye la principal cantera de su obra, su experiencia autobiográfica, en materia de arte.

IV. CONCLUSIÓN

Quisiera ahora tocar directamente el tema al cual le he estado dando vueltas y más vueltas al fondo de mi cacerola desde el comienzo de este ensayo. El tema es hoy sin duda un tema borboleante y candente, razón por la cual todavía no me había atrevido a ponerlo ante ustedes sobre la mesa. ¿Existe, al fin y al cabo, una escritura femenina? ¿Existe una literatura de mujeres radicalmente diferente a la de los hombres? ¿Y si existe, ha de ser ésta apasionada e intuitiva, fundamentada en las sensaciones y los sentimientos, como quería Virginia, o racional y analítica, inspirada en el conocimiento histórico, social y político, como quería Simone? Las escritoras de hoy, ¿hemos de ser defensoras de los valores femeninos en el sentido tradicional del término, y cultivar una literatura armoniosa, poética, pulcra, exenta de obscenidades, o hemos de ser defensoras de los valores femeninos en el sentido moderno, cultivando una literatura combativa, acusatoria, incondicionalmente realista y hasta obscena? ¿Hemos de ser, en fin, Cordelias, o Lady Macbeths? ¿Doroteas o Medeas?

Decía Virginia Woolf que su escritura era siempre femenina, que no podía ser otra cosa que femenina, pero que la dificultad estaba en definir el término. A pesar de estar de acuerdo con muchas de sus teorías, me encuentro absolutamente de acuerdo con ella en esto. Creo que las escritoras de hoy tenemos, ante todo, que escribir bien, y que esto se logra únicamente dominando las técnicas de la escritura. Un soneto tiene sólo catorce líneas, un número específico de sílabas y una rima y un metro determinados, y es por ello una forma neutra, ni femenina ni masculina, y la mujer se encuentra tan capacitada como el hombre para escribir un soneto perfecto. Una novela perfecta, como dijo Rilke, ha de ser construida ladrillo a ladrillo, con infinita paciencia, y por ello tampoco tiene sexo, y puede ser escrita tanto por una mujer como por un hombre. Escribir bien, para la mujer, significa sin embargo una lucha mucho más ardua que para el hombre: Flaubert re-escribió siete veces los capítulos de *Madame Bovary*, pero Virginia Woolf re-escribió catorce veces los capítulos de *Las olas*, sin duda el doble de veces que Flaubert porque era una mujer, y sabía que la crítica sería doblemente dura con ella.

Lo que quiero decir con esto puede que huela a herejía, a cocimiento pernicioso y mefítico, pero este ensayo se trata, después de todo, de la cocina de la escritura. Pese a mi metamorfosis de ama de casa en escritora, escribir y cocinar a menudo se me confunden, y descubro unas correspondencias sorprendentes entre ambos términos. Sospecho que no existe una escritura femenina diferente a la de los hombres. Insistir que sí existe implicaría paralelamente la existencia de una naturaleza femenina, distinta a la masculina, cuando lo más lógico me parece insistir en la existencia de una *experiencia* radicalmente diferente. Si existiera una naturaleza femenina o masculina, eso implicaría unas capacidades distintas en la mujer y en el hombre, en cuanto a la realización de una obra de arte, por ejemplo, cuando en realidad sus capacidades son las mismas, porque éstas son ante todo fundamentalmente humanas.

Una naturaleza femenina inmutable, una mente femenina definida perpetuamente por su sexo, justificaría la existencia de un estilo femenino inalterable, caracterizado por ciertos rasgos de estructura y lenguaje que sería fácil reconocer en el estudio de las obras escritas por las mujeres en el pasado y en el presente. Pese a las teorías que hoy abundan al respecto, creo que estos rasgos son debatibles. Las novelas de Jane Austen, por ejemplo, eran novelas racionales, estructuras meticulosamente cerradas y lúcidas, diametralmente opuestas a las novelas diabólicas, misteriosas y apasionadas de su contemporánea Emily Brönte. Y las novelas de ambas no pueden ser más diferentes de las novelas abiertas, fragmentadas y sicológicamente sutiles de escritoras modernas como Clarisse Lispector o Elena Garro. Si el estilo es el hombre, el estilo es también la mujer, y éste difiere profundamente no sólo de ser humano a ser humano, sino también de obra a obra.

En lo que sí creo que se distingue la literatura femenina de la masculina es en cuanto a los temas que la obseden. Las mujeres hemos tenido en el pasado un acceso muy limitado al mundo de la política, de la ciencia o de la aventura, por ejemplo, aunque hoy esto está cambiando. Nuestra literatura se encuentra a menudo determinada por una relación inmediata a nuestros cuerpos: somos nosotras las que gestamos a los hijos y las que les damos a luz, las que los alimentamos y nos ocupamos de su supervivencia. Este destino que nos impone la naturaleza nos coarta la movilidad y nos crea unos problemas muy serios en cuanto intentamos reconciliar nuestras necesidades emocionales con nuestras necesidades profesionales, pero también nos pone en contacto con las misteriosas fuerzas generadoras de la vida. Es por esto que la literatura femenina se ha ocupado en el pasado, mucho más que la de los hombres, de experiencias interiores, que tienen poco que ver con lo histórico, con lo social y con lo político. Es por esto también que su literatura es más subversiva que la de los hombres, porque a menudo se atreve a bucear en zonas prohibidas, vecinas a lo irracional, a la locura, al amor y a la muerte; zonas que, en nuestra sociedad racional y utilitaria, resulta a veces peligroso reconocer que existen. Estos temas interesan a la mujer, sin embargo, no porque ésta posea una naturaleza diferente, sino porque son el cosecho paciente y minucioso de su experiencia. Y esta experiencia, así como la del hombre, hasta cierto punto puede cambiar; puede enriquecerse, ampliarse.

Sospecho, en fin, que el interminable debate sobre si la escritura femenina existe o no existe es hoy un debate insubstancial y vano. Lo importante no es determinar si las mujeres debemos escribir con una estructura abierta o con una estructura cerrada, con un lenguaje poético o con un lenguaje obsceno, con la cabeza o con el corazón. Lo importante es aplicar esa lección fundamental que aprendimos de nuestras madres, las primeras, después de todo, en enseñarnos a bregar con fuego: el secreto de la escritura, como el de la buena cocina, no tiene absolutamente nada que ver con el sexo, sino con la sabiduría con la que se combinan los ingredientes.

Magali García Ramis

La escuela para escritores que no publican

Todos los sábados asisto regularmente a la ***Escuela sabatina para escritores que no publican***. Es similar a esas caninas de obediencia pero sin las galletitas con las que gratifican a los perros que aprenden a hacer lo que deben. Organizados a principios del siglo XX por el Dr. Evgeny Torturadovich, estos centros obligan a los escritores a terminar sus textos y publicarlos. Torturadovich fue un eminente siquiatra que quiso ser escritor pero fue (sabiamente) obligado por su padre a estudiar medicina. Por esta razón nunca se identificó con la clase obrera, como Máximo Gorky, ni sufrió hambre como Fedor Dostoyevsky, ni aprendió a sentir conmiseración por los pobres como León Tolstoy. En vez, se hizo rico diseñando este sistema infalible que hace que los escritores produzcan piezas literarias pues para eso es que ellos nacieron aunque no se les pague por ello.

Funciona de la siguiente manera: a las ocho en punto de la mañana uno llega a la Escuela y se sienta en su cubículo. A las ocho y diez llega el Encaminador vestido de negro. En una mano porta una calavera, en la otra un látigo. Las paredes de los cubículos, organizados en semicírculos, permiten que los escritores nos veamos las cabezas. Al centro de los cubículos, sobre una mesa amarilla —el color del intelecto— el Encaminador coloca la calavera y repite cuatro veces: "Esto pronto serás, si no publicas jamás". Entonces pregunta a los presentes: "¿Terminaron alguna obra esta semana?" "Nooooo", contestamos todos a coro. De inmediato el Encaminador ordena: "Escriba cada uno una composición explicando con razones de peso por qué no terminó su magnífica novela, poemario, libro de cuentos, ensayo u obra dramática".

Todos, febrilmente, empezamos a escribir. Todas las semanas yo escribo más o menos lo mismo, que lee como sigue:

"La razón de peso por la que no terminé mi obra literaria fue por la Vida Misma. El viernes por la noche me aprestaba a escribir cuando me llamaron de casa de mis tías para que fuera allá porque una iba para el hospital y yo debería acompañar a mi mamá. Me llevé todo para seguir trabajando... pero tuve que ver Cable TV con ella. Después de cinco documentales y dos películas que tuve que compartir con ella me dispuse a escribir cuando me percaté de que mi Cartapacio Sagrado había desaparecido. Mi mamá sufre un poco de pérdida de memoria complicada con deseo de recoger (los médicos lo llaman el Síndrome de Houdini) e hizo desaparecer mis cosas. En vano las busqué durante varias horas mientras ella me perseguía preguntando, "¿qué tú buscas mija?" "Mis papeles, mami" "Ah", contesta. Y de pronto dice, "¿Qué tú buscas mija?" "Mis papeles, mami" digo y casi es de madrugada cuando los encuentro debajo del fregadero. Entonces es domingo y regreso a casa y hay 16 llamadas en la máquina de contestar, nueve son invitaciones a hablar sobre la mujer, las escritoras, las mujeres que escriben o las escritoras que son mujeres, ocho son más que desean que sus hijas entrevisten a una escritora viva para sacar "A" en español y una es de una compañía de tarjetas de crédito que ofrece un seguro especial de $100,000 si durante un viaje pierdo "una mano y una pierna" o "una pierna y un ojo" o "un codo y una pantorrilla pero que no sean del mismo lado del cuerpo".

Borro todos los mensajes pero guardo el número de la aseguradora por si me invento un modo de cobrar ese dinero para dedicarme a escribir.

Cuando el domingo a mediodía al fin me siento a escribir; comienzan a caer hormigas del techo y tengo que ir a comprar algo para fumigar, pero la ATH no tiene sistema, así que regreso a casa y subo al estudio pero al ver las plantas moribundas decido echarles agua; entonces el gato con la pata enyesada se me escapa y si se moja el yeso son muchos billetes más, así que lo guardo, me olvido de las plantas y me pongo a corregir trabajos de mis clases. Luego pasan el lunes (aún hay hormigas), el martes (duermo en un edredón en el piso de la sala porque las hormigas están cayendo del techo sobre mi cama), el miércoles (trato de quitar los adornos de Navidad de los balcones porque se ven muy decadentes), el jueves (tomo media hora para conversar con mis amigos y llamo por teléfono a mi vecina del mismo edificio para poder compartir aunque sea las mismas quejas), el viernes (tengo que pasar actas de media docena de comités pro, en contra, a favor y todos los anteriores de la Universidad) y ya hoy es sábado y no he podido terminar mi obra..."

El Encaminador hace que yo lea en voz alta mi composición mientras azuza a los presentes a abuchearme. Toma su látigo de tiras de cuero de vaca viuda en las que está grabada la versión condensada de *La Divina Comedia* publicada por el Reader's Digest y grita: "¿Usted quisiera que yo le pegara, verdad?; usted quisiera que el Encaminador encaminara sus pasos a sangre y fuego, pero no, no le daré tal placer... vuelva a su vida cotidiana y cargue usted la culpa de no haber terminado nada esta semana. Ahora propóngase traernos algo para el otro sábado". Para entonces estoy sedienta y pido permiso para tomar agua. Iracundo el Encaminador me increpa, "¿Acaso tomaba agua Balzac?... ¡¡¡Tome café!!! ¿Acaso tomaba agua Hemingway? ¡¡¡Tome whiskey!!!". Y efectivamente, sólo hay café y whiskey para beber en la Escuela Sabatina. Luego de que cada escritor lee y es abucheado por sus compañeros y amenazado por el Encaminador, bebe café y whiskey y whiskey y café hasta que dan la hora de salida. Entonces uno se tambalea hasta su casa y se sienta ese mismo sábado en la tarde a terminar su obra cuando suena el teléfono, se va el agua, llega una visita y se escapa el gato con la pata enyesada, todo a la vez. Así que uno saca su libreta de apuntes y anota lo que está sucediendo para tener qué escribir el sábado próximo en la *Escuela sabatina para escritores que nunca, nunca, van a poder publicar.*

Magali García Ramis

El chango como pájaro nacional

A pesar de que dicen por ahí que el pájaro más común de Puerto Rico es el "averiguao", este país, cuyos ciudadanos han logrado ponerse de acuerdo al menos en la selección de algunos símbolos nacionales, no tiene todavía un ave nacional que verdaderamente le represente.

Hay quienes quisieran que la cotorra fuera el ave nacional, a pesar de que está a punto de extinguirse, lo cual se puede interpretar de mil maneras. Hay quienes piensan que debe ser el **pitirre** el pájaro nacional, pues ven en él un símbolo aguerrido del puertorriqueño, y recitan convencidos: "a cada guaraguao le llega su pitirre".

Un grupo más idealista y pacifista desearía que la reinita, tan trabajadora, pequeña y delicada, nos representara internacionalmente. Y también hay seguidores del zumbadorcito de Puerto Rico, del músaro y hasta del falcón de sierra.

Lo importante de esta selección radica en el hecho de que es muy probable que el pájaro que una nación escoja para que le represente, pueda, en efecto, ayudar a dar cohesión a una identidad nacional; ser reflejo de lo que es, colectivamente, un país.

Bien sabido es, por ejemplo, que cuando Estados Unidos era sólo una joven república en proceso de escoger sus símbolos, el más sabio de los habitantes de las trece ex-colonias, Benjamín Franklin, propuso que ese país escogiera como ave nacional el pavo salvaje, oriundo de aquellos lares, para entonces muy abundante, pájaro de elegante plumaje y, probablemente, muy muy sabroso. Pero Franklin fue derrotado. Los norteamericanos escogieron, orgullosos, al águila calva: cazadora, carnívora, poderosa. Escogieron bien. La verdad es que un pavo salvaje espatarrado no tendría el caché que tiene el águila que, en igual posición, y con mazo de flechas en una patita y un ramo ¿de olivo? en la otra, ocupa, ostentosa, el centro del escudo nacional de los Estados Unidos.

Los puertorriqueños estamos a tiempo de no equivocarnos como Ben Franklin; podemos aún escoger un ave que represente, por su porte, su imagen, sus hábitos y costumbres, todo lo que somos como grupo.

Ya tenemos algunos emblemas: La Borinqueña como himno nacional; como flor nacional, la flor de Maga; y como batracio nacional, el coquí. Junto a símbolos tan sublimes, sometemos hoy, ante la consideración del pueblo puertorriqueño, una propuesta oficial para que el chango (mozambique de Puerto Rico, pichón prieto, *Quiscalus niger brachypterus*, *Puerto Rico Grackle*) sea declarado Pájaro Nacional de Puerto Rico y enumeramos las razones de peso que nos motivan:

a. Es un pájaro sumamente sociable, es decir, le gusta el bembé. Vive en bandadas y duerme en los árboles, muchas veces hasta en los pueblos. Según el libro de Virgilio Biaggi, *Las aves de Puerto Rico*, un médico asegura que en octubre de 1924 cerca de 3,000 acudían de noche a pasarla bien en un palmar de Mayagüez. Es obvio que son los antecesores de los festivales playeros. También es testigo ocular de esta propensión a la algarabía de los changos el periodista Pirulo Hernández, quien asegura que a los árboles de la plaza del pueblo de Naranjito (que ya se le adelantó al país al declarar al chango pájaro representativo de ese municipio) llegaban a dormir cientos de estas aves, sin invitación alguna, causando gran revuelo en la población.

b. Al igual que al puertorriqueño le gusta la música y se transforma cuando canta y toca, el chango cuando canta "eriza las plumas del lomo, abre el rabo y deja caer las alas", dice Biaggi.

c. Es el verdadero ave-riguao. Se mete en todos sitios, es sato y presentao, y pide comida al primero que ve pasar, así como ahora, todos en este país piden pesetas, cigarrillos y hasta dólares a quienes pasen por el lado.

ch. Sobrevive y se adapta, al igual que nosotros, a la invasión de comida grasosa de las llamadas franquicias de comida *fastfood* (en inglés) o "fafú" (en puertorriqueño) y se pasa las papitas y el *apple pie* como si nada.

d. No tiene el más mínimo sentido de proporción ni de medida; es sumamente activo, viaja por todas partes, se reproduce sin pensar en las consecuencias, cuida mucho a sus críos, es bullanguero y a la menor provocación se le sale el solar. Si todas estas razones no le hacen simbólico de nosotros, consideremos una última:

e. Es un pájaro antillano. Aunque el mozambique de Puerto Rico es autóctono de Borinquen y la Isla Nena, otras razas de esta especie habitan en las otras Antillas Mayores. Tal como nosotros, está hermanado al conglomerado del Caribe. ¿Quién mejor que el chango entonces para que represente cómo somos los puertorriqueños en las postrimerías del siglo XX?

Es apremiante, pues, que se otorgue ya ese título al chango. El Senado (o el Club de Decoradores de Interiores o la Asociación Pro Plumas en Todos los Hogares, o quien sea que tiene el poder de declarar tal cosa) deberá darse prisa. Así podremos seguir con la selección de otros emblemas nacionales que aún faltan por escoger, el pescao nacional, el plato nacional, la alimaña nacional (y por favor, no envíen sugerencias para este símbolo), el sahumerio nacional…

Luis Rafael Sánchez

¿Por qué escribe usted?

A mi vocación literaria, a mi modo de enfrentarla, a mis ciclos de euforia creadora o de silencio penitenciario, se les suelen pedir más cuentas de las que yo, razonablemente, puedo dar. Como si quienes me piden las cuentas, los lectores habituales o circunstanciales, hubieran separado para sus personas el derecho a preguntarme, sin explicaciones previas, de buenas a primeras, *¿Por qué escribe usted?*

Taimadamente, como quien devuelve el golpe, yo debería responder a la pregunta con otra, *¿Por qué lee usted?* Pues el escribir y el leer formulan una hechizada conversación entre dos personas que aman lo mismo: los movedizos contenidos de la palabra. Si el lector anda, siempre, a la búsqueda del libro que le regale satisfacciones, el escritor anda, siempre, a la espera del lector que tienda un firme puente hasta las orillas de su libro, un lector dispuesto a transformar el libro en el boleto para un viaje singular si bien de apariencia inmóvil. Cuantas veces el lector asume su papel la obra resucita de la tumba del libro, se replantea la armonía de su construcción. Cuantas veces el escritor presta la voz suya a la voz de la obra ésta renace, ésta recupera su antigua novedad.

Si la pregunta *¿Por qué escribe usted?* la animara la inteligencia defectuosa o frívola lo percibiría, seguido. Como también repararía si su emisión procediera del vecindario del reproche. Pero, no. Se trata de una pregunta honesta, motivada por el deseo de adentrarse en el laberinto de la vocación escrituraria, sinceramente interesada en los procesos creadores que culminan en lo que se nomina, empeñosamente, la obra. Se trata de una pregunta en que parece sintetizarse la sorpresa que suscitan las manifestaciones de talento dedicado a levantar realidades autónomas con las palabras como material único y los signos de puntuación como los moldes que expanden o que restringen las palabras.

ELOGIO DEL PUNTO Y DE LA COMA

A la coma no se le ha dado el reconocimiento que merece como la indicadora de la respiración pulmonar del texto. Tampoco se han valorado las posibilidades semánticas del punto. Aunque en dos obras capitales de nuestros días, *Esperando a Godot* y *El lugar sin límites*, al punto se le encarguen unas funciones que desbordan el mero dar aviso del final de la oración. Unas funciones que inciden en el acto de caracterizar los personajes, de perfilar sus insuficiencias, por un lado. Y por el otro, de propiciar unas atmósferas de mortificación y de embriaguez moral. El nihilismo becketiano, el desempleo existencial de Vladimir y Estragón, navegan entre los puntos de sus conversaciones truncas, mientras esperan al dichoso Godot, ese desconocido cuya informalidad lo lleva a posponer su comparecencia, una y otra vez. Y la personalidad oculta de Pancho Vega, un protomacho hispanoamericano afectado por la sexualidad ambigua, avanza entre los puntos suspensivos con los que José Donoso desgrana sus reveladoras, sus pavorosas pesadillas.

EL LECTOR COMO EL AUTORIZADOR

Porque la literatura, aunque se modela en las apariencias de la realidad, constituye una realidad autónoma independiente que promulga las leyes que la sustentan. Al margen de que la crítica ensaye, periódicamente, unas teorías explicatorias, cuyo afán de novedad amenaza, en ocasiones, la sencilla intelección, al margen de que los procesos literarios de canonización o los tejemanejes mercantiles empañen la amable sorpresa de la imprevisión, la obra literaria retiene una integridad impostergable, una integridad resistente a los desafíos de lector. Quien es, por otra parte, quiéralo o no, lo repetimos, el sujeto que reactiva la belleza o la resonancia, la complejidad o la transparencia de la obra, cuantas veces se sienta a leerla, cuantas veces se sienta a autorizarla.

En fin, que si bien la razón de la obra artística no hay que buscarla fuera de ella, aunque en ella se impliquen la cultura de la época y la biografía sensorial del autor, corresponde al lector resucitarla del libro, enjuiciarla, compartir la noticia de su hallazgo, revitalizarla con la interpretación convencional o arbitraria. En fin, recorrer los caminos recorridos por el talento de quien la firma. Un talento que por cierto, día a día, con mayor convicción, yo asocio con las benditas iluminaciones de la paciencia.

LAS BENDICIONES DE LA PACIENCIA

La palabra paciencia parecería restarle mérito y prestigio divino a la escritura, parecería restarle luz angelical, eteridad. La palabra paciencia parecería destinada a los usos corporales como el deporte y las faenas asociadas al desempeño físico. La palabra paciencia parece ajena o forzada a la hora de juzgar la escritura.

No lo es.

A ella, a la paciencia, hay que responsabilizar, esencialmente, por la florida del talento, a la paciencia ascendida a pasión, a la paciencia que hace inefectivo el tópico romántico de la inspiración o el estado de gracia. Convengamos en que aun pervive el lastre romántico de que el escribir literario se efectúa tras unos arrebatos, un trance cuasi místico, o una posesión sobrenatural.

Desde luego, hay días especiales en que la sensibilidad o la inteligencia se agudizan, se hacen más patentes, fluyen con tanta fertilidad y naturalidad que parecen haber sido determinadas por una conciencia superior. Con la especialidad de esos días, dos poetas hispanoamericanos hoy circunscritos a un lugar secundario en las historias literarias, Juana de Ibarbourou y Porfirio Barba Jacob, compusieron unas salutaciones optimistas que han quedado como un inesperado aparte en sus obras completas.

Pero la poca frecuencia de esos días confirma que la sensibilidad y la inteligencia, por sí solas, apenas si producen el combustible suficiente para que el arte se logre, apenas si garantizan la energía necesaria para que la obra empiece a cimentarse, palabra a palabra, oración a oración, párrafo a párrafo hasta su final convertimiento en una estructura sólida, espaciosa, duradera. ¿Qué otra cosa es *Don Quijote de la Mancha*, además de un universo atestado por la grandeza espiritual, sino una perfecta e inconfundible construcción verbal, deslumbrante y deslumbrada? ¿Qué otra cosa es *Cien años de soledad*, además de una saga en donde toda pasión halla su asiento, sino una edificación monumental en la que una sola palabra, soledad, posee el virtuosismo de ser la llave que abre y que cierra las vidas? *Martillo, condúceme al corazón del misterio* suplica Enrique lbsen; súplica entre aturdida y emocionada, que servirá como su epitafio. La súplica a la humilde pero útil herramienta patentiza el camino de trabajo, de esfuerzo, de confiada dedicación por él seguido a la hora de dar forma a sus grandes ficciones, *Casa de muñecas*, *El enemigo del pueblo*, *Las columnas de la sociedad*, *Espectro*s.

La inquebrantable voluntad de decir, la necesidad visceral de encontrar una expresión original, pueden listarse entre las consecuencias de la paciencia, como también el ideal lopista de que el verso claro se levante de un borrador oscuro. Y ese otro monstruo de la naturaleza, Pablo Picasso, cuyas creaciones imponen su nombre en toda nómina del arte como sublevación, del arte como la traducción inobjetable de lo informe a lo perceptible, aclaraba, entre ufano y jactancioso, *Yo no busco, yo encuentro*. El pregón de sus encuentros no era más que la declaración de su capacidad para volcarse en el trabajo, su indisoluble voto matrimonial con la paciencia.

Pero, volvamos al punto de partida.

INTERROGATORIO FRANCÉS

La última vez que oí la pregunta *¿Por qué escribe usted?* fue por boca de un periodista del parisino *Liberation*, Jean François Fogel a quien se le encargó, junto a su colega Daniel Rondeau, la confección de un número extraordinario que acogería las respuestas dadas a la misma por escritores del mundo entero. El número tenía un antecedente honroso.

En el año 1919 el periódico *Liberation* hizo la misma pregunta a Paul Valéry, Louis Aragon, André Breton, Paul Eluard y otros escritores franceses que, con el paso del tiempo, fundamentarían su hacer literario en la audacia irrestricta. Eluard ya había escrito el poema donde aparece el verso "Buenos días, tristeza" que, años después, daría título a la novela precoz de Françoise Sagan y, muchos años después, a una balada para el lucimiento de la voz entrecortada de Isabel Pantojas, una cantante cuya vida sentimental tiene el tempo de un pasodoble triple.

En cambio, Breton no había publicado los manifiestos surrealistas ni recalado en el México lindo y querido, como tampoco Valéry había publicado ese cuerpo lírico, sin par, que constituye "El cementerio marino". Pero, ya se reconocía en sus obras tempranas una práctica literaria avanzada e indomable; práctica que habría de remontar hasta dar pie a las obras citadas. Unas obras que, acaso, hallaron la motivación adicional en los desastres de la guerra recién concluida y que pasó a llamarse, adecuadamente, Primera Guerra Mundial. Como si se intuyera o se supiera que, en lo adelante, jamás podría haber conflictos bélicos aislados, porque ya el universo consignaba su nueva y definitiva forma —la de una temeraria sopa de aldeas. Como si se intuyera o se supiera que las nociones políticas y culturales de centro y de periferia, de ortodoxia y de marginalidad, se aprestaban a sufrir una socavadora revisión.

FRÁGILES Y ESQUIVAS MARCHAN LAS PALABRAS

André Maurois escribió, como conclusión de su apretado y excelente ensayo sobre la obra de André Gide, que la función del escritor reside en construir un edificio y la de lector en ocuparlo. Acaso, quienes me preguntan *¿Por qué escribe usted?* son lectores ávidos de ocupar mis edificaciones literarias, a los que les parecen semejantes el propósito y la manera. Es decir, seguidores de mis invenciones que, motivados por su devoción, se allegan a mí con el santo y seña que consideran menos levantisco.

La recurrente pregunta, que la redime la buena intención, coloca la escritura en el apartado del hacer arbitrario y dispensable. Detrás de la misma se parapeta la sospecha de que el trabajo del escritor no pasa de ser un pasatiempo que no responde a jefatura alguna, un entretenimiento flexible que se cultiva a deshora y, en cualquier lugar. Hasta tumbado bajo la sombra de un pino, hasta en la holganza asociada con la cama y con la hamaca. Esto es, como una actividad libre de tensiones y sudores, como una variación del recreo o el asueto, como un devaneo por los días y las horas del desocupado escritor.

Porque sólo la desocupación amable y sin problematizar autorizaría un hacer con palabras, un hacer inexacto entonces. Que entre palabra y palabra hay corredores secretos y puentes levadizos como afirma el gran poeta José Gorostiza cuando se arriesga a precisar la dificultad que encara la poesía. Y por medio de un homenaje en prosa al diccionario, pareable en la eficacia y la belleza a la "Oda al diccionario" de Pablo Neruda, un muy brillante escritor dominicano, Manuel Rueda, celebra las dificultades que éste resuelve. ¿No tendrá, por tanto, la pregunta *¿Por qué escribe usted?*, un poco de reconvención, de llamado a la cordura?

A un médico cirujano nadie le pregunta por qué realiza la operación, a menos que se necesite conocer, a profundidad, el estado del paciente. Que habrá de ser un familiar cercano puesto que la pregunta huelga si se trata de primos, tíos o vecinos. Tampoco a un albañil se le pregunta por qué mezcla el cemento y la arena ni a una cocinera por qué adereza las legumbres que juntó en la escudilla. ¿Quién le pregunta al bombero por qué apaga el fuego o al abogado por qué defiende al criminal? Todo oficio o profesión define su hacer y su alcance en cuanto se nombra: costurera, aviador, mecánico automotriz, sepulturero.

¿SERÁN RESPUESTAS O SERÁN COARTADAS?

En cambio, insistentemente, se pregunta a quien escribe por qué lo luce. Tal como si tratara de un asunto turbio o delictivo, un asunto a sospechar, un asunto volátil o impráctico. Algunos escritores, que muy pronto repararon en que la pregunta se la podían espetar a la primera oportunidad, han patentizado una respuesta que les permite salir del paso con gracia y con chispa. De entre las numerosas que circulan, a punto ya de integrar una volumen grueso e ingenioso, prefiero las de dos escritores de excepcional reciedumbre, a los que tengo por amigos, Gabriel García Márquez y Juan Goytisolo.

El primero ha acuñado una respuesta que no huele a guayaba pero sí a fragante trampa: —Escribo para que mis amigos me quieran más—. La respuesta tiene mucho de greguería. Aunque en la greguería ramoniana el resorte insólito se le encarga a la paradoja. Además de confirmar el carácter retozón del colombiano universal, la respuesta plantea un formidable ardid. García Márquez confiesa que escribe para endeudar a los otros con el cariño, para satisfacer la expectativa a propósito de su genialidad creativa. Juan Goytisolo, más enigmático que Gabriel García Márquez, más apegado al ideal de la escritura compleja, dice que cuando sepa por qué escribe dejará de hacerlo. La respuesta sugiere que en cada obra suya se elabora, inconscientemente, una teoría del autoconocimiento, la búsqueda de una respuesta cuya fatalidad radica en su posible hallazgo.

Por otro lado, Rosario Castellanos, la admirable escritora mexicana, expresa que da por no vivido lo no he escrito, una paráfrasis feliz de los versos de Jorge Manrique, *Daremos por no venido lo pasado*. Una pregunta apropiada para hacerle a Rosado Castellanos sería ¿Por qué vive usted?

Ando convencido de que la pregunta *¿Por qué escribe usted?* contiene otras preguntas como contiene varias cajas la sorprendente caja china; que la pregunta esconde un doble fondo, como lo esconden los baúles de los cuales escapan los magos ante el aplauso del público agradecido por la eficacia de la trampa.

Aún así, como la pregunta recurre; como parece que deba darle una pregunta fluida y convincente, tarde o temprano; como suele formularla una persona joven, a lo mejor atemorizada por los compromisos a que empuja la vocación artística, he empezado a razonar, lápiz en mano, por qué escribo.

POCO A POCO, SIN NADA DE ALBOROTO

No les extrañe que sea ahora cuando me decido a llevar a cabo tan poco promisorio inventario. A la madurez de los años le agradezco, públicamente, la rebaja de la ansiedad que, en muchas ocasiones, ha sobresaltado mi vocación literaria, llevándome a sumir en el silencio penitenciario a que ya hice referencia. Una ansiedad que, por otro lado, me ha salvado de rebajar la escritura a producción industrial, de confundirla con la grafomanía megalómana, de ceder a la tentación de dar gato por libro. He publicado lo que he creído pertinente, responsable y necesario si bien he caído, en ocasiones, en lo que algunos de mis buenos amigos llaman el pecado de la inedición. También explica que sea ahora que los años tañen mi sonata de otoño, ahora que vivo una feliz reconciliación con la complejidad de mi persona, esa persona que poquísima relación guarda con los ruidos que le valen a esas dos hijas bastardas del trabajo y la paciencia que se llaman la fama y la celebridad, cuando acepto adelantar una reflexión introductoria, una reflexión en tono menor, de mi escritura, de sus voces, de las razones que concurren en ella.

Créanme.

Yo nunca he tenido el temperamento exigido para mentir en la vida, a riesgo de desilusionar a los que aman el embuste sin temer a sus consecuencias. Yo sólo he querido, sólo he tratado de mentir frente a la página en blanco, empleándome en el trance precario de un dios menor pero diligente, un dios que adjudica destinos y resuelve dificultades, un dios que tira de los hilos de sus personajes con dispendiosa piedad, un dios tan pobre que su cielo está en la tierra.

Intento, pues, una especulación para dar con la imposible respuesta. La especulación se apresta a reconocer que la escritura se visualiza, mayoritariamente, como un pasatiempo que consigue para su cultivador una cierta notoriedad. La especulación postula, en segundo lugar, que el hecho de escribir lo sostienen unas razones que van más allá del escribir mismo —la fama, el dinero, los viajes, la imagen de estrella.

Desde luego, no hablo del escribir formularios, solicitudes de empleo, informes, cartas de negocios; del escribir tildado de grafía mecánica y que se realiza tras un entrenamiento de carácter elemental. Desde luego, hablo del otro escribir, el escribir a plenitud, el que abreva en la fuente de la imaginación, el que se compone con sugestivas cadencias o se levanta sobre la página como una impasible escultura de palabras, el escribir obligado a encontrar el tono preciso antes de asentarse en la página.

Hablo del acto de escribir que, a falta de otras explicaciones coherentes y racionales, se intenta definir mediante algunas metáforas que aluden al tormento, a la angustia y a la guerra. Como la metáfora de los demonios. Como la metáfora de las obsesiones circulares. Como la metáfora de la batalla con el ángel. En fin, el escribir trabajoso, el escribir precario, el escribir asaltado por la duda, el escribir peleado con la arrogancia —esa hermana gemela de la ignorancia.

Hechas las introspecciones de rigor, tras repasar en el frágil archivo de la memoria unas cuantas de mis obras, puedo entonces confesar que, en términos generales, escribo para entablar un diálogo crítico, vivo, a fuego cruzado, con mi país y con mi tiempo; para mediar entre los asombros producidos por la realidad que me rodea y mi persona que la padece. Lo que es un riesgo excepcional si se vive en las Antillas, si se es hijo del Caribe, ese alucinante archipiélago de fronteras.

MAR CARIBE, ALÁRGATE EN MI ESPÍRITU

De todas maneras fronterizo es el Caribe, de todas maneras mezclado. Hasta el extremo de que sólo una paradoja tiene la competencia dialéctica para caracterizarlo —*lo único puro en el Caribe es la impureza*. La mescolanza racial, la mescolanza idiomática, la mescolanza religiosa, la mescolanza ideológica, la mescolanza política, la mescolanza de las disímiles pobrezas, hacen del Caribe un lugar desgarrado según la óptica de Palés Matos y Jean Alex Phillips, de Jamaica Kincaid y Reynaldo Arenas; un lugar de municipal raigambre según la óptica de Derek Walcott y Marcio Vélez Maggiolo, de Aimé Cesaire y Ana Lydia Vega; un lugar descorazonadoramente exótico según la óptica de Graham Greene y V.S. Naipaul. A la vez, un lugar duro y amargo para los propósitos del arte, un lugar destructivo sobre todo. Que en las geografías donde manda el hambre el artista viene condenado a cumplir el papel del paria o del comediante, del extranjero en casa o del asqueante adulador del poder, del mal visto tejedor de la historia de la tribu accidental como llama Fedor Dostoeivski al país donde se nace.

Aunque de agua o de sal sean los barrotes un país con forma de isla es un país con forma de cárcel. Tarde o temprano, el Caribe le impone al caribeño la emigración, la errancia, el exilio. Si la emigración se legaliza, el viaje tiene como su transporte legal la guagua aérea. Si la emigración se ilegaliza, si se provoca la fiereza de los mares, si se desafía la hambruna de los tiburones, el viaje tiene como su transporte la yola, la balsa.

Desde las islas que las revistas de viaje catalogan paradisíacas, hasta las islas que las agencias noticiosas catalogan de conflictivas, el Caribe lo integra un hervidero de falsas postales. Detrás de las fachadas idílicas se arrastran unos países con hambre de comida, de alfabetización y de justicia. Detrás de las fachadas conflictivas serpentean unas castas que apartan para sí los más inesperados privilegios.

Escribo, también, para compartir la satisfacción y la dicha que me inspiran el ser un hombre caribeño. Un hombre caribeño oriundo de Puerto Rico. Un hombre caribeño, oriundo de Puerto Rico, de señas mulatas —la piel prietona, la nariz ensanchada, los labios abultados, el pelo rizoso.

De forma abreviada gloso el comentario anterior pues quisiera ponerle impedimento de salida a lo que sepa a demagogia, lo parezca o lo sea.

YO NO TENGO LA CULPITA, OIGAN QUERIDOS HERMANOS

Nunca he practicado la ilusión de provenir de otro lugar del que provengo. Tampoco me ha ilusionado ser otra persona diferente a ésta que soy. A la vez, porque nunca se me ha hecho sana, inteligente o tolerable la idea de que hay un mérito intrínseco en la procedencia nacional, advierto que nunca me ha robado el sueño la imposibilidad absoluta de ser, por ejemplo, norteamericano.

Además, tal sueño me ha parecido siempre el colmo de la aberración, el paradigma superior de la tontería. Sin la necesidad de estafar la propia naturaleza, afincado hasta las entretelas en lo que uno es, sea hombre o mujer, blanco o negro, amarillo o mestizo, religioso o agnóstico europeo o novomundista, heterosexual u homosexual, joven o viejo, puertorriqueño o norteamericano, hay suficiente aventura y significación, hay complejidad y destino de sobra, como para poder adelantar cualquier vocación, como para poder vislumbrar cualquier proyecto.

En ese sentido, en el hecho de ser puertorriqueño sin traumatismos ni compunciones, sin ceder un ápice a los peligros de la victimización, echando mano del patriotismo cuando ha sido menester pero desacreditando la patriotería cuando ha sido necesario, he buscado, hasta encontrarlos, los materiales con que construir mi obra. Una obra que ha tenido como reiterado eje el diálogo, sin ambages, con mi tribu accidental. El diálogo se ha amparado en lo que un distinguido puertorriqueño hombre de letras, Arcadio Díaz Quiñones, llama la continuidad de la mirada. Esto es, la observación interminable, hasta los abismos de la obsesión, de mi país puertorriqueño. El país que me acompaña por doquier. El país cuya canción, dulce o amarga, quiero cantar, inevitablemente.

No se me escapan los riesgos del plan. Y a veces me quejo por no haber hecho una literatura aún más mía en mí, más contaminada por los dictámenes de la carnalidad y el instinto, más sometida a las movedizas leyes del deseo, más receptiva del amor como un sometimiento que formula su poderío en la irracionalidad.

OTROS CUADERNOS DEL PAÍS NATAL

No obstante, desde que se publica la colección de cuentos *En cuerpo de camisa*, he querido hablar, ahora amorosamente, ahora furiosamente de mi país; he querido poco a poco, textualizarlo, ahondar en las posibilidades de su fisonomía y de su tipicidad, conjuntar algunos de sus rasgos tajantes. Aunque sin olvidar la verdad de que todo país se configura con una pluralidad de temperamentos y de visiones, de miradas enfrentadas y de indistintas apuestas a los azares del destino. Aunque sin desatender la verdad de que en la geografía moral de un país caben miles de países ensoñados. Hasta en los países cuyos gobiernos representan, en tandas corridas, la comedia de la igualdad a ultranza, la realidad subvierte los reclamos de una taquilla exitosa.

Repito, yo escribo para dar la noticia al mundo de mi país. Lo hago porque ha sido en los libros donde he bebido el aliciente para enamorarme, perdidamente, de un lugar particular, de la gente que lo habita y lo modifica, lo vitaliza y lo espiritualiza.

Por ejemplo, amaba a Bahía antes de conocerla, un amor inducido por las novelas sensuales firmadas por Jorge Amado. Con igual fuerza amaba a Madrid antes de conocerla, un amor inducido por las novelas del genial Pérez Galdós. Acaso, más que a Madrid, a las calles que se hacían camino en *La de Bringas*, *Fortunata y Jacinta*, *Miau*, las novelas de Torquernada; esa Madrid de calles vetustas y paredones maculados.

Uno y otro, Jorge Amado y Benito Pérez Galdós, colocan la ciudad en el centro del conflicto novelesco, de manera que los avatares de los personajes no se conciben fuera de ella. Una Bahía más parecida a África que a América, puesta en evidencia por un Jorge Amado promotor de la magia. Una Madrid chismosilla y aldeana, puesta en evidencia por un Benito Pérez Galdós de perpetuo adosado a la realidad.

Tempranamente, cuando mi vocación apenas si era el balbuceo de un muchachón del caserío Antonio Roig, en Humacao, ciudad oriental de Puerto Rico, desinformado y mal formado, dueño de una vida que apenas sabía hacia dónde iba a encarrilarse, uno de ellos me dio una lección formidable. Más allá de escenografía, más allá de lugar de la acción, más allá de recinto histórico, la ciudad cumple la misión del ojo de las tormentas personales. El otro, más tardíamente, cuando mi vocación letrada empezaba a echar sus bases, me dio otra lección inolvidable. Todos los colores le sirven a la sensualidad, hasta el burlado color local; ese color local que en la novelística de Jorge Amado, por efecto de su ilustre paleta, asciende a color universal, a color primer mundista.

Escribo, también, para recuperar las lejanas vivencias de la persona cuya presencia en la tierra la reconoce el Registro Demográfico bajo dos apellidos y dos nombres, Luis Rafael Sánchez Ortiz, hijo de Luis Sánchez Cruz y Águeda Ortiz Tirado, panadero el padre, bordadora en el bazar de Josefina Reyes la madre. Cuando la familia, que completaban Elba Ivelisse Sánchez Ortiz y Néstor Manuel Sánchez Ortiz, se mudó a San Juan, cuando arriesgó su caudal de ilusiones en el ilusional que se ensambló en las sabanas enfangadas de Puerto Nuevo y Caparra Terrace, mi padre pasó a ser policía insular y mi madre pasó a ser empleada en una fábrica de zapatos baratos llamada Utrilón.

LOS QUE VIVEN POR SUS MANOS Y LOS RICOS

Cuando retomo los nombres de mis padres retomo la clase social que me origina. Una clase social que en el caserío subsidiado por el gobierno tuvo su anclaje inicial, una clase cuya certidumbre más legítima era la pobreza.

Entonces, sin que la afirmación se equivoque con los suspiros reaccionarios de la nostalgia, Puerto Rico era pobre de otra manera. Entonces, de la instrucción con miras al diploma se encargaba la escuela y de la educación restante se encargaba el hogar. Tres nortes guiaban aquella educación hogareña, tres nortes resumibles en tres letanías repetidas, mañana, tarde y noche. Porque, justamente, a la repetición se le atribuía un valor pedagógico.

Pobre pero decente.
Pobre pero honrado.
Pobre pero limpio.

La pobreza se aceptaba como un hecho alejado de la política, como un acontecimiento inmodificable a no ser por la vía del trabajo arduo. La pobreza se confrontaba como un desafío individual. De ahí la imperiosidad de la conjunción adversativa. La decencia, la honradez, la limpieza, elevadas a señas morales o virtudes a ser desplegadas por los pobres en toda ocasión y lugar, no estaban sujetas a la transigencia. De los ricos no había por qué esperar que fueran decentes, honrados o limpios porque los ricos contaban entre sus incontables lujos el poder vivir de espaldas a la opinión. Para eso eran ricos. Para poder ser y hacer lo que les daba la gana, cuando le viniera la gana, como les viniera la gana.

Esos códigos rígidos educaron a la inmensa mayoría del país puertorriqueño hasta antier. Después, cuando la pobreza empezó a apropiarse de los valores y los rencores de la clase media, cuando la pobreza a la antigua empezaron a difuminarla las hipotecas bancarias y el prestamito para ir a esquiar a Vermont y a Colorado, cuando el progreso estalló en la cara del país como si fuera una bomba de demoledora potencia, aquellos códigos rígidos dejaron de observarse. Hasta el lamentable extremo de que la pobreza desaseada se convirtió en otro aprovechado disfraz de la pequeña burguesía —el mahón deshilachado pero de marca *Levis*, el jean roto en las rodillas pero de marca *Pepe*. Hasta el amargo extremo de que la pobreza fue atendida como otra de las posibilidades de la estética.

COLOFÓN

Sin que resulte dogmático uno puede suscribir la vieja idea de que en toda obra literaria hay biografía, que la persona del autor asoma, ya de manera principal o secundaria, ya ubicua o frontalmente. Los puertorriqueños tenemos, como apeaderos notables de nuestra identidad colectiva, el son, el mestizaje y la errancia. La nuestra ha sido, destacadamente, una cultura callejera, una cultura del vocerío y la estridencia. Mi obra no quiere hacer otra cosa que biografiar, más que mi persona, mi país. Mas, no el plácido que halla su deformación en la postal que lo promociona como un paraíso sin serpiente. El otro país me interesa a la hora de literaturizar. El caótico, el despedazado, el hostil.

Mientras afilo las líneas de cierre me doy cuenta que escribo, en fin, para confirmar la vida como un tejido de bruscas y desapacibles textualidades.

Un bardo ilustre, cuya poesía más acendrada se trasvasa en la forma del bolero, reclama en uno de sus trabajos más difundidos, un aplauso al placer y al amor. Para eso también escribo. Para aplaudir las grandes avenidas del placer, para hacerle terreno a las grandes ilusiones del amor. Decía Elías Cannetti, el inmenso escritor búlgaro: "Todo se nos puede perdonar menos el no atrevemos a ser felices". También para eso escribo, para atreverme a ser un poco feliz.

Luis Rafael Sánchez

La generación o sea

Recientemente —y el adverbio flexibiliza la distancia temporal— un estudiante contestaba a mi pregunta sobre la mala novela de un buen poeta de la manera siguiente: "O sea que el personaje se suicida a sí mismo con pastillas de dormir, o sea que el personaje se mata a sí mismo, o sea con una dosis grande de supositorios".

La referencia al personaje que, en el colmo de las osadías, se suicida a sí mismo, no es la noticia más relevante de la respuesta citada. Tampoco lo es el testimonio curioso de la ingestión masiva de supositorios aunque una cantidad generosa de los mismos sintetice la capacidad letal del exceso soporífero: cada quién se suicida por la vía de su apetito o preferencia. De las formas que ha de tomar el suicidio no hay legislación vigente: lo que revela, además, la necesidad urgente de publicar un breviario sobre el particular en la hipotética serie coleccionable *Hágalo personalmente*. Tal publicación evitaría o fomentaría no sólo suicidarse en primavera sino que también los suicidios ejemplares como el que escoge —borrascoso pero elocuente— el protagonista de la novela española del siglo XV *Cárcel de amor*.

La noticia relevante de la respuesta citada es la repetición, una, diez, cien veces de la frase ***o sea***, utilizada como angustioso recurso de ciego de la lengua que adelanta ese torpe bastón inseguro y vacilante; o sea que reclama la palabra distante que ni llega ni alumbra porque ha sido almacenada en la región de la inteligencia que llamaremos, arbitrariamente, de la expresión cierta; región desde la cual asimos la realidad o la porción de aquélla que nos importa y conmueve, hecha toda de palabra la realidad.

En el acopio, la selección y el inventario de las palabras que totalizan la pertenencia individual lo que se hace es acopiar, seleccionar e inventariar nada menos que la idea misma de la vida y, a su vez, las involuciones y las revoluciones que la configuran: toda palabra nos ficha, taxativamente, en la moral. Fecha y ficha plenamente completada por la simple manifestación del pensamiento más simple.

Escribo en puertorriqueño cuando llamo a la frase *o sea* recurso ciego de la lengua o muleta dolorosa de quien ha sido educado para no serlo, educación, la oficiada en el salón de clases, reducida al aparato circunstancial justamente prescindible. Cuando el estudiante aludido en el párrafo inicial se lanza a la exposición desde el equívoco trampolín que es la frase *o sea*, adelanta que no dispone de la palabra que más tarde, en el reconocimiento de la impotencia verbal, jurará tener —paradójicamente— en la punta de la lengua. La frase *o sea* pretende completar, precisar o hasta traducir una afirmación primera: o sea que el personaje se suicida a sí mismo con pastillas de dormir a una lengua creídamente eficaz: o sea que el personaje se mata a sí mismo.

La reacción siguiente a lo que apenas sí es balbuceo lógico es francamente desoladora: donde no ocupa espacio la palabra se coloca una sonrisa mediana o mediadora, se organiza una gesticulación trunca, se oscurece la sílaba última de la oración como advertencia de la limitación o mutilación expresiva aunque la causa se desconoce o se aparenta desconocer.

Escribo en puertorriqueño cuando digo que entre nosotros no se maneja la lengua con comodidad, con soltura y cabalidad, con la naturalidad y el empeño de aquel para quien la lengua no es motivo de tensión, pero sí el aparato que transmite su vibración íntima: la espiritual, la ideal, la material: ¡Ojo! No me refiero a una lengua de falsificado hispanismo y casticismo maltrecho, refulgente de mantones, castañuelas y zetas que quiebran el oído.

Tampoco a una lengua de soterrada intención clasista y erudición de antología descompaginada con la que se trafica por las academias de artes y ciencias, las directivas de clubes cívicos y la telúrica poesía de pendejismo lírico que tan larga carrera ha hecho entre nosotros. Hablo del embarazo en organizar la experiencia desde la palabra corriente, lozana; hablo de la dificultad en la posesión firme, profunda, clara, de nuestra lengua, nuestra única lengua, pese a la mentira burocrática del bilingüismo.

La vacilación nominativa, la recurrencia a la piedad del ***o sea*** traductor de un pensamiento que jamás se efectúa, la sustitución de las palabras reales por los términos de grotesca manufactura como el ***deso***, la ***desa,*** el ***coso***, el ***cosito ese***, la ***cosita esa***, la ***vaina esa***, el ***aparatito que es como una cosita redondita,*** participan de una explicación rasa: la educación ambivalente, colonizada y colonizadora a los niveles simultáneos del hogar y la escuela.

Chiquiteo y mamismo, nieve y ardillitas juguetonas de Central Park, faldas de la madre y la abuela y la tía y la maestra y la principal escolar y el cura, *log cabin* del buenazo de Lincoln y árbol de *cherry* del perdonado por verdadero Jorge Washington, huevo de Eastern y brujas de Halloween; el niño puertorriqueño recala en la palabra tras un viaje por la más oscura de las selvas como ha planteado, deliciosamente, el escritor Salvador Tió en su artículo "Amol se escribe con r", selva oscura e inhóspita donde la palabra niño revierte a la reducción más pueril e insensata: el niño es el niñito además de ser gordito o flaquito, peludito o calvito, feíto o graciosito; el niño tiene una naricita en vez de una nariz, el niño toma lechita en vez de leche — el criterio selectivo de la mamita decidirá si toma de las Tres Monjitas—, el niño defeca una caquita blandita, pero jamás una caca blanda, el niño se queda dormidito en una cunita, pero nunca dormido en una cuna. La enumeración es infinita y hasta auspicia el razonamiento malsano de que *Blancanieves y los siete enanitos* es la expresión más alta de nuestra literatura nacional.

La protección diminutista no sería lesiva si las palabras murieran cuando son pronunciadas, si se consumieran una vez dichas, si no albergaran la intensidad de un corazón que late. Pero una palabra es mucho más que una palabra: es una toma de poder, un arma que permite la modificación de la circunstancia, una licencia para instalarse en el mundo. Tras ese chiquiteo inicial se dispone la reducción de la palabra en su contenido y su número; falsa, torpemente, se asume que el niño niñito está incapacitado para acumular un vocabulario amplio y exacto. Del chiquiteo cuyos *itos* e *itas* presuponen una inmensidad de dulzura y cariño, se pasa a la utilización de los términos de grotesca manufactura como el *deso*, la *desa*, el *coso*, el *cosito*, la *cosita*, la *vaina*, el *aparatito que es como una cosita redondita*: sustitutivos imposibles para una nominación correcta del objeto. Mediante este proceso la realidad se elementaliza hasta hacerse extraña y desconocida y la palabra se niega y se escamotea. La facilidad necia que se le adelanta al niño en los años del ahorro léxico se convierte, una vez adulto, en la más patética de las dificultades: la imposibilidad de la fluidez verbal meramente aceptable.

La escuela puertorriqueña es un carnaval de veleidades: bailoteo y caridad putrefacta, ropaje y máscaras alegrotas, ceremoniales de graduación y santoral académico, Patrulla Aérea Civil y Futuras Amas de Casa de América: orientación rotunda para la desorientación rotunda. La tontería se eleva a categoría, la frivolidad también. Como si el norte de todo el sistema educativo puertorriqueño fuera el fracaso estrepitoso.

Escribo en puertorriqueño y llamo generación *o sea* a aquella a la que se le pospone la construcción de la libertad social de la palabra: suma mayúscula de las otras. Esa libertad se cumple cuando el individuo se educa para saber el nombre exacto y escueto de las cosas, sin falsificaciones, sin bizquera semántica, sin *desos* ni *o sea* trágicos que impiden informar —lisa y llanamente— que un personaje se ha suicidado con soporíferos.

En su libro *El laberinto de la soledad*, afirma el mexicano Octavio Paz que "la crítica del lenguaje es una crítica histórica y moral". Buen tratado para un comienzo: palabra, historia y moral en una sola ecuación.

Salvador Tió

Amol se escribe con R

Jardiel Poncela escribió hace unos años una novela que se titulaba *Amor se escribe con h*. Si a mí se me ocurriera, Dios me proteja, escribir una novela parecida, le pondría por título *Amol se escribe con r*. Eso de la h no me suena. En cambio la **r** es la letra clave de material rodante, burro, carro, y ferrocarril. Pero a nosotros, de tanto arrastrarla, se nos ha convertido en **ele**, la letra sin la cual Lalo no podría haber estado aquí.

Cuando los españoles abandonaron el país, forzados por las circunstancias, dejaron aquí el café, el coco, la caña, el caballo, el perro (¡cuídemelo bien!) y la lengua. Pero se llevaron la **r**. Por eso no hemos podido hacer revoluciones y hasta las reformas nos cuestan trabajo.

La **r** al sol se ha disipado, se ha elongado, se ha alelado. Y casi puede decirse que hemos perdido una letra. Al puertorriqueño lo distinguen en Hispanoamérica aunque se disfrace, "por la manera de hablal". Si usted le oye a alguien, en cualquier país de Hispanoamérica, esa frase tan manoseada ya, "tengo al alma en el almario", puede usted asegurar que se trata de alguien que quiere pasar por intelectual. Si la oye en Puerto Rico: ¡apártese! En Puerto Rico eso quiere decir "tengo un Colt en el ropero".

Hemos perdido una letra. Parece poca cosa después de todas las cosas que hemos perdido. Hemos perdido el tranvía, el agua, la bolita, los tributos del ron. Hemos perdido hasta la alegría, y los viejos aseguran que hasta hemos perdido la vergüenza. Pero sobre todo hemos perdido el tiempo. Y éste es un pecado que se paga amargamente en la Historia.

Ahora que estamos tratando de recuperar tantas cosas, yo propongo que hagamos un esfuerzo colectivo por recuperar la **r**. A las maestras, que no digan ¡dolol!; a los legisladores, que no digan ¡honol!; a los locutores, que no digan ¡placel!; a los novios, que no digan ¡amol!, y a las mujeres, que no digan tan ligero que sí, que le están quitando el gusto al romanceo.

Pero de todos esos débiles de espíritu, que no tienen energía ni para pronunciar una **r** como manda la fonética, los que más me indignan son esos pervertidores de la lengua que se llaman pomposamente locutores de radio. Hay algunas excepciones, pero no debo decirlo, porque como ocurre siempre, todo el mundo se creerá incluido en la excepción. ¡Y está bien de disparates!

Mientras las cosas se quedaban "acá inter nos" menos mal. Pero esa l puertorriqueña lleva hoy por todos los rincones del mundo prueba fehaciente de un vicio nacional que en vez de exhibirse a los cuatro vientos, lo que debe hacerse es corregirlo a puertas cerradas.

Yo pido a todos los alumnos que cada vez que una maestra diga "¡dolol!" se levanten a una y con el mayor respeto, pero con la mayor energía, griten: ¡dolorrr!

Yo pido al público que asiste a las tribunas parlamentarias que cada vez que un legislador en medio de un discurso diga: "¡honol!" se levante y grite: ¡No, señor, honorrr!

Yo pido a las novias de todos los pueblos y campos y montañas del país que cada vez que un pretendiente les venga con el lelolé del amol lo manden a hacer ejercicios lingüísticos: "¡R con r, cigarro!"

Y, por fin, pido a todos los radioescuchas que cada vez que un locutor o un cuarteto musical se empeñe en pasarle l por r, agarren el teléfono y protesten o inunden la estación de telegramas. ¡Que aprendan a hablar bien o que renuncien!

El origen de este feo vicio no es fácil de descubrir. Algunos lo achacan a influencia negroide. Y otros al tongoneo. A los niños se les inunda de maternalismo. Y hasta conozco casos en los cuales a los siete años todavía le hablan en jerigonza.

¿Qué dice el nenucho de paparucho? ¿El tribilín de bililón? Yo quiero que ustedes me digan... Pero algún día hay que acabar con eso.

Carmen Dolores Hernández

Las muchas madres de la literatura

En la literatura las madres son —como en la vida— muy diferentes entre sí. La gama de sus personalidades va desde el más reconocible cliché de la madre adorada —sufriente, abnegada, como en la obra dramática de Gregorio Martínez Sierra, *Canción de cuna*— hasta la tiránica Bernarda Alba. El control despótico que esta madre ejerce sobre sus cinco hijas en la obra teatral de Federico García Lorca titulada, precisamente, *La casa de Bernarda Alba*, condena a esa hijas al encierro, al celibato obligado y, en un caso, a la muerte.

Lo curioso es que entre ambos extremos —presentes en la literatura desde la antigüedad— no hay muchos espacios intermedios. No abundan las madres "normales" con vidas y problemas promedios (de salud, de dinero, de tiempo) que tengan aciertos y desaciertos en la crianza de sus hijos. Quizás la "normalidad" no se preste para la literatura; quizás estemos todos tan acostumbrados desde la infancia a los arquetipos opuestos de la madre como santa o la madre (o madrastra) como ser malvado que ni siquiera los escritores pueden superar. Esos dos tipos de madres son los que abundan en los cuentos de hadas de todos los países.

Como resultado, el repertorio de madres que nos ha sido legado en la literatura tiene sus bemoles. Medea, la peor de todas, mata a sus hijos para vengarse de su marido infiel en la obra de Eurípides. A Yocasta —en el *Edipo* de Sófocles— no le hubiera ido tan mal a pesar de la supuesta pérdida de su hijo durante la infancia, si no es porque da la mala suerte de que se casa con él (sin saberlo, claro). No le queda más remedio entonces que matarse, aunque el hijo no llega a tanto: sólo le da con sacarse los ojos. De Clitemnestra ni se hable: muere a manos de su propio hijo, Orestes, que venga así el asesinato de su padre, Agamenón, que ella instigó en la trilogía de Esquilo titulada *La Orestíada*.

Y no fue sólo la antigüedad la que nos legó tales madres problemáticas. ¿Quién puede olvidar la sentencia de Shakespeare, "Frailty, thy name is woman", aplicada por Hamlet, en la obra homónima, a su madre, que se ha casado con el asesino de su propio marido que es, además, su cuñado? Las madres —o las figuras maternas, como la Celestina— han sido propiciadoras de todo tipo de transgresión, con resultados funestos las más de las veces. (Por eso quizás, y por la dificultad en describirlas adecuadamente, no hay madres memorables en Cervantes y el teatro del Siglo de Oro español abunda en padres y hermanos alertas y vengadores del honor de las jóvenes mujeres, pero no en madres.)

Los padres, por cierto, suelen ser presencias mucho más fuertes que las madres en las novelas victorianas. ¿Quién recuerda a Mrs. Micawber en *David Copperfield* de Carlos Dickens? Mr. Micawber, en cambio, es una figura inolvidable, una especie de padre y protector del joven David, que ve la bondad existente tras la improvidencia del personaje. También es Mr. Bennet, el padre de cinco hijas en *Pride and Prejudice*, de Jane Austen, quien sienta el tono de sensatez en una familia abocada a la frivolidad terminal, en la que Mrs. Bennet es una tontita histérica cuyo único norte es casar bien a sus hijas con hombres de medios.

En las novelas decimonónicas hay a menudo una madre ausente. Dickens abunda en niños huérfanos como Pip, de *Great Expectations*, Oliver Twist, de la novela del mismo nombre y Paul Dombey de su última, inconclusa novela, *Dombey and son*. También son huérfanos Heathcliff, de *Wuthering Heights*, escrita por Emily Brontë y las hijas de Papá Goriot, de la novela de Balzac. La racha de orfandad desafortunada llega hasta las vísperas del siglo XX, con la terrorífica novela de Henry James, *The Turn of the Screw*, en la que dos niños que han perdido a sus padres se encuentran bajo el cuidado de una institutriz y tienen experiencias macabras. La literatura hispanoamericana no es inmune a la epidemia; uno de los clásicos, *María*, de Jorge Isaacs, se centra en una muchacha recogida —por huérfana— en la casa de sus tíos, cuyos amores con su primo terminan muy mal.

Sólo recientemente encontramos una madre literaria formidable, Úrsula Buendía, en *Cien años de soledad*, de Gabriel García Márquez. Mujer admirable, con cualidades excepcionales de fortaleza y empuje, se convierte en el centro de la familia y hasta del pueblo. Es una pena que le haya tocado un marido tan fantasioso y dos hijos tarambanas que por diversas razones —la disolución y la guerra— se extravían por esos mundos de Dios haciendo todo lo posible por desbaratar la vida y la prosperidad que ella con tanto trabajo ha construido. La inestabilidad masculina se opone —aquí y en la realidad— al femenino instinto nutricio de arraigo. Por lo menos, en el caso de Úrsula, la desgracia tardó cien años en llegar. En la vida real suele tardar mucho menos.

Para una angelical "Marmee" de Louisa May Alcott en *Mujercitas* o para una encantadora y normal Mrs. Ramsay de *To the Lighthouse*, de Virginia Woolf, hay veinte madres que, como Ana Karenina, sucumben a la tentación sensual aún a costa de dejar por detrás a sus hijos o que, como Mrs. Morel, de *Sons and Lovers*, de D.H. Lawrence, están empeñadas en dominar a sus hijos varones hasta la adultez. La madre de la joven Lolita, en la novela de Nabokov del mismo título, no estuvo muy atenta a la educación de su hija, desde luego. Estaba demasiado ocupada, sin duda, con sus propias conquistas, y Mrs. Danvers, en la novela *Rebeca*, de Daphne du Maurier, no pudo resistir la tentación de hacerle la vida imposible a la joven que se casó con el viudo de su hija.

De las madrastras ni hablar. No han corrido mucha mejor suerte que en los cuentos de hadas. Lucrecia, en *Elogio de la madrastra*, de Mario Vargas Llosa, terminó de darles a todas un mal nombre del que no se recuperarán con facilidad. Si se dejó seducir por un niño —y reincidió en *Los cuadernos de don Rigoberto*— ¿qué hubiera pasado si ese hijo hubiera sido un poco mayor, o si hubieran sido varios? Mejor correr un tupido velo sobre las posibilidades así abiertas.

A las madres puertorriqueñas no les va mucho mejor: Chefa, en *Usmail*, de Pedro Juan Soto, enloquece y se muere después de darle a su hijo el extraño nombre que lo marcará toda la vida. La "china hereje" tampoco es muy exitosa en su papel de madre en *La guaracha del Macho Camacho*. Para tener un "nene" anormal se ocupa en menesteres muy poco maternales. Sólo en doña Gabriela, en la obra teatral *La carreta* de René Marqués, se da un trasunto de Úrsula en su afán de insistir en la estabilidad de la familia.

Quizás el problema con las madres literarias esté en la traumática relación de los escritores con sus propias madres. A juzgar por lo que dijo George Bernard Shaw, el dramaturgo de origen irlandés, esa relación es —por lo general— difícil: "De todas las luchas del hombre, ninguna hay tan traicionera y despiadada como la lucha entre el hombre-artista y la mujer-madre".

Ana Lydia Vega

Pulseando con el difícil

A mis amigos niuyorricans,
a los alumnos y ex alumnos boricuas
de las academias americanas

PRIMER *ROUND*

En 1952, ondeó oficialmente por primera vez en cielo boricua nuestra querida monoestrellada. Bien acompañadita, claro está, por la inevitable *Old Glory*, mejor conocida en estos lares criollos como la "pecosa". Supongo que fueron los independentistas los que, en justa revancha por su presencia *non grata*, le endilgaron tan infamante apodo a la bandera americana.

Ese también fue el año de mi ingreso a la escuela. Como muchos matrimonios procedentes de "la isla" y recién agregados, con mucho esfuerzo, a la incipiente clase media urbana de Santurce, mis padres hicieron mil malabarismos económicos para mandar a sus hijos a un colegio católico de monjas americanas. No se trataba tanto de evangelizarnos en la fe del Cardenal Aponte —mi padre era masón y decididamente anticlerical— como de ponernos en el buen camino de la promoción social vía aprendizaje religioso del inglés. Así pues, un buen día me encontré, más pasmada que triste, sentadita en un salón de clases con mi uniforme verde trébol, mi blusita blanca y mis recién brillados zapatitos marrón.

Las monjas, que eran en su mayoría de origen irlandés, se tiraron de pecho a la ingrata tarea de convertirnos en buenos americanitos.

Cada mañana cantábamos el inevitable *oseicanyusí* y jurábamos la famosa pecosa con todo y mano en el corazón. El inglés era, por supuesto, la lengua de estudios en todas las clases menos la de español. Hasta para ir al baño había que pedir permiso *in English*. Muchos fuimos los que tuvimos que mojar el pupitre por no atrevernos a formular o por pronunciar goletamente el complicado santo y seña del acceso a los meatorios. No resulta entonces sorprendente que desde los cinco añitos comenzara para nosotros, los niños mimados del ELA, una conflictiva y apasionada relación de amor-odio con el idioma que nuestro pueblo, entre temeroso y reverente, ha apellidado "el difícil".

Ya para tercer grado nos tenían entendiendo a perfección los mandatos pavlovianos de las monjas y mascando mal que bien el *basic English* necesario para sobrevivir en la jungla escolar. Los libros de texto importados y las actitudes transmitidas por las maestras-misioneras creaban en nuestras cabecitas un mundo alterno, completamente distinto del que conocíamos y vivíamos en nuestros hogares. Mientras en la calle Feria, papá improvisaba décimas y nos prohibía llamarle "papi", relegando el cariñoso apelativo al rango de anglicismo indeseable, en la escuela era anatema, aun en pleno tranque expresivo, recurrir al español para expresar alguna idea escurridiza. Poco a poco se iba consolidando la visión del inglés como lengua de prestigio, de progreso y de modernidad. En inglés era todo el vocabulario técnico, científico y literario que incorporábamos para abordar los más diversos aspectos del conocimiento. Recuerdo que cuando llegué a la Universidad de Puerto Rico, años más tarde, tenía a menudo que precipitarme urgentemente sobre el diccionario en busca de términos matemáticos, nombres de personajes históricos o de países exóticos que no sabía decir en español.

Las lagunas léxicas, aunque incomodantes, no eran lo más grave del caso. Para eso, después de todo, estaba el *Velázquez revisado*. Lo más insidioso de todo resultaba ser la doble escala de valores que nos habían infiltrado sutilmente en el sistema circulatorio. Estábamos absolutamente convencidos de que el inglés nos daba acceso, como una vez osara decir Almodóvar, a las Grandes Conquistas del Mundo Occidental. El español, por otra parte, nos ataba irremediablemente al atraso, al subdesarrollo, a una cierta folclórica vulgaridad. Era una convicción profunda, como la de la existencia de Dios, que no se cuestionaba, que ni siquiera se ponía en palabras. El mal gusto de aquellas santas mujeres que tenían a su cargo nuestra domesticación jamás llegó tan lejos como para arrancarles el vil pronunciamiento de que el inglés era el *boarding pass* para llegar al cielo. No era necesario. Años de atenta observación e inteligente deducción nos lo habían probado.

Por lo tanto, las tarjetas de felicitación para cualquier ocasión especial tenían que ser en inglés. No era lo mismo enviar unos versos babosos y melodramáticos en la lengua de Felipe Rodríguez que un sucinto y discreto mensaje de sofisticados afectos en la de Perry Como. Y más todavía si la cursilería hispana de los versos era precedida por un estridente despliegue de corazones sangrantes sobre fondo de terciopelo violeta... Al lado de eso, hasta el *kitsch* americano pasaba por *savoir faire* europeo. Hallmark había establecido subrepticiamente su gentil monopolio sobre la naciente sensibilidad de la clase media colonial.

Lo mismo ocurría con nuestras preferencias cinematográficas. La charrería personificada eran aquellas películas de Chachita y Tintán que nos atragantaba inmisericordemente la televisión. Y, aunque uno lloriqueara en secreto con Pedro Infante y Dolores del Río o se tirara su buena risotada con Viruta y Capulina, ni la fuerza unida de mil jabalíes histéricos hubiera podido extirparnos confesión ante nuestros pares escolares. Las películas del perverso Elvis Presley, del buenazo Pat Boone y de aquel *role model* generacional de la *All-american girl* que fue Gidget eran *status symbol* de nuestro clan. Sin olvidar las series tipo *Lassie*, *Cisco Kid* y *I love Lucy* que —dobladas en español— hacían las delicias de nuestros colonizaditos corazones.

Para esa época surgió un programa que sentó las bases para la futura polémica entre roqueros y cocolos: el famoso e inolvidable *Teenagers Matinée*, animado por el hoy psicólogo de nuestra menopausia, Alfred D. Herger. Con él, majamos papas bajo la rítmica consigna de Dee-Dee Sharp y remeneamos las caderas, para escándalo de nuestros padres y vecinos, a los gritos roncos y los contoneos desenfrenados de Chubby Checker. Nuestra formación musical básicamente roquera nos alejó bastante del bolero, portador —para bien o para mal— de una ideología latina del amor. Mi hermana, que hizo la *high* en la Central y tuvo una infancia menos sujeta a la americanización, suspiraba por Tito Lara y cantaba boleros de Disdier mientras yo jirimiqueaba de emoción con Rick Nelson, Neil Sedaka y Paul Anka.

Lo más pintoresco de todo eran las sajonadas que salpicaban nuestra conversación diaria. No se trataba de un *Spanglish* bien mixturado o un inglés sometido a la dictadura morfológica del español sino de un súbito *code-switching* que nos hacía pasar, en una frase, del mundo cultural en el que nos movíamos al mundo transcultural de nuestra educación extranjerizante. No era tampoco exclusivamente cuestión de pura comemierdería. Recurríamos a la lengua injertada en busca de conceptos que reflejaran la realidad cambiante de nuestras costumbres, la modernidad vertiginosa de nuestras aspiraciones. Decir *date* era, por ejemplo, mucho más libre y chévere que echarse encima el yugo verbal de la palabra "novio", evocadora de chaperonas y sortijas de compromiso. Cuando había que espepitar algo medio empalagoso, medio pachoso, el inglés servía de cojín amortiguador. Se hablaba de *French-kissing* —aunque los franceses jamás han reclamado la autoría de tan ancestral práctica— para evitar la grosera referencia a un "beso de lengua". Y ¿quién no preferiría que lo llamaran *square* (ahora sería *nerd*) a que le sacaran en cara a uno su total y absoluta pendejería? Los tiempos de España, en los que nos mantenían, a pesar de todo, nuestros queridos padres, estaban tocando a su fin.

Había, indudablemente, pequeñas grietas en aquel proceso de colonización lingüística que intentó abilinguarnos a ultranza. Aun a esas fervientes embajadoras de la americanización civilizadora que eran las monjas dominicas de mi escuela, se les escapaban detalles portadores del virus de la contradicción. Su nacionalismo irlandés irrumpía, incontenible, el 17 de marzo de cada año, cuando nos obligaban a cantar, montaditos en banquetas verdes, el repertorio completo de baladas patrióticas como *"Galway Bay"*, *"Oh Danny Boy"* y *"When Irish Eyes Are Smiling"*. Por algo no he olvidado yo nunca una estrofa de la primera, vibrante de pasión anti-británica y, en el contexto de la academia, peligrosamente subversiva:

For the strangers came and tried to teach us their ways
And scorned us just for being what we are
But they might as well go chasing after moonbeams
Or light a penny-candle from a star.

Tuve, además, en la escuela intermedia, dos excelentes maestras de español que hicieron honor a la magia inesperada de sus apellidos, Betances y Palés, desviviéndose por sembrar en nosotros alguna secreta semillita de puertorriqueñidad. Los primeros poemas que aprendí de memoria en español en la clase de Miss Betances fueron significativamente, *Ausencia* y *Regreso* de Gautier Benítez.

Con la perspectiva de] tiempo, caigo en cuenta de que los alumnos de las escuelas privadas americanas éramos los conejillos de Indias vanguardistas de una solapadamente violenta experiencia despuertorriqueñizadora. Padecimos los efectos concentrados y acelerados de lo que gradualmente iba a ir viviendo el país. Se nos preparaba cuidadosamente para cursar estudios en las universidades de la metrópoli imperial y luego, en el caso de un retorno eventual, para formar parte de la élite dirigente proamericana de Puerto Rico. En muchos casos, como era de esperarse, el proyecto se apuntó un triunfo resonante. En otros —los menos, me imagino— al producir exactamente su contrario, fracasó estrepitosamente.

SEGUNDO *ROUND*

Dice Albert Memmi que cuando el colonizado toma conciencia de su opresión, se mueve hacia el extremo opuesto, abrazando un nacionalismo defensivo que le permite afirmarse en lo propio. Y tiene toda la razón. Yo misma viví, como tantos otros puertorriqueños marcados por el pensamiento albizuista, la dinámica del rechazo a valores impuestos y, en particular, a la lengua del colonizador. La fuerza del péndulo dialéctico me llevó inclusive a deformar "de maldá" mi antigua y bastante pasable pronunciación, tan penosamente adquirida a través de los años, para adoptar el rebelde inglés patriótico de la intelectualidad nacional.

La Universidad de Puerto Rico, a la que milagrosamente acudí en lugar de exilarme, gracias a una beca, en algún *college* católico norteamericano, me propinó el primer puñetazo ideológico. Estudiar en español me parecía completamente extraño y ajeno. Sólo en el curso de literatura contemporánea de Robert Lewis podía aprovecharme y contestar los exámenes en la lengua que, por costumbre, me resultaba más natural al escribir.

Al cruzar el umbral de la Facultad de Humanidades, me topé cara a cara con la noción devastadora del ridículo. Ridículo era, por primera vez en muchos años, vacilar y no encontrar el término buscado en español; ridículo, introducir frases ingeniosas en inglés que ya no contaban con la complicidad divertida de los compañeros; y más ridículo aún, el declararse apolítico cuando todas las nuevas amistades militaban furiosamente en las filas del independentismo tirapiedras de los sesenta.

Me imagino la angustia sin par que habrán experimentado mis padres al presenciar el desplome gradual del muro de contención edificado a mi alrededor por ellos con tanto sacrificio. El terror del fichaje —terror retrospectivamente justificado por el descubrimiento de las infames listas de subversivos— martirizaba sus sueños de paz y progreso para la familia. Desde mi actual personaje de madre, no puedo, en justicia, culparlos por unas decisiones que fueron el fruto de su honesto convencimiento e incuestionable buena intención. La verdad me obliga, sin embargo, a consignar la dificultad dolorosa de aquella ruptura paulatina que me colocó al margen de la ley y el orden, enfrentándome al peso de una educación dulcemente enajenante. Los amigos radicales y la literatura puertorriqueña de la Generación del 50 se aliaron al aire de aquellos tiempos sacudidos por grandes cataclismos políticos internacionales para machetear el cordón umbilical que me ataba a un pasado ahora estigmatizado.

Paradójicamente, la selección del francés como área de especialización despejó bastante la atmósfera de la tensión lingüística en que me debatía. Mi posterior traslado a Francia para proseguir estudios graduados fue y sigue, sin duda, siendo una de las experiencias más descolonizadoras de mi vida. El aprendizaje de la lengua de André Breton no sólo posibilitó mi cita inaplazable no sólo con el legado intelectual francés de raíz eminentemente liberal sino con el universo antillano francohablante que tanta luz arrojaría sobre mi propia identidad de mujer caribeña. La adquisición de una tercera lengua, afectivamente positiva, y el descubrimiento ulterior de un Caribe culturalmente deslumbrante, a cuyo estudio me dediqué con entusiasmo, trajeron como corolario una necesaria reconciliación con el inglés.

"El difícil" no se me presentaba ahora como un enemigo ancestral de la puertorriqueñidad ni un contaminador malévolo de lenguas maternas sino como una herramienta clave, como una llave imprescindible del conocimiento universal. Tras haberme sumido en los abismos de la más desconcertante ambivalencia, el inglés me mostraba al fin su rostro oculto, amable y generoso, el de una lengua ágil y hermosa que me permitiría salir al encuentro de una gran parte de los habitantes del planeta, entre los que se hallaban, en palco de preferencia, nuestros vecinos del Caribe anglófono y nuestros propios compatriotas, emigrados por necesidad a las "entrañas del Imperio".

En el inventario de bienandanzas que fue preciso levantar para poder fumar la pipa de la paz con "el difícil", no podía faltar la valoración de la literatura, la canción y el cine norteamericanos, cuyo disfrute nunca me fue negado en versión original. Volví, tras algunos años de abandono, a devorar en inglés lo que más placer me proporciona leer hasta el día de hoy: la narrativa policial. Sentía que aquel ostracismo voluntario, aquel detente que me había visto obligada a proferir para lograr rescatar lo que por derecho natural era mío, le había abierto las puertas al reflujo de unas aguas esencialmente vivificadoras. Había logrado recuperar la lengua de mi educación, cambiándole el signo negativo que las circunstancias políticas y sociales de mi país le habían conferido y devolviéndola a su verdadera vocación, la de todas las lenguas: la comunicación humana.

EMPATE POR DECISIÓN

Como maestra de francés que soy desde hace más años de los que me gustaría admitir, me preocupa profundamente la política educativa de nuestro país en lo que toca a la enseñanza del inglés. Creo firmemente que hay que desculpabilizar el aprendizaje de esta importante lengua que aprendemos tan deficientemente a lo largo de doce años de nuestra vida escolar obligatoria.

Habría, en primer lugar, que declararla, de una vez por todas y sin ambages, lengua extranjera. Ese status, que nada tiene de humillante, facilitaría un cambio de óptica en su pedagogía. Una lengua extranjera, como saben todos los especialistas de estas disciplinas, no se puede enseñar como la materna. Las técnicas didácticas y los postulados de base que fundamentan cada área son totalmente diferentes. Al aclarar tan capital asunto de filosofía educativa, podría entonces concentrarse dicha enseñanza en unos cuantos años bien escogidos y mejor programados. Así, no constituirán una carga psicológica, onerosa por su obligatoriedad, para nuestro alumnado.

Otra forma de legitimizar el estudio del inglés —y no es ciertamente la más fácil— consiste en fortalecer el del español, actualizando el programa de lecturas y modernizando las estrategias para la práctica de la redacción. Un pueblo seguro de su lengua propia puede encarar, sin miedo y con orgullo, el conocimiento de otras que ya no representarían una amenaza de desintegración moral sino una promesa de expansión espiritual.

La desculpabilización del inglés implica una transformación radical de las actitudes tanto hacia esa lengua, ligada muy estrechamente a nuestra ambigua relación política con los Estados Unidos. Ahora que tanto se habla de reforma educativa, no estaría mal comenzar a formular interrogantes y esbozar sugerencias. Ampliar la enseñanza de lenguas extranjeras en general (francés, portugués, por lo menos) favorecería el alcance, para nuestra juventud, de más variados empleos. En el plano más profundo del desarrollo humano, sería —rompiendo los esquemas de la dominación colonial— darles fuerzas a sus alas.

ÑAPA PUGILÍSTICA

Querido "difícil': no creas que aquí terminan, como después de una terapia psicosexual, nuestras peleas conyugales. Si algo me han enseñado cuarentipico años de vida contigo es que, en definitiva, nada es sencillo ni absoluto. Hoy puedo decir, con agradecimiento y sin rencor, que no me arrepiento de nada: ni de haberte frecuentado desde mi tierna infancia ni de ser hija orgullosa y rebelde de esta isla amada.

Isabel Allende

La magia de las palabras

Agradezco mucho la invitación a este Congreso, que me brinda la oportunidad de intercambiar ideas y de aprender sobre literatura. Cuando supe que tendría que hablar, me asusté un poco, porque prefiero exponer mis ideas a través de un personaje o de una anécdota a hacerlo ante un micrófono. Sin embargo, asumo esa tarea con alegría, porque este intercambio es para mí una experiencia muy grata, muy enriquecedora.

El poeta Pablo Neruda escribió en sus memorias: "Amo tanto las palabras... Tienen sombra, transparencia, peso, plumas, pelos, tienen todo lo que se les fue agregando de tanto rodar por el río, de tanto transmigrar de patria, de tanto ser raíces... ¡Qué buen idioma el mío! ¡Qué buena lengua heredamos de los conquistadores torvos! Estos andaban a zancadas —por las tremendas cordilleras, por las Américas encrespadas, buscando patatas, butifarras, frijolitos, tabaco negro, oro, maíz, huevos fritos, con aquel apetito voraz que nunca más se ha visto en el mundo. Todo se lo tragaban, con religiones, pirámides, tribus, idolatrías iguales a las que ellos traían en sus grandes bolsas. Por donde pasaban quedaba arrasada la tierra. Pero a los bárbaros se les caían de las botas, de las barbas, de los yelmos, de las herraduras, como piedrecitas, las palabras luminosas que se quedaron aquí resplandecientes... el idioma. Salimos perdiendo. Salimos ganando. Se llevaron el oro y nos dejaron el oro. Se lo llevaron todo y nos dejaron todo. Nos dejaron las palabras... "

Estas líneas de Neruda me conmueven profundamente, porque describen mi propio asombro ante el poder del lenguaje.

Mi oficio es la escritura. El único material que uso son palabras. Palabras... palabras... palabras de este dulce y sonoro idioma español. Están en el aire, las lleva y las trae el viento, puedo tomar la que quiera, son todas gratis, palabras cortas, largas, blancas, negras, alegres como *campana*, *amigo*, *beso*, o terribles como *viuda*, *sangre*, *prisión*. Infinitas palabras para combinarlas a mi antojo, para burlarme de ellas o tratarlas con respeto, para usarlas mil veces sin temor a desgastarlas. Están allí, al alcance de mi mano. Puedo echarles un lazo, atraparlas, domesticarlas. Y puedo, sobre todo, escribirlas.

Es muy poco elegante que tome como ejemplo mi propia obra para hablar de vivencias que supongo son comunes a casi todos los escritores. Lo hago porque es el caso que tengo más cerca, el que mejor conozco; así es que les suplico ser tolerantes.

Escribí *La casa de los espíritus* como un exorcismo, una forma de sacarme del alma los fantasmas que llevaba por dentro, que se me habían amotinado y no me dejaban en paz. Pensé que si lograba ponerlos por escrito les daría forma para que vivieran sus vidas, pero también los haría prisioneros y los obligaría a cumplir mis leyes. De manera muy primitiva, le atribuí a la palabra el poder de resucitar a los muertos, reunir a los desaparecidos, reconstruir el mundo perdido.

Después del golpe militar en Chile, el 11 de septiembre de 1973, un hachazo partió el destino de millones de chilenos y también el mío. No voy a referirme aquí a la violencia de la dictadura, que no difiere mucho de otras tiranías en nuestro mundo atormentado, ni al dolor de mi familia, porque otros han sufrido y sufren mucho más. La tragedia de América Latina no se puede contar en casos particulares. Es un solo terrible lamento. Desde los picos australes de Chile hasta la verde naturaleza de Centroamérica, a lo largo y ancho de esa tierra impera la desigualdad social, el colonialismo, la miseria, la ignorancia, las lágrimas y la sangre vertida.

No pude adaptarme a la dictadura. Junto a miles de chilenos, abandoné mi país con mi compañero de toda la vida y nuestros hijos. Nos acogió Venezuela, cálida y generosa. Allí encontramos trabajo, amigos, un hogar. Sin embargo, lejos de mi tierra me sentía moribunda, como un árbol al cual le cortan sus raíces, como un pobre pino de Navidad. Por largo tiempo, la nostalgia me paralizó, pero poco a poco las heridas comenzaron a sanar y el aire libertario de mi nueva patria consoló mi alma. Entonces sentí la necesidad de expresar mis sentimientos, mis vivencias, que eran similares a las de tantos latinoamericanos en la misma situación. Quise recuperar lo perdido: el paisaje de mi infancia, el pasado que la mala memoria estaba borrando, las gentes que amé y tuve que abandonar. Deseaba aprisionar esos recuerdos para siempre.

Y así, un día de enero de 1981, coloqué una hoja en blanco en la máquina y escribí: *"Barrabás llegó a la familia por vía marítima..."*, y seguí escribiendo y escribiendo sin pausa durante un año, hasta que terminé la página número 500 con las mismas palabras con que comencé la primera.

Mientras trabajaba no pensé que ese libro podría cambiar mi destino. No tenía ninguna experiencia con la literatura. Es verdad que a través del periodismo y el teatro había descubierto el valor de las palabras, pero ni aun en los sueños más extravagantes sospeché la repercusión que puede tener un libro. No sabía que Esteban Trueba y los otros espíritus de esas páginas le darían una insospechada dimensión a mi existencia.

El libro fue publicado por Plaza y Janés en España, en otoño de 1982. Cuando lo vi sobre un mesón de librería sentí que me flaqueaban las piernas. La emoción de tenerlo por primera vez en las manos fue muy parecida a la que tuve en el momento de tomar en brazos a mis hijos al nacer.

Para esa fecha, en Chile ya no quemaban libros públicamente en las calles y plazas, como al comienzo de la dictadura, pero existía una inflexible censura amordazando todos los medios de comunicación y las expresiones del arte. Sin embargo, la autoridad no siempre tiene éxito en su propósito de poner grilletes a las palabras. Las palabras, prohibidas son astutas, aprenden a moverse en la sombra, se introducen entre líneas, usan claves y símbolos, se deslizan en las canciones y en los chistes, van de boca en boca y así consiguen transmitir las ideas y escribir la historia secreta, la historia oculta y verdadera de la realidad. Así lo hemos comprobado en América Latina.

Para las dictaduras es fundamental el control de la opinión pública, y creen lograrlo silenciando o manipulando la información. Pero una virtud extraordinaria del lenguaje es que no se deja utilizar. Tarde o temprano las ideas se rebelan, revientan sus camisas de fuerza y se vuelven contra quienes intentaron burlarse de ellas. Eso está ocurriendo en Chile y en otros países que soportan tiranías. Un largo apagón cultural ensombreció a la nación que durante cien años estuvo a la vanguardia del pensamiento latinoamericano, pero, a pesar de las drásticas medidas, las palabras andan sueltas por la calle, uniendo a las gentes y remeciendo conciencias.

La más sorprendida con la buena acogida que tuvo *La casa de los espíritus* en España y en muchos otros países de lengua castellana fui yo. Me conmovió mucho que los personajes de mi libro pasearan por el mundo contando su historia a tantos lectores benevolentes. Me daba lástima pensar que no entrarían a mi patria, pero lo acepté como un hecho inevitable. Jamás imaginé que muchos chilenos desafiarían a la policía para introducir algunos ejemplares al país. Viajeros audaces lo disimularon en su equipaje; otros fueron enviados por correo sin tapas, o partidos en dos o tres pedazos para que no pudieran identificarlos al abrir los sobres. Conozco a una joven madre que pasó varios libros por la aduana ocultos en una bolsa de pañales de su recién nacido. No sé cuántos entraron así, burlando a la censura. No creo que fueran muchos, pero adentro se multiplicaron en fotocopias que circulaban de mano en mano. Me contaron que había listas para leerlo por turno y que algunas personas lo ofrecían en alquiler.

Meses después, presionado por la opinión pública internacional, el gobierno militar consideró necesario levantar la censura de libros para mejorar su imagen. Esa nueva disposición permitió la entrada al país de textos proscritos durante diez años. Algunos libreros llevaron *La casa de los espíritus*, que fue acogida con cariño por mis compatriotas.

Si los espíritus benéficos de mi libro han cumplido su misión, es posible que mostraran parte de la verdad a algunos que no desean verla. Me han dicho que la novela está de moda en Chile y que hasta los más reaccionarios la leen, para no desentonar. Deben de pasar de prisa los últimos capítulos, sobre el terror del golpe militar, pero es posible que algo quede en sus corazones. En ese caso habré contribuido de alguna manera al conocimiento de la dramática realidad de nuestra tierra, donde unos pocos son dueños de toda la riqueza y la inmensa mayoría restante vive en la miseria. La única forma de aceptar una situación así, para cualquier persona que posea un mínimo de decencia, es ignorar la verdad. Para disfrutar de los privilegios con tranquilidad es mejor no saber. El otro día, por ejemplo, recibí una carta de un lector que pertenece a esa oligarquía dorada que propicia el militarismo. Es una carta amable en la cual manifiesta que le gustó mi libro y espera que siga escribiendo, pero que, por favor, no toque temas sociales o políticos, porque es desagradable y puede acarrearme enemigos. Me quedé pensando en ese miedo tremendo que algunas personas sienten ante las palabras. No temen la violencia, la injusticia o la pobreza contenidas a presión en un caldo terrible que un día explotará. Sólo temen que se hable de ello y, mucho más, que alguien lo escriba.

Cuando terminé *La casa de los espíritus* no sospeché que había tejido una telaraña que se extendería por lejanos territorios, uniéndome en estrecho abrazo con tantos lectores. No digo esto en un sentido figurado. Me refiero a un abrazo real, fraterno, formidable. El hecho de estar hoy aquí, tan lejos de mi casa, conversando con ustedes en esta Universidad, demuestra el increíble alcance que pueden tener las palabras escritas.

Cada día voy al correo, y la viejita que atiende el mesón me entrega la correspondencia con una sonrisa de complicidad. Son cartas de lectores desconocidos que al volver la última página de *La casa de los espíritus* sintieron el impulso generoso de comunicarse conmigo. Una vez alguien me mandó el relato de su vida diciéndome: toma, escríbelo para que no lo borre el viento. Así lo hice. Parte de esa historia figura en *Tiempo de amor y sombra*, que se publicó en España en noviembre de 1984.

Hay mensajes que recorren tan tortuosos caminos, que parecen enviados desde la Edad Media. Así ocurrió con la carta de un pintor solitario que vive en una playa chilena. Se sintió conmovido por Esteban Trueba y su extravagante estirpe y me escribió una carta. La entregó al primer turista que arribó de vacaciones al pueblo, y así, de bolsillo en bolsillo, de amigo en amigo, de valija en valija, llegó por fin a mis manos en Caracas. Lloré al leerla, porque me trajo el olor del mar, el viento, el acento y el color de mi patria, el sonido de campana que pone en mi alma ese nombre pleno de nostalgia: Chile. Vinieron a mi memoria las palabras de Pablo Neruda en un discurso. Dijo el poeta: "Pero, por una razón o por otra, yo soy un triste desterrado. De alguna manera o de otra yo viajo con nuestro territorio y siguen viviendo conmigo, allá lejos, las esencias longitudinales de mi patria".

Coloqué la carta de ese pintor en una botella y la tengo sobre mi mesa de trabajo, como un símbolo. Llegó traída por el azar, como el mensaje lanzado al océano por un navegante extraviado, para recordarme en todo momento mi responsabilidad, mi compromiso.

Eso tiene de maravilloso un libro: establece un vínculo entre quien la escribe y quien lo lee. Es la magia de las palabras.

Todo esto, que les he contado con tan poca modestia, significa mucho para mí. Escribir ya no es sólo un placer. Es también un deber que asumo con alegría y orgullo, porque comprendo que estoy en posesión de un instrumento eficaz, un arma poderosa, un ancho canal de comunicación. Siento que soy, junto a otros escritores latinoamericanos que, como yo, tienen la suerte de ser publicados, una voz que habla por los que sufren y callan en nuestra tierra. Mi trabajo deja de ser solitario y se convierte en un aporte al esfuerzo común por la causa de la libertad, la justicia y la fraternidad, en la cual creo.

Los escritores somos intérpretes de la realidad. Es cierto que caminamos en el filo de los sueños, pero la ficción, aun la más subjetiva, tiene un asidero en el mundo real. A los escritores de América Latina se les reprocha a veces que su literatura sea de denuncia. ¿Por qué no se limitan al arte y dejan de ocuparse de problemas irremediables?, les reclaman algunos. Creo que la respuesta está en que conocemos el poder de las palabras y estamos obligados a emplearlas para contribuir a un mejor destino de nuestra tierra. Esto no significa hacer panfletos ni renunciar a la calidad estética, al contrario. El primer deber es crear buena literatura, para que ésta cumpla su tarea de conmover a los lectores y perdurar en el tiempo.

América Latina, ese vasto continente formado por países desmembrados, por muchas razas y diversos climas, que sufre la agresión externa del colonialismo y sus propias terribles contradicciones internas, posee un bien común, un fabuloso tesoro que, tal como escribió Neruda, se le cayó a los conquistadores de las botas, las barbas, los yelmos, las herraduras, y que une a sus habitantes en un solo pueblo: la lengua.

Única y maravillosa lengua es ésa para describir una tierra donde el desarrollo llega con centurias de atraso, pero donde también se gestan los mayores movimientos renovadores y revolucionarios; continente de huracanes, terremotos, ríos anchos como mares, selvas tan tupidas que no penetra la luz del sol; un suelo en cuyo humus eterno se arrastran animales mitológicos y viven seres humanos inmutables desde el origen del mundo; una desquiciada geografía donde se nace con una estrella en la frente, signo de lo maravilloso; región encantada de tremendas cordilleras, donde el aire es delgado como un velo, desiertos absolutos, umbrosos bosques y serenos valles. Allí se mezclan todas las razas en el crisol de la violencia: indios emplumados, viajeros de lejanas repúblicas, negros caminantes, chinos llegados de contrabando en cajones de manzanas, turcos confundidos, muchachas de fuego, frailes, profetas y tiranos, todos codo a codo, los vivos y los fantasmas de aquéllos que a lo largo de siglos pisaron esa tierra bendita por tantas pasiones. En todas partes están los hombres y mujeres americanos, padeciendo en los cañaverales, temblando de fiebre en las minas de estaño y plata, perdidos bajo las aguas mariscando perlas y sobreviviendo, a pesar de todo, en las prisiones.

En América Latina las sílabas se escriben con sangre. Pero tenemos al menos las palabras para contar a nuestros pueblos, a nuestros países, a nuestro fabuloso continente. Tenemos palabras para contar la verdad y son muchos los que lo están haciendo.

Por eso, señoras y señores, amo tanto las palabras...

Alfredo Bryce Echenique

La generación de después de los posters

"Las ciudades de Europa occidental se van plagando de este nuevo modelo de juventud", me decía hace poco un profesor universitario francés, haciendo hincapié en la palabra modelo. Y cuando le pregunté por alguna característica que precisara mejor su afirmación, añadió simplemente: "Una juventud envejecida".

Es ya casi un lugar común hablar de la muerte de las ideologías, en Europa. Pero para los jóvenes de hoy, para los muchachos y muchachas que tienen veinte años hoy, ni siquiera se trata de eso, se trata simplemente de la muerte de la política. No hay manera de hacerles hablar de este tema y mucho menos de este o aquel partido. No les interesa. Se aburren. Hablar de partidos políticos sería hablar de proyectos para el futuro y ellos desean vivir mejor hoy, alcanzar cualquier bienestar ahora y aquí. Nada más lejano de sus antecesores, los actores de las rebeliones juveniles internacionales y apátridas de fines de la década del sesenta. Diez, once años han pasado, y los grupúsculos surgidos como protesta nueva y feroz contra una sociedad de insoportables valores, surgidos también de todas las crisis y fracturas del movimiento comunista internacional pre y post-staliniano, parecen haberse esfumado. Las épocas en que había siempre mucho de que hablar, en que *este mucho* se hablaba a menudo en una habitación en cuyos muros colgaban uno o varios posters, Papá Ho, El Che, Mao, Marx, Lenin, Trotsky, han quedado lejos en un lapso muy corto de tiempo. La realización de las necesidades y de los deseos, el alcanzar cualquier bienestar aquí y ahora se convirtió para algunos en violencia, cuando no en terrorismo, en una misma forma pesimista o desesperada del activismo político.

Al lado de este fenómeno, y al lado de aquellos jóvenes cuya situación, conveniencia y creencias (y pueden ser las tres cosas al mismo tiempo), están de acuerdo con el mundo que los rodea existe la juventud envejecida de que hablaba el profesor francés. ¿Qué es lo que la caracteriza? Tal vez la pobreza de su bagaje cultural, tal vez la pobreza de su bagaje psicológico. Pero antes que nada algo que sorprende enormemente al latinoamericano en Europa: una enorme incapacidad para gozar de la vida hoy y mañana, un desapego total de todo lo que pueda implicar una inversión de energías afectivas, una casi fatal ausencia de valores propios.

Estos jóvenes de hoy mantienen sin embargo las apariencias. Así, por ejemplo, se matriculan en las universidades, aunque a medida que avanza el año de estudios vayan desapareciendo de ellas, y se presentan tan sólo al final, en el período de exámenes, cargados de excusas que el profesor debe comprender siempre, sobre todo si se trata de un profesor progresista y consciente de que no es precisamente la universidad de hoy la que mejor los equipa para la vida que los espera. ¿Cuántas excusas son sinceras, cuántas inventadas? Imposible saberlo, porque estos jóvenes practican un cierto miserabilismo que los uniformiza en sus quejas y súplicas y porque son, además, a diferencia de los que les precedieron hace unos años, profundamente dóciles. Claro, no hay que engañarse: esta docilidad es a menudo parte también de su profunda indiferencia. Pueden aceptar ciertas imposiciones, ciertas tareas a cumplir; lo harán con el mínimo esfuerzo, invirtiendo un mínimo de tiempo y un mínimo de interés y de energías afectivas o intelectuales.

Sus biografías suelen ser tristes. Como si desde la primera adolescencia hubiesen vivido demasiado, de tal manera que al llegar a los veinte, veintitrés años, no es sorprendente que en momentos de confesión (la mejor palabra sería *depresión*), se declaren definitivamente cansados e increíblemente viejos. Han vivido, diríase casi que por ósmosis, mil ideas, mil clisés de nuestros días, mil prácticas novedosas que había que vivir, casi a pesar de ellos mismos, como por temor a quedarse atrás o a quedarse solos si no se subían al tren de una nueva experiencia. Abandonaron la ciudad por el campo, se acercaron a algún movimiento ecologista, conocieron ex presidiarios podridos por el mundo y por la droga, han tenido cómplices, camaradas, compañeros (la palabra amigo casi no existe entre ellos). Regresaron del campo a la ciudad —tampoco eso valía la pena—,de la vida en comunidades al aislamiento más total —la comunidad como que pasó de moda—, del amor libre al amor por ahí, donde caiga, sin sentirlo —el asunto del amor libre y aquel otro del intercambio de parejas, sobre todo, de pronto les resultó excesivamente parecido a la juerga del burgués, y por lo menos el podrido burgués se divertía—, y a veces por ahí conocieron a alguien cuyo apellido, cuyo nombre apenas recuerdan o apenas logran pronunciar. No, no es que fuera una mala persona; no, no es que no sintiera cariño por esa persona. Es que.

Es que. Esta es la manera de explicar las cosas entre esta juventud envejecida. Su manera de hablar consiste precisamente en casi no hablar, en no completar las frases, ni siquiera las palabras, en tragarse sílabas como tragos amargos. Resulta así muy difícil acercarse a estos jóvenes cuando no han bebido muchas copas o cuando no se han drogado convenientemente. Pero acercarse a ellos en estas circunstancias es presenciar una serie de gestos que más es lo que esconden que lo que muestran sobre ellos. Bailan aparatosamente, incesantemente, bailan para ocultarse, para alejar posibles incursiones a su mal definida intimidad, a su difícilmente accesible identidad, bailan para alejar y espantar al posible compañero de baile. Sólo las copas y el avanzar de las horas los hace caer por fin desplomados, inertes. Viene un largo silencio sin lágrimas o una verdadera crisis de llanto. En ambos casos están hartos de aburrirse en el mundo en que viven, en ambos casos acaban de vivir mal ahora y aquí, y en ambos casos están dispuestos a irse o que se los lleven a cualquier parte. De preferencia a algún lugar exótico (tercer mundo), de preferencia a algún lugar soleado. Hablan muy poco sobre sus padres o hermanos, y uno nunca sabrá si es porque nunca han sabido mucho sobre eso, porque han olvidado mucho en ese desgaste permanente de vivir diversos fracasos y un solo aburrimiento, o porque hay cosas de las que jamás hablan con nadie. Ni con ellos mismos.

No leen. O llevan algún autor favorito escondido en el bolso, por timidez. Les encanta, eso sí, escuchar historias mientras beben o fuman. Historias contadas por cualquiera y que a menudo son el contenido de una película o de una novela o del buen fin de semana que pasó el que está contando. Miran con admiración, sus ojos rejuvenecen, encuentran *simpá* al narrador, les gustaría beber más con él. Pero el grupo es grande y otros conversan y surgen discusiones sobre problemas de nuestro tiempo o hechos del día. Podrá notar el observador cómo aquellos ojos se ausentan, cómo se repliegan, cómo se van. Y si alguno por ahí trae a colación su marxismo, su maoísmo, su guevarismo, estos jóvenes personajes envejecidos caen en el más profundo de los sueños. De pronto, se han agotado; de pronto, han sumado sus agotamientos que son también aburrimientos largos, perpetuos, en una sociedad que sólo los atraería si ahora y aquí... Se han dormido sin decir más. No hay posters de nadie en sus paredes. Ni siquiera de Humphrey Bogart. Veintiuno, veintidós, veintitrés años.

"Mayo del '68 no tendrá un mañana —dijo Alain Touraine—. Pero sí un futuro". Era la época en que los sociólogos se preocupaban intensamente por la evolución de los movimientos estudiantiles. Hoy los sociólogos han olvidado a estos jóvenes, a menudo estudiantes, a menudo desertores a medias de los campus universitarios, y el propio Touraine reconoce haberse ocupado de ellos durante las fracasadas huelgas del año 76, únicamente con el afán de perfeccionar un nuevo método de análisis de los movimientos sociales. Para el proletariado, al que sus antecesores del 68 trataron tanto de acercarse, continúan siendo seres privilegiados, hijos de papá. Ellos, por su parte, detestan los valores que la sociedad actual les propone. El consumismo los agota, la publicidad los angustia, los hace sentirse miserables. El poder, las multinacionales son culpables de ese estado de ánimo que hace que estén dormidos incluso cuando se toca este rema. Son desesperantes, son aburridos, son conmovedores, no saben vivir... Tantas cosas se podría decir de ellos. Pero ellos sólo parecen poder decir: *¡sálvese quien pueda!*

ENSAYO
HISPANOAMÉRICA
Uruguay

Eduardo Galeano

La cultura del miedo

A poco andar, uno descubre muchos miedos en la vida cotidiana de los habitantes del "paraíso" (U.S.A.). Miedo al derrumbe de la economía, miedo a la explosión de las tensiones raciales y las furias sociales, miedo a... muchas cosas, porque:

—Si haces el amor, tendrás *sida.*
—Si fumas, tendrás *cáncer.*
—Si comes, tendrás *colesterol.*
—Si bebes, tendrás *accidentes.*
—Si respiras, tendrás *contaminación.*
—Si caminas, tendrás *violencia.*
—Si lees, tendrás *confusión.*
—Si piensas, tendrás *angustia.*
—Si sientes, tendrás *locura.*
—Si hablas, perderás el *empleo.*

(Tomado de El Espectador, domingo, junio 2 de 1991, pag. 3-E)

EL SECUESTRO DE LA HISTORIA

A los muertos de hambre, el sistema les niega hasta el alimento de su memoria. Para que no tengan futuro, les roba el pasado. La historia oficial está contada desde, por y para *los ricos, los blancos, los machos y los militares.* Europa es el Universo. Poco o nada aprendemos del pasado pre-colombino de América y ni qué hablar del África, a la que conocemos a través de las viejas películas de Tarzán. *La historia de América, la verdadera, la traicionada historia de América, es una historia de la dignidad incesante.* No hay día del pasado en el que no haya ocurrido algún ignorado episodio de resistencia contra el poder y el dinero, pero la historia oficial no menciona las sublevaciones indígenas ni las rebeliones de esclavos negros, o las menciona al pasar, cuando las menciona, como episodios de mala conducta —y jamás dice que algunas fueron encabezadas por mujeres. Los grandes procesos económicos y sociales no existen ni como telón de fondo: se los escamotea para que los llamados "países en desarrollo" no sepan que no van hacia el desarrollo sino que vienen de él porque a lo largo de una larga historia han sido subdesarrollados por el desarrollo de los países que les sacaron el jugo. Lo que importa es aprenderse de memoria las fechas de las batallas y los exactos cumpleaños de los próceres. Ataviados como para fiesta o desfile, estos hombres de bronce han actuado solitariamente, por inspiración divina, seguidos por la sombra fiel de la abnegada compañera: detrás de todo gran hombre hay una mujer, se nos dice, dudoso elogio que reduce a la mujer a la condición de respaldo de silla. En el duelo entre el bueno y el malo, los pueblos cumplen pasivamente el papel de comparsas. Los pueblos forman un confuso montón de débiles mentales, ansiosos de jefes mandones, y periódicamente engullen, como si fuera caramelo, el veneno rojo

LA CULTURA DE LA RESISTENCIA EMPLEA TODOS LOS MEDIOS A SU ALCANCE

Pero no es solamente un problema de lenguaje. También de medios. La cultura de la resistencia emplea todos los medios a su alcance y no se concede el lujo de desperdiciar ningún vehículo ni oportunidad de expresión. El tiempo es breve, ardiente el desafío, enorme la tarea: para un escritor latinoamericano enrolado en la causa del cambio social, la producción de libros forma parte de un frente de trabajo múltiple. No compartimos la sacralización de la literatura como institución congelada de la cultura burguesa. La crónica y el reportaje de tirajes masivos, los guiones para radio, cine y televisión y la canción popular no siempre son géneros "menores", de categoría subalterna, como creen algunos marqueses del discurso literario especializado que los miran por encima del hombro. Las figuras abiertas por el periodismo rebelde latinoamericano en el engranaje alienante de los medios masivos de comunicación, han sido a menudo el resultado de trabajos sacrificados y creadores que nada tienen que envidiar, por su nivel estético y su eficacia a las buenas novelas y cuentos de ficción.

CREO EN MI OFICIO; CREO EN MI INSTRUMENTO

Creo en mi oficio; creo en mi instrumento. Nunca pude entender por qué escriben los escritores que mientras tanto declaran, tan campantes, que escribir no tiene sentido en un mundo donde la gente muere de hambre. Tampoco pude nunca entender a los que convierten a la palabra en blanco de furias o en objeto de fetichismo. La palabra es un arma, y puede ser usada para bien o para mal: la culpa del crimen nunca es del cuchillo.

Creo que una función primordial de la literatura latinoamericana actual consiste en rescatar la palabra, usada y abusada con impunidad y frecuencia para impedir o traicionar la comunicación. "Libertad" es, en mi país, el nombre de una cárcel para presos políticos y "Democracia" se llaman varios regímenes de terror; la palabra "amor" define la relación del hombre con su automóvil y por "revolución" se entiende lo que un nuevo detergente puede hacer en su cocina; la "gloria" es algo que produce un jabón suave de determinada marca y la "felicidad" una sensación que da comer salchichas. "País en paz" significa, en muchos lugares de América Latina "cementerio en orden", y donde dice "hombre sano" habría que leer a veces "hombre impotente".

Escribiendo es posible ofrecer, a pesar de la persecución y la censura, el testimonio de nuestro tiempo y nuestra gente —para ahora y después. Se puede escribir como diciendo, en cierto modo: "Estamos aquí, aquí estuvimos; somos así, así fuimos". Lentamente va cobrando fuerza y forma, en América Latina, una literatura que no ayuda a los demás a dormir, sino que les quita el sueño; que no se propone enterrar a nuestros muertos, sino perpetuarlos; que se niega a barrer las cenizas y procura, en cambio, encender el fuego. Esa literatura continúa y enriquece una formidable tradición de palabras peleadoras. Si es mejor, como creemos, la esperanza que la nostalgia, quizás esa literatura naciente pueda llegar a merecer la belleza de las fuerzas sociales que tarde o temprano, por las buenas o por las malas, cambiarán radicalmente el curso de nuestra historia. Y quizás ayude a guardar para los jóvenes que vienen, como quería el poeta, "el verdadero nombre de cada cosa".

José Ingenieros

El hombre rutinario

La Rutina es un esqueleto fósil cuyas piezas resisten a la carcoma de los siglos. No es hija de la experiencia; es su criatura. La una es fecunda y engendra verdades; estéril la otra y las mata.

En su órbita giran los espíritus mediocres. Evitan salir de ella y cruzar espacios nuevos: repiten que es preferible lo malo conocido a lo bueno por conocer. Ocupados en disfrutar lo existente, cobran horror a toda innovación que turbe su tranquilidad y les procure desasosiegos. Las ciencias, el heroísmo, las originalidades, los inventos, la virtud misma, parécenles instrumentos del mal, en cuanto desarticulan los resortes de sus errores: como en los salvajes, en los niños y en las clases incultas.

Acostumbrados a copiar escrupulosamente los prejuicios del medio en que viven, aceptan sin controlar las ideas destiladas en el laboratorio social: como esos enfermos de estómago inservible que se alimentan con substancias ya digeridas en los frascos de las farmacias. Su impotencia para asimilar ideas nuevas los constriñe a frecuentar las antiguas.

La Rutina, síntesis de todos los renunciamientos, es el hábito de renunciar a pensar. En los rutinarios todo es menor esfuerzo; la acidia aherrumbra su inteligencia. Cada hábito es un riesgo, porque la familiaridad aviene a las cosas detestables y a las personas indignas. Los actos que al principio provocaban pudor, acaban por parecer naturales; el ojo percibe los tonos violentos como simples matices, el oído escucha las mentiras con igual respeto que las verdades, el corazón aprende a no agitarse por torpes acciones.

Los prejuicios son creencias anteriores a la observación; los juicios, exactos o erróneos, son consecutivos a ella. Todos los individuos poseen hábitos mentales; los conocimientos adquiridos facilitan los venideros y marcan su rumbo. En cierta medida nadie puede substraérseles. No son exclusivos de los hombres mediocres; pero en ellos representan siempre una pasiva obsecuencia al error ajeno. Los hábitos adquiridos por los hombres originales son genuinamente suyos, le son intrínsecos: constituyen su criterio cuando piensan y su carácter cuando actúan; son individuales e inconfundibles. Difieren substancialmente de la Rutina, que es colectiva y siempre perniciosa, extrínseca al individuo, común al rebaño: consiste en contagiarse los prejuicios que infestan la cabeza de los demás. Aquéllos caracterizan a los hombres; ésta empaña a las sombras. El individuo se plasma los primeros; la sociedad impone la segunda. La educación oficial involucra ese peligro: intenta borrar toda originalidad poniendo iguales prejuicios en cerebros distintos. La acechanza persiste en el inevitable trato mundano con hombres rutinarios. El contagio mental flota en la atmósfera y acosa por todas partes; nunca se ha visto un tonto originalizado por contigüidad y es frecuente que un ingenio se amodorre entre pazguatos. Es más contagiosa la mediocridad que el talento.

Los rutinarios razonan con la lógica de los demás. Disciplinados por el deseo ajeno, encajónanse en su casillero social y se catalogan como reclutas en las filas de un regimiento. Son dóciles a la presión del conjunto, maleables bajo el peso de la opinión pública que los achata como un inflexible laminador. Reducidos a vanas sombras, viven del juicio ajeno; se ignoran a sí mismos, limitándose a creerse como los creen los demás. Los hombres excelentes, en cambio, desdeñan la opinión ajena en la justa proporción en que respetan la propia, siempre más severa, o la de sus iguales.

Son zafios, sin creerse por ello desgraciados. Si no presumieran de razonables, su absurdidad enternecería. Oyéndoles hablar una hora parece que ésta tuviese mil minutos. La ignorancia es su verdugo, como lo fue otrora del siervo y lo es aún del salvaje; ella los hace instrumentos de todos los fanatismos, dispuestos a la domesticidad, incapaces de gestos dignos. Enviarían en comisión a un lobo y un cordero, sorprendiéndose sinceramente si el lobo volviera solo. Carecen de buen gusto y de aptitud para adquirirlo. Si el humilde guía de museo no los detiene con insistencia, pasan indiferentes junto a una madona del Angélico o un retrato de Rembrandt; a la salida se asombran ante cualquier escaparate donde haya oleografías de toreros españoles o generales americanos.

Ignoran que el hombre vale por su saber; niegan que la cultura es la más honda fuente de la virtud. No intentan estudiar; sospechan, acaso, la esterilidad de su esfuerzo, como esas mulas que por la costumbre de marchar al paso han perdido el uso del galope. Su incapacidad de meditar acaba por convencerles de que no hay problemas difíciles y cualquier reflexión paréceles un sarcasmo; prefieren confiar en su ignorancia para adivinarlo todo. Basta que un prejuicio sea inverosímil para que lo acepten y lo difundan; cuando creen equivocarse, podemos jurar que han cometido la imprudencia de pensar. La lectura les produce efectos de envenenamiento. Sus pupilas se deslizan frívolamente sobre centones absurdos; gustan de los más superficiales, de esos en que nada podría aprender un espíritu claro, aunque resultan bastante profundos para empantanar al torpe. Tragan sin digerir, hasta el empacho mental: ignoran que el hombre no vive de lo que engulle, sino de lo que asimila. El atascamiento puede convertirlos en eruditos y la repetición darles hábitos de rumiante. Pero, apiñar datos no es aprender; tragar no es digerir. La más intrépida paciencia no hace de un rutinario un pensador; la verdad hay que saberla amar y sentir. Las nociones mal digeridas sólo sirven para atorar el entendimiento.

Pueblan su memoria con máximas de almanaque y las resucitan de tiempo en tiempo, como si fueran sentencias. Su cerebración precaria tartamudea pensamientos adocenados, haciendo gala de simplezas que son la espuma inocente de su tontería. Incapaces de espolear su propia cabeza, renuncian a cualquier sacrificio, alegando la inseguridad del resultado; no sospechan que "hay más placer en marchar hacia la verdad que en llegar a ella".

Sus creencias, amojonadas por los fanatismos de todos los credos, abarcan zonas circunscritas por supersticiones pretéritas. Llaman ideales a sus preocupaciones, sin advertir que son simple rutina embotellada, parodias de razón, opiniones sin juicio. Representan el sentido común desbocado, sin el freno del buen sentido.

Son prosaicos. No tienen afán de perfección: la ausencia de ideales impídeles poner en sus actos el grano de sal que poetiza la vida. Satúrales esa humana tontería que obsesionaba a Flaubert insoportablemente. La ha descrito en muchos personajes, tanta parte tiene en la vida real. Hornais y Gournisieu son sus prototipos; es imposible juzgar si es más tonto el racionalismo acometivo del boticario librepensador o la casuística untuosa del eclesiástico profesional. Por eso los hizo felices, de acuerdo con su doctrina: "Ser tonto, egoísta, y tener una buen salud, he ahí las tres condiciones para ser feliz. Pero si os falta la primera todo está perdido".

Sancho Panza es la encarnación perfecta de esa animalidad humana: resume en su persona las más conspicuas proporciones de tontería, egoísmo y salud. En hora para él fatídica llega a maltratar a su amo, en una escena que simboliza el desbordamiento villano de la mediocridad sobre el idealismo. Horroriza pensar que escritores españoles, creyendo mitigar con ello los estragos de la quijotería, hanse tornado apologistas del grosero Panza, oponiendo su bastardo sentido práctico a los quiméricos ensueños del caballero; hubo quien lo encontró cordial, fiel, crédulo, iluso, en grado que lo hiciera un símbolo ejemplar de pueblos. ¿Cómo no distinguir que el uno tiene ideales y el otro apetitos, el uno dignidad y el otro servilismo, el uno fe y el otro credulidad, el uno delirios originales de su cabeza y el otro absurdas creencias imitadas de la ajena? A todos respondió con honda emoción el autor de la *Vida de Don Quijote y Sancho*, donde el conflicto espiritual entre el señor y el lacayo se resuelve en la evocación de las palabras memorables pronunciadas por el primero: "asno eres y asno has de ser y en asno has de parar cuando se te acabe el curso de la vida"; dicen los biógrafos que Sancho lloró, hasta convencerse de que para serlo faltábale solamente la cola. El símbolo es cristiano. La moraleja no lo es menos: frente a cada forjador de ideales se alinean impávidos mil Sanchos, como si para contener el advenimiento de la verdad hubieran de complotarse todas las huestes de la estulticia.

El resol de la originalidad ciega al hombre rutinario. Huye de los pensadores alados, albino ante su luminosa reverberación. Teme embriagarse con el perfume de su estilo. Si estuviese en su poder los proscribía en masa, restaurando la Inquisición o el Terror: aspectos equivalentes de un mismo celo dogmatista.

Todos los rutinarios son intolerantes; su exigua cultura los condena a serlo. Defienden lo anacrónico y lo absurdo; no permiten que sus opiniones sufran el contralor de la experiencia. Llaman hereje al que busca una verdad o persigue un ideal; los negros queman a Bruno y Servet, los rojos decapitan a Lavoisier y Chenier. Ignoran la sentencia de Shakespeare: "El hereje no es el que arde en la hoguera, sino el que la enciende". La tolerancia de los ideales ajenos es virtud suprema en los que piensan. Es difícil para los semicultos; inaccesible. Exige un perpetuo esfuerzo de equilibrio ante el error de los demás; enseña a soportar esa consecuencia legítima de la falibilidad de todo juicio humano. El que se ha fatigado mucho para formar sus creencias, sabe respetar las de los demás. La tolerancia es el respeto en los otros de una virtud propia; la firmeza de las convicciones, reflexivamente adquiridas, hace estimar en los mismos adversarios un mérito cuyo precio se conoce.

Los hombres rutinarios desconfían de su imaginación, santiguándose cuando ésta les atribula con heréticas tentaciones. Reniegan de la verdad y de la virtud si ellas demuestran el error de sus prejuicios; muestran grave inquietud cuando alguien se atreve a perturbarlos. Astrónomos hubo que se negaron a mirar el cielo a través del telescopio, temiendo ver desbaratados sus errores más firmes.

En toda nueva idea presienten un peligro; si les dijeran que sus prejuicios son ideas nuevas, llegarían a creerlos peligrosos. Esa ilusión les hace decir paparruchas con la solemne prudencia de augures que temen desorbitar al mundo con sus profecías. Prefieren el silencio y la inercia; no pensar es su única manera de no equivocarse. Sus cerebros son casas de hospedaje, pero sin dueño; los demás piensan por ellos, que agradecen en lo íntimo ese favor.

En todo lo que no hay prejuicios definitivamente consolidados, los rutinarios carecen de opinión. Sus ojos no saben distinguir la luz de la sombra, como los palurdos no distinguen el oro del *dublé*: confunden la tolerancia con la cobardía, la discreción con el servilismo, la complacencia con la indignidad, la simulación con el mérito. Llaman insensatos a los que suscriben mansamente los errores consagrados, y conciliadores a los que renuncian a tener creencias propias: la originalidad en el pensar les produce escalofríos. Comulgan en todos los altares, apelmazando creencias incompatibles y llamando eclecticismo a sus chafarrinadas; creen, por eso, descubrir una agudeza particular en el arte de no comprometerse con juicios decisivos. No sospechan que la duda del hombre superior fue siempre de otra especie, antes ya de que lo explicara Descartes: es afán de rectificar los propios errores hasta aprender que toda creencia es falible y que los ideales admiten perfeccionamientos indefinidos. Los rutinarios, en cambio, no se corrigen ni se desconvencen nunca; sus prejuicios son como los clavos: cuanto más se golpean más se adentran. Se tedian con los escritores que dejan rastro donde ponen la mano, denunciando una personalidad en cada frase, máxime si intentan subordinar el estilo de las ideas; prefieren las desteñidas lucubraciones de los autores apampanados, exentas de las aristas que dan relieve a toda forma, y cuyo mérito consiste en transfigurar vulgaridades mediante barrocos adjetivos. Si un ideal parpadea en las páginas, si la verdad hace crujir el pensamiento en las frases, los libros parécenles material de hoguera; cuando ellos pueden ser un punto luminoso en el porvenir o hacia la perfección, los rutinarios les desconfían.

La caja cerebral del hombre rutinario es un alhajero vacío. No pueden razonar por sí mismos, como si el seso les faltara. Una antigua leyenda cuenta que cuando el creador pobló el mundo de hombres, comenzó por fabricar los cuerpos a guisa de maniquíes. Antes de lanzarlos a la circulación levantó sus calotas craneanas y llenó las cavidades con pastas divinas, amalgamando las aptitudes y cualidades del espíritu, buenas y malas. Fuera imprevisión al calcular las cantidades, o desaliento al ver los primeros ejemplares de su obra maestra, quedaron muchos sin mezcla y fueron enviados al mundo sin nada dentro. Tal legendario origen explicaría la existencia de hombres cuya cabeza tiene una significación puramente ornamental.

Viven de una vida que no es vivir. Crecen y mueren como las plantas. No necesitan ser curiosos ni observadores. Son prudentes, por definición, de una prudencia desesperante: si uno de ellos pasara junto a campanario inclinado de Pisa, se alejaría de él, temiendo ser aplastado. El hombre original, imprudente, se detiene a contemplarlo; un genio va más lejos; trepa al campanario, observa, medita, ensaya, hasta descubrir las leyes más altas de la física. Galileo.

Si la humanidad hubiera contado solamente con los rutinarios, nuestros conocimientos no excederían de los que tuvo el ancestral hominidio. La cultura es el fruto de la curiosidad, de esa inquietud misteriosa que invita a mirar el fondo de todos los abismos. El ignorante no es curioso; nunca interroga a la naturaleza. Observa Ardigó que las personas vulgares pasan la vida entera viendo la luna en su sitio, arriba, sin preguntarse por qué está siempre allí, sin caerse; más bien creerán que el preguntárselo no es propio de un hombre cuerdo. Dirían que está allí porque es su sitio y encontrarán extravío que se busque la explicación de cosa tan natural. Sólo el hombre de buen sentido, que cometa la incorrección de oponerse al sentido común, es decir, un original o un genio —que en esto se homologan—, puede formular la pregunta sacrílega: ¿por qué la luna está allí y no cae? Ese hombre que osa desconfiar de la rutina es Newton, un audaz a quien incumbe adivinar algún parecido entre la pálida lámpara suspendida en el cielo y la manzana que cae del árbol mecido por la brisa. Ningún rutinario habría descubierto que una misma fuerza hace girar la luna hacia arriba y caer la manzana hacia abajo.

En esos hombres, inmunes a la pasión de la verdad, supremo ideal a que sacrifican su vida pensadores y filósofos, no caben impulsos de perfección. Sus inteligencias son como las aguas muertas; se pueblan de gérmenes nocivos y acaban por descomponerse. El que no cultiva su mente, va derecho a la disgregación de su personalidad. No desbaratar la propia ignorancia es perecer en vida. Las tierras fértiles se enmalezan cuando no son cultivadas; los espíritus rutinarios se pueblan de prejuicios, que los esclavizan.

Guadalupe Loaeza

El día de las madres

La publicidad solía pintarnos a las madres como dulces cabecitas blancas rodeadas del cariño de los hijos. Pero esa bellísima imagen no corresponde a todos los modelos de madre. Hay varios. Veamos aquí algunos ejemplos, describiendo su comportamiento en el día más bello del calendario.

Madre cursi. La mamá cursi se despierta muy tempranito sintiéndose más que nunca la estrella del hogar. Se mete al baño, se da una peinadita y con un pincel se pone unas ligeras chapitas. Baja a desayunar con su "mañanita" color durazno y con cara de moño espera a los niños y a su marido. Cuando ya están todos juntos, le cantan *Las Mañanitas*. Ella las escucha de la mano de papá y de la más pequeña. De pronto, deja escapar una leve lágrima y dice: "Ustedes son mi mejor regalo". Todos la abrazan y le dan los mejores obsequios, que realmente esperaba: un reloj Pelletier de París, una sanduichera Osterizer y una blusa de seda italiana de la boutique Frattina. La más chiquita le regala un marco en forma de corazón hecho en el colegio con pasta de sopa, y abrazándola muy fuerte le dice: "Mami, te quiero mucho".

Madre aprensiva. Como todos los días, amanece nerviosa y preocupada. Baja a la cocina y se pone a lavar las naranjas con agua electropura. Cuando ya tiene el desayuno listo llama a los niños y a su marido. "No se vayan a caer de las escaleras; pónganse sus pantuflas", les advierte nerviosamente. Los hijos bajan corriendo, cada uno con el regalo escondido tras las espaldas. "Muchas felicidades, mamá" exclaman, mostrándole la sorpresa. "Muchas gracias, mis hijitos. Pero ¿con quién fueron a comprar el regalo? ¿Se fueron en camión? ¿A qué horas regresaron? ¡Qué horror! Los pudieron haber asaltado saliendo del almacén. ¿Los acompañó su papá? ¡Qué barbaridad, no me digan que fueron solos! Hoy mejor no salimos, porque como los ladrones saben que es Día de las Madres, es cuando más roban las casas que se quedan solas", comenta mortificadísima.

Madre sufrida. Con una gran acidez en la boca del estómago recibe sus regalos, sufriendo más que nunca. Cuando le proponen comer todos juntos, explica: "Sí, yo encantada de comer con ustedes, pero yo no sé si ustedes tienen tiempo. ¿Cómo van a seguir gastando en mí? Mejor váyanse ustedes a comer sin mí. Yo me quedo aquí en la casa a cuidar a mis nietos. Allí quedó un poco del guisado de ayer, con eso me basta; además quisiera arreglar la covacha y la despensa. Váyanse ustedes y disfruten mucho, por mí no se preocupen", dice esta mamá.

Madre culposa. La culpabilidad de estas mamás es verdaderamente insoportable para sus hijos. Entre más las quieren y se lo hacen sentir, más se sienten culpables. "Gracias hijos, por quererme tanto. Ustedes sí que son buenos hijos. Si supieran lo mala hija que fui yo con mi madre. A mi abuela casi nunca la visité. Y si hubiera conocido a mi bisabuela, estoy segura de que no la hubiera querido. En el fondo siento que no sé ser madre. Seguramente tampoco seré una buena abuela. Espero morir antes de ser bisabuela para que mis bisnietos no me rechacen. Perdónenme, hijos míos, si no he sabido ser una buena madre, como ustedes son buenos hijos. No los merezco", acaba diciendo entre llantos.

Madre desmadre. Estas mamás son un verdadero relajo. Hasta en el Día de las Madres se hacen bolas. Cuando por la mañana sus hijos las felicitan, dicen: "Pero si hoy no es día de mi cumpleaños. Gracias de todas maneras. No sé por qué pensé que ya había pasado y a ustedes se les había olvidado". Cuando por fin descubren que es un día especial, se les ocurren los planes más complicados del mundo. "¿Por qué no nos vamos de día de campo al Popo? No, mejor vamos a desayunar al mercado de San Ángel. Ya sé, vamos todos a correr a la Tercera Sección de Chapultepec. O si quiere los llevo a Reino Aventura y yo les celebro el Día de las Madres". Finalmente, esta mamá se pasa toda la mañana hablando por teléfono, luego va corriendo al salón y llega a su casa a las 3:30 de la tarde. Como todos están de pésimo humor por haberla esperado, terminan comiendo en la casa y por la tarde se van a pasear a Perisur.

Madre liberada. Estas mamás son la buena onda; por lo general se burlan de este día y procuran no festejarlo. "Niños, ya me voy a una asamblea. Allí se cocinan lo que hay en el refrigerador. Si viene su papá, díganle que llego hasta la noche. Si salen, cierren bien la puerta y no se propasen con las novias. A ustedes, niñas, sí les doy permiso de propasarse", sugieren alegremente.

Madre realizada y feliz. Cuando se despiertan, gritan felices desde su recámara: "Gorditos, ya pueden entrar. Mis chaparritos lindos, trépense a la cama para que nos apapachemos todos juntos con papi". Cuando ya están todos trepados, no cesan de darles a sus hijos muchos besitos; los pellizcan, les hacen cosquillas y entre carcajadas les dicen: "Mis hijitos preciosos, cuando ustedes estaban en mi panza, yo era la mujer más feliz del mundo, y ahora soy la mamá más feliz del universo". Este día, a estas mamás tan felices les da por cocinar pasteles. Todo el día cantan. Y por la noche en su cama le dan gracias a Dios por haberles concedido el milagro de ser madres.

Madre insegura. "¿De veras me lo festejan a mí en lo personal, o nada más conservan la tradición?", les preguntan a sus hijos antes de abrir sus regalos. Cuando los ven preguntan: "¿Estaba de barata? Me regalan porque les doy lástima, ¿verdad? Porque ya me ven muy vieja y creen que me voy a morir muy pronto, ¿verdad?".

Madre mala y amargada. "Toc, toc", tocan a la puerta sus hijos. ¿Qué quieren? ¿Qué no ven que seguimos dormidos? Sí, ya sé, hoy es Día de las Madres. Ya les he dicho que eso es una cursilería. Es pura hipocresía por parte de los hijos. Y por favor no me vayan a regalar nada, ¿eh? Ni mucho menos trabajitos bordados de la escuela, que por lo general están muy mal hechos y luego no sé qué hacer con ellos". A regañadientes acepta ir a comer al restaurante. Allí a las hijas casaderas les dice con toda su amargura: "Tus amigas *casadas* ahorita están con sus hijos y sus *ma-ri-dos*. Tú ya no estás para escoger, estás para arrebatar lo que haya. Cuando yo tenía tu edad, ya habían nacido Rafaelito y Carmelita". Cuando por fin logra hacerlas llorar, agrega: "¿Para esto me invitaron a comer? ¿Para hacerme pasar corajes? Mira nada más que fea te ves llorando. Así ¿quién se va a querer casar contigo?", pregunta con una sonrisita.

Como se ve, no es cierto que madre sólo hay una.

Jorge Mañach

Una cultura de la sensibilidad

Frente a la cultura sajona así modulada en la América del Norte, ¿cómo se perfila la de la tradición hispánica en los países de nuestra estirpe?

Si la fórmula no resultase peligrosamente mecánica, diríamos que los acentos se invierten —para bien y para mal. Nótese, empero, que digo los acentos: esto es, no los valores mismos, sino la jerarquía que les otorgamos. Al Norte, como acabamos de ver, los cimeros en la escala de preferencias son los que dependen de la voluntad principalmente; al Sur, los que dimanan de la sensibilidad, en el amplio sentido en que he venido usando esta palabra para incurrir no sólo la receptividad estética, sino también la ética o de conciencia y la contemplación de las ideas como objetos de interés por sí mismas, sin referencia a su valor práctico. Justamente esta suerte de esteticismo moral e intelectual, es una de las modulaciones que la América llamada latina sobrepuso al legado español.

El meollo del alma peninsular se formó en la lucha de la Reconquista, que naturalmente conllevó una compenetración de lo religioso y lo político. Constituida ya la nación, las instancias realistas de la vida cotidiana tuvieron que disciplinarse bajo las consignas ideales que durante ocho siglos habían animado aquel empeño histórico. Las letras mismas son un testimonio de esa integración. La dualidad realista-idealista que en la *Celestina* aún vemos escindida en polos contrapuestos, rebasa el humanismo esteticista del Renacimiento y desemboca, a través de la picaresca por un lado, de la mística por otro, en la síntesis del *Quijote* y del teatro de los Siglos de Oro.

Esa misma dualidad, ya en vías de integración, la trajeron a América los conquistadores y los misioneros; pero el ambiente físico y social del Nuevo Mundo tendió a frustrar una confluencia semejante a la de la Península. Pasado el momento inicial de la Conquista, la vastedad del territorio y la distancia de España, acabaron por relajar la cohesión de intereses que la acción había impuesto. En las regiones donde el criollo tuvo que seguir por muchos años batallando con el indio como ocurrió en Chile, la tónica social sería más enérgica y dinámica, reflejándose en una mayor organicidad política en cierta sobriedad de las costumbres y en una tendencia de las letras a lo histórico y didáctico más que a lo humanista y poético. Recuérdese la famosa polémica entre Andrés Bello y Sarmiento. En cambio los virreinatos, que asimilaron al indio aunque sólo fuese para relegarlo a planos sociales inferiores, desarrollaron una cultura señoril, paramental, imitadora de los formalismos peninsulares. Ello no fue óbice para que al fondo de ella se sedimentase la melancolía de la raza subyugada, cuya sensibilidad, predominantemente estética, se manifestó en las artes populares y a veces se ingirió oblicuamente en los pórticos y altares barrocos. Por esta doble vía, pues, la cultura de casi toda nuestra América quedó impregnada de formalismo.

Poco a poco, sin embargo, la masa criolla fue dando de sí una minoría "culta" en el sentido superior de la palabra —ávida de sustancia histórica y de ideas más universales. Deslumbrada desde la segunda mitad del siglo XVIII por el lejano resplandor de "las luces" que Carlos III había dejado penetrar en la península misma, esa minoría provocó el despertar de la famosa "siesta colonial". Las grandes nuevas de la revolución norteamericana primero y de la francesa después, aguzaron el sentido crítico. Una impaciencia de futuro se sobrepuso al secular estatismo, denso de tradición y rutina. Se sintió el desmedrado escolasticismo como una rémora. En la conciencia de los criollos ilustrados se insinuó ya vagamente la idea de que América —toda la América— era la tierra prometida por las utopías renacentistas a la humana esperanza. Todo ello proveyó el germen espiritual de la independencia.

La lucha emancipadora dejó tras sí sociedades dramatizadas por la pugna entre las viejas lealtades y el nuevo espíritu "liberal". Hízose el ámbito social más abierto y más dinámico. Derrumbáronse las antiguas jerarquías, abatidas por la tendencia niveladora propia de los impulsos democráticos. En los campos de batalla cobraron derechos el criollo rural y los mestizos y negros de las ciudades. Como los soldados de Napoleón, muchos de los primeros llevaban en la mochila bastón de mariscal y llegaron a caudillos. Esa expansión de las posibilidades humanas formó el ambiente de las nuevas repúblicas. La persona devino menos centrada en sí misma, más pronta a la polémica, pero también a la convivencia, a la simpatía en el sentido moral de la palabra. No fue ya la dignidad cosa de raza o de casta, sino categoría de todos.

En la etapa formativa subsiguiente, la pasión política absorbió energías sociales. Sobre la autoridad y la disciplina, cobró preeminencia la rebeldía. El poder público, falto de los sustentáculos tradicionales, se generaba de ella misma. Pocos otros frenos podían moderarla. Las jerarquías habían quedado adscritas al viejo régimen. No tenía aún la instrucción pública dimensión social efectiva. Los impulsos instintivos primaban. Hasta la religiosidad estaba en crisis: cedía en las clases ilustradas a un incipiente naturalismo; en las demás carecía ya de aquel sentido imperioso, casi dramático que en España suele tener. A la sensibilidad ética de la raza se sobreponía en la minoría más culta una sensibilidad política y estética. Puede decirse que América fue romántica *avant la lettre*. Barrida la tradición escolástica y muy a la defensiva la tradición clásica, el vacío que ellas dejaron lo llenó tempranamente aquella nueva emoción, tan nutrida en la misma Europa, de imágenes americanas. Sobrevino más tarde la oleada positivista sin que lograra vencer el desgano de lo científico; pero nuestra cultura superior se ensanchó de curiosidades y cosmopolitismos que sirvieron como de tamiz a aquella sustancia romántica. De todo eso se hizo, en buena parte, el movimiento modernista con que nuestras letras se adelantaron por primera vez a las de España.

No cabe dudar que el lapso de más de medio siglo transcurrido desde entonces, ha traído al estilo general de vida de la América Latina muchas innovaciones. No podía ser de otra suerte, abiertas como están esas sociedades jóvenes a influencias y solicitaciones cuyas vías de acceso se han ido haciendo cada vez mayores. Por otra parte, una de sus características ha llegado a ser precisamente la tendencia a subordinar la tradición a la vocación, la reverencia del pasado a la impaciencia de futuro. En el fondo, sin embargo —y el fondo es siempre lo que más importa a los efectos de una caracterización— sigue siendo la nuestra una cultura más subjetiva, más centrada que la del Norte en la persona y en la sensibilidad. Si quisiéramos tener una representación concreta de ese parangón, la podríamos hallar en la traza distinta que tradicionalmente muestran las respectivas poblaciones. El esquema elemental de una pequeña ciudad típica de los Estados Unidos consiste en unas cuantas calles principales y paralelas que se impulsan rectas como ávidas de una frontera lejana: es el patrón de Gopher Prairie en *Main Street* la famosa y arquetípica novela de Sinclair Lewis. En cambio, la ciudad latinoamericana tiene por semilla una plaza central con una iglesia, y en torno a ella un dédalo más o menos arbitrario de calles y callejas. Nuestras ciudades se "modernizan" en la medida en que nuevas formas de vida las obligan a suplementar este patrón con el de los Estados Unidos; pero todos sentimos que lo característico nuestro es el viejo cogollo urbano.

Ese autocentrismo germinal de nuestras villas y ciudades es también lo nuclearmente representativo de nuestra cultura, a despecho de los aditamentos de modernidad. Cultura centrípeta, radicada en la propia intimidad; cultura de fruiciones, más que de empeños; de principios y de gustos, más que de fines, responde al concepto de la vida no como empresa, como una ocasión de hacer, sino como un fin en sí, como una oportunidad de *ser*. Esperamos de la vida todos los días aquello que los norteamericanos se reservan para cuando estén retirados de los negocios. Creo que eso nos da una capacidad de disfrute que, en general, nos hace más felices. Pero ello no significa necesariamente una mayor frivolidad de nuestra parte. La vida es para nosotros un espectáculo en el que gustamos de ser, a la vez, actores —y actores apasionados. No somos, por tanto, incapaces para la acción, sino que los actos y los hechos que preferimos son aquellos que nos mueven el alma. Al latinoamericano castizo, una delicada costumbre la personalidad de un hombre público, a menudo un paisaje o un gran gesto de dignidad, suelen interesarle más intensamente que un negocio, una fábrica o un nuevo invento.

Desde luego, los valores que tales preferencias implican son a veces universales, aunque las preferencias mismas tengan un carácter de peculiaridad. La belleza de una obra de arte no es menos universal que la fórmula esclarecedora de un problema científico, porque la fruición de la una y el descubrimiento de la otra, suponen la actividad de las funciones más nobles y más características del espíritu humano. Aparte las realizaciones egregias que la cultura superior latinoamericana ha dado ya en el campo de las letras y del arte, desde Sor Juana Inés y Alarcón hasta Darío y Vallejo, creo justo señalar calidades sociales de alto valor humano que a menudo pasan inadvertidas o sin loa suficiente. Centrada excesivamente en la persona, esa cultura nuestra es, por lo mismo, pródiga en esas afirmaciones ejemplares de la personalidad que enriquecen el panorama humano. En los niveles cimeros, esas personalidades se han mostrado a lo largo de nuestra historia capaces de disparar su pasión y su pensamiento hacia la acción heroica, fecundadora de pueblos. Transida de simpatía en el sentido más profundo de la palabra, siente el alma latinoamericana como pocas otras la dignidad de lo humano, habiendo llegado, por ejemplo, en las relaciones interrraciales, a una solidaridad sin esfuerzo, que hoy más que nunca puede servirle de ejemplo al mundo. Son los nuestros, en lo social y político, pueblos ávidos de justicia y de libertad, y pocos son los que hayan derramado tanta sangre por ellas. Si en esos planos de la acción pública los particularismos a veces nos agitan y enconan en exceso, en cambio nuestro común vivir se muestra exento del frenesí, la esperanza y la angustia que a otras civilizaciones aflige.

Por lo demás, no hemos de disimular nuestras limitaciones. Al igual que la cultura del Norte, tiene la nuestra las deficiencias y los excesos que corresponden a sus resortes más decisivos. El matiz egotista de nuestro individualismo tiende a adscribir los valores a la persona con detrimento de la colectividad. De ahí la pasión un poco anárquica de la libertad, a que ya he hecho referencia y otros vicios políticos, como el caudillismo, el fulanismo, el particularismo sectario. La subordinación excesiva de los fines a los principios abstractos, se traduce en un presentismo escaso de visión de futuro y en un desdén de la realidad exterior que sirve más a las teorizaciones vanas que al sentido práctico y que si bien nos protege —aunque no tanto como blasonamos— del excesivo aprecio a los bienes materiales, también nos impide compartir aquel "sentido reverencial del dinero" que Ramiro de Maeztu no dejaba de admirar en los anglosajones como acicate de la acción económica creadora.

Hasta un espíritu tan poco inclinado como el de Martí a los juicios negativos al respecto, deploraba —por cierto, en uno de sus trabajos divulgados— esas fallas del latinoamericano. Tienen nuestros pueblos, decía, la pasión por la libertad, pero la sienten como un deber; como una dimensión o desiderátum personal y no como un medio para la realización del bienestar general, que es la condición de que perdure la libertad personal misma. Y en relación con el otro extremo a que acabo de referirme, añadía que en nuestra América "la fuerza de la pasión" ha solido ser "más grande que la fuerza del interés"; "se desprecia el dinero; se adora la idea". Terminaba diciendo que lo que presagiaba días mejores para esas repúblicas era, que tan contrarios impulsos comenzaban a nivelarse, "lo cual sería útil durante algún tiempo, para compensar con el exceso temporal de una fuerza lo que hay de permanente en la otra". Tenemos que reconocer por nuestra parte, que ese presagio se está cumpliendo y que ya no tenemos tanto fundamento como antes para enrostrarles a los norteamericanos su "materialismo".

Del plano medio en que tales rasgos se acusan, nuestra cultura superior o de minoría está como desasida y, sin embargo, le es profundamente afín. Al pragmatismo del Norte opone un excesivo énfasis en los criterios teóricos y en los gustos estéticos. Nuestras universidades siguen siendo, por lo general, bastante retóricas y rutinariamente diplomadoras. La literatura, el arte, muestran entre nosotros más finura de la sensibilidad que energía creadora o crítica. En fin, a esta cultura superior sólo por la juventud de nuestros pueblos, podría excusársele lo que ya en la de España es inveterado: no ha hecho adelantar en ninguna apreciable medida las ciencias de la naturaleza y la tecnología. En este terreno, es una cultura parasitaria.

Hace algunos años, Giovanni Papini nos irritó bastante a los latinoamericanos con el reproche de que no habíamos contribuido nada sustancial a la gran tarea del mundo. Podríamos decir —recordando el distingo de Unamuno— que al escritor italiano le faltaba menos razón que justicia. Ya hemos visto cómo nuestro proceso histórico nos obligó a invertir las mejores energías en rehacernos desde una tradición refractaria a la vocación que los nuevos tiempos habían suscitado en nosotros mismos. Verdad que teníamos la ventaja de ser herederos potenciales del ejemplo y el fruto de las cuatro grandes mutaciones históricas modernas: el Renacimiento y la Reforma, la revolución democrática y la revolución industrial. Pero esto mismo suponía el tener que asimilar de golpe todo lo que a la cultura occidental le había llevado cuatro siglos hacer, y todas nuestras peculiares circunstancias físicas, demográficas, sociales y económicas obstaban a la rapidez de esa asimilación. De no haberse visto requeridos ante todo por los menesteres inmediatos, ¿qué no hubieran podido dar de sí, en el orden de la creación "pura", intemporal, universal, hombres como Bolívar y Bello, como Sarmiento y Alberdi, como Juárez y Justo Sierra, como Montalvo y Hostos, como Martí y Varona —y tantos y tantos talentos más, que se consumieron en la tarea generosa de liberar y organizar a nuestros pueblos, de educarlos y echarlos hacia delante?

No he de incurrir, sin embargo, en la debilidad que deploraba al final de mi conferencia anterior: la de disimular responsabilidades. Cuando hayamos aducido todas las circunstancias atenuantes, quedará aún como verdad incontestable que estamos atrasados en toda aquella parte de la tarea histórica que no corresponde a la sensibilidad, sino a las demás facultades del espíritu. Para enjugar ese déficit, tenemos que reorientar mejor nuestras propias fuerzas y fecundarnos a nosotros mismos con la emulación de ajenos ejemplos.

Dije antes que si algún criterio hay para semejante evaluación tendrá que apoyarse en la suma de valores universales que cada cultura contenga, entendiendo por tales los que en mayor medida realicen las aptitudes y aspiraciones del hombre como ser de razón, de sensibilidad y de conciencia. Precisamente es esta triple dimensión del espíritu humano lo que hace tan difícil el jerarquizar las culturas, pues aun a las de más alta alcurnia les ocurre que cada cual se polarice hacia su orden preferido de valores. Por otra parte, la apreciación de "los otros" suele verse sujeta a oscilaciones determinadas por los cambios en la problemática general del mundo, y a veces hasta por cierta pendularidad en la estimativa histórica.

Desde el siglo XVIII por lo menos, y más acusadamente desde el ocaso del romanticismo y el auge positivista, el valor razón ha estado en alza. A eso en buena parte se debe el prestigio de lo que llamamos cultura occidental, pues si bien ésta se ha caracterizado siempre por su integridad, no cabe duda que han primado en ella los valores fáusticos. Como estos valores racionales son precisamente los que más se han acentuado en la cultura anglosajona, que además ha sabido extremarlos en su aplicación técnica dándoles una vasta proyección popular de servicialidad, es natural que esa cultura haya llevado la voz cantante en el mundo desde hace más de medio siglo.

Ya en nuestros días, sin embargo, ese auge ha hecho crisis. La experiencia de dos guerras y toda la problemática social que ellas engendraron, han inducido a muchos espíritus reflexivos a pensar en la insuficiencia de un saber científico y técnico que no ha logrado orientar el mundo hacia la consolidación de la paz, la seguridad y la libertad. Cada día se oye hablar la crisis de Occidente, y muchos aventuran la convicción de que el malestar contemporáneo se remediaría dándoles mayor acogida a los valores espirituales de la cultura oriental, que en último análisis son los de sensibilidad y conciencia. Lo que el hombre de hoy ha menester —se dice— es un no al alma, a la espiritualidad. Con juicio aún más próximo a lo nuestro, ¿no se ha oído también afirmar, y nada menos que a un Karl Vossler, que España —la vieja España de la proverbial "decadencia"— es "la reserva moral del mundo"? ¿No se ha resucitado la tesis ganivetiana de su "virginidad", que paradójicamente viene a significar la aptitud para contribuir a la fecundación de una nueva época más humana y generosa?

Debo decir que, con todo lo que de halagadores tienen tales dictámenes, no creo prudente suscribir de un modo absoluto los remedios que proponen. Aunque ese criticismo opera todavía principalmente en un plano filosófico, hay ya sobrados indicios de que en las vigencias culturales efectivas, el primado de la razón está cediendo a un auge cada vez más peligroso de la pura irracionalidad y de un vitalismo ciego. Huizinga, Rusell, Sorokin, Massis y tantos más, se han sentido urgidos a denunciar frente a los nuevos románticos, la falta de responsabilidad intelectual, moral o estética patente en ciertas expresiones de nuestro tiempo, desde las costumbres hasta la filosofía, la política y el arte. El péndulo se ha ido al otro extremo.

Quedarse instalado en él significaría también una mutilación de lo humano, otro modo de entregarse a la pura espontaneidad, tan fértil en improvisaciones y arbitrariedades de toda laya. Si es verdad que so capa de practicismo, de cientificismo, de eficacia, se le han infligido no pocas violencias al orden moral, no lo es menos que el llamado "idealismo", o la beatería que a menudo se esconde tras la invocación de "valores espirituales", tampoco tiene la conciencia limpia de hipocresías y dejaciones.

Aunque la conclusión resulte muy convencional y trillada, sigue siendo cierto que la más segura esperanza de mejoramiento humano reside en la vieja consigna griega de la armonía. Razón y sensibilidad son funciones mutuamente complementarias, en cuya integración se logra lo mejor del hombre. Si la primera analiza las estructuras y secuencias de lo real, es la sensibilidad moral y estética quien valora esa realidad y sugiere los modos de abrirle cauce en ella al mejor destino humano; es la conciencia quien dicta, por ejemplo, que la novísima ciencia nuclear ha de servir para el bien de la humanidad, y no para su estrago. No menos que los Einstein y los Edison serán siempre necesarios los Rilke y los Tagore. Los acentos exclusivistas a favor de cualquiera de aquellas dimensiones del espíritu en detrimento de las demás, no representan sino preferencias históricas pasajeras. La gran tarea humana del futuro es aprender a regir, a través de la cultura, la historia; sustraer ésta a las reacciones cortas, y más aún a la ciega mecánica de un ritmo pendular. Lograr, en fin, síntesis cada vez más altas y más hondas entre las tesis y las antítesis que de continuo pretenden avasallarla.

ENSAYO
HISPANOAMÉRICA
Cuba

Jorge Mañach

Para un arte de escribir

Evidentemente, escribir es sólo cuestión de tener algo que decir y de decirlo lo mejor posible. Por lo tanto, de substancia y de forma.

Prescindamos por el momento de lo que resulta anterior aún a eso, que es la preparación general, el fondo de cultura y de adiestramiento específico indispensable para tener algún depósito contra el cual girar. Sobre eso vendremos luego, aunque sea previo. Asumamos que ese fondo existe en mayor o menor medida, y que nuestro escritor en ciernes experimenta unas ganas irresistibles de expresarse literariamente. Lo primero, repito, en este trámite, es lo que se quiere decir: la substancia.

La substancia puede ser de índole muy varia; substancias de pensamiento, substancias de cosas o substancias de emoción. En otras palabras: el escritor se pone ante la cuartilla como un meditador, como un "reportador" o como un poeta... aunque sea en prosa. Obviamente, el trance menos severo es el del que llamo "reportador". Tiene éste el mundo, o una parcela de él, frente a sí. Las cosas que se propone entresacar de él y revelar o destacar al lector están ahí: es sólo cuestión de elegirlas con acierto, por lo que tienen de insólitas o, al contrario, de características; por lo que tienen, en todo caso, de significativas. Si no ve eso, no vale la pena que escriba. El escritor es por definición, un señor que cree ver más o mejor que los demás. No hay modo de quitarle al oficio esa vanidad. Y ya el ver claras las cosas significativas, el verlas con su propio perfil, no es poca substancia. De los buenos informadores, entran pocos en libra.

Otro modo de substancia es la emoción que se experimenta ante las cosas o por la ausencia y nostalgia de ellas. Es la materia del poeta; del escritor de sensibilidad o el escritor de fantasía. El primero es el que se conmueve con presencias; el segundo, el que se emociona con ausencias. Aquél podrá informar primero de las cosas que le impresionan, como en el caso del cronista o del narrador, pero lo más importante de su materia será siempre la herida que ellas hacen en su sensibilidad, y su acierto expresivo consistirá en respirar por esa herida. El segundo se crea un mundo a su gusto o su angustia. Tendrá que ser un mundo interesante, un mundo en que el aleteo de su fantasía sea bastante vigoroso para despertar la fantasía que los demás hombres llevan dormida.

Y finalmente, está el escritor cuya materia es el pensamiento. Se parece mucho al escritor emotivo; sólo que en él la sensibilidad es de la inteligencia y de la conciencia, y consiste en la aptitud para reaccionar con ideas ante las cosas del mundo, o ante las ideas mismas de él y de los demás.

Es evidente que esas substancias —imágenes de cosas, emociones, ideas—, se tienen o no se tienen cuando se va a escribir. No sé que haya ninguna fórmula para hacerse de ellas, para agenciárselas a la fuerza. La cultura contribuye mucho a esa dotación; pero si no va acompañada de sensibilidad, la cultura por sí sola no vale. Hay mucha gente cultísima que no sabe escribir, no ya porque carezca de la técnica del caso, a que luego me referiré, sino porque tiene lo que pudiéramos llamar la cultura pasiva, sin vibración de sensibilidad bastante para irradiar las substancias de ella. Miran, sienten y piensan para sí. La experiencia del mirar, el sentir y el pensar no los llena y estremece al punto de que necesiten desbordarse en la comunicación literaria. El escritor genuino es siempre una sensibilidad que no puede contenerse. Por eso generalmente se les paga tan mal.

Una vez en posesión de esa materia efusiva, el problema del escritor es precisamente la efusión; cómo expresarla, cómo sacársela de dentro y darle un cauce comunicativo. Y aquí me parece que no hay más que dos vías posibles: la de la inspiración y la del método.

La inspiración es un modo de expresarse que, misteriosamente, se ordena a sí mismo. Es propio de los escritores poéticos, pero no patrimonio exclusivo de ellos. Hay días en que también el reportador ve las cosas más significativas que nunca; impudorosamente parecen mostrarle de por sí su perfil desnudo y agruparse en su justa jerarquía, sin que haya más que trasladar al papel su misteriosa espontaneidad. También el meditador habitualmente afanado tras la esquivez y sutileza de los conceptos, tiene días en que éstos se le echan encima como un rumoroso enjambre y le punzan lo más delicado de la conciencia, como si quisieran incitarle al hallazgo y la plenitud. En esos días, se dice que se está "inspirado".

Vaya usted a saber de qué depende eso. A lo mejor, de una buena digestión, de una víspera de sueño reparador. O tal vez de un culto destilamiento que lentamente se ha ido produciendo entre los cuarzos del espíritu.

La inspiración, pues, es un estado de gracia. Lo mismo le puede sobrevenir al escritor novicio que al veterano. Los poetas dependen casi enteramente de ella (por eso escriben tan poco... si son poetas de verdad). Los demás, no pueden depender de cosa tan adventicia, sobre todo si son escritores profesionales. Cuando las imágenes y las ideas no hallan su camino de por sí, no hay más remedio que abrírselo. Esto es lo que se llama metodizar la expresión. Método significa, como es sabido, camino.

Permítaseme tomar el ejemplo que me es más cercano en este momento. Mientras esto escribo, ando un poquillo afortunado. Mal que bien, esto va saliendo con cierto orden, sin que yo hiciera demasiado plan previo de expresión. Sencillamente, antes de ponerme a escribir, puse en una cuartilla, a la carrera, diez o doce renglones de tipo telegráfico, con las ideas y las fórmulas verbales que de entrada se me ocurrieron acerca del tema. Como no tenían orden espontáneo alguno, se lo he ido dando al escribir. Pero mucho más a menudo ocurre que uno no está tan "de vena"; y entonces sí hace falta un esquema previo de lo que se va a decir, un "esqueleto" en que los conceptos se jerarquizan y articulan lógicamente. He aquí, pues, una primera recomendación para el novicio que quiera irse habituando a la expresión ordenada, sobre todo en el campo de las ideas. Solamente cuando uno ya se ha disciplinado un poco en eso, puede confiarse con alguna soltura "a lo que salga".

Pero nunca hay que confiarse demasiado. "Lo que sale" es, frecuentemente, lo que cuesta menos trabajo. Aquello de la línea de menor resistencia también opera en esto de escribir. Cierto abandono ha sido siempre característico del escritor hecho. Como el elegante de raza, éste lleva sus prendas con naturalidad y soltura, hasta con cierta displicencia. El "empaque" es una calamidad, en el escribir como en todo; la retórica no es otra cosa que el estilo de "empaque" o empaquetado. Pero no hay que exagerar la cosa. No hay que olvidar, sobre todo, que para poder llegar a esa soltura y abandono, es necesario haberse formado antes, por la disciplina, por la vigilancia severa de la propia expresión, una especie de instinto de lo que está bien. Nada hay más peligroso para el novicio que querer escribir "fácilmente" antes de tiempo. De ahí proceden a menudo la vulgaridad, la superficialidad, el simplismo, el contentarse con lo que buenamente "sale". Decía un buen pintor español, Casado del Alisal, que "el poco más o menos nunca ha hecho buenos artistas".

Hay un "lugar común" en la expresión como lo hay en las emociones y en las ideas. Se trata en ambos casos, de lo consabido y sobado. Lo malo de la literatura novicia no suele estar tanto en una falta de discreción en lo que se dice, o de corrección en cómo se dice, sino en que tiene una luz mortecina, de reflejo de imágenes ajenas, un acento de eso, una tibieza ingrata de "almohada en que ya se ha dormido", como decía Eugenio d'Ors. Huirle demasiado a eso puede producir cierta afectación. ¡Recuerdo que Gabriela Mistral me prevenía contra ello hace años! Pero ella misma nunca dejó de ser una cuidadora de su decir. Más vale comenzar por el excesivo miramiento que por el abandono, que sólo viene con el tiempo.

Eso no significa que busquemos laboriosamente la singularidad "inimitable" de la expresión, sino la precisa lealtad de ella. Así como, en lo que toca a la substancia, la originalidad absoluta no es condición ineludible (pues si lo fuera serían muy contados los escritores en el mundo) y lo que importa es que nuestra substancia esté sinceramente vista, sentida o pensada (ya dijo Martí que lo sincero es siempre nuevo), así también, en el estilo, la distinción resulta, no del esfuerzo por no parecerse a nadie, sino por parecerse a uno mismo, por decir con fidelidad lo que tenemos dentro. Esa fidelidad nos obliga, no a "rebuscar" las palabras y los giros, pero sí a buscar los que sean justos, y, antes que nada, a asegurarnos de que tenemos las emociones vivas o las imágenes y conceptos claros a que aquéllos han de responder.

El estilo está hecho de palabras ordenadas y combinadas. Lo primero, por tanto, son los vocablos que empleamos. Han de ser precisos; mientras más precisos, mejor. A veces hay que sacrificar la precisión a otras consideraciones (la evitación del mal sonido o de la mala sugerencia, la necesidad de entenderse sin demasiado esfuerzo), pero en general es buen cuidado darle a cada cosa su nombre y a cada acción su verbo y a cada cualidad su adjetivo. Para eso están las palabras en el diccionario, para usarlas, y ya dijo alguien —creo que fue Rubén Darío— que el escritor tiene que haberse ejercitado en recorridos heroicos a través del diccionario. En nada se ve tanto la calidad de un escritor como en esa aptitud para encontrar en cada momento y para cada substancia la palabra justa que la pone al descubierto. Dime, por ejemplo, cómo adjetiva un escritor y te diré qué esmero ha llegado a alcanzar en el oficio.

Las combinaciones de palabras son la sintaxis, los giros, las imágenes. La sintaxis no es más que la urbanidad de la expresión: las buenas formas elementales, nada más. Ya en ella, sin embargo, puede haber cierto miramiento a la elegancia. Por ejemplo, un escritor que emplea varios "que" en una sola oración, puede que esté expresando con toda corrección, pero es seguro que la frase le saldrá tan rígidamente articulada como una regla de carpintero. Los giros son peculiares agrupamientos de palabras que el idioma ofrece, y se los busca y usa igual que las palabras, pero menos para la precisión que para la gracia en el decir. Esta gracia a menudo consiste en saber llevar a la expresión un elemento oportuno de sorpresas, por el cual queda el lector aliviado y como divertido ante lo que no esperaba. En fin, las imágenes —formas varias de comparación— son una gran cosa, a condición de no embriagarse con ellas. Como todo en el estilo, deben tener una eficacia funcional, no de mero adorno yuxtapuesto, sino de virtud comunicativa. Todavía nos queda en Cuba mucho exceso de imaginismo o de imaginería que contrajimos exagerando el ejemplo de Rodó.

Hay dos reglas de oro del estilo, que se deben respectivamente a Azorín y a don Ramón Menéndez Pidal. El primero advierte que escribir bien no consiste más que en decir una cosa después de la otra. Esto es, en ordenar la substancia y la expresión en que cada cosa quede bien claramente expuesta antes de pasar a la que de ella depende; en no hacerse líos. Menéndez Pidal piensa sobre todo en la sobriedad. En el buen estilo, dice, "todo lo que no hace falta, sobra". Creo que con esas dos reglas basta para escribir bien, supuesta la substancia.

¿Qué cómo se va uno adiestrando en todo eso? Pues, por lo pronto, leyendo mucho, leyendo bien y leyendo de lo bueno. Leer "bien" quiere decir no resbalar simplemente sobre lo que se lee, sino ponderarlo, tomarle el gusto, hacerse cargo del contenido y del modo como se ha expresado. Lo "bueno" es lo que se recomienda por su prestigio en la república de las letras y, en la duda, lo que se celebra en algún buen manual de historia literaria. Casi nunca lo bueno es lo que anda popularizado como tal: Vargas Vila, por ejemplo. De los clásicos del propio idioma, lo más que se pueda. Nunca demasiado, porque aburren al novicio. Y a veces a los que no lo son. Lo que se ha de aprender de ellos no es a escribir en arcaico o en castizo, sino a escribir con vigor, gracia y frescura.

El aprendiz esforzado puede hacer algo más que leer. Puede someterse a ejercicios literarios paralelos, empapándose bien de una página cualquiera de un buen autor, pero sin aprendérsela de memoria, y tratando luego de escribir esa página por su cuenta, como si fuese substancia suya. Compare lo que escribió con lo que el autor dijo. La diferencia es casi siempre iluminadora.

En fin, hay que escribir para uno mismo antes de publicar. Quien llega a ser escritor, siempre se arrepiente de lo que publicó en sus comienzos, y quisiera poder borrarlo de su bibliografía. Hay que escribir mucho para sí, y tal vez para algún amigo severo; romper todo lo que no resulte satisfactorio; lo que sí, guardarlo en una gaveta para leerlo al año siguiente... y destruirlo entonces. El arte de escribir se aprende con muchos pequeños heroísmos como ése. Y nunca se aprende del todo.

Ángeles Mastreta

La mujer es un misterio

Hay una estampa que guarda el más importante archivo fotográfico de la Revolución Mexicana, por la que camina hacia cualquier batalla un grupo de revolucionarios montados a caballo. Altivos y solemnes, con sus dobles cananas cruzándoles el pecho y sus imponentes sombreros cubriéndoles la luz que les ciega los ojos y se los esconde al fotógrafo, parece como si todos llevaran una venda negra a través de la cual creen saber a dónde van.

Junto a ellos caminan sus mujeres, cargadas con canastas y trapos, parque y rebozos. Menos ensombrecidas que los hombres, marchan sin reticencia a su mismo destino: los acompañan y los llevan, los cobijan y los cargan, los apacientan y los padecen.

Muchas veces las mujeres mexicanas de hoy vemos esa foto con la piedad avergonzada de quien está en otro lado, pero muchas otras tenemos la certidumbre de ser como esas mujeres. De que seguimos caminando tras los hombres y sus ciegos proyectos con una docilidad que nos lastima y empequeñece. Sin embargo, hemos de aceptar que las cosas no son del todo iguales. Creo que con la prisa y la fiebre con que nos ha tocado participar, padecer y gozar estos cambios, ni siquiera sabemos cuánto han cambiado algunas ideas y muchos comportamientos.

Muchas de las mujeres que viven en las ciudades trabajan cada vez más fuera de sus casas, dejan de necesitar que un hombre las mantenga, se bastan a sí mismas, se entregan con pasión y con éxito a la política y al arte, a las finanzas o la medicina. Viajan, hacen el amor sin remilgos y sin pedirle permiso a nadie, se mezclan con los hombres en las cantinas a las que antes tenían prohibida la entrada, deambulan por la calle a cualquier hora de la noche sin necesidad de perro, guardián o marido que las proteja, no temen vivir solas, controlan sus embarazos, cuidan y gustan de sus cuerpos, usan la ropa y los peinado que se les antojan, piden con más fuerza que vergüenza la ayuda de sus parejas en el cuidado de los hijos, se divorcian, vuelven a enamorarse, leen y discuten con más avidez que los hombres, conversan y dirimen con una libertad de imaginación y lengua que hubiera sido el sueño dorado de sus abuelas.

Estamos viviendo de una manera que muchas de nosotras ni siquiera hubiéramos podido soñar hace veinticinco años. Comparo por ejemplo el modo en que las mujeres de mi generación cumplíamos quince años, y el modo en que los cumplen nuestras hijas.

Algunas de las mujeres jóvenes que viven en el campo también han empezado a buscarse vidas distintas de las que les depararía el yugo que nuestros campesinos tienen sobre sus mujeres, mil veces como la consecuencia feroz del yugo y la ignorancia que nuestra sociedad aún no ha podido evitarles tampoco a los hombres del campo.

Muchas de ellas son capaces de emigrar sin más compañía que su imaginación, y llegan a las ciudades con la esperanza como un fuego interno y el miedo escondido bajo los zapatos que abandonan con su primer salario. Son mujeres casi siempre muy jóvenes que están dispuestas a trabajar en cualquier sitio donde estén a salvo de la autoridad patriarcal y sus arbitrariedades. Mujeres hartas de moler el maíz y hacer las tortillas, parir los hijos hasta desgastarse y convivir con golpes y malos tratos a cambio de nada.

Mujeres que desean tan poco, que se alegran con la libertad para pasearse los domingos en la Alameda y las tardes de abril por las banquetas más cercanas a su trabajo. Mujeres que andan buscando un novio menos bruto que los del pueblo, uno que no les pegue cuando paren niña en vez de niño, que les canten una canción de Juan Gabriel y les digan mentiras por la ventana antes de violentarlas sin hablar más y hacerles un hijo a los quince años.

En muchas mujeres estas nuevas maneras de comportarse tienen detrás la reflexión y la voluntad de vivir y convivir fuera de lo que hizo famoso a México por el alarde de sus machos y la docilidad de sus hembras. Entre otras cosas porque alguna de esta fama era injusta. Yo creo que mujeres briosas y valientes han existido siempre en nuestro país, sólo que hace medio siglo parte del valor consistía más que en la rebelión en la paciencia y antes que en la libertad en el deber de cuidar a otros.

Quizá uno de los trabajos más arduos de las mujeres mexicanas ha sido la continua demanda de atención y cuidados que han ejercido sus parejas. Lo que en los últimos tiempos ha hecho a los hombres más vulnerables, porque como son bastante incapaces para manejar lo doméstico, basta con abandonarlos a su suerte cuando se portan mal. Cosa que las mujeres han empezado a hacer con menos culpa y más frecuencia.

Entre más aptas son, entre más acceso tienen a la educación y al trabajo, más libres quedan para querer o detestar a los machos que sus brazos cobijan.

Otra muestra de preponderancia masculina en la vida familiar ha sido —como en otros países, no sólo latinoamericanos sino europeos y norteamericanos— la voluntad de tratar mujeres como animales domésticos a los que puede castigarse con gritos y muchas veces con golpes. Eso también es algo que cambia en nuestro país. Cada vez es mayor el número de mujeres que denuncian las arbitrariedades en su contra y no se quedan a soportarlas como lo hicieran sus antepasadas.

Han transcurrido ochenta años desde el día en que se tomó la foto del archivo y las mujeres mexicanas aún hacen la guerra de sus hombres, aún arrastran y cuidan a sus heridos, aún mantienen a sus borrachos, atestiguan sus borracheras, escuchan sus promesas y rememoran sus mentiras. Pero ya no rigen sus vidas según el trote y la magnificencia de los hombres. Aún lloran sus infidelidades, sosiegan sus fidelidades, pero ya no los despiden y albergan sólo según el antojo de las inescrutables batallas masculinas.

Quizás es este el cambio más significativo: las mujeres actuales tienen sus propias batallas y, cada vez más, hay quienes caminan desatadas, lejos del impecable designio de un ejército formado por hombres ciegos.

Las mujeres mexicanas del fin de siglo ya no quieren ni pueden delegar su destino y sus guerras al imprevisible capricho de los señores, ya ni siquiera gastan las horas en dilucidar si padecen o no una sociedad dominada por el machismo, ellas no pierden el tiempo, porque no quieren perder su guerra audaz y apresurada, porque tienen mucho que andar, porque hace apenas poco que han atisbado la realidad del sueño dormido en la cabeza de la mujer que ilumina una vieja estampa con su cuerpo cargado de canastas y balas: para tener un hombre no es necesario seguirlo a pie y sin replicar.

Suena bien ¿verdad? Sin embargo, llevar a la práctica tal sentencia no siempre resulta fácil, agradable, feliz. Por varios motivos. Entre otros porque las mujeres que se proponen asumir esta sentencia no fueron educadas para su nuevo destino y les pesa a veces incluso físicamiente ir en su busca: se deshicieron de una carga, pero han tomado algunas más arduas, por ejemplo enfrentar todos los días la idea aún generalizada de que las mujeres deben dedicarse a atender su chiquero, a hablar de sí mismas entre sí mismas, para sí mismas, a llorar su dolor y su tormenta en el baño de sus casas, en la iglesia, en el teléfono, a tararear en silencio la canción que les invade el cuerpo como un fuego destinado a consumirse sin deslumbrar a nadie.

Muchas veces esta idea aparece incluso dentro de sus adoloridas cabezas, de su colon irritado, junto con su fiera gastritis cotidiana. O, peor aún, deriva en repentinas depresiones a las que rige la culpa y el desasosiego que produce la falta de asidero en quienes supieron desde niñas que no tendrían sino asideros en la vida.

Sin ánimo de volver a hacernos las mártires, debemos aceptar cuánto pesa buscarse un destino distinto al que se previó para nosotras, litigar, ahora ya ni siquiera frontalmente, dado que los movimientos de liberación femenina han sido aplacados porque se considera que sus demandas ya fueron satisfechas, con una sociedad que todavía no sabe asumir sin hostilidad y rencores a quienes cambian.

Me preguntaba hace poco un periodista: ¿Por qué a pesar de todo lo logrado, las mujeres hacen sentir que no han conquistado la igualdad? ¿Qué falta?

Falta justamente la igualdad, le respondí. ¿Por qué si un hombre tiene un romance extraconyugal es un afortunado y una mujer en la misma circunstancia es una piruja? ¿El hombre un ser generoso al que le da el corazón para dos fiebres y la mujer una cualquiera que no respeta a su marido? ¿Por qué no nos parece aberrante un hombre de cincuenta años entre las piernas de una adolescente y nos disgusta y repele la idea de una mujer de treinta y cinco con un muchacho de veintiséis? ¿Por qué una mujer de cuarenta y cinco empieza a envejecer y un hombre de cuarenta y cinco está en la edad más interesante de su vida? ¿Por qué detrás de todo gran hombre hay una gran mujer y detrás de una gran mujer siempre hay un vacío provocado por el horror de los hombres a que los vean menos? ¿Por qué los esposos de las mujeres jefes de Estado no se hacen cargo de las instituciones dedicadas al cuidado de los niños? ¿Por qué a nadie se le ocurre pedirle al esposo de una funcionaria de alto nivel que se adscriba al voluntariado social? ¿Por qué las mujeres que ni se pintan ni usan zapatos de tacón son consideradas por las propias mujeres como unas viejas fodongas cuando todos los hombres andan en zapatos bajos y de cara lavada sintiéndose muy guapos? ¿Por qué se consideran cualidades masculinas la fuerza y la razón y cualidades femeninas la belleza y la intuición? ¿Por qué si un hombre puede embarazar a tres distintas mujeres por semana y una mujer sólo puede embarazarse una vez cada diez meses, los anticonceptivos están orientados en su mayoría hacia las mujeres?

Y puedo seguir: ¿por qué al hacerse de una profesión las mujeres tienen que actuar como hombres para tener éxito? ¿Por qué los pretextos femeninos —tengo la regla o mi hijo está enfermo, por ejemplo— no pueden ser usados para fallas en el trabajo, y los pretextos masculinos —estoy crudo, perdonen ustedes pero vengo de un tibio lecho, por ejemplo— son siempre aceptados con afecto y complicidad?

¿Por qué la libertad sexual a la que accedimos las mujeres ha tenido que manejarse como la libertad sexual de la que hace siglos disfrutan los hombres? ¿Por qué las mujeres nos pusimos a hacer el amor sin preguntas cuando cada vez seguía latente en nuestros cuerpos la pregunta ¿qué es esta maravilla? Y aceptamos sin más la respuesta que los hombres se dieron tiempo atrás y que a tantos desfalcos los ha conducido: "este es un misterio, ponte a hacerlo".

Sólo los poetas han querido librarse de usar esta respuesta para responder a las múltiples preguntas que los hombres respondan con ella, pero los poetas, como las mujeres, no gozan todavía de mucho prestigio nacional. Prestigio tienen los misterios, no quienes se empeñan en descifrarlos. Y los misterios, como casi todo lo prestigioso, los inventaron los hombres. Con ese prestigio nos han entretenido mucho tiempo. Cuántas veces y desde cuándo nos hemos sentido halagadas al oír la sentencia patria que dice: la mujer es un misterio.

Y ¿por qué no? La virgen de Guadalupe es un misterio, la Coatlicue es un misterio, la muerte en un misterio, la mujer debe ser un misterio y las sociedades sensatas no hurgan en los misterios, sólo los mantienen perfecta y sistemáticamente sitiados como tales. La virgen de Guadalupe en la basílica, la Coatlicue en el Museo de Antropología y ¿las mujeres?

Las mujeres ya no quieren seguir a los hombres a pie y sin replicar. Bueno y vaya, parece que se nos ha dicho. Y nos hemos subido a los caballos y trabajamos el doble y hasta nos hemos puesto al frente de nuestras propias batallas.

Por todo eso, incluso hemos encontrado prestigio y reconocimiento. Sin embargo, aún no desciframos el misterio. Aún no sabemos bien a bien quiénes somos, mucho menos sabemos quiénes y cómo son las otras mujeres mexicanas.

La última tarde que pasé en México, fui a una de las apresuradas compras de zapatos que siempre doy en hacer antes de salir de viaje. Volvía de una elegante zona comercial encerrada en mi coche que olía bonito, canturreando una canción que cantaba en mi tocacintas la hermosa voz de Guadalupe Pineda.

Estaba contenta. Conmigo, con mis amores, con la idea de viajar, con la vida.

Entonces me detuvo en un semáforo el rostro espantoso de una mujer que pedía limosna mientras cargaba a un niño. Estamos acostumbrados a esos encuentros. Sin embargo, la cara que cayó sobre mí esa tarde era inolvidable de tan fea.

—Debe estar enferma— me dije-. Y no eres tú. Es ella, es otra mujer. Tú eres una mujer que vive en otra parte, eres una escritora, una testigo. No la subas a tu coche, no ensucies tu bien ganada dicha de hoy, no la cargues, déjala en la esquina con su niño moquiento y sus preguntas que tan poco tienen que ver con las tuyas. Y corre a terminar tu conferencia sobre la situación actual de las mujeres mexicanas. Corre a ver si desde tu fortuna tocas algún misterio.

Corrí. Y aquí estoy después de darle vueltas por dos horas, todavía con la certidumbre de que no he tocado el misterio.

Augusto Monterroso

El árbol

El cuento posee cierta superioridad sobre la novela, incluso sobre el poema.
Edgar Alan Poe

Con frecuencia me pregunto: ¿qué pretendemos cuando abordamos las formas nuevas del relato, del cuento, corto, breve o brevísimo? ¿De qué manera enfrentamos esa vaga o tajante indiferencia de lectores y editores hacia este género inasible que a lo largo de las edades permanece obstinadamente al lado de los otros grandes géneros literarios que parecen perpetuamente opacarlo, anularlo? Sé que de muy diversos modos: transformándolo, cambiando su sentido, su configuración; dotándolo de intenciones diferentes, a veces reduciéndolo sin más al absurdo, y aun disfrazándolo: de poema, de meditación, de reseña, de ensayo, de todo aquello que sin hacerlo abandonar su fin primordial —contar algo—, lo enriquezca y vaya a excitar la imaginación o la emoción de la gente. En pocas palabras, ni más ni menos que lo que los buenos cuentistas han hecho en cada época: darle muerte para infundirle nueva vida.

En algún día de algún año del siglo IV de nuestra era, en su casa de la ciudad de Burdigala, la actual Burdeos, el gran poeta latino Décimo Magno Ausonio escribió lo que en aquel tiempo se llamaba un epigrama y hoy me atrevería a llamar un cuento:

> "SOBRE UNO QUE ENCONTRÓ UN TESORO CUANDO QUERÍA COLGARSE DE UNA SOGA
>
> Un hombre, en el momento de colgarse de una soga, encontró oro y en el lugar del tesoro dejó la soga; pero quien lo había escondido, al no encontrar el oro, se ató al cuello la soga que sí encontró." (Trad. de Antonio Alvar Ezquerra.)

Puedo ver, de pie, al retórico Ausonio, el poeta inmortal de la caducidad de las rosas y de la vida, pidiendo a sus jóvenes y aristocráticos discípulos que ese día desarrollaran una composición, en prosa o en verso, con aquel argumento lleno de posibilidades para imaginar y describir largamente el origen, la condición y el carácter de aquellos dos extravagantes personajes que en tan escasos minutos cambian radicalmente sus destinos como consecuencia de un simple azar.

Hoy algunos, y yo entre ellos, preferirían quedarse con el escueto enunciado, y dejar que sea el lector quien ejercite su fantasía creando por su cuenta los posibles antecedentes y consecuencias de aquel hecho fortuito. En honor de la brevedad, es cierto; pero también de muchas otras cosas. Pues no se trata tan sólo de una superficial cuestión de forma, de extensión o de maneras. Cualesquiera de éstas que el escritor adopte a través del tiempo, de los cuentos que logre perdurarán únicamente aquéllos que hayan recogido en sí mismos algo esencial humano, una verdad, por mínima que sea, del hombre de cualquier tiempo. Y de ahí su dificultad y su misterio. Ninguna innovación, ninguna ingeniosidad narrativa, ningún experimento con la forma que no estén sustentados en la autenticidad de los conflictos de cada personaje, consigo mismo y con los demás, harán por sí solos que determinados cuentos y sus autores se establezcan y perduren en la memoria literaria.

A mediados del siglo pasado, en los Estados Unidos, Edgar Allan Poe perseguía el horror —y también el ridículo: con frecuencia se olvida que Poe escribió cuentos humorísticos—, el horror escondido en lo hondo de cada ser humano: lo buscaba en su propio interior, ahí lo encontraba y lo ofrecía tal cual; en Rusia, Anton Chejov, por su parte, llevaba dentro de sí la melancolía, la reconocía en las vidas y en las relaciones de quienes lo rodeaban, eso recogía y eso daba, con humor y con tristeza; Guy de Maupassant, en Francia, tendía a lo insólito y lo pintoresco y, ciertamente, no pocas veces también al horror que en todo ello pueda haber, y eso nos legó, y su herencia es muy grande.

Nunca agotadas del todo estas posibilidades, el escritor de hoy retoma lo que queda de ellas, y con ellas trabaja; pero aunque en ocasiones recurra además a los avances de la psicología en su sentido de ciencia más estricto, intenta ir más allá, y para ir más allá recuerda a Baudelaire y sus poemas en prosa, y un mundo se le abre, y por ahí comienza una vez más a explorar; y de esta manera el cuento se acerca a una nueva sinceridad, a una nueva eficacia en su búsqueda de la alegría o la tristeza escondidas en los seres vivos y en las cosas. Y hemos de creer que a veces lo logra.

La imaginación y la realidad nos dan generosamente la materia, las situaciones, las tramas de los cuentos; pero es sólo la elaboración artística lo que puede infundirles vida. El mundo, este día, este momento, están llenos de pequeños y grandes sucesos, reales o imaginarios, que el trabajo puede convertir en cuentos; pero son muy pocos los que he hecho míos. La vida es como un árbol frondoso que con sólo ser sacudido deja caer los asuntos a montones; pero uno puede apenas recoger y convertir en arte unos cuantos, los que verdaderamente lo conmueven; y éstos son para unos cuentistas y aquéllos para otros; y gracias a eso hay tantos cuentistas en el mundo, cada uno trabajando el suyo, o los suyos; y lo bueno es que el árbol no se agota nunca; no se agotaría aunque lo sacudiéramos todos al mismo tiempo, aunque al mismo tiempo lo sacudiéramos entre todos.

Victoria Ocampo

Carta a Virginia Woolf

Cuando, sentada junto a su chimenea, Virginia me alejaba de la niebla y de la sociedad, cuando tendía mis manos hacia el calor y tendía entre nosotras un puente de palabras… ¡qué rica era, no obstante! No de su riqueza, pues esa llave que supo usted encontrar, y sin la cual jamás entramos en posesión de nuestro propio tesoro (aunque lo llevemos, durante toda nuestra vida, colgado al cuello), de nada puede servirme si no la encuentro por mí misma. Rica de mi pobreza, esto es: de mi hambre.

Un nombre, Virginia, va ligado a estos pensamientos. Pues con usted fue con quien hablé últimamente —e inolvidablemente— de esta riqueza, nacida de mi pobreza: el hambre.

Todos los artículos reunidos en este volumen (al igual que los de él excluidos), escalonados a lo largo de varios años, tienen de común entre sí que fueron escritos bajo ese signo. Son una serie de testimonios de mi hambre. ¡De mi hambre, tan auténticamente americana! Pues en Europa, como le decía a usted hace unos días, parece que se tiene todo, menos hambre.

Usted da gran importancia a que las mujeres se expresen, y a que se expresen por escrito. Las anima a que escriban *all kinds of books, hesitating at no subject however trivial or however vast*[1]. Según dice usted, les da este consejo por egoísmo: *Like most uneducated*

[1] "Toda suerte de libros, sin vacilar ante ningún asunto, por trivial o vasto que parezca".

Englishwomen, I like reading —I like reading books in the bulk[2] , declara usted. Y la producción masculina no le basta. Encuentra usted que los libros de los hombres no nos explican sino muy parcialmente la psicología femenina. Hasta encuentra usted que los libros de los hombres no nos informan sino bastante imperfectamente sobre ellos mismos. En la parte posterior de nuestra cabeza, dice usted, hay un punto del tamaño de un chelín que no alcanzamos a ver con nuestros propios ojos. Cada sexo debe encargarse de describir, para provecho del otro, ese punto. A ese respecto, no podemos quejarnos de los hombres. Desde los tiempos más remotos nos han prestado siempre ese servicio. Convendría, pues, que no nos mostrásemos ingratas y les pagásemos en la misma moneda.

Pero he aquí que llegamos a lo que, por mi parte, desearía confesar públicamente, Virginia: *Like most uneducated South American women, I like writing...* [3] Y, esta vez, el *uneducated* debe pronunciarse sin ironía.

Mi única ambición es llegar a escribir un día, más o menos bien, más o menos mal, pero como una mujer. Si a imagen de Aladino poseyese una lámpara maravillosa, y por su mediación me fuera dado el escribir en el estilo de un Shakespeare, de un Dante, de un Goethe, de un Cervantes, de un Dostoiewsky, realmente no aprovecharía la ganga. Pues entiendo que una mujer no puede aliviarse de sus sentimientos y pensamientos en un estilo masculino, del mismo modo que no puede hablar con voz de hombre.

¡Recuerda usted, en *A Room of One's Own*, sus observaciones sobre dos escritoras: Charlotte Brontë y Jane Austen? La primera, dice usted, quizás es más genial que la segunda; pero sus libros están retorcidos, deformados por las sacudidas de indignación, de rebeldía contra su propio destino, que la atraviesan. *She will write in a rage where she should write calmly*[4].

El año pasado, por estos días, encontrándome en un balneario argentino , conduje una mañana tibia al hijito de mi jardinero a una

---

[2] "Como a la mayoría de las mujeres inglesas incultas, me gusta leer… me gusta leer libros a granel".

[3] "Como a la mayoría de las mujeres sudamericanas incultas, me gusta escribir…".

[4] "Escribirá con rabia, cuando debería escribir con serenidad".

gran tienda (una sucursal de vuestro Harrod's). Los juguetes resplandecientes de Navidad y Año Nuevo nos rodeaban por todas partes. Agarrado a mi mano, abriendo de par en par sus ojos de cuatro años ante semejantes maravillas, mi compañero había enmudecido. Al abrochar sobre su pecho una blusita que le estaban probando, quedé asustada, enternecida, sintiendo contra mi mano el latir precipitado de su corazón. Era el palpitar de un pájaro cautivo entre mis dedos.

El pasaje de Jane Eyre que usted cita, y en que se oye el respirar de Charlotte Brontë (respirar que nos llega oprimido y jadeante), me emociona de modo análogo. Mis ojos, fijos en estas líneas, no perciben ya a la manera de los ojos, sino a la manera de la palma de una mano apoyada en un pecho.

Bien sé que Charlotte Brontë como novelista habría salido ganando con que Charlotte Brontë mujer, *starved of her proper due of experience*[5], no hubiese venido a turbarla. Y, sin embargo, ¿no cree usted que este sufrimiento, que crispa sus libros, se traduce en una imperfección conmovedora?

Defendiendo su causa, es la mía la que defiendo. Si sólo la perfección conmueve, Virginia, no cabe duda que estoy perdida de antemano.

Dice usted que Jane Austen hizo un milagro en 1800: el de escribir, a pesar de su sexo, sin amargura, sin odio; sin protestar contra... sin predicar en pro... Y así (en este estado de alma) es como escribió Shakespeare, añadía usted.

Pero, ¿no le parece a usted que, aparte de los problemas que las mujeres que escriben tenían y tienen aún que resolver, se trata también de diferencias de carácter? ¿Cree usted, por ejemplo, que la *Divina Comedia* haya sido escrita sin vestigios de rencor?

En todo caso, estoy tan convencida como usted de que una mujer no logra escribir realmente como una mujer sino a partir del momento en que esa preocupación la abandona, a partir del momento en que sus obras, dejando de ser una respuesta disfrazada a ataques, disfrazados o no, tienden sólo a traducir su pensamiento, sus sentimientos, su visión.

---

[5] "Hambrienta de la parte de experiencia que le correspondía".

Acontece con esto como con la diferencia que se observa en Argentina entre los hijos de emigrantes y los de familias afincadas en el país desde hace varias generaciones. Los primeros tienen una susceptibilidad exagerada con respecto a no sé qué falso orgullo nacional. Los segundos son americanos desde hace tanto tiempo, que se olvidan de aparentarlo.

Pues bien, Virginia, debo confesar que no me siento aún totalmente liberada del equivalente de esa susceptibilidad, de ese falso orgullo nacional, en lo que atañe a mi sexo. ¡Quién sabe si padezco reflejos de *parvenue*! En todo caso, no cabe duda que soy un tanto quisquillosa a ese respecto. En cuanto la ocasión se presenta (y si no se presenta, la busco), ya estoy declarándome solidaria del sexo femenino. La actitud de algunas mujeres singulares, como Anna de Noailles, que se pasan al campo de los hombres aceptando que éstos las traten de excepciones y les concedan una situación privilegiada, siempre me ha repugnado. Esta actitud, tan elegante y tan cómoda me es intolerable. Y también a usted, Virginia.

A propósito de Charlotte Brontë y de Jane Austen, dice usted: *But how impossible it must have been for them not to budge either to the right or to the left. What genius, what integrity it must have required in face of all that criticism, in the midst of that purely patriarchal society, to hold fast to the thing as they saw it without shrinking*[6].

De todo esto retengo especialmente algunas palabras... *in the midst of that purely patriarchal society*... en un medio semejante al que pesaba sobre Charlotte Brontë y Jane Austen, hace más de cien años, comencé yo a escribir y a vivir; semejante, pero peor, Virginia.

Escribir y vivir en esas condiciones es tener cierto valor. Y un cierto valor, cuando no se es insensible, es ya un esfuerzo que absorbe, sin darnos cuenta, todas nuestras facultades.

La deliciosa historia de la hermana de Shakespeare, que de modo tan inimitable cuenta usted, es la más bella historia del mundo. Ese supuesto poeta (la hermana de Shakespeare) muerto sin haber escri-

---

[6] "Pero, ¡cuán imposible debe haber sido para ellas no desviarse ni a la izquierda ni a la derecha! ¡Qué genio, qué integridad tienen que haberse requerido frente a toda esa crítica, en medio de aquella sociedad absolutamente patriarcal, para atenerse estrictamente a lo que veían, tal como lo veían, sin temblar!"

to una sola línea, vive en todas nosotras, dice usted. Vive aún en aquellas que, obligadas a fregar los platos y acostar a los niños, no tienen tiempo de oir una conferencia o leer un libro. Acaso un día renacerá y escribirá. A nosotras toca el crearle un mundo en que pueda encontrar la posibilidad de vivir íntegramente, sin mutilaciones.

Yo friego bastante mal los platos y no tengo (¡ay!) niños que acostar. Pero, aunque (no seamos hipócritas) fregase los platos y acostara a los niños, siempre habría encontrado medio de emborronar papel en mis ratos perdidos —como la madre de Wells.

Y si, como usted espera, Virginia, todo esfuerzo, por oscuro que sea, es convergente y apresura el nacimiento de una forma de expresión que todavía no ha encontrado una temperatura propicia a su necesidad de florecer, vaya mi esfuerzo a sumarse al de tantas mujeres, desconocidas o célebres, como en el mundo han trabajado.

Octavio Paz

La dialéctica de la soledad

La soledad, el sentirse y el saberse solo, desprendido del mundo y ajeno a sí mismo, separado de sí, no es característica exclusiva del mexicano. Todos los hombres, en algún momento de su vida, se sienten solos; y más: todos los hombres están solos. Vivir, es separarnos del que fuimos para internarnos en el que vamos a ser, futuro extraño siempre. La soledad es el fondo último de la condición humana. El hombre es el único ser que se siente solo y el único que es búsqueda de otro. Su naturaleza —si se puede hablar de naturaleza al referirse al hombre, el ser que, precisamente, se ha inventado a sí mismo al decirle "no" a la naturaleza— consiste en un aspirar a realizarse en otro. El hombre es nostalgia y búsqueda de comunión. Por eso cada vez que se siente a sí mismo se siente como carencia de otro, como soledad.

Uno con el mundo que lo rodea, el feto es vida pura y en bruto, fluir ignorante de sí. Al nacer, rompemos los lazos que nos unen a la vida ciega que vivimos en el vientre materno, en donde no hay pausa entre deseo y satisfacción. Nuestra sensación de vivir se expresa como separación y ruptura, desamparo, caída en un ámbito hostil o extraño. A medida que crecemos esa primitiva sensación se transforma en sentimiento de soledad. Y más tarde, en conciencia: estamos condenados a vivir solos, pero también lo estamos a traspasar nuestra soledad y a rehacer los lazos que en un pasado paradisíaco nos unían a la vida. Todos nuestros esfuerzos tienden a abolir la soledad. Así, sentirse solos posee un doble significado: por una parte consiste en tener conciencia de sí; por la otra, en un deseo de salir de la soledad, que es la condición misma de nuestra vida, se nos aparece como una prueba y una purgación, a cuyo término angustia e inestabilidad desaparecerán. La plenitud, la reunión, que es reposo y dicha, concordancia con el mundo, nos esperan al fin del laberinto de la soledad.

El lenguaje popular refleja esta dualidad al identificar a la soledad con la pena. Las penas de amor son penas de soledad. Comunión y soledad, deseo de amor, se oponen y complementan. Y el poder redentor de la soledad transparenta una oscura, pero viva, noción de culpa; el hombre solo "está dejado de la mano de Dios". La soledad es una pena, esto es, una condena y una expiación. Es un castigo, pero también una promesa del fin de nuestro exilio. Toda vida está habitada por esta dialéctica.

Nacer y morir son experiencias de soledad. Nacemos solos y morimos solos. Nada tan grave como esa primera inmersión en la soledad que es el nacer, si no es esa otra caída en lo desconocido que es el morir. La vivencia de la muerte se transforma pronto en conciencia del morir. Los niños y los hombres primitivos no creen en la muerte; mejor dicho, no saben que la muerte existe, aunque ella trabaje secretamente en su interior. Su descubrimiento nunca es tardío para el hombre civilizado, pues todo nos avisa y previene que hemos de morir. Nuestras vidas son un diario aprendizaje de la muerte. Más que a vivir se nos enseña a morir. Y se nos enseña mal.

Entre nacer y morir transcurre nuestra vida. Expulsados del claustro materno, iniciamos un angustioso salto de veras mortal, que no termina sino hasta que caemos en la muerte. ¿Morir será volver allá, a la vida de antes de la vida? ¿Será vivir de nuevo esa vida prenatal en que reposo y movimiento, día y noche, tiempo y eternidad, dejan de oponerse? ¿Morir será dejar de ser y, definitivamente, estar? ¿Quizá la muerte sea la vida verdadera? ¿Quizá nacer sea morir y morir, nacer? Nada sabemos. Mas aunque nada sabemos, todo nuestro ser aspira a escapar de estos contrarios que nos desgarran. Pues si todo (conciencia de sí, tiempo, razón, costumbres, hábitos) tiende a hacer de nosotros los expulsados de la vida, todo también nos empuja a volver, a descender al seno creador de donde fuimos arrancados. Y le pedimos al amor —que, siendo deseo, es hambre de comunión, hambre de caer y morir tanto como de renacer— que nos dé un pedazo de vida verdadera, de muerte verdadera. No le pedimos la felicidad, ni el reposo, sino un instante, sólo un instante, de vida plena, en la que se fundan los contrarios y vida y muerte, tiempo y eternidad, pacten. Oscuramente sabemos que vida y muerte no son sino dos movimientos, antagónicos pero complementarios, de una misma realidad. Creación y destrucción se funden en el acto amoroso; y durante una fracción de segundo el hombre entrevé un estado más perfecto.

En nuestro mundo el amor es una experiencia casi inaccesible. Todo se opone a él: moral, clases, leyes, razas y los mismos enamorados. La mujer siempre ha sido para el hombre "lo otro", su contrario y complemento. Si una parte de nuestro ser anhela fundirse a ella, otra, no menos imperiosamente, la aparta y excluye. La mujer es un objeto, alternativamente precioso o nocivo, mas siempre diferente. Al convertirla en objeto, en ser aparte y al someterla a todas las deformaciones que su interés, su vanidad, su angustia y su mismo amor le dictan, el hombre la convierte en instrumento. Medio para obtener el conocimiento y el placer, vía para alcanzar la supervivencia, la mujer es ídolo, diosa, madre, hechicera o musa, según muestra Simone de Beauvoir, pero jamás puede ser ella misma. De ahí que nuestras relaciones eróticas estén viciadas en su origen, manchadas en su raíz. Entre la mujer y nosotros se interpone un fantasma: el de su imagen, el de la imagen que nosotros nos hacemos de ella y con la que ella se reviste. Ni siquiera podemos tocarla como carne que se ignora a sí misma, pues entre nosotros y ella se desliza esa visión dócil y servil de un cuerpo que se entrega. Y a la mujer le ocurre lo mismo: no se siente ni se concibe sino como objeto, como "otro". Nunca es dueña de sí. Su ser se escinde entre lo que es realmente y la imagen que ella se hace de sí. Una imagen que le ha sido dictada por familia, clase, escuela, amigas, religión y amante. Su feminidad jamás se expresa, porque se manifiesta a través de formas inventadas por el hombre. El amor no es un acto natural. Es algo humano y, por definición, *lo más humano*, es decir, una creación, algo que nosotros hemos hecho y que no se da en la naturaleza. Algo que hemos hecho, que hacemos todos los días y que todos los días, deshacemos.

No son éstos los únicos obstáculos que se interponen entre el amor y nosotros. El amor es elección. Libre elección, acaso, de nuestra fatalidad, súbito descubrimiento de la parte más secreta y fatal de nuestro ser. Pero la elección amorosa es imposible en nuestra sociedad. Ya Breton decía en uno de sus libros más hermosos —*El loco amor*— que dos prohibiciones impedían, desde su nacimiento, la elección amorosa: la interdicción social y la idea cristiana del pecado. Para realizarse, el amor necesita quebrantar la ley del mundo. En nuestro tiempo el amor es escándalo y desorden, transgresión: el de dos astros que rompen la fatalidad de sus órbitas y se encuentran en la mitad del espacio. La concepción romántica del amor, que implica ruptura y catástrofe, es la única que conocemos porque todo en la sociedad impide que el amor sea libre elección.

La mujer vive presa en la imagen que la sociedad masculina impone; por lo tanto, sólo puede elegir rompiendo consigo misma. "El amor la ha transformado, la ha hecho otra persona", suelen decir de las enamoradas. Y es verdad: el amor hace otra a la mujer, pues si se atreve a amar, a elegir, si se atreve a ser ella misma, debe romper esa imagen con que el mundo encarcela su ser.

El hombre tampoco puede elegir. El círculo de sus posibilidades es muy reducido. Niño, descubre la feminidad en la madre o en las hermanas. Y desde entonces el amor se identifica con lo prohibido. Nuestro erotismo está condicionado por el horror y la atracción del incesto. Por otra parte, la vida moderna estimula innecesariamente nuestra sensualidad, al mismo tiempo que la inhibe con toda clase de interdicciones —de clase, de moral y hasta de higiene—. La culpa es la espuela y el freno del deseo. Todo limita nuestra elección. Estamos constreñidos a someter nuestras aficiones profundas a la imagen femenina que nuestro círculo social nos impone. Es difícil amar a personas de otra raza, de otra lengua o de otra clase, a pesar de que no sea imposible que el rubio prefiera a las negras y éstas a los chinos, ni que el señor se enamore de su criada o a la inversa. Semejantes posibilidades nos hacen enrojecer. Incapaces de elegir, seleccionamos a nuestra esposa entre las mujeres que "nos convienen". Jamás confesaremos que nos hemos unido —a veces para siempre— con una mujer que acaso no amamos y que, aunque nos ame, es incapaz de salir de sí misma y mostrarse tal cual es. La frase de Swan: "Y pensar que he perdido los mejores años de mi vida con una mujer que no era mi tipo", la pueden repetir a la hora de su muerte, la mayor parte de los hombres modernos. Y las mujeres.

La sociedad concibe el amor, contra la naturaleza de este sentimiento, como una unión estable y destinada a crear hijos. Lo identifica con el matrimonio. Toda transgresión a esta regla se castiga con una sanción cuya severidad varía de acuerdo con tiempo y espacio. (Entre nosotros la sanción es mortal muchas veces —si es mujer el infractor— pues en México, como en todos los países hispánicos, funcionan con general aplauso dos morales, la de los señores y la de los otros: pobres, mujeres, niños.) La protección impartida al matrimonio podría justificarse si la sociedad permitiese de verdad la elección. Puesto que no lo hace, debe aceptarse que el matrimonio no constituye la más alta realización del amor, sino que es una forma jurídica, social y económica que posee fines diversos a los del amor. La estabilidad de la familia reposa en el matrimonio, que se convierte en una mera proyección de la sociedad sin otro objeto que la recreación de esa misma sociedad. De ahí la naturaleza profundamente conservadora del matrimonio. Atacarlo, es disolver las bases mismas de la sociedad. Y de ahí también que el amor sea, sin proponérselo, un acto antisocial, pues cada vez que logra realizarse, quebranta el matrimonio y lo transforma en lo que la sociedad no quiere que sea: la renovación de dos soledades que crean por sí mismas un mundo que rompe la mentira social , suprime tiempo y trabajo y se declara autosuficiente. No es extraño, así, que la sociedad persiga con el mismo encono al amor y a la poesía, su testimonio, y los arroje a la clandestinidad, a las afueras, al mundo turbio y confuso de lo prohibido, lo ridículo y lo anormal. Y tampoco es extraño que amor y poesía estallen en formas extrañas y puras: un escándalo, un crimen, un poema.

La protección al matrimonio implica la persecución del amor y la tolerancia de la prostitución, cuando no su cultivo oficial. Y no deja de ser reveladora la ambigüedad de la prostituta: ser sagrado para algunos pueblos, para nosotros es alternativamente un ser despreciable y deseable. Caricatura del amor, víctima del amor, la prostituta es símbolo de los poderes que humilla nuestro mundo. Pero no nos basta con esa mentira de amor que entraña la existencia de la prostitución; en algunos círculos se aflojan los lazos que hacen intocable al matrimonio y reina la promiscuidad. Ir de cama en cama no es ya, ni siquiera, libertinaje. El seductor, el hombre que no puede salir de sí porque la mujer es siempre instrumento de su vanidad o de su angustia, se ha convertido en una figura del pasado, como el caballero andante. Ya no se puede seducir a nadie, del mismo modo que no hay doncellas que amparar o entuertos que deshacer. El erotismo moderno tiene un sentido distinto al de un Sade, por ejemplo. Sade era un temperamento trágico, poseído de absoluto; su obra es una revelación explosiva de la condición humana. Nada más desesperado que un héroe de Sade. El erotismo moderno casi siempre es una retórica, un ejercicio literario y una complacencia. No es una revelación del hombre sino un documento más sobre una sociedad que estimula el crimen y condena al amor. ¿Libertad de la pasión? El divorcio ha dejado de ser una conquista. No se trata tanto de facilitar la anulación de los lazos ya establecidos, sino de permitir que hombres y mujeres puedan escoger libremente. En una sociedad ideal, la única causa de divorcio sería la desaparición del amor o la aparición de uno nuevo. En una sociedad en que todos pudieran elegir, el divorcio sería un anacronismo o una singularidad, como la prostitución, la promiscuidad o el adulterio.

La sociedad se finge una totalidad que vive por sí y para sí. Pero si la sociedad se concibe como unidad indivisible, en su interior está escindida por un dualismo que acaso tiene su origen en el momento en que el hombre se desprende del mundo animal y, al servirse de sus manos, se inventa a sí mismo e inventa conciencia y moral. La sociedad es un organismo que padece la extraña necesidad de justificar sus fines y apetitos. A veces los fines de la sociedad, enmascarados por los preceptos de la moral dominante, coinciden con los deseos y necesidades de los hombres que la componen. Otras, contradicen las aspiraciones de fragmentos o clases importantes. Y no es raro que nieguen los instintos más profundos del hombre. Cuando esto último ocurre, la sociedad vive una época de crisis: estalla o se estanca. Sus componentes dejan de ser hombres y se convierten en simples instrumentos desalmados.

El dualismo inherente a toda sociedad, y que toda sociedad aspira a resolver transformándose en comunidad, se expresa en nuestro tiempo de muchas maneras: lo bueno y lo malo, lo permitido y lo prohibido; lo ideal y lo real, lo racional y lo irracional; lo bello y lo feo; el sueño y la vigilia, los pobres y los ricos, los burgueses y los proletarios; la inocencia y la conciencia, la imaginación y el pensamiento. Por un movimiento irresistible de su propio ser, la sociedad tiende a superar este dualismo y a transformar el conjunto de solitarias enemistades que la componen en un orden armonioso. Pero la sociedad moderna pretende resolver su dualismo mediante la supresión de esa dialéctica de la soledad que hace posible el amor. Las sociedades industriales —independientemente de sus diferencias "ideológicas", políticas o económicas— se empeñan en transformar las diferencias cualitativas, es decir: humanas, en uniformidades cuantitativas. Los métodos de la producción en masa se aplican también a la moral, al arte y a los sentimientos. Abolición de las contradicciones y de las excepciones... Se cierran así las vías de acceso a la experiencia más honda que la vida ofrece al hombre y que consiste en penetrar la realidad como una totalidad en la que los contrarios pactan. Los nuevos poderes abolen la soledad por decreto. Y con ella al amor, forma clandestina y heroica de la comunión. Defender el amor ha sido siempre una actividad antisocial y peligrosa. Y ahora empieza a ser de verdad revolucionaria. La situación del amor en nuestro tiempo revela cómo la dialéctica de la soledad, en su más profunda manifestación, tiende a frustrarse por obra de la misma sociedad. Nuestra vida social niega casi siempre toda posibilidad de auténtica comunión erótica.

El amor es uno de los más claros ejemplos de ese doble instinto que nos lleva a cavar y ahondar en nosotros mismos y, simultáneamente, a salir de nosotros y realizarnos en otro: muerte y recreación, soledad y comunión. Pero no es el único. Hay en la vida de cada hombre una serie de períodos que son también rupturas y reuniones, separaciones y reconciliaciones. Cada una de estas etapas es una tentativa por trascender nuestra soledad, seguida por inmersiones en ambientes extraños.

El niño se enfrenta a una realidad irreductible a su ser y a cuyos estímulos no responde al principio sino con llanto o silencio. Roto el cordón que lo unía a la vida, trata de recrearlo por medio de la afectividad y el juego. Inicia así un diálogo que no terminará sino hasta que recite el monólogo de su muerte. Pero sus relaciones con el exterior no son ya pasivas, como en la vida prenatal, pues el mundo le exige una respuesta. La realidad debe ser poblada por sus actos. Gracias al juego y a la imaginación, la naturaleza inerte de los adultos —una silla, un libro, un objeto cualquiera— adquiere de pronto vida propia. Por la virtud mágica del lenguaje o del gesto, del símbolo o del acto, el niño crea un mundo viviente, en el que los objetos son capaces de responder a sus preguntas. El lenguaje, desnudo de sus significaciones intelectuales, deja de ser un conjunto de signos y vuelve a ser un delicado organismo de imantación mágica. No hay distancia entre el nombre y la cosa y pronunciar una palabra es poner en movimiento a la realidad que designa. La representación equivale a una verdadera reproducción del objeto, del mismo modo que para el primitivo la escultura no es una representación sino un doble del objeto representado. Hablar vuelve a ser una actividad creadora de realidades, esto es, una actividad poética. El niño, por virtud de la magia, crea un mundo a su imagen y resuelve así su soledad. Vuelve a ser uno con su ambiente. El conflicto renace cuando el niño deja de creer en el poder de sus palabras o de sus gestos. La conciencia principia como desconfianza en la eficacia mágica de nuestros instrumentos.

La adolescencia es ruptura con el mundo infantil y momento de pausa ante el universo de los adultos. Spranger señala a la soledad como nota distintiva de la adolescencia. Narciso, el solitario, es la imagen misma del adolescente. En este período el hombre adquiere por primera vez conciencia de su singularidad. Pero la dialéctica de los sentimientos interviene nuevamente: en tanto que extrema conciencia de sí, la adolescencia no puede ser superada sino como olvido de sí, como entrega. Por eso la adolescencia no es sólo la edad de la soledad, sino también la época de los grandes amores, del heroismo y del sacrificio. Con razón el pueblo imagina al héroe y al amante como figuras adolescentes. La visión del adolescente como un solitario, encerrado en sí mismo, devorado por el deseo o la timidez, se resuelve casi siempre en la bandada de jóvenes que bailan, cantan o marchan en grupo. O en la pareja paseando bajo el arco de verdor de la calzada. El adolescente se abre al mundo; al amor, a la acción, a la amistad, al deporte, al heroísmo. La literatura de los pueblos modernos —con la significativa excepción de la española, en donde no aparecen sino como pícaros o huérfanos— está poblada de adolescentes, solitarios en busca de la comunión; del anillo, de la espada, de la Visión. La adolescencia es una vela de armas de la que se sale al mundo de los hechos.

La madurez no es etapa de soledad. El hombre, en lucha con los hombres o con las cosas, se olvida de sí en el trabajo, en la creación o en la construcción de objetos, ideas e instituciones. Su conciencia personal se une a otras: el tiempo adquiere sentido y fin, es historia, relación viviente y significativa con un pasado y un futuro. En verdad, nuestra singularidad —que brota de nuestra temporalidad, de nuestra fatal inserción en un tiempo que es nosotros mismos y que al alimentarnos nos devora— no queda abolida, pero sí atenuada y, en cierto modo, "redimida". Nuestra existencia particular se inserta en la historia y ésta se convierte, para emplear la expresión de Eliot, en *"a pattern of timeless moments"* el hombre maduro atacado del mal de soledad constituye en épocas fecundas una anomalía. La frecuencia con que ahora se encuentra a esta clase de solitarios indica la gravedad de nuestros males. En la época del trabajo en común, de los cantos en común, de los placeres en común, el hombre está más solo que nunca. El hombre moderno no se entrega a nada de lo que hace. Siempre una parte de sí, la más profunda, permanece intacta y alerta. En el siglo de la acción, el hombre se espía. El trabajo, único dios moderno, ha cesado de ser creador. El trabajo sin fin infinito, corresponde a la vida sin finalidad de la sociedad moderna. Y la soledad que engendra, soledad promiscua de los hoteles, de las oficinas, de los talleres y de los cines, no es una prueba que afine el alma, un necesario purgatorio. Es una condenación total, espejo de un mundo sin salida.

El doble significado de la soledad —ruptura con un mundo y tentativa por crear otro— se manifiesta en nuestra concepción de héroes, santos y redentores. El mito, la biografía, la historia y el poema registran un período de soledad y de retiro, situado casi siempre en la primera juventud, que precede a la vuelta al mundo y a la acción entre los hombres. Años de preparación y de estudio, pero sobre todo años de sacrificio y penitencia, de examen, de expiación y de purificación. La soledad es ruptura con un mundo caduco y preparación para el regreso y la lucha final. Arnold Toynbee ilustra esta idea con numerosos ejemplos: el mito de la cueva de Platón, las vidas de San Pablo, Buda, Mahoma, Maquiavelo, Dante. Y todos, en nuestra propia vida y dentro de las limitaciones de nuestra pequeñez, también hemos vivido en soledad y apartamiento, para purificarnos y luego regresar entre los nuestros.

La dialéctica de la soledad —*"the twofold motion of withdrawal-and-return"*, según Toynbee— se dibuja con claridad en la historia de todos los pueblos. Quizá las sociedades antiguas, más simples que las nuestras, ilustran mejor este doble momento.

No es difícil imaginar hasta qué punto la soledad constituye un estado peligroso y temible para el llamado, con tanta vanidad como inexactitud, hombre primitivo. Todo el complicado y rígido sistema de prohibiciones, reglas y ritos de la cultura arcaica, tiende a preservarlo de la soledad. El grupo es la única fuente de salud. El solitario es un enfermo, una rama muerta que hay que cortar y quemar, pues la sociedad misma peligra si alguno de sus componentes es presa del mal. La repetición de actitudes y fórmulas seculares no solamente asegura la permanencia del grupo en el tiempo, sino su unidad y cohesión. Los ritos y la presencia constante de los espíritus de los muertos entretejen un centro, un nudo de relaciones que limitan la acción individual y protegen al hombre de la soledad y al grupo de la dispersión.

Para el hombre primitivo salud y sociedad, dispersión y muerte, son términos equivalentes. Aquel que se aleja de la tierra natal "cesa de pertenecer al grupo. Muere y recibe los honores fúnebres acostumbrados"[1]. El destierro perpetuo equivale a una sentencia de muerte. La identificación del grupo social con los espíritus de los antepasados y el de éstos con la tierra, se expresa en este rito simbólico africano: "Cuando un nativo regresa de Kimberley con la mujer

---

[1] Lucien Lévy-Bruhl, *La mentalité primitive*. París, 1922.

que lo ha desposado, la pareja lleva consigo un poco de tierra de su lugar. Cada día la esposa debe comer un poco de ese polvo... para acostumbrarse a la nueva residencia. Ese poco de tierra hará posible la transición entre los dos domicilios". La solidaridad social posee entre ellos "un carácter orgánico y vital. El individuo es literalmente miembro de un cuerpo". Por tal motivo las conversiones individuales no son frecuentes. "Nadie se puede salvar o condenar por su cuenta" y sin que su acto afecte a toda a colectividad[2].

A pesar de todas estas precauciones el grupo no está a salvo de la dispersión. Todo puede disgregarlo: guerras, cismas religiosos, transformaciones de los sistemas de producción, conquistas... Apenas el grupo se divide, cada uno de los fragmentos se enfrenta a una nueva situación: la soledad, consecuencia de la ruptura con el centro de salud que era la vieja sociedad cerrada, ya no es una amenaza, ni un accidente, sino una condición, la condición fundamental, el fondo final de su existencia. El desamparo y abandono se manifiesta como conciencia del pecado —un pecado que no ha sido infracción a una regla, sino que forma parte de su naturaleza. Mejor dicho, que es ya su naturaleza. Soledad y pecado original se identifican. Y salud y comunión vuelven a ser términos sinónimos, sólo que situados en un pasado remoto. Constituyen la edad de oro, reino vivido antes de la historia y al que quizá se pueda acceder si rompemos la cárcel del tiempo. Nace así con la conciencia del pecado, la necesidad de la redención. Y ésta engendra la del redentor.

Surgen una nueva mitología y una nueva religión. A diferencia de la antigua, la nueva sociedad es abierta y fluida, pues está constituida por desterrados. Ya el solo nacimiento dentro del grupo no otorga al hombre su filiación. Es un don de lo alto y debe merecerlo. La plegaria crece a expensas de la fórmula mágica y los ritos de iniciación acentúan su carácter purificador. Con la idea de redención surgen la especulación religiosa, la ascética, la teología y la mística. El sacrificio y la comunión dejan de ser un festín totémico, si es que alguna vez lo fueron realmente, y se convierten en la vía de ingreso a la nueva sociedad. Un dios, casi siempre un dios hijo, un descen-

---

[2] *Op. cit.*

diente de las antiguas divinidades creadoras, muere y resucita periódicamente. Es un dios de fertilidad, pero también de salvación y su sacrificio es prenda de que el grupo prefigura en la tierra la sociedad perfecta que nos espera al otro lado de la muerte. En la esperanza del más allá late la nostalgia de la antigua sociedad. El retorno a la edad de oro vive, implícito, en la promesa de salvación.

Seguramente es muy difícil que en la historia particular de una sociedad se den todos los rasgos sumamente apuntados. No obstante, algunos se ajustan en casi todos sus detalles al esquema anterior. El nacimiento del orfismo, por ejemplo. Como es sabido, el culto a Orfeo surge después del desastre de la civilización aquella —que provocó una general dispersión del mundo griego y una vasta reacomodación de pueblos y culturas—. La necesidad de rehacer los antiguos vínculos, sociales y sagrados, dio origen a cultos secretos, en los que participaban solamente "aquellos seres desarraigados, trasplantados, reaglutinados artificialmente y que soñaban con reconstruir una organización de la que no pudieran separarse. Su sólo nombre colectivo era el de huérfanos"[3]. (Señalaré de paso que Orphanos no solamente es huérfano, sino vacío. En efecto, soledad y orfandad son, en último término, experiencias del vacío.)

Las religiones de Orfeo y Dionisios, como más tarde las religiones proletarias del fin del mundo antiguo, muestran con claridad el tránsito de una sociedad cerrada a otra abierta. La conciencia de la culpa, de la soledad y la expiación, juegan en ellas el mismo doble papel que en la vida individual.

El sentimiento de soledad, nostalgia de un cuerpo del que fuimos arrancados, es nostalgia de espacio. Según una composición muy antigua y que se encuentra en casi todos los pueblos, ese espacio no es otro que el centro del mundo, el "ombligo" del universo. A veces el paraíso se identifica con el sitio y ambos con el lugar de origen, mítico o real[4], del grupo. Entre los aztecas, los muertos regresaban a Mictlán, lugar situado al norte; de donde habían emigrado. Casi todos los ritos de fundación, de ciudades o de mansiones, aluden a la

---

[3] Amable Audin, *Les Fêtes Solaires*. París, 1945.

[4] Sobre la noción de "espacio sagrado", véase Mircea Eliade, *Histoire des Religions*. París, 1949.

búsqueda de ese centro sagrado del que fuimos expulsados. Los grandes santuarios —Roma, Jerusalén, la Meca— se encuentran en el centro del mundo o lo simbolizan y prefiguran. Las peregrinaciones a esos santuarios son repeticiones rituales de las que cada pueblo ha hecho en un pasado mítico, antes de establecerse en la tierra prometida. La costumbre de dar una vuelta a la casa o a la ciudad antes de atravesar sus puertas, tiene el mismo origen

El mito del Laberinto se inserta en este grupo de creencias. Varias nociones afines han contribuido a hacer del Laberinto uno de los símbolos míticos más fecundos y significativos: la existencia, en el centro del recinto sagrado, de un talismán o de un objeto cualquiera, capaz de devolver la salud o la libertad al pueblo; la presencia de un héroe o de un santo, quien tras la penitencia y los ritos de expiación, que casi siempre entrañan un período de aislamiento, penetra en el laberinto o palacio encantado; el regreso, ya para fundar la Ciudad, ya para salvarla o redimirla. Si en el mito de Perseo los elementos místicos apenas son visibles, en el del Santo Grial el ascetismo y la mística se alían: el pecado, que produce la esterilidad en la tierra y en el cuerpo mismo de los súbditos del Rey Pescador; los ritos de purificación; el combate espiritual; y, finalmente, la gracia, esto es, la comunión.

No sólo hemos sido expulsados del centro del mundo y estamos condenados a buscarlo por selvas y desiertos o por los vericuetos y subterráneos del Laberinto. Hubo un tiempo en el que el tiempo no era sucesión y tránsito, sino manar continuo de un presente fijo, en el que estaban contenidos todos los tiempos, el pasado y el futuro. El hombre, desprendido de esa eternidad en la que todos los tiempos son uno, ha caído en el tiempo cronométrico y se ha convertido en prisionero del reloj, del calendario, y de la sucesión. Pues apenas el tiempo se divide en ayer, hoy y mañana, en horas, minutos y segundos, el hombre cesa de ser uno con el tiempo, cesa de coincidir con el fluir de la realidad. Cuando digo "en este instante", ya pasó el instante. La medición espacial del tiempo separa al hombre de la realidad, que es un continuo presente, y hace fantasmas a todas las presencias en que la realidad se manifiesta, como enseña Bergson.

Si se reflexiona sobre el carácter de estas dos opuestas nociones, se advierte que el tiempo cronométrico es una sucesión homogénea y vacía de toda particularidad. Igual a sí mismo siempre, desdeñoso del placer o del dolor, sólo transcurre. El tiempo mítico, al contrario, no es una sucesión homogénea de cantidades iguales, sino que se halla impregnado de todas las particularidades de nuestra vida: es largo como una eternidad o breve como un soplo, nefasto o propicio, fecundo o estéril. Esta noción admite la existencia de una pluralidad de tiempos. Tiempo y vida se funden y forman un solo bloque, una unidad imposible de escindir. Para los aztecas, el tiempo estaba ligado al espacio y cada día a uno de los puntos cardinales. Otro tanto puede decirse de cualquier calendario religioso. La Fiesta es algo más que una fecha o un aniversario. No celebra, sino *reproduce* un suceso: abre en dos al tiempo cronométrico para que, por espacio de unas breves horas inconmensurables, el presente eterno se reinstale. La fiesta vuelve creador al tiempo. La repetición se vuelve concepción. El tiempo engendra. La Edad de Oro regresa. Ahora y aquí, cada vez que el sacerdote oficia el Misterio de la Santa Misa, desciende efectivamente Cristo, se da a los hombres y salva al mundo. Los verdaderos creyentes son, como quería Kierkegaard, "contemporáneos de Jesús". Y no solamente en la Fiesta religiosa o en el Mito irrumpe un Presente que disuelve la vana sucesión. También el amor y la poesía nos revelan, fugaz, este tiempo original. "Más tiempo no es más eternidad", dice Juan Ramón Jiménez, refiriéndose a la eternidad del instante poético. Sin duda la concepción del tiempo como presente fijo y actualidad pura, es más antigua que la del tiempo cronométrico, que no es una aprehensión inmediata del fluir de la realidad, sino una racionalización del transcurrir.

La dicotomía anterior se expresa en la oposición entre Historia y Mito, o Historia y Poesía. El tiempo del Mito, como el de la fiesta religiomosa, o el de los cuentos infantiles, no tiene fechas: "Hubo una vez…", "En la época en que los animales hablaban…" "En el principio…" Y ese Principio —que no es el año tal ni el día tal— contiene todos los principios y nos introduce en el tiempo vivo, en donde de veras todo principia todos los instantes. Por virtud del rito, que realiza y reproduce el relato mítico, de la poesía y del cuento de hadas, el hombre accede a un mundo en donde los contrarios se funden. "Todos los rituales tienen la Propiedad de acaecer en el ahora en este instante"[5]. Cada poema que leemos es una recreación, quiero decir: una ceremonia ritual, una Fiesta.

El Teatro y la Épica son también Fiestas, ceremonias. En la representación teatral como en la recitación poética, el tiempo ordinario deja de fluir, cede el sitio al tiempo original. Gracias a la participación, ese tiempo mítico, original, padre de todos los tiempos que enmascaran a la realidad, coincide con nuestro tiempo interior, subjetivo. El hombre, prisionero de la sucesión, rompe su invisible cárcel de tiempo y accede al tiempo vivo: la subjetividad se identifica al fin con el tiempo exterior, porque éste ha dejado de ser medición espacial y se ha convertido en manantial, en presente puro, que se recrea sin cesar. Por obra del Mito y de la Fiesta —secular o religiosa— el hombre rompe su soledad y vuelve a ser uno con la creación. Y así el Mito —disfrazado, oculto, escondido— reaparece en casi todos los actos de nuestra vida e interviene decisivamente en nuestra Historia: nos abre las puertas de la comunión.

El hombre contemporáneo ha racionalizado los Mitos, pero no ha podido destruirlos. Muchas de nuestras verdades científicas, como la mayor parte de nuestras concepciones morales, políticas y filosóficas, sólo son nuevas expresiones de tendencias que antes encarnaron en formas míticas. El lenguaje racional de nuestro tiempo encubre apenas a los antiguos Mitos. La Utopía, y especialmente las modernas utopías políticas, expresan con violencia concentrada, a pesar de los esquemas racionales que las enmascaran, la tendencia que lleva a toda sociedad a imaginar una edad de oro de la que el grupo social fue arrancado y a la que volverán los hombres el Día de Días. Las fiestas modernas —reuniones políticas, desfiles, manifestaciones y demás actos rituales— prefiguran al advenimiento de ese día de Redención. Todos esperan que la sociedad vuelva a su libertad original y los hombres a su primitiva pureza. Entonces la Historia cesará. El tiempo (la duda, la elección forzada entre lo bueno y lo malo, entre lo injusto y lo justo, entre lo real y lo imaginario) dejará de triturarnos. Volverá el reino del presente fijo, de la comunión perpetua: la realidad arrojará sus máscaras y podremos al fin conocerla y conocer a nuestros semejantes.

---

[5] Van der Leeuw: *L'homme primitif et la Religion*. París, 1940.

Toda sociedad moribunda o en trance de esterilidad tiende a salvarse creando un mito de redención, que es también un mito de fertilidad, de creación. Soledad y pecado se resuelven en comunión y fertilidad. La sociedad que vivimos ahora también ha engendrado su mito. La esterilidad del mundo burgués desemboca en el suicidio o en una nueva Forma de participación creadora. Tal es, para decirlo con la frase de Ortega y Gasset, el "tema de nuestro tiempo": la sustancia de nuestros sueños y el sentido de nuestros actos.

El hombre moderno tiene la pretensión de pensar despierto. Pero este despierto pensamiento nos ha llevado por los corredores de una sinuosa pesadilla, en donde los espejos de la razón multiplican las cámaras de tortura. Al salir, acaso, descubriremos que habíamos soñado con los ojos abiertos y que los sueños de la razón son atroces. Quizá, entonces, empezaremos a soñar otra vez con los ojos cerrados.

Jorge Ramos

Puerto Rico, ¿la isla indecisa?

Hay pájaros que se quedan en la jaula aunque tengan la reja abierta.

(Esto se lo escuché a una periodista puertorriqueña —que estoy seguro prefiere que no la identifique— cuando le pedí que me ayudara a entender el estatus político de la isla.)

San Juan. Puerto Rico es un enigma para muchos latinoamericanos. Es prácticamente imposible imaginarse un país de América Latina que quisiera ceder su soberanía para convertirse en un estado más de Estados Unidos. Miles de latinoamericanos han muerto en guerras independentistas. Sin embargo, existen muchísimos puertorriqueños que estarían dispuestos a incorporar Puerto Rico, voluntariamente, a Estados Unidos.

Así.

Bueno —y es preciso decirlo—, aquí hay más de un siglo de historia conjunta desde que Estados Unidos venció a los colonizadores españoles en 1898 y es inevitable reconocer las ventajas de estar asociado con la única superpotencia militar y económica del mundo. Pero las cosas no son tan sencillas.

A pesar de que los habitantes de esta isla tienen pasaporte estadounidense, en ninguno de mis viajes he podido encontrar a un solo puertorriqueño que a la pregunta: ¿de dónde eres?, me respondiera: de Estados Unidos.

Es decir, antes que nada, los habitantes de esta isla se perciben a sí mismos como puertorriqueños. No como estadounidenses.

Aunque en la práctica los puertorriqueños saben que su asociación político-económica con Estados Unidos les favorece —no pagan impuestos federales y tienen acceso a un gigantesco sistema de protección social, entre otras cosas—, su identidad está intrínsecamente ligada, como cualquier otro pueblo, a su historia, idioma, cultura y tierra.

Eso los hace únicos.

Por lo anterior, para muchos puertorriqueños el tener que decidir por una opción permanente —desde la estadidad hasta la independencia— implicaría perder algo. Quizá oportunidades económicas, quizá su cultura y lenguaje. Y por eso, ante las alternativas, han preferido quedarse como están.

¿Es Puerto Rico una isla indecisa?

Bueno, la respuesta no es tan clara. El blanco y negro no se hicieron para Puerto Rico.

Si Puerto Rico se convirtiera en el estado 51 de la Unión Americana, los puertorriqueños podrían sentirse presionados a desechar su bagaje cultural y el español (como ya está ocurriendo en algunas poblaciones de Georgia).

Y si se independizara —aunque ni siquiera el 5% de la población isleña favorece esta opción— perderían los incentivos económicos y la red social que los protege.

En cambio, si se quedan como están, con un estado libre asociado, extenderían esa especie de limbo legal que tan bien les ha funcionado por varias décadas.

Para muchos, Puerto Rico actualmente vive lo mejor de dos mundos.

Puerto Rico es uno de los lugares más politizados que conozco. Los niveles de participación electoral están entre los más altos del mundo y nunca me ha costado trabajo en Guaynabo, Río Piedras o Fajardo iniciar una acalorada conversación —entre tostones, tamales y cueritos de puerco— sobre el futuro político de la isla.

A pesar de análisis que sugieren lo contrario, es muy probable que el último plebiscito —en diciembre del 98— haya reflejado correctamente el verdadero sentir de la mayoría de los puertorriqueños. Fue como decir: así estamos bien. 50.2% votó por ninguna de las varias opciones políticas que tenían en la boleta, incluyendo la estadidad.

Es cierto; todo el proceso del referéndum estuvo ensuciado por intereses partidistas Y plagado de zancadillas. Pero más de la mitad de los casi cuatro millones de votantes escogió la única alternativa que no obligaba a cambiar nada.

De nuevo, Puerto Rico escogió la flexibilidad como opción política porque es lo que más le conviene.

Por ahora.

El periódico *The New York Times* escribió poco después del referéndum un editorial (titulado "Confusión sobre el voto de Puerto Rico") en el que concluía que el voto de los puertorriqueños en el pasado plebiscito no los "acercaba a definir su futuro". Y en eso el diario tiene razón.

La verdad es que —con la excepción de algunos políticos— yo no he sentido en esta visita (ni en las anteriores) que a los puertorriqueños les urja decidir de manera permanente su futuro político. Han realizado varios plebiscitos y ninguno ha tenido consecuencias de peso.

Irónicamente, la división de los puertorriqueños sobre este tema ha tenido un fuerte aliado en el Senado de Estados Unidos. El Senado bloqueó un plan de transición de 10 años que hubiera culminado con la estadidad o independencia de Puerto Rico.

Así, con la mayoría de los puertorriqueños que prefieren no tornar una decisión irreversible y con el Senado norteamericano que no los deja, el panorama a mediano paso es claro: estado libre asociado. Un poquito de aquí y un poquito de allá.

Quizá a los latinoamericanos nos cueste entender que en estos momentos Estados Unidos y Puerto Rico son de un pájaro las dos alas (perdón, Cuba) y que el concepto de soberanía de muchos puertorriqueños no es tan excluyente como el del resto del continente. Creo que para la mayoría de los habitantes de América Latina la única opción legítima, si estuvieran en los zapatos de Puerto Rico, sería la independencia.

Pero esos zapatos no son nuestros.

Me parece que los puertorriqueños ya ejercieron su derecho a la autodeterminación y dijeron: déjennos como estamos.

Por ahora.

Posdata de espalda al sol. Además de la política, hay ciertas cosas que los puertorriqueños hacen de manera diferente. Y déjenme contarles una anécdota, inocua, pero que refuerza este punto de vista. Durante mi primera visita a Puerto Rico, hace muchos años, fui a una de las playas del sector de Isla Verde. Y ahí me encontré a cientos y cientos de jóvenes, sentados, dándole la espalda al mar. Era como si algo, muy poderoso, jalara su atención al lado opuesto del océano.

Sorprendido, traté de identificar qué era lo que estaban viendo, pero no encontré absolutamente nada que justificara —para mí— esa extraña posición. Sólo unos edificios de apartamentos. A los pocos minutos, sin embargo, me di cuenta que los bañistas estaban siguiendo al sol para tostar sus pieles y que poco les importaba dónde estuviera el mar. Obviamente mi cultura isleña es muy limitada, pero ésa es la única playa del mundo donde he visto que, de manera colectiva, se le dé la espalda al mar para seguir al sol.

En Puerto Rico, también, he encontrado algunos de los restaurantes más fríos del mundo. No sé por qué les gusta tener a los clientes a punto de congelación y con la mandíbula paralizada. Generar electricidad en el Caribe es tan difícil y caro que, quizá, un buen sistema de aire acondicionado es sinónimo de prestigio y buena comida. No sé. Pero son friísimos.

Basta decir que, igual en las playas y restaurantes, como en la política, los puertorriqueños tienen una forma muy particular de ver y enfrentar sus dilemas.

Arturo Uslar Pietri

El analfabetismo funcional

Hace poco, las autoridades educacionales de los Estados Unidos lanzaron una increíble e importante noticia sobre la que no se puede pasar a la ligera y que tiene mucha significación para el porvenir de nuestra civilización. La insólita noticia informaba escuetamente que la mitad de la población de Estados Unidos, estaba compuesta de analfabetos funcionales. Un analfabeto funcional es un ser que ha recibido en la escuela la enseñanza normal de la lectura y la escritura pero que en su vida ordinaria la usa muy poco, la maneja insuficiente y torpemente y no depende de ella para lo esencial de su información y comunicación. Prácticamente no lee libros, es poco y limitado su acceso a los periódicos, y experimenta dificultades insalvables para poner por escrito un pensamiento o un concepto.

Los hombres de la ilustración creían firmemente que la enseñanza de la lectura y la escritura era el instrumento fundamental para lograr la transformación de lo sociedad. Danton afirmaba que, después del pan, la instrucción era la primera necesidad del pueblo. Esta concepción ha estado en la base misma de todos los programas de progreso y transformación social que el mundo ha conocido en los dos últimos siglos.

Leer y escribir son dos operaciones mentales extraordinariamente complejas y difíciles en su esencia, mucho más allá de los simples mecanismos que la escuela enseña. Nombrar, como decía Wibbgenstein , es nada menos que la tentativa de poner en términos lingüísticos un universo no-lingüístico. Cada nombre es el símbolo más o menos caprichoso que le ponemos a una cosa o una acción, de las que nunca llegamos a tener una noción cabal. Escribir es traducir a esos símbolos los complejos mecanismos mentales del conocimiento, y leer es tratar de regresar de aquellos símbolos al conocimiento que los inspiró.

No hay operación más compleja y atrevida en todos los intrincados mecanismos del conocimiento humano. De esto, precisamente, han tenido angustiosa noción los grandes poetas creadores. "¿Qué hay en un nombre?", se preguntaba Shakespeare, en la tentativa desesperada de comprender. Y, mucho más tarde, otro gran poeta, Rimbaud, llegó a decir con rabia y desesperación: si los débiles de mente se pusieran a reflexionar sobre la letra A, podrían volverse locos.

Lo que está en juego en el fondo de todo esto es el destino de la escritura y la lectura en una civilización fundamental y crecientemente visual y auditivo como la nuestra. La inmensa y proliferante red de los medios de comunicación audiovisuales, particularmente la radio y la televisión, produce una verdadera inundación de mensajes visibles y audibles que cubre y penetra no solamente todas las formas de la vida social, sino la mente de cada uno de los individuos.

Hasta hace apenas un siglo, fuera de la palabra viva en lo conversación directa, no había otro medio de comunicación que el de la escritura. Era por medio de ella que se podía acceder a la información en todos sus niveles, desde los sucesos cercanos y lejanos hasta la ciencia. El inmenso crecimiento de los medios audiovisuales ha cambiado y sigue cambiando velozmente esta situación.

No desaparecerá la escritura, la ciencia continuará transmitiéndose por escrito en los libros y en las revistas especializadas para un público restringido. El perfil de los lectores de periódicos reveló que la inmensa mayoría de ellos se interesa sólo por los sucesos, los deportes, los escándalos, y, de manera muy marginal, por la reflexión seria y discusión de ideas.

Tal vez nos estemos acercando a un tiempo en el que van a coexistir, con creciente incomunicación entre ellos, los medios audiovisuales con los escritos, y los destinados fundamentalmente a fines distintos con los de los libros y textos de la ciencia y la creación. Podría ser, en cierta forma, el regreso a una nueva Edad Media y una vuelta de los bárbaros.

Ernesto Sábato

El escritor y sus fantasmas

SOBRE LOS PERSONAJES TOMADOS DE LA REALIDAD EXTERNA

Los personajes profundos de una novela salen siempre del alma del propio creador, y sólo suelen encontrarse retratos de personas conocidas en los caracteres secundarios o contingentes. Pero aun en ellos es difícil que el escritor no haya proyectado parte de su avasalladora personalidad. También podríamos compararlos a esas piedrecitas que colocadas en una atmósfera sobresaturada de sulfato de cobre se cubren con cristales azules que nada tienen que ver con la naturaleza de la piedra. Así, cuando Proust o Faulkner toman como modelo un pequeño individuo terminan por cubrirlo con la materia de sus propios deseos y problemas, de sus propios sentimientos y obsesiones. Por eso los personajes de un escritor poderoso tienen siempre un aire de familia: todos son en definitiva hijos del mismo progenitor. Y hasta en aquellos casos en que buscaron un personaje para zaherirlo o satirizarlo, un poco se zahieren o satirizan a sí mismos, con esa tendencia masoquista que casi invariablemente tienen estos grandes neuróticos.

Algunos opinan que en la poesía pura no deben intervenir los ingredientes filosóficos o políticos; otros proscriben la anécdota; otros, en fin, echan la rima, los valores musicales. Construyendo un poema que respondiese a todas esas prohibiciones no quedaría nada, que es al fin de cuentas la más intachable forma de la pureza.

En general, cada vez que en el arte se empieza a mencionar esta palabra, podemos estar seguros de que comienza un período de bizantinismo. Pero si esta clase de manías es grave o simplemente ridícula para la poesía o la pintura, ¿qué podríamos decir de la novela, actividad impura por excelencia, tan impura como la propia historia, de la que es su hermana nocturna y delirante?

CAPILLAS LITERARIAS

Creo que Thomas Mann dice, en algunas de sus novelas, que el hombre solitario es capaz de enunciar más originalidades y más tonterías que el hombre social. Esto vale también para la literatura. Cierto aislamiento, cierto bárbaro aislamiento, como siempre tuvo el artista en los Estados Unidos, es fértil para la creación de algo fuerte y novedoso. No es necesario, como lo prueba gente como Proust o como Tolstoi; tampoco es suficiente, como lo prueba tanto idiota aislado. Digo, con muchos "ciertos" y "quizá", que de vez en cuando es bueno y fertilizante, como ha sido fertilizante para la ultrarrefinada literatura europea la inyección de esa sangre de escritores como Hemingway.

En Buenos Aires, como en París, padecemos esas galerías de espejos que son capillas. Y así sucede que la mayor parte de sus integrantes (falsamente multiplicados por los espejos como en esos negocitos mezquinos de hoy en día) no hacen literatura sino literatura de literatura, una especie de literatura a la segunda potencia, únicamente apta para iniciados y exquisitos conocedores. Y por eso se rieron del Martín Fierro. Casi siempre, prefieren el ingenio al simple genio.

PERSONAJES DESDE FUERA Y PERSONAJES DESDE DENTRO

Pero el más grande sofisma de Robbe-Grillet es el siguiente: pretender que el autor no puede entrar en el alma de sus personajes, debiéndole describir desde fuera, tal lo vemos y oímos en la vida diaria. Cuando es harto sabido que los personajes más importantes de la literatura de ficción son emanaciones del propio autor. Y aunque no los "conozca" del todo (del mismo modo que nadie se conoce totalmente a sí mismo), los vive desde dentro; y aunque se le escapen a su voluntad, como los sueños, le pertenecen tanto como los sueños.

Ese empeño en eliminar de la novelística la vida interior de los personajes puede ser consecuencia de tres factores:

1. Influencia del cine.
2. Deseo de lograr, astutamente, una mayor ambigüedad.
3. Estupidez.

Los tres factores, separadamente o a la vez, no pueden ser considerados en serio como una condición de la literatura del futuro. Ni del pasado.

La maldita intervención del autor

Consideremos un árbol. Primero lo pinta Millet y luego lo pinta Van Gogh. Resultan dos árboles distintos, en virtud de esa "maldita intervención del autor". Pero es precisamente esa (inevitable) irrupción del artista en el objeto lo que hace superior al árbol de Van Gogh al árbol de Millet y al de cualquier fotógrafo.

Más todavía: ese árbol es el retrato del alma de Van Gogh.

CÓMO EL LECTOR TERMINA LA OBRA DE CREACIÓN

Sobre la relación entre el autor y el lector, en su obra *Qué es la literatura*, Sartre ha dicho todo lo que puede decirse:

"El objeto literario es un trompo extraño que sólo existe en movimiento. Para que surja, hace falta un acto concreto que se denomina la lectura y, por otro lado, sólo dura lo que dure la lectura".

"Sólo hay un arte por y para los demás".

"Sin duda, el autor lo guía; los jalones que ha colocado están separados y hay que llegar hasta ellos e ir más allá. En resumen, la lectura es creación dirigida. Por una parte, en efecto, el objeto literario no tiene otra sustancia que la subjetividad del lector; la espera de

Raskolnikov es mi espera, una espera que yo le presto; sin esta impaciencia del lector no quedarían más que signos languidecentes; el odio del personaje contra el juez de instrucción que lo interroga es mi odio, requerido, captado por los signos, y el mismo juez no existiría sin el odio que le tengo a través de Raskolnikov. Es ese odio lo que anima, lo que constituye su carne".

"Así, para el lector, todo está por hacer y todo está hecho; la obra existe únicamente en el nivel exacto de sus capacidades".

"Ya que la creación no puede realizarse sin la lectura, ya que el artista debe confiar a otro el cuidado de terminar lo comenzado, ya que un autor puede percibirse esencial a su obra sólo a través de la conciencia del lector, toda obra literaria es un llamamiento".

"De este modo, la lectura es un pacto de generosidad entre el autor y el lector; cada uno confía en el otro, cuenta con él y le exige tanto como se exige a sí mismo".

"Escribir es pues, revelar el mundo y a la vez proponerlo como una tarea a la generosidad del lector".

"Entre los dos asumimos la responsabilidad del universo".

TRIPLE EFECTO DE LA CRISIS SOBRE LA LITERATURA

En medio del desastre y del combate, inmersos en una realidad que cruje y se derrumba a lo largo de formidables grietas, los artistas se dividen en aquellos que valientemente se enfrentan con el caos, haciendo una literatura que describe la condición del hombre en el derrumbe; y los que, por temor o asco, se retiran hacia sus torres de marfil o se evaden hacia mundos fantásticos. Pero por efecto de ambas actitudes se produce una proliferación de modalidades técnicas: en un caso, provocadas por la necesidad urgente de explorar y describir los abismos que se abren en la catástrofe, abismos que no pueden recorrerse ni expresarse con los viejos instrumentos; y en el caso opuesto, por esa tendencia que tiene toda literatura preciosista a las búsquedas puramente formales.

No hay que creer, sin embargo, que esos tres movimientos permanezcan ajenos entre sí. Por el contrario, aparecen entrañablemente vinculados entre sí y no es asombroso que de pronto una técnica inventada por esos orfebres de gabinete haya servido a la otra raza de artistas para descender a sus abismos.

PUREZA, ETERNIDAD Y RAZÓN

Somos imperfectos, nuestro cuerpo es débil, la carne es mortal y corrompible. Pero por eso mismo aspiramos a algo que no tenga esa desgraciada precariedad: a algún género de belleza que sea perfecta, a un conocimiento que valga para siempre y para todos, a principios éticos que sean absolutos. Al levantarse sobre las dos patas traseras, este extraño animal abandona para siempre la felicidad zoológica e inaugura la infelicidad metafísica que resulta de su dualidad: descabellada hambre de eternidad en un cuerpo miserable y mortal.

Entonces comienzan las preguntas, ¿existe algo eterno más allá de este mundo transitorio y en perpetuo cambio? Y si existe, ¿cómo podernos alcanzarlo, mediante qué intermediario, merced a qué fórmula mágica? Ya los griegos se plantearon en occidente este problema y encontraron la solución en las matemáticas. Claro: hasta las poderosas pirámides faraónicas, levantadas con la sangre y las lágrimas de miles de esclavos son apenas pálidos simulacros de la eternidad, derruida finalmente por los huracanes y las arenas del desierto; pero la ingrávida pirámide matemática que es su modelo permanece inmune a los poderes destructivos del tiempo. Y si ese paisaje que tenemos ante nuestros ojos se presenta con colores cambiantes, según la hora y el lugar desde donde lo contemplamos, si todo lo que entra por nuestros sentidos es mudable y sujeto a discusión, está teñido por nuestros estados de ánimo y deformado por nuestras pasiones, es relativo y radicalmente subjetivo; este teorema que, demostramos, en cambio, vale para todos, aquí en Grecia o allá en Persia, se haga su demostración en nuestra lengua o en cualquier otra lengua real o inventada, estemos poseídos por el furor o seamos indiferentes a esa verdad o cualquier verdad,

Los griegos desde Pitágoras, observaron este extraordinario hecho, asombroso apenas se reflexione un poco, y, naturalmente concluyeron que la materia señalaba la ruta secreta que, a través de la selva oscura de nuestras sensaciones, mediante la sola guía de la razón, con la única ayuda del pensamiento puro, nos conducía al universo eterno de la verdadera realidad, desde este mundo confuso que suscitaba el escepticismo de Heráclito. Así surgió en el pueblo helénico el prestigio del pensamiento como instrumento del conocimiento, y ese divino prestigio perduraría en Occidente a través de casi dos mil quinientos años de guerras, invasiones, derrumbes y devastaciones.

SOLEDAD Y SEXO

Probablemente nunca el amor carnal haya sido descrito con tanta dureza como en la novelística de nuestro siglo. Bastaría pensar en D. H. Lawrence. Pero, por eso mismo, nunca ha alcanzado una jerarquía espiritual y metafísica. Pues a través del cuerpo, en sus fugaces pero intensos éxtasis, el protagonista de esta literatura intenta la comunicación con el otro yo, con alguien igualmente libre, con una conciencia similar a la suya: intenta de ese modo escapar a la soledad y tal vez a la locura. Porque de todos los intentos que el hombre puede hacer para lograr ese contacto, el amor parece ser el más poderoso.

Pero mientras ese intento se realiza no a través sino con el solo cuerpo, sólo se logrará satisfacer las necesidades físicas del hombre, no sus necesidades metafísicas; el cuerpo propio y el del otro pertenecen al puro mundo de los objetos, el amor se reduce a un puro problema mecánico y, en última instancia, es una complicada variante del organismo. Sólo la plena relación con el otro yo permite salir de uno mismo, trascender la estrecha cárcel del propio cuerpo y, a través de su carne y de la carne del otro (maravillosa paradoja) alcanzar su propia alma. Y esta es la razón de la tristeza que deja el puro sexo, ya que no sólo deja en la soledad inicial sino que la agrava con la frustración del intento.

Berdiaeff sostiene que el instinto sexual encierra un elemento demoníaco y destructivo, pues nos arroja en el mundo estrictamente objetivo, donde la comunión entre los hombres es imposible y donde por lo tanto la soledad es total y definitiva. De ahí que el erotismo sexual aparezca tan frecuentemente ligado a la violencia, al sadismo y, a la muerte: parecería como que no pudiendo llegar a la otra subjetividad, no pudiendo satisfacer esa profunda necesidad de comunicación que le es inherente, el hombre se venga inconscientemente desgarrando, odiando y haciendo sufrir.

El tema de la soledad y de la incomunicación es uno de los temas que caracterizan a la literatura de esta época de crisis. Y, como consecuencia de lo que acabamos de decir, de una manera o de otra debe aparecer en ella el magno problema del sexo en relación con el espíritu.

RELACIÓN ENTRE EL ACTOR Y SUS PERSONAJES

Algunos contemporáneos de Balzac nos dicen que era vulgar y vanidoso. Pero lo cierto es que es capaz de crear personajes de una grandeza que no coinciden con ese Balzac real (¿o aparente?). Los personajes emanan del corazón del creador, pero pueden superarlo en bondad, en sadismo, en generosidad, en avaricia.

Todos los personajes centrales de una novela representan (de alguna manera) a su creador. Pero todos (de alguna manera) lo traicionan.

Madame Bovary soy yo, qué duda cabe. Pero también soy Rodolphe, en mi incapacidad para soportar mucho tiempo el temperamento romántico de Emma. Y también soy M. Homais, pues, ¿mi romanticismo extremo no me ha terminado por convertir en algo así como un ateo del amor? El disgusto de Flaubert por los beatos del romanticismo es semejante al que los auténticos espíritus religiosos tienen por los beatos.

A medida que esos personajes de novela van emanando del espíritu de su creador, se van convirtiendo, por otra parte, en seres independientes; y el creador observa con sorpresa sus actitudes, sus sentimientos, sus ideas. Actitudes, sentimientos e ideas que de pronto llegan a ser exactamente los contrarios de los que el escritor tiene o siente normalmente: si es un espíritu religioso verá, por ejemplo, que alguno de esos personajes es un feroz ateo; si es conocido por su bondad o por su generosidad, en algún otro de esos personajes advertirá de pronto los actos de maldad más extremos y las mezquindades más grandes. Y cosa todavía más singular: no sólo experimentará sorpresa sino, también, una especie de retorcida satisfacción.

Luisa Valenzuela

La mala palabra

Las niñas buenas no pueden decir esas cosas; las señoras elegantes, tampoco, ni las otras. No pueden decir ni esas cosas ni las otras, porque no hay posibilidad de acceso a lo positivo sin su opuesto, el negativo revelador y revelado. Tampoco las otras mujeres, las no tan señoras, pueden proferir aquellas palabras catalogadas de malas. Las grandes, las gordas: *las palabrotas*. Esas tan sabrosas al paladar, que llenan la boca. Palabrotas. Las que nos descargan de todo el horror contenido en un cerebro a punto ya de reventar. Hay palabras catárticas, momentos de decir que deberían ser inalienables y nos fueron alienados desde siempre.

Durante la infancia, las madres o los padres —por qué echarle la culpa siempre a las mujeres— nos lavaron a muchas de nosotras la boca con agua y jabón cuando decíamos alguna de esas llamadas palabrotas, las "malas" palabras. Cuando proferíamos nuestra verdad. Después vinieron tiempos mejores, pero esas interjecciones y esos apelativos nada cariñosos quedaron para siempre disueltos en la detergente burbuja del jabón que limpia hasta las manchas de familia. Limpiar, purificar la palabra, la mejor forma de sujeción posible. Ya lo sabían en la Edad Media, y así se siguió practicando en las zonas más oscuras de Bretaña, en Francia, hasta hace pocos años. A las brujas —y somos todas brujas hoy— se les lava la boca con sal roja para purificarlas. Canjeando un orificio por otro, como diría

Margo Glantz, la boca era y sigue siendo el hueco más amenazador del cuerpo femenino; puede eventualmente decir lo que no debe ser dicho, revelar el oscuro deseo, desencadenar las diferencias amenazadoras que subvierten el cómodo esquema del discurso falocéntrico, el muy paternalista.

Y del dicho al hecho, de la palabra hablada a la palabra escrita: un solo paso. Que requiere, toda la valentía de la que disponemos, porque parecería tan simple y no lo es, la escritura franqueará los abismos y, por tanto, hay que tener conciencia inicial del peligro, del abismo. Olvidarse de las bocas lavadas, dejar que las bocas sangren hasta acceder a ese territorio donde todo puede y debe ser dicho. Con la conciencia de que hay tanto por explorar, tanta barrera por romper, todavía.

Es una lenta e incansable tarea de apropiamiento, de transformación. De ese lenguaje hecho de "malas" palabras que nos fue vedado durante siglos y del otro lenguaje, el cotidiano, que estábamos obligadas a manejar con sumo cuidado, con respeto y fascinación porque de alguna manera no nos pertenecía. Ahora estamos rompiendo y reconstruyendo, es una ardua tarea. Ensuciando esas bocas lavadas, adueñándonos del castigo, sin permitirnos en absoluto la autolástima.

> *Entre nosotras el llanto está prohibido. Otras manifestaciones emotivas, otras emociones, no; pero sí el llanto, prohibido. Al celo, por ejemplo, podemos darle libre curso y alegrarnos. A los celos, en cambio, debemos mantenerlos bajo estricto control, podrían degenerar en llanto.*
>
> *¿Por qué tanto miedo a las lágrimas? Porque las máscaras que usamos son de sal. Una sal roja, ardiente, que nos vuelve hieráticas y bellas, pero nos devora la piel.*
>
> *Bajo las rojas máscaras tenemos el rostro en carne viva y las lágrimas bien podrían disolver la sal y dejar al descubierto nuestras llagas. La peor penitencia.*
>
> *Nos cubrimos con sal y la sal nos carcome y a la vez nos protege. Roja sal la más bella, la más voraz de todas. En tiempos idos nos restregaban la boca con la sal roja, queriendo lavarnos de impudicias. ¡Brujas!, gritaban ellos cuando algo perturbaba*

el tranquilizante orden por ellos instaurado. Y nos fregaban la cara contra la roja sal de la ignominia y quedábamos anatemizadas para siempre. ¡Brujas! Nos acusaban, acusaban, hasta que supimos apropiarnos de esa sal y nos hicimos las máscaras tan bellas. Iridiscentes, color carne, translúcidas de promesa.

Ahora ellos, si quieren besarnos —y todavía a veces quieren— deben besar la sal y quemarse a su vez los labios. Nosotras sabemos responder a los besos y no tenemos inconveniente de quemarnos con ellos desde el reverso de la máscara. Ellos/nosotras, nosotras/ellos. La sal ahora nos une, nos une la llaga y sólo el llanto podría separarnos.

Con máscara de sal nos acoplamos y a veces los sedientos vienen a lamernos. Es un placer perverso: ellos quedan con más sed que nunca y a nosotras nos duele y nos aterra la disolución de la máscara. Ellos lamen más y más, ellos gimen de desesperación, nosotras de dolor y de miedo. ¿Qué será de nosotras cuando afloren nuestros rostros ardidos? ¿Quién nos querrá sin máscara, quién en carne viva?

Ellos no. Ellos nos odiarán por eso, por habernos lamido, por habernos expuesto. Por habernos ellos lamido, por habernos ellos expuesto, ellos. Y nosotras ni siquiera derramar una lágrima, sin permitirnos nuestro gesto más íntimo: la autodisolución de nuestra propia máscara gracias al prohibido llanto que abre surcos para empezar de nuevo.

Nuestra máscara es ahora el texto, el mismo que nosotras mismas, las mujeres, las dueñas de la textualidad y la textura, podemos —si queremos— disolver, y si no, no. Reconstruirlo, modificarlo, haciendo propias aquellas palabras que para otras eran malas —malas en nuestras bocas, claro está— y con aquello con que se nos estigmatizaba armarnos como siempre las corazas. Entre dos tapas. Espejarnos en el libro, en el texto, la otra cara del cuerpo femenino, aunque no tenga nada de aparentemente femenino, aunque despierte el dudoso cumplido que todas probablemente hemos escuchado alguna vez.

"¡Pero qué excelente novela (o cuento, o poema); parece escrito por un hombre! "

En un tiempo, quizá llegamos a sentirnos halagadas por tamaño despropósito. Ahora sabemos. Parece, pero no es. Porque lo que más hemos aprendido últimamente es a leer, a leer y a descifrar según nuestras propias claves.

Hace tanto, ya, que venimos lentamente escribiendo, cada vez con más furia, con más autorreconocimiento. Mujeres en la dura tarea de construir con un material signado por el otro. Construir no partiendo de la nada, que sería más fácil, sino transgrediendo las barreras de censura, rompiendo los cánones en busca de esa voz propia contra la cual nada pueden ni el jabón ni la sal gema, ni el miedo a la castración, ni el llanto.

ENSAYO
HISPANOAMÉRICA
Argentina

María Elena Walsh

¿Corrupción de menores?

"No hay preguntas indiscretas
Indiscretas son las respuestas".
Oscar Wilde

Vivimos consumiendo preceptos y productos sin cuestionarlos, por temor a la indiscreción de las respuestas y porque es más seguro acatar rutinas que incurrir en singularidades. Un ejercicio de esclarecimiento podría empezar con estas discretísimas preguntas:

¿Educamos a nuestras niñas para que en el día de mañana (si lo hay) sean ociosas princesas del jet-set? ¿Las educamos para Heidis de almibarados bosques? ¿Las educamos para futuras cortesanas? ¿Las educamos para enanas mentales y superfluas "señoras gordas"?

Así parece, por lo menos en buena parte de la bendita clase media argentina, dada la aberrante insistencia con que se estimula el narcisismo y la coquetería de nuestras niñas y se les escamotea su participación en la realidad.

La nena suele gozar de una envidiable amnesia para repetir la tabla del cuatro junto con una no menos envidiable memoria para detallar el último capítulo del idilio de tal vedette con tal campeón o el menor frunce del penúltimo modelo de Carolina de Mónaco cuando salió a cazar mariposas en Taormina con su digno esposo.

Consentimos y aprobamos que sea maniática consumidora de chafalonía, vestimenta, basura impresa y todo lo que, en fin, represente moda y no verdad. Consentimos que acuda al espejito más neuróticamente que la madrastra de Blancanieves, que sea experta en cosmética, teleteatros y publicidad, que exija chatarra importada o que calce imposibles zuecos para denuedo de traumatólogos.

Formamos una personalidad melindrosa cortando de raíz —porque todo empieza desde el nacimiento— la sensibilidad o el interés que podría sentir por la variada riqueza del universo.

—Es el instinto femenino— dicen algunos psicólogos de calesita. Eso me recuerda una anécdota. El director de una compañía grabadora estaba un día ocupado en comprobar cuántas veces se pasaba determinado disco por la radio.

—¡Qué bien, qué éxito, cómo gusta, cómo lo difunden a cada rato! —aplaudió entusiasmado. Y después agregó: —Claro que hay que ver la cantidad de plata que invertimos en la difusión radial de este tema…

Nosotros también programamos a nuestras niñas como a ese eterno infante que es el público. Les insuflamos manías e intereses adultos, les subvencionamos la trivialidad y luego atribuimos el resultado a su constitución biológica.

Las jugueterías, en vidrieras separadas, ofrecen distintos juguetes para niñas y para varones. En Estados Unidos, no hace muchos años los lugares públicos estaban igualmente divididos "para gente de color" y "para blancos". ¡Dividir para reinar!

A las nenas sólo se les ofrece —o se les impone— juguetería doméstica: ajuares, lavarropas, cocinas, aspiradoras, accesorios de belleza o peluquería.

Si con esto se trata de reforzar las inclinaciones domésticas que trae desde la cuna, ¿por qué no orientarla también hacia la carpintería o la plomería? ¿Acaso no son actividades hogareñas indispensables? Sí, lo son, pero remuneradas. He aquí una respuesta indiscreta.

Los juguetes para varones sortean la monotonía y ofrecen toda la gama de posibilidades humanas y extraterrestres: granjas, tren eléctrico, robots, microscopio, telescopio, equipos de química y electrónica, autos, juegos de ingenio y todo lo que, en fin, estimula las facultades mentales.

¿A la nena no le gustan los animales de granja ni los trenes? ¿No sueña con manejar un coche? ¿No siente curiosidad por el microcosmos o el espacio? ¡Cómo la va a sentir si es cosa de la otra vidriera, la de Gran Jefe Toro Sentado Blanco!

¿Es que el ejercicio de la razón y la imaginación pueden llevarla a la larga a desistir de ser una criatura dependiente y limitada, mano de obra gratuita y personaje ornamental? La respuesta es sumamente indiscreta.

En la casa y la escuela destinamos a la nena a reiterar las más obvias y desabridas manualidades, a remedar las tareas maternas... y a practicar la maledicencia a propósito de indumentaria vecinal.

La nena vive rodeada de dudosos arquetipos y la forzamos a emularlos, comprándole la diadema de la Mujer Maravilla o el manto de cualquier otra maravilla femenil. No falta tío que ponga en sus manos un ejemplar de "Cómo ser bella y coqueta", otro espejito más o la centésima muñeca.

Salvo raras excepciones como *Reportajes Supersónicos* de Syria Poletti, cuya heroína es una pequeña periodista, el papel impreso que suele frecuentar la nena —incluido el libro de lectura— le muestra a mujeres que, en la más alta cima del intelecto, son maestras. Las demás, aparte de consabidas hadas y brujas, son siempre domadas princesas o abotargadas amas de casas.

La nena sabe, por las revistas que devora como una leona, que en este mundo hay mujeres dedicadas a las más diversas tareas, por necesidad o por ganas. Lo que es más grave y contradictorio, le enseñan a soslayar el hecho de que su propia madre trabaja afuera o estudia, como si éste no fuera modelo apropiado dada su excentricidad. Jamás vio —y si lo vio mojó el dedo y pasó la página— que hay mujeres obreras, pilotos, juezas o estadistas. Es tan avaro el espacio que los medios les dedican, ocupados como están en la promoción, de Miss Tal o la siempre recordable Cristina Onassis.

Educar para el ocio, la servidumbre y la trivialidad, ¿no significa corromper la sagrada potencia del ser humano?

Por suerte, esta criatura vestida de rosa (no faltará quien diga, confundiendo otra vez causas con efectos, que las nenas nacen de rosa y los varones de celeste, cuando este negocio de los colores distintivos fue invento de una partera italiana, allá por 1919), esta criatura, digo, es fuerte y rebelde, dotada de una capacidad de supervivencia extraordinaria. La nena, en muchos casos renegará de la manipulación y decidirá ser una persona. Pero ¿quién puede medir la dificultad de la contramarcha y la energía desperdiciada en librarse de tanta tilinguería adulta?

Mientras modelan a la pequeña odalisca remilgada, el tiempo pasa y llega la hora de la pubertad. Entonces los adultos se alarman porque la nena asusta con precoces aspavientos sexuales y emprende calamitosamente los estudios secundarios. Terminó los primarios como pudo, entre espejitos, telenovelas, chismografía y exhibicionismo fomentados y aprobados, pero al trasponer la pubertad se le reprocha todo esto y empieza a hacerse acreedora al desprecio que la banalidad inspira a quienes mejor la imponen y más caro la venden.

Los mayores ponen el grito en el cielo porque la nena no da señales de ir a transformarse en una Alfonsina Storni. Ahí empieza a tallar el prestigio de la cultura —desmesurado porque se trata de otra forma del culto al exitismo individual— y florece una tardía sospecha de que la nena no fue educada razonablemente. Cuando las papas queman, estos pobres padres de clase media argentina comprenden por fin que no son Grace y Rainiero y que la tierra que pisan no es Disneylandia.

En ese preciso momento aparece también el espantajo de la TV, esa culpable de todo. ¿Y quién delegó en ella las tareas de institutriz? La mediocridad de la TV no hace sino colaborar en la fabricación en serie de ciudadanas despistadas.

No se trata de reavivar severidades conventuales ni se trata de desvalorizar el trabajo doméstico ni inquietudes que, mejor orientadas, podrían ser simplemente estéticas. No se trata tampoco de mudarse de vidriera para suponer, por ejemplo, que el automovilismo, es más meritorio que el arte culinario, o la cursilería más despreciable que el matonismo.

Toda criatura humana debe aprender a bastarse y cooperar en el trabajo hogareño y a cuidar, si quiere, su apariencia. Lo grave consiste en convencer a la criatura femenina de que el mundo termina allí.

Se trata de comprender que la niña no tiene opción, que es inducida compulsivamente a la frivolidad y la dependencia, que por tradición se le practica un lavado de cerebro que le impide elegir otra conducta y alimentar otros intereses.

La frivolidad no es un defecto truculento que merezca anatemas al estilo cuáquero o musulmán. Lo truculento consiste en hacerle creer a alguien que ése es su único destino, incompatible con el uso de la inteligencia. Lo grave consiste en confundir un espontáneo juego imitativo de la madre con una fatalidad excluyente de otras funciones.

A la nena no se le permite formar su personalidad libremente: se la dan toda hecha, y aprendices de jíbaros le reducen el cerebro para luego convencerla de que nació reducida. La instigan a practicar un desenfrenado culto a las apariencias y a desdeñar su propia y diversa riqueza humana. La recortan y, pegan para luego culparla porque es una figurita. La educan, en fin, para pequeña cortesana de un mundo en liquidación.

¿No es eso corrupción de menores?

Julio Camba

Sobre la palabra bisté

Hace muchos años que vengo escribiendo la palabra **bisté** y hace muchos años que el corrector de pruebas viene sustituyéndomela por la palabra *biftec*. Probablemente el corrector de pruebas, cuyo oficio le acerca a la Academia mucho más de lo que pudiera acercarle el mío, no hace la sustitución a humo de pajas, pero permítame el querido camarada que yo no me trague así como así ese *biftec* académico que pretendo servirme.

La palabra inglesa *beefsteak* viene de *steak* (tajada) y de *beef* (buey); pero este *beef* del *beefsteak* no es completamente inglés. Los ingleses no emplean palabras verdaderamente inglesas más que para nombrar animales vivos, y cuando se trata de designar con propósitos comestibles, la carne de estos mismos animales, entonces recurren al francés. ¿Suponen, acaso, que su conciencia puritana ignora el idioma de Racine, y aspiran a engañarla, para evitarse los remordimientos, haciéndole creer que toman zanahorias cuando devoran chuletas? ¿O es que, gente de escasas aptitudes culinarias, han aprendido de los franceses el arte de guisar, y con el arte aprendieren el vocabulario? Ello es que, así como a la ternera viva le llaman *calf*, a la ternera para comer le llaman *veal* (del francés *veau*); que, mientras para decir carnero dicen *sheep*, para decir guisado de carnero dicen guisado de *mutton* (del francés *mouton*) y que, si al buey o a la vaca que tiran de un carro lo nombran ox o *bullock*, a la vaca o al buey del *beefsteak* lo nombran *beef* (del francés *beuf*).

La palabra inglesa *beefsteak* es, por tanto, una palabra gerízara, que no hay manera de adaptar a ningún idioma y de la que sólo se pueden hacer imitaciones fonéticas, y la fonética popular la traduce por **bisté**. **Bisté** y no **biftec**. Un **bisté** o dos **bistés**, y no un **biftec**, o dos **bifteces**. Y, si entre el **bisté** madrileño y el *beefsteak* londinense hay alguna diferencia prosódica, no importa. También hay diferencias de precio y diferencias de calidad.

Por mi parte, convencido de que el pueblo ha adoptado en este asunto una resolución definitiva y de que dirá siempre **bisté**, yo, a mi vez, escribiré **bisté** porque no le veo a la palabra otra ortografía posible. Y perdóneme el camarada corrector esta pequeña disertación que, quizá por tener un sentido antiacadémico, me haya resultado un poco académica. El corrector de pruebas es la providencia del literato. Si no fuera por su precioso y oportuno concurso, el público, que no concibe a un escritor con mala ortografía —lo que es igual que si no lo concibiese con mala letra— despreciaría a los hombres más valiosos de nuestro gremio. Nadie mejor que yo estimo en lo que valen los servicios del corrector de pruebas; pero, por una vez, permítaseme disentir de él en una cuestión que no sé todavía a punto fijo si es gramatical o si es culinaria.

José Camón Aznar

Guernica

Llegamos con *Guernica*, gran composición pintada en blanco y negro y gris en 1937, al ápice de la expresividad picassiana. Como Goya en los *Desastres de la guerra*, Picasso simboliza, más que un hecho concreto de la guerra española—según él mismo ha declarado al periodista americano Jerome Seekler—, la alegoría de los sufrimientos y de la tenebrosidad de la guerra, encarnando al pueblo en ese ululante caballo que ocupa el centro del friso. Diríase que toda la ruta anterior de Picasso ha sido la preparación para esta explosión de iracundia. Una vez más, el expresionismo es el que consigna unas angustias para las que la palabra es impotente.

Este gran friso es una asamblea de aullidos. Todos los seres, como la leona herida de Asiria, tienen las piernas muertas. Pero les queda el busto y los brazos alzados en gritadora desesperación. Con la mitad del cuerpo ya fallecido, la cabeza se alza como la copa del dolor, toda colmada de lloro iracundo. Con las bocas desencajadas en un grito que vuela por los espacios vacíos. Contrasta la alta 'imploración de estas cabezas, a las que modela la calavera, con la terrera desesperanza en que se halla sumergido este cuadro. Porque lo que aquí está muerto de verdad es la esperanza. Parece que estos cuerpos se hallan enterrados desde la cintura y son los brazos los que se levantan frenéticos sin cielo adonde asirse, Picasso ha dispuesto de un idioma expresivo como hasta ahora no había conocido el mundo. El mismo

Goya tenía que contar con la normalidad morfológica del ser humano. Pero Picasso ha rebañado todo lo que no fuera nervio herido, línea doblada por la desesperación, gran viento lúgubre que arrastra cabelleras. Todos estos rostros se hallan en trance de ahogo. Y presidiendo la composición, inmutable y eterno como la crueldad, se yergue un toro, de cuyo cuello brota la oreja como un cuchillo. No es el sol el que alumbra este caos de cuellos alargados, sino una bombilla de hogar triste, bajo la que se retuerce ese terrible caballo con la enorme cabeza llena de ese relinche que es como todo el pavor de su tierra.

Como todo expresionismo, éste de Picasso es esencialmente pesimista. Incrédulo y patético, lo único que puede constatar es el castigo a los inermes, la imposibilidad de superar el dolor de los vencidos. La horizontalidad de esta composición en forma de friso acentúa la expresividad de estas ráfagas, que arrastran cabezas aulladoras desprendidas ya por el dolor como hojas secas.

Un acierto de Picasso ha sido el prescindir del color que empastaría y banalizaría tanta tragedia. Aquí el juego de blancos y negros es también dramático, destacándose las expresiones en su más alta aflicción por ese foco de claridad que cae sobre ellas y las recorta. El negro entintado del fondo evita toda interrupción. Quedan así las expresiones sucedidas en un crescendo de desesperaciones. Y ello le da también ese aire espectral que proporciona una cierta lógica a la irrealidad de estas formas planas. Picasso ha creado aquí unas criaturas sin más módulo que el del dolor que no pueden superar. Grandes pies gafos, de proletario, anchas manos de crucificado, grandes cabezas mondas, de hueso, con toda la emoción y con toda la inteligencia concentrada en esa boca de ciego como excavada y volcánica de imprecaciones. Es la de Picasso en este friso una pobre y rala humanidad a la que no quede más horizonte que la muerte. Y la rebeldía iracunda en el último minuto. Es el dolor sin redención. Y si hubiéramos de encontrar algún paralelo a ese cuadro, lo buscaríamos en las representaciones del averno, con criaturas así de aprisionadas por una desesperación de la que no pueden evadirse.

Picasso con esta obra proclama su raíz hispánica. Lleva todos los sentimientos al paroxismo. Y este humanismo exasperado es el que rompe con sus dientes todas las leyes estéticas vigentes hasta él y marca el límite final del arte. Bajo esa bombilla proletaria que preside la composición abrasan sus alas todas las formas que no se hallen armadas por algún gran grito interior. En ese tremendismo ibérico la aportación más trascendente de Picasso y el límite también de sus posibilidades expresivas. Este dolor ya no puede superarse. Y de la misma manera que estas formas carecen de horizonte de esperanza, también es terminal el arte que las encarna.

En esta obra, que mide 3,51 por 7,82 metros, todo es hiriente y desesperado. El dibujo es deliberadamente poco seguro en algunos temas. La ferocidad del toro no ha podido ser superada. Bajo la oreja de cuchillo se abre un ojo. Entre el morro del animal la lengua parece una bala. Bajo esta cabeza una mujer impreca con un hijo muerto entre los brazos. De su boca abierta en un grito brota una lengua afilada. Y hay un amasijo de dedos gafos, gordos, con uñas también puntiagudas. Una cabeza redonda y pulida como una calavera está desprendida en el suelo. Un brazo cortado sostiene una espada rota. El caballo abre su gran boca en desesperado relincho. Es enorme este lamento, y su lengua brota también como la punta de una lanza. Este tema, tan reiterativo, alcanza así toda su hiriente eficacia. Junto al caballo hay una mano que termina en un ala que empuña una triste lámpara de petróleo. Alarga una mujer una cabeza angustiada. Y los pies se exhiben macizos y pesados como la tierra. Una gran cabeza misteriosa se asoma desde lo alto a contemplar tanta tragedia. Mientras que al final de la composición una mujer alza sus brazos y su cabeza en una imploración sin fin. Hay aquí un tema de lenguas de fuego o de dientes de cuchillos. Cuando contemplamos esta obra en la exposición de 1955, advertimos la pobreza de los comentarios líricos que le servían de plinto.

Alex Grijelmo

Persuasión y seducción

Las palabras tienen un poder de *persuasión* y un poder de *disuasión*. Y tanto la capacidad de persuadir como la de disuadir por medio de las palabras nacen en un argumento inteligente que se dirige a otra inteligencia. Su pretensión consiste en que el receptor lo descodifique o lo interprete; o lo asuma como consecuencia del poder que haya concedido al emisor. La persuasión y la disuasión se basan en frases y en razonamientos, apelan al intelecto y a la deducción personal. Plantean unos hechos de los que se derivan unas eventuales consecuencias negativas que el propio interlocutor rechazará, asumiendo así el criterio del emisor. O positivas, que el receptor deseará también. Pero todos los psicólogos saben que cualquier intento de persuasión provoca resistencia. Por pequeña que parezca, siempre se produce una desconfianza ante los intentos persuasivos, reacción que se hará mayor o menor según el carácter de cada persona. Y según la intensidad del mensaje.

En cambio, la seducción de las palabras, lo que aquí nos ocupa, sigue otro camino. La seducción parte de un intelecto, sí, pero no se dirige a la zona racional de quien recibe el enunciado, sino a sus emociones. Y sitúa en una posición de ventaja al emisor, porque éste conoce el valor completo de los términos que utiliza, sabe de su perfume y de su historia, y, sobre todo, guarda en su mente los vocablos equivalentes que ha rechazado para dejar paso a las palabras de la seducción. No se basa tanto la seducción, en los argumentos como en las propias palabras, una a una. No apela tanto a la construcción razonada como a los elementos concretos que se emplean en ella. Su valor connotativo ejerce aquí una función sublime.

La seducción de las palabras no necesita de la lógica, de la construcción de unos argumentos que se dirijan a los resortes de la razón, sino que busca lo expresivo, aquellas "expresiones" que se adornan con aromas distinguibles. Convence una demostración matemática pero seduce un perfume. No reside la seducción en las convenciones humanas, sino en la sorpresa que se opone a ellas. No apela a que un razonamiento se comprenda, sino a que se sienta. Lo organizado subyuga, tenaz con argumentos; pero seduce lo natural, lo que se liga al ser humano y a su entorno, a sus costumbres, a la historia, seduce así la *naturaleza* de las palabras.

Algunas palabras cumplen la función de un olor. Seduce un aroma que relaciona los sentidos con el lugar odorífero más primitivo, el nuevo olor llega así al cerebro sensible y activa la herencia que tiene adherida desde la vida en las cavernas; y le hace identificar esa percepción y su significado más profundo, más antiguo, con aquellos indicios que permitían al ser humano conocer su entorno mediante las sensaciones que hacían sentirse seguro al cazador porque los olores gratos anunciaban la ausencia de peligros; es decir, la inexistencia de olores peligrosos. La seducción de las palabras, su olor, el aroma que logran despertar aquellas percepciones prehistóricas, reside en los afectos, no en las razones. Ante determinadas palabras (especialmente si son antiguas), los mecanismos internos del ser humano se ponen en marcha con estímulos físicos que desatan el sentimiento de aprecio o rechazo, independientemente de los teoremas falsos o verdaderos. No repara la seducción en abstracciones, en nebulosas generalizantes, sino en lo concreto: es lo singular frente a lo general.

La palabras *denotan* porque significan, pero *connotan* porque se contaminan. La seducción parte de las connotaciones, de los mensajes entre líneas más que de los enunciados que se aprecian a simple vista. La seducción de las palabras no busca el sonido del significante, que llega directo a la mente racional, sino el significante del sonido, que se percibe por los sentidos y termina, por tanto, en los sentimientos.

Todo esto nos lleva a saber que en cada contexto existen unas palabras frías y unas palabras calientes. Las palabras frías trasladan precisión, son la base de las ciencias. Las palabras calientes muestran sobre todo la arbitrariedad, y son la base de las artes.

Como nos muestra el semiólogo Pierre Giraud, "cuando más significante es un código, es más restringido, estructurado, socializado; e inversamente. Nuestras ciencias y técnicas dependen de sistemas cada vez más codificados; y nuestras artes, de sistemas cada vez más descodificados"[1]

La historia del concepto "seducir" da a este vocablo un cierto sentido peyorativo, condenado desde su propio registro oficial. El diccionario de 1739 lo definía sólo con estas frases» "Engañar con arte y maña, persuadir suavemente al mal".

Por tanto, la seducción no se ha entendido históricamente como algo positivo: se ocultaba en la palabra el temor religioso por tantas veces como se habrá retratado la seducción de un hombre a una doncella, la seducción de una doncella a un hombre, la seducción del demonio al hombre y a la doncella. Pero no se reflejaba en el aserto del diccionario la seducción que puede ejercer un paisaje, o la seducción de un vendedor ambulante que proclamaba la eficacia de sus remedios. Y el adverbio "suavemente" de esa definición (que permanece en nuestro concepto actual: el modo se mantiene) ilustra la tesis que aquí traemos: con dulzura; con el sonido de las palabras o la belleza de las imágenes, con recursos que van directos al alma y que vadean los razonamientos.

Aquella idea que identificaba engaño y seducción —dos formas de designar el pecado— en el primer léxico de la Academia se matiza en el diccionario actual, que añade una segunda acepción, más conforme con nuestros tiempos: "Embargar o cautivar el ánimo". No hay ya en esta segunda posibilidad ninguna palabra que descalifique moralmente la seducción; pero se acentúa la idea de que el efecto se busca en las zonas más etéreas de la mente: embargar, cautivar, ánimo. La abstracción de los sentimientos.

Lo mismo ocurre con un verbo de significado muy cercano: fascinar. No en su primera acepción (hoy apenas empleada) que define

---

[1] Pierre Giraud, *La semiología*. México, Siglo XXI Editores, 1972

este concepto como "hacer mal de ojo". Sino como se explica después, en sentido figurado: "engañar, alucinar, ofuscar". Finalmente, la tercera posibilidad (igualmente en sentido figurado) es la que consideramos aquí: "atraer irresistiblemente".

La seducción y la fascinación (la primera precede a la segunda), pueden servir, pues, tanto para fines positivos como negativos, y así las entendemos ahora. Pero, en cualquier caso, se producen dulcemente, sin fuerza ni obligación, de modo que el receptor no advierta que está siendo convencido o manipulado, para que no oponga resistencia.

A veces la seducción de las palabras no trasluce una investigación intelectual sobre el léxico —siquiera fuese rudimentaria— a cargo de quien la utiliza, sino una mera intuición del hablante. Es decir, el emisor ejerce su herencia lingüística de una manera tan inadvertida como un novelista de hoy copia sin saberlo las estructuras de algunas frases de Quevedo, o como el niño comprende las reglas de la sintaxis. Sin embargo, siempre habrá en quien intente seducir con las palabras un atisbo de consciencia cuando las emplee para la seducción. La habrá descubierto intuitivamente, *siendo hablado* por el idioma, pero las pronunciará con plena responsabilidad. Con la intención de manipular a los incautos.

Mariano José de Larra

El hombre globo

La física ha clasificado los cuerpos, según el estado en que los pone el mayor o menor grado de calórico que contienen, en sólidos, líquidos y gaseosos. Así el agua es sólido en el estado de hielo, líquido en el de fluidez, y gas en el de la en ebullición. Es ley general de los cuerpos la gravedad o la atracción que ejerce sobre ellos el centro común; es natural que esta atracción se ejerza más fuertemente en los que reúnen en menor espacio mayor cantidad de las moléculas que los componen; que éstos por consiguiente tengan más gravedad específica, y ocupen el puesto más inmediato al centro. Así es que, en la escala de las posiciones de los cuerpos, los sólidos ocupan el puesto inferior, los líquidos el intermermedio, y los gaseosos el superior. Una piedra busca el fondo de un río; un gas busca la parte superior de la atmósfera. Cada cuerpo está en continuo movimiento para obedecer a la ley que le obliga a buscar el puesto, variable, que corresponde al grado de intensidad que adquiere o que pierde. La nube, conforme se condensa, baja, y cuando se liquida, cae; este mismo cuerpo, puesto al fuego, se dilata, y cuando se evapora y se gasifica, sube.

No trato de instalar un curso de física, lo uno porque dudo si tengo la bastante para mí, y lo otro porque estoy persuadido de que mis lectores saben de ella más que yo; no hago más que sentar una base de donde partir. Igual clasificación a esta que ha hecho la ciencia de los fenómenos en los cuerpos en general, se puede hacer en los hombres en particular. Probemos.

Hay hombres sólidos, líquidos y gaseosos. El *hombre-sólido* es ese hombre compacto, recogido, obtuso, que se mantiene en la capa inferior de la atmósfera humana, de la cual no puede desprenderse jamás. Sólo el contacto de la tierra puede sostener su vida; es el Anteo moderno, y, usando de un nombre atrevido, el hombre-raíz, el hombre-patata: arrancado el terrón que le cubre, deja de ser lo que es. Es el sólido de los sólidos. Toda la ausencia posible de calórico le mantiene en un estado tal de condensación, que ocupa en el espacio el menor sitio posible; gravita extraordinariamente; empuja casi hacia abajo el suelo que le sostiene; está con él en continua lucha, y le vence y le hunde. Le conocerán ustedes a la legua: su frente achatada se inclina al suelo, su cuerpo está encorvado, su propio pelo le abruma, sus ojos no tienen objeto fijo y en consecuencia no ven nada claro. Cuando una causa, ajena de él, le conmueve, produce un son confuso, bárbaro y profundo, como el de las masas enormes que se desprenden en el momento del deshielo en las regiones polares. Y como la naturaleza no falta nunca, ni en el hielo, cierto grado de calórico, él también tiene su alma particular; es su grado de calórico, pero tan poca cosa, que no desprende luz; es un fuego fatuo entre otros fuegos fatuos; sirve para confundirle y extraviarle más; el *hombre-sólido*, por lo tanto, en religión, en política, en todo, no ve más que un laberinto, cuyo hilo jamás encontrará; un caos de fanatismo, de credulidad, de errores. No es siquiera la linterna apagada; es la linterna que nunca se ha encendido, que jamás se encenderá: falta dentro el combustible. El *hombre-sólido* cubre la faz de la tierra; es la costra del mundo. Es la base de la humanidad, del edificio social. Como la tierra sostiene todos los demás cuerpos, a los cuales impide que se precipiten al centro, así el hombre-sólido sostiene a los demás que se mantienen sobre él. De esta especie sale el esclavo, el criado, el ser abyecto; en una palabra, el que nunca ha de leer y saber esto mismo que se dice de él. No raciocina, no obra, sino sirve. Sin *hombres-sólidos* no habría tiranos; y como aquéllos son eternos, éstos no tendrán fin. Es la muchedumbre inmensa que llaman pueblo, a quien se fascina, sobre el cual se pisa, se anda, se sube; cava, suda, sufre. Alguna vez se levanta, y es terrible, como se levanta la tierra en un terremoto. Entonces dicen que abre los ojos. Es un error.

Tanto valdría llamar ojos de la tierra a las grietas que produce un volcán. Ni más ni menos que una piedra, no: su sitio si no le dan un empellón; de la aldea donde nació (si es que el *hombre-sólido* nace; yo creo que al nacer no hace más que variar de forma), del café donde le pusieron a servir sorbetes, del callejón donde limpia botas; del buque donde carga las velas o les toma rizos; del regimiento donde dispara tiros; de la cocina donde adereza manjares; de la esquina donde carga baúles; de la calle donde barre escorias; de la máquina donde teje medias; del molino donde hace harina; de la reja con que separa terrones. Es el primer instrumento, adherido siempre a los demás instrumentos.

El *hombre-líquido* fluye, corre, varía de posición; vuela a ocupar el vacío, tiene ya mayor grado de calórico; serpentea de continuo encima del *hombre-sólido*, y le moja, le gasta, le corroe, le arrastra, le vuelca, le ahoga. En momentos de revolución él es el empujado; pero se amontona, sale de su cauce, y como el torrente que arrastra árboles y piedras, lo trastorna todo aumentando su propia fuerza con las masas de *hombre-sólido* que lleva consigo. Pero así como el torrente no sabe la fuerza que le impele, ni si hace al correr daño o provecho, así el *hombre-líquido* al moverse no es más que un instrumento menos imperfecto, que subleva instrumentos más ignorantes; pero lleno ya de pretensiones, mete ruido, desafía al cielo, enuncia una voz, produce eco. Ésta es una diferencia esencial del sólido al líquido para nuestro asunto; la piedra no suena sino cuando la impelen a rodar; el agua murmura sólo corriendo y existiendo. La clase medía de la humanidad, así también va siempre murmurando. Un golpe dado en un cuerpo sólido le arranca un pedazo, el golpe dado ya en el líquido resistencia, produce ondas, imprime movimiento. He aquí otra observación. El golpe dado al pueblo simplemente es sólo perjudicial para él; el que se da en la clase media suele salpicar al que le da.

El *hombre-líquido* tiene un alma menos compacta, y en ella más grados de calórico, pero alma de imitación; como todo líquido, remeda al momento la forma del vaso donde está; en pequeña cantidad se le da la figura que se quier en gran porción toma la que puede. El *hombre-líquido* es la clase media; le conocerán ustedes también al momento; su movimiento continuo le delata; pasa de un empleo a otro, va a ocupar los vacíos de las vacantes: hoy en una provincia, mañana en otra, pasado en la Corte; pero por fin, como todo líquido, encuentra el mar, donde se para y se encarcela; no le es dado correr más. Hoy es arroyo, mañana río caudaloso. Igual. Hoy es meritorio, mañana escribiente, pasado oficial; su instinto es crecer, rara vez separarse del suelo; si se alza momentáneamente, vuelve a caer.

Dada una idea rápida y general del *hombre-sólido* y del *hombre-líquido*, pasemos al objeto de nuestro artículo el *hombre-gas*. De las dos especies referidas está lleno el mundo; no se ve otra cosa. Pero como para la formación de la tercera necesita un grado altísimo de calórico, hay regiones enteras que carecen del suficiente para formarla.

He aquí nuestra desgracia; siguiendo el camino que nos señala nuestra nueva metafísica, estamos, por ahora en las regiones árticas del pensamiento.

Lo probaré.

El *hombre-gas*, llegado a adquirir la competente dilatación, se alza por sí solo dondequiera que está, y se sobrepone a ocupar el puesto que le corresponde en la escala de los cuerpos; llega hasta la altura que su intensidad le permie, y se detiene en ella; no hay obstáculos para él, porque si pudiera haberlos, rompería, como el vapor, la caldera, y escaparía. Ponedle en una aldea; él vencerá la distancia y llegará a la capital; tirará el arado; pondrá un pie en el *hombre sólido*, otro en el *líquido*, y una vez arriba: "Yo mando —exclamará—; no obedezco." Tales son las leyes de la naturaleza. Una vez comprendido este principio general de física, mis lectores conocerán al *hombre-gas* a primera vista. Su frente es altiva, sus ojos de águila, su fuerza irresistible, su movimiento el del tapón de una botella de champagne. Pero para dar al gas una forma no hay más medio que el de encerrarle en un continente que la tenga. Nada, pues, más natural que el que demos a esta especie el nombre de *hombre-globo*; sólo así podemos hacerle perceptible a nuestros sentidos.

De todos nuestros lectores es conocida la historia de los globos desde las primeras mongolfieras hasta el último experimento de la dirección, emprendido y malogrado últimamente en París; todos saben que hay gases de gases y que los hay específicamente más ligeros que otros; pero no todos se habrán parado a considerar detenidamente hasta podemos vanagloriarnos en nuestro país de la perfección de los gases que artificialmente necesitamos producir para nuestras ascensiones. Yo creo que nuestra vanidad no debe hacernos perder la cabeza, si queremos reparar en su equívoca calidad. Es claro que, en tiempos pasados, la atmósfera en que podía elevarse el *hombre-globo* entre nosotros era sumamente limitada: los que más se habían podido separar del suelo habían hecho consistir todo su esfuerzo en llegar a los escalones del trono, y si un *hombre-globo* llegaba a ser entonces ministro, había hecho toda la ascensión que se podía de él esperar: uno solo conocieron nuestros físicos más experimentados que consiguió remontarse en aquella época hasta las más altas cornisas del coronamiento del real palacio; pero sea por falta de dirección una vez en el aire, sea por haber calculado mal la intensidad de su gas, una ráfaga violenta bastó para romper el globo, y el aire se lo llevó hasta caer todo agujereado a orillas del Tíber, donde yace todavía malparado: culpa acaso también de no haber hecho uso de *para-caídas*, aunque, como dice muy bien don Simplicio de Bobadilla, *para-caídas* no hay como un globo roto.

Pero cuando posteriormente se han visto en casi todos los países elevarse muchos a alturas desmesuradas y mantenerse más o menos tiempo en ellas, no se concibe nuestra casi total ausencia de *hombres-globos* que se elevan verdaderamente, sino atribuyéndolo a desgracia del país mismo. Los Estados Unidos tuvieron un *hombre-globo* que subió cuanto pudo, y manejando diestramente su válvula, descendió como y cuando le plugo; de Francia hicieron mil su ascensión, que están todavía en la altura, haciendo la admiración de los espectadores; la Suecia mira uno en su pináculo todavía; y si el mayor de todos fue a parar hasta Santa Elena, es preciso confesar que hay descensos gloriosos, como retiradas honrosas.

Ahora bien: observemos al *hombre-globo* en nuestro país. El año 8 empezaron a quererse henchir multitud de mongolfieras; pero estábamos indudablemente al principio de la invención, y no debieron de tener gas mejor que el humo de la paja, porque los unos dieron al traste con su globo en el estrecho, los otros quisieron sostenerse en tierra firme; pero han ido poco a poco deshinchándose, y una ráfaga ha acabado con unos, otra con otros.

El año 20 quisieron repetir el experimento; pero por lo visto no habían aprendido nada nuevo; no contaron nuestros *hombres-globos* con el aire del norte, que los envolvió, pegó fuego a unos que cayeron miserablemente donde pudieron, y arrebató a otros a caer de golpe y porrazo en países remotos y extranjeros. Raro fue el que cayó suavemente. Pero adelanto positivo para la ciencia no hubo ninguno.

He aquí, sin embargo, a nuestros *hombres-globos* probando de nuevo otra ascensión; pero escarmentados antiguos y derretidos Ícaros, tienen miedo hasta al gas que los ha de levantar; y en una palabra, nosotros no vemos que suban más alto que subió Rozo. Para nosotros todos son Rozos.

Vean ustedes, sin embargo, al *hombre-globo* con todos sus caracteres, ¡Qué ruido antes! "¡La ascensión! Va a subir ¡Ahora, ahora sí va a subir!" Gran fama, gran prestigio. Se les arma el globo; se les confía; ved cómo se hinchan. ¿Quién dudará de su suficiencia? Pero como casi todos nuestros globos, mientras están abajo entre nosotros asombra y su aparato y su fama; pero conforme se van elevando, se les va viendo más pequeños; a la altura apenas de Palacio, que no es grande altura, ya se les ve tamaños como avellanas, ya el *hombre-globo* no es nada; un poco de humo, una gran tela, pero vacía, y por supuesto, en llegando arriba, no hay dirección. ¿Es posible que nadie descubra el modo de dar dirección a este globo?

Entretanto el *hombre-globo* hace unos cuantos esfuerzos en el aire, un viento le lleva aquí, otro allá, descarga lastre… ¡inútiles afanes! Al fin viene al suelo: sólo observo que están ya más duchos en el uso del *para-caídas*; todos caen blandamente, y no lejos: los que más se apartan van a caer al Buen-Retiro.

Pero, señor, me dirán, ¿y ha de ser siempre esto así? ¿No les basta a esos hombres de experiencias? ¿Serán ellos los últimos que se desengañen de sí mismos?

He ahí una respuesta que yo no sabré dar. Yo no veo la ciencia desesperada, creo que acaso habrá por ahí escondidos otros *hombres-globos*; pero si los hay, ¿por qué no obedecen a las leyes de la naturaleza? Si su gas tiene más intensidad ¿cómo no se elevan por sí solos, cómo no se sobreponen a los otros?

Esta investigación me conduciría muy lejos. Mi objeto no ha sido más que pintar el *hombre-globo* de nuestro país; un artículo de física no puede ser largo; si fuera de política sería otra cosa. Haré mi última deducción, y concluiré: los Rozos que hasta ahora han hecho pinitos a nuestra vista, parece que ya se han elevado cuanto elevarse pueden. ¡Otros al puesto, experimentos nuevos! Si por el camino trillado nada se ha hecho, camino nuevo.

Esto la razón sola lo indica. Si hay un *hombre-globo*, que salga, y le daremos las gracias; mas cuenta con engañarse en sus fuerzas; recuerde que primero hay que subir, y luego hay que dar dirección; y como dice Quevedo, "ascender a rodar es desatino; y el que desciende de la cumbre, ataja." Observe que puede sucederle lo que a los demás, que conforme se vaya elevando se vaya viendo más pequeño. Si no le hay, lastimoso es decirlo, pero aparejemos el *para-caídas*.

Julián Marías

El temor a la muerte

Es menester introducir ahora en este estudio una cuestión sobre la cual no hay demasiada claridad, y que me parece esencial la relación entre el amor y la pretensión de inmortalidad; pienso que, aislados, aspectos decisivos de uno y otra quedan oscurecidos, mientras que su aproximación vierte luz sobre ambas dimensiones de la vida.

Por lo pronto, conviene distinguir dos cosas muy diferentes: se confunde a veces el temor a la muerte con el afán de inmortalidad, que son dos actitudes enteramente distintas y conducen a conductas que apenas tienen que ver. El temor a la muerte no es privativo del hombre, lo comparte con muchos animales. El animal, en la medida en que se siente amenazado, se encuentra en estado de miedo habitual, y su predisposición más frecuente es a la huida (o el ocultamiento). No todas las especies, ciertamente; no es fácil determinarlo respecto de muchas inferiores; por otra parte, los grandes carniceros y las aves de presa no dan impresión ninguna de vivir sometidos al miedo —más bien lo inspiran—.

En el hombre, el miedo —sobre todo, miedo a la muerte— es probablemente el sustrato de la forma de vida del primitivo, constantemente amenazado por muchos peligros. Pero no en todas las situaciones, porque las cosas humanas son siempre muy varias y no se puede generalizar. Esta situación del hombre primitivo reaparece también en formas de vida superiores. Hay fases históricas en que el hombre vive en estado de miedo habitual, a diferentes cosas, que se resumen en el temor a la muerte. Claro que el hombre, dotado de imaginación, con múltiples proyectos, puede temer otras cosas, lo que podríamos llamar los males intermedios, pero a última hora, como telón de fondo, está la muerte.

Esto lleva a una actitud que consiste en tratar de evitarle, huir de ella, por lo menos aplazarla. Son actitudes constantes en la humanidad, individual y colectivamente. Uno de los ejemplos más patéticos es la ejecución en la guillotina de Madame Dubarry, la famosa amante de Luis XV, narrada mil veces: poseída de insuperable miedo a la muerte, tenía el afán de demorar la decapitación y pedía al verdugo que esperara un rato más, un minuto, en una angustiosa petición de aplazamiento de la muerte inminente e inevitable.

Pero hay algo más, ya no animal, sino puramente humano, y es la conciencia que el hombre tiene de la inevitabilidad de la muerte, aparte de toda situación de peligro actual. No sé si en algunos pueblos muy primitivos, con muy corta memoria y, un mínimo de imaginación, es así, pero ciertamente lo es en todas las formas humanas conocidas con un poco de precisión, es decir, desde dentro. El hombre sabe que morirá alguna vez, y que esto no se puede evitar, aunque no esté amenazado por ningún peligro y no sienta, por tanto, ese miedo actual.

Esto depende sobre todo de la imaginación. El hombre tiene una permanente proyección imaginativa, y traslada a la vida propia la experiencia de la muerte ajena. Conoce la muerte de los demás —los ha visto morir o ha tenido referencias de su muerte— y esto le traslada a sí mismo, por lo menos a su vejez. Es decir, el que no tiene gran preocupación, un temor actual a la posibilidad de morir en cualquier momento, aloja la expectativa de la muerte en la vejez.

Esa es la actitud normal en el joven, que no cuenta mucho con la muerte —aunque piense en ella—, porque le parece algo abstracto. La actitud juvenil por excelencia es la de Don Juan Tenorio: "Largo, me lo fiáis". El joven piensa que morirá, pero dentro de muchos años, y no imagina *quién* es el que va a morir, no se identifica con ese viejo inexistente, a quien no es capaz de imaginar; esa muerte será la suya sólo en el sentido de que la persona que morirá será numéricamente el mismo que él, pero no puede imaginarla como propia. En cambio, el que es maduro, o, por supuesto, viejo, se reconoce muy bien en ese que morirá, lo ve como *él mismo*.

Recuérdese la espléndida fórmula *mors certa, hora incerta*, la muerte es segura, pero su hora incierta. Esa muerte, posiblemente lejana, no me está amenazando. Pero frente a ella *no puedo hacer nada*. Es decir, si temo a la muerte por alguna razón concreta, puedo hacer algo: huir de un peligro, tratar una enfermedad, hacerme una operación; pero frente a una muerte inevitable, pero no inminente, nada puedo hacer.

José Martínez Ruiz (Azorín)

El buen juez

Azorín, ¿quiere used decir algo de las "Sentencias del presidente Magnaud"?.
Marquina

Diré, con mucho gusto, algo; pero no sé si voy a escribir una página subversiva. Ello es que la casa editorial Carbonell y Esteva, de Barcelona, cuya dirección literaria tiene el poeta Marquina[1] ha publicado la traducción española de los fallos y veredictos del juez Magnaud. Un ejemplar de este volumen, desde la librería barcelonesa, ha pasado a la capital de una provincia manchega; aquí ha estado seis, ocho, diez días puesto en el escaparate de una tienda, entre una escribanía de termómetro y una agenda con las tapas rojas. El polvo había puesto ya una sutil capa sobre la cubierta de este pequeño volumen; el sol ardiente de la estepa comenzaba ya a hacer palidecer los caracteres de su título. ¿No había nadie en la ciudad que comprase este diminuto libro? ¿Tendría que volver este diminuto libro a Barcelona después de haber visto, desde el escaparate polvoriento, entre la agenda y la escribanía, el desfile lento, silencioso, de las devotas, de los clérigos, de las lindas mozas, de los viejos que tosen y hacen sonar sus bastones sobre la acera? No, no; un alto, extraordi-

[1] Eduardo Marquina, poeta y dramaturgo catalán (1879-1946).

nario destino le está reservado a este volumen. Ante el escaparate acaba de pararse un señor grueso, con ojuelos chiquitos y una recia cadena de plata que luce en la negrura del chaleco. Este señor mira los cachivaches expuestos en la vitrina y lee los títulos de los libros; estos títulos él los ha leído cien veces; pero el título de este diminuto libro es la primera vez que entra en su espíritu.

—¡Caramba! —piensa el señor desconocido—. ¡Caramba!, las *Sentencias del presidente Magnaud*, ese juez tan raro de que hablaba el otro día el periódico.

Después que ha pensado tal cosa el señor grueso, sonríe con una sonrisa especial, única, y luego traspone los umbrales de la librería. Tenga en cuenta el lector que en la vida nada hay que no revista una trascendencia incalculable y que estos pasos que acaba de dar el señor grueso, para penetrar en la tienda, son pasos históricos, pasos de una importancia extraordinaria, terrible. Porque este señor va a comprar el libro y porque este libro ha de ir a parar al despacho de don Alonso, y porque don Alonso, leyendo las páginas de este libro, ha de sentir abrirse ante él un mundo desconocido. Pero no anticipemos los acontecimientos. Cuando el señor grueso e irónico ha salido de la librería aún llevaba en su cabeza el mismo pensamiento que llevaba al entrar. "Se lo regalaré a don Alonso" —pensaba él, metiéndose en el bolsillo el libro. Después, llegado a la fonda, ha puesto el volumen en la maleta —admirad los destinos de los libros— entre un queso de bola y un señuelo para las codornices. Y luego, a la tarde, él y la maleta se han marchado en la diligencia hacia un pueblo de la provincia.

En todos los pueblos, bien sean de esta provincia manchega, o bien de otra cualquiera, por las noches (y también por las mañanas y por las tardes) hay que ir al Casino. El señor grueso ha cumplido la misma noche de su llegada con este requisito; en el Casino le esperaban los señores que forman la tertulia cotidiana; él los ha saludado a todos, todos han charlado de varias y amenas cosas y, al fin, el señor grueso ha sacado su libro y le ha dicho a don Alonso:

—Don Alonso, he comprado esto esta mañana en Ciudad Real para regalárselo a usted.

Don Alonso ha dicho:

—¡Hombre, muchas gracias!

Y ha tomado en sus manos el diminuto volumen. Otra vez vuelvo a recordar al lector que considere con detención el gesto de don Alonso al coger el libro, puesto que es de suma trascendencia para la historia contemporánea de nuestra patria. El gesto de don Alonso ha sido de una vaga curiosidad; acaso, en el fondo no sentía curiosidad ninguna, y este tenue gesto era sólo una deferencia por el presente que se le hacía. Después, don Alonso ha leído el título: *Novísimas sentencias del presidente Magnaud*, y este título tampoco le ha dicho nada a don Alonso. Pero el señor grueso que ha traído el libro ha dicho:

—Este Magnaud es un juez muy raro que ha hecho en Francia algunas cosas extrañas...

—Sí, sí —ha replicado don Alonso, que no conocía a Magnaud; sí, sí, he oído hablar mucho de este juez.

Y después que han hablado otro poco, se han separado. Don Alonso, cuando ha llegado a su casa, ha puesto el libro en la mesa de su despacho. Un vidente del alma de las cosas hubiera podido observar que ante este libro y los demás que había sobre la mesa se ha establecido súbitamente una corriente sorda y formidable de hostilidad. Los demás libros eran —tendré que decirlo— el Código civil, el Código penal, los Procedimientos judiciales, la ley Hipotecaria, comentarios a los Códigos, volúmenes de revistas jurídicas, colecciones de sentencias del Tribunal Supremo. Pero si una antipatía mutua ha nacido entre estos libros terribles, inexorables, y este diminuto libro, en cambio, en el estante de enfrente hay otros volúmenes que le han enviado un saludo cariñoso, efusivo, al pequeño volumen. Son todos historias locas, fantásticas, penas sentimentales, novelas, ensueños de arbitristas,[2] planes y proyectos de gentes que ansían renovar la haz del planeta. Y entre todos estos volúmenes aparece uno que es el que más contento y satisfacción ha experimentado con la llegada del nuevo compañero; se titula: *El ingenioso hidalgo Don Quijote de la Mancha*, y diríamos que durante el breve momento que el diminuto volumen ha estado sobre la mesa, un coloquio entusiasta, cordialísimo, se ha entablado entre él y el libro de Cervantes, y que el espíritu de Sancho Panza, nuestro juzgador insigne, daba sus parabienes al espíritu de su ilustre sucedáneo, el juez Magnaud.

---

[2] El que idea planes fantásticos para resolver los problemas económicos o políticos.

Pero no divaguemos. Don Alonso, que había salido del despacho, con un periódico en una mano y una bujía[3] en la otra, ha tornado a entrar. Y ya en él, se ha parado ante la mesa y ha cogido de ella un gran cuaderno de pliegos timbrados —que es un pleito que ha de fallar al día siguiente y el pequeño volumen. Luego ha subido unas escaleras, ha gritado, al pasar por delante de una alcoba: "¡María, mañana, a las ocho! ", y se ha metido en su cuarto. Y don Alonso ha comenzado a desnudarse. Nuestro amigo es alto, cenceño, enjuto de carnes; su edad frisa en los cincuenta años...

Ya está acostado don Alonso; entonces coge un momento los anchos folios del pleito y los va hojeando; pero debe de ser un pleito fácil de decidir, porque el buen caballero deja al punto de nuevo sobre la mesilla los papelotes. El diminuto volumen está aguardando; don Alonso alarga la mano, lo atrapa y comienza su lectura. De las varias emociones que se han ido reflejando en el rostro avellanado del caballero, mientras iba leyendo el libro, no hablará el cronista, por miedo de dar excesivas proporciones a este relato. Pero sí ha de quedar consignado, para que llegue a conocimiento de los siglos venideros, que ya quebraba el alba cuando don Alonso ha terminado la lectura de este libro maravilloso, y que, luego de cerrado y colocado con tiento en la adjunta mesilla, el buen caballero —caso extraordinario— ha vuelto a coger el pleito repasado antes ligeramente y con descuido, y lo ha estado estudiando de nuevo, con suma detención, hasta que una voz se ha oído en la puerta, que gritaba: " ¡Alonso, son las ocho!"

Y aquí, lector amigo, pondremos punto a la primera parte de esta nunca oída y pasmosa historia[4].

[3] Vela.
[4] Alusión al Quijote.

Rosa Montero

Evita y Juan Perón
Entre la obsesión y el folletín

Aunque pertenecen a un pasado muy reciente, hablar de Evita y de Perón supone aventurarse en aguas turbias. Pocas veces he encontrado tal enredo de disparates, mitos y falsedades en torno a una persona como el que se cierne sobre Eva Duarte y, por extensión, sobre su marido. Evita ha sido amada y odiada de manera frenética, y tanto sus partidarios como sus enemigos han llenado los anales de mentiras. También engañaba Perón, o el régimen peronista, abundante en patrañas demagógicas; y, por añadidura, mentía la propia Evita, que fue una gran mitómana. Era una mujer que se inventó a sí misma y que acabó creyendo su propia ensoñación. Por ejemplo, nunca dijo a nadie, ni siquiera a Perón, que era hija bastarda; y para ocultar este hecho mandó falsificar su partida de nacimiento, quitándose de paso un par de años.

Eva nació en 1919 en Los Toldos, un pueblecito pobre y enterrado en el polvo de las pampas. Su madre, Juana, medio india y medio vasca, era la amante reconocida de Juan Duarte, un pequeño propietario de la zona, por supuesto casado y con familia; Juana tuvo con él un hijo y cuatro hijas, Eva la más pequeña. La niña sólo contaba seis años cuando el padre murió; los cinco bastardos fueron vestidos de luto y enviados a la casa del finado, pero la viuda les impidió la entrada. Por fin, y al cabo de muchas lágrimas, les dejaron pasar unos instantes a besar al muerto. Todas estas humillaciones se fueron clavando a fuego en la memoria de Eva.

Y hubo muchas más: más indignidades, más vergüenza. Años de penurias económicas, y la sensación de ser una apestada, porque muchas de las chicas de la escuela evitaban su amistad poco recomendable. La niña Eva era morena de pelo, de piel pálida, callada, muy mediocre en sus estudios, totalmente anodina. Quería ser actriz (o más bien estrella), así es que a los quince años abandonó su casa y se fue a Buenos Aires. Dicen que se escapó con Magaldi, un cantante de tangos cuarentón; es posible, pero no ha sido demostrado. En la capital se instaló en una mísera pensión de la calle Corrientes; y empezó otro calvario. Fueron años de hambre y sordidez.

Muchos aseguran que en esa época, mientras buscaba papelitos como actriz, se dedicó a la prostitución. Sin duda una chica de su edad, tan ansiosa de éxito, tan ignorante y sola, debió de pasar momentos muy amargos. Incluso Fraser y Navarro, los biógrafos más rigurosos de la Duarte, reconocen que es imposible saber de qué vivió Eva en esos primeros años, y cuentan algunos hechos espeluznantes. Como una terrible escena con Surero, un empresario teatral con cuya compañía ella se había ido de gira a Montevideo. Al regreso a Buenos Aires, Surero comenzó a ensayar una nueva obra. Evita fue al teatro, preguntó por él; el empresario salió, indignado, y en el vestíbulo, delante de decenas de personas, comenzó a gritarle: "Qué haces aquí, por qué me molestas". "Sólo vengo a ver si había trabajo para mí?", balbuceó la pobre Eva. "Déjame en paz", bramó él: "¡Que me haya acostado contigo no significa nada!" Es una pequeña historia de abuso y de dolor.

Todo ese veneno se le metió dentro, convirtiéndola en una mujer extremadamente rencorosa; pero también la hizo fuerte. En 1937, a los dos años de haber llegado a Buenos Aires, sin haber cumplido aún los dieciocho, Evita ya era una endurecida superviviente que había aprendido a manejar a los hombres en su provecho. El primero fue el dueño de la revista de cine "Sintonía", un tal Kartulovic, de cuarenta y siete años; gracias a él consiguió su primer papelito en una película. A partir de entonces Eva supo muy bien a quién arrimarse, cada vez apuntando más arriba. Por ejemplo, se convirtió en la amiga de un escritor que redactaba seriales para la radio, y así comenzó a hacer culebrones radiofónicos, tremendos melodramas que empezaron a darle cierta celebridad.

En 1943 hubo en Argentina un golpe de Estado y los militares subieron al poder. Para entonces, Eva era una popular actriz de folletines en Radio Belgrano, y la amiga del coronel Imbert, el nuevo ministro de Comunicaciones. El cerebro del golpe militar, sin embargo, era un oficial alto y espeso de carnes llamado Juan Perón; Evita le conoció en un espectáculo benéfico en enero de 1944, y, con fino olfato, se lo ligó inmediatamente: esa misma noche salieron de allí juntos. Ella tenía veinticuatro años, él cuarenta y ocho. En la "autobiografía" de Evita, un texto acartonado y mentiroso escrito por diversos *negros*, Eva sostiene que aquel primer día le espetó a Perón: "Si, como tú dices, la causa del pueblo es tu propia causa, nunca me alejaré de tu lado, hasta que muera, por más grande que sea el sacrificio".

Casi todo lo que rodea a Evita suena así de grandilocuente y embustero: sus discursos (redactados por uno de los guionistas de melodramas de la radio), su autobiografía, sus gestos públicos... Pero el caso es que, por debajo de toda esa palabrería hueca, estaban las terribles condiciones sociales de la Argentina de entonces, el hambre y la miseria de millones de seres humanos; y estaban también los recuerdos personales de la propia Eva, las humillaciones y la angustia. Todo ese sufrimiento, el público y el privado, eran auténticos; y, en una extraordinaria y casi perversa mezcla entre el dolor real y la desmesura fingida del melodrama, Eva Duarte, actriz de seriales radiofónicos, hizo de su vida el mejor y más triunfante culebrón.

Perón, hijo de un campesino, era un viudo sin hijos. Le gustaban las niñas: a la muerte de Evita, por ejemplo, convivió con Nelly, de trece años. También en 1944, cuando Eva y él se conocieron, el militar vivía con una adolescente a la que presentaba como su hija, pero que en realidad era su amante. La correosa y superviviente Eva enseguida tomó cartas en el asunto: metió las pertenencias de la chiquilla en una camioneta y despachó a la niña para su pueblo. Acto seguido, Evita triunfadora se mudó a casa de Perón. Ya no volverían a separarse.

Comenzó entonces la carrera de la pareja hacia el poder, entre ruidos de sables, rumores de golpes y confusas situaciones políticas dignas de una opereta. Hasta que al fin Perón fue detenido. Para entonces llevaban año y medio juntos, y dicen que fue aquí cuando empezó a mostrar Evita sus facultades: se supone que organizó manifestaciones, que buscó apoyos sindicales y levantó en pie de guerra a los descamisados en apoyo a su amante. A los ocho días Perón salió libre: e inmediatamente se casó con ella.

Hay muchos que aseguran que las relaciones entre el general Perón y Eva no tenían ningún ingrediente sexual, sino que eran un acuerdo de intereses. Si a Perón le gustaban las niñas, es posible que no le atrajera demasiado Evita, que fue convirtiéndose progresivamente en un personaje cada vez más duro, más místico y asexuado.

Pero sin duda el general la quería y la necesitaba, sobre todo al principio: "Ahora sé lo mucho que te amo y que no puedo vivir sin ti", le escribió mientras estaba detenido. Perón, mucho más culto, más cínico, más flexible y más débil que ella, debió de quedarse fascinado con el ciego ardor de Evita, con su total entrega. Ella era pura lealtad, una fuerza bruta enamorada.

Y es que la historia de Evita y Perón es la historia de una obsesión: ella le adoraba hasta extremos patéticos, conmovedores, patológicos. Le idolatraba porque se había casado con ella. Porque la había respetado y la había hecho respetable. Porque le había ofrecido a ella, la antaño apaleada Evita, un lugar en la historia, un rutilante melodrama con el que redimirse. Y así, los discursos de Eva están llenos de estrafalarios elogios a Perón y de masoquistas proclamas de la propia menudencia: ella es siempre tan poquita cosa, y él siempre tan excepcional… "Él es bueno con nosotros. El es nuestro sol, nuestro aire, nuestra vida toda."

Y no eran sólo los discursos públicos: en sus cartas privadas, reiterativas, carentes de forma y pespunteadas de faltas gramaticales, Evita se embarca en torrenciales, folletinescas proclamas amatorias. "Te amo tanto que lo que siento por ti es una especie de idolatría" escribió Evita a Perón en 1947, cuando partió de viaje oficial hacia Europa: "Te aseguro que he luchado muy duro en mi vida con la ambición de ser alguien y he sufrido mucho, pero entonces tú viniste y me hiciste tan feliz que pensé que era un sueño y como no tenía nada más para ofrecerte que mi corazón y mi alma te lo di a ti entero pero en estos tres años de felicidad, más grande cada día, nunca he dejado de adorarte ni una sola hora…". Y así sigue durante varias líneas más. Tanto amor, tanto fanatismo (ella proclamó múltiples veces que era fanática de Perón) debió de terminar siendo un poco opresivo para él.

Hay varias etapas en la representación de Evita de su propio mito. Primero, *starlette* jovencita, vestía muchos brillos, grandes joyas, aparatosos peinados Pompadour, opulentos escotes. Eso fue hasta alcanzar la presidencia (Perón llegó al poder en 1946). Luego, tras el viaje a Europa de 1947, Evita se hizo más elegante, compró joyas mejores, vistió carísimas ropas de Dior. Sin embargo fue a partir de la creación de su Fundación de Beneficencia, en 1948, cuando logró su encarnación final de Santa Evita: ahora vestía trajes rigurosos y serios, y peinaba austeros e impecables moños.

Perón, partidario de Mussolini, subió al poder con un programa nacionalsocialista. La situación de injusticia en Argentina era a la sazón tan descomunal que muchas de sus reformas fueron fundamentales: decretó salarios mínimos, antes inexistentes; cuatro semanas de vacaciones al año, permisos por enfermedad… Era todo para el pueblo pero sin el pueblo, porque no se permitía la libertad de expresión, ni la huelga, ni la menor crítica. Expulsaron a estudiantes y académicos de las universidades, metieron en prisión a los líderes sindicales que se resistían a obedecer las consignas de la todopoderosa (y peronista) Central General del Trabajo… Los medios de comunicación estaban totalmente amordazados (Evita era propietaria de cuatro radios y dos periódicos); la gente iba a la cárcel por criticar a Perón en los cafés, e incluso los teléfonos estaban intervenidos, como reconoció el Gobierno con una nota delirante: "Los teléfonos no deben abandonarse al uso de los irresponsables y los imprudentes. Emplear un aparato telefónico para insultar o para ofender es un crimen que merece ser castigado por la justicia. El largo brazo de la ley, así como el Departamento General de Correos y Telégrafos, cuidan de la utilización de los teléfonos, para que esta noble y útil función social no sea maltratada".

En toda esta represión, la inflexible Evita jugó un papel importante. Vengativa como un elefante, perseguía sin tregua a todo aquel que les criticara: unos cadetes de Marina fueron expulsados de la

Escuela, por ejemplo, por haber tosido al aparecer Evita en un noticiario cinematográfico. Por otra parte, las crecientes acusaciones de corrupción se centraban en ella. Primero estaba el flagrante nepotismo de Eva: su hermano Juan, antaño vendedor de jabones, pasó a ser el secretario privado de Perón; la hermana mayor obtuvo el control político de la ciudad de Junín; un cuñado fue elegido senador; otro fue nombrado gobernador de Buenos Aires, y el tercer cuñado, que era ascensorista, se convirtió en el director general de Aduanas.

Pero aún era peor el agujero negro de la Fundación de Beneficencia. La Fundación de Evita recibía enormes cantidades de dinero: de la Lotería, de los sindicatos y de las aportaciones *voluntarias* de las empresas (en realidad una especie de extorsión, porque, si no colaboraban, el Gobierno cerraba la empresa con una excusa u otra). Nunca hubo una contabilidad formal de todas esas sumas astronómicas, y muchos aseguran que hubo importantes desviaciones de fondos. Desde luego Evita poseía joyas fabulosas que jamás se hubieran podido costear con el sueldo de su marido. Por no hablar de sus ropas: cuando murió, en sus armarios había más de 100 abrigos de visón, 400 vestidos, 800 pares de zapatos.

Pero Eva también participó, y de forma espectacular, en la distribución social de la riqueza que, tras la guerra mundial, había afluido a espuertas a la Argentina. A través de la Fundación, Evita creó más de 1,000 orfanatos, 1,000 escuelas, 60 hospitales, innumerables centros para ancianos; y al año distribuía 400,000 pares de zapatos, 500,000 máquinas de coser, 200,000 cazuelas. Una labor ingente. Ella misma se dedicaba a recibir a sus pobres por las tardes; repartía billetes por doquier, regalaba camas, penicilina, dentaduras postizas. Eran escenas valleinclanescas; rodeada de dolientes y de necesitados, Eva besaba a los leprosos y a los sifilíticos, y mostraba auténtico entendimiento, auténtico cariño por todos ellos: debía de ser tan gratificante para ella (para la pequeña, apaleada Eva) verse enaltecida en la mirada de los miserables... Y todo esto lo hacía envuelta en visones y cubierta de diamantes legendarios: "Ustedes también tendrán un día ropas como estas", les decía, tal vez creyéndoselo, a los desheredados de la Tierra. Todo ese delirio no podía durar.

Y no duró. No duró el poderío económico de Argentina: despilfarrada, malversada, quebrantada por una sequía atroz y por la emigración masiva de los campesinos a la ciudad, la riqueza se agotó rápidamente. Acabado el dinero; no duró el idilio de Perón con sus descamisados. Y, por último, tampoco duró la salud de Eva.

Su primer médico, Ivanissevich, ha declarado que descubrió que Evita tenía cáncer de útero en enero de 1950, y que le aconsejó una histerectomía. Pero que ella se negó a escucharle, aduciendo que todo eso no eran sino maniobras de sus enemigos para apartarla de la política. Es una historia extraña y paranoica, pero tal vez sea cierta: Evita mantenía una relación muy rara con su cuerpo, y no se puede decir que tuviera una personalidad muy equilibrada. El caso es que siguió adelante con su trabajo, cada vez más crispada, más mística, más fanática.

Huyó de los médicos durante casi dos años, pero al final se colapsó. A partir de ahí vinieron diez meses atroces: sufría espantosos dolores y tenía el cuerpo achicharrado por la brutal radioterapia que se aplicaba entonces. Dicen que Perón no cuidó de ella en esos meses últimos, que incluso la evitaba, pero esto no parece ser cierto, o no del todo. Perón quedó aterrado al saber que Eva padecía un cáncer de útero, porque su primera mujer había muerto de lo mismo; tal vez su propio miedo le impidió estar a la altura de las circunstancias, pero hay testigos de que acompañó a su esposa hasta el final. Todo acabó el 26 de julio de 1952; Evita acababa de cumplir treinta y tres años y pesaba tan sólo treinta y cinco kilos.

Esta vida tan extraña tuvo una estrambótica coda. El cuerpo de Evita fue embalsamado por el doctor Ara, un patólogo español que, dicen, se quedó prendado del cadáver. Durante tres años, Evita permaneció en la sede de la CGT, a la espera de que construyeran un mausoleo faraónico. Pero en 1955 Perón fue arrojado violentamente del poder por otros generales, y los nuevos dirigentes hicieron desaparecer el cadáver. Durante un tiempo lo guardó en su casa, secretamente, el mayor Antonio Arandia, que dormía con una pistola bajo la almohada por temor a que se enteraran los peronistas. Una noche oyó ruido: disparó y mató a su propia mujer, embarazada. Después de eso el cuerpo fue metido en un cajón rotulado como "material de radio"; estuvo algunos años dando tumbos por el mundo, y al cabo lo enterraron con nombre ficticio en un cementerio de Milán. Además había dos o tres copias exactas del cadáver, hechas por un escultor a instancia de Perón; y una de estas copias fue exhibida durante cierto tiempo en un sex-shop de Hamburgo. En 1972, Evita fue desenterrada y devuelta a Perón, que a la sazón vivía en Madrid. Pero cuando el general regresó en 1973 a Buenos Aires para ser presidente, se dejó a la muerta en España. Perón falleció en 1974, y su viuda, Isabelita, hizo traer el cadáver a su país por razones publicitarias. Por último, y tras el golpe militar de 1976, la pobre Evita fue enterrada de nuevo en el cementerio de La Recoleta, en Buenos Aires. Ahí sigue aún, incorrupta y cerúlea, tan descabellada en su muerte como en su vida.

Rosa Montero

John Lennon y Yoko Ono
La vida alucinada

El caso es que John Lennon quería ser "auténtico". La aspiración de la "autenticidad" fue uno de los lugares comunes más extendidos en la época de la contracultura y del *hippismo*, esto es, a finales de los años sesenta y principios de los setenta. Los hijos de las sociedades ricas, liberados de problemas más acuciantes, estuvieron en condiciones de advertir que se sentían enajenados por el mundo consumista y postindustrial; y el uso de las drogas psicodélicas potenció su extrañamiento del entorno. Había que volver a los orígenes, rescatar al individuo real y bondadoso (el hippismo fue un movimiento cándido) que estaba sepultado bajo las miserias burguesas. *All you need is Love*, dirían los Beatles; todo lo que necesitas es Amor, y ese Amor nos haría regresar al Paraíso.

Pero el extrañamiento de John con el mundo venía de mucho antes y de lo más profundo de su ser. Lennon había sido un niño muy desgraciado. Nacido en 1940, sus primeros años transcurrieron en plena guerra; sus padres, Julia y Fred, se separaron muy pronto, y además, y según todos los indicios, eran un par de irresponsables. Cuando John tenía cinco años, Fred, que trabajaba como camarero en un trasatlántico, quiso llevarse al niño con él; pero John escogió quedarse con su madre. No volvió a saber de su padre hasta dieciséis años después (el hombre reapareció, qué sospechoso, cuando John se convirtió en un famoso *beatle*). Julia, por su parte, traicionó al niño: lo abandonó en manos de su rígida hermana Mimí y ella se marchó con otro hombre, con quien tuvo dos hijas. Vivían a cinco kilómetros de Mimí y de John, y el niño a veces veía llegar a su madre de visita con la cara sangrando por las palizas que le daba su pareja. Pese a todo, John adoraba a esa madre esquiva, que murió atropellada por un coche cuando él tenía dieciocho años. "Madre, tú me tuviste / Pero yo nunca te tuve / Yo te quise / Tú no me querías", escribió John, años después, en su desgarradora canción *Mother*.

Todo esto le convirtió en un niño feroz. A los cinco años y medio le expulsaron de la guardería por aterrorizar a una niñita. Era cruel, camorrista, violento. Tenía dentro de sí tanta agresividad y tanto dolor que, con diez años, pensaba de sí mismo que, "o bien era un genio, o bien estaba loco". Ya a esa temprana edad hacía cosas tan raras como mirarse fijamente al espejo durante una hora hasta que su cara se descomponía "en imágenes alucinantes". Fue un niño, y luego un adulto, trágicamente disociado, con infinitas personalidades en conflicto. Había en él tendencias paranoicas, egocéntricas y megalomaníacas, probablemente porque siempre anduvo rozando la disolución más absoluta. Esto es, tenía que luchar cada día para seguir siendo *algo* llamado John Lennon, o corría el pavoroso riesgo de no ser *nada*. Para John, en fin, la búsqueda de la "autenticidad" (de un Lennon *real* que estuviera más allá de la disociación y del dolor) era una cuestión de vida o muerte.

Pero el agujero negro no hizo sino agrandarse con el tiempo. Primero se convirtió en un adolescente gamberro que maltrataba a los débiles. Luego, con diecisiete años, se unió a Paul McCartney, que tenía quince, y a George Harrison, que tenía catorce, y montaron el primer conjunto. Poco después John se había convertido en un alcohólico. Se atiborraba de anfetaminas y estaba borracho todo el día. Sufría salvajes accesos de violencia: era un hombre al que todos temían. Albert Goldman, autor de una monumental y polémica biografía de Lennon, llega a decir que, durante su estancia en Hamburgo (estuvo tocando con Paul y George en un club de la Reeperbalm, la famosa calle de prostitución) John apaleó y robó a varios marineros; y que dejó a uno de ellos tan malherido que siempre temió haberlo matado.

Sea verdadera esta truculenta historia o no, lo cierto es que la violencia le acompañó durante toda su vida. Pegaba palizas a las mujeres, y en una fiesta casi liquidó a un pinchadiscos: le rompió la nariz, la clavícula y tres costillas porque le había preguntado si tenía una relación amorosa con su *manager*, Brian Epstein. La ferocidad de John sólo disminuyó durante los dos años que estuvo colgado del LSD (entre 1966 y 1968 tomó más de mil ácidos), pero esa calma, o más bien ese estupor, tampoco resultaba recomendable. La vida de John fue una conmovedora y constante lucha contra su propia violencia, que era algo que le espantaba de sí mismo. En 1974, durante unos breves meses de relativa paz y desintoxicación, Lennon le dijo a un periodista: "Recuerdo que, en la escuela, rompí el cristal de una cabina telefónica a puñetazos, o sea que había una especie de lado suicida y autodestructivo en mí que se está resolviendo para bien, creo, según me hago mayor, porque lo cierto es que nunca disfruté con eso. No me gusta despertarme y pensar ¿qué pasó? ¿Maté a alguien?".

John conoció a Yoko a finales de 1966, al visitar una galería de Londres en donde ella estaba exponiendo. Lennon tenía veintiséis años, estaba en la cima de su éxito como *beatle*, hacía tres días que no dormía e iba volando en ácido. Yoko tenía treinta y tres años, llevaba quince intentando triunfar como artista sin conseguirlo y tenía fama de ser implacable a la hora de aprovechar a los demás en su beneficio. Ciertamente empezó a perseguir a Lennon desde el primer día.

Yoko Ono debe de ser una de las personas con peor imagen que hay en la Tierra. La gran mayoría de las opiniones que existen sobre ella son tan extremadamente negativas que resultan difíciles de creer. Ha sido calificada de ambiciosa hasta el paroxismo, de dura, violenta y egocéntrica; de maquinadora e insensible. "Es una majadera insoportable", decía Truman Capote de ella: "La persona más desagradable del mundo". Ono se consideraba una artista genial, y se atribuía la creación del *Flower Power*, del *happening* y del arte conceptual; según ella, si su inmensa valía no había sido reconocida, era a causa del racismo y del machismo. La obra de Ono no parece gran cosa: pequeñas ingeniosidades conceptuales como hacer un cuadro con un agujero en el centro a través del cual ella estrechaba manos;

happenings consistentes, por ejemplo, en la aparición de Yoko en un escenario, vestida de negro y con unas grandes tijeras, para que los espectadores fueran cortando trocito a trocito todas sus ropas; películas vanguardistas como *Culos* (el retrato de 365 culos de personas), o *Sonrisa* (55 minutos de la cara de John Lennon sacando la lengua y sonriendo), e insufribles discos llenos de gorgoritos. Pero algo de razón debía de tener en cuanto a la discriminación por ser mujer y oriental, porque otros artistas de vanguardia alcanzaron el estrellato sin hacer mucho más.

Ono se había educado en Estados Unidos, pero pertenecía a la aristocracia japonesa. Su abuelo había sido el fundador del Banco de Tokio; su padre estaba a la cabeza del Banco del Japón. Viniendo como venía de una cultura extremadamente sexista en donde las mujeres no tenían ninguna oportunidad, hay que concederle a Yoko el mérito de su propia intrepidez y de su rebeldía. Se casó con un compositor japonés de vanguardia; se separó de él; se quiso suicidar; fue internada en un psiquiátrico en Japón; se casó con Tony Cox, un aventurero norteamericano; tuvo una hija con él, Kyoko, a la cual no prestaba ninguna atención. Y en ésas estaba cuando conoció a John, que, a su vez, estaba casado con Cynthia y tenía un hijo, Julian, a quienes descuidaba malamente. Se me ocurre que Yoko debía de ser una mujer tan disociada como Lennon: sólo que su desequilibrio era más feo, más antipático. Tal vez Aspinall, el *manager* de gira de los Beatles, expresó lo que la mayoría pensaba cuando la definió como "esa loca señora japonesa".

Desde luego los primeros momentos de su relación estuvieron marcados por la locura. El éxito fabuloso de los Beatles había empeorado, como era previsible, la angustia de John (la fama es un juego de espejos deformantes), y las drogas habían arrasado con lo que quedaba. Mientras Paul McCartney evolucionaba, aprendía nuevas formas musicales y conducía a los *Beatles* hacia el rock de vanguardia, el genial John se bloqueaba y se hundía en el marasmo.

Entonces, en 1968, apareció el Maharishi Mahesh Yogui, un santón indio, y los lisérgicos *Beatles* se convirtieron en un santiamén en sus seguidores, hasta el punto de irse a la India detrás de él a hacer meditación. Pero a los pocos meses descubrieron que el *guru* les engañaba: que se acostaba con sus seguidoras, que se aprovechaba del dinero de sus fieles... En su desencanto, John, que había permanecido limpio de drogas durante la aventura espiritual, se metió un cóctel brutal a su regreso a Londres: ácido, alcohol, anfetas y *speedball* (una mezcla de cocaína y heroína). Se le fundió la tapa de los sesos y de pronto creyó ser Dios; así es que convocó una reunión formal con todos los *beatles* y les notificó que había descubierto que era Jesucristo, y que *Apple* (la compañía formada por el grupo) tenía que sacar inmediatamente un comunicado de prensa informando al mundo de tan trascendental noticia. Los otros *beatles* asintieron (nadie se atrevía a oponerse al violento John cuando estaba así), pero dijeron que era una noticia de tal magnitud que *Apple* tenía que estudiar con mucho cuidado la manera en que debía de hacerse pública. Terminada la reunión, John se volvió a casa; estaba chiflado y se sentía solo, porque Cynthia se encontraba de viaje; de modo que llamó a Yoko, con la que llevaba acostándose clandestinamente durante algún tiempo. Yoko llegó y ya no se marchó. Cuando Cynthia regresó, descubrió que su casa ya no era más su casa.

La historia de John y Yoko no puede entenderse cabalmente sin enmarcarla dentro del tiempo en que fue vivida: esos años frenéticos en los que todo parecía ser posible. Por entonces la realidad convencional se había hecho trizas, y las drogas se encargaban de rubricar ese destrozo. Todo el mundo iba *colgado*; en la fiesta que el *rolling stone* Mick Jagger celebró en un club londinense para festejar su veinticinco cumpleaños, el ponche tenía *methedrina* y los pasteles que servían los camareros en bandejas de plata habían sido cocinados con hachís. La gente vivía al límite, en el borde del abismo, buscando, al otro lado del precipicio, alguna nueva realidad capaz de ordenar el espantoso caos. Por eso John probó con el Maharishi; y después con Janov, un excéntrico psiquiatra de Los Ángeles que ponía a sus pacientes a reptar por el suelo y a berrear, en plena regresión, llamando a mamá y chupándose el dedo; y luego Ono y él coquetearon con un hipnotizador que decía estar relacionado con los extraterrestres; y por último se metieron, de la mano de Yoko, en el ocultismo, el Tarot, la magia y la brujería. En eso estuvieron los cinco últimos años de la vida de Lennon: y Yoko obligaba a John a dar extrañas vueltas al mundo, de cuando en cuando, porque esos absurdos vuelos eran venturosos y atraían buenas vibraciones sobre el viajero.

Y, por si todo este batiburrillo fuera poco, como fondo estaba el telón del radicalismo: el pacifismo contra la guerra del Vietnam, el feminismo, el importante movimiento reivindicativo de los negros, la lucha contracultural por una sociedad no consumista y no capitalista. Hoy la mayoría de los discursos de entonces suenan cándidos, pero lo cierto es que se consiguieron cosas increíbles: en Ann Arbor (Estados Unidos), o en Cristianía (Dinamarca), los *hippies* se hicieron con el gobierno del lugar. Se crearon negocios cooperativos, hospitales, supermercados, tiendas de ropa en donde no se pagaba con dinero, sino que cada cual cogía según sus necesidades y aportaba su trabajo o lo que podía. Durante un breve tiempo, en fin, pareció que soñar era una manera de cambiar el mundo.

John y Yoko participaron a su modo en toda esa fiebre, en ese paroxismo generacional magnífico y pueril al mismo tiempo. Por ejemplo, hicieron varios *happenings* consistentes en pasarse una semana entera en la cama y recibir allí a los periodistas para hablarles de paz. Claro que, sobre este tema, John y Yoko no tenían nada especialmente inteligente que decir. Por ejemplo, sobre la guerra de Vietnam, John dijo en 1968: "Es otra muestra de locura. Es un aspecto más de la locura de la situación. Es simplemente una locura. No debería continuar. No hay razón para ello. Sólo locura". Resultaba un poco aterrador ver a John Lennon, tan sarcástico, ácido y agudo en sus comentarios cuando era más joven, convertido en una especie de papanatas bobalicón y repitiendo junto a Yoko Ono los pánfilos tópicos de la paz y el amor. Tal vez Yoko (que carecía por completo de sentido del humor) resultara abrasiva para él; o tal vez fueran los estragos del alcohol y las demás drogas.

Parece que, cuando empezaron a vivir juntos, tanto John como Yoko estaban ya colgados de la heroína. Pronto estuvieron colgados de la metadona, a la que habían recurrido para desintoxicarse del caballo sin saber que esta nueva droga enganchaba igual. Hubo períodos en clínicas, y constantes e infructuosos esfuerzos por liberarse de la adicción: en una ocasión, John se hizo atar a una silla durante tres días: "Treinta y seis horas / Retorciéndome de dolor / Implorándole a alguien / Que me libere de nuevo / Oh, seré buen chico / Por favor, cúrame / Te prometo cualquier cosa / Sácame de este infierno / El mono me viene persiguiendo", dice Lennon en su espeluznante canción *Cold Turkey* (literalmente Pavo frío, que es como los ingleses llaman al mono o síndrome de abstinencia). Al parecer, y durante el resto de su vida, John estuvo entrando y saliendo del caballo, así como de feroces depresiones que le mantuvieron durante años en la cama, prácticamente sin levantarse y apenas sin comer, porque padecía trastornos anoréxicos.

También Yoko pasó sus etapas de depresión, pero en general parecía hundirse mucho menos que él, tal vez porque siempre estuvo impulsada por la ambición de triunfar y la rabia de no lograrlo (los discos que sacaron juntos fueron un desastre), o tal vez porque simplemente era más fuerte. John llamaba a Yoko *Madre*; y sin duda la necesitaba más que ella a él. En cualquier caso vivían pegados el uno al otro, alimentando una fantasía de identidad. "Después de que todo está dicho y hecho, nosotros dos somos realmente uno. Los dioses sonrieron sobre nuestro amor, querida Yoko", escribió John en su último disco. Repitieron y repitieron hasta el final que eran iguales, que eran almas gemelas y que se adoraban, quizá intentando creerlo, puesto que la extrema rareza de uno mismo ya no es tan dolorosa ni tan loca si hay otro igual que tú. Pero, por otra parte, tenían terribles broncas; Goldman dice que de cuando en cuando se atizaban el uno al otro soberanas palizas y que pasaban semanas sin hablarse. Era una vida alucinada.

En 1973, John dejó a Ono y se marchó con May Pang, su secretaria, una joven china encantadora (mientras Yoko, a su vez, perseguía a otro hombre). Los nueve primeros meses fueron el infierno: totalmente borracho, John se pegó con sus *fans*, fue echado a patadas de un par de locales, le abrió la cabeza a su guitarrista, mordió la nariz a un músico, destrozó varios apartamentos e intentó estrangular a May Pang media docena de veces con insistente empeño. Pero los siguientes nueve meses fueron un oasis. Lennon se calmó, bajó radicalmente el consumo de drogas y emprendió una vida doméstica y amorosa junto a la suave May. Iban a comprarse una casa juntos cuando Ono reaccionó y atrapó de nuevo a John entre sus redes.

Volvió a cerrarse sobre ellos esa extraña relación, tan interdependiente y tan teatral: porque Yoko vivía instalada en el *happening*, en la representación de su dicha familiar puertas afuera (en 1980 contrató un avión para que escribiera con humo, sobre Nueva York, una felicitación de cumpleaños para John y Sean, el hijo de ambos), pero puertas adentro la cotidianidad seguía siendo turbulenta, y hay testigos que aseguran que, a la muerte de John, la pareja caminaba hacia el divorcio (aunque lo más probable es que no sea cierto: hay relaciones cuya adherencia aumenta con el deterioro).

John murió de cuatro tiros el 8 de diciembre de 1980, a los cuarenta años, sin haber alcanzado la "autenticidad", pero también sin haber cejado en su doliente búsqueda: ésa fue su mayor grandeza, su heroicidad privada. Su asesino, Chapman, era un chalado de veinticinco años, un hijo del LSD en pos de sus quince minutos de celebridad. Al día siguiente del asesinato, Yoko hizo montar a toda prisa una grabación con palabras de Lennon, y con eso compuso la cara B del single que ella estaba a punto de sacar. Por cierto que es el único trabajo de Yoko Ono que ha llegado a venderse de manera masiva.

José Ortega y Gasset

Creer y pensar

I

Las ideas se tienen; en las creencias se está.
"Pensar en las cosas" y "contar con ellas".

Cuando se quiere entender a un hombre, la vida de un hombre, procuramos ante todo averiguar cuáles son sus ideas. Desde que el europeo cree tener "sentido histórico" es ésta la exigencia más elemental. ¿Cómo no van a influir en la existencia de una persona sus ideas y las ideas de su tiempo? La cosa es obvia. Perfectamente; pero la cosa es también bastante equívoca, y, a mi juicio, la insuficiente claridad sobre lo que se busca cuando se inquieren las ideas de un hombre —o de una época— impide que se obtenga claridad sobre su vida, sobre su historia.

Con la expresión "ideas de un hombre" podemos referirnos a cosas muy diferentes. Por ejemplo: los pensamientos que se le ocurren acerca de esto o de lo otro y los que se le ocurren al prójimo y él repite y adopta. Estos pensamientos pueden poseer los grados más diversos de verdad. Incluso pueden ser "verdades científicas". Tales diferencias, sin embargo, no importan mucho, si importan algo, ante la cuestión mucho más radical que ahora planteamos. Porque, sean pensamientos vulgares, sean rigurosas "teorías científicas", siempre se tratará de ocurrencias que en un hombre surgen, originales suyas o insufladas por el prójimo. Pero esto implica evidentemente que el hombre estaba ya ahí antes de que se le ocurriese o adoptase la idea. Ésta brota, de uno u otro modo dentro de una vida que preexistía a ella. Ahora bien, no hay vida humana que no esté desde luego constituida por ciertas creencias básicas y, por decirlo así, montada sobre ellas. Vivir es tener que habérselas con algo: con el mundo y consigo mismo. Mas ese mundo y ese "sí mismo" con que el hombre se encuentra le aparecen ya bajo la especie de una interpretación, de "idea" sobre el mundo y sobre sí mismo.

Aquí topamos con otro estrato de ideas que un hombre tiene. Pero ¡cuán diferente de todas aquellas que se le ocurren o que adopta! Esas "ideas" básicas que llamo "creencias" —ya se verá por qué— no surgen en tal día y hora *dentro* de nuestra vida, no arribamos a ellas por un acto particular de pensar, no son, en suma, pensamientos que tenemos, no son ocurrencias ni siquiera de aquella especie más elevada por su perfección lógica y que denominamos razonamientos. Todo lo contrario: esas ideas que son, de verdad, "creencias" constituyen el continente de nuestra vida y, por ello, no tienen el carácter de contenidos particulares dentro de ésta. Cabe decir que no son ideas que tenemos, sino ideas que somos. Más aún: precisamente porque son creencias radicalísimas, se confunden para nosotros con la realidad misma —son nuestro mundo y nuestro ser—, pierden, por tanto, el carácter de ideas, de pensamientos nuestros que podían muy bien no habérsenos ocurrido.

Cuando se ha caído en la cuenta de la diferencia existente entre esos dos estratos de ideas aparece, sin más, claro el diferente papel que juegan en nuestra vida. Y, por lo pronto, la enorme diferencia de rango funcional. De las ideas -ocurrencias— y conste que incluyo en ellas las verdades más rigurosas de la ciencia— podemos decir que las producimos, las sostenemos, las discutimos, las propagamos, combatimos en su pro y hasta somos capaces de morir por ellas. Lo que no podemos es... vivir de ellas. Son obra nuestra y, por lo mismo, suponen ya nuestra vida, la cuál se asienta en ideas-creencias que no producimos nosotros, que, en general, ni siquiera nos formulamos y que, claro está, no discutimos ni propagamos ni sostenemos. Con las creencias propiamente *no hacemos* nada, sino que simplemente *estamos* en ellas. Precisamente lo que no nos pasa jamás —si hablamos cuidadosamente— con nuestras ocurrencias. El lenguaje vulgar ha inventado certeramente la expresión "estar en la creencia". En efecto, en la creencia se está, y la ocurrencia se tiene y se sostiene. Pero la creencia es quien nos tiene y sostiene a nosotros.

Hay, pues, ideas con que nos encontramos —por eso las llamo ocurrencias— e ideas en que nos encontramos, que parecen estar ahí ya antes de que nos ocupemos en pensar.

Una vez visto esto, lo que sorprende es que a unas y a otras se les llame lo mismo: ideas. La identidad de nombre es lo único que estorba para distinguir dos cosas cuya disparidad brinca tan claramente ante nosotros sin más que usar frente a frente estos dos términos: creencias y ocurrencias. La incongruente conducta de dar un mismo nombre a dos cosas tan distintas no es, sin embargo, una casualidad ni una distracción. Proviene de una incongruencia más honda: de la confirmación entre dos problemas radicalmente diversos que exigen dos modos de pensar y de llamar no menos dispares.

Pero dejemos ahora este lado del asunto: es demasiado abstruso. Nos basta con hacer notar que "idea" es un término del vocabulario psicológico y que la psicología, como toda ciencia particular, posee sólo jurisdicción subalterna. La verdad de sus conceptos es relativa al punto de vista particular que la constituye, y vale en el horizonte que ese punto de vista crea y acota. Así, cuando la psicología dice de algo que es una "idea", no pretende haber dicho lo más decisivo, lo más real sobre ello. El único punto de vista que no es particular y relativo es el de la vida, por la sencilla razón de que todos los demás se dan dentro de ésta y son meras especializaciones de aquél. Ahora bien, como fenómeno vital la creencia no se parece nada a la ocurrencia: su función en el organismo de nuestro existir es totalmente distinta y, en cierto modo, antagónica. ¿Qué importancia puede tener en parangón con esto el hecho de que, bajo la perspectiva psicológica, una y otra sean "ideas" y no sentimientos, voliciones, etcétera?

Conviene, pues, que dejemos este término —"ideas"— para designar todo aquello que en nuestra vida aparece como resultado de nuestra ocupación intelectual. Pero las creencias se nos presentan con el carácter opuesto. No llegamos a ellas tras una faena de entendimiento, sino que operan ya en nuestro bando cuando nos ponemos a pensar sobre algo. Por eso no solemos formularlas, sino que nos contentamos con aludir a ellas como solemos hacer con todo lo que nos es la realidad misma. Las teorías, en cambio, aun las más verídicas, sólo existen mientras son pensadas: de aquí que necesiten ser formuladas.

Esto revela, sin más, que todo aquello en que nos ponemos a pensar tiene *ipso facto* para nosotros una realidad problemática y ocupa en nuestra vida un lugar secundario si se le compara con nuestras creencias auténticas. En éstas no pensamos ahora o luego: nuestra relación con ellas consiste en algo mucho más eficiente; consiste en... contar con ellas, siempre, sin pausa.

Me parece de excepcional importancia para inyectar, por fin, claridad en la estructura de la vida humana esta contraposición entre pensar en una cosa y, contar con ella. El intelectualismo que ha tiranizado, casi sin interrupción, el pasado entero de la filosofía ha impedido que se nos haga patente y hasta ha invertido el valor respectivo de ambos términos. Me explicaré.

Analice el lector cualquier comportamiento suyo, aun el más sencillo en apariencia. El lector está en su casa y, por unos u otros motivos, resuelve salir a la calle. ¿Qué es en todo este su comportamiento lo que propiamente tiene el carácter de pensado, aun entendiendo esta palabra en su más amplio sentido, es decir, como conciencia clara y actual de algo? El lector se ha dado cuenta de sus motivos, de la resolución adoptada, de la ejecución de los movimientos con que ha caminado, abierto la puerta, bajado la escalera. Todo esto en el caso más favorable. Pues bien, aun en este caso y por mucho que busque en su conciencia, no encontrará en ella ningún pensamiento en que se haga constar que hay calle. El lector no se ha hecho cuestión ni por un momento de si la hay o no la hay. ¿Por qué? No se negará que para resolverse a salir a la calle es de cierta importancia que la calle exista. En rigor, es lo más importante de todo, el supuesto de todo lo demás. Sin embargo, precisamente de ese tema tan importante no se ha hecho cuestión el lector, no ha *pensado* en ello ni para negarlo ni para afirmarlo ni para ponerlo en duda. ¡Quiere esto decir que la existencia o no existencia de la calle no ha intervenido en su comportamiento? Evidentemente, no. La prueba se tendría si al llegar a la puerta de su casa descubriese que la calle había desaparecido, que la tierra concluía en el umbral de su domicilio o que ante él se había abierto una sima. Entonces se produciría en la conciencia del lector una clarísima y violenta sorpresa. ¿De qué? De que no había aquélla. Pero ¿no habíamos quedado en que antes no había *pensado* que la hubiese, no se había hecho cuestión de ello? Esta sorpresa pone de manifiesto hasta qué punto la existencia de la calle actuaba en su estado anterior, es decir, hasta qué punto el lector *contaba* con la calle aunque no pensaba en ella y precisamente porque no pensaba en ella.

El psicólogo nos dirá que se trata de un pensamiento habitual, y que por eso no nos damos cuenta de él, o usará la hipótesis de lo subconsciente, etc. Todo ello, que es muy cuestionable, resulta para nuestro asunto por completo indiferente. Siempre quedará que lo que decisivamente actuaba en nuestro comportamiento, como que era su básico supuesto, no era *pensado* por nosotros con conciencia clara y aparte. Estaba en nosotros, pero no en forma consciente, sino como implicación latente de nuestra conciencia o pensamiento. Pues bien, a este modo de intervenir algo en nuestra vida sin que lo pensemos llamo "contar con ello". Y ese modo es el propio de nuestras efectivas creencias.

El intelectualismo, he dicho, invierte el valor de los términos. Ahora resulta claro el sentido de esta acusación. En efecto, el intelectualismo tendía a considerar como lo más reciente en nuestra vida lo más consciente. Ahora vemos que la verdad es lo contrario. La máxima eficacia sobre nuestro comportamiento reside en las implicaciones latentes de nuestra actividad intelectual, en todo aquello con que contamos y en que, de puro contar con ello, no pensamos.

¿Se entrevé ya el enorme error cometido al querer aclarar la vida de un hombre o de una época por su ideario; esto es por sus pensamientos especiales, en lugar de penetrar más hondo, hasta el estrato de sus creencias más o menos inexpresas, de las cosas con que contaba? Hacer esto, fijar el inventario de las cosas con que se cuenta, sería, de verdad, construir la historia, esclarecer la vida desde su subsuelo.

II

El azoramiento de nuestra época. Creernos en la razón y no en sus ideas. La ciencia casi poesía.

Resumo: cuando intentamos determinar cuáles son las ideas de un hombre o de una época, solemos confundir dos cosas radicalmente distintas: sus creencias y sus ocurrencias o "pensamientos". En rigor; sólo estas últimas deben llamarse "ideas".

Las creencias constituyen la base de nuestra vida, el terreno sobre que acontece. Porque ellas nos ponen delante lo que para nosotros es la realidad misma. Toda nuestra conducta, incluso la intelectual, depende de cuál sea el sistema de nuestras creencias auténticas. En ellas "vivimos, nos movemos y somos". Por lo mismo, no solemos tener conciencia expresa de ellas, no las pensamos, sino que actúan latentes, como implicaciones de cuanto expresamente hacemos o pensamos. Cuando creemos de verdad en una cosa, no tenemos la "idea" de esa cosa, sino que simplemente "contamos con ella".

En cambio, las ideas, es decir, los pensamientos que tenemos sobre las cosas, sean originales o recibidos no poseen en nuestra vida valor de realidad. Actúan en ella precisamente como pensamientos nuestros y sólo como tales. Esto significa que toda nuestra "vida intelectual" es secundaria a nuestra vida real o auténtica y representa en ésta sólo una dimensión virtual o imaginaría. Se preguntará qué significa entonces la verdad de las ideas, de las teorías. Respondo: la verdad o falsedad de una idea es una cuestión de "política interior" dentro del mundo imaginario de nuestras ideas. Una idea es verdadera cuando corresponde a la idea que tenemos de la realidad. Pero *nuestra idea* de la realidad no es nuestra *realidad*. Ésta consiste en todo aquello con que de hecho contamos al vivir. Ahora bien, de la mayor parte de las cosas con que de hecho contamos, no tenemos la menor idea, y si la tenemos —por un especial esfuerzo de reflexión sobre nosotros mismos— es indiferente, porque no nos es realidad en cuanto a idea, sino, al contrario, en la medida en que no nos es sólo idea, sino creencia infraintelectual.

Tal vez no haya otro asunto sobre el que importe más a nuestra época conseguir claridad como este de saber a qué atenerse sobre el papel y puesto que en la vida humana corresponde a todo lo intelectual. Hay una clase de épocas que se caracterizan por su gran azoramiento. A esa clase pertenece la nuestra. Idas cada una de esas épocas se azora un poco de otra manera y por un motivo distinto. El gran azoramiento de ahora se nutre últimamente de que tras varios siglos de ubérrima producción intelectual y de máxima atención a ella, el hombre empieza a no saber qué hacerse con las ideas. Presiente ya que las había tomado mal, que su papel en la vida es distinto del que en estos siglos les ha atribuido, pero aún ignora cuál es su oficio auténtico.

Por eso importa mucho que, ante todo, aprendamos a separar con toda limpieza la vida intelectual —que, claro está, no es tal vida— de la vida viviente, de la real, de la que somos. Una vez hecho esto y bien hecho, habrá lugar para plantearse las otras dos cuestiones: ¿En qué relación mutua actúan las ideas y las creencias? ¿De dónde vienen, cómo se forman las creencias?

Dije en el parágrafo anterior que inducía a error dar indiferentemente el nombre de ideas a creencias y ocurrencias. Ahora agrego que el mismo daño produce hablar, sin distingos, de creencias, convicciones, etc, cuando se trata de ideas, Es, en efecto, una equivocación llamar creencia a la adhesión que en nuestra mente suscita una combinación intelectual, cualquiera que ésta sea. Elijamos el caso extremo que es el pensamiento científico más riguroso, por tanto, el que se funda en evidencias. Pues bien, aun en ese caso, no cabe hablar en serio de creencia. Lo evidente, por muy evidente que sea, no nos es realidad, no creemos en ello. Nuestra mente no puede evitar reconocerlo como verdad; su adhesión es automática, mecánica. Pero, entiéndase bien, esa adhesión, ese reconocimiento de la verdad no significa sino esto: que, puestos a pensar en el tema, no admitiremos en nosotros un pensamiento distinto ni opuesto a ese que nos parece evidente. Pero... ahí está: la adhesión mental tiene como condición que nos pongamos a pensar en el asunto, que queramos pensar. Basta esto para hacer notar la irrealidad constitutiva de toda nuestra "vida intelectual". Nuestra adhesión a un pensamiento dado es, repito, irremediable; pero, como está en nuestra mano pensado o no, esa adhesión tan irremediable, que se nos impondría como la más imperiosa realidad, se convierte en algo dependiente de nuestra voluntad e *ipso facto* deja de sernos realidad. Porque realidad es precisamente aquello con que contamos, queramos o no. Realidad es la contravoluntad, lo que nosotros no ponemos; antes bien, aquello con que topamos.

Además de esto, tiene el hombre clara conciencia de que su intelecto se ejercita sólo sobre materias cuestionables; que la verdad de las ideas se alimenta de su cuestionabilidad. Por eso, consiste esa verdad en la prueba que de ella pretendemos dar. La idea necesita de la crítica como el pulmón del oxígeno, y se sostiene y afirma apoyándose en otras ideas que, a su vez, cabalgan sobre otras formando un todo o un sistema. Arman, pues, un mundo aparte del mundo real, un mundo integrado exclusivamente por ideas de que el hombre se sabe fabricante y responsable. De suerte que la firmeza de la idea más firme se reduce a la solidez con que aguanta ser referida a todas las demás ideas. Nada menos, pero también nada más. Lo que no se puede es contrastar una idea, como si fuera una moneda, golpeándola directamente contra la realidad, como si fuera una piedra de toque. La verdad suprema es la de lo evidente, pero el valor de la evidencia misma es, a mi vez, mera teoría, idea y combinación intelectual.

Entre nosotros y nuestras ideas hay, pues, siempre una distancia infranqueable: la que va de lo real a lo imaginario. En cambio, con nuestras creencias estamos inseparablemente unidos. Por eso cabe decir que las somos. Frente a nuestras concepciones gozamos un margen, mayor o menor, de independencia. Por grande que sea su influencia sobre nuestra vida, podemos siempre suspenderlas, desconectarnos de nuestras teorías. Es más, de hecho exige siempre de nosotros algún especial esfuerzo, comportarnos conforme a lo que pensamos, es decir, tomarlo completamente en serio. Lo cual revela que no creemos en ello, que presentimos como un riesgo esencial fiarnos de nuestras ideas, hasta el punto de entregarles nuestra conducta tratándolas como si fueran creencias. De otro modo, no apreciaríamos el ser "consecuente con sus ideas" como algo especialmente heroico.

No puede negarse, sin embargo, que nos es normal regir nuestro comportamiento conforme a muchas "verdades científicas". Sin considerarlo heroico, nos vacunamos, ejercitamos usos, empleamos instrumentos que, en rigor, nos parecen peligrosos y, cuya seguridad no tiene más garantía que la de la ciencia. La explicación es muy sencilla y sirve, de paso, para aclarar al lector algunas dificultades con que habrá tropezado desde el comienzo de este ensayo. Se trata simplemente de recordarle que entre las creencias del hombre actual es una de las más importantes su creencia en la "razón", en la inteligencia. No precisemos ahora las modificaciones que en estos últimos años ha experimentado esa creencia. Sean las que fueren, es indiscutible que lo esencial de esa creencia subsiste, es decir, que el hombre continúa contando con la eficiencia de su intelecto como una de las realidades que hay, que integran su vida. Pero téngase la serenidad de reparar que una cosa es fe en la inteligencia y otra creer en las ideas determinadas que esa inteligencia fragua. En ninguna de estas ideas se cree con fe directa. Nuestra creencia se refiere a la cosa, inteligencia, así en general, y esa fe no es una idea sobre la inteligencia. Compárese la precisión de esa fe en la inteligencia con la imprecisa idea que casi todas las gentes tienen de la inteligencia. Además, como ésta corrige sin cesar sus concepciones y a la verdad de ayer sustituye la de hoy, si nuestra fe en la inteligencia consistiese en creer directamente en las ideas, el cambio de éstas traería consigo la pérdida de fe en la inteligencia. Ahora bien, pasa todo lo contrario. Nuestra fe en la razón ha aguantado imperturbable los cambios más escandalosos de sus teorías, inclusive los cambios profundos de la teoría sobre qué es la razón misma. Estos últimos han influido, sin duda, en la forma de esa fe, pero esta fe seguía actuando impertérrita bajo una u otra forma.

He aquí un ejemplo espléndido de lo que debe, sobre todo, interesar a la historia cuando se resuelva verdaderamente a ser ciencia, la ciencia del hombre. En vez de ocuparse sólo en hacer la "historia" —es decir, en catalogar la sucesión— de las ideas sobre la razón desde Descartes a la fecha, procurará definir con precisión cómo era la fe en la razón que efectivamente operaba en cada época y cuáles eran sus consecuencias para la vida. Pues es evidente que el argumento del drama en que la vida consiste es distinto si se está *en la creencia* de que un Dios omnipotente y benigno existe, que si se está en la creencia contraria. Y también es distinta la vida, aunque la diferencia sea menor, de quien cree en la capacidad absoluta de la razón para descubrir la realidad, como se creía a fines del siglo XVII en Francia, y quien cree, como los positivistas de 1860, que la razón es por esencia conocimiento relativo.

Un estudio como éste nos permitiría ver con frialdad la modificación sufrida por nuestra fe en la razón durante los últimos veinte años, y ello derramaría sorprendente luz sobre casi todas las cosas extrañas que acontecen en nuestro tiempo.

Pero ahora no me urgía otra cosa sino hacer que el lector cayese en la cuenta de cuál es nuestra relación con las ideas, con el mundo intelectual. Esta relación no es de fe en ellas: las cosas que nuestros pensamientos, que las teorías nos proponen, no nos son realidad, sino precisamente y sólo... ideas.

Mas no entenderá bien el lector lo que algo nos es, cuando nos es sólo idea y no realidad, si no le invito a que repare en su actitud frente a lo que se llama "fantasías, imaginaciones". Pero el mundo de la fantasía, de la imaginación, es la poesía. Bien, no me arredro; por el contrario, a esto quería llegar. Para hacerse bien cargo de lo que nos son las ideas, de su papel primario en la vida, es preciso tener el valor de acercar la ciencia a la poesía mucho más de lo que hasta aquí se ha osado. Yo diría, si después de todo lo enunciado se me quiere comprender bien, que la ciencia está mucho más cerca de la poesía que de la realidad, que su función en el organismo de nuestra vida se parece mucho a la del arte. Sin duda, en comparación con una novela, la ciencia parece la realidad misma. Pero en comparación con la realidad auténtica se advierte lo que la ciencia tiene de novela, de fantasía, de construcción mental, de edificio imaginario.

III

La duda y la creencia. El "mar de dudas". El lugar de las ideas.

El hombre, en el fondo, es crédulo o, lo que es igual, el estrato más profundo de nuestra vida, el que sostiene y porta todos los demás, está formando por creencias.[1] Éstas son, pues, la tierra firme sobre que nos afanamos. (Sea dicho de paso que la metáfora se origina en una de las creencias más elementales que poseemos y sin la cual tal vez no podríamos vivir: la creencia en que la tierra es firme, a pesar de los terremotos que alguna vez y en la superficie de algunos de sus lugares acontecen. Imagínese que mañana, por unos u otros motivos, desapareciera esa creencia. Precisar las líneas mayores del cambio radical que en la figura de la vida humana esa desaparición produciría, fuera un excelente ejercicio de introducción al pensamiento histórico.)

Pero en esa área básica de nuestras creencias se abren, aquí o allá, como escotillones, enormes agujeros de duda. Éste es el momento de decir que la duda, la verdadera, la que no es simplemente metódica ni intelectual, es un modo de la creencia y pertenece al mismo estrato que ésta en la arquitectura de la vida. También en la duda se está. Sólo que en este caso el estar tiene un carácter terrible. En la duda se está como se está en un abismo, es decir, cayendo. Es, pues, la negación de la estabilidad. De pronto sentimos que bajo nuestras plantas falla la firmeza terrestre y nos parece caer, caer en el vacío, sin poder valernos, sin poder hacer nada para afirmarnos, para vivir. Viene a ser como la muerte dentro de la vida, como asistir a la anulación de nuestra propia existencia. Sin embargo, la duda conserva de la creencia el carácter de ser algo en que se está, es decir, que no lo hacemos o ponemos nosotros. No es una idea que podríamos pensar o no, sostener, criticar, formular, sino que, en absoluto, la somos. No se estime como paradoja, pero considero muy difícil describir lo que es la verdadera duda si no se dice que creemos nuestra duda.

Si no fuese así, si dudásemos de nuestra duda, sería ésta innocua. Lo terrible es que actúa en nuestra vida exactamente lo mismo que la creencia y pertenece al mismo estrato que ella. La diferencia entre la fe y la duda no consiste, pues, en el creer. La duda no es un "no creer" frente al creer, ni es un "creer que no" frente a un "creer que sí". El elemento diferencial está en lo que se cree. La fe cree que Dios existe o que Dios no existe. Nos sitúa, pues, en una realidad, positiva

[1] Dejemos intacta la cuestión de si bajo ese estrato más profundo no hay aún algo más, un fondo metafísico al que ni siquiera llegan nuestras creencias.

o "negativa" pero inequívoca, y, por eso, al estar en ella nos sentimos colocados en algo estable.

Lo que nos impide entender bien el papel de la duda en nuestra vida es presumir que no nos pone delante una realidad. Y este error proviene, a su vez, de haber desconocido lo que la duda tiene de creencia. Sería muy cómodo que bastase dudar de algo para que ante nosotros desapareciese como realidad. Pero no acaece tal cosa, sino que la duda nos arroja ante lo dudoso, ante una realidad tan realidad como la fundada en la creencia, pero que es ella ambigua, bicéfala, inestable, frente a la cual no sabemos a qué atenernos ni qué hacer. La duda, en suma, es estar en lo inestable como tal: es la vida en el instante del terremoto, de un terremoto permanente y definitivo.

En este punto, como en tantos otros referentes a la vida humana, recibimos mayores esclarecimientos del lenguaje vulgar que del pensamiento científico. Los pensadores, aunque parezca mentira, se han saltado siempre a la torera aquella realidad radical, la han dejado a su espalda. En cambio, el hombre no pensador, más atento a lo decisivo, ha echado agudas miradas sobre su propia existencia y ha dejado en el lenguaje vernáculo el precipitado de esas entrevisiones. Olvidamos demasiado que el lenguaje es ya pensamiento, doctrina. Al usarlo como instrumento para combinaciones ideológicas más complicadas, no tomamos en serio la ideología primaria que él expresa, que él es. Cuando, por un azar, nos despreocupamos de lo que queremos decir nosotros mediante los giros preestablecidos del idioma y atendemos a lo que ellos nos dicen por su propia cuenta, nos sorprende su agudeza, su perspicaz descubrimiento de la realidad.

Todas las expresiones vulgares referentes a la duda nos hablan de que en ella se siente el hombre sumergido en un elemento insólito, infirme. Lo dudoso es una realidad líquida donde el hombre no puede sostenerse, y cae. De aquí el "hallarse en un mar de dudas". Es el *contraposto* al elemento de la creencia: la tierra firme.[2]

E insistiendo en la misma imagen, nos habla de la duda como una fluctuación, vaivén de olas. Decididamente, el mundo de lo dudoso es un paisaje marino e inspira al hombre presunciones de naufragio. La duda, descrita como fluctuación, nos hace caer en la

[2] La voz tierra viene de terra, seca, sólida.

cuenta de hasta qué punto es creencia. Tan lo es que consiste en la superfetación del creer. Se duda porque se está en dos creencias antagónicas, que entrechocan y nos lanzan la una a la otra, dejándonos sin suelo bajo la planta. El *dos* va bien claro en el *du* de la duda.

Al sentirse caer en esas simas que se abren en el firme solar de sus creencias, el hombre reacciona enérgicamente. Se esfuerza en "salir de la duda" Pero ¿qué hacer? La característica de lo dudoso es que ante ello no sabemos qué hacer. ¿Qué haremos, pues, cuando lo que nos pasa es precisamente que no sabemos qué hacer porque el mundo —se entiende, una porción de él— se nos presenta ambiguo? Con él no hay nada que hacer. Pero en tal situación es cuando el hombre ejercita un extraño hacer que casi no parece tal: el hombre se pone a pensar. Pensar en una cosa es lo menos que podemos hacer con ella. No hay ni que tocarla. No tenemos ni que movernos. Cuando todo en torno nuestro falla, nos queda, sin embargo, esta posibilidad de meditar sobre lo que nos falla. El intelecto es el aparato más próximo con que el hombre cuenta. Lo tiene siempre a mano. Mientras cree no suele usar de él, porque es un esfuerzo penoso. Pero al caer en la duda se agarra a él como a un salvavidas.

Los huecos de nuestras creencias son, pues, el lugar vital donde insertan su intervención las ideas. En ellas se trata siempre de sustituir el mundo inestable, ambiguo, de la duda, por un mundo en que la ambigüedad desaparece. ¿Cómo se logra esto? Fantaseando, inventando mundos. La idea es imaginación. Al hombre no le es dado ningún mundo ya determinado. Sólo le son dadas las penalidades y las alegrías de su vida. Orientado por ellas, tiene que inventar el mundo. La mayor porción de él la ha heredado de sus mayores y actúa en su vida como sistema de creencias firmes. Pero cada cual tiene que habérselas por su cuenta con todo lo dudoso, con todo lo que es cuestión. A este fin ensaya figuras imaginarias de mundos y de su posible conducta en ellos. Entre ellas, una le parece *idealmente* más firme, y a eso llama verdad. Pero conste: lo verdadero, y aún lo *científicamente* verdadero, no es sino un caso particular de lo fantástico. Hay fantasías exactas. Más aún: sólo puede ser exacto lo fantástico. No hay modo de entender bien al hombre si no se repara en que la matemática brota de la misma raíz que la poesía, del don imaginativo.

José María Pemán

El lápiz azul

"En el Paraíso —dice un poeta— el hombre estaba desposado con la diosa Felicidad." Al divorciarse luego de ella por la Culpa, ella, como todas las mujeres, le dejó un retrato, una prenda, la Ilusión. La Ilusión es un retrato, borroso y regular de parecido, de la Felicidad. Es el bucle de sus cabellos de oro que, al abandonarnos, se cortó y nos dejó en recuerdo...

Yo pensaba todas estas cosas transcendentales, hace unos días, haciendo antesala en un ministerio. Las antesalas de los ministerios se prestan a la meditación, porque están envueltas en una suave semioscuridad y llenas de misterios extraños. En todas ellas hay siempre un señor inmóvil y azorado que, sentado junto a la pared, al borde de una ancha silla de cuero, espera desde hace años, con unos papeles en la mano. Nadie sabe quién es ni qué espera. En todas hay también siempre un caballero desenvuelto que entra hablando a voces y llamando a todos porteros y secretarios —por su nombre de pila, y que, al fin, diciendo que va "a ver si le tienen despachado eso", se entra por una puertecita por donde no entra más que él. También suele haber un portero solemne, con un largo levitón napoleónico, que parece guardar en sus labios un secreto de Estado. A menudo, en su pecho estrellado de áureos botones, el portero luce tres, cuatro, hasta cinco medallas, con cintas de colores. Otro misterio. Nunca he podido comprender cómo puede un portero ganar tantas medallas.

Pero en esta antesala, donde esperé hace unos días, había, además, un muchachito ágil y vivo que escribía en una mesa rebosante de papeles. Yo le miraba con tierna admiración, pensando que era uno de esos seres privilegiados que todo lo sabe y que todo lo pueden, y a quien nosotros, desde las provincias, les preguntamos todo y para todo le pedimos permiso. Si ha de concederse una licencia, si ha de pagarse una cantidad, si ha de aprobarse una cuenta, es necesario que, tras un oleaje de sucesivas revisiones, el asunto vaya a morir, como a una playa, a una de esas mesas de Madrid, donde uno de esos seres extraordinarios ponga una rúbrica definitiva... Una maestra de mi pueblo, la señora de Jiménez, por ejemplo, pide licencia por cuarenta días para dar a luz. Pero el Estado no puede fiarse lisamente de ella. La señora de Jiménez puede ser una embustera.

Entonces se produce un certificado médico y un informe del inspector. Pero el inspector y el médico pueden estar de acuerdo con la de Jiménez. Entonces informa la Delegación provincial... Y así sucesivamente hasta que llegan los papeles en definitiva a ese señor admirable, que tras su mesa de ministerio afirma con su rúbrica que la señora de Jiménez va a dar a luz. Entonces es cuando el Estado se da por convencido. El es el único que, desde Madrid, sabe con certeza estas interioridades de todas las maestras de España! ¡Oh, señor maravilloso!...

Comprenderán ustedes, pues, que yo, sencillo provinciano, mirase con asombro y veneración a aquel joven que tras su mesa de papeles estaba despachando la correspondencia. Era un verdadero prodigio de actividad dactilar. Mientras que discutía con un amigo, sentado al otro lado de la mesa, sobre si es preferible afeitarse con máquina o con navaja, abría rápidamente carta tras carta, las pasaba la vista y con un lápiz inmenso de punta roma y azul, trazaba al margen de cada una, una palabra lacónica: "Gracias. Enhorabuena. Se tomará nota..."

Llevaría despachadas así más de un centenar de cartas, cuando pude ver desde mi silla que, de uno de los sobres rasgados, salía un folletito con cubierta de papel verde. Se titulaba "Catecismo del buen ciudadano" Llevaba una larga dedicatoria de letra lenta, caligráfica y pueblerina. En el pie de imprenta rezaba: Fuenteovejuna...

Era, indudablemente, un buen señor de Fuenteovejuna que dedicaba al ministro uno de esos libritos ingenuos y optimistas, en el que un caballero que todo lo sabe, comunica a un niño unas cuantas afirmaciones satisfactorias: que España es una gran nación, que en sus dominios no se ponía el sol y que su bandera era roja y gualda...

Con la misma rapidez, sin leer la dedicatoria, el gran lápiz azul dejó al margen del folletito una sentencia escueta: Gracias. Que es muy interesante y que se le felicita por labor tan patriótica."

Al mismo tiempo que trazaba mecánicamente estas palabras, el secretario afirmaba, continuando su discusión, esta sentencia luminosa:

—Desde luego, la maquinilla de afeitar tiene el inconveniente que si no se cuida bien, se estropea...

Al presenciar aquella escena, como un relámpago vi ante mis ojos toda la vaciedad de la ilusión humana. Aquel lápiz azul era como la varita mágica del encantamiento. Las palabras secas que, como un conjuro, iba vertiendo distraídamente, mientras el secretario afirmaba las excelencias de la máquina de afeitar, contenían el germen, el embrión de la futura carta del ministro, que tan ilusionadamente esperan miles de seres en todos los rincones de la nación.

Toda la historia de aquel humilde folletito verde, impreso en Fuenteovejuna, se me representó rápidamente en la imaginación, como en una sucesión cinematográfica. Me figuré al autor —un oficinista retirado, un maestro de escuela quizás— concibiendo día tras día su obrita. Lo ví, luego, leyéndole al cura del pueblo, ruborosamente, las primeras cuartillas. Y luego, luchando con la imprenta hasta conseguir entre sus manos, con emoción, los primeros folletitos verdes, fragantes de tinta fresca.

Y, al fin, la dedicatoria pensada y estudiada todo un día y el certificado al señor ministro, puesto en Correos por su propia mano. Y la espera, luego, día tras día, de la llegada de cartero...

Y, al mismo tiempo, ví la escena que ocurriría al día siguiente, allí en el ministerio. El maravilloso señor del lápiz azul entrará en el despacho del señor ministro e irá poniendo sobre su mesa, una tras otra, las cartas para que las firme. Todo rapidísimo. El señor ministro firmará con un garabato nervioso, y el secretario estará junto a él en acecho, con el papel secante para caer de golpe sobre la firma, como una lápida sepulcral...

Y entre las cartas vendrá sencillamente aquella en la que tiene cifrada su ilusión el lejano escritor de Fuenteovejuna. Será una carta más a máquina, en un papel lustroso y resbaladizo, con membrete. El esqueleto de aquellas palabras azules, secas y telegráficas, irá vestido ahora con una prosa administrativa y convencional. El señor ministro, firmando distraídamente, preguntará:

—¿Esta es la del Cardenal Primado?

—No —contestará el secretario—. Esta es de un señor que le dedica un folleto. No sé de dónde. Creo que de Castro Urdiales. Un folleto patriótico. No recuerdo bien el título. Algo de Iglesia. "Misal del buen ciudadano", o algo así...

El señor ministro, mientras firma, comentará:

—Sí... ¡El pentateuco!

(El señor ministro se permite, de vez en cuando, alguna leve agudeza para amenizar la rutina de la firma cotidiana).

Y, sin embargo, esa carta, nacida de esa forma, será guardada con desvelo, muy dobladita, en la cartera del señor de Fuenteovejuna. Y de vez en cuando la sacará con mano temblorosa para enseñarla confidencialmente a un amigo.

—Sí, cuando yo escribí mi folletito, el señor ministro me felicitó. ¿Sabe usted? Y me decía que era una buena labor patriótica.

Si alguna vez tropiezo en la vida con el incógnito señor de Fuenteovejuna, me guardaré de revelarle mi secreto. Yo mismo procuraré borrar de mi memoria el recuerdo de aquel fatídico lápiz azul, capaz de rasgar con su punta roma todas las ilusiones de la vida. Sí; hay que creer en los membretes, en las frases a máquina, en el "afectísimo" en abreviatura, como hay que creer en la gloria y en el amor. Hay que olvidar que en el fondo de todas las cosas no hay sino dos o tres realidades secas y frías, como aquellas palabras azules que yo, para mi mal, vi brotar una tarde del lápiz de la punta roma.

Miguel de Unamuno

¡Adentro!

In interiore hominis
habitat veritas.

La verdad, habríame descorazonado tu carta, haciéndome temer por tu porvenir, que es todo tu tesoro, si no creyese firmemente que esos arrechuchos de desaliento suelen ser pasaderos, y no más que síntoma de la conciencia que de la propia nada radical se tiene, conciencia de que se cobra nuevas fuerzas para aspirar a serlo todo. No llegará muy lejos, de seguro, quien nunca sienta cansancio.

De esa conciencia de tu poquedad recojerás arrestos para tender a serlo todo. Arranca como de principio de tu vida interior, del reconocimiento, con pureza de intención, de tu pobreza cardinal de espíritu, de tu miseria, y aspira a lo absoluto si en lo relativo quieres progresar.

No temo por ti. Sé que te volverán los generosos arranques y las altas ambiciones, y de ello me felicito y te felicito.

Me felicito y te felicito por ello, sí, porque una de las cosas que a peor traer nos traen —en España sobre todo— es la sobra de codicia unida a la falta de ambición. ¡Si pusiéramos en subir más alto el ahínco que en no caer ponemos, y en adquirir más tanto mayor cuidado que en conservar el peculio que heredamos! Por cavar en tierra y esconder en ella el solo talento que se nos dio, temerosos del Señor que donde no sembró siega y donde no esparció recoje, se nos quitará ese único nuestro *talento*, para dárselo al que recibió más y supo acrecentarlos, porque "al que tuviere le será dado y tendrá aún más, y al que no tuviere, hasta lo que tiene le será quitado" (Mat. XXV). No seas avaro, no dejes que la codicia ahogue a la ambición en ti; vale más que en tu ansia por perseguir a cien pájaros que vuelan te broten alas, que no el que estés en tierra con tu único pájaro en mano.

Pon en tu orden, muy alta tu mira, lo más alta que puedas, más alta aún, donde tu vista no alcance, donde nuestras vidas paralelas van a encontrarse: apunta a lo inasequible. Piensa cuando escribas, ya que escribir es tu acción, en el público universal, no en el español tan sólo, y menos en el español de hoy. Si en aquél pensasen nuestros escritores, otros serían sus ímpetus, y por lo menos habrían de poner, hasta en cuanto al estilo, en lo íntimo de éste, en sus entrañas y rebaños, en el ritmo del pensar, en lo traductible a cualquier humano lenguaje, el trabajo que hoy los más ponen en su cáscara y vestimenta, en lo que sólo al oído español halaga. Son escritores de cotarro, de los que aspiran a cabezas de ratón; la codicia de gloria ahoga en ellos la ambición de ella; cavan en la tierra patria y en ella esconden su único talento. Pon tu mira muy alta, más alta aún, y sal de ahí, de esa Corte, cuanto antes. Si te dijesen que es ése tu centro, contéstales: "¡mi centro está en mí!"

Ahí te consumes y disipas sin el debido provecho, ni para ti ni para los otros, aguantando alfilerazos que enervan a la larga. Tienes ahí que indignarte cada día por cosas que no lo merecen. ¿Crees que puede un león defenderse de una invasión de hormigas leones? ¿Vas a matar a zarpazos pulgas ?

Sal pronto de ahí y aíslate por primera providencia; vete al campo, y en la soledad conversa con el universo si quieres, habla a la congregación de las cosas todas. ¿Que se pierde tu voz? Más té vale que se pierdan tus palabras en el cielo inmenso a no que resuenen entre las cuatro paredes de un corral de vecindad, sobre la cháchara de las comadres. Vale más ser ola pasajera en el Océano, que charco muerto en la hondonada.

Hay en tu carta una cosa que no me gusta, y es ese empeño que muestras ahora por fijarte un camino y trazarte un plan de vida. ¡Nada de plan previo, que no eres edificio! No hace el plan a la vida, sino que ésta lo traza viviendo. No te empeñes en regular tu acción por tu pensamiento; deja más bien que aquélla te forme, informe, deforme y trasforme éste. Vas saliendo de ti mismo, revelándote a ti propio; tu acabada personalidad está al fin y no al principio de tu vida; sólo con la muerte se te completa y corona. El hombre de hoy no es el de ayer ni el de mañana, y así como cambias, deja que cambie el ideal que de ti propio te forjes. Tu vida es ante tu propia conciencia la revelación continua, en el tiempo, de tu eternidad, el desarrollo de tu símbolo; vas descubriéndote conforme obras. Avanza, pues, en las honduras de tu espíritu, y descubrirás cada día nuevos horizontes, tierras vírgenes, ríos de inmaculada pureza, cielos antes no vistos, estrellas nuevas y nuevas constelaciones. Cuando la vida es honda, es poema de ritmo continuo y ondulante. No encadenes tu fondo eterno, que en el tiempo se desenvuelve, a fugitivos reflejos de él. Vive al día, en las olas del tiempo, pero asentado sobre tu roca viva dentro del mar de la eternidad; al día en la eternidad, es como debes vivir.

Te repito que no hace el plan a la vida, —sino que ésta se lo traza a sí misma, viviendo. ¿Fijarte un camino? El espacio que recorras será tu camino; no te hagas, como planeta en su órbita, siervo de una trayectoria. Querer fijarse de antemano la vía redúcese en rigor a hacerse esclavo de la que nos señalen los demás, porque eso de ser hombre de meta y propósitos fijos no es más que ser como los demás nos imaginan, sujetar nuestra realidad a su apariencia en las ajenas mentes. No sigas, pues, los senderos que a cordel trazaron ellos; ve haciéndote el tuyo a campo traviesa, con tus propios pies, pisando sus sementeras si es preciso. Así es como mejor les sirves, aunque otra cosa crean ellos. Tales caminos, hechos así a la ventura, son los hilos cuya trama forma la vida social; si cada cual se hace el suyo, formarán con sus cruces y trenzados rica tela, y no calabrote.

¿Orientación segura te exigen? Cualquier punto de la rosa de los vientos que de meta te sirva te excluye a los demás. Y ¿ sabes acaso lo que hay más allá del horizonte? Explóralo todo, en todos sentidos, sin orientación fija, que si llegas a conocer tu horizonte todo, puedes recojerte bien seguro en tu nido.

Que nunca tu pasado sea tirano de tu porvenir; no son esperanzas ajenas las que tienes que colmar. ¿Contaban contigo? ¡Que aprendan a no contar sino consigo mismos! ¿Que así no vas a ninguna parte, te dicen? Adonde quiera que vayas a dar será tu todo, y no la parte que ellos te señalen. ¿Que no te entienden? Pues que te estudien o que te dejen; no has de rebajar tu alma a sus entendederas. Y sobre todo en amarnos, entendámonos o no, y no en entendernos sin amarnos, estriba la verdadera vida. Si alguna vez les apaga la sed el agua que de tu espíritu mana, ¿a qué ese empeño de tragarse el manantial? Si la fórmula de tu individualidad es complicada, no vayas a simplificarla para que entre en su álgebra; más te vale ser cantidad irracional que guarismo de su cuenta.

Tendrás que soportar mucho porque nada irrita al jacobino tanto como el que alguien se le escape de sus casillas; acaba por cobrar odio al que no se pliega a sus clasificaciones, diputándole de loco o de hipócrita. ¿Que te dicen que te contradices? Sé sincero siempre, ten en paz tu corazón, y no hagas caso, que si fueses sincero y de corazón apaciguado, es que la contradicción está en sus cabezas y no en ti.

¿Que te hinchas? Pues que se hinchen, que si nos hinchamos todos, crecerá el mundo. ¡Ambición, ambición, y no codicia!

Te repito que te prepares a soportar mucho, porque los cargos tácitos que con nuestra conducta hacemos al prójimo son los que más en lo vivo le duelen. Te atacan por lo que piensas; pero les hieres por lo que haces. Hiéreles, hiéreles por amor. Prepárate a todo, y para ello toma al tiempo de aliado. Morir como Ícaro vale más que vivir sin haber intentado volar nunca, aunque fuese con alas de cera. Sube, sube, pues para que te broten alas, que deseando volar te brotarán. Sube; pero no quieras una vez arriba arrojarte desde lo más alto del templo para asombrar a los hombres, confiado en que los ángeles te lleven en sus manos, que no debe tentarse a Dios. Sube sin miedo y sin temeridad. ¡Ambición, y nada de codicia!

Y entre tanto, resignación, resignación activa, que no consiste en sufrir sin lucha, sino en no apesadumbrarse por lo pasado ni acongojarse por lo irremediable; en mirar al porvenir siempre. Porque ten en cuenta que sólo el porvenir es reino de libertad; pues así que algo se vierte al tiempo, a su ceñidor queda sujeto. Ni lo pasado puede ser más que como fue, ni cabe que lo presente sea más que como es; el puede ser, es siempre futuro. No sea tu pesar por lo que hiciste más que propósito de futuro mejoramiento; todo otro arrepentimiento es muerte, y nada más que muerte. Puede creerse en el pasado; fe sólo en el porvenir se tiene, sólo en la libertad. Y la libertad es ideal y nada más que ideal, y en serlo está precisamente su fuerza toda. Es ideal e interior, es la esencia misma de nuestro posesionamiento del mundo, al interiorizarlo. Deja a los que creen en apocalipsis y milenarios que aguarden que al ideal les baje de las nubes y tome cuerpo a sus ojos y puedan palparlo… ¡Tú, créelo verdadero ideal, siempre futuro y utópico siempre, *utópico*, esto es: de ningún lugar, y espera! Espera, que sólo el que espera vive; pero teme al día en que se te conviertan, en recuerdos las esperanzas al dejar el futuro, y para evitarlo, haz de tus recuerdos esperanzas, pues porque has vivido vivirás.

No te metas entre los que en la arena del combate luchan disparándose a guisa de proyectiles afirmaciones redondas de lo parcial. Frente a su dogmatismo exclusivista, afírmalo todo, aunque te digan que es una manera de todo negarlo, porque aunque así fuera, sería la única negación fecunda, la que destruyendo crea y creando destruye. Déjales con lo que llaman sus ideas cuando en realidad son ellos de las ideas que llaman suyas. Tú mismo eres idea viva; no te sacrifiques a las muertas, a las que se aprenden en papeles. Y muertas son todas las enterradas en el sarcófago de las fórmulas. Las que tengas, tenlas como los huesos, dentro, y cubiertas y veladas con tu carne espiritual, sirviendo de palanca a los músculos de tu pensamiento, y no fuera y al descubierto y aprisionándote como las tienen —las almas— cangrejos de los dogmáticos, abroqueladas contra la realidad que no cabe en dogmas. Tenlas dentro, sin permitir que lleguen a ellas los jacobinos que, educados en la paleontología, nos toman de fósiles a todos, empeñándose en desarrollarnos y descuartizarnos para lograr sus clasificaciones conforme al esqueleto.

No te creas más, ni menos ni igual que otro cualquiera, que no somos los hombres cantidades. Cada cual es único e insustituible; en serlo a conciencia, pon tu principal empeño.

Asoma en tu carta una queja que me parece mezquina. ¿Crees que no haces obra porque no la señalen tus cooperarios? Si das el oro de tu alma, correrá aunque se le borre el cuño. Mira bien si no es que llegas al alma e influyes en lo íntimo de aquellos ingenios que evitan más cuidadosamente tu nombre. El silencio que en son de queja me dices que te rodea, es un silencio solemne; sobre él resonarán más limpias tus palabras. Déjales que jueguen entre sí al eco y se devuelvan los saludos. Da, da, y nunca pidas, que cuanto más des, más rico serás en dádivas.

No te importe el número de los que te rodeen, que todo verdadero beneficio que hagas a un solo hombre, haces; se lo haces al Hombre. Ganará tu eficacia en intensidad lo que en extensión pierda. Las buenas obras jamás descansan; pasan de unos espíritus a otros, reposando un momento en cada uno de ellos, para restaurarse y recobrar sus fuerzas. Haz cada día por merecer el sueño, y que sea el descanso de tu cerebro preparación para cuanto tu corazón descanse; haz por merecer la muerte.

Busca sociedad; pero ten en cuenta que sólo lo que de la sociedad recibas será la sociedad en ti y para ti, así como sólo lo que a ella des serás tú en la sociedad y para ella. Aspira a recibir de la sociedad todo, sin encadenarte a ella, y a darte a ella por entero. Pero ahora, por lo pronto al menos, te lo repito, sal de este cotarro y busca a la Naturaleza, que también es sociedad, tanto como es la sociedad Naturaleza. Tú mismo, en ti mismo, eres sociedad, como que, de serlo cada uno, brota la que así llamamos y que camina a personalizarse, porque nadie da lo que no tiene. Hasta carnalmente no provenimos de un solo ascendiente, sino de legión, y a legión vamos; somos un nodo en la trama de las generaciones.

Todos tus amigos son a consejarte: "ve por aquí", "ve por allí", "no te desparrames", "concentra tu acción", "oriéntate", "no te pierdas en la inconcreción". No les hagas caso, y da de ti lo que más les molesta, que es lo que más les conviene. Ya te lo tengo dicho: no te aceptarán de grado lo tuyo; querrán tus ideas, que no son en realidad tuyas.

No quieras influir en eso que llaman la marcha de la cultura, ni en el ambiente social, ni en tu pueblo, ni en tu época, ni mucho menos en el progreso de las ideas, que andan solas. No en el progreso de las ideas, no, sino en el crecimiento de las almas, en cada alma, en una sola alma y basta. Lo uno es para vivir en la Historia; para vivir en la eternidad lo otro. Busca antes las bendiciones silenciosas de acá y allá, que veinte líneas en las historias de los siglos. O más bien, busca aquello y se te dará esto de añadidura. No quieras influir sobre el ambiente ni eso que llaman señalar rumbos a la sociedad. Las necesidades de cada uno son las más universales, porque son las de todos. Coge a cada uno, si puedes, por separado y a solas en su camarín, e inquiétalo por dentro, porque quien no conoció la inquietud jamás conocerá el descanso. Sé confesor más que predicador. Comunícate con el alma de cada uno y no con la colectividad.

¡Qué alegría, que entrañable alegría te mecerá el espíritu cuando vayas solo, solo entre todos, solo en tu compañía contra el consejo de tus amigos, que quieren que hagas economía, política o psicología fisiológica o crítica literaria! La cosa es que no des tu espíritu, que lo ahogues, porque les molestas con él. Has de darles tu inteligencia tan sólo, lo que no es tuyo, has de darles el escarchado del ambiente social sobre ti, sin ir a hurgarles el rinconcito de la inquietud eterna; no has de comulgar con tres o cuatro de tus hermanos, sino traspasar ideas coherentes y lógicas a trescientos o cuatrocientos, o a treinta mil o cuarenta mil que no pueden, o no quieren o no saben afrontar el único problema. Esos consejos te señalan tu camino. Apártate de ellos. ¡Nada de influir en la colectividad! Busca tu mayor grandeza, la más honda, la más duradera, la menos ligada a tu país y a tu tiempo, la universal y secular, y será como mejor servirás a tus compatriotas coetáneos.

Busca sociedad, sí, pero ahora, por de pronto, chapúzate en Naturaleza, que hace serio al hombre. Sé serio. Lleva seriedad, solemne seriedad a tu vida, aunque te digan los paganos que eso es ensombrecerla, que la haces sombría y deprimente. En el seno de eso que como lúgubres depresiones se aparecen al pagano, es donde se encuentran las más regaladas dulzuras. Toma la vida en serio, sin dejarte emborrachar por ella; sé su dueño y no su esclavo, porque tu vida pasa y tú quedarás. Y no hagas caso a los paganos que te digan que tú pasas y la vida queda... ¿La vida? ¿Qué es la vida? ¿Qué es una vida que no es mía, ni tuya, ni de otro cualquiera? ¡La vida! ¡Un ídolo pagano, al que quieren que sacrifiquemos cada uno nuestra vida! Chapúzate en el dolor para curarte de su maleficio; sé serio. Alegre también; pero seriamente alegre. La seriedad es la dicha de vivir tu vida asentada sobre la pena de vivirla y con esta pena casada. Ante la seriedad que las funde y al fundirlas las fecunda, pierden tristeza y alegría su sentido.

Otra vez más: ahora corre al campo, y vuelve luego a sociedad, para vivir en ella; pero de ella despegado, desmundanizado. El que huye del mundo sigue del mundo esclavo, porque lo lleva en sí; sé dueño de él, único modo de comulgar con tus hermanos en humanidad. Vive con los demás, sin singularizarte, porque toda singularización exterior, en vez de preservarla, ahoga a la interna. Vive como todos, siente como tú mismo, y así comulgarás con todos y ellos contigo. Haz lo que todos hagan, poniendo al hacerlo todo tu espíritu en ello, y será cuanto hagas original, por muy común que sea.

Sólo en la sociedad te encontrarás a ti mismo; si te aíslas de ella no darás más que con un fantasma de tu verdadero sujeto propio. Sólo en la sociedad adquieres tu sentido todo, pero despegado de ella.

Me dices en tu carta que, si hasta ahora ha sido tu divisa "¡adelante!" de hoy en más será, "¡arriba!" Deja eso de adelante y atrás, arriba y abajo, a progresistas y retrógrados, ascendentes y descendentes, que se mueven en el espacio exterior tan sólo, y busca el otro, tu ámbito interior, el ideal, el de tu alma. Forcejea por meter en ella al universo entero, que es la mejor manera de derramarte en él. Considera que no hay dentro de Dios más que tú y el mundo y que si formas parte de éste porque te mantiene, forma también él parte de ti porque en ti lo conoces. En vez de decir, pues, ¡adelante!, o ¡arriba!, di: ¡adentro! Reconcéntrate para irradiar; deja llenarte para que rebases luego, conservando el manantial. Recójete en ti mismo para mejor darte a los demás todo entero e indiviso. "Doy cuanto tengo", dice el generoso. "Doy cuanto soy dice el héroe", "Me doy a mí mismo", dice el santo; y di tú con él, y al darte: "Doy conmigo el universo entero". Para ello tienes que hacerte universo, buscándolo dentro de ti. ¡Adentro!

POESÍA

POESÍA

PUERTO RICO HISPANOAMÉRICA ESPAÑA

INTRODUCCIÓN A LA POESÍA

El poeta es aquél que hace algo de la nada. Diseña unas formas y las plasma con un sentido artístico, en una escritura. Elige entre las palabras la más útil y hermosa.

Racine

Poesía viene del griego *poēsis* que significa crear. Por eso, en su sentido más amplio se relaciona con el término *creación*. En su acepción más estricta y tradicional, nos remite a la literatura, que en general podría definirse como creación artística que expresa la belleza por medio de la palabra, según Duque y Fernández Cuesta (1987). La belleza del lenguaje es una característica intrínseca para expresar los sentimientos del poeta. Se mezcla lo afectivo con las imágenes y lo sensorial. El poeta se vale de las figuras del lenguaje —imágenes y símbolos— para convertir el sentido literal de las palabras en poesía. En cuanto a lo afectivo, podríamos decir que refleja el estado anímico del poeta, los sentimientos más recónditos y las ideas más sublimes. En resumen, poesía es: "la comunicación establecida en menos palabras, de un contenido psíquico sensorio

—afectivo— conceptual, conocido por el espíritu como formando un todo, una síntesis", según lo expresó Carlos Bousoño en su texto *Teoría de la expresión poética*.[1]

La poesía se divide en tres géneros poéticos: **poesía épica, lírica y dramática.** La **épica** es un relato en verso de hechos externos, es decir: una hazaña, una aventura, una guerra, entre otros. Se clasifican en: epopeyas que son poemas que narran las hazañas de grandes héroes y acciones bélicas; los Cantares de Gesta que se definen como poemas medievales donde se relataba la vida de personajes importantes, especialmente, exaltando la bravura, valentía y fidelidad del caballero medieval y también relataban sucesos notables; los poemas épicos denominan a los relatos que pretendían exaltar a la patria; y, por último, los romances que provienen de los Cantares de Gesta eran cantados por los juglares y de contenido lírico.

Por el contrario, la **poesía lírica** expresa los pensamientos y afectos del poeta. Se puede clasificar de acuerdo a su forma o propósito: elegías, odas, sonetos, églogas, madrigales, entre otras. La poesía lírica se caracteriza por utilizar un lenguaje poético que exige del escritor toda su fuerza imaginativa, el poder de transformar la palabra y enriquecerla con otros contenidos. La polivalencia de esta clase de lenguaje logra forjar un mundo ficticio y autónomo que por medio de la palabra poética construye otra realidad con sus propias normas. Por esto, se le concede a los poetas las llamadas licencias poéticas.

Por último, la **poesía dramática** tiene como objetivo primordial la representación teatral. Por lo tanto, requiere de personajes y diálogo en verso. Se aleja del alma del poeta porque son los personajes los que dan a conocer sus sentimientos.

Cuando se estudia la poesía como pieza literaria, se analiza la estructura externa del poema (la métrica y la rima), la estructura interna (de lo que trata o el tema) y el lenguaje o figuras poéticas, entre otros aspectos. No explicamos el uso de la rima, la métrica, las clases de estrofas ni de las figuras poéticas porque esta Antología está orientada a la práctica de la lecto-escritura. Sólo deseamos que descubras, sientas y disfrutes la poesía. Busca y encuentra el placer en la lectura de la poesía. Permite que sus temas, lo que el poeta expresa y sobre todo lo que tú sientes al leerla, te motiven a escribir sobre ella o a crear hermosos poemas. Descubrirás que poesía eres tú cuando aprendas a desnudar tu alma como lo hacen los poetas.

---

[1] Buosoño, 1966, p. 19.

Juan Antonio Corretjer

Oubao-moin

El río de Corozal, el de la leyenda dorada.
La corriente arrastra oro. La corriente está
[ensangrentada.
El río Manatuabón tiene la leyenda dorada.
La corriente arrastra oro. La corriente está
[ensangrentada.
El río Cibuco escribe su nombre con letra dorada.
La corriente arrastra oro. La corriente está
[ensangrentada.
Allí se inventó un criadero. Allí el quinto se pagaba.
La tierra era de oro. La tierra está ensangrentada.
En donde hundió la arboleda su raíz en tierra
[dorada
allí las ramas chorrean sangre. La arboleda está
[ensangrentada
Donde dobló la frente india, bien sea tierra, bien sea
[agua,
bajo el peso de la cadena, entre los hierros de la
[ergástula,
allí la tierra hiede a sangre y el agua está
[ensangrentada.

Donde el negro quebró sus hombros, bien sea tierra
[o bien sea agua,
y su cuerpo marcó el carimbo y abrió el látigo su
[espalda,
allí la tierra hiede a sangre y el agua está
[ensangrentada.
Donde el blanco pobre ha sufrido los horrores de la
[peonada,
bajo el machete del mayoral y la libreta de jornada
y el abuso del señorito, allí sea tierra o allí sea agua,
allí la tierra está maldita y corre el agua agua,
[envenenada.
Gloria a esas manos aborígenes porque trabajaban.
Gloria a esas manos negras porque trabajaban.
Gloria a esas manos blancas porque trabajaban.
De entre esas manos indias, negras, blancas,
de entre esas manos nos salió la patria.
Gloria a las manos que la mina excavaran.
Gloria a las manos que el ganado cuidaran.
Gloria a las manos que el tabaco, que la caña y el
[café sembraran.
Gloria a las manos que los pastos talaran.
Gloria a las manos que los bosques clarearan.
Gloria a las manos que los ríos y los caños y los
[mares bogaran.
Gloria a las manos que los caminos trabajaran.
Gloria a las manos que las casas levantaran.
Gloria a las manos que las ruedas giraran.
Gloria a las manos que las carretas y los coches
[llevaran.
Gloria a las manos que a mulas y caballos ensillaran
[y desensillaran.
Gloria a las manos que los hatos de cabras pastaran.
Gloria a las manos que cuidaron de las piaras.
Gloria a las manos que las gallinas, los pavos y los
[patos criaran.

Gloria a todas las manos de todos los hombres y
[mujeres que trabajaran
porque ellas la patria amasaran.
¡Y gloria a las manos, a todas las manos que hoy
[trabajan
porque ellas construyen y saldrá de ellas la nueva
[patria liberada!
¡La patria de todas las manos que trabajan!
Para ellas y para su patria, ¡alabanza!, ¡alabanza!

Andando de noche sola

¡Qué triste es una paloma
cantando al oscurecer!
¡Más triste es una mujer
andando de noche sola!
(décima jíbara)

Al caer de monte en monte
el lindo manto del día,
y ya en la azul lejanía
liquidarse el horizonte;
cuando al vuelo del sinsonte
se ha enternecido la loma
y la dulce luna asoma:
cercana al canto del río
y oída desde el bohío,
¡qué triste es una paloma!

Por la vereda sombría,
habiendo dejado el llanto
en la paz del camposanto,
hasta la'cienda volvía.
Una sequedad me hacía,
en el largo atardecer,
el ansia del fenecer;
y esa soledad que espanta

un lazo por la garganta,
¡cantando al oscurecer!

Duele mucho, mucho y hondo,
esto que estamos mirando.
El mundo se está salvando
nosotros tocando fondo.
Mientras más la voz ahondo
más fiera vibra en mi ser,
pues si es duro en cárcel ver
mi frente que no ha pecado,
más triste es mirar al lado:
más triste es una mujer.

Cuando en traje de sudores
te miro sin compañía,
pesado el fardo y sin guía
en un ciclón de rencores:
incendios son mis amores
a los que el canto se inmola
como en llamas de amapola
—¡ay patria! ¡por suerte viva
y por desgracia cautiva,
andando de noche sola!

Distancias

Cuando me dijo el corazón. —Afuera,
frente a la reja carcelaria espera
inútilmente verte tu Consuelo,
pensé…
    eso que piensa aquel que la mirada
tiene hundida en la noche de la nada
y quiere ver el cielo.

Cuando la larga ausencia
llenó con su presencia
en inhóspitas playas extranjeras
un recuerdo de infancia
(esa extraña fragancia
que suave exhalan las nocturnas eras,

o aquel *manso ruido*
de la avecilla que abandona el nido,
bien de la hoja al árbol desprendida,
bien del viento en los sauces del camino
o del riachuelo el paso peregrino
entre la suave arena ennegrecida,
o ese fantasma del presentimiento
que nos llega en el viento
y nos hace mirar por la ventana,
cual si un alerta el corazón sintiera
y sintiendo pudiera
ver escrita en la noche la mañana),

mi corazón solía
gozar la epifanía
de las cosas lejanas muy cercanas,
beber su poesía
y no sufrir la fría
soledad de las cosas tan lejanas.

¡Suertes que juega el ágil rapacillo
al corazón sencillo
que sabe amar humilde y bravamente!
¡Nunca estaré yo preso
en enemigas manos, tan opreso
que no aspire mi pecho libremente,

e ilumine lo obscuro,
y salte sobre el muro
y al campo de mi patria raudo vuele

adonde monte el potro la lomada
y en la flor rociada
el zumbador revuele!

Mas, he aquí la muralla,
la reja, la metralla
sin alma que vigila
entre tu espera inútil a la puerta
y mi rabia despierta
que hacia una fútil decisión oscila!

Nunca ocurriera al pensamiento antes
que las cosas distantes
habiendo estado otrora tan cercanas,
el dulce bien amado
tan cerca de mi lado
forzáranlo a distancias tan lejanas!

Cierto que a este presente
no remedia lo ausente
dulce imaginación que el bien augura
y a la distancia aspira suave esencia.
No cura esta dolencia
"sino con tu presencia y tu figura".

Estas distancias de ahora:
esa ametralladora,
el kaki sudoroso
al fusil recostado
y hasta el sol recortado
y a ración como bálsamo precioso,

injurias son que al corazón invitan,
llaman y solicitan
hasta la irracional temperatura.
Pero a mi fe triunfante
sostiene lo que amante
tu persona a la puerta transfigura.

Y esto pienso esta noche en *La Princesa:*
La lucha nunca cesa.
La vida es lucha toda
por obtener la libertad ansiada.
Lo demás es la nada,
es superficie, es moda.

Patria es saber los ríos,
los valles, las montañas, los bohíos,
los pájaros, las plantas y las flores,
los caminos del monte y la llanura,
las aguas y los picos de la altura,
las sombras, los colores
con que pinta el oriente
y con que se despinta el occidente,
los sabores del agua y de la tierra,
los múltiples aromas,
las hierbas y las lomas,
y en la noche que aterra

el trueno que retumba en la negrura,
penetrar la espesura,
ver como en un relámpago la senda,
y de un trago apurado
el soplo de huracán, entusiasmado
reconocer las bestias de la hacienda.

—La Patria es la hermosura
con que yergue su mágica escultura
la letra, el libro, el verso,
y, vestida de gloria
verla cruzar la historia
hasta la plenitud del Universo.

—Tomar su cardiograma
y ver cómo le inflama
la salud los rubores.

Besarle su bandera,
soñarle su quimera,
amarle sus amores.

—Pero en la dura prueba
cuando la Patria abreva
de nuestra propia vida en la corriente:
la Patria estremecida
que lleva por coraza nuestra vida;
esa Patria exigente
que impone su silencio o su palabra,
y con sus manos labra,
en la sangrienta masa de dolores
a golpes de centella
la forma de una estrella
un canto de fulgores,

cierto momento, un día,
tras la muralla fría
de la prisión, un preso
meditará ese juego de distancia
entre su muda estancia
y el cercano embeleso

que al corazón le dice: —Afuera,
junto a la reja carcelaria espera
inútilmente verte tu Consuelo—.
Y siento como aquel que la mirada
tiene hundida en la noche de la nada
y quiere ver el cielo.

Julia de Burgos

Yo misma fui mi ruta

Yo quise ser como los hombres quisieron que yo fuese:
un intento de vida;
un juego al escondite con mi ser.
Pero yo estaba hecha de presentes,
y mis pies planos sobre la tierra promisora
no resistían caminar hacia atrás,
y seguían adelante, adelante,
burlando las cenizas, para alcanzar el beso
de los senderos nuevos.

A cada paso adelantado en mi ruta hacia el frente
rasgaba mis espaldas el aleteo desesperado
de los troncos viejos.

Pero la rama estaba desprendida para siempre,
y a cada nuevo azote la mirada mía
se separaba más y más y más de los lejanos
horizontes aprendidos;
y mi rostro iba tomando la expresión que le venía de
[adentro,
la expresión definida que asomaba un sentimiento
de liberación íntima;
un sentimiento que surgía

del equilibrio sostenido entre mi vida
y la verdad del beso de los senderos nuevos.

Ya definido mi rumbo en el presente,
me sentí brote de todos los suelos de la tierra,
de los suelos sin historia,
de los suelos sin porvenir,
del suelo siempre suelo sin orillas,
de todos los hombres y de todas las épocas.

Y fui toda en mí como fue en mí la vida…

Yo quise ser como los hombres quisieron que yo fuese:
un intento de vida.
Un juego, al escondite con mi ser.
Pero yo estaba hecha de presentes,
cuando ya los heraldos me anunciaban
en el regio desfile de los troncos viejos,
se me torció el deseo de seguir a los hombres,
y el homenaje se quedó esperándome.

A Julia de Burgos

Ya las gentes, murmuran que yo soy tu enemiga
porque dicen que en verso doy al mundo tu yo.

Mienten, Julia de Burgos. Mienten, Julia de Burgos.
La que se alza en mis versos no es tu voz: es mi voz
porque tú eres ropaje y la esencia soy yo;
y el más profundo abismo se tiende entre las dos.

Tú eres fría muñeca de mentira social,
y yo, viril destello de la humana verdad.

Tú, miel de cortesanas hipocresías, yo no;
que en todos mis poemas desnudo el corazón.

Tú eres como tu mundo, egoísta; yo no;
que todo me lo juego a ser lo que soy yo.

Tú eres solo la grave señora señorona;
yo no; yo soy la vida, la fuerza, la mujer.

Tú eres de tu marido, de tu amo, yo no;
yo de nadie, o de todos, porque a todos, a todos,
en mi limpio sentir y en mi pensar me doy.

Tú te rizas el pelo y te pintas; yo no;
a mí me riza el viento; a mí me pinta el sol.

Tú eres dama casera, resignada, sumisa,
atada a los prejuicios de los hombres; yo no;
que yo soy Rocinante corriendo desbocado
olfateando horizontes de justicia de Dios.

Tú en ti misma no mandas; a ti todos te mandan;
en ti mandan tu esposo, tus padres, tus parientes,
el cura, la modista, el teatro, el casino,
el auto, las alhajas, el banquete, el champán,
el cielo y el infierno, y el qué dirán social.

En mí no, que en mí manda mi solo corazón,
mi solo pensamiento; quien manda en mí soy yo.

Tú, flor de aristocracia; y yo, la flor del pueblo.
Tú en ti lo tienes todo y a todos se lo debes,
mientras que yo, mi nada a nadie se la debo.

Tú, clavada al estático dividendo ancestral,
y yo, un uno en la cifra del divisor social,
somos el duelo a muerte que se acerca fatal.

Cuando las multitudes corran alborotadas
dejando atrás cenizas de injusticias quemadas,
y cuando con la tea de las siete virtudes,
tras los siete pecados, corran las multitudes,
contra ti, y contra todo lo injusto y lo inhumano,
yo iré en medio de ellas con la tea en la mano.

José de Diego

Pabellones

-I-

Viejo estandarte de la tierra mía,
noble bandera de tendidas llamas
en cuyo centro luminoso indemnes
los feudales castillos se levantan;
tú que en gloriosas luchas estampaste
sobre tu escudo las sangrientas barras,
y has estrechado al mundo entre los brazos
de la divina Cruz puesta en Granada;
tú tienes el león fiero y magnífico,
que oprimió al orbe en sus potentes zarpas…

¡León de hierro, que abatiste al mundo,
tú eres la ambición, tú eres la raza!

-II-

Nuevo estandarte de la tierra mía,
bandera de las noches estrelladas,
firmamento de América, en que surge,
como en el cielo azul, la luz dorada:
tú, que en la frente del Leopardo hundiste

por vez primera vencedora el asta,
y has consagrado en inmortales líneas
la eterna ley de la razón humana;
tú tienes, en la cumbre de los Andes,
independiente y poderosa, el Águila...

¡Águila de oro, que alumbraste al mundo,
tú eres la libertad, tú la esperanza!

-III-

Pendón nativo de la tierra mía,
pobre bandera que a la luz te alzas
sobre una roca, en medio de los mares,
como un ala tendida y solitaria;
por el martirio que sufriste, roja,
por la dulzura que conservas, blanca...
¿Qué tienes tú, bandera de los tristes,
tendida en el abismo, como un ala?
Tú tienes el Cordero, que te sube
al libre espacio donde vuela tu alma...

¡Cordero santo, que salvaste al mundo,
tú eres la redención, tú eres la patria!

En la brecha

¡Ah, desgraciado si el dolor te abate,
si el cansancio tus miembros entumece,
haz como el árbol seco, reverdece,
y como el germen enterrado: late!

Resurge, alienta, grita, anda, combate,
vibra, ondula, retruena, resplandece...
Haz como el río con la lluvia: ¡crece!,
y como el mar contra la roca: ¡bate!

De la tormenta al iracundo empuje,
no has de balar, como el cordero triste,
sino rugir, como la fiera ruge…

¡Levántate! ¡Revuélvete! ¡Resiste!
Haz como el toro acorralado: ¡muge!
o como el toro que no muge: ¡embiste!

Vanessa Droz

Yo, la no querida

¡Oh soledad, que a fuerza de
andar sola se siente de sí misma
compañera!
Luis Palés Matos

Yo, la no querida,
me convierto en vertical madera
con una imagen perpetrada
en oscuras vetas de conciencia repetida,
repetida invención de presencias.

Yo, la inventada piedra,
mirada de reojo y no vista.
Yo, la impulsiva arteria desatada,
la piel con goznes sostenida
(ansias fúnebres, muerte en vela).
Tú, mineral de espuma
concentrada en ti y tan azul tu savia.
¡Oh vaso tan profundo!
Agua en su borde más atónito,
lleno de ti y en tu piel sitiado.

Quién fuera, helada en su rubor,
la angustiosa putilla que te llevara de la mano.

Quién fuera tu Filí-Melé no escapada
sino ungida en polvoroso vértigo
por tus manos naufragadas.
Quién Filí-Melé de tu misa a cuestas
(altar postrero, portentosa ventana)
de palabras ancianas y sencillas.
¿Qué vestidos y qué árbol
encumbrarías a mis venas?
¿Qué canto suave sumergirías en mis canas?
Hubiera querido hacerte
elegía, en vida de ceniza que se escapa,
elogio, en muerte de semilla que se crece,
hasta inventarte nuevamente.

Nada te prolongue, yo quisiera.
Eres, serás un polen tan bendito
—solemne pan, acto primero—
que ahora y siempre tan querido
te llevaré copiosamente exacto
"en el silencio tan cercano al grito"
que en toda mi soledad conjuga
un rostro, eco de rostro hecho tañido,
un hielo, fijeza de hielo que le teme al frío
en la memoria y el olvido imaginario.

José P. H. Hernández

Madrigal

Lema:
Para tus ojos astrales.

—Si Dios un día
cegara toda fuente de luz,
el universo se alumbraría
con esos ojos que tienes tú.
Pero si, —lleno de agrios enojos
por tal blasfemia,— tus lindos ojos
Dios te arrancase,
para que el mundo con la alborada
de tu pupila no se alumbrase;
aunque quisiera, Dios no podría
tender la Noche sobre la Nada…
¡Porque aún el mundo se alumbraría
con el recuerdo de tu mirada!

José Gautier Benítez

A mis amigos

¡Oh mis amigos, cuando yo muera
plantad un sauce sobre mi huesa!
A. De Musset

Cuando no reste ya ni un solo grano
de mi existencia en el reloj de arena,
al conducir mi gélido cadáver,
no olvidéis esta súplica postrera:

No le encerréis en los angostos nichos
que llenan la pared formando hileras;
que en la lóbrega, angosta galería
jamás el sol de mi país penetra.

El campo recorred del cementerio,
y en el suelo cavad mi pobre huesa:
que el sol la alumbre y la acaricie el aura,
y que broten allí flores y hierbas.

Que yo pueda sentir, si allí se siente
a mi alrededor y sobre mí, muy cerca,
el vivo rayo de mi sol de fuego
y esta adorada borinqueña tierra.

Clara Lair

Lullaby Mayor

Duerme mi niño grande; duerme, mi niño fuerte:
que el juego del amor rinde como la muerte.

Alas le dé a tu sueño el éter de quimeras
que ha dejado en tus rostro tan dolientes ojeras.
Calma le dé a tu sueño el mar de los sentidos
que ha dejado tus brazos tan largos y tendidos.

Duerme mi niño grande; duerme, mi niño fuerte:
que el juego del amor rinde como la muerte…

¡Allá afuera es luna y el marullo del mar
en la fragua del trópico brillando por quemar!
¡Allá afuera es la esencia-veneno del jardín,
y los pérfidos astros
avivando, encendiendo azabache, alabastros
en carne negra y blanca: la caldera sin fin
del trópico,
trasmutando los cuerpos al corto cielo erótico!

Duerme mi niño grande; duerme, mi niño fuerte:
que el juego del amor rinde como la muerte.

(¡Allá afuera es el negro camino de miasmas
y mi sombra acechado tu sombra entre fantasmas!
¡Duende callado y ágil, vigílame la puerta!
¡Que se va si despierta!)

Me quedaré a tu lado quieta, casta e inerme,
mientras tu alma sueña, mientras tu cuerpo duerme.

Quizás ningún empeño
de mi cuerpo y mi alma
te dé lo que ese sueño…
Quizás la vida fuerte
es nada ante la calma
que te dará la muerte…

(¡Marullo del mar, cállate; sepúltate, coquí!
¡Que así, dormido o muerto, quién lo aleja de mí!…)

Duerme, mi niño fuerte; duerme, mi niño grande:
el sueño de la vida con la muerte se expande…

(¡Porque no amara a otra, que ni a mí misma amara!
¡Que la tierra por siempre sus brazos desquiciara!

¡Ay, si no despertara!)

Luis Lloréns Torres

¡Envidioso!

¿Qué sabes tú de versos, ¡ciego!, ¡albino!,
albino de la luz, como una oruga,
si tu cielo, cual concha de tortuga,
no sube de las barbas del camino?

¿Qué sabes tú del verso cristalino,
lágrima que le apaga en una arruga
o perfume de beso que se fuga
de lo humano a vivir en lo divino?

¡Envidioso… ! Yo quiero levantarte,
porque es tu encono devoción a mi arte
y homenaje sutil tu fosca insidia…

De un ala mía volarás suspenso,
sahumando mi plumaje con tu incienso:
al glorioso tributo de tu envidia.

Valle de Collores

Cuando salí de Collores,
fue en una jaquita baya,
por un sendero entre mayas
arropás de cundiamores.
Adiós, malezas y flores
de la barranca del río,
y mis noches del bohío,
y aquella apacible calma,
y los viejos de mi alma,
y los hermanitos míos.

¡Qué pena la que sentía
cuando hacia atrás yo miraba
y una casa se alejaba
y esa casa era la mía!
La última vez que volvía
los ojos, vi el blanco vuelo
de aquel maternal pañuelo
empapado con el zumo
del dolor. Más allá, humo,
esfumándose en el cielo.

La campestre floración
era triste, opaca y mustia;
y todo, como una angustia,
me apretaba el corazón.
La jaca, a su discreción,
iba a paso perezoso.
Zumbaba el viento, oloroso
a madreselvas y a pinos,
y las ceibas del camino
parecían sauces llorosos.

No recuerdo cómo fue.
(Aquí la memoria pierdo).
Mas en mi oro de recuerdos,
recuerdo que al fin llegué.

La urbe, el teatro, el café,
la plaza, el parque, la acera…
Y en una novia hechicera
hallé el ramaje encendido
donde colgué el primer nido
de mi primera quimera.

Después, en pos de ideales…
Entonces me hirió la envidia,
y la calumnia y la insidia
y el odio de los mortales.

Y urdiendo sueños triunfales,
vi otra vez el blanco vuelo
de aquel maternal pañuelo
empapado con el zumo
del dolor. Lo demás, humo
esfumándose en el cielo.

¡Ay, la gloria es sueño vano!
¡Ay, el placer sólo es viento
y la riqueza tormento,
y el poder, hosco gusano!
¡Ay, si estuviera en mis manos
borrar mis triunfos mayores
y a mi bohío de Collores
volver en la jaca baya
por el sendero entre mayas
arropás de cundiamores!

Olga Nolla

Por eso escribo de los hombres

Escribir un poema se parece a raspar
la piel del cuerpo de la vida;
se parece a escarbar entre sus órganos,
sus venas y sus tripas,
a hundir la pala hondo, bien hondo,
como si dentro muy dentro de sus huesos
estuviera el secreto.
Escribir un poema es siempre una pregunta
que busca una respuesta.
Por eso escribo de los hombres, busco
llegar a los cimientos que sostienen
la manera en que piensan,
aquella forma peculiar que tienen
de organizar las cosas.
Busco horadar fachadas,
ir detrás de las máscaras y otros escudos.
Detrás de sus bravatas grandilocuentes
he observado que los hombres sufren mucho
cuando son incapaces de ser héroes,
cuando no son valientes supermachos superjodones
que de un puño derriban a quien les lleve la contraria

....

Sienten tanto terror a no ser machos
que no logran quitarse esa máscara
y ver su propio rostro.
Sus gestos, sus palabras
son fachadas, corazas
a menudo delgadísimas.
Se ve a través de ellas cual si fueran
velos de gasa.
Las más de las veces se trata de hombres delicados
que huyen del dolor.
A menudo son hombres incapaces de amar
porque temen ser débiles;
o porque son muy débiles.
Y sufren.
Al escribir el poema
tanteo con los dedos en sus vísceras
y palpo la dureza de sus huesos.
En sus cabezas el guerrero se monta en un caballo
y con la lanza en ristre
se precipita sobre sus enemigos.
Pero sufren, y para defenderse ríen a carcajadas
y su risa degrada
al prójimo, al gobierno, a las mujeres.
Se sienten tan poca cosa en el fondo
que tienen que degradarlo todo
para sentir que valen algo.
Ellos sufren, insisto.
Detrás de aquellas burlas compensatorias
hay una soledad sin horizontes.
El poema llega hasta aquí,
No dispongo de pico y de taladro.
Además,
adentro de los huesos no me atrevo a entrar.
Es muy oscuro.
Los gemidos del viento perforan los barrancos.
Se parece al infierno
y Virgilio no está para guiarme.

Olga Nolla

Cierto y falso

Mi madre daba fiestas espléndidas
para los matrimonios elegantes de Mayagüez, cierto.
Mi madre disfrutaba de estos cócteles, falso.
Mi madre hubiera querido ser actriz.
Cierto, cierto.
Recitaba sus poemas de espumas y pétalos
[frente a los invitados.
Fabricaba sus propios espectáculos.
Le gustaba el halago y el aplauso.
Su público reía bebiéndose el champán y el ron
[de su despensa.
Su público, borracho,
hablaba de negocios y de viajes al extranjero.
Mejor dicho,
los hombres hablaban de negocios;
las mujeres, aparte, de trajes y sirvientas.
Mi madre tenía buenas amigas;
nada tan falso, falso.
Mi madre dispersaba sus versos de alegría
y adentro le crecía, llorosa, una nostalgia.
Mi madre era feliz:
cierto, cierto;
no, falso.
Mi madre era un vacío que huía de su sombra.
Mi madre no sabía que era infeliz, lo dudo.
Mi madre me quería.
Cierto, cierto, muy cierto.
Todavía me empuja la tabla del columpio.
Mi madre daba fiestas para los amigos
[norteamericanos de mi padre, cierto.
Mi padre no aprobaba de la alta burguesía
[puertorriqueña,
¿falso? ¿cierto?… no sé.
No bebía ron ni whiski, no sabía de negocios.

Mi padre sabía cultivar la tierra
y curar las heridas de los árboles de naranja.
Le daba vitaminas y abono a las cosechas.
Los retoños de la caña de azúcar
aplaudían de gozo cuando él entraba al campo.
Mi padre prefería los norteamericanos, cierto, cierto.
¡Admiraba las sanas, honestísimas costumbres
de los altos rubios miembros de la comunidad
[científica
que trabajaba la estación experimental agrícola!
Mi padre,
como creía lo que decían los periódicos,
pensaba que los norteamericanos eran la gente
[mejor del mundo.
Mi madre se aburría de muerte
en los grandes banquetes con que obsequiaba a
[los gringos
y bostezaba hacia adentro
al escuchar las bromas insípidas de sus comensales.
Mi madre no comprendía cómo
algunos llevaban diez años en Puerto Rico
y aún no hablaban español.
A nadie se le ocurría criticarlos,
pero era vergonzoso, socialmente,
que un puertorriqueño no hablara inglés.
Mi madre se levantó un día
y acusó a los norteamericanos
de habernos colonizado sicológicamente;
falso, falso,
no se atrevió.
Mi padre,
envejeció creyendo que para mi madre también
los norteamericanos eran la gente mejor del mundo.
Mi madre envejeció
fabricando versos con torres de espuma y ríos
[de pétalos.
Por suerte, olvidaron bajarme del columpio.

Luis Palés Matos

Pueblo

¡PIEDAD, Señor, piedad para mi pobre pueblo
donde mi pobre gente se morirá de nada!
Aquel viejo notario que se pasa los días
en su mínima y lenta preocupación de rata;
este alcalde adiposo de grande abdomen vacuo
chapoteando en su vida tal como en una salsa;
aquel comercio lento, igual, de hace diez siglos;
estas cabras que triscan el resol de la plaza;
algún mendigo, algún caballo que atraviesa
tiñoso, gris y flaco, por estas calles anchas;
la fría y atrofiante modorra del domingo
jugando en los casinos con billar y barajas;
todo, todo el rebaño tedioso de estas vidas
en este pueblo viejo donde no ocurre nada,
todo esto se muere, se cae, se desmorona,
a fuerza de ser cómodo y de estar a sus anchas.

¡Piedad, Señor, piedad para mi pobre pueblo!
Sobre estas almas simples, desata algún canalla
que contra el agua muerta de sus vidas arroje
la piedra redentora de una insólita hazaña...
Algún ladrón que asalte ese Banco en la noche,
algún Don Juan que viole esa doncella casta,

algún tahur de oficio que se meta en el pueblo
y revuelva estas gentes honorables y mansas.

¡Piedad, Señor, piedad para mi pobre pueblo donde mi pobre gente se morirá de nada!

El llamado

Me llaman desde allá...
larga voz de hoja seca,
mano fugaz de nube
que en el aire de otoño se dispersa.
Por arriba el llamado
tira de mí con tenue hilo de estrella,
abajo, el agua en tránsito,
con sollozo de espuma entre la niebla.
Ha tiempo oigo las voces
y descubro las señas.

Hoy recuerdo: es un día venturoso
de cielo despejado y clara tierra;
golondrinas erráticas
el calmo azul puntean.
Estoy frente a la mar y en lontananza
se va perdiendo el ala de una vela;
va yéndose, esfumándose,
y yo también me voy borrando en ella.
Y cuando al fin retorno
por un leve resquicio de conciencia
¡cuán lejos ya me encuentro de mí mismo!
¡qué mundo más extraño me rodea!

Ahora, dormida junto a mí, reposa
mi amor sobre la hierba.

El seno palpitante
sube y baja tranquilo en la marea

del ímpetu calmado que diluye
espectrales añiles en su ojera.
Miro esa dulce fábrica rendida,
cuerpo de trampa y presa
cuyo ritmo esencial como jugando
manufactura la caricia aérea,
el arrullo narcótico, y el beso
—víspera ardiente de gozosa queja—
y me digo: Ya todo ha terminado…
Mas de pronto, despierta,
y allá en el negro hondón de sus pupilas
que son un despedirse y una ausencia,
algo me invita a su remota margen
y dulcemente, sin querer, me lleva.

Me llaman desde allá…
Mi nave aparejada está dispuesta
a su redor, en grumos de silencio,
sordamente coagula la tiniebla.

Un mar hueco, sin peces,
agua vacía y negra
sin vena de fulgor que la penetre
ni pisada de brisa que la mueva.
Fondo inmóvil de sombra,
límite gris de piedra…
¡Oh soledad, que a fuerza de andar sola
se siente de sí misma compañera!

Emisario solícito que vienes
con oculto mensaje hasta mi puerta,
sé lo que te propones
y no me engaña tu misión secreta;
me llaman desde allá,
pero el amor dormido aquí en la hierba
es bello todavía
y un júbilo de sol baña la tierra.
¡Déjeme tu implacable poderío
una hora, un minuto más con ella!

José Luis Vega

Réquiem por los árboles

Murió el laurel sabino,
murió el roble,
murió el cerezo en flor,
murió la palma,
murió el árbol del pan,
murió el del fuego,
murió el de corazón que no moría.

Murió el árbol del monte con sus garzas,
el suave de la alondra, el más alado,
el que sembró Ricardo en la esperanza
y el que nadie sembró, pero allí estaba.
Murió el árbol raquítico del pobre
y el árbol tutelar y el árbol bíblico
y el que nadie le supo su apellido.
Murió el árbol del patio, pobrecito,
con su follaje en flor carbonizado.

Murieron con sus pájaros y todo,
de pie, como fue dicho, y sin quejarse,
con sus copas de savia derramadas.
Escritos, como estaban, se murieron,

con tanto corazón de amor grabados,
con sus nombres y fechas y sus flechas,
con tanta ilusión dentro y por afuera,
con tanta alegoría, y se murieron.

¿Cómo, sin ellos, soportar el cielo?

Bajo los efectos de la poesía

Bajo los efectos de la poesía,
ud. puede viajar a la velocidad del pensamiento,
ver el mundo entero flamear,
tocar con la punta de la lengua las estrellas,
bregar con la justicia universal.

Bajo los efectos de la poesía,
ud. no es responsable de sus actos,
hablará lenguas extrañas,
hará cópulas públicas,
cabalgará centauros.

Bajo los efectos de la poesía,
se ven blancas galaxias expandiéndose
dentro del ojo de la cerradura
y violines viejísimos
mudando el polvo de sus plumas,

No importa cuál sea su profesión,
fe, raza, sexo, edad
o filiación política,
ud. no debe avergonzarse de estar
bajo los efectos de la poesía.

Mario Benedetti

Extinciones

No sólo las ballenas
los delfines los osos
los elefantes los mandriles
la foca fraile el bontebok
los bosques la amazonía
corren peligro de extinguirse

también enfrentan ese riesgo
las promesas / los himnos
la palabra de honor / la carta magna
los jubilados / los sin techo
los juramentos mano en biblia
la ética primaria / la autocrítica
los escrúpulos simples
el rechazo al soborno
la cándida vergüenza de haber sido
y el tímido dolor de ya no ser

habría por lo tanto que tapar
con buena voluntad y con premura
el agujero cada vez más grande
en la capa de ozono / y además
el infame boquete en la conciencia
de los decididores / así sea

Francisco Luis Bernárdez

Soneto

Si para recobrar lo recobrado
debí perder primero lo perdido,
si para conseguir lo conseguido
tuve que soportar lo soportado,

si para estar ahora enamorado
fue menester haber estado herido,
tengo por bien sufrido lo sufrido,
tengo por bien llorado lo llorado.

Porque después de todo he comprobado
que no se goza bien de lo gozado
sino después de haberlo padecido.

Porque después de todo he comprendido
que lo que el árbol tiene de florido
vive de lo que tiene sepultado.

Jorge Luis Borges

Ausencia

Habré de levantar la vasta vida
que aún ahora es tu espejo:
cada mañana habré de reconstruirla.
Desde que te alejaste,
cuántos lugares se han tornado vanos
y sin sentido, iguales
a luces en el día.
Tardes que fueron nicho de tu imagen,
músicas en que siempre me aguardabas,
palabras de aquel tiempo,
yo tendré que quebrarlas con mis manos.
¿En qué hondonada esconderé mi alma
para que no vea tu ausencia
que como un sol terrible, sin ocaso,
brilla definitiva y despiadada?
Tu ausencia me rodea
como la cuerda a la garganta,
el mar al que se hunde.

Jorge Luis Borges
Argentina

Remordimiento por cualquier muerte

Libre de la memoria y de la esperanza,
ilimitado, abstracto, casi futuro,
el muerto no es un muerto: es la muerte.
Como el Dios de los místicos.
de Quien deben negarse todos los predicados,
el muerto ubicuamente ajeno
no es sino la perdición y ausencia del mundo.
Todo se lo robamos,
no le dejamos ni un color, ni una sílaba:
aquí está el patio que ya no comparten sus ojos
allí la acera donde acechó la esperanza.
Hasta lo que pensamos podría estarlo pensando
[él también;
nos hemos repartido como ladrones
el caudal de las noches y de los días.

José Ángel Buesa

Poema del renunciamiento

Mon ame a son secret...
Arvers

Pasarás por mi vida sin saber que pasaste.
Pasarás en silencio por mi amor, y, al pasar,
fingiré una sonrisa, como un dulce contraste
del dolor de quererte... y jamás lo sabrás.

Soñaré con el nácar virginal de tu frente;
soñaré con tus ojos de esmeraldas de mar;
soñaré con tus labios desesperadamente;
soñaré, con tus besos... y jamás lo sabrás.

Quizás pases con otro que te diga al oído
esas frases que nadie como yo te dirá;
y, ahogando para siempre mi amor inadvertido,
te amaré más que nunca... y jamás lo sabrás.

Yo te amaré en silencio, como algo inaccesible,
como un sueño que nunca lograré realizar;
y el lejano perfume de mi amor imposible
rozará tus cabellos... y jamás lo sabrás.

Y si un día una lágrima denuncia mi tormento,
—el tormento infinito que te debo ocultar—,
te diré sonriente: "No es nada... Ha sido el viento".
Me enjugaré la lágrima... y ¡jamás lo sabrás!

José Ángel Buesa
Cuba

Poema de la culpa

Yo la amé, y era de otro, que también la quería.
Perdónala, Señor, porque la culpa es mía.

Después de haber besado sus cabellos de trigo,
nada importa la culpa, pues no importa el castigo.

Fue un pecado quererla. Señor, y, sin embargo,
mis labios están dulces por ese amor amargo.

Ella fue como un agua callada que corría…
Si es culpa tener sed, toda la culpa es mía.
Perdónala, Señor, tú, que le diste a ella
su frescura de lluvia y su esplendor de estrella.

Su alma era transparente como un vaso vacío.
Yo lo llené de amor. Todo el pecado es mío.

Pero, ¿cómo no amarla, si tú hiciste que fuera
turbadora y fragante como la primavera?

¿Cómo no haberla amado, si era como el rocío
sobre la yerba seca y ávida del estío?

Traté de rechazarla, Señor, inútilmente,
como un surco que intenta rechazar la simiente.

Era de otro. Era de otro, que no la merecía,
y por eso, en sus brazos, seguía siendo mía.

Era de otro, Señor. Pero hay cosas sin dueño:
Las rosas y los ríos, y el amor y el ensueño.

Y ella me dio su amor como se da una rosa,
como quien lo da todo, dando tan poca cosa…

José Ángel Buesa
Cuba

Una embriaguez extraña nos venció poco a poco:
Ella no fue culpable, Señor… ¡ni yo tampoco!

La culpa es toda tuya, porque la hiciste bella,
y me diste los ojos para mirarla a ella.

Toda la culpa es tuya, pues me hiciste cobarde
para matar un sueño porque llegaba tarde.

Sí. Nuestra culpa es tuya, si es una culpa amar
y si es culpable un río cuando corre hacia el mar.

Es tan bella, Señor, y es tan suave, y tan clara,
que sería un pecado mayor si no la amara.

Y, por eso, perdóname, Señor, porque es tan bella,
que tú, que hiciste el agua, y la flor, y la estrella,

Tú, que oyes el lamento de este dolor sin nombre,
tú también la amarías, ¡si pudieras ser hombre!

Ernesto Cardenal

Como latas de cerveza vacías

Como latas de cerveza vacías y colillas
de cigarrillos apagados, han sido mis días.
Como figuras que pasan por una pantalla
[de televisión
y desaparecen, así ha pasado mi vida.
Como los automóviles que pasaban rápidos por
[las carreteras
con risas de muchachas y música de radios…
Y la belleza pasó rápida, como el modelo de los autos
y las canciones de los radios que pasaron de moda.
Y no ha quedado nada de aquellos días, nada
más que latas vacías y colillas apagadas,
risas en fotos marchitas, boletos rotos,
y el aserrín con que al amanecer barrieron los bares.

Oración por Marilyn Monroe

Señor recibe a esta muchacha conocida en toda
[la tierra con el nombre
de Marilyn Monroe
aunque ese no era su verdadero nombre

(pero Tú conoces su verdadero nombre, el de
[la huerfanita violada
a los 9 años
y la empleadita de tienda que a los 16 se había
[querido matar)
y que ahora se presenta ante Ti sin ningún maquillaje
sin su Agente de Prensa
sin fotógrafos y sin firmar autógrafos
sola como un astronauta frente a la noche espacial.

Ella soñó cuando niña que estaba desnuda en una
[iglesia (según cuenta el Time)
ante una multitud postrada, con las cabezas en el suelo
y tenía que caminar en puntillas para no pisar las
[cabezas.
Tú conoces nuestros sueños mejor que los psiquiatras.
Iglesia, casa, cueva, son la seguridad del seno materno
pero también algo más que eso...
Las cabezas son los admiradores, es claro
(la masa de cabezas en la oscuridad bajo el chorro
[de luz).
Pero el templo no son los estudios de la 20th
[Century-Fox.
El templo —de mármol y oro— es el templo de su
[cuerpo
en el que está el Hijo del Hombre con un látigo en la
[mano
expulsando a los mercaderes de la 20th Century-Fox
que hicieron de Tu casa de oración una cueva de
[ladrones.

Señor
en este mundo contaminado de pecados y radioactividad
Tú no culparás tan sólo a una empleadita de tienda.
Que como toda empleadita de tienda soñó ser estrella
[de cine.
Y su sueño fue realidad (pero como la realidad del
[tecnicolor).

Ella no hizo sino actuar según el script que le dimos
El de nuestras propias vidas— Y era un script absurdo.

Perdónala Señor y perdónanos a nosotros
por nuestra 20th Century
por esta Colosal Super-Producción en la que todos
[hemos trabajado.
Ella tenía hambre de amor y le ofrecimos tranquilizantes.
Para la Tristeza de no ser santos
[se le recomendó el Psicoanálisis.
Recuerda Señor su creciente pavor a la cámara
y el odio al maquillaje —insistiendo en maquillarse en
[cada escena
y cómo se fue haciendo mayor el horror
y mayor la impuntualidad a los estudios.

Como toda empleadita de tienda
soñó ser estrella de cine.
Y su vida fue irreal como un sueño que un psiquiatra
[interpreta y archiva.

Sus romances fueron un beso con los ojos cerrados
que cuando se abren los ojos
se descubre que fue bajo reflectores
[¡y apagan los reflectores!

y desmontan las dos paredes del aposento (era un set
[cinematográfico)
mientras el Director se aleja con su libreta
[porque la escena ya fue tomada.
O como un viaje en yate, un beso en Singapur, un
[baile en Río
la recepción en la mansión del Duque y la Duquesa de
[Windsor vistos en la salita del apartamento miserable.
La película terminó sin el beso final.
La hallaron muerta en su cama con la mano en el
[teléfono.
Y los detectives no supieron a quién iba a llamar.

Fue como alguien que ha marcado el número de la
[única voz amiga
y oyen tan sólo la voz de un disco que le dice:
[WRONG NUMBER.
O como alguien que herido por los gangsters
alarga la mano a un teléfono desconectado.

Señor
quienquiera que haya sido el que ella iba a llamar
y no llamó (y tal vez no era nadie
o era Alguien cuyo número no está en el Directorio de
[Los Angeles)
¡contesta Tú el teléfono!

Salmo 9

Cantaré Señor tus maravillas
Te cantaré salmos
Porque fueron derrotadas sus Fuerzas Armadas
Los poderosos han caído del poder

Han quitado sus retratos y sus estatuas
y sus placas de bronce
Borraste para siempre jamás sus nombres
Sus nombres ya no figuran en los diarios
y no los conocerán sino especialistas de historia
Les quitaron sus nombres a las plazas y las calles
(puestos por ellos mismos)
Destruiste su Partido
Pero tú tienes un gobierno eterno
un gobierno de JUSTICIA
para gobernar los gobiernos de la tierra
todos los pueblos
Y eres el defensor de los pobres

Porque tú recordaste sus asesinatos
Y no te olvidas del clamor de los pobres
Mírame Señor en el campo de concentración
¡Corta las alambradas!
Y sácame de las puertas de la muerte
para poder cantarte salmos en las puertas de Sión
y celebrar en Sión el día V.

Serán derrotados con sus propios armamentos y
liquidados por su propia policía
Como purgaron a otros
los purgarán a ellos

El Señor destruirá todas sus tácticas
Y ellos estarán embalsamados en sus
[Mausoleos
Levántate Señor
No prevalezca el hombre lleno de condecoraciones
Porque no han de estar siempre olvidados los explotados
La esperanza de los pobres no fallará siempre

Oh Señor
arroja sobre ellos sus sistemas de terror
Que sepan ellos que son hombres y no Dioses!

¿Hasta cuándo Señor estarás escondido?
Los ateos dicen que no existes
¿Hasta cuándo triunfarán los dictadores ?
¿Hasta cuándo hablarán sus radios?
Ellos celebran fiestas todas las noches
y nosotros miramos las luces de sus fiestas
Ellos están en sus banquetes
y nosotros estamos en prisión

Para ellos Dios es una palabra abstracta
la JUSTICIA es un slogan
Sus Declaraciones de Prensa son falsedad y engaño
Sus palabras un arma de propaganda

un instrumento de opresión
Sus redes de espionaje nos rodean
Sus ametralladoras están apuntadas contra nosotros
Levántate Señor
no te olvides de los explotados
Porque ellos creen que son impunes
Tú lo ves
Porque miras nuestras prisiones
A ti se te confían los perseguidos
y se te encarga el hijo huérfano
los huerfanitos de nuestros asesinados
Quebranta Señor su guardia secreta
y sus Consejos de Guerra
Que su fuerza militar no pueda ser hallada

Porque tú eres quien gobierna por los siglos eternos
y oyes la oración de los humildes
y el llanto de los huérfanos
y defiendes a los despojados
a los explotados

Para que ellos no se ensoberbezcan
los de arriba
los que tienen el poder

Rosario Castellanos

Testamento de Hécuba

Torre, no hiedra, fui. El viento nada pudo
rondando en torno mío con sus cuernos de toro:
alzaba polvaredas desde el norte y el sur,
y aun desde otros puntos que olvidé o que ignoraba.
Pero yo resistía, profunda de cimientos,
ancha de muros, sólida
y caliente de entrañas, defendiendo a los míos.

El dolor era un deudo más de aquella familia.
No el predilecto ni el mayor. Un deudo
comedido en la faena, humilde comensal,
oscuro relator de cuentos junto al fuego.
Cazaba, en ocasiones, lejos y por servir
su instinto, de varón
que tiene el pulso firme y los ojos certeros.
Volvía con la presa y la entregaba al hábil
destazador y al diestro
afán de las mujeres.

Al recogerme yo decía: qué hermosa labor
están tejiendo con las horas mis manos.
Desde la juventud tuve frente a mis ojos

un hermoso dechado
y no ambicioné más que copiar su figura.
En su día fui casta y después fiel al único, al esposo.

Nunca la aurora me encontró dormida
ni me alcanzó la noche
antes que se apagara mi rumor de colmena.
La casa de mi dueño se llenó de mis obras
y su campo llegó hasta el horizonte.

Y para que su nombre no acabara
al acabar su cuerpo,
tuvo hijos en mí valientes, laboriosos,
tuvo hijas de virtud,
desposadas con yernos aceptables
(excepto una, virgen, que se guardó a sí misma
tal vez como la ofrenda para un dios).

Los que me conocieron me llamaron dichosa
y no me contenté con recibir
la feliz alabanza de mis iguales
sino que me incliné hasta los pequeños
para sembrar en ellos gratitud.

Cuando vino el relámpago buscando
aquel árbol de las conversaciones
clamó por la injusticia el fulminado.

Yo no dije palabras, porque es condición mía
no entender otra cosa sino el deber y he sido
obediente al desastre:
viuda irreprensible, reina que pasó a esclava
sin que su dignidad de reina padeciera
y madre, ay, y madre
huérfana de su prole.

Arrastré la vejez como una túnica
demasiado pesada.
Quedé ciega de años y de llanto
y en mi ceguera vi
la visión que sostuvo en su lugar mi ánimo.

Vino la invalidez, el frío, el frío
y tuve que entregarme a la piedad
de los que viven. Antes
me entregé así al amor, al infortunio.

Alguien asiste mi agonía. Me hace
beber a sorbos una docilidad difícil
y yo voy aceptando
que se cumplan en mí los últimos misterios.

Rubén Darío

Lo fatal

Dichoso el árbol que es apenas sensitivo
y más la piedra dura, porque esa ya no siente,
Pues no hay dolor más grande que el dolor de ser vivo,
ni mayor pesadumbre que la vida consciente.

Ser, y no saber nada, y ser sin rumbo cierto,
y el temor de haber sido y un futuro terror…
Y el espanto seguro de estar mañana muerto,
y sufrir por la vida y por la sombra y por

lo que no conocemos y apenas sospechamos,
y la carne que tienta con sus frescos racimos,
y la tumba que aguarda con sus fúnebres ramos,
¡y no saber a dónde vamos,
ni de dónde venimos!…

Rubén Darío
Nicaragua

Amo, amas

Amar, amar, amar, amar siempre, con todo
el ser y con la tierra y con el cielo,
con lo claro del sol y lo obscuro del lodo;
Amar por toda ciencia y amar por todo anhelo.

Y cuando la montaña de la vida
nos sea dura y larga y alta y llena de abismos,
amar la inmensidad que es de amor encendida
¡y arder en la fusión de nuestros pechos mismos!

Sor Juana Inés de la Cruz

Redondillas

I

Hombres necios que acusáis
a la mujer sin razón,
sin ver que sois la ocasión,
de lo mismo que culpáis.

Si con ansia sin igual
solicitáis su desdén
¿por qué queréis que obren bien
si las incitáis al mal?

Combatís su resistencia
y luego, con gravedad,
decís que fue liviandad
lo que hizo la diligencia.

Parece quiere el denuedo
de vuestro parecer loco,
al niño que pone el coco,
y luego le tiene miedo.

Queréis con presunción necia,
hallar a la que buscáis,
para pretendida, Thais,
y en la posesión, Lucrecia.

¿Qué humor puede ser más raro
que el que, falto de consejo,
él mismo empaña el espejo
y siente que no está claro?

Con el favor y el desdén
tenéis condición igual:
quejándoos si os tratan mal
burlándoos si os quieren bien.

Opinión ninguna gana,
pues la que más se recata,
si no os admite, es ingrata,
y si os admite, es liviana.

Siempre tan necios andáis,
que con desigual nivel
a una culpáis por cruel
y a otra por fácil culpáis.

¿Pues cómo ha de estar templada
la que vuestro amor pretende,
si la que es ingrata ofende
y la que es fácil enfada?

Mas entre el enfado y pena
que vuestro gusto refiere
bien haya la, que no os quiere
y quejáos en hora buena.

Dan vuestras amantes penas
a sus libertades alas,
y después de hacerlas malas
las queréis hallar muy buenas.

¿Cuál mayor culpa ha tenido,
en una pasión errada,
la que cae de rogada,
o el que ruega de caído?

¿O cuál es más de culpar,
aunque cualquiera mal haga,

la que peca por la paga
o el que paga por pecar?

Pues ¿para qué os espantáis
de la culpa que tenéis?
Queredlas cual las hacéis
o hacedlas cual las buscáis.

Dejad de solicitar
y después, con más razón
acusaréis la afición
de la que os fuere a rogar.

Bien con muchas armas fundo
que lidia vuestra arrogancia,
pues en promesa e instancia
juntáis diablo, carne y mundo.

II

Este amoroso tormento
que en mi corazón se ve,
sé que lo siento y no sé
la causa porque lo siento.

Siento una grande agonía
por lograr un devaneo
que empieza como deseo
y para en melancolía.

Y cuando con más terneza
mi infeliz estado lloro
sé que estoy triste e ignoro
la causa de mi tristeza.

Siento. un anhelo tirano
por la ocasión a que aspiro
y cuando cerca la miro
yo misma aparto la mano.

Porque, si acaso se ofrece,
después de tanto desvelo
la desazona el recelo
o el susto la desvanece.

Y si alguna vez sin susto
consigo tal posesión
cualquiera leve ocasión
me malogra todo el gusto.

Siento mal del mismo bien
con receloso temor,
y me obliga el mismo amor
tal vez a mostrar desdén.

Cualquier leve ocasión labra
en mi pecho, de manera
que el que imposibles venciera
se irrita de una palabra.

Con poca causa ofendida
suelo en mitad de mi amor,
negar un leve favor
a quien le diera la vida.

Ya sufrida, ya irritada,
con contrarias penas lucho,
que por él sufriré mucho
y con él sufriré nada.

No sé en qué lógica cabe
el que tal cuestión se pruebe
que por él lo grave es leve
y con él, lo leve es grave.

Sin bastantes fundamentos,
forman mis tristes cuidados,
de conceptos engañados
un monte de sentimientos.

Y en aquel fiero conjunto
hallo, cuando se derriba,

que aquella máquina altiva
sólo estribaba en un punto.

Tal vez el dolor me engaña
y presumo, sin razón,
que no habrá satisfacción
que pueda templar mi saña.

Y cuando a averiguar llego
el agravio porque riño,
es como espanto de niño
que para en burlas y juego.

Y aunque el desengaño toco,
con la misma pena lucho
de ver que padezco mucho
padeciendo por tan poco.

A vengarle se abalanza
tal vez, el alma ofendida,
y después, arrepentida,
toma de mí otra venganza.

Y si al desdén satisfago,
es con tan ambiguo error,
qué yo pienso que es rigor
y se remata en halago.

Hasta el labio desatento
suele, equívoco, tal vez,
por usar de la altivez
encontrar el rendimiento.

Cuando por soñada culpa
con más enojo me incito,
yo le acrimino el delito
y le busco la disculpa.

No huyo el mal ni busco el bien,
porque, en mi confuso error,
ni me asegura el amor
ni me despecha el desdén.

Sor Juana Inés de la Cruz
México

En mi ciego devaneo,
bien hallada con mi engaño,
solicito el desengaño
y no encontrarlo deseo.

Si alguno mis quejas oye,
más a decirlas me obliga
porque me las contradiga
que no porque las apoye.

Porque si con la pasión
algo contra mi amor digo,
es mi mayor enemigo
quien me concede razón.

Y si acaso en mi provecho
hallo la razón propicia,
me embaraza la justicia
ando cediendo el derecho.

Nunca hallo gusto cumplido
porque entre alivio y dolor,
hallo culpa en el amor
y disculpa en el olvido.

Esto de mi pena dura,
es algo de dolor fiero,
y mucho más no refiero
porque pasa de locura.

Si acaso me contradigo
en este confuso error,
aquel que tuviese amor
entenderá lo que digo.

Manuel del Cabral

Negro sin nada en tu casa

Yo te he visto cavar minas de oro
—negro sin tierra—.
Yo te he visto sacar grandes diamantes de la tierra
—negro sin tierra—.
Y como si sacaras a pedazos tu cuerpo de la tierra,
te vi sacar carbones de la tierra.
Cien veces yo te he visto echar semillas en la tierra
—negro sin tierra—.
Y siempre tu sudor que no termina
de caer en la tierra.
Tu sudor tan antiguo, pero siempre tan nuevo
tu sudor en la tierra.
Agua de tu dolor que fertiliza
más que el agua de nube.
Tu sudor, tu sudor. Y todo para aquel
que tiene cien corbatas, cuatro coches de lujo,
y no pisa la tierra.
Sólo cuando la tierra no sea tuya,
será tuya la tierra.

Juana de Ibarbourou

La inquietud fugaz

He mordido manzanas y he besado tus labios.
Me he abrazado a los pinos olorosos y negros.
Hundí inquieta, mis manos en el agua que corre.
He huroneado en la selva milenaria de cedros,
Que cruza la pradera como una sierpe grave.
Y he corrido por todos los pedrosos caminos
Que ciñen como fajas la ventruda montaña.

¡Oh amado, no te irrites por mi inquietud sin tregua!
¡Oh amado, no me riñas porque cante y me ría!

Ha de llegar un día en que he de estarme quieta,
¡Ay, por siempre, por siempre!
Con las manos cruzadas y apagados los ojos,
Con los oídos sordos y con la boca muda,
Y los pies andariegos en reposo perpetuo
Sobre la tierra negra.

¡Y estará roto el vaso de cristal de mi risa
En la grieta obstinada de mis labios cerrados!

Entonces, aunque digas: —¡Anda!, ya no andaré.
Y aunque me digas: —¡Canta!, no volveré a cantar.

Me iré desmenuzando en quietud y en silencio
Bajo la tierra negra,
Mientras encima mío se oirá zumbar la vida
Como una abeja ebria.

¡Oh, déjame que guste el dulzor del momento
Fugitivo e inquieto!

¡Oh, deja que la rosa desnuda de mi boca
Se te oprima a los labios!

Después será cenizas bajo la tierra negra.

Antonio Fernández Retamar

Felices los normales

A Antonia Eiriz

Felices los normales, esos seres extraños
Los que no tuvieron una madre loca, un padre
[borracho,
un hijo delincuente,
Una casa en ninguna parte, una enfermedad
[desconocida,
Los que no han sido calcinados por un amor devorante,
Los que vivieron los diecisiete rostros de la sonrisa
[y un
poco más,
Los llenos de zapatos, los arcángeles con sombreros,
Los satisfechos, los gordos, los lindos,
Los rintintín y sus secuaces, los que cómo no, por aquí,
Los que ganan, los que son queridos hasta la
[empuñadura,
Los flautistas acompañados por ratones,
Los vendedores y sus compradores,
Los caballeros ligeramente sobrehumanos,
Los hombres vestidos de truenos y las mujeres de

relámpagos,
Los delicados, los sensatos, los finos.
Los amables, los dulces, los comestibles y los
[bebestibles.
Felices las aves, el estiércol, las piedras.

Pero que den paso a los que hacen los mundos y los
[sueños.
Las ilusiones, las sinfonías, las palabras que nos
[desbaratan
Y nos construyen, los más locos que sus madres, los más
[borrachos.
Que sus padres y más delincuentes que sus hijos
Y más devorados por amores calcinantes.
Que les dejen su sitio en el infierno, y basta.

Nicolás Guillén

La muralla

Para hacer esta muralla,
tráiganme todas las manos:
los negros sus manos negras,
los blancos, sus blancas manos.
Ay,
una muralla que vaya
desde la playa hasta el monte,
desde el monte hasta la playa, bien,
allá sobre el horizonte.

—¡Tun, tun!
—¿Quién es?
—Una rosa y un clavel…
—¡Abre la muralla!

—¡Tun, tun!
—¿Quién es?
—El sable del coronel…
—¡Cierra la muralla!

—¡Tun, tun!
—¿Quién es?

—La paloma y el laurel…
—¡Abre la muralla!

—¡Tun, tun!
—¿Quién es?
—El alacrán y el ciempiés…
—¡Cierra la muralla!

Al corazón del amigo,
abre la muralla;
al veneno y al puñal,
cierra la muralla;
al mirto y la yerbabuena,
abre la muralla;
al diente de la serpiente,
cierra la muralla;
al ruiseñor en la flor,
abre la muralla…

Alcemos una muralla
juntando todas las manos;
los negros, sus manos negras,
los blancos, sus blancas manos.
Una muralla que vaya
desde la playa hasta el monte,
desde el monte hasta la playa, bien,
allá sobre el horizonte…

Al corazón del amigo,
abre la muralla;
al veneno y al puñal,
cierra la muralla;
al mirto y la yerbabuena,
abre la muralla;
al diente de la serpiente,
cierra la muralla;

al ruiseñor en la flor,
abre la muralla…

Alcemos una muralla
juntando todas las manos;
los negros, sus manos negras,
los blancos, sus blancas manos.
Una muralla que vaya
desde la playa hasta el monte,
desde el monte hasta la playa, bien,
allá sobre el horizonte…

José Martí

Versos sencillos

I

Yo soy un hombre sincero
de donde crece la palma,
y antes de morirme quiero
echar mis versos del alma.

Yo vengo de todas partes,
y hacia todas partes voy;
arte soy entre las artes;
en los montes, monte soy.

Yo sé los nombres extraños
de las hierbas y las flores.
Y de mortales engaños,
y de sublimes dolores.

Yo he visto en la noche oscura
llover sobre mi cabeza
los rayos de lumbre pura
de la divina belleza.

Alas nacer vi en los hombros
de las mujeres hermosas:
y salir de los escombros
volando las mariposas.

José Martí
Cuba

He visto vivir a un hombre
con el puñal al costado,
sin decir jamás el nombre
de aquella que lo ha matado.

Rápida como un reflejo,
dos veces vi el alma, dos:
cuando murió el pobre viejo,
cuando ella me dijo adiós.

Temblé una vez —en la reja,
a la entrada de la viña—
cuando la bárbara abeja
picó en la frente a mi niña.

Gocé una vez de tal suerte
que gocé cual nunca: cuando
la sentencia de mi muerte
leyó el alcaide llorando.

Oigo un suspiro, a través
de las tierras y la mar,
y no es un suspiro, es
que mi hijo va a despertar.

Si dicen que del joyero
tome la joya mejor,
tomo a un amigo sincero
y pongo a un lado el amor.

Yo he visto al águila herida
volar al azul sereno,
y morir en su guarida
la vívora del veneno.

Yo sé bien que cuando el mundo
cede, lívido, al descanso,
sobre el silencio profundo
murmura el arroyo manso.

Yo he puesto la mano osada,
de horror y júbilo yerta,

sobre la estrella apagada
que cayó frente a mi puerta.

Oculto en mi pecho bravo
la pena que me lo hiere:
el hijo de un pueblo esclavo
vive por él, calla y muere.

Todo es hermoso y constante,
todo es música y razón,
y todo, como el diamante,
antes que luz es carbón.

Yo sé que al necio se entierra
con gran lujo y con gran llanto,
y que no hay fruta en la tierra
como la del camposanto.

Callo, y entiendo, y me quito
la pompa del rimador:
cuelgo de un árbol marchito
mi muceta de doctor.

V

Si ves un monte de espumas,
en mi verso lo que ves:
mi verso es un monte, y es
un abanico de plumas.

Mi verso es como un puñal
que por el puño echa flor:
mi verso es un surtidor
que da un agua de coral.

Mi verso es de un verde claro
y de un carmín encendido:
mi verso es un ciervo herido
que busca en el monte amparo.

Mi verso al valiente agrada:
mi verso, breve y sincero,

es del vigor del acero
con que se funde la espada.

IX

Quiero, a la sombra de un ala,
contar este cuento en flor:
la niña de Guatemala,
la que se murió de amor.

Eran de lirios los ramos,
y las orlas de reseda
y de jazmín; la enterramos
en una caja de seda...

...Ella dio al desmemoriado
una almohadilla de olor:
Él volvió, volvió casado:
Ella se murió de amor.

Iban cargándola en andas
obispos y embajadores:
detrás iba el pueblo en tandas,
todo cargado de flores.

Ella, por volverlo a ver,
salió a verlo al mirador:
Él volvió con su mujer:
Ella se murió de amor.

Como de bronce candente,
al beso de despedida,
era su frente ¡la frente
que más he amado en mi vida!

Se entró de tarde en el río,
la sacó muerta el doctor:
dicen que murió de frío,
yo sé que murió de amor.

Allí, en la bóveda helada,
la pusieron en dos bancos:

besé su mano afilada,
besé sus zapatos blancos.

Callado, al oscurecer,
me llamó el enterrador:
nunca más he vuelto a ver
a la que murió de amor.

XXXIX

Cultivo una rosa blanca,
en julio como en enero,
para el amigo sincero
que me da su mano franca.

Y para el cruel que me arranca
el corazón con que vivo,
cardo ni ortiga cultivo:
cultivo una rosa blanca.

Pedro Mir

Balada del exiliado

Desde el borde bravío donde ocurre otra luz
distante
envuelto en mi pronóstico de estrellas
pido que me devuelvan mis bahías
                    mis golpeantes
                    penínsulas
mis cuatro cordilleras
mis ciudades descalzas por el campo
mis provincias de polvo y de arena

Pido mi pequeña República en relieve
derivada de la caña de azúcar
                    rica en granos
cristalinos de ausencia

Reclamo mis colinas mis bosques mis cañadas
el rostro de mis hijos compatriota de mis hijos
y compatriota de las manos de los boyeros
                    y sus carretas

Reclamo las cenizas de mi madre
—polen delicado que sigue siendo polen—
su sitio de reposo reclama mi cabeza

Pido mis tres millones de habitantes
consabida la policía
si abre al pueblo de par en par las puertas
y a los soldados, nacidos como yo
junto a las mismas aguas y a la misma sal
y a la mismia almohada y a la misma piedra

Pido la entrada de la capital
o la Bahía Escocesa
libres de portaviones y de acorazados
y de helicópteros y lanchas torpederas
por lo que más amarga sufre la sal marina
contra el sueño que vuelve
y los años que esperan

Pido lo que más me pertenece
mi patria
por su dolor y el mío
por su sangre y mi sangre
por mi ausencia y su ausencia
yo cantando baladas por tierras del exilio
ella en cristales de azúcar por playas extranjeras.

Nancy Morejón

Amo a mi amo

Amo a mi amo,
recojo leña para encender su fuego cotidiano.
Amo sus ojos claros.
Mansa cual un cordero
esparzo gotas de miel por sus orejas.
Amo sus manos
que me depositaron sobre un lecho de hierbas:
Mi amo muerde y subyuga.
Me cuenta historias sigilosas mientras
abanico todo su cuerpo cundido de llagas y balazos
de días con sol y guerra de rapiña.
Amo sus pies que piratearon y rodaron
por tierras ajenas.
Los froto con los polvos más finos
que encontré, una mañana,
saliendo de la vega.
Tañó la vihuela y de su garganta salían
coplas sonoras, como nacidas de la garganta de
Manrique.
Yo quería haber oído una marimba sonar.
Amo su boca roja, fina,
desde donde van saliendo palabras
que no alcanzo a descifrar
todavía. Mi lengua para él ya no es la suya.

Y la seda del tiempo hecha trizas.

Oyendo hablar a los viejos guardieros, supe
que mi amor
da latigazos en las calderas del ingenio,
como si fueran un infierno, el de aquel Señor Dios
de quien me hablaba sin cesar.

¿Qué me dirá?
¿Por qué vivo en la morada ideal para un murciélago?
¿Por qué le sirvo?
¿A dónde va en su espléndido coche
tirado por caballos más felices que yo?
Mi amor es como la maleza que cubre la dotación,
única posesión inexpugnable mía.

Maldigo

esta bata de muselina que me ha impuesto;
estos encajes vanos que despiadado me endilgó;
estos quehaceres para mí en el atardecer sin
girasoles;
esta lengua abigarradamente hostil que no mastico;
estos senos de piedra que no pueden siquiera
amamantarlo;
este vientre rajado por su látigo inmemorial;
este maldito corazón.

Amo a mi amo, pero todas las noches,
cuando atravieso la vereda florida hacia el cañaveral
donde a hurtadillas hemos hecho el amor,
me veo cuchillo en mano desollándolo como a una
res sin culpa.

Ensordecedores toques de tambor ya no me dejan
oír ni sus quebrantos, ni sus quejas.
Las campanas me llaman…

Pablo Neruda

Poema XX

Puedo escribir los versos más tristes esta noche.

Escribir, por ejemplo: "La noche está estrellada,
y tiritan, azules, los astros, a lo lejos."

El viento de la noche gira en el cielo y canta.

Puedo escribir los versos más tristes esta noche.
Yo la quise, y a veces ella también me quiso.

En las noches como ésta la tuve entre mis brazos.
La besé tantas veces bajo el cielo infinito.

Ella me quiso, a veces yo también la quería.
¡Cómo no haber amado sus grandes ojos fijos!

Puedo escribir los versos más tristes esta noche.
Pensar que no la tengo. Sentir que la he perdido.

Oír la noche inmensa, más inmensa sin ella.
Y el verso cae al alma como al pasto el rocío.

¡Qué importa que mi amor no pudiera guardarla!
La noche está estrellada y ella no está conmigo.

Eso es todo. A lo lejos alguien canta. A lo lejos.
Mi alma no se contenta con haberla perdido.

Como para acercarla mi mirada la busca.
Mi corazón la busca, y ella no está conmigo.

La misma noche que hace blanquear los mismos
[árboles.
Nosotros, los de entonces, ya no somos los mismos.

Ya no la quiero, es cierto, pero cuánto la quise.
Mi voz buscaba al viento para tocar su oído.

De otro. Será de otro. Como antes de mis besos.
Su voz, su cuerpo claro. Sus ojos infinitos.

Ya no la quiero, es cierto, pero tal vez la quiero.
Es tan corto el amor, y es tan largo el olvido.

Porque en noches como ésta la tuve entre mis brazos,
mi alma no se contenta con haberla perdido.

Aunque éste sea el último dolor que ella me causa,
y éstos sean los últimos versos que yo le escribo.

Me gustas cuando callas

Me gustas cuando callas porque estás como ausente,
y me oyes desde lejos, y mi voz no te toca.
Parece que los ojos se te hubieran volado
y parece que un beso te cerrara la boca.

Como todas las cosas están llenas de mi alma
emerges de las cosas, llena del alma mía.
Mariposa de sueño, te pareces a mi alma,
y te pareces a la palabra melancolía.

Pablo Neruda
Chile

Me gustas cuando callas y estás como distante.
Y estás como quejándote, mariposa en arrullo.
Y me oyes desde lejos, y mi voz no te alcanza:
Déjame que me calle con el silencio tuyo.

Déjame que te hable también con tu silencio
claro como una lámpara, simple como un anillo.
Eres como la noche, callada y constelada.
Tu silencio es de estrella, tan lejano y sencillo.

Me gustas cuando callas porque estás como ausente.
Distante y dolorosa como si hubieras muerto.
Una palabra entonces, una sonrisa bastan.
Y estoy alegre, alegre de que no sea cierto.

Amado Nervo

En paz

Muy cerca de mi ocaso, yo te bendigo, Vida,
porque nunca me diste ni esperanza fallida,
ni trabajos injustos, ni pena inmerecida;

porque veo al final de mi rudo camino
que yo fui el arquitecto de mi propio destino;
que si extraje las mieles o la hiel de las cosas,
fue porque en ellas puse hiel o mieles sabrosas;
cuando planté rosales coseché siempre rosas.

...Cierto, a mis lozanías va a seguir el invierno:
¡mas tú no me dijiste que mayo fuese eterno!

Hallé sin duda largas las noches de mis penas;
mas no me prometiste tú sólo noches buenas;
y en cambio tuve algunas santamente serenas...

Amé, fui amado, el sol acarició mi faz.
¡Vida, nada me debes! ¡Vida, estamos en paz!

Nicanor Parra

Soliloquio del Individuo

Yo soy el Individuo.
Primero viví en una roca
(allí grabé algunas figuras).
Luego busqué un lugar más apropiado.
Yo soy el Individuo.
Primero tuve que procurarme alimentos,
buscar peces, pájaros, buscar leña.
(Ya me preocuparía de los demás asuntos).
Hacer una fogata,
leña, leña, dónde encontrar un poco de leña,
algo de leña para hacer una fogata.
Yo soy el Individuo.
Al mismo tiempo me pregunté,
fui a un abismo lleno de aire;
me respondió una voz:
yo soy el Individuo.
Después traté de cambiarme a otra roca.
Allí también grabé figuras,
grabé un río, búfalos.
Yo soy el Individuo.
Pero no. Me aburrí de las cosas que hacía,
el fuego me molestaba,

querría ver más.
Yo soy el Individuo.
Formas veía en la obscuridad,
nubes tal vez,
tal vez veía nubes, veía relámpagos,
a todo esto habían pasado ya varios días,
yo me sentía morir;
inventé unas máquinas,
construí relojes,
armas, vehículos,
yo soy el Individuo.
Apenas tenía tiempo para enterrar a mis muertos,
apenas tenía tiempo para sembrar,
yo soy el Individuo.
Años más tarde concebí unas cosas,
unas formas,
crucé las fronteras
y permanecí fijo en una especie de nicho,
en una barca que navegó cuarenta días,
cuarenta noches,
yo soy el Individuo.
Luego vinieron unas sequías,
vinieron unas guerras,
tipos de color entraron al valle,
pero yo debía seguir adelante,
debía producir.
Produje ciencia, verdades inmutables,
produje tanagras.
Di a luz libros de miles de páginas,
se me hinchó la cara
construí un fonógrafo,
la máquina de coser,
empezaron a aparecer los primeros automóviles
yo soy el Individuo.
Alguien segregaba planetas,
¡árboles segregaba!

Pero yo segregaba herramientas,
muebles, útiles de escritorio,
yo soy el Individuo.
Se construyeron también ciudades,
encontré un pueblo salvaje,
una tribu,
yo soy el Individuo.
Vi que allí se hacían algunas cosas,
figuras grababan en las rocas,
hacían fuego, ¡también hacían fuego!
Yo soy el Individuo.
Me preguntaron que de dónde venía.
Contesté que sí, que no tenía planes determinados,
contesté que no, que de ahí en adelante.
Bien.
Tomé entonces un trozo de piedra que encontré
[en un río
y empecé a trabajar con ella,
empecé a pulirla,
de ella hice una parte de mi propia vida.
Pero esto es demasiado largo.
Corté unos árboles para navegar.
Buscaba peces,
buscaba diferentes cosas.
(Yo soy el Individuo).
Hasta que me empecé a aburrir nuevamente.
Las tempestades aburren,
los truenos, los relámpagos,
yo soy el Individuo.
Bien.
Me puse a pensar un poco.
Preguntas estúpidas se me venían a la cabeza,
falsos problemas.
Entonces empecé a vagar por unos bosques.
Llegué a un árbol y a otro árbol.
Llegué a una fuente,

a una fosa en que se veían algunas ratas:
aquí vengo yo, dije entonces,
¿habéis visto por aquí una tribu,
un pueblo salvaje que hace fuego?
De este modo me desplacé hacia el oeste
acompañado por otros seres, o más bien solo.
Para ver hay que creer, me decían,
rutas,
instituciones religiosas pasaron de moda,
buscaban dicha, buscaban felicidad,
yo soy el Individuo.
Después me dediqué mejor a viajar,
a practicar, a practicar idiomas,
idiomas.
Yo soy el Individuo.
Miré por una cerradura,
sí, miré, qué digo, miré,
para salir de la duda miré,
detrás de unas cortinas,
yo soy el Individuo.
Bien.
Mejor es tal vez que vuelva a ese valle,
a esa roca que me sirvió de hogar,
y empiece a grabar de nuevo,
de atrás para adelante grabar
el mundo al revés.
Pero no: la vida no tiene sentido.

Violeta Parra

Gracias a la vida

Gracias a la vida que me ha dado tanto
me dio dos luceros que cuando los abro
perfecto distingo lo negro del blanco
y en el alto cielo su fondo estrellado
en las multitudes el hombre que yo amo.

Gracias a la vida que me ha dado tanto
me ha dado el oído que en todo su ancho
graba noche y día grillos y canarios,
martillos, turbinas, ladridos, chubascos
y la voz tan tierna de mi bien amado.

Gracias a la vida que me ha dado tanto
me ha dado el sonido y el abecedario
con él las palabras que pienso y declaro
padre, amigo, hermano y luz alumbrando
la ruta del alma del que estoy amando.

Gracias a la vida que me ha dado tanto
me ha dado la marcha de mis pies cansados
con ellos anduve ciudades y charcos,
playas y desiertos, montañas y llanos
y la casa tuya, tu calle y tu patio.

Violeta Parra
Chile

Gracias a la vida que me ha dado tanto
me dio el corazón que agita su marco
cuando miro el fruto del cerebro humano
cuando miro al bueno tan lejos del malo
cuando miro al fondo de tus ojos claros.

Gracias a la vida que me ha dado tanto
me ha dado la risa y me ha dado el llanto
así yo distingo dicha de quebrantos
los dos materiales que forman mi canto
y el canto de ustedes que es mi mismo canto
y el canto de todos que es mi propio canto.

Gracias a la vida que me ha dado tanto.

Alfonsina Storni

Veinte siglos

Para decirte, amor, que te deseo,
Sin los rubores falsos del instinto.
Estuve atada como Prometeo,
Pero una tarde me salí del cinto.

Son veinte siglos que movió mi mano
Para poder decirte sin rubores:
"Que la luz edifique mis amores".
¡Son veinte siglos los que alzó mi mano!

Pasan las flechas sobre mis cabellos,
Pasan las flechas, aguzados dardos…
¡Son veinte siglos de terribles fardos!
Sentí su peso al libertarme de ellos.

Alfonsina Storni
Argentina

Hombre pequeñito

Hombre pequeñito, hombre pequeñito,
suelta a tu canario que quiere volar…
Yo soy el canario, hombre pequeñito,
déjame saltar.

Estuve en tu jaula, hombre pequeñito,
hombre pequeñito, que jaula me das.
Digo pequeñito, porque no me entiendes,
ni me entenderás.

Tampoco te entiendo, pero mientras tanto
ábreme la jaula que quiero escapar;
hombre pequeñito, te amé un cuarto de ala;
no me pidas más.

Tú me quieres blanca

Tú me quieres alba,
me quieres de espumas,
me quieres de nácar.
Que sea azucena
sobre todas, casta.
De perfume tenue.
Corola cerrada.

Ni un rayo de luna
filtrado me haya,
ni una margarita
se diga mi hermana;
tú me quieres blanca,
tú me quieres nívea,
tú me quieres casta.

Tú, que hubiste todas
las copas a mano,
de frutos y mieles
y labios morados.

Tú, que en el banquete
cubierto de pámpanos
dejaste las carnes
festejando a Baco.
Tú, que en los jardines
negros del Engaño
vestido de rojo
corriste al Estrago.

Tú, que el esqueleto
conservas intacto
no sé todavía
por cuáles milagros
me pretendes blanca
(Dios te lo perdone)
me pretendes casta
(Dios te lo perdone)
me pretendes alba.

Huye hacia los bosques;
vete a la montaña
límpiate la boca;
vive en las cabañas;
toca con las manos
la tierra mojada;
alimenta el cuerpo
con raíz amarga;
bebe de las rocas;
duerme sobre escarcha;
renueva tejidos
con salitre y agua;
habla con los pájaros
y lévate al alba.

Y cuando las carnes
te sean tornadas,
y cuando hayas puesto
en ellas el alma
que por las alcobas
se quedó enredada,
entonces, buen hombre,
preténdeme blanca,
preténdeme nívea,
preténdeme casta.

César Vallejo

Los heraldos negros

Hay golpes en la vida, tan fuertes... Yo no sé!
Golpes como del odio de Dios; como si ante ellos
la resaca de todo lo sufrido
se empozara en el alma… Yo no sé!

Son pocos, pero son… Abren zanjas oscuras
en el rostro más fiero y en el lomo más fuerte.
Serán tal vez los potros de bárbaros atilas;
o los heraldos negros que nos manda la Muerte.

Son las caídas hondas de los Cristos del alma,
de alguna fe adorable que el Destino blasfema.
Esos golpes sangrientos son las crepitaciones
de algún pan que en la puerta del horno se nos quema.

Y el hombre… Pobre… pobre! Vuelve los ojos, como
cuando por sobre el hombro nos llama una palmada;
vuelve los ojos locos, y todo lo vivido
se empoza, como un charco de culpa, en la mirada.

Hay golpes en la vida, tan fuertes… Yo no sé!

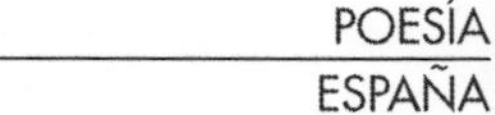

Rafael Alberti

Los ángeles muertos

Buscad, buscadlos:
en el insomnio de las cañerías olvidadas,
en los cauces interrumpidos por el silencio de las
[basuras.
No lejos de los charcos incapaces de guardar una nube,
unos ojos perdidos,
una sortija rota o una estrella pisoteada.

Porque yo los he visto:
en esos escombros momentáneos que aparecen en las
[neblinas.
Porque yo los he tocado:
en el destierro de un ladrillo difunto,
venido a la nada desde una torre o un carro.
Nunca más allá de las chimeneas que se derrumban,
ni de esas bolas tenaces que se estampan en los zapatos.
En todo esto.
Más en esas astillas vagabundas que se consumen
[sin fuego,
en esas ausencias hundidas que sufren los muebles
[desvencijados,
no a mucha distancia de los nombres y signos que se
[enfrían en las paredes.

Buscad, buscadlos:
debajo de la gota de cera que sepulta la palabra de
[un libro
o la firma de uno de esos rincones de cartas
que trae rodando el polvo.
Cerca del casco perdido de una botella,
de una suela extraviada en la nieve,
de una navaja de afeitar abandonada al borde
[de un precipicio.

Vicente Aleixandre

1
Adolescencia

Vinieras y te fueras dulcemente,
de otro camino
a otro camino. Verte,
y ya otra vez no verte.
Pasar por un puente a otro puente,
—El pie breve,
la luz vencida alegre.

Muchacho que sería yo mirando
aguas abajo la corriente,
y en el espejo tu pasaje
fluir, desvanecerse.

2
Juventud

Estancia soleada:
¿Adónde vas, mirada?
A estas paredes blancas,
clausura de esperanza.

Paredes, techo, suelo:
gajo prieto de tiempo.
Cerrado en él, mi cuerpo.
Mi cuerpo, vida, esbelto.

Se le caerán un día
límites. ¡Qué divina
desnudez! Peregrina
luz, ¡Alegría, alegría!

Pero estarán cerrados
los ojos. Derribados
paredones. Al raso,
luceros clausurados.

Dámaso Alonso

La madre

Yo no sé quién eres
luna grande de enero que sin rumor nos besa…
primavera surgente como el amor en junio,
dulce sueño en el que nos hundimos,
agua fresca que embebe con trémula avidez
la vegetal célula joven…
Matriz eterna donde el amor palpita
Madre, Madre...
VIRGEN MARÍA, MADRE,
dormir quiero en tus brazos
hasta que en Dios despierte…

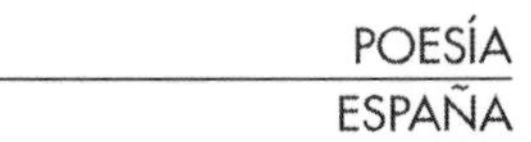

Gustavo Adolfo Bécquer

Rimas

XI

… Yo soy ardiente, yo soy morena,
yo soy el símbolo de la pasión,
de ansia de goces mi alma está llena,
¿A mí me buscas?…
No es a ti, no.

Mi frente es pálida, mis trenzas de oro;
puedo brindarte dichas sin fin;
yo de ternura guardo un tesoro:
¡A mí me llamas?
No, no es a ti.

Yo soy un sueño, un imposible,
vano fantasma de niebla y luz;
soy incorpórea, soy intangible;
no puedo amarte.
¡Oh ven, ven tú!

XVII

Hoy la tierra y los cielos me sonríen,
hoy llega al fondo de mi alma el sol,
hoy la he visto…, la he visto y me ha mirado
¡hoy creo en Dios!

XX

Sabe, si alguna vez tus labios rojos
quema invisible atmósfera abrasada,
que el alma que hablar puede con los ojos
también puede besar con la mirada.

XXI

¿Qué es poesía?, dices mientras clavas
en mi pupila tu pupila azul;
¡Qué es poesía! ¿Y tú me lo preguntas?
Poesía… eres tú.

XXIII

Por una mirada, un mundo:
por una sonrisa, un cielo;
por un beso… ¡yo no sé
qué te diera por un beso!

Gabriel Celaya

Hablando castellano

Hablando en castellano,
mordiendo erre con erre por lo sano,
la materia verbal, con rabia y rayo,
lo pone todo en claro.
Y al nombrar doy a luz de ira mis actos.

Hablando en castellano,
con la zeta y la jota en seco zanjo
sonidos resbalados por lo blando,
zahondo el espesor de un viejo fango,
cojo y fijo su flujo. Basta un tajo.

Hablando en castellano,
el "poblo, puoblo, puablo", que andaba desvariando,
se dice por fin pueblo, liso y llano,
con su nombre y conciencia bien clavados
para siempre, y sin más puestos en alto.

Hablando en castellano,
choco, che, te, izas!, ¿ca? Canto claro
los silbidos y susurros de un murmullo que a lo largo
del lirismo galaico siempre andaba vagando
sin unidad hecha estado.

Hablando en castellano,
tan sólo con hablar, construyo y salvo,
mascando con cal seca y fuego blanco,
dando diente de muerte en lo inmediato,
el estricto sentido de lo amargo.

Hablando en castellano,
las sílabas cuadradas de perfil recortado,
los sonidos exactos, los acentos airados
de nuestras consonantes, como en armas, en alto,
atacan sin perdones, con un orgullo sano.

Hablando en castellano,
las vocales redondas como el agua son pasmos
de estilo y sencillez. Son lo rústico y sabio.
Son los cinco peldaños justos y necesarios
y de puro elementales, parecen cinco milagros.

Hablando en castellano,
mal o bien, pues que soy vasco, lo barajo y desentraño,
recuerdo cómo Unamuno descubrió su abecedario
y, extrajo del hueso estricto su meollo necesario,
ricamente substanciando.

Hablando en castellano,
ya sé qué es poesía. Leyendo el Diccionario
reconozco cómo todo quedó bien dicho y nombrado.
Las palabras más simples son sabrosas, son algo
sabiamente sentido y calculado…

Hablando en castellano,
decir tinaja, ceniza, carro, pozo, junco, llanto,
es decir algo tremendo, ya sin adornos, logrado,
es decir algo sencillo y es mascar como un regalo
frutos de un largo trabajo.

Hablando en castellano,
no hay poeta que no sienta que pronuncia de prestado.
Digo mortaja o querencia, digo al azar pena o jarro.

Y parece que tan sólo con decirlo, regustando
sus sonidos, los sustancio.

Hablando en castellano,
en ese castellano vulgar y aquilatado
que hablamos cada día, sin pensar cuánto y cuánto
de lírico sentido, popular y encamado
presupone, entrañamos.

Hablando en castellano,
recojo con la zarpa de mi vulgar desgarro
las cosas como son y son sonando.
Mallarmé estaba inventado
el día que nuestro pueblo llamó raso a lo que es raso.

Hablando en castellano,
los nombres donde duele, bien clavados,
más encarnan que aluden en abstracto.
Hay algo en las palabras, no mentante, captado,
que quisiera, por poeta, rezar en buen castellano.

Gutierre de Cetina

Madrigal

Ojos claros, serenos,
si de dulce mirar sois alabados,
¿por qué, si me miráis, miráis airados?
Si cuando más piadosos,
más bellos parecéis a aquel que os mira,
no me miréis con ira,
porque no parezcáis menos hermosos.
¡Ay tormentos rabiosos!
Ojos claros, serenos,
ya que así me miráis, miradme al menos.

Federico García Lorca

Llanto por Ignacio Sánchez Mejías

1
La cogida y la muerte

A las cinco de la tarde.
Eran las cinco en punto de la tarde.
Un niño trajo la blanca sábana
a las cinco de la tarde.
Una espuerta de cal ya prevenida
a las cinco de la tarde.
Lo demás era muerte y sólo muerte
a las cinco de la tarde.

El viento se llevó los algodones
a las cinco de la tarde,
y el óxido sembró cristal y níquel
a las cinco de la tarde.

Ya luchan la paloma y el leopardo
a las cinco de la tarde,
y un muslo con un asta desolada
a las cinco de la tarde.
Comenzaron los sones del bordón

a las cinco de la tarde.
Las campanas de arsénico y el humo
a las cinco de la tarde.
En las esquinas grupos de silencio
a las cinco de la tarde,
¡y el toro solo corazón arriba!
a las cinco de la tarde.
Cuando el sudor de nieve fue llegando
a las cinco de la tarde,
cuando la plaza se cubrió de yodo
a las cinco de la tarde,
la muerte puso huevos en la herida
a las cinco de la tarde.
A las cinco de la tarde.
A las cinco en punto de la tarde.

Un ataúd con ruedas es la cama
a las cinco de la tarde.
Huesos y flautas suenan en su oído
a las cinco de la tarde.
El toro ya mugía por su frente
a las cinco de la tarde.
El cuarto se irisaba de agonía
a las cinco de la tarde.
A lo lejos ya viene la gangrena
a las cinco de la tarde.
Trompa de lirio por las verdes ingles
a las cinco de la tarde.

Las heridas quemaban como soles
a las cinco de la tarde,
y el gentío rompía las ventanas
a las cinco de la tarde.
A las cinco de la tarde.
¡Ay qué terribles cinco de la tarde!
¡Eran las cinco en todos los relojes!
¡Eran las cinco en sombra de la tarde!

2

La sangre derramada

¡Que no quiero verla!

Dile a la luna que venga,
que no quiero ver la sangre
de Ignacio sobre la arena.

¡Que no quiero verla!

La luna de par en par.
Caballo de nubes quietas,
y la plaza gris del sueño
con sauces en las barreras

¡Que no quiero verla!
Que mi recuerdo se quema.
¡Avisad a los jazmines
con su blancura pequeña!

¡Que no quiero verla!

La vaca de viejo mundo
pasaba su triste lengua
sobre un hocico de sangres
derramadas en la arena,
y los toros de Guisando,
casi muerte y casi piedra,
mugieron como dos siglos
hartos de pisar la tierra.
No.
¡Que no quiero verla!

Por las gradas sube Ignacio
con toda su muerte a cuestas.
Buscaba el amanecer,
y el amanecer no era.
Busca su perfil seguro,
y el sueño lo desorienta.

Buscaba su hermoso cuerpo
y encontró su sangre abierta.
¡No me digáis que la vea!
No quiero sentir el chorro
cada vez con menos fuerza;
ese chorro que ilumina
los tendidos y se vuelca
sobre la pana y el cuero
de muchedumbre sedienta.
¡Quién me grita que me asome!
¡No me digáis que la vea!

No se cerraron sus ojos
cuando vio los cuernos cerca,
pero las madres terribles
levantaron la cabeza.
Y a través de las ganaderías,
hubo un aire de voces secretas
que gritaban a toros celestes,
mayorales de pálida niebla.
No hubo príncipe en Sevilla
que comparársele pueda,
ni espada como su espada
ni corazón tan de veras.
Como un río de leones
su maravillosa fuerza,
y como un torso de mármol
su dibujada prudencia.
Aire de Roma andaluza
le doraba la cabeza
donde su risa era un nardo
de sal y de inteligencia
¡Qué gran torero en la plaza!
¡Qué gran serrano en la sierra!
¡Qué blando con las espigas!
¡Qué duro con las espuelas! ¡Qué tierno con el rocío!
¡Qué deslumbrante en la feria!

¡Qué tremendo con las últimas
banderillas de tiniebla!

Pero ya duerme sin fin.
Ya los musgos y la hierba
abren con dedos seguros
la flor de su calavera.
Y su sangre ya viene cantando:
cantando por marismas y praderas,
resbalando por cuernos ateridos,
vacilando sin alma por la niebla,
tropezando con miles de pezuñas
como una larga, oscura, triste lengua,
para formar un charco de agonía
junto al Guadalquivir de las estrellas.
¡Oh blanco muro de España!
¡Oh negro toro de pena!
¡Oh sangre dura de Ignacio!
¡Oh ruiseñor de sus venas!
No.
¡Que no quiero verla!
Que no hay cáliz que la contenga,
que no hay golondrinas que se la beban,
no hay escarcha de luz que la enfríe,
no hay canto ni diluvio de azucenas,
no hay cristal que la cubra de plata.
No.
¡¡Yo no quiero verla!!

3

Cuerpo presente

La piedra es una frente donde los sueños gimen
sin tener agua curva ni cipreses helados.
La piedra es una espalda para llevar al tiempo
con árboles de lágrimas y cintas y planetas.

Yo he visto lluvias grises correr hacia las olas
levantando sus tiernos brazos acribillados,
para no ser cazadas por la piedra tendida
que desata sus miembros sin empapar la sangre.

Porque la piedra coge simientes y nublados,
esqueletos de alondras y lobos de penumbra;
pero no da sonidos, ni cristales, ni fuego,
sino plazas y plazas y otras plazas sin muros.

Ya está sobre la piedra Ignacio el bien nacido.
Ya se acabó; ¿qué pasa? Contemplad su figura:
la muerte le ha cubierto de pálidos azufres y le ha
puesto cabeza de oscuro minotauro.

Ya se acabó. La lluvia penetra por su boca.
El aire como loco deja su pecho hundido,
y el Amor, empapado con lágrimas de nieve,
se calienta en la cumbre de las ganaderías.

¿Qué dicen? Un silencio con hedores reposa.
Estamos con un cuerpo presente que se esfuma,
con una forma clara que tuvo ruiseñores
y la vemos llenarse de agujeros sin fondo.

¿Quién arruga el sudario? ¡No es verdad lo que dice!
Aquí no canta nadie, ni llora en el rincón,
ni pica las espuelas, ni espanta la serpiente:
aquí no quiero más que los ojos redondos
para ver ese cuerpo sin posible descanso.

Yo quiero ver aquí los hombres de voz dura.
Los que doman caballos y dominan los ríos:
los hombres que les suena el esqueleto y cantan
con una boca llena de sol y pedernales.

Aquí quiero yo verlos. Delante de la piedra.
Delante de este cuerpo con las riendas quebradas.
Yo quiero que me enseñen dónde está la salida
para este capitán atado por la muerte.

Yo quiero que me enseñen un llanto como un río
que tenga dulces nieblas y profundas orillas,
para llevar el cuerpo de Ignacio y que se pierda
sin escuchar el doble resuello de los toros.

Que se pierda en la plaza redonda de la luna
que finge cuando niña doliente res inmóvil;
que se pierda en la noche sin canto de los peces
y en la maleza blanca del humo congelado.

No quiero que le tapen la cara con pañuelos
para que se acostumbre con la muerte que lleva.
Vete, Ignacio: No sientas el caliente bramido.
Duerme, vuela, reposa: ¡También se muere el mar!

4
Alma ausente

No te conoce el toro ni la higuera,
ni caballos ni hormigas de tu casa.
No te conoce el niño ni la tarde
porque te has muerto para siempre.

No te conoce el lomo de la piedra,
ni el raso negro donde te destrozas.
No te conoce tu recuerdo mudo
porque te has muerto para siempre.

El otoño vendrá con caracolas,
uva de niebla y montes agrupados,
pero nadie querrá mirar tus ojos
porque te has muerto para siempre.

Porque te has muerto para siempre,
como todos los muertos de la Tierra,
como todos los muertos que se olvidan
en un montón de perros apagados.

No te conoce nadie. No. Pero yo te canto.
Yo canto para luego tu perfil y tu gracia.
La madurez insigne de tu conocimiento.
Tu apetencia de muerte y el gusto de su boca.
La tristeza que tuvo tu valiente alegría.

Tardará mucho tiempo en nacer, si es que nace,
un andaluz tan claro, tan rico de aventura.
Yo canto su elegancia con palabras que gimen
y recuerdo una brisa triste por los olivos.

Canción de jinete

Córdoba. Lejana y sola.

Jaca negra, luna grande,
y aceitunas en mi alforja.
Aunque sepa los caminos
yo nunca llegaré a Córdoba.

Por el llano, por el viento,
Jaca negra, luna roja.
La muerte me está mirando
desde las torres de Córdoba.
¡Ay que camino tan largo!
¡Ay mi jaca valerosa!
¡Ay que la muerte me espera,
antes de llegar a Córdoba!

Córdoba.
Lejana y sola.

Federico García Lorca

Romance sonámbulo

A Gloria Giner
y Fernando de los Ríos

Verde que te quiero verde.
Verde viento. Verdes ramas.
El barco sobre la mar
y el caballo en la montaña.
Con la sombra en la cintura
ella sueña en su baranda,
verde carne, pelo verde,
con ojos de fría plata.

Verde que te quiero verde. Bajo la luna gitana,
las cosas la están mirando
y ella no puede mirarlas.

Verde que te quiero verde.
Grandes estrellas de escarcha,
vienen con el pez de sombra
que abre el camino del alba.
La higuera frota su viento
con la lija de sus ramas,
y el monte, gato garduño,
eriza sus pitas agrias.

¿Pero quién vendrá? ¿Y por dónde ?
Ella sigue en su baranda,
verde carne, pelo verde,
soñando en la mar amarga.
Compadre, quiero cambiar
mi caballo por su casa,
mi montura por su espejo,
mi cuchillo por su monta.
Compadre, vengo sangrando,
desde los puertos de Cabra.
Si yo pudiera, mocito,
ese trato se cerraba. Pero yo ya no soy yo,
ni mi casa es ya mi casa.

Compadre, quiero morir
decentemente en mi cama.
De acero, si puede ser,
con las sábanas de holanda.
¿No ves la herida que tengo
desde el pecho a la garganta?
Trescientas rosas morenas
lleva tu pechera blanca.
Tu sangre rezuma y huele
alrededor de tu faja.
Pero yo ya no soy yo,
ni mi casa es ya mi casa.
Dejadme subir al menos
hasta las altas barandas,
¡dejadme, subir!, dejadme
hasta las verdes barandas.
Barandales de la luna
por donde retumba el agua.

Ya suben los dos compadres
hacia las altas barandas.
Dejando un rastro de sangre.
Dejando un rastro de lágrimas.
Temblaban en los tejados
farolillos de hojalata.
Mil panderos de cristal,
herían la madrugada.

Verde que te quiero verde,
verde viento, verdes ramas.
Los dos compadres subieron.
El largo viento dejaba
en la boca un raro gusto
de hiel, de menta y de albahaca.
¡Compadre! ¿Dónde está, dime?
¿Dónde está tu niña amarga?
¡Cuántas veces te esperó!

¡Cuántas veces te esperara,
cara fresca, negro pelo,
en esta verde baranda!

Sobre el rostro del aljibe
se mecía la gitana.
Verde carne, pelo verde,
con ojos de fría plata.
Un carámbano de luna
la sostiene sobre el agua.
La noche se puso íntima
como una pequeña plaza.
Guardias civiles borrachos
en la puerta golpeaban.
Verde que te quiero verde.
Verde viento. Verdes ramas.
El barco sobre la mar.
Y el caballo en la montaña.

Gloria Fuertes

Oración

Que estás en la tierra, Padre nuestro,
que te siento en la púa del pino,
en el torso azul del obrero,
en la niña que borda curvada
la espalda, mezclando el hilo en el dedo.
Padre nuestro que estás en la tierra,
en el surco,
en el huerto,
en la mina,
en el puerto,
en el cine,
en el vino,
en la casa del médico.
Padre nuestro que estás en la tierra,
donde tienes tu gloria y tu infierno
y tu limbo que está en los cafés
donde los pudientes beben su refresco.
Padre nuestro que estás en la escuela de gratis,
y en el verdulero,
y en el que pasa hambre
y en el poeta, ¡nunca en el usurero!
Padre nuestro que estás en la tierra,

en un banco del Prado leyendo,
eres ese Viejo que da migas de pan a los pájaros
[del paseo.

Padre nuestro que estás en la tierra,
en el cigarro, en el beso,
en la espiga, en el pecho
de todos los que son buenos.
Padre que habitas en cualquier sitio,
Dios que penetras en cualquier hueco,
tú que quitas la angustia, que estás en la tierra,
Padre nuestro que sí que te vemos
los que luego te hemos de ver,
donde sea, o ahí en el cielo.

Labrador

Labrador,
ya eres más de la tierra que del pueblo.
Cuando pasas, tu espalda huele a campo.
Ya barruntas la lluvia y te esponjas,
ya eres casi de barro.
De tanto arar, ya tienes dos raíces
debajo de tus pies heridos y anchos.

Madrugas, labrador, y dejas tierra
de huella sobre el sitio de tu cama,
a tu mujer le duele la cintura
por la tierra que dejas derramada.
Labrador, tienes tierra en los oídos,
entre las uñas tierra, en las entrañas;
labrador tienes chepa bajo el hombro
y es tierra acumulada,
te vas hacia la tierra siendo tierra
los terrones te tiran de la barba.

Ya no quiere que siembres más semillas,
que quiere que te siembres y te vayas,
que el hijo te releve en la tarea;
ya estás mimetizado con la parva,
está hecho ya polvo con el polvo
de la trilla y la tralla.

Te has ganado la tierra con la tierra
no quiere verte viejo en la labranza,
te abre los brazos bella por el surco
échate en ella, labrador, descansa.

Miguel Hernández

Nanas de la cebolla

La cebolla es escarcha
cerrada y pobre.
Escarcha de tus días
y de mis noches.
Hambre y cebolla,
hielo negro y escarcha
grande y redonda.

En la cuna del hambre
mi niño estaba.
Con sangre de cebolla
se amamantaba.
Pero tu sangre,
escarcha de azúcar,
cebolla y hambre.

Una mujer morena
resuelta en luna
se derrama hilo a hilo
sobre la cuna.
Ríete, niño,
que te tragas la luna
cuando es preciso.

Alondra de mi casa,
ríete mucho.
Es tu risa en los ojos
la luz del mundo.
Ríete tanto,
que mi alma al oírte
bata el espacio.

Tu risa me hace libre,
me pone alas.
Soledades me quita,
cárcel me arranca.
Boca que vuela,
corazón que en tus labios
relampaguea.

Es tu risa la espada
más victoriosa,
vencedor de las flores
y las alondras.
Rival del sol.
Porvenir de mis huesos
y de mi amor.

La carne aleteante,
súbito el párpado,
el vivir como nunca
coloreado.
¡Cuánto jilguero
se remonta, aletea,
desde tu cuerpo!
Desperté de ser niño:
nunca despiertes.
Triste llevo la boca;
ríete siempre.
Siempre en la cuna,
defendiendo la risa
pluma por pluma.

Ser de vuelo tan alto,
un extendido,
que tu carne es el cielo
recién nacido.
¡Si yo pudiera
remontarme al origen
de tu carrera!

Al octavo mes ríes
con cinco azahares.
Con cinco diminutas
ferocidades.
Con cinco dientes.
Como cinco jazmines adolescentes.

Frontera de los besos
serán mañana,
cuando en la dentadura
sientas un arma.
Sientas un fuego
correr dientes abajo
buscando el centro.

Vuela, niño, en la doble
luna del pecho;
él, triste de cebolla;
tú, satisfecho.
No te derrumbes.
No sepas lo que pasa
ni lo que ocurre.

Miguel Hernández

El herido

Para el muro
de un hospital de sangre.

I

Por los campos luchados se extienden los heridos.
Y de aquella extensión de cuerpos luchadores
salta un trigal de chorros calientes, extendidos
en roncos surtidores.

La sangre llueve siempre boca arriba, hacia el cielo.
Y las heridas suenan, igual que caracolas,
cuando hay en las heridas celeridad de vuelo,
esencia de las olas.

La sangre huele a mar, sabe a mar y a bodega.
La bodega del mar, del vino bravo, estalla
allí donde el herido palpitante se anega,
y florece, y se halla.

Herido estoy, miradme: necesito más vidas.
La que contengo es poca para el gran cometido
de sangre que quisiera perder por las heridas.
Decid quién no fue herido.

Mi vida es una herida de juventud dichosa.
¡Ay de quien no esté herido, de quien jamás se siente
herido por la vida, ni en la vida reposa
herido alegremente!

Si hasta a los hospitales se va con alegría,
se convierten en huertos de heridas entreabiertas,
de adelfos florecidos ante la cirugía.
de ensangrentadas puertas.

II

Para la libertad sangro, lucho, pervivo.
Para la libertad, mis ojos y mis manos,

como un árbol carnal, generoso y cautivo,
doy a los cirujanos.

Para la libertad siento más corazones
que arenas en mi pecho: dan espumas mis venas,
y entro en los hospitales, y entro en los algodones
como en las azucenas.

Para la libertad me desprendo a balazos
de los que han revolcado su estatua por el lodo.
Y me desprendo a golpes de mis pies, de mis brazos,
de mi casa, de todo.

Porque donde unas cuencas vacías amanezcan,
ella pondrá dos piedras de futura mirada
y hará que nuevos brazos y nuevas piernas crezcan
en la carne talada.

Retoñarán aladas de savia sin otoño
reliquias de mi cuerpo que pierdo en cada herida.
Porque soy como el árbol talado, que retoño:
porque aún tengo la vida.

Elegía

*En Orihuela, su pueblo y el
mío, se me ha muerto como el rayo
Ramón Sijé, a quien tanto quería.*

Yo quiero ser llorando el hortelano
de la tierra que ocupas y estercolas,
compañero del alma, tan temprano.

Alimentando lluvias, caracolas
y órganos mi dolor sin instrumento,
a las desalentadas amapolas

daré tu corazón por alimento.
Tanto dolor se agrupa en mi costado,
que por doler me duele hasta el aliento.

Un manotazo duro, un golpe helado,
un hachazo invisible y homicida,
un empujón brutal te ha derribado.

No hay extensión más grande que mi herida,
lloro mi desventura y sus conjuntos
y siento más tu muerte que mi vida.

Ando sobre rastrojos de difuntos,
y sin calor de nadie y sin consuelo
voy de mi corazón a mis asuntos.

Temprano levantó la muerte el vuelo,
temprano madrugó la madrugada,
temprano estás rodando por el suelo.

No perdono a la muerte enamorada,
no perdono a la vida desatenta,
no perdono a la tierra ni a la nada.

En mis manos levanto una tormenta
de piedras, rayos y hachas estridentes
sedienta de catástrofes y hambrienta.

Quiero escarbar la tierra con los dientes,
quiero apartar la tierra parte a parte
a dentelladas secas y calientes.

Quiero minar la tierra hasta encontrarte
y besarte la noble calavera
y desamordazarte y regresarte.

Volverás a mi huerto y a mi higuera:
por los altos andamios de las flores
pajareará tu alma colmenera

de angelicales ceras y labores.
Volverás al arrullo de las rejas,
de los enamorados labradores.

Alegrarás la sombra de mis cejas,
y tu sangre se irá a cada lado
disputando tu novia y las abejas.

Tu corazón, ya terciopelo ajado,
llama a un campo de almendras espumosas
mi avariciosa voz de enamorado.

A las aladas almas de las rosas
del almendro de nata te requiero,
que tenemos que hablar de muchas cosas,
compañero del alma, compañero.

José Hierro

Canción de cuna para dormir a un preso

La gaviota sobre el pinar.
(La mar resuena.)
Se acerca el sueño. Dormirás,
soñarás, aunque no lo quieras.
La gaviota sobre el pinar
goteado todo de estrellas.

Duerme. Ya tienes en tus manos
el azul de la noche inmensa.
No hay más que sombra. Arriba, luna.
Peter Pan por las alamedas.
Sobre ciervos de lomo verde
la niña ciega.
Ya tú eres hombre, ya te duermes,
mi amigo, ea…

Duerme, mi amigo. Vuela un cuervo
sobre la luna, y la degüella.
La mar está cerca de ti,
muerde tus piernas.
No es verdad que tú seas hombre;
eres un niño que no sueña.

No es verdad que tú hayas sufrido:
son cuentos tristes que te cuentan.
Duerme. La sombra toda es tuya,
mi amigo, ea…

Eres un niño que está serio.
Perdió la risa y no la encuentra.
Será que habrá caído al mar,
la habrá comido una ballena.
Duerme, mi amigo, que te acunen
campanillas y panderetas,
flautas de caña de son vago
amanecidas en la niebla.

No es verdad que te pese el alma.
El alma es aire y humo y seda.
La noche es vasta. Tiene espacios
para volar por donde quieras,
para llegar al alba y ver
las aguas frías que despiertan,
las rocas grises, como el casco
que tú llevabas a la guerra.
La noche es amplia, duerme, amigo,
mi amigo, ea…

La noche es bella, está desnuda,
no tiene límites ni rejas.
No es verdad que tú hayas sufrido,
son cuentos tristes que te cuentan.
Tú eres un niño que está triste,
eres un niño que no sueña.
Y la gaviota está esperando
para venir cuando te duermas.
Duerme, ya tiene en tus manos
el azul de la noche inmensa.
Duerme, mi amigo…
Ya se duerme
mi amigo, ea…

Una tarde cualquiera

Yo, José Hierro, un hombre
como hay muchos, tendido
esta tarde en mi cama,
volví a soñar.

(Los niños,
en la calle, corrían.)
Mi madre me dio el hilo
y la aguja, diciéndome:
"Enhébramela, hijo;
veo poco".

Tenía
fiebre. Pensé: —Si un grito
me ensordeciera, un rayo
me cegara… (Los niños
cantaban.) Lentamente
me fue invadiendo un frío
sentimiento, una súbita
desgana de estar vivo.

Yo, José Hierro, un hombre
que se da por vencido
sin luchar. (A la espalda
llevaba un cesto, henchido
de los más prodigiosos
secretos. Y cumplido,
el futuro, aguardándome
como a la hoz el trigo.)
Mudo, esta tarde, oyendo
caer la lluvia, he visto
desvanecerse todo,
quedar todo vacío.
Una desgana súbita
de vivir. ("Toma, hijo,

enhébrame la aguja",
dice mi madre.)

Amigos:
yo estaba muerto. Estaba
en mi cama, tendido.
Se está muerto aunque lata
el corazón, amigos.

Y se abre la ventana
y yo, sin cuerpo (vivo
y sin cuerpo, o difunto
y con vida), hundido
en el azul. (O acaso
sea el azul, hundido
en mi carne, en mi muerte
llena de vida, amigos:
materia universal,
carne y azul sonando
con un mismo sonido.)
Y en todo hay oro, y nada
duele ni pesa, amigos.

A hombros me llevan. Quién:
la primavera, el filo
del agua, el tiemblo verde
de un álamo, el suspiro
de alguien a quien yo nunca
había visto.

Y yo voy arrojando
ceniza, sombra, olvido.
Palabras polvorientas
que entristecen lo limpio:
Funcionario,
tintero,
30 días vista,
diferencial,

racionamiento,
factura,
contribución,
garantías…

Subo más alto. Aquí
todo es perfecto y rítmico.
Las escalas de plata
llevan de los sentidos
al silencio. El silencio
nos torna a los sentidos.
Ahora son las palabras
de diamante purísimo:
Roca,
águila,
playa,
palmera,
manzana,
caminante,
verano,
hoguera,
cántico…

… cántico. Yo, tendido
en mi cama. Yo, un hombre
como hay muchos, vencido
esta tarde (¿esta tarde
solamente?), he vivido
mis sueños (esta tarde
solamente), tendido
en mi cama, despierto,
con los ojos hundidos
aún en las ascuas últimas,
en las espumas últimas
del sueño concluido.

Juan Ramón Jiménez

El viaje definitivo

...Y yo me iré. Y se quedarán los pájaros
cantando:
y se quedará mi huerto, con su verde árbol
y su pozo blanco.
Todas las tardes, el cielo será azul y plácido;
y tocarán, como esta tarde están tocando,
las campanas del campanario.
Se morirán aquellos que me amaron;
y el pueblo se hará nuevo cada año;
y en el rincón aquel de mi huerto florido y encalado
mi espíritu errará nostálgico...
Y yo me iré; y estaré solo, sin hogar, sin árbol
verde, sin pozo blanco,
sin cielo azul y plácido...
Y se quedarán los pájaros cantando.

Juan Ramón Jiménez

Eternidades

¡Intelijencia, dame
el nombre exacto de las cosas!
...Que mi palabra sea
la cosa misma,
creada por mi alma nuevamente.
Que por mí vayan todos
los que no las conocen, a las cosas;
que por mí vayan todos
los que ya las olvidan, a las cosas;
que por mí vayan todos
los mismos que las aman, a las cosas...
¡Intelijencia, dame
el nombre exacto, y tuyo,
y suyo, y mío, de las cosas!

Félix Lope de Vega

Soneto 126

Desmayarse, atreverse, estar furioso,
áspero, tierno, liberal, esquivo,
alentado, mortal, difunto, vivo,
leal, traidor, cobarde y animoso;

no hallar fuera del bien centro y reposo,
mostrarse alegre, triste, humilde, altivo,
enojado, valiente, fugitivo,
satisfecho, ofendido, receloso;

huir el rostro al claro desengaño,
beber veneno por licor suave,
olvidar el provecho, amar el daño;

creer que un cielo en un infierno cabe,
dar la vida y el alma a un desengaño;
esto es amor, quien lo probó lo sabe.

Antonio Machado

Retrato

Mi infancia son recuerdos de un patio de Sevilla,
y un huerto claro donde madura el limonero;
mi juventud, veinte años en tierra de Castilla;
mi historia, algunos casos que recordar no quiero.

Ni un seductor Mañara, ni un Bradomín he sido
—ya conocéis mi torpe aliño indumentario—,
mas recibí la flecha que me asignó Cupido,
y amé cuanto ellas puedan tener de hospitalario.

Hay en mis venas gotas de sangre jacobina,
pero mi verso brota de manantial sereno;
y, más que un hombre al uso que sabe de su doctrina,
soy, en el buen sentido de la palabra, bueno.

Adoro la hermosura, y en la moderna estética
corté las viejas rosas del huerto de Ronsard;
mas no amo los afeites de la actual cosmética,
ni soy un ave de esas del nuevo gay-trinar.

Desdeño las romanzas de los tenores huecos
y el coro de los grillos que cantan a la luna.
A distinguir me paro las voces de los ecos,
y escucho solamente, entre las voces, una.

¿Soy clásico o romántico? No sé. Dejar quisiera
mi verso, como deja el capitán su espada;
famosa por la mano viril que la blandiera,
no por el docto oficio del forjador preciada.

Converso con el hombre que siempre va conmigo
—quien habla solo espera hablar a Dios un día—;
mi soliloquio es plática con este buen amigo
que me enseñó el secreto de la filantropía.

Y al cabo, nada os debo; debéisme cuanto he escrito.
A mi trabajo acudo, con mi dinero pago
el traje que me cubre y la mansión que habito,
el pan que me alimenta y el lecho donde yago.

Y cuando llegue el día del último viaje,
y esté al partir la nave que nunca ha de tornar,
me encontraréis a bordo ligero de equipaje,
casi desnudo, como los hijos de la mar.

Las moscas

Vosotras, las familiares,
inevitables golosas,
vosotras, moscas vulgares,
me evocáis todas las cosas.

¡Oh, viejas moscas voraces
como abejas en abril,
viejas moscas pertinaces
sobre mi calva infantil!

¡Moscas del primer hastío
en el salón familiar,
las claras tardes de estío
en que yo empecé a soñar!

Y en la aborrecida escuela,
raudas moscas divertidas,
perseguidas
por amor de lo que vuela,
—que todo es volar—, sonoras
rebotando en los cristales
en los días otoñales...
Moscas de todas las horas,
de infancia y adolescencia,
de mi juventud dorada;
de esta segunda inocencia,
que da en no creer en nada,
de siempre... Moscas vulgares,
que de puro familiares
no tendréis digno cantor:
yo sé que os habéis posado
sobre el juguete encantado,
sobre el librote cerrado,
sobre la carta de amor,
sobre los párpados yertos
de los muertos.

Inevitables golosas,
que ni labráis como abejas,
ni brilláis cual mariposas;
pequeñitas, revoltosas,
vosotras, amigas viejas,
me evocáis todas las cosas.

Meditaciones rurales

X

Todo pasa y todo queda;
pero lo nuestro es pasar,
pasar haciendo caminos,
caminos sobre la mar.

XI

Anoche soñé que oía
A Dios gritándome: ¡Alerta!
Luego era Dios quien dormía,
y yo gritaba: ¡Despierta!

La tierra de Alvargonzález

Al poeta
Juan Ramón Jiménez.

I

Siendo mozo Alvargonzález,
dueño de mediana hacienda,
que en otras tierras se dice
bienestar y aquí opulencia,
en la feria de Berlanga
prendóse de una doncella,
y la tomó por mujer
al año de conocerla.
Muy ricas las bodas fueron,
y quien las vio las recuerda;
sonadas las tornabodas
que hizo Alvar en su aldea;

hubo gaitas, tamboriles,
flauta, bandurria y vihuela,
fuegos a la valenciana
y danza a la aragonesa.

II

Feliz vivió Alvargonzález
en el amor de su tierra.
Naciéronle tres varones,
que en el campo son riqueza,
y, ya crecidos, los puso,
uno a cultivar la huerta,
otro a cuidar los merinos,
y dio el menor a la Iglesia.

III

Mucha sangre de Caín
tiene la gente labriega,
y en el hogar campesino
armó la envidia pelea.
Casáronse los mayores;
tuvo Alvargonzález nueras,
que le trajeron cizaña,
antes que nietos le dieran.
La codicia de los campos
ve tras la muerte la herencia;
no goza de lo que tiene
por ansia de lo que espera.
El menor, que a los latines
prefería las doncellas
hermosas y no gustaba
de vestir por la cabeza,
colgó la sotana un día
y partió a lejanas tierras.
La madre lloró, y el padre
diole bendición y herencia.

IV

Alvargonzález ya tiene
la adusta frente arrugada,
por la barba le platea
la sombra azul de la cara.
Una mañana de otoño
salió solo de su casa;
no llevaba sus lebreles,
agudos canes de caza;
iba triste y pensativo
por la alameda dorada;
anduvo largo camino
y llegó a una fuente clara.
Echóse en la tierra; puso
sobre una piedra la manta,
y a la vera de la fuente
durmió al arrullo del agua.

Blas de Otero

Igual que vosotros

Desesperadamente busco y busco
un algo, qué sé yo qué, misterioso,
capaz de comprender esta agonía
que me hiela, no sé con qué, los ojos.

Desesperadamente, despertando
sombras que yacen, muertos que conozco,
simas de sueño, busco y busco un algo,
qué sé yo dónde, si supiese cómo.

A veces me figuro que ya siento,
qué sé yo qué, que lo alzo ya y lo toco,
que tiene corazón y que está vivo,
no sé en qué sangre o red, como un pez rojo.

Desesperadamente, le retengo,
cierro el puño, apretando al aire sólo...
Desesperadamente, sigo y sigo
buscando, sin saber por qué, en lo hondo.

He levantado piedras frías, faldas
tibias, rosas, azules, de otros tonos,

y allí no había más que sombra y miedo,
no sé de qué, y un hueco silencioso.

Alcé la frente al cielo, lo miré
y me quedé ¡por qué, oh Dios! dudoso:
dudando entre quién sabe, si supiera
qué sé yo qué, de nada ya y de todo.

Desesperadamente, esa es la cosa.
Cada vez más sin causa y más absorto
qué sé yo en qué, sin qué, oh Dios, buscando
lo mismo, igual, oh hombres, que vosotros.

Hombre

Luchando, cuerpo a cuerpo, con la muerte,
al borde del abismo, estoy clamando
a Dios. Y su silencio, retumbando,
ahoga mi voz en el vacío inerte.

Oh Dios. Si he de morir, quiero tenerte
despierto. Y, noche a noche, no sé cuándo
oirás mi voz. Oh Dios. Estoy hablando
solo. Arañando sombra para verte.

Alzo la mano, y tú me la cercenas.
Abro los ojos: me los sajas vivos.
Sed tengo, y sal se vuelven tus arenas.

Esto es ser hombre: horror a manos llenas.
Ser —y no ser— eternos, fugitivos.
¡Ángel con grandes alas de cadenas!

A la inmensa mayoría

Aquí tenéis, en canto y alma, al hombre
aquel que amó, vivió, murió por dentro
y un buen día bajó a la calle: entonces
comprendió: y rompió todos sus versos.

Así es, así fue. Salió una noche
echando espuma por los ojos, ebrio
de amor, huyendo sin saber adónde:
a donde el aire no apestase a muerto.

Tiendas de paz, brizados pabellones,
eran sus brazos, como llama al viento;
olas de sangre contra el pecho, enormes
olas de odio, ved, por todo el cuerpo.

¡Aquí! ¡Llegad! ¡Ay! Ángeles atroces
en vuelo horizontal cruzan el cielo;
horribles peces de metal recorren
las espaldas del mar, de puerto a puerto.

Yo doy todos mi versos por un hombre
en paz. Aquí tenéis, en carne y hueso,
mi última voluntad. Bilbao, a once
de abril, cincuenta y uno.

Pedro Salinas

Mar de Puerto Rico

Hoy te he visto amanecer
tan serenamente espejo,
tan liso de bienestar,
tan acorde con tu techo
como si estuvieses ya
en tu sumo, en lo perfecto.
A tal azul alcanzaste
que te llenan de aleteos
ángeles equivocados.
Y el cielo
el que te han puesto los siglos
desde el día que naciste
por cotidiano maestro,
y te da lección de auroras,
de primaveras, de inviernos,
de pájaros, —con las sombras
que te presta de sus vuelos—,
al verte tan celestial
es feliz: otra vez sois
inseparables, iguales,
como érais a lo primero.
Pero tú nunca te quedas
arrobado en lo que has hecho;

apenas lo hiciste ya
te vuelves a lo hacedero.
¿No es esta mañana, henchida
de su hermosura, el extremo
de ti mismo, la plenaria
realización de tu sueño?
No. Subido en esta cima
ves otro primor, más lejos:
te llama una mejoría
desde tu posible inmenso.
El más que en el alma tienes
nunca te deja estar quieto,
y te mueves
como la tabla del pecho:
hay algo que te lo pide
desde adentro.
Por la piel azul te corren
undosos presentimientos,
las finas plumas del aire
ya te cubren de diseños,
en las puntas de las olas
se te alumbran los intentos.
Ocurrencias son fugaces
las chispas, los cabrilleos.
Curvas, más curvas se inician,
dibujantes de tu anhelo.
La luz, unidad del alba,
se multiplica en destellos,
lo que fue calma es fervor
de innúmeros espejeos
que sobre la faz del agua
anuncian tu entendimiento.
Una agitación creciente,
un festivo clamoreo
de relumbres, de fulgores,
proclaman que estás queriendo;

no era aquella paz la última,
en su regazo algo nuevo
has pensado, más hermoso
y ante la orilla del hombre
ya te preparas a hacerlo.

De una perfección escapas,
alegremente a un proyecto
de más perfección. Las olas
—más, más, más, más— van diciendo
en la arena, monosílabas,
tu propósito al silencio.
Ya te pones a la obra,
convocas a tus obreros:
acuden desde tu hondura,
descienden del firmamento
los horizontes los mandan
a servirte los deseos.
Luces, sombras, son; celajes,
brisas, vientos,
el cristal es, es la espuma
surtidora
por el aire de arabescos,
son fugitivas centellas
rebotando en sus reflejos.
Todo lo que el mundo tiene
el día lo va trayendo
y te acarrean las horas
materiales sin estreno.
De las hojas de la orilla
vienen verdes abrileños,
y en el seno de las olas
todavía son más tiernos.
Llegan tibias por los ríos
las nieves de los roquedos.
Y hasta detrás de la luz,

veladamente secretos,
aguardan, por si los quieres,
escuadrones de luceros.

En el gran taller del gozo
a los espacios adentro,
feliz, de idea en idea,
de cresta en cresta corriendo
tan blanco como la espuma
trabaja tu pensamiento.
Con estrías de luz haces
maravillosos bosquejos,
deslumbradores rutilan
por el agua tus inventos.
Cada vez tu obra acerca
ola a ola, más y más a sus modelos.
¡Qué gozoso es tu quehacer,
qué apariencias de festejo!
Resplandeciente el afán,
alegrísimo el esfuerzo,
la lucha no se te nota.
Velando está en puro juego
ese ardoroso buscar
la plenitud del acierto.
¡El acierto! ¿Vendrá? ¡Sí!
La fe te lo está trayendo
con que tú lo buscas.
Sí. Vendrá cuando al universo
se le aclare la razón
final de tu movimiento:
no moverse, mediodía
sin tarde, la luz en paz,
renuncia del tiempo al tiempo.
La plena consumación
—al amor, igual, igual—
de tanto ardor en sosiego.

DRAMA

INTRODUCCIÓN AL DRAMA

La etimología de la palabra proviene del término griego "drao" que significa "hacer" o "actuar". Esto es definitivamente la característica principal del **drama** porque este género tiene como propósito ser representado por actores en un escenario ante una audiencia. El drama, a diferencia de la narrativa que relata una acción, la representa; es decir, hace que se desarrolle ante los ojos del público. Es la representación más cercana a la vida misma.

Los orígenes del género dramático se encuentran en los rituales dramático-religiosos realizados en honor al dios Dionisios, conocido como Baco por los romanos. El drama clásico griego mantuvo elementos primitivos como contar mitos antiguos y celebrarlos en festivales religiosos. Las primeras obras se llamaron **tragedias** cuya etimología proviene de las voces, "tragos" (machos cabríos quienes representaban a los titanes, enemigos de Dionisios) y la voz "ode" (canción) porque al principio eran cantos y no diálogos. Durante las fiestas Dionisiacas también se entonaban y se bailaban **ditirambos.** En esas ceremonias, que pronto adquirieron el carácter de espectáculo, el director del coro llamado Corifeo dialogaba con los integrantes del grupo de cantores y danzantes. El tiempo determinó que este desarrollo pasara del tono religioso a la realidad dramática, y de este modo surgió **la tragedia.** Fueron los griegos los que dieron forma a lo que hoy es el teatro moderno y lo dividieron en escenas separadas con muchos personajes.

Aristóteles fue el primer crítico del drama. Escribió en su obra *La poética* la definición del drama como una imitación de las acciones humanas. Por eso, podemos decir que el drama es un "arte mímico". Los griegos usaban el término de mímesis que significa "imitar, recrear, representar". Los actores representan las acciones, pasiones y emociones de la humanidad para comunicar ideas a la audiencia. Asimismo, Aristóteles sienta las pautas de las tres unidades: lugar, tiempo y acción. Esto se refiere a que la acción tenía que ocurrir en 24 horas, en un solo lugar y tener un solo *mythos* o trama.

Aristóteles también estableció la diferencia entre **comedia** y tragedia. La tragedia recuenta la caída del hombre superior y sus desgracias. Alguien que comienza con fortuna y prosperidad, y termina en la adversidad. Por su parte, la comedia describe la reformación de un grupo de personas. Es lo opuesto a la tragedia: la comedia comienza con la adversidad y se resuelve en prosperidad. Cuando los patrones se mezclan se llama **tragicomedia**. Este término fue usado por primera vez por Plauto.

El drama mantuvo mucho de su relación con la religión y los rituales a través de la historia. Durante la Edad Media renació este género en las iglesias de los países de Europa Occidental, como parte de la misa católica. Este drama medieval estaba relacionado fuertemente al cristianismo. Los autosacramentales o los dramas de misterios medievales dramatizaban eventos relacionados a la Biblia y los dramas morales enseñaban a las personas el camino de cómo el buen cristiano debía vivir su vida.

De la tragedia y la comedia han evolucionado las distintas formas de drama: **farsa**, **melodrama**, y **drama social**, entre otras. La farsa es una clase de comedia llena de acciones con humor y diálogo. Por su parte, el melodrama se deriva de la tragedia pero tiene un final feliz y el héroe llega a tiempo para salvar a la heroína. Por último, el drama social apareció por primera vez en el siglo XIX. Éste recoge las situaciones reales y sociales que conforman la vida de los seres humanos.

No solamente el drama evolucionó en el contenido temático, sino en su estructura y forma dramática. Toda obra comenzaba con un **prólogo** o exposición, continuaba con el **desarrollo** y terminaba con un **epílogo** o desenlace, el cual no ha sufrido cambio. Sin embargo, la representación se hacía por medio del relato, el comentario, la conjetura, el diálogo y la discusión. Conforme a la evolución del género, esto se sustituye por el diálogo. Otro cambio que sufre el drama es su forma de expresión, pues pasa de verso a prosa.

Así la acción se presenta en los diálogos sostenidos entre los personajes y en las diversas escenas (determinadas por las entradas y salidas de los mismos personajes) que unidas constituyen los **actos**[1] de la obra. Cada acto, además de presentar diferentes escenas, puede estar formado por cuadros o porciones continuas de acción que aparecen desarrolladas en un mismo lugar.

La obra teatral no sólo se constituye en los diálogos, monólogos y apartes de los personajes, elementos que permiten la caracterización de éstos y el planteamiento del conflicto, sino también se deben considerar otros aspectos constitutivos que son de suma importancia, tales como: la decoración del escenario, la luminotecnia[2], el vestuario de los actores[3], entre otros. Todo esto conforma la verosimilitud de la pieza, ya que cada acto, cada escena o cuadro crea la ambientación y la atmósfera propicias para el desarrollo de la trama como una unidad.

Para la mayor comprensión de una obra teatral se deben considerar los siguientes puntos: la **acción dramática** que es la suma de los elementos que de forma progresiva van logrando la trama de la obra. Por su parte, la **caracterización** se refiere a la creación de los personajes, que pueden clasificarse en tres modalidades: carácter[4],

---

[1] Conocidos también como jornadas.

[2] En el teatro moderno se usan luces como un mecanismo importante para crear efectos. La luminotécnica fue utilizada por primera vez en el siglo XVII. Hasta ese momento los dramas se llevaban a cabo durante el día.

[3] El vestuario ayuda al público a identificar y entender la época, los personajes.

[4] Personajes con individualidad propia. Humano, dotado de sentimientos y pasiones, capaz de errar o triunfar conforme a su naturaleza. Aquí se encuentran el protagonista y el antagonista.

tipo[5] y silueta[6]. El **ambiente** o marco escénico, se refiere a los recursos empleados por el autor para enriquecer la representación de la obra.

El autor dramático emplea una variedad de recursos con el propósito de enriquecer la presentación de su obra. Entre éstos se destacan el **diálogo** y las **acotaciones**. El diálogo es sumamente importante, pues es imprescindible para la caracterización y presentación del conflicto. Las acotaciones no son otra cosa que las instrucciones y sugerencias que acompañan el texto de la obra dramática. Éstas se ofrecen con relación a los personajes, el escenario o detalles sobre la decoración.

Este género, aunque puede ofrecer alguna dificultad en su lectura, invita al lector, como toda obra literaria, al goce estético. Si bien es cierto que el drama tiene como finalidad su puesta en escena, también podemos disfrutarla cuando la leemos. En clase, se pueden hacer lecturas dramatizadas de los actos, que pueden ser grabadas y servir para evaluar la expresión oral. El estudio de una obra dramática puede provocar en los estudiantes escribir guiones cinematográficos y dramas cortos. Además, nos invita a la redacción de ensayos, críticas teatrales, resúmenes, reseñas, etc.

---

[5] Representan o encarnan aspectos sociales o de la época.

[6] Entra o sale de la acción, pero no toma participación activa en la misma. Puede ser mencionado por otro personaje. Tal vez no pronuncia palabra alguna en el desarrollo de la trama.

Alejandro Tapia y Rivera

La cuarterona

REPARTO

JULIA, LA CUARTERONA
CONDESA, MADRE DE CARLOS
CARLOS
JORGE, ESCLAVO LIBERTO
LUIS, AMIGO DE CARLOS
DON CRÍSPULO, PADRE DE EMILIA
EMILIA
PIANO

PRIMER ACTO

Habitación de Carlos cuya puerta del fondo guía a la calle. La de la izquierda del actor, al interior de la casa.

ESCENA I

CARLOS Y JORGE

CARLOS: *(Sentado)* —¿Dices que Julia está pesarosa y que a veces la has sorprendido llorando? Háblame con toda sinceridad, Jorge;

nos conocemos desde mi infancia y siempre has sido fiel a tus amos; continúa siéndolo al hombre como lo fuiste al niño, y no te pesará. Habla, pues; ya debes comprender que me interesa, cuando con tanto afán te lo pregunto.

JORGE: — Le diré, niño Carlos: antes de llegar su merced de allá de Francia, Julia solía estar risueña, aunque como es sabido, su genio no ha sido nunca alegre, porque siempre he creído que la hacía sufrir su triste condición. Entonces me hablaba con frecuencia de su merced, y así podía yo recibir sus noticias. Ella tenía buen cuidado de decirme: "Jorge, el niño Carlos, que no se olvida nunca de los que le aman, te envía memorias". ¡Ah! Yo no sé lo que pasaba entonces por mí... Al saber que mi buen amito se acordaba de su pobre Jorge, lloraba de gusto, como lo hice de pena el día en que el niño se fue de la Habana.

CARLOS: — Adelante, Jorge. Sé que me quieres y en ello me pagas. Prosigue.

JORGE: — ¡Ah! ¡Si el niño supiese que todo se acabó cuando nos dijo la señora que su merced estaba para volver! Ya nada me contaba Julia; estaba siempre como pensativa, y cuando yo la preguntaba por el niño, ella no quería contestarme. Un día la sorprendí llorando, y casi huyendo de mí me dijo: "Jorge, vendrá muy pronto". No pude, seguirla para saber más, porque la alegría me detuvo, y ella se aprovechó de mi sorpresa para echar a correr.

CARLOS: — Bueno, bueno. Me place lo que me cuentas.

JORGE: — Aquel día, en que dijo que su merced vendría pronto, me inquietó muchó ver que lloraba y ocultaba sus lágrimas; creí que se afligía porque hubiese ocurrido algún mal a su merced. Traté de averiguarlo, la seguí después, la encontré a solas, y entonces me dijo que nada había sucedido al niño, y que si lloraba era de contento. No era verdad, pues no podía llorar de contento con una cara tan triste, ni estar satisfecha, cuando siempre la veía como asustada.

CARLOS: — Lo que dices me interesa. Ella y yo nos hemos criado juntos, y así no puedo ver con indiferencia su pesadumbre.

JORGE: — ¡Oh! Yo sé lo que es llorar de contento; lloré así el día en que su merced volvió y me dio un abrazo; por eso siempre dije y diré, que el llanto de Julia era de tristeza. El niño sabe que yo la conozco desde muy chiquita, y la quiero como querría a una hija si la tuviera. Pues bien, desde que su merced llegó, mejor dicho, desde que ella me anunció su regreso, no ha vuelto a estar alegre. ¡Oh! Yo veo bien todo eso, porque la quiero mucho y los ojos del que quiere mucho, ven muy claro.

CARLOS: (¡Me ama, me ama!) — ¿Y dices que desde que llegué de Francia, hace un mes, está siempre como si tuviese algún pesar que trata de ocultarnos? Tienes razón: su risa y su canto son mera ficción, vana apariencia... (Por eso se marchó al campo, a casa de mi tía, a poco de mi llegada; por eso esquiva mi presencia hasta el punto de no haber podido hablar con ella a solas después de mi regreso... Ya no lo dudo; me halaga suponerlo). — Jorge, no ignoras que a pesar de todo, he querido y quiero a Julia, como… a una hermana… ¿entiendes? Justo es que no mire indiferente sus pesares... Esa tristeza que has creído descubrir en ella y que yo también he advertido, aunque como tú, sin adivinar la causa…

JORGE: — Sí, niño, lo sé. Su merced ha sido siempre bueno con ella, conmigo y con todo el mundo; por eso todos le queremos tanto.

CARLOS: — Gracias, buen Jorge. Observa a Julia, y cuéntame lo que veas; cuéntamelo todo. Ve pues a tus quehaceres, y toma para que fumes.

JORGE: — Sin eso, niño, yo le quiero mucho.

Vase por la puerta del interior.

ESCENA II

CARLOS, *solo*

CARLOS: Ella me ama, sí… ¡pero qué!… Es un disparate, una locura… locura que va siendo superior a mi voluntad. No sé por qué, pero las palabras de Jorge, me han revelado todo un mundo. ¿Y a qué hacerme cuentas tan galanas? Ella, verá en mí al compañero de la infancia, me tendrá el cariño que se puede profesar a un hermano, y nada más… ¡Pero esas lágrimas al saber que se aproximaba, mi regreso, esa tristeza y misterio desde mi llegada!… Acaso mide la diferencia de condiciones con que el destino implacable quiso separarnos… ¡Ah! Ella no conoce mi amor tal vez, ni mucho menos mi corazón; ella ignora sin duda que soy superior a ciertas ruines preocupaciones, y que la ausencia, revelándome la naturaleza de mis sentimientos, ha hecho de ella la imagen de mis ensueños, la estrella de mi destino… Julia, la hechicera Julia, no verá más que un abismo entre los dos, y no comprenderá tal vez que yo saltaría por sobre aquel abismo, para acercarme a ella. Por otra parte, si mi madre llegase a imaginar... ella que la acogió y la ha educado con esmero; mi madre que la ama bondadosa… Pero al tratarse de quebrantar ciertas barreras, recordará que es la condesa, la señora altiva, y que la otra es una pobre mestiza… Vamos, es una locura, pero locura que comienza a labrar mi desgracia; sí, porque comienzo a ser muy desgraciado. — Hola, amigo, Luis, sé bienvenido.

ESCENA III

CARLOS Y LUIS

LUIS: — Buenos días, *mon cher*. ¿Qué tal te va en esta Habana a que tú deseabas tanto volver, y que yo anhelo tanto *quitar* de nuevo?

CARLOS: — Bien…

LUIS: — Pocos días ha que llegué y ya me parecen siglos: ¡qué calles, qué casas, qué costumbres, qué fastidio, *mon Dieu*! Ya se ve: ¡aquellos bulevares, aquellas tiendas, aquellos palacios, aquel París! ¡Oh! ¡Es mucho París el que hemos dejado!

CARLOS: — Poco a poco, Luis; pareces extranjero en tu patria.

LUIS: — ¿Cómo volver allá sin dinero? ¿Cómo renunciar a tales maravillas?

CARLOS: — Cualquiera pensaría a primera vista, que tu entusiasmo por la capital de Francia era inspirado por el amor a las ciencias y a las artes, de que es un centro; pero a poco de oírte, se convencería de que no se trata del París intelectual, sino del que, como a ti, enloquece a tantos de nuestros jóvenes y no jóvenes; el París de los espectáculos y las loretas.

LUIS: — Y es como debe ser.

CARLOS: — ¡Lucida está contigo la patria! ¡Qué porvenir tan hermoso! Vamos, sé un poco menos parisiense: ten un poco más de juicio. (Sólo me faltaba la presencia de Luis para acabar de estar contento.)

LUIS: — ¡Juicio, juicio! Esa es una palabra que de continuo me repetían allá todos aquellos locos serios que, cómo tú, sólo van allí a sumirse en el barrio latino entre libros y bibliotecas. ¡Vaya una diversión! Veo que eres aquí el mismo hombre triste que por allá.

CARLOS: — El mismo ciertamente.

LUIS: — ¡Cuánto mejor es levantarse tarde y acostarse ídem, pasando el día en la dulce *flanerie* o en seguir la pista a alguna elegante damisela! Por la tarde el Bois de Boulogne o los Campos Elíseos; por la noche la ópera o algunos teatros *pour rire*, acabándola en la Maison Dorée con algunos amigos *comm'il faut* y algunas amigas tan bellas como *d'esprit*. Vamos, vamos, alégrate. ¡Bien veo que no sabes lo que es la vida, y sin embargo, es lástima!

CARLOS: — Sin duda causo lástima. En cambio he adquirido en París una profesión sin haber llevado allí este objeto precisamente, y tú te fuiste a ello, has gastado a tus parientes una fortuna y has vuelto como fuiste. Dispensa que te hable así, pero todo eso lo motiva la lástima que manifiestas; además, me encuentro hoy de un humor negro.

LUIS: — Enhorabuena, te lo perdono, porque veo que tienes la manía del Mentor. ¿Qué quieres? Cada cual tiene sus gustos. Yo nací para el gran mundo y no para tal gran villorrio como éste, *malgré* sus defensores; nací para tener fortuna y no para buscarla trabajando; para gozar y no para quemarme las pestañas en el estudio. Anda, sé tú, ya que lo quieres, un gran facultativo, un Nelatón, un Bernard, un Dupuytren. Yo no he venido al mundo para cortar brazos y piernas, ni para disecar cadáveres; antes al contrario, me juzgo hecho para contemplar, en todas sus perfecciones, las maravillas humanas, sobre todo cuando llevan *malakoff* y tienen cara bonita.

CARLOS: — Siempre el mismo, y no comprendo qué locura tentó a tu familia para intentar hacer de ti un buen estudiante y médico aprovechado. (Quisiera ser tan frívolo como éste: la frivolidad padece poco).

LUIS: — Creí que mi familia era muy rica, y me he llevado un chasco solemne. Las ilusiones me engañaron.

CARLOS: — Tal sucede a muchos.

LUIS: — Por otra parte, dices que no he estudiado, ¡qué disparate! Sé hablar el francés, vestir con *chic*, tirar al florete y bailar un *cancán* como un demonio.

CARLOS: — ¡Algo es!...

LUIS: — ¿Te parece poco el *cancán* delicia de Mabille y gloria de la Francia? ¿Hay cosa mejor que *vis a vis* de una donosa hembra, hacer aquello de *(Tararea y hace algunas piruetas de cancán).* Si dices que eso no es delicioso, estás tocando el violón.

CARLOS: — Sin duda alguna.

LUIS: — Pero en fin, pasemos a otro asunto. Vine a hablarte de algo que me interesa.

CARLOS: — Ya te escucho.

LUIS: — En mal hora recordé aquella deliciosa vida de la capital de Francia. En esta materia me vuelvo todo hablar y digresiones: tanto es mi entusiasmo y mi deseo de volver a gozarla.

CARLOS: — Al asunto, pues. Casi llego a tenerte envidia; porque al cabo eres hoy más feliz que yo.

LUIS: — Como iba diciendo, no estoy nada contento en nuestra Habana, y deseo, y pienso y he resuelto volverme a París.

CARLOS: — Bien pensado.

LUIS: — Pero para vivir allá *comm'il faut* se necesita mucho dinero, y no lo tengo.

CARLOS: — Trabaja.

LUIS: — No me place. ¿Qué quieres? He perdido lo mejor del tiempo.

CARLOS: — Bien lo veo.

LUIS: — Acaso el vicio viene en mí desde la infancia. ¡Hacerle a uno creer que va a ser muy rico sin trabajar!

CARLOS: — ¿Y qué hacer?

LUIS: — Pienso buscar una mujer rica y casarme o darme al diablo, que es lo mismo.

CARLOS: — Muy bien pensado. (Creo que este majadero de Luis acabará por hacerme olvidar mis penas).

LUIS: — Me parece que mi personal, es decir, precisamente no tener otro crédito mayor, me pone en aptitud de ganar el corazón de alguna mujer frívola... y como eso es lo que busco, y aquellas son las más...

CARLOS: — Dado que encuentres semejantee joya, que no es nada difícil... ¿Juzgas que su familia se conforme con la insuficiencia tuya de que hablas?

LUIS: — Gane yo a la muchacha... y como la ley protege el matrimonio...

CARLOS: — Todo padre rico quiere para su hija por lo menos...

LUIS: — ¿Qué?

CARLOS: — Un buen administrador.

LUIS: — No, eso huele a criado: yo no tengo aptitud para administrar, sino para gastar.

CARLOS: — ¡Magnífico!...

LUIS: — ¿Y qué más puede querer un suegro rico?

CARLOS: — Precisamente.

LUIS: — La plétora de dinero necesita, como el vapor, una válvula, un desahogo, y aquí estoy yo.

CARLOS: — Pues entonces eres cortado para el caso.

LUIS: — Por eso no he perdido el tiempo.

CARLOS: — ¡Cómo!

LUIS: — Necesito, Carlos, que me des algunos informes y me tranquilices respecto de si son o no fundadas mis esperanzas.

CARLOS: — Si no te explicas...

LUIS: — Anteayer era día de misa, y yo, como buen cristiano, acudo siempre a donde van ellas.

CARLOS: — Es natural.

LUIS: — Siempre he tenido esa costumbre.

CARLOS: — Adelante.

LUIS: — Hallábame en la puerta del templo que está aquí enfrente, en medio del corrillo de jóvenes, que por lo visto tienen poco que hacer y mucha afición al bello sexo, cuando vi salir de la iglesia y pasar por junto a mí a una joven bastante bonita, acompañada de un señor gordo y coloradote; una especie de tomate mayúsculo...

CARLOS: — Bien, acaba.

LUIS: — Desde luego observé en el grupo de jóvenes grave interés hacia la pareja. Ciertos hombres casaderos son tan deferentes con las mujeres ricas, que desde luego se conoce en su semblante y maneras y atenciones, que han hallado el filón. Tú sabes que en la materia tengo un olfato finísimo.

CARLOS: — Concedido.

LUIS: — Entre los del grupo había algunos cotorrones que sin duda buscaban lo que yo. ¿Quién mejor que ellos para orientarme? El es un buey gordo, me dijeron, y ella una ninfa de oro. La joven se llama Emilia, su padre tiene más dinero que un demonio, y más vegas en Vuelta-abajo que no sé quien.

CARLOS: — Eso es.

LUIS: ¡Qué poesía! Un rico archirrico, soberbio mercachifle retirado.

CARLOS: — ¿ Su nombre?

LUIS: — Don Críspulo no sé cuántos.

CARLOS: — ¡El mismo! Lo imaginaba.

LUIS: — ¿Le conoces?

CARLOS: — Mucho, mucho. ¡Qué casualidad!

LUIS: — Pues bien: es forzoso que me presentes, ¿oyes? Quiero conocer a un señor tan apreciable; sobre todo a su hija. Al punto, supe que la niña tiene muchos pretendientes, como era de esperarse. Me dijeron que aún no había elegido. Pero admírate de lo que añadieron; adivina...

CARLOS: — ¿Qué?

LUIS: — Que era mi amigo Carlos una probabilidad.

CARLOS: — Es muy cierto, por desgracia.

LUIS: — Pero yo sé que tú no estás por buscar mujeres ricas, y comprendí desde luego que no tendría en ti un rival temible. ¿No es así? Tranquilízame, amigo mío, tranquiliza mi corazón.

CARLOS: — Has dicho bien. Prefiero mil veces el celibato. ¡Casarme sin amor!

LUIS: — ¡Oh, ventura! ¡Cuando dije que eras un rival poco temible!...

CARLOS: — Acá para inter nos: mi madre muestra empeño en que contraiga dicho enlace; el padre y la hija están conformes; falta sólo mi consentimiento.

LUIS: — Pero tú no piensas darlo, ni lo darás... ¿no es eso?

CARLOS: — Perdone mi buena madre: en esta ocasión no me hallo dispuesto a complacerla.

LUIS: — ¡Bien, bravo! Es decir que puedo contar con el campo libre y acaso con tu apoyo. Preséntame, Carlos, preséntame. Por lo que respecta a la chica, has de saber que la seguí, y situado después bajo sus balcones, se dejó ver como si no le fuese indiferente: creo no mentir al asegurarte que toma varas sin disgusto.

ESCENA IV

Dichos, JULIA

CARLOS: — ¡Julia!

JULIA: — La señora deseaba saber si se hallaba usted en su habitación para bajar a verle. *(Saludando a Luis)*. Caballero...

LUIS: — (¡Bonita hembra!)

CARLOS: — (Mi madre quiere hablarme; presumo de qué. ¡Cuánto lo temo!) Bien, Julia: estoy dispuesto a recibirla.

LUIS: — Entonces te dejo.

CARLOS: — Adiós Luis; luego hablaremos.

LUIS: — Me marcho; veo que tienes que hablar con... tu señora madre... ¿Qué te pasa? Estás turbado. ¡Hum! (Cuidado con la muchacha: veo que tienes buen gusto).

CARLOS: — Calla, calla... no desatines, amigo mío.

LUIS: — En fin, volveré; no me olvides. *(Saludando a Julia)*. Señorita... (¡hermosa es!)

ESCENA V

CARLOS Y JULIA

CARLOS: — Mi madre desea hablarme, ¿no es eso?

JULIA: — Sí.

CARLOS: — ¿Y no sabes de qué?

JULIA: *(Conmovida)*. — Lo presumo.

CARLOS: — Óyeme Julia: Se trata de un matrimonio que me propone; ¿acepto?

JULIA: — Debe usted aceptar.

CARLOS: — No, imposible: no puedes comunicarme tal decisión con indiferencia; sabes que mi corazón pertenece a otra.

JULIA: (¡Ah!)

CARLOS: — A otra que, víctima y dominada a la vez por preocupaciones que detesto, se niega a escuchar mis votos.

JULIA: — Carlos, ignoro de quién habla usted.

CARLOS: — ¿Ignorarlo tú?

JULIA: — Carlos, es imposible unir lo que el destino separó.

CARLOS: — Y qué, Julia; cuando me abraso, cuando muero de amor por la que sólo juzgaba amiga de infancia; cuando veo, ¡ah!, me lo dice el alma, que ella corresponde al mismo afecto, ¿debo obedecer la voz del cálculo? ¿Debo entregar a otra una voluntad que sólo a ti pertenece?

JULIA: — ¡Carlos, si usted me ama, como dice, debe tratar de olvidarme. Usted supone que yo le amo; tal sería locura, y ambos debemos tener juicio. (¡Dios mío, Dios mío!).

CARLOS: — ¡Ah, Julia! ¿Por qué sustituyes con ese frío *usted*, aquel delicioso tuteo que hacía más cariñosas nuestras palabras, en los primeros años de la existencia?

JULIA: — ¿A qué recordarlos?

CARLOS: — Sólo contaba yo dos o tres años, más que tú y parecíamos gemelos en nuestro carácter y aficiones inocentes.

JULIA: — Es verdad.

CARLOS: — Después he recordado con placer aquellas horas

JULIA: — Conviene olvidarlas.

CARLOS: — Así cuando la ausencia me reveló que te amaba, hallé en mi corazón tus nobles ideas y elevados sentimientos. Tu imagen estaba allí para realzarlos.

JULIA: — ¡Ah!

CARLOS: — Eras niña cuando los expresabas; pero superiores aquellos a tu edad, hallaron eco después en mi corazón de hombre; ellos me enseñaron a estimar el bien y a amar lo bello, y tú como el ángel de mi guarda, me has salvado de los escollos de la juventud en un mundo tempestuoso. ¿Qué mucho, pues, que al verte de nuevo, al hallarte tan bella, tan adorable, mi amor haya crecido? Julia, encantadora Julia, fuiste el ángel de mi consuelo durante la ausencia, sé el ángel de mi felicidad durante mi vida.

JULIA: — Es verdad: la ausencia despierta a veces sentimientos que dormían ignorados en el corazón. Ella ha cambiado en tristeza nuestras horas de alegría; nuestra paz en áridos temores.

CARLOS: — Temores infundados.

JULIA: — Usted debe sólo ver en mí la amiga de la niñez, si no quiere considerar lo que todo el mundo: una mujer cuya condición abre un abismo entre los dos.

CARLOS: — Yo anularé semejante abismo.

JULIA: — Acaso por haber visitado usted países en que, según se cuenta, no existen ciertas preocupaciones, no las tiene usted.

CARLOS: — Eso basta.

JULIA: — Aun cuando no fuese usted heredero de un título y de un nombre ilustre, sería siempre lo que en nuestro país se juzga superior a lo que yo soy.

CARLOS: — ¿Qué importa nuestro país?

JULIA: — Olvide usted, pues, como el sueño de un cielo perdido, las dulces memorias de que me habla; evite usted que aquel cielo se trueque en infierno, y que sea yo ingrata a los favores que desde la cuna recibí de su buena madre; favores que se convertirían en odio contra mí.

CARLOS: — ¿Ella odiarte?

JULIA: — ¡Ah! Usted no me ama tanto como dice: usted quiere que mi bienhechora me dé en rostro con mi triste condición.

CARLOS: — Yo lo impediré.

JULIA: — Ella lo haría si sospechase.

CARLOS: — No lo sospechará.

JULIA: — En general los de mi clase, la niegan o disimulan; yo no la publico, pero Dios me ha dado una compensación: la conformidad, y por eso manifiesto mi condición sin humillarme.

CARLOS: — ¿Y quién podría humillarte? ¿Por qué me hablas de eso ahora?

JULIA: — Recuerdo más de una vez mi condición para que usted no la olvide.

CARLOS: — ¡Qué ironía!

JULIA: — No hay sarcasmo en mis palabras.

CARLOS: — No sientes lo que ellas dicen.

JULIA: — Renuncie usted a pretensiones que no debo escuchar y si no pude evitar esta conferencia, le ruego que sea la última.

CARLOS: — Pero Julia, tú me amas; una sola vez, dímelo...

JULIA: — No, imposible.

CARLOS: — ¡Ah! Si tus ojos, si tus miradas no me lo revelasen, mi propio corazón al escucharte, me diría que soy amado.

JULIA: — Usted lo presume.

CARLOS: — Pero no basta; necesito que tu labio lo confirme.

CONDESA: — *(Dentro.)* ¡Julia, Julia!

JULIA: — *(Asustada.)* ¡La señora! Huya usted, por Dios.

CARLOS: — Es vana tu repulsa.

JULIA: — Que no nos halle juntos aquí.

CARLOS: — Me amas, ¿no es cierto?

JULIA: — No, imposible... Váyase usted.

CARLOS: — Pero...

JULIA: — He dicho que no puede ser.

CARLOS: — No, mentira; tú me amas.

CONDESA: — *(Dentro.)* ¡Julia!

CARLOS: — Como usted quiera; pero váyase usted, Carlos, o todo se ha perdido.

CARLOS: — Sí, sí, adiós. Hasta después.

Toma el sombrero y vase hacia la calle.

ESCENA VI

JULIA Y LA CONDESA

CONDESA: — Muchacha... ¡Tanto tardar para un simple recado! No me place ni está bien visto que permanezcas aquí en la habitación de Carlos más tiempo del regular.

JULIA: — *(Avergonzada.)* Señora...

CONDESA: — Te conozco y te hago justicia, pero no está bien. ¿Y Carlos?

JULIA: — *(Con turbación.)* Ha salido.

CONDESA: — Lo siento; precisamente cuando tengo que hablarle.

JULIA: — Quizá volverá pronto.

CONDESA: — Sin duda presintiendo el objeto con que le busco, evita mi presencia. Y hace mal en esquivar toda conversación conmigo, que siempre he sido para él madre cariñosa. ¿No es verdad?

JULIA: — Ciertamente

CONDESA: — ¡Renunciar a una boda que sólo ventajas puede ofrecerle! ¿Y por qué? Quizá por algún capricho. Julia, con sinceridad: ¿Sabes si alguna afección hacia otra?...

JULIA: — Señora, de un tiempo acá se ha vuelto tan reservado... (¡Callar lo que podría ser una dicha confesar!)

CONDESA: — Julia, nacida tú en esta casa, has sido tratada siempre con cariño y educada con el esmero de una señorita.

JULIA: — ¡Ah! Señora, mi gratitud no se ha desmentido jamás.

CONDESA: — Lo sé, y por eso cuento con tu ayuda en una empresa sobrado interesante.

JULIA: — (¿Qué pretenderá?)

CONDESA: — ¡Si comprendieses cuánto anhelo para mi hijo la tal boda! Presumo que será su dicha, y no omitiré medio alguno para realizarla. Entre él y tú existe la confianza que origina la común niñez; Carlos estima tu cordura y buenas prendas, y tus consejos no serían por él desatendidos.

JULIA: — (¡Ah! ¡Temo compender!)

CONDESA: — Procura, pues, inquirir si el amor a otra mujer le impide ceder a mis prevenciones. Trata de persuadirle de que mi proyecto tiene por mira su conveniencia; persuádele.

JULIA: — *(Con sorpresa.)* ¡Yo!... ¿Quién mejor que una madre podría hacerlo?

CONDESA: — Así debiera ser; pero tú le inspiras quizás mayor confianza. Lo harás, ¿no es cierto?

CONDESA: — Sí, dame palabra de que lo harás.

JULIA: — No me lisonjeo de conseguirlo.

CONDESA: — Sí, dame palabra de que lo harás.

JULIA: — (¡Ay de mí) Señora...

CONDESA: — Consientes, ¿no es así?

JULIA: — Señora... no puedo ni debo negar a usted nada; pero...

CONDESA: — Tratarás de convencerle de que no son miras codiciosas de mi parte. ¿Se lo dirás?

JULIA: — Como nada me prometo alcanzar...

CONDESA: — ¡Qué! ¿Vacilas?

CONDESA: — Lo haré. (Aunque me cueste la vida.)

CONDESA: — ¡Oh! Gracias, Julia... A propósito, ahí está; déjame que le hable.

JULIA: — (¡Cielos! No era bastante callar y resignarme, sino que debo abogar por otra.)

Vase.

ESCENA VII

LA CONDESA Y CARLOS

CARLOS: *(Entrando.)* — ¡Madre mía!

CONDESA: — El Cielo premie al hijo que complace a su madre.

CARLOS: — ¡Ah! Tiene usted un hijo, muy desgraciado; un hijo que no puede siempre complacer a su madre.

CONDESA: — De eso venía a tratar precisamente; de poner a prueba por última vez el cariño que siempre me has profesado.

CARLOS: — Supongo que no dudará usted.

CONDESA: — Concedo que antes no dudaba, pero desde hace algunos días…

CARLOS: — ¡Qué!

CONDESA: — Preciso es que mi Carlos, que nunca tuvo una contradicción para mí, ame a otra persona más que a su madre…

CARLOS: — ¡Cómo!

CONDESA: — Cuando se niega a su ruego, mandato debiera decir; pero no, yo no mando a mi hijo en esta ocasión, le ruego.

CARLOS: — Veamos, madre: usted me ruega, ¿y por qué? Porque acepte un matrimonio ventajoso para mí.

CONDESA: — Una buena madre sabe por instinto lo que más conviene a sus hijos.

CARLOS: — El cariño puede alucinar a usted, madre mía.

CONDESA: — La juventud es inexperta.

CARLOS: — Conozco mi corazón: no podría ser feliz en el matrimonio sin el amor.

CONDESA: — ¡Quién sabe, Carlos! ¿Cuántos casamientos por amor no han sido desgraciados?

CARLOS: — ¿Y cuántos no han sido felices?

CONDESA: — En la elección para el matrimonio debe presidir la razón, no las ilusiones.

CARLOS: — Yo creo que el amor no debe ser desatendido.

CONDESA: — Es lazo aquél indisoluble.

CARLOS: — Por lo mismo.

CONDESA: — El entendimiento debe consultarse.

CARLOS: — Más el corazón.

CONDESA: — Aquél es todo.

CARLOS: — ¿Y éste es nada?

CONDESA: — Es ciego y suele extraviarse.

CARLOS: — Permítame usted que no lo piense así.

CONDESA: — Además, la novia que te propongo es bella.

CARLOS: — La belleza del alma es preferible.

CONDESA: — Es buena.

CARLOS: — Muchas lo parecen: no es la soltería el crisol del matrimonio. Tampoco es Emilia un tesoro de inteligencia.

CONDESA: — Pero tiene buena índole.

CARLOS: — No es bastante.

CONDESA: — Podrás formarla según tus opiniones.

CARLOS: — Sí, una joven educada como la mayor parte, en la frivolidad.

CONDESA: — Será dócil.

CARLOS: — Si lo fuese. Mecida en los sueños de rica heredera, llevará consigo al matrimonio la soberbia y la presunción.

CONDESA: — ¿Cómo sabes eso?

CARLOS: — Es de suponerse. Don Críspulo, su padre, no puede haberla dado otra educación. El olmo no da peras.

CONDESA: — Exageras demasiado.

CARLOS: — Sin duda será de aquellas a quienes un padre necio repite todos los días que valen mucho y que están destinadas, no a tener un marido, sino a comprar un esclavo.

CONDESA: — Vamos, estás intransigente.

CARLOS: — Se enfada usted y lo siento.

CONDESA: — Con razón dudaba de tu cariño.

CARLOS: — No, usted sabe que la amo y la respeto como merece; pero no puedo darla gusto en esta ocasión.

CONDESA: — ¿Para cuándo guardas la complacencia?

CARLOS: — Permaneceré soltero; así, podré consagrarme por completo a la ventura de usted.

CONDESA: — ¡Mi ventura! Está en tu casamiento con Emilia.

Repito lo que sabes. *(Con misterio.)* Estamos casi arruinados; los restos de nuestros bienes, un día cuantiosos, están próximos al embargo. El padre de Emilia es uno de nuestros principales acreedores. A fuerza de ostentar ante sus ojos nuestra nobleza, el villano enriquecido se deslumbra, y consiente en preferirte a muchos para yerno.

CARLOS: — Ya lo veo, por desgracia.

CONDESA: — A pesar de, que no ignora el mal estado de nuestros intereses, hele hecho conocer que, con todo su dinero es Don Nadie, si no une su oro a lo que oro vale: la nobleza.

CARLOS: — Pero...

CONDESA: — He sido intrigante por mi hijo y por mí, porque no estoy dispuesta a verme despreciada en la vejez, cuando he sido rica y espléndida toda mi vida.

CARLOS: — ¡Y quiere usted sacrificarme!

CONDESA: — *(Sin oírle.)* No daré de buen grado semejante gusto a los que me envidiaron hasta ahora. *(Pausa.)* ¡Y si nos quedase siquiera una posición modesta! Pero la humillación, la miseria...

CARLOS: — No, eso no; trabajaré noche y día para usted. Ejerceré mi profesión de médico; tengo poderosa voluntad, y lograré que pueda usted vivir holgadamente.

CONDESA: — Gracias, gracias; pero no me satisface.

CARLOS: — Ya ve usted que la miseria no debe intimidarla.

CONDESA: — Insisto en que amas a otra.

CARLOS: — ¡Qué dice usted! (¡Qué! ¿ Sabrá?...)

CONDESA: — Sientes alguna pasión que me ocultas.

CARLOS: — No acierto a explicarme...

CONDESA: — Jamás daré mi aprobación a frívolos caprichos.

CARLOS: — ¡Caprichos!

ESCENA VIII

Dichos, JULIA

JULIA: — Señora.

CONDESA: — Qué es...

JULIA: — El abogado quiere hablar a usted con urgencia.

CONDESA: — Ya has oído: seré intransigente con toda locura de tu parte.

CARLOS: — Señora...

Va a besarle la mano y ella la retira.

CONDESA: — Te dejo, con él algunos instantes. Cúmpleme tu promesa.

JULIA: — Bien está, señora.

ESCENA IX

CARLOS Y JULIA

JULIA: — ¿La señora ha hablado a usted de lo que yo presumía?

CARLOS: — Sí, pero no he querido aceptar. Insiste en suponer que el amor a alguna otra es causa de mi respulsa; tal vez sospecha la verdad y lo temo.

JULIA: — ¿Se ha negado usted?

CARLOS: — ¿Y tú me lo preguntas?

JULIA: — Ha hecho usted mal.

CARLOS: — Qué, ¿desapruebas mi repulsa?

JULIA: — Debo persuadir a usted que acepte.

CARLOS: — ¿Qué escucho?

JULIA: — Creo que la boda labrará su ventura.

CALOS: — No te comprendo, Julia; pero lo que dices me hiere el corazón; explícate por piedad.

JULIA: — (¡Cielos, dame fuerzas! Mi deber, mi gratitud lo exigen. ¡Estoy resuelta!) Debe usted casarse; seré muy dichosa si lo hace.

CARLOS: — ¿Dichosa tú?

JULIA: — ¿Quién lo duda? ¿No ve usted que estoy contenta?

CARLOS: — Te burlas de mí, y esa burla es un martirio.

JULIA: — (Insistamos; ¡destrózate, alma mía!) Seré dichosa, porque así terminará su loca pretensión. También será usted feliz.

CARLOS: — ¡Oh! Sí, mucho.

JULIA: — Las dulzuras del matrimonio con una joven rica y bella, porque su futura lo es, ¿no es verdad?, acabarán por borrar de su mente el infundado capricho que he tenido la desgracia de inspirarle.

CARLOS: — ¡Capricho! ¿Qué estás diciendo?

JULIA: — ¿Qué otra cosa pudiera ser? Desengáñese usted amigo mío: usted no puede sentir por mí más que un capricho pasajero.

CARLOS: — ¡Capricho! ¿Pero qué estás diciendo?

JULIA: — En cambio, la persona que le señalan se halla en otro caso, pues su condición social es muy distinta, y ofrece garantías que un enlace desigual no podría brindar a usted.

CARLOS: — *(Con ironía.)* ¡Bien, muy bien!

JULIA: — Además, su señora madre quiere la felicidad de usted, la espera de dicho matrimonio, y creo que el cariño maternal no puede aconsejar a usted un disparate. (¡Ah! No puedo más.)

CARLOS: — Calla, calla por el cielo.

JULIA: — Por lo que hace a, mí, no sería justo que trastornase los proyectos de mi bienhechora, y sólo me es dado aspirar a quien no tenga que ruborizarse por haberme amado. (Sí, soledad y muerte deben ser mi único consorcio.)

CARLOS: — ¿Pero a qué objeciones tan inoportunas? Si tú me amas, si yo estoy dispuesto a sacrificarlo todo por ti, ¿por qué ponerte ahora de parte de mi madre para darme consejos que rechazo? Cesa, pues, de atormentarme y no trates de oponerte a lo que está resuelto. Deja que triunfe un destino tan grato para mí: el de ser tu esposo, en otros países a donde no alcanzan las ruines preocupaciones del color y de razas que aquí nos mortifican.

JULIA: — Pero aquí imperan y aquí vivimos.

CARLOS: — ¿Qué importa lo que piense de nosotros una sociedad que te denigra, a ti que debiera considerar por tus bellas prendas, y que eres para mí de más precio que una reina? ¿Es este pobre país todo el universo?

JULIA: — Por desgracia lo es hoy para nosotros.

CARLOS: — Grande es el mundo y en él caben muy bien dos corazones generosos y puros que buscan y tienen derecho a la felicidad.

JULIA: — ¡Ah!

CARLOS: — No, no ha de faltar a dos pobres hijos de Dios un lugar en su inmensa obra, para amarle, amándose, y para bendecirle con voz agradecida.

JULIA: — No, Carlos, no debe ser. (Acudamos a otro medio. ¡Dios mío, Dios mío! Debo hacer cuanto sea dable por persuadirle.) No debe, ni puede ser.

CARLOS: — Sí será.

JULIA: — ¿Y qué es eso de amarme sin saber si me es lícito escuchar sus votos? ¿Sabe usted si me pertenezco?

CARLOS: — Sin embargo, hace poco, cuando mi madre nos interrumpió, me dijiste que me amabas.

JULIA: — ¿He podido decir tal cosa?

CARLOS: — Vamos, el lance es inaudito.

JULIA: — ¡Ah! ¿Qué quería usted que hiciese? Estaba usted tan exigente, la señora iba a sorprender nuestra conversación, y dije a usted lo que no sentía... Sí, lo que no podía menos de decir para salir del apuro... (¡Quisiera morir en este instante!)

CARLOS: — ¡Cómo! ¡Qué oigo!

JULIA: — Lo que no debía sentir, ni mucho menos confesar.

CARLOS: — ¿Eso dices? ¡Qué infamia! ¡Oh! Te engañas, Julia; quieres atormentarme por gusto. Te suplico que cese tan horrible chanza.

JULIA: — Oigame usted. (Estoy obligada y debo cumplir. Vaya, pues, y que Dios tenga piedad de mí.)

CARLOS: — ¿Qué piensas?... Habla, por Dios.

JULIA: — No puedo ser de usted jamás; ya he dicho que no me pertenezco.

CARLOS: — ¡No comprendo!

JULIA: — Pues compréndalo usted, y no me importune más; sería inútil. Estoy enamorada de otro.

CARLOS: — ¡Qué dices!

JULIA: — Suplico a usted que no me hable más de amor; no me es lícito escucharle sin faltar a la fe jurada.

CARLOS: — Entonces…

(Con afectada firmeza.) Basta, por Dios. (¡Cielos, ténmelo, en cuenta! ¿Qué más exiges de mí?)

ESCENA X

Dichos, LA CONDESA

CONDESA: — Hijo mío, entérate de eso.

Le da un papel.

CARLOS: — Madre, por piedad…

CONDESA: — Sí, lee.

CARLOS: — ¿Qué quiere decir esto? Mi cabeza no está para comprender, ni para discurrir, ni, para nada.

CONDESA: — La ejecución de nuestro mejor ingenio; lo único libre que nos quedaba.

CARLOS: — ¿Y qué me importa la fortuna?

CONDESA: — Pues bien: renunciaré mi título, el nombre de una antigua familia. No seré yo quien lleve un título sin rentas. ¡Y ser en mí en quien deba morir un nombre benemérito! Daré gusto a mi hijo aun a costa de mi sonrojo. ¡Todo será por Dios... sea lo que quieras, hijo mío!

CARLOS: — *(Indeciso.)* Madre... *(Acercándose a Julia.)* Julia, una palabra.

JULIA: — Debe usted casarse; no puedo amarle.

CARLOS: — Pero...

JULIA: — Ya lo dije... amo a otro, soy de otro.

CARLOS: — ¡Qué escucho!

JULIA: — Me fuerza usted a decirlo: no

CONDESA: — ¿Qué ocurre?

JULIA: — *(A Carlos.)* ¡Por Dios, silencio!

CARLOS: — Señora estoy resuelto.

CONDESA: — ¡Qué!

CARLOS: — Me casaré.

CARLOS: — *(Abrazándole.)* Gracias, hijo mío, gracias.

JULIA: — *(Apoyándose de una silla.)* ¡Ay de mí!

CAE EL TELÓN

SEGUNDO ACTO

Sala en casa de la Condesa, formada por telón de arcos. El paso entre éste y el de fondo conduce del exterior, que se supone a la derecha del actor, al interior de la casa, que se supone a la izquierda. De este lado y cerca del proscenio una puerta, a la derecha un balcón o ventana en segundo término. Mesa con libros y recado de escribir a la derecha del actor, a la izquierda, un sofá.

ESCENA I

JULIA *(sentada leyendo)*

JULIA: — "Bienaventurados los que lloran, porque ellos serán consolados." *(Deja de leer.)* ¡Ah! ¡quién tuviera en el alma la serenidad con que el divino profeta de Nazareth emitía estas palabras! "¡Los que lloran serán consolados!" Quizá no soy digna de consuelo, pues en vano le busco. ¡Libro afectuoso, mi único amigo en esta soledad de mi existencia! Tus dulces palabras serían bálsamo eficaz para mi alma, si su herida no fuese incurable. Hoy es día decisivo para mí. En breve llegarán ella y don Críspulo. La Condesa, deseosa de obsequiarles, ha insistido en que la exploración de las voluntades se verifique aquí y no en casa de la novia, según costumbre: esto aumentará mi tormento. Ojalá que pueda yo tener la serenidad y firmeza que necesito y de que empiezo a carecer. ¡Ah! ¡si pudiese abandonar esta casa!

ESCENA II

JULIA, DON CRÍSPULO Y EMILIA

CRÍSPULO: — Buenas noches, muchacha. Mi señora la condesa...

EMILIA: — *(Con desdén.)* Adiós...

JULIA: — Sírvanse ustedes tomar asiento; no tardará en venir, voy a avisarla. (¡Tan orgullosa!)

ESCENA III

DON CRÍSPULO Y EMILIA

CRÍSPULO: — Graciosa muchacha es esta Julia, pero un poco malcriada; trata a todo el mundo como si fuera su igual. Ya se ve: ¡la condesa la tiene tan *consentida*!

EMILIA: — ¿Graciosa dice usted, papá? En su clase no diré que no; aunque pretende vestir y darse el tono y maneras de señorita, siempre se trasluce su condición.

CRÍSPULO: — En eso no estamos de acuerdo: es casi blanca o lo parece, es bonita, fina y elegante; si no supiésemos que es hija de una mulata esclava, según se dice, tal vez la admitiríamos como a otros que tratan de disimular su origen entre las personas bien nacidas.

EMILIA: — Algo da el roce con su señora y algo toma de las gentes con quienes aquélla se trata. Y en verdad que hace muy mal la condesa en imponerla a sus conocidos. Por poco, a no haberla mirado con el desdén que merece... ¡qué sé yo! Creo que se hubiese atrevido a darme la mano.

CRÍSPULO: — Emilia, es necesario tener un poco de indulgencia, no por ella precisamente, sino por la condesa, que pronto será tu suegra.

EMILIA: — No transijo con mulatas.

CRÍSPULO: — La muchacha es crianza suya, como suele decirse, y la quiere y estima, habiéndola educado cual si fuera una joven decente; forzoso es no disgustar a una señora tan principal, mostrando repugnancia hacia su obra.

EMILIA: — Con tal que esa muchacha no pretenda emparejarse... Además, no veo que tengamos que adular tanto a la condesa; no somos tan pobretones. Al paso que ella...

CRÍSPULO: — No está muy boyante que digamos.

EMILIA: — Si su hijo lleva un título, yo llevaré lo que acaso tenga que envidiarnos. Ni yo estoy tan descontenta de mi mérito: cada cual lo suyo.

CRÍSPULO: — Pero enlazarte con un apellido como el suyo vale algo.

EMILIA: — Yo creo que no tanto como para aceptarlo sin condiciones.

CRÍSPULO: — Pero eso de que tus hijos puedan ser parientes del rey que rabió…

EMILIA: — ¡Vaya!

CRÍSPULO: — La condesa me dijo el otro día que tiene qué sé yo cuántos abuelos.

EMILIA: — ¡Toma! Abuelos los tiene todo el mundo.

CRÍSPULO: — Pero no conocidos. ¿Sé yo por ventura quiénes fueron los primeros de mi apellido que hubo en el mundo?

EMILIA: — ¿Y qué falta le hace eso? Llamarse condesa es algo, pero lo de adquirir genealogías, usted mismo me ha dicho que es muy fácil.

CRÍSPULO: — No, señora. El mundo burlón distingue las legítimas de las supuestas, y por lo tanto aquéllas son preferibles. Tales cosas, aunque nada valen en apariencia, no dejan de darle a uno cierta importancia y son más positivas de lo que se piensa.

EMILIA: — Verdad es que muchos afectan desdeñarlas y las buscan.

CRÍSPULO: — Yo soy más franco. Cuando comencé a tener dinero, creía qué el oro era lo mejor del mundo; pero luego que lo tuve en abundancia, me pareció que necesitaba otra cosa para hacerlo valer. Es singular: al oro sienta bien el oropel.

EMILIA: — No lo creo, papá.

CRÍSPULO: — Yo tengo que *encondarme* o *enmarquesarme* para que olviden que vine a América como polizón.

EMILIA: — ¡Jesús, papá, qué cosas dice usted!

CRÍSPULO: — Además, quiero que puedas pavonearte llamándote condesa.

EMILIA: — Pero, papá, ¿no podría yo serlo con tanto dinero como tiene usted para conseguirlo, sin recurrir a un casamiento? A la verdad, me hallo muy bien soltera.

CRÍSPULO: — No conviene.

EMILIA: — ¡Es un gusto tener varios pretendientes que adulan, que ruegan, que la dicen a una tantas cosas agradables, haciéndose pedazos por complacerla, porque acepte de sus manos un ramillete, o baile con ellos una danza!

CRÍSPULO: — Repito que no conviene.

EMILIA: — Y luego tener el gusto de hacerles esperar o de lanzarles un *no* que les desconsuele... ¡Ya! en casándome, todo esto se acabará.

CRÍSPULO: — Nada de eso está bien, señorita. En cuanto a mí, pudiera hacerme conde de *Bemba* o marqués de la *Macagua*, pero son solares muy nuevos y hasta oscuros; y como todos en La Habana me conocen por don Críspulo, sucedería que el llamarme conde de *Bemba*, por ejemplo, ¿quién es él?, preguntarían. Hombre, ¿quién va a ser? Don Críspulo; teniendo al fin que firmar para ser reconocido: El conde de *Bemba* (alias) don Críspulo. ¡Buena se armaría entonces en el muelle y en otros puntos de la ciudad donde soy tan conocido! Luego tú al llamarte por herencia la condesita de *Bemba*...

EMILIA: — ¡Uf! ¡Qué título!

CRÍSPULO: — Otros hay peores. Te verías expuesta a que añadieran: la hija de don Críspulo; y eso de don Críspulo a secas es cosa intolerable. No, hija mía; quiero dejar de ser el villano enriquecido; quisiera ser llamado Conde de la Edad Media, o qué sé yo, como dice la condesa, tu futura suegra.

EMILIA: — Yo lo decía porque me place mucho estar en aptitud de elegir… y luego, como soy rica, tengo de sobra ocasión para hacerlo cuando y como quiera.

CRÍSPULO: — No es tan fácil.

EMILIA: — Será así para las que no tienen sobre qué caerse muertas.

EMILIA: — No, papá, no estoy en ese caso.

CRÍSPULO: — Todas las mujeres lo están.

EMILIA: — ¿Yo también?

CRÍSPULO: — También; bueno es lo seguro.

EMILIA: — Papá, usted me ofende.

CRÍSPULO: — Nada de eso.

EMILIA: — Usted supone que yo no tengo mérito suficiente.

CRÍSPULO: — ¿Quién ha dicho tal?

EMILIA: — Cuando todo el mundo me halaga y me dicen cuantos me conocen que soy bonita, que soy adorable.

CRÍSPULO: — Te adulan porque quieren tu dinero, y éste puede perderse.

EMILIA: — Papá, está usted muy cruel conmigo, muy tirano.

CRÍSPULO: — La verdad en medio de todo.

EMILIA: — Pues yo no quiero que me la digan. No puedo sufrirla, no quiero.

Llora.

CRÍSPULO: — Pero muchacha...

EMILIA: — Nada: usted no quiere a su hija cuando así la trata.

CRÍSPULO: — ¿Que no te quiero?

EMILIA: — No señor...

CRÍSPULO: — Pero calla, por Dios, que viene la condesa. (Será lo que tú quieras.)

ESCENA IV

Dichos, LA CONDESA

CONDESA: — Buenas noches, señor don Críspulo; adiós, Emilia.

Se besan.

EMILIA: — Señora...

CRÍSPULO: — Beso los pies de mi señora la condesa.

CONDESA: — Tomen ustedes asiento. Habrá que aguardar un poco, pues no han venido aún los de la curia.

CRÍSPULO: — ¿Conque vamos a ser, como quien dice, hermanos?

CONDESA: — *(Sonrojada.)* Así parece.

CRÍSPULO: — ¡Oh, señora, cuánta es mi satisfacción! ¡Ver la nobleza de la sangre y la del dinero enlazadas en nuestros hijos!

CONDESA: — No muestra Emilia la misma satisfacción; por lo menos, guarda silencio.

CRÍSPULO: — Quien calla otorga.

EMILIA: — Repito lo que dije hace poco a mi papá: que por muy halagüeño que me parezca el matrimonio, siento perder la libertad a que estoy acostumbrada.

CONDESA: — ¿Y por qué habría usted de perderla?

EMILIA: — Cuando una está acostumbrada a hacer su gusto, porque papá es tan bueno que me ha dejado hacer siempre mi voluntad, teme una que el marido que se la propone no piense del mismo modo.

CRÍSPULO: — Todo lo hace una buena elección.

EMILIA: — Eso, como usted comprenderá, es natural que me inspire alguna desconfianza, y que el casamiento se mire por una joven como yo, con cierta prevención desfavorable.

CONDESA: — En tal caso, Emilia, puede usted estar satisfecha. Mi hijo es sobrado leal y generoso para tiranizar a la que lleve su nombre: respondo de él en este concepto como en lo demás. Creo por tanto, que llegaréis a ser muy dichosos y que su papá y yo no tendremos que arrepentirnos de haber promovido vuestro enlace; así me lo prometo.

CRÍSPULO: — La señora condesa tiene razón. ¿No es verdad, hija mía?

EMILIA: — *(Como distraída.)* Sí...

ESCENA V

Dichos, JULIA *y luego* CARLOS

JULIA: — Señora, el notario eclesiástico y los testigos aguardan en el salón.

CONDESA: — ¿Oyen ustedes? Llegó el momento de tomar los dichos a los novios. Es trámite de costumbre. He suplicado a ustedes me permitiesen verificar esta ceremonia en casa, con el fin de obsequiarles con una corta fiesta que deseo sea de su gusto. Y Carlos, ¿dónde está?

CRÍSPULO: — Véale usted.

CARLOS: — *(Saliendo.)* (¡Valor, sostén mi cuerpo!)

JULIA: — (Dios mío! Ya que aceptas mi sacrificio, dadme las fuerzas necesarias para cumplirlo.)

CRÍSPULO: — Bienvenido el novio.

CARLOS: — *(Saluda con frialdad.)* Señorita...

EMILIA: — *(Idem.)* Adiós, Carlos.

CONDESA: — Carlos, el brazo a tu novia. (Ánimo, por Dios.) Pasemos al salón.

CRÍSPULO: — *(Dándole el brazo.)* Señora Condesa...

Vanse todos menos Julia.

ESCENA VI

JULIA, *sola*

¡No se aman y van a unirse! El sí que van a pronunciar es una blasfemia. ¡En mis labios y en los de Carlos sería una verdad que nos abriría en la tierra un paraíso! Cuando pienso que podría decir a esa joven altanera: "Un puesto que sólo el amor debe dar no pertenece a usted; usted es indigna de estrechar esa mano. Ese hombre tampoco le pertenece, porque ama a otra, porque me ama, sí, a mí, y porque yo le idolatro. Usted con toda su soberbia no es capaz de comprender ni estimar ese tesoro. Ese tesoro pertenece a la pobre mujer que usted desprecia, pero que tiene más derecho que usted al puesto que fríamente le ha robado. Escuche usted, mujer vanidosa y yerta como el egoísmo. ¿Quiere usted hacer la prueba? Pronuncie el nombre de Julia a los oídos de ese hombre, y verá como palpita su corazón".

¡Ah! Sí, debe abrasarse al oír este nombre, como se abrasa el mío en estos momentos; sólo que él podrá tal vez disimularlo, y yo estoy a punto de morir. No, no puedo más. No debo dejar que el ingrato me inmole así. ¿Ingrato él cuando sólo aguardaba mi respuesta para ser mío toda la vida? 1¡Ah! La ingrata soy yo; ¡pero soy tan desgraciada! Debo ir a impedir un enlace que me asesina. Y después... después moriré; pero mi muerte, le dejaría desolado y triste; yo quisiera que fuese feliz... ¡Dios mío, Dios mío! Serena mi frente, mi cabeza, porque voy a volverme loca. Viviendo él, quizá llegaría a amarla... No, no; estoy resuelta… debo impedir tan sacrílego enlace; que viva y ame a quien yo no conozca, cuando yo lo ignore y no pueda estorbarlo... Sí, sí, voy a impedirlo, y sea lo que Dios quiera.

Va a salir y se detiene al ver a Luis que viene de la calle.

ESCENA VII

JULIA Y LUIS

JULIA: — ¡Ah!

LUIS: — Dígame usted… Carlos…

JULIA: — Está… no sé… ¡ah!

Se oprime las sienes en actitud desesperada.

LUIS: — ¿Qué tiene usted? Está usted muy conmovida; tranquilícese usted.

Julia, muda de dolor y desesperación, le muestra con un consternado ademán a Carlos y Emilia que salen del brazo y seguidos de don Críspulo y la Condesa. Vase con precipitación por la izquierda.

LUIS: — La turbación de esa joven, la repugnancia de Carlos hacia la boda... Vamos, aquí hay gato encerrado.

ESCENA VIII

LUIS, LA CONDESA, DON CRÍSPULO, EMILIA, CARLOS

CRÍSPULO: — En mi vida he visto novios tan fríos; puede decirse que se aman con la más completa indiferencia.

CONDESA: — Se comprende: la turbación del momento.

CARLOS: — Hola, Luis, ¿qué traes de nuevo? *(A Críspulo y Emilia)*. Mi amigo don Luis de Robles.

Sitúanse los interlocutores del modo siguiente: la condesa y don Críspulo sentados en el sofá, conversan entre sí. Emilia, sentada junto al velador que había al otro extremo, se entretiene en hojear un álbum. Carlos permanece de pie en el centro de la escena siguiendo el movimiento del diálogo.

EMILIA: — (¡Calla! Es mi enamorado incógnito.)

LUIS: — (Después de saludar a todos en general, se dirige a Carlos.) ¿Al fin te has resuelto?

CARLOS: — ¿Qué quieres? Pero no me hables de eso.

LUIS: — Insisto porque me parece que no estás contento.

CRÍSPULO: — *(A la Condesa indicando una condecoración que él lleva en el pecho.)* Me la consiguió un amigo de Madrid; por cierto que bien cara me cuesta. No es esto decir que me deje llevar mucho de estos colgajos, pero ya comprenderá usted que suelen ser convenientes.

CONDESA: — (Así dicen todos.)

LUIS: — (A Carlos.) ¡Qué escucho! ¿Según eso, te alegrarías de que el casamiento no se verificase?

CARLOS: — Cuidado, que pueden oírte.

EMILIA: — *(Dejando en la mesa el álbum.)* (¡Jesús, qué fastidio! Y ese joven es amigo de Carlos. ¿Qué se dirán?)

LUIS: — *(Reflexionando.)* Un nuevo capricho de la novia produciría tal vez su resistencia al pactado himeneo; retrocediendo ella, tendría Carlos ocasión de hacer lo propio. En ello, el beneficio lo recibiríamos ambos; creo que puedo proceder sin ofender a mi amigo. Vamos allá.)

Se dirige a Emilia y saluda.

EMILIA: — Caballero, tengo mucho gusto... (Me parece todavía más simpático de cerca.)

CONDESA: — ¡Qué hace Luis!

CRÍSPULO: — ¿Señora, no me oye usted?

CONDESA: — ¡Ah! Sí, señor: decía usted que se promete un asiento en el Senado. (¡Qué hablarán esos muchachos! Si vendrá el tonto de Luis a entorpecer...)

LUIS: — Observo que el novio está algo caviloso y como intranquilo: no es así como debe mostrarse un hombre tan dichoso.

EMILIA: — ¡Dichoso! ¿Qué dice usted?

Carlos, que desde que presentó a Luis se ha mantenido paseando por el fondo como pensativo, al ver que la Condesa trata de hablarle, se acerca a ella por el lado opuesto a Críspulo.

CONDESA: — *(A Carlos.)* ¿Por qué abandonas tu puesto?

CARLOS: — Déjeles usted, señora. Están más a gusto que si yo les interrumpiera. Además, no debo desde ahora darla de celoso.

CONDESA: — Pero tu indiferencia no es oportuna.

Carlos se acerca a los jóvenes y al poco se retira.

EMILIA: — *(A Luis.)* Obsérvela usted bien cuando la vea de cerca: la mezcla de sangre tiene señales infalibles. Usted me dirá, que por qué soy tan severa con ellos cuando hay tantos y tantas de su estofa en nuestra buena sociedad, que pasan por lo que no son; pero usted comprenderá que los tales, por lo menos ya están admitidos.

LUIS: — (Cualquiera diría que esta familia no tiene nada que echarse en cara en la materia; pero eso, ¿ quién lo sabe? No será ella por cierto quien lo revele.)

CONDESA: — Sí, don Críspulo, estoy con usted en lo que me cuenta: esos nobles de ayer son insufribles, al paso que la gente de cuño viejo es más tratable. Ya se ve: en éstos es natural lo que en los otros artificio. Sobre todo los alias de que ya hemos hablado... Sí, porque más bien parecen apodos que títulos.

EMILIA: — En verdad que si por algo consentiré en casarme, será por hacer que mi marido me lleve a viajar, a París sobre todo; ¡qué hermoso debe ser!

Carlos que ha vuelto a acercarse a Luis y Emilia, oye esto último.

LUIS: — ¡Oh, oh!

CONDESA: — *(Poniéndose de pie.)* (Tiempo es ya de interrumpir la conversación de aquellos niños.) Vamos, pronto sonará la orquesta. *(Al ver que algunos caballeros y señoras pasan por el foro con dirección al salón.)* Ya los convidados inundan el salón. He querido festejar a los novios con un poco de música y baile, no tanto porque me place celebrar este día, cuanto para que vean ambos que no soy intolerante con los placeres de la juventud. Todo va a ser alegría. *(Se oye una orquesta que toca danza criolla.)* A propósito, ya tocan la danza.

EMILIA: — ¡Ah! ¡Qué bueno!

LUIS: — ¡Qué oigo! Esta danza es ¿para quién?

CONDESA: — Carlos, la primera es de rigor.

CARLOS: — Sí, señora, haré lo que usted ordene. (Estoy hecho un autómata.) Emilia...

Invitándola.

EMILIA: *(A Luis, indicándole a Carlos con pesar mal disimulado).* —Ya usted ve. Bailaremos la segunda.

LUIS: *(En alto).* —Muy bien. *(A Emilia.)* Va a parecerme demasiado larga. (Esto va en popa, y no pierdo la esperanza. ¡Dirá Carlos que no sirvo para nada! En este terreno le desafío. Que venga aquí con sus librotes y su juicio. ¡Bah, bah, bah!)

Vase tras la pareja.

CONDESA: — Vamos también.

CRÍSPULO: — Los que ya no bailamos... En fin, buscaré a don Serafino y jugaremos al tresillo.

Vase dando el brazo a la Condesa.

ESCENA IX

JULIA, *luego* JORGE

JULIA: — *(Saliendo por la puerta de la izquierda.)* ¡Se van a bailar! Ellas tienen galanes, amigas, y yo... no tengo una sola amiga, y el que podría ser para mí otra cosa más grata, acaba de serme robado.

JORGE: — (Con librea de gala.) ¡Cómo Julia! ¿Qué haces por aquí? i Ah! ¡Qué cara tienes tan demudada. Tú sufres: cuéntame. Sabes que si ellos te rechazan, yo soy tu amigo. ¡Pobre, Julia! ¡Si supiesen que a pesar de tu clase podrías ir y decirles tantas cosas! Cosas que harían temblar a alguno de los que se están divirtiendo en ese salón. Mi señora no ha debido ocultártelo tanto tiempo; pero ella calla, y yo debo también callar: guardaré silencio... Además, no sé si mis palabras te harían más desgraciada.

JULIA: — ¿Qué dices, Jorge? No te entiendo

JORGE: — Es una historia que cada vez que te veo triste, y sobre todo, cuando comprendo por qué lo estás, viene a mi memoria. Pero se acerca mi amito, y voy a servir a los *blancos*. Ea, Jorge, cierra la boca y a tu obligación.

Vase hacia el salón de baile.

ESCENA X

JULIA, CARLOS

CARLOS: *(Sin ver a Julia.)* He endosado a Luis el resto de la danza, y vengo huyendo de ese salón en donde todo es tedio para mí... ¡Qué veo! ¡Julia!

JULIA: — ¡Carlos! ¿Estaba usted tan mal en el baile, que así abandona a su pareja? ¿Cuántó mejor no se pasa allí? Se baila, se goza, se ama tal vez (en tanto que aquí se sufre, se llora).

CARLOS: — Tú lo has querido... pero estás conmovida, sufres demasiado. Dices que allí se ama. ¿Quién? ¿Yo, por ventura? ¿No has tenido la crueldad de decirme que amas a otro? ¡Oh! no lo puedo creer. Dime que has mentido para obligarme a obedecer a mi madre.

JULIA: — ¡Oh!

CARLOS: — Sí has mentido, porque tú no puedes amar a otro que a mí. ¿No es verdad que no amas a otro? ¿Que es a mí a quien amas?

JULIA: — Dios no lo quiere así.

CARLOS: — ¡Dios, Dios! Él nos ha puesto juntos en la misma senda. Los hombres, son los hombres los que pretenden separarnos. Dios quiere la fraternidad entre sus hijos. Él no ha creado las preocupaciones sociales: Él las combate con sus leyes de amor.

JULIA: — ¡Ah! Carlos, huya usted de mí; piedad le pide mi corazón.

CARLOS: — ¿Piedad de ti? Pídeme amor.

JULIA: — ¡Carlos, Carlos!

CARLOS: — Pero tu acento, tus miradas, tu corazón te venden, ¡ah! si no me amas, dímelo de otro modo para que lo crea.

JULIA: — (¡Qué lucha, Dios mío!) Por Dios, que van a encontrarnos aquí... Hágalo usted por mí...

CARLOS: — Por ti, sí; por ti hasta mi vida, hasta mi felicidad.

JULIA: — No, tal felicidad sería un remordimiento para mí. Y luego, acaso algún día, su familia odiándome por haber amado a usted, viéndome como la mancha de su nombre… sufrir su desprecio… ¡Ah! ¡No! Y usted tal vez entonces...

CARLOS: — Yo... ¿qué?

JULIA: — Usted participando de su desdén, de mi oprobio, de mi remordimiento...

CARLOS: — Julia, estás loca; ¿qué prefieres, qué pretendes?

JULIA: — ¡Oh! No puede ser. Morir y nada más sólo me resta.

CARLOS: — No, tú me amas, te amo y no puedo consentir en tu desgracia. Yo adoro a Dios en ti, porque eres tú su ángel más hermoso. Háblenme de distancias sociales; las desprecio, y te adoro.

JULIA: *(Con ternura.)* ¡Carlos! (Éste le toma las manos. Retirándolas.) ¡Ah! No, no.

ESCENA XI

Dichos, EMILIA Y LUIS *del brazo, han podido ver el movimiento de* CARLOS *por retener las manos de* JULIA. DON CRÍSPULO *y la* CONDESA.

EMILIA: — ¡Qué veo!

JULIA Y CARLOS: *(Con sorpresa.)* — ¡Ah!

EMILIA: — Eso sólo me faltaba; ¡qué osadía! *(Se desprende del brazo de Luis y dice a don Críspulo.)* — Señor, yo no debo sufrir semejante ofensa.

CONDESA: — ¡Qué!

CRÍSPULO: — ¿Qué me dices, hija mía? *(Emilia le habla al oído.)* Señora Condesa, se hace a mi hija el poco favor de...

CONDESA: — ¿Cómo?

JULIA: — (¡Dios mío, amparadme!)

CRÍSPULO: — ¡Creer que mi hija pueda aceptar semejante competencia!

CONDESA: — Señor mío, no comprendo…

CARLOS: — Pero yo no puedo consentir…

JULIA: *(A Carlos.)* — Silencio…

LUIS: (¡Esto se enreda; magnífico!)

EMILIA: — No hay que dudarlo: ¡aquí estaban muy asidos de las manos.

CONDESA: — ¡Qué escucho!

EMILIA: *(A Luis.)* ¿No es verdad, caballero?

LUIS: — Es... innegable.

CRÍSPULO: — Señora, ya usted lo ve.

CONDESA: — Poco a poco: creo que ambos exageran… Carlos, Julia: explíquense ustedes.

EMILIA: — ¡La muy atrevida!

LUIS: (¡Cuando digo que la boda no se hará!)

CONDESA: — Caballero, no está bien que Emilia insulte así a esa muchacha. (¡Oh! ¡quién lo imaginara!)

EMILIA: — ¡Sí, eso es; calle usted, papá, y deje que me rivalice con una... mulata!

CARLOS: — ¡Señorita!...

JULIA: — ¡Ah!

Cae desmayada en el sofá de la izquierda.

CARLOS: *(Acudiendo a ella.)* ¡JULIA!

CONDESA: *(Interponiéndose.)* Carlos, no es ese tu lugar.

EMILIA: — No se apuren ustedes, es fingido: todas ellas son así... tan melindrosas!

CARLOS: — Señorita, ¡muy bien!

CONDESA: *(A don Críspulo.)* —Disimule usted esa ocurrencia. Yo tomaré un partido que pondrá a cada uno en su lugar.

CRÍSPULO: — Pero…

EMILIA: — La boda no debe hacerse. Adiós, señora. Vamos, papá; basta de baile.

LUIS: (Y no se hará, según parece)

CRÍSPULO: *(Yéndose del brazo, con Emilia.)* —¡Y todo ello por una cuarterona!

LUIS: (Anda, Luis, camina con valor tras *(indicando a don Críspulo* la fortuna.)

Vase tras ellos.

CONDESA: *(A Carlos, en tono de reconvención y tratando de apartarlo de Julia con alguna violencia.)* —¡Carlos!

CAE EL TELON

TERCER ACTO

La decoración del segundo acto.

ESCENA I

LA CONDESA, JORGE

JORGE: — Sí, señora; acaba de verla el médico, y dice que la calentura continúa bastante fuerte.

CONDESA: — ¡Pobre muchacha! Ha pasado una noche muy agitada. Yo estuve, como sabes, a su cabecera hasta más de las doce. ¿Dices que en lo restante no descansó?

JORGE: — No, señora; según Juana, que veló junto a ella desde que se separó su merced, ha estado Julia con mucha inquietud y como delirando. No ha cesado de hablar de la muerte y otras cosas muy tristes, nombrando a su merced y al niño Carlos a cada momento, en medio de palabras que no hemos podido comprender.

CONDESA: — ¿Y mi hijo?

JORGE: — Parece que tampoco la pasó muy bien: le he sentido andar por su habitación toda la noche. Salió desde muy temprano y no ha vuelto; sin duda habrá almorzado fuera.

CONDESA: *(Mirando su reloj.)* —¡Son las dos de la tarde! Di a Juana que me espere en mi cuarto; allá iré dentro de algunos minutos; que no dejen un instante sola a la enferma.

JORGE: — Se hará lo que manda su merced.

Vase.

ESCENA II

LA CONDESA, *sola*

¡Lástima me causa esa infeliz; pero ha abusado cruelmente de mis bondades! Quiero suponer que haya sido alucinada por Carlos, cuyas ideas de llaneza me causaron siempre el mayor disgusto; pero darle oídos, alentando tal vez sus esperanzas, entorpecer así mis proyectos, es cosa que no puedo perdonarle. Preciso es que salga ella de casa y que no vuelvan a verse. Y gracias que he logrado persuadir de nuevo a don Críspulo. *(Pausa.)* Sorpresa me ha causado, no la pasión de Carlos, sino el objeto. ¿Y cómo imaginar que tenía en casa la conjuración? Hola, señor don Críspulo.

ESCENA III

LA CONDESA, DON CRÍSPULO

CRÍSPULO: — Señora condesa, beso sus pies.

CONDESA: — Sin duda viene usted a decirme que está ya dispuesta Emilia.

CRÍSPUOLO: — Sí lo está, aunque no me ha costado poco vencer su repugnancia. Después de la entrevista que, a invitación de usted, tuvimos usted y yo aquí esta mañana, entrevista en que logró persuadirme de que esa muchacha no volverá a darnos otro mal rato, fui a casa y la emprendí con mi hija. La tarea era más difícil de lo que suponíamos; pues ella, que nunca tuvo grande apego a la boda, fundaba en el suceso de anoche grave resistencia. Hícela comprender que todo ello era una bagatela, y que alejada Julia de Carlos, a quien sin duda había seducido, pues cuidé de echar sobre ella toda la culpa, no habría que temer una rivalidad que Emilia juzgaba, y con razón, tan ofensiva. Hice todo lo posible ya que no era justo desistir de un matrimonio concertado y de mutua conveniencia, por un lance que al fin puede tener fácil remedio.

CONDESA: — Así, así, don Críspulo; me place hallar en usted un hombre tan cuerdo, tan racional.

CRÍSPULO: — Por último, logré, si no convencerla, persuadirla, gracias a esos y otros argumentos.

CONDESA: — Ya lo esperaba yo de la discreción de usted y del respeto que ha sabido inspirar a Emilia, cuya docilidad es fruto de la buena educación que usted le ha dado.

CRÍSPULO: — Como decía, no han sido sólo verbales mis argumentos; los ha habido muy positivos. A más del regalo de boda que le tenía prometido, y que será cuantioso como usted sabe, le he ofrecido hoy un magnífico tronco de caballos del Canadá, y el mejor y más costoso aderezo que a su gusto encuentre, en la ciudad; además, un viaje a Europa en que Carlos habrá de consentir, no sólo por ser de su gusto, cuanto como medio de separar a Carlos de...

CRÍSPULO: — Al fin, lo principal es casarlos: después; entre usted y yo arreglaremos las cosas según convenga a ellos mismos. Usted sabe que entre nosotros siempre ha reinado la mayor cordialidad, y que siempre nos hemos entendido.

CRÍSPULO: — Por supuesto... Pero es preciso que esa chica...

CONDESA: — Pierda usted cuidado. Tan luego como pueda salir, dejará esta casa, y corre de mi cuenta componerlo de modo que ella y mi hijo no vuelvan a verse.

CRÍSPULO: — No tanto por mí como por Emilia. Ante el paso de ayer noche, ni usted ni yo podíamos permanecer impasibles. Yo encolerizado me expresé con alguna dureza; pero la noche trae consejo y hemos reflexionado, acabando por convercernos de que entre personas que saben de mundo y de negocios, no es cosa de abandonar uno brillante porque esos tontuelos interpongan su capricho. Yo me juzgaría tonto, si al cabo de mi carrera me detuviese una bicoca, cuando he pasado por cosas mayores al realizar otros negocios.

CONDESA: — Y es como debe ser.

CRÍSPULO: — Ahora lo que falta es ver cómo persuadimos a Emilia en la cuestión de tiempo. Está dispuesta, pero pretende dilatar el casamiento hasta verse segura de que no ocurrirá otro lance parecido.

CONDESA: — Todo lo contrario. Es forzoso persuadirla de que debe verificarse la boda cuanto antes, hoy mismo; así podremos disponer de ellos mejor.

CRÍSPULO: — ¡Hoy! Tan pronto. ¡Qué dice usted!

CONDESA: — Dentro de una hora o antes; no hay tiempo que perder.

CRÍSPULO: — Pero ella no consentirá...

CONDESA: — Una joven bien educada por usted debe ser sumisa y obediente. Todo está listo. Se han obtenido las dispensas necesarias, y se casarán aquí en casa a despacho cerrado dentro de media hora, tan luego como vuelva usted y Carlos venga.

CRÍSPULO: — ¿Y cómo convencer a mi hija? ¿Ella que está acostumbrada a hacer su santa voluntad? Yo, no hay duda que la he educado bien, como usted dice; pero no sé quién diablos la ha enseñado a decir *no*, o *lo quiero así*, según se le antoja, y voy a tener una escena en que Dios me ampare.

CONDESA: — ¡Y qué! ¿No tiene usted medios idénticos a los que empleó esta mañana? Refuerce usted los argumentos y ya verá si triunfa.

CRÍSPULO: — Sí, pero...

CONDESA: — Si ella ha consentido en lo mayor, doblando las promesas, consentirá en lo menor.

CRÍSPULO: — Es que ya me cuestan sus remilgos más de lo que usted presume.

CONDESA: — ¿No es la única hija de su corazón? ¿Lo que usted posee no será todo para ella? Don Críspulo, vaya usted pronto, es urgente, indispensable. Puede usted decirle que el casamiento de Carlos será desengaño y castigo para esa malhadada Julia, que tan funesta ha venido a ser a nuestros planes.

CRÍSPULO: — Ya que es así, trataré de persuadirla, y Dios lo quiera.

CONDESA: — Quedo aguardándolos. Nada de ceremonias, ¿entiende usted? Será cosa puramente privada y de familia; nada de gran *toilette*; traje de calle o familiar, y nada más. La prontitud es lo que importa.

CRÍSPULO: — Vaya, probemos pues.

Vase.

ESCENA IV

LA CONDESA, *sola*

CONDESA: — ¡Gracias a Dios! Al fin creo que por parte de éstos conseguiré mis deseos. ¡Ojalá pudiese decir lo mismo respecto de Carlos! Aún no lo he visto desde anoche, y temo que no vendrá en todo el día, faltando oportunamente. ¿Qué pensará? En verdad que me intranquiliza su tardanza. Pero vendrá: porque sin duda desea saber cómo sigue la enferma; y como cree que el proyecto de matrimonio está deshecho… Ahí viene, ¡ah!, ¡qué me place!

ESCENA V

LA CONDESA, CARLOS

CARLOS: — ¡Señora!...

CONDESA: — Te aguardaba...

CARLOS: — Y yo, si quiere usted que sea sincero, le diré que temía encontrarla.

CONDESA: — El culpable teme a su juez.

CARLOS: — ¡Yo culpable!

CONDESA: — ¿Lo dudas?

CARLOS: — Mi conciencia está tranquila.

CONDESA: — Entonces debe ser sobrado elástica.

CARLOS: — A fe que no comprendo ese lenguaje, madre mía.

CONDESA: — ¿Hallarás infundado mi enojo después de lo que ha pasado?

CARLOS: — ¡Ah! ya comprendo; y si no acertaba, era por no juzgar grave delito lo que es natural y honrado.

CONDESA: — A no ser que supongas que debo estar satisfecha de ti y aun aplaudir tu falta de respeto. ¡Bueno sería que se hubiese roto por semejante escándalo, un proyecto de boda generalmente conocido!

CARLOS: — ¡Qué oigo!

CONDESA: — No es posible retroceder.

CARLOS: — ¡Ah!

CONDESA: — Está resuelto.

CARLOS: — Es decir, que insiste usted aún...

CONDESA: — ¿Y por qué no? Allanado el nuevo inconveniente que presentó una ocurrencia que no quisiera recordar, sólo debo pensar en que no se repitan tales escenas por demás desagradables. ¡Olvidarse de sí mismo hasta ese punto; poner tus ojos en quien debieras respetar, sobre todo por la consideración que me debes!

CARLOS: — Señora, repito que mis fines eran honrados.

CONDESA: — No basta esa protesta de seguridad. Vista la diferencia de condiciones que jamás consentiría en allanar, ¿qué fines honrosos podrían esperarse? No estoy dispuesta a tolerar locuras; he resuelto que se verifique el matrimonio cuanto antes.

CARLOS: — Pero es necesario disponer...

CONDESA: — Todo está dispuesto. Ella renunciará a sus ilusiones al ver reforzada la barrera que debe existir entre los dos. Su educación ha sido honrada, y si no es indigna de los principios que le he inculcado, si no es ingrata a mis beneficios, se conformará con su deber.

CARLOS: — Semejante precipitación, señora, es imposible.

CONDESA: — Está resuelto.

CARLOS: — Pero...

CONDESA: — Una palabra más, en oposición, y esa muchacha saldrá ahora mismo de esta casa; lo exige el honor de mi familia, mi decoro.

CARLOS: *(Resignémonos por ahora, ganemos tiempo.)* Callaré.

CONDESA: — Voy a terminar los preparativos. Carlos, quiero ser obedecida. Aguárdame aquí un momento.

CARLOS: — Semejante precisión,

CONDESA: —Caballero, el hijo que no obedece, no honra a su madre: repito que me aguarde usted, que no salga de casa sin mi venia. Yo se lo mando.

CARLOS: — Bien está, señora.

ESCENA VI

CARLOS, *solo*

CARLOS: Aguardaré, pero en vano. Quizás al obedecerla ahora, lo hago por la última vez. ¡Yo que me prometía que Emilia y su padre habían desistido! Pero ya se ve, el don Críspulo es un verdadero acéfalo ante mi madre, y como tal un autómata.

Respecto a Emilia, ¿quién fía en la voluntad de una mujer tan necia? ¡Mi madre les ha hablado sin duda y les ha convencido. Ellos, que en medio de tanta vanidad tienen tan pocos escrúpulos cuando se trata de sus intereses o su ambición... Está visto que mi madre, tenaz como siempre, no retrocede, y mi esperanza queda desvanecida con la nueva aceptación de don Críspulo y su hija. Por fortuna había previsto el caso y trabajaba por mi cuenta. Partiré, llevaré conmigo a Julia, si quiere seguirme, a otros países en donde no imperan estas mezquinas preocupaciones coloniales. Una vez allí mi madre habrá de perdonarnos y aceptar mis socorros, si es que, como teme, nuestra fortuna desaparece con mi repulsa al matrimonio que me exige. ¡Oh madre mía! Yo trabajaré para que tengas opulencia si es preciso; ¿pero debo plegarme a la injusticia? ¿Debo inmolar a tu ambición la dicha de dos seres que tú no puedes menos de amar? Oh! Yo creo que Dios me escucha; y Él que penetra las intenciones, no puede ver en mí un hijo ingrato... Oye, Jorge; y Julia, ¿cómo está?

ESCENA VII

CARLOS Y JORGE

JORGE: — La calentura no disminuye. Ahora voy a la botica por esta receta que acaba de dejar el médico.

CARLOS: — A ver: una preparación calmante de las más enérgicas. Por supuesto que el doctor habrá dejado instrucciones claras del tiempo y forma en que debe la enferma tomar esta bebida.

JORGE: — Una cucharada cada dos horas.

CARLOS: — Ten cuidado. Si tomase algo más, sería peligroso y tal vez mortal.

JORGE: — Esté su merced tranquilo.

CARLOS: — Bueno, ve corriendo... A propósito... oye: pienso partir cuanto antes, tan luego como pueda burlar la vigilancia de mi madre...

JORGE: — Mande el niño Carlos.

CARLOS: — Estoy decidido. Trataré de persuadir a Julia de que me siga.

JORGE: — ¡Ah! Comprendo.

CARLOS: — Tú la servirás de guía y custodia cuando llegue el caso, es decir, tan luego como esté en disposición de ponerse en camino. La facilitarás, todos los medios, e iréis a reuniros conmigo en donde ella te dirá. ¿Habrá modo de que reciba ahora una carta mía?

JORGE: — La señora mandó que no se dejase entrar en la habitación de Julia más que al médico. Juana la asiste con igual orden.

CARLOS: — ¡Fatalidad! Se pierde un tiempo precioso... ¿Dónde está la señora? ¡Si Yo pudiese hablarla! ¿Dónde está la señora?

JORGE: — ¡Ah! niño. Si la señora viese a su merced acercarse al cuarto de la enferma, todo se lo llevaría el diablo.

CARLOS: — Es verdad, tienes razón; y lo que más conviene es que no sospeche de mi proyecto... Escribiré, y cuando regreses con la medicina, harás porque llegue a manos de Julia una carta. Ve, pues, a la botica, y vuelve a buscarme aquí o en mi cuarto. *(Vase Jorge.)* Necesito marchar antes de lo que pensaba. Haré porque ella parta después con Jorge. Por lo pronto permaneceré soltero y libre. Mientras no sea de otra, puedo ser suyo. *(Va a escribir y desiste al ver a la Condesa.)* ¡Ah! ¡Mi madre!

ESCENA VIII

CARLOS, LA CONDESA

CONDESA: — Te encuentro aquí, lo esperaba, y agradezco tu obediencia.

CARLOS: — Debe usted estar satisfecha. Sólo me resta suplicar a usted dilate por un día, por algunas horas...

CONDESA: — No puede ser, Carlos.

CARLOS: — Lo suplico, lo ruego, madre mía; ¡tal presteza en asunto tan serio!...

CONDESA: — Por lo mismo que lo es, debe apresurarse.

CARLOS: — Tengo que disponer aún algunas cosas.

CONDESA: — Es imposible perder más tiempo; ya he dado mi palabra, y está todo listo. Lo demás nos expondría a interpretaciones que no nos favorecen. Cuando ignoraba lo que ahora sé, podía ser más indulgente; ahora tienes que hacerte perdonar y tranquilizarme respecto de un particular sumamente delicado.

CARLOS: — Es decir, que veo burlada del todo mi esperanza. Cuando creía que lo ocurrido podría retrasar esa funesta boda, viene por lo contrario a precipitarla. ¡ Soy muy desgraciado, ciertamente.

CONDESA: — Te casarás hoy, y saldréis en seguida para el ingenio. En cuanto a esa muchacha, es forzoso que purgue su osadía; y tan luego como esté buena...

CARLOS: — ¿Qué piensa usted hacer, señora? Es inocente. Si escuchó mis amorosas palabras, no ha sido sin grave resistencia. Y sólo cediendo a mi importunidad. Madre, ¿qué piensa usted hacer de ella? Debo saberlo.

CONDESA: — Pretendo evitar la deshonra de mi casa; evidenciar que niego toda indulgencia a unas relaciones desiguales y peligrosas. El buen nombre de nuestra familia está por medio, y por consiguiente, ha terminado mi censurable bondad. Debo hacerte comprender si lo has olvidado, como parece, que Julia ha debido ser sagrada para ti. Preciso es que yo te recuerde la cordura, ya que tus pretensiones absurdas la desmienten.

CARLOS: — Pues bien, madre: yo la amo y no consentiré que se la ofenda ni trate mal. Si no es igual, a mí por la cuna, está tal vez más alta que yo por su corazón; más alta, sí, porque yo he podido mostrar la voluntad de un hombre, y sólo he mostrado la debilidad de un niño. Deberes tiene el hijo; pero también los tiene la razón, y no he sabido alzarme en favor de ésta. ¡Que no es igual a mí... pobre sarcasmo!

CONDESA: — ¡Igual a ti! ¡Llaneza incomprensible! ¡Es decir, que eres igual a la hija de la esclava María! El padre de esa muchacha, que era su dueño, vendió a otro la madre con ella en su seno, avergonzándose del fruto que iba a resultar de su extravío. ¿Eres, pues, igual a esa muchacha que su mismo padre negó antes de nacer y que negaría hoy si la conociese?

CARLOS: — No importa, señora. Eso añade mayor interés a su desgracia. Yo que la amo, no debo abandonarla aunque me llamen loco. Sé que usted tiene buen corazón, madre mía, y que no tocará uno solo de sus cabellos; ¿pero eso evitará que sea despreciada y confinada, sábelo Dios, por el crimen de haberme inspirado amor? Si ella es infeliz desde la cuna, ya que la cuna es delito para ciertos seres; si un padre inicuo, por evitar que saliese a su rostro la prueba de un censurable descarrío o por el vil interés de su codicia (cosa no muy rara entre nosotros), la vendió antes de nacer; si el mundo la convirtió en mercancía cuando aún pertenecía exclusivamente a Dios; si entonces la única mano bienhechora que la sacó de su estado; si usted, madre, al decirle: levántate y mira al cielo que es nuestro origen, lo hizo para dejar caer sobre su frente algún día, por la culpa sólo de haber amado, el manoplazo feudal de la soberbia; yo que la amo, porque el cielo la hizo interesante y amable a mis ojos, soy quien debo indemnizarla de los males que le ha causado el mundo; yo debo presentarla ante Dios diciendo: Señor, tú la creaste tuya, y los hombres te la han robado. Ella que es tu hija, ha sido vendida como Tú también lo fuiste, por uno de los seres que venden su sangre, por uno de los Judas que existen en el mundo para cambiar las almas por dinero; yo, pues, la rescato con mi amor, y la devuelvo a su celeste origen.

CONDESA: — ¡Qué escucho! Apenas creo lo que oigo. Me avergüenzo de tus palabras. Estás loco, sin duda. ¡Y es mi hijo quien profiere tales desatacos, y ante mí se permite tales palabras! Ahora menos que nunca debo ceder: ceder es la deshonra, y a poco que tolerase, la llevaría ante el ara a mi despecho. Que salga, que salga inmediatamente de esta casa.

Da algunos pasos hacia la puerta de la derecha con mucha resolución.

CARLOS: — No señora, no saldrá sino conmigo.

CONDESA: — ¿Cómo impedirlo?

CARLOS: *(Interponiéndose con respeto pero con firmeza.)* —No lo sé... mas la protejo.

CONDESA: — ¿Por qué medios?

CARLOS: — La ley..., digo mal: la justicia...

CONDESA: *(Con grande energía haciendo por apartar a Carlos de la puerta.)* —¡Aparta!

CARLOS: *(Con amargura y decisión.)* — ¡Señora!...

CONDESA: — Saldrá ahora mismo, cualquiera que sea su estado: yo lo quiero.

CARLOS: *(Bruscamente.)* — No lo consentiré.

CONDESA: *(Retrocediendo.)* — ¡Cielos! ¡Y es mi hijo!

CARLOS: *(Cayendo de rodillas.)* —Madre mía, piedad... piedad para ella y para mí!. *(Levantándose.)* ¡Ah! Señora, compadezca usted mi estado. ¡No he querido ofender a usted, pero soy muy infeliz! Mi corazón sufre mucho y tengo en él un mundo de amargura. Usted que fue tan buena para Julia, no debe hacerla más desdichada; que sin nacer lo era. Que ignore siempre la saña con que usted acaba de amenazarla. ¡Ah madre mía! Si mis palabras han podido ofenderla, mi corazón no las ha dictado.

Durante esta escena, ha pasado Jorge de vuelta de la botica con un frasco que parece ser el recetado, hacia la puerta a que conduce a la habitación de Julia, saliendo después y regresando al salón, no sin mostrar algún curioso interés por lo que pasa o dicen en la escena. Ahora viene de la antesala.

ESCENA IX
Dichos y JORGE

CONDESA: — ¿Qué hay?

JORGE: — Acaban de entrar y esperan en el salón.

CONDESA: — Que tengan la bondad de aguardar un instante; allá vamos. *(Vase Jorge.)* Es ya un compromiso serio; su ruptura sería una desgracia. Ahora me avergonzaría; evítame el sonrojo.

CARLOS: — ¡Madre, madre! ¿Quiere usted hacerme completamente desgraciado? No puede ser.

CONDESA: — Tu casamiento me tranquilizaría respecto de tu loca inclinación a Julia. Haz lo que anhelo... i Yo te ofrezco tenerla siempre a mi lado, y aun la amaré como... a una hija... Carlos!

CARLOS: — ¡Oh! Muerte, serías un bien.

CONDESA: (¡Ah, qué idea! Es preciso..., veamos. El momento es supremo, ¿a qué detenerme? Es un recurso disculpable, necesario.) Hijo mío: el enlace que te propongo es ahora de conciencia. Debo curarte de un amor imposible, y evitar criminales consecuencias... Entre Julia y tú, hay un abismo. Aun cuando ella fuese de tu propia condición, aun cuando tuviese todo el oro y todos los atractivos del mundo, no podría ser tu esposa.

CARLOS: — ¡Cómo!

CONDESA: — Lo que se cuenta de su nacimiento, fue pura invención para cubrir un extravío.

CARLOS: — ¡Qué dice usted!

CONDESA: — Si la he tratado como hija, ha sido porque respeto la memoria de tu padre... Me fuerzas a decírtelo.

CARLOS: — ¡Qué oigo! ¡Cielos, tened piedad de mí!

CONDESA: — Y ahora, ¿vacilarás? ¡Carlos, decídete, por Dios, que nos aguardan!

CARLOS: — ¡Ah!

CONDESA: — El abismo entre los dos es ahora inmenso.

CARLOS: — Sí, inmenso!

CONDESA: — Debo impedir que caigas en él... ¡El incesto!

CARLOS: — ¡Qué horror!

CONDESA: — Ven, y huye de ella para siempre.

CARLOS: — Sí, sí... Haga usted de mí lo que quiera.

CONDESA: — Carlos, ven a poner entre ella y tú la barrera salvadora; ven, hijo mío, ven.

Aprovechándose del estupor de Carlos, la Condesa le ase del brazo llevándole consigo.

ESCENA X

JORGE, *que sale por el lado opuesto y que les ha visto marchar*

JORGE: El sacerdote espera en la sala. ¡Va a casarse con la hija de ese hombre! ¡Pobre Julia! Si pudiese verla... Y el niño Carlos que pensaba llevársela; pero, ¿qué haré? Sin duda no ha escrito la carta de que me habló. (Buscando en la mesa.) Nada, no hay nada. Además, ¿de qué serviría si va a casarse? ¿Cómo es que ha consentido? ¿Qué habrá hecho la señora para obligarle? Voy a ver si Juana me deja hablar con Julia... Pero, ¿qué miro? ¡Es ella!...

ESCENA XI

JORGE Y JULIA, *que sale con el cabello suelto, pálida y febril, expresando en su fisonomía su malestar físico y su desesperación. Su traje un poco descuidado, da a conocer que se ha vestido con el desaliño y rapidez que debe suponerse en quien como ella acaba de dejar el lecho del dolor.*

JORGE: — ¡Julia! ¿Cómo estás aquí? ¿Por qué has salido de tu cuarto con calentura?... ¡Y Juana te ha dejado salir!

JULIA: — Duerme.

JORGE: — La pobre Juana ha velado toda la noche. Estaría rendida de sueño.

JULIA: — Dime... ¿y él?...

JORGE: — Todo estaba preparado para su fuga y la tuya.

JULIA: — Pues vamos.

JORGE: — Pero parece que se ha visto obligado a obedecer a la señora.

JULIA: — ¡Cómo!

JORGE: — Está en el salón...

JULIA: — Acaba...

JORGE: — Julia, vuelve a tu cuarto.

JULIA: — Y ella sin duda estará también en el salón. Le jura un amor que es pura falsía! ¡Qué veo! *(Mirando hacia el fondo.)* ¡Un sacerdote! ¡Ah! Comprendo... Van a enlazarse ahora mismo, aquí en casa... ¡Dios mío!... Pero ¿qué me importa?... ¡Ah! Siento fuego en las entrañas y en las sienes... parece que va a rompérseme la cabeza.

JORGE: — Es un vahído... Llamaré...

JULIA: — ¡Silencio! No llames, no es necesario... te lo suplico. El sudor baña mi frente, es de hielo, y sin embargo en ella hay algo que me quema. Esta mancha... ¿no ves esta mancha?...

JORGE: — Julia, deliras...

JULIA: — Una mancha que debe ser muy visible, porque todos la ven, todos me la echan en cara. ¡Cuando todos lo dicen!... Y sin embargo, esta mancha no es la del crimen: la tuve desde mi primer instante, nací con ella... ¡ah! ¡Si pudiese borrarla! ¡Dicen que soy bella-. ja... ja... ja... ! ¿Cómo puedo serlo con esa mancha? Ella es mi pecado original, ¡pero sin redención, sin redención!...

JORGE: — Serénate, por Dios.

JULIA: — ¡Pues qué!... ¿No estoy serena? Ellos se casan y yo... me río. Ya lo ves, me río... ¿me quiere más serena? Yo también voy a casarme. ¿No oyes mi epitalamio?

Hay una palma en el valle
a quien allá en otros días
las aves, dulces cantoras,
a saludarla venían.

Llegó luego la tormenta
y por el rayo fue herida;
su tronco secóse, ¡ay triste!...
Las aves ya no volvían.

¿No es verdad qué es muy bonito mi epitalamio? Quiero ponerme los adornos de la boda *(Tratando de arreglarse el cabello.)* Jorge, tráeme flores... necesito flores para mi frente. Quiero ver si oculto esta mancha que me abruma, la mancha de mi origen; pero no me traigas mirtos ni azahares; esas flores son muy alegres y deben servir para otras más felices ... ¡yo estoy tan triste! Tráeme lirios, que son tristes como yo… siemprevivas que sirvan para un sepulcro... Quiero ya mi vestido de boda, blanco como el armiño, como la pureza... como un sudario.

JORGE: — Julia, por Dios, por tu madre: vuelve a tu cuarto. No debe estar, no estás bien aquí.

JULIA: — Mi madre, dices que mi madre... ¡Yo no tengo madre! ¿Dónde está? No lo recuerdo... Sin duda ha muerto. Si ella no hubiese muerto, estaría aquí, respondería cuando la llamo. ¡La he llamado en vano tantas veces! No, no vive: ahora recuerdo que siempre me lo han dicho... ¿No es verdad que era esclava? ¡Qué horror! ¡Debió morir sin duda de pesadumbre, al ver que me ponía en el mundo para ser tan desgraciada! Sí, ella ha muerto, porque siento que alguien me llama desde otra parte, desde otro mundo... Sí ella es quien me llama, me llama tan dulcemente... ¡Oh! Sólo una madre puede llamar así!

JORGE: — Julia, Julia, me das miedo... ¡Oh! ¿Qué hacer?

JULIA: — Ellos se casan... están en la iglesia. Ven acá, Jorge. ¿No oyes el órgano? Qué hermoso es lo que tocan; parece un canto de otra vida... ¿No oyes la campana qué triste?... Y sin embargo, celebran un casamiento. ¡Ahl ¡No, qué boba soy! Son campanas que doblan… es un entierro que cantan. ¿Quién ha muerto?... Algún rico tal vez porque es un entierro muy pomposo... ¡Ah! ¡Vosotros los que rogáis por un muerto a quien no conocí, rogad por mí también... por una desdichada!... ¡Ah! Si es por mí, ruegan por mí... y no puedo rezar, ni llorar tampoco... porque tengo fuego en la frente y en los ojos, y no puedo rezar ni llorar... y luego esta mancha!... *(Se golpea la frente.)* ¡Ah! Me muero.

Déjase caer lentamente en un sillón como vencida por tenaz y angustiosa modorra.

ESCENA XII

Dichos, LUIS

LUIS: — ¡Hola!... ¿Qué es eso? ¿Qué veo?

JORGE: — Señor, yo no sé lo que pasa, pero me parece que está muy mala... Caballero, llame su merced, por Dios.

LUIS: — ¿Y dónde están?

JORGE: — En el salón.

LUIS: — He visto el carruaje de Emilia y su padre venir hacia aquí.

JORGE: — En el salón están todos; acaso, esté ya concluido el casamiento.

LUIS: — ¿Qué me dices? ¿Pero ignoran el estado de esa joven?...

JORGE: — Sí, señor.

LUIS: — Llamaré para que la socorran. (Evitemos y ganemos tiempo.)

Vase.

ESCENA XIII

Dichos, menos LUIS

JORGE: — Julia, es menester que vuelvas a tu cama. Vendrán los amos y si te encuentran aquí y en ese estado... la alarma para el niño Carlos será mayor.

JULIA: *(Con suma postración y languidez.)* —¿Qué dices? Déjame... Siento un peso tan grande en la cabeza... y en todo mi cuerpo... Quiero dormir... quiero morir...

JORGE: — Ven, Julia, ven. Es preciso que la lleve de todos modos.

ESCENA XIV

Dichos, CARLOS, LA CONDESA, DON CRÍSPULO, EMILIA *y* LUIS.
Aparecen juntos, pero por el orden indicado.

CARLOS: — ¡ Julia!... ¡Cielos!...

CONDESA: — ¿Qué es eso? ¿Así se cumplen mis órdenes? ¿Cómo está aquí?

CARLOS: — Madre mía, ¡socorro, por Dios!

CRÍSPULO: *(Con ira, reconcentrada.)* — Cuando dije que esa muchacha...

EMILIA: *(Con marcado desdén.)* — Vea usted, papá, si tenía yo razón.

JORGE: (¡Era tarde: estaban casados! Pensemos en otra cosa, pues aquí ya estoy de más.) *(Saludando.)* Celebraré que el accidente no sea cosa mayor.

Vase.

CARLOS: (Que ha examinado a Julia al par que la Condesa.) —Sin pulso… la frente helada…

JULIA: *(Al oír la voz de Carlos abre los ojos aunque con dificultad, procura sonreír y le tiende la mano.)* — ¡Ah! ¡Carlos... yo... pesado sueño!... ¡Qué felicidad... poder dormir tan dulcemente!.

CARLOS: — Pero ¿qué ha pasado? ¿Cómo ha sido esto?

JORGE: *(Como quien recuerda de repente.)* — ¡Ah!

Corre hacia el cuarto de Julia.

CRÍSPULO: — Mucho temía este lance, Condesa.

EMILIA: — Y lo peor es que ya no tiene remedio: ¡ya soy su esposa!

CRÍSPULO: — ¿Qué dice usted a eso?

CONDESA: — Déjeme usted ahora. Hijo mío, ¡en qué situación me has puesto con tu funesto amor!

CARLOS: — Madre, omita usted por favor reconvenciones. Socorro necesita esta infeliz... Julia, Julia, ¿no me oyes? Yo te llamo... Julia... ¡no responde!

JORGE: *(Trayendo vacío el frasco de la receta.)* — Mire su merced, niño Carlos.

CONDESA: — ¿Qué es eso?

JORGE: — La medicina que traje… Se levantó al descuido de Juana, y la bebió de un golpe.

CARLOS: — ¡Qué escucho! Se muere sin remedio... pronto: tinta, papel. *(Va a pulsarla.)* No, ya no hay remedio: ¡su sueño es el eterno!

JORGE: *(A don Críspulo con indignación.)* —Ella era hija de María. Era hija de usted. *(A Emilia)* Su hermana.

CRÍSPULO: *(Con terror y sorpresa.)* — ¡Qué oigo!

EMILIA: (Con sorpresa y confusión.) — ¡Mi hermana!

CONDESA: *(A entrambos.)* —¡El dice, la verdad!

CARLOS: — ¡Señora!

CONDESA: — ¡Perdón, hijo mío; era preciso!

CARLOS: *(En tono de amarga reconvención.)* —¡Madre! ¡Madre!

CONDESA: — Hijo mío, hijo mío *(corriendo a abrazarle.)*, perdóname.

Carlos rehúsa este abrazo, y la Condesa se deja caer abatida en un sillón.

CARLOS: — Dejadme: este matrimonio, hijo de la mentira, es

nulo ante Dios y ante mi conciencia: ¡lo rechazo! (Yendo a inclinarse sobre el cadáver de Julia.) ¡Julia! ¡Ídolo mío! Sólo la mentira pudo apartarme de ti; pero si vivieras, nadie, lo juro, podría arrancarme de tus brazos.

La abraza y llora con desesperación. Don Críspulo contempla a Julia aterrado. Emilia se cubre el rostro como si el dolor fuera una vergüenza.

JORGE: *(A don Críspulo con solemnidad.)* — ¡Dios hará justicia!

CAE EL TELON CON ALGUNA LENTITUD

FIN DEL DRAMA

DRAMA

HISPANOAMÉRICA

Colombia

Gustavo Andrade Rivera

Remington 22

NOTA PREVIA

¿Cómo escribir sobre lo que pasa en Colombia sin caer en el sectarismo? ¿Sin caer, sobre todo, en el novelón, si es novela, o en el dramón, si es cosa de teatro? ¡Muñecos!

Todo cuanto pueden tener de ridículo o de sectario los personajes comunes y corrientes, desaparece —por quintaesencia, por exageración de lo ridículo y de lo sectario— con los muñecos.

El sectarismo en manos de muñecos, exagerado por los muñecos, pierde su condición de tal, se minimiza, se reduce a cosa de muñecos.

Tampoco existe el ridículo para los muñecos. Aquello que de otra manera haría reír —por ridículo— resulta en manos de muñecos tremendamente trágico, limpiamente trágico.

Por eso aquí hay muñecos. Actores muñecos. A excepción del Gringo, que es el ojo extraño que nos mira, los ojos extraños que se admiran de nuestro peligroso juego de muñecos; a excepción de la Madre y del Padre, que son las víctimas del juego, el dolor puro, todos los demás personajes son muñecos.

El primer cuadro tiene lugar diez o quince años atrás. Al comienzo de la violencia. Es de noche.

El segundo, al día siguiente. Once de la mañana.

La sucesión de ocurrencias del tercero tiene lugar a distintas horas del día o de la noche. Lo que importa saber es que todo eso está ocurriendo, que es tiempo presente.

PERSONAJES

PADRE
MADRE
GRINGO
MUÑECO **GUSTAVO**
MUÑECO **JORGE**
MUÑECO **ISIDRO**
MUÑECO **EMPLEADO PÚBLICO**
MUÑECO **FOTÓGRAFO**
MUÑECO **LOCUTOR**
MUÑECO **ÁNGEL NEGRO**
MUÑECO **ÁNGEL BLANCO**
MUÑECO **ÁNGEL BICOLOR**
MUÑECO **ÁNGEL DE ETIQUETA**
MUÑECO **VOCEADOR AZUL**
MUÑECO **VOCEADOR ROJO**
MUÑECOS **BANDIDOS** *(tres)*
MUÑECOS **CICLISTAS** *(tres)*
MUÑECOS **VECINOS AZULES**
(Varios, de ambos sexos)
MUÑECOS **VECINOS ROJOS**
(Varios, de ambos sexos)
MUÑECO **REINA**
MUÑECOS **CAMPESINOS**
(Varios, niños y viejos, hombres y mujeres)
Además, MUÑECOS REALES *de* **CAMPESINOS**
y de un **NIÑO.**

ESCENOGRAFÍA

Cortinas negras. Ni paredes, ni puertas, ni ventanas. Sobran esos detalles. Únicamente cortinas negras. Al centro —foro—, dos ataúdes negros. Bandera azul sobre uno. Bandera roja sobre el otro. Una corona en cada ataúd. En cada corona, cinta negra con letras blancas, muy legibles, dicen, respectivamente: GUSTAVO, JORGE. Gustavo y Jorge son hermanos de padre y madre. Cirios encendidos. Quizá no haga falta más iluminación. Entre los dos ataúdes, dos sillas de mimbre.

Al levantarse el telón, MADRE y PADRE —se recuerda que MADRE, PADRE y GRINGO no son muñecos, son los únicos personajes reales— están sentados en las sillas de mimbre. También se recuerda que MADRE y PADRE son las víctimas, el dolor puro. La MADRE tiene un rosario y desgrana las cuentas en silencio, con movimientos apenas perceptibles de los labios. El silencio se acentúa con ocho campanadas —son las ocho de la noche— y con los dobles del toque de difuntos que vienen de una iglesia distante

Empiezan a llegar los vecinos. MUÑECOS VECINOS AZULES —vestidos totalmente de azul— por un lateral. Lateral derecho del escenario, izquierda del público. MUÑECOS VECINOS ROJOS —vestidos enteramente de rojo— por el otro. Se forman dos grupos que se miran con temor y rencor. Con odio. Se acomodan en torno de los ataúdes: los azules, en el ataúd de bandera azul; los rojos, en el de bandera roja. Es evidente una gran tensión. Hay un momento de extremo embarazo, en el cual parece que los dos grupos de muñecos, enfrentados, se van a ir a las manos. Después, alternadamente, es decir, Un MUÑECO VECINO AZUL, un MUÑECO VECINO ROJO, un MUÑECO VECINO AZUL, etc., hasta terminar, se acercan a dar la condolencia a los padres. A los padres que, en medio de la muñecada de los vecinos, permanecen hieráticos, con un dolor que los asusta —que los pone por encima— de lo que ocurre a su lado. Al dar la condolencia, los muñecos de los dos colores se tropiezan, se estorban, se empujan. Finalmente, cada grupo sale por donde entró. Música obviamente fúnebre. La oscuridad se va acentuando. La llama de los cirios tiembla como si quisiera apagarse. De la iglesia distante llega un toque de campana.

CUADRO PRIMERO

MADRE: —¿Las ocho y media?

PADRE: —*(Después de un silencio, ni tan largo que desocupe la sala ni tan corto que dañe el dramatismo del momento. Igual con los silencios, las pausas de la conversación que viene.)* Las ocho y media.

MADRE: —¿Mañana... el entierro?

PADRE: —Sí... Mañana el entierro.

MADRE: —¿A qué horas?

PADRE: —El señor cura dijo que a las once.

MADRE: —¿Pasará... algo?

PADRE: —Están exaltados... Los azules, por la muerte de Gustavo...; los rojos, por la muerte de Jorge... Me temo que sí, que sí va a pasar algo.

MADRE: —*(Levantándose.)* ¡Dios mío! ¡Más muertos, más muertos! ¿Cómo empezó esto, Dios mío?

PADRE: —*(También se levanta.)* ¿Cómo empezó? *(Pausa.)* ¿Cómo empiezan los ríos? ¿Cómo empieza un río crecido, que brama y se encrespa y arrastra contigo y con todo lo tuyo? ¿Qué sabe el ojo de agua, la mana perdida entre las arrugas de una montaña, de los destrozos, de la desolación y la muerte que va a causar en el valle? ¿Cómo empezó?... Yo preferiría saber cómo va a terminar. ¡Cuándo va a terminar!

MADRE: —No me importa saber cómo va a terminar.., porque ya terminó. Para nosotros, todo terminó ya.

PADRE: —Yo creo que apenas empieza.

MADRE: —*(Colérica.)* Terminó ya, ¿me oyes? ¡Terminó! Ahí está el fin. *(Muestra los dos ataúdes)*. Pero sí quiero saber *(Reponiéndose.)* cómo empezó todo esto. ¡Quiero saber qué pecado cometimos y cuándo lo cometimos, porque esto es un castigo! *(Directamente al PADRE.)* ¿Has cometido tú ese pecado?

PADRE: —El río jamás regresa a la fuente... como no sea en forma de nube.

MADRE: —Yo no soy un río, ¿me oyes? ¡Yo soy una madre! Y te juro por Cristo, por... por esos dos hijos muertos... que supe ser una madre, una buena madre!

PADRE: —¿Y yo ... ?

MADRE: —Tú también fuiste un buen padre... Dios mío, ¿cómo empezó esto? *(Al PADRE.)* ¡Dímelo! Tú lo sabes porque eres hombre..., ¡porque estas son cosas de hombres!

PADRE: —¿En qué se distinguen los azules de los rojos?

MADRE: —¡Los azules son malos! ¡Malos! Van vestidos de azul, con banderas azules, gritando, vociferando contra los rojos, armados hasta los dientes, y asesinando..., asesinando hasta que la víctima fue nuestro hijo Jorge. *(Se bota llorando sobre el ataúd de Jorge.)*

PADRE: —¿Y los rojos?

MADRE: —*(Abrazándose ahora al ataúd de Gustavo.)* ¡También son malos! ¡Malos! Van vestidos de rojo, con banderas rojas, gritando, vociferando contra los azules, armados hasta los dientes y asesinando.... asesinando hasta que la víctima fue nuestro hijo Gustavo. *(Llora sobre el ataúd.)*

PADRE: —¿Y hace veinte años... eras capaz de distinguir un azul de un rojo?

MADRE: —*(Levanta la cabeza, sorprendida por la pregunta.)* No...

PADRE: —Yo tampoco. Es una diferencia que nunca pude entender... ¿Qué eran hace veinte años mi compadre Roque y mi compadre Isidro?

MADRE: —*(Más desconcertada todavía.)* Pues..., pues Isidro era el que cargaba los clavos... y Roque era el que cargaba la corona de espinas en las procesiones del Viernes Santo. Roque era el que pagaba la misa cantada, y la pólvora, y toda la fiesta de su santo San Roque; y la fiesta de San Isidro, también con mucha pólvora y misa cantada, era por cuenta de Isidro.

PADRE: —Sí. Y toda su pelea de azul el uno y rojo el otro consistía en quién iba a la procesión con la camisa más almidonada, y en quién gastaba más pólvora en la fiesta de su respectivo santo. Pero años más tarde, Isidro y Roque se mataron a tiros en el mismo atrio de la iglesia —y con ellos quince más, de lado y lado— a los gritos de "¡viva el partido azul, abajo rojos hijos de tal por cual!"; "¡viva el partido rojo, abajo azules hijos de tal por cual!".

MADRE: —Eso no responde a mi pregunta de cómo empezó eso.

PADRE: —Realmente, ¿quieres saber cómo empezó esto?

MADRE: —Quiero saberlo.

PADRE: —¿Crees que eso te va a aliviar?

MADRE: —Aunque no me alivie.

PADRE: —Te va a doler.

MADRE: —Ya nada puede doler más hondo.

PADRE: —¿Qué eran nuestros hijos?

MADRE: —*(Respuesta distinta a la esperada por el PADRE.)* Eran buenos y hermosos. Gustavo *(Abraza amorosamente el ataúd de Gustavo, lo palpa, lo recorre con las manos, como si se tratara de una cuna o del propio Gustavo.)* era alto y delgado. Tenía.... casi no tenía..., ¿te acuerdas que casi no tenía uñas en los dedos pequeños de los pies? *(Sonríe dulcemente.)* Jorge *(Pasa al ataúd de Jorge y también lo abraza)* era más pequeño y más grueso. ¿Recuerdas..., recuerdas que cuando tuvo el sarampión se salió del cuarto, y el sarampión se le consumió y se llenó de unas manchas que casi no se le quitan? *(Sonrisa, casi risa.)*

PADRE: —*(Dejándose llevar por los recuerdos que evoca la MADRE.)* Odio las tinas desde el día en que Gustavo se fue de cabeza en una y casi se nos ahoga.

MADRE: — Sí, Sí, y tú alcanzaste a sacarlo... No tomó mucha agua.

PADRE: —¡Qué bruto ese médico que casi le deja perder el brazo a Jorge! Se lo partió un sábado..., un sábado en la tarde, y no quiso operarlo hasta el lunes. Y el lunes tenía el brazo horrible, hinchadísimo y con vetas moradas.

MADRE: —Gracias a Nuestra Señora de Lourdes. Era gangrena. El lunes ya tenía gangrena, y el agua de Lourdes hizo el milagro.

MADRE: —Crecieron... Me gustaba salir con ellos..., que me tomaran del brazo y que me llevaran así, del brazo de los dos, por la calle. Siempre había alguien que me dijera: "Cómo están de grandes sus hijos, son unos hombres." Me gustaba que me dijeran eso..., me gustaba. Y a ellos también les gustaba.

PADRE: —A mí me gustaba que me dijeran: "Sus hijos son muy inteligentes, los mejores estudiantes." Yo, entonces, fanfarroneaba un poco: "Es que eso es hereditario", decía. *(Sigue un corto silencio).*

MADRE: —Antonio.

PADRE: —¿Qué?

MADRE: —*(Con terquedad.)* ¿Cómo empezó esto?

PADRE: —¿Insistes?

MADRE: —Insisto. Sé bueno y dímelo.

PADRE: —Te repito que va a doler.

MADRE: —Repito que no me importa.

PADRE: —¿Quién hizo la muerte de Gustavo?

MADRE: —*(Rápida.)* Los rojos.

PADRE: —¿Y la de Jorge?

MADRE: — *(Rápida.)* Los azules.

PADRE: —¿Y qué eran Gustavo y Jorge?

MADRE: —Gustavo y Jorge... (Se detiene bruscamente.) Pero ¿es que los acusas? ¿Están muertos y los acusas?

PADRE: —Te dije que te iba a doler.

MADRE: —¡Están muertos; mis hijos están muertos y los acusas! Los acusas porque Gustavo era azul y Jorge era rojo, ¿no es eso? Pues el uno era azul y el otro era rojo, pero no es malo ser azul o ser rojo sino cuando se es malo por dentro. Mis hijos, óyelo bien, mis hijos *(Reticencia en "mis hijos" siempre que diga "mis hijos".)*, jamás hicieron parte de los azules y de los rojos que matan y asesinan. Que los mataron a ellos. Eran buenos..., buenos y hermanables. Se querían... Sus únicas peleas, peleas tontas de hermanos, eran por la máquina de escribir.

PADRE: —¡Eso es! La máquina de escribir. ¿Qué más eran ellos?

MADRE: —¡Te lo diré, te lo diré! Mis hijos escribían, y escribir no es malo. Escribían muy bien. Hace un momento dijiste que eran muy inteligentes, y lo eran. Escribían muy bien.

PADRE: —Escribían muy bien. Y escribir no es malo. Pero ¿qué escribían nuestros hijos? ¡Mentiras! ¡Mentiras azules y mentiras rojas para los malditos periódicos de la capital! Mentiras que allá agrandaban. ¡Cómo si fuera poco, allá agrandaban esas mentiras! Eran hermanables, sí, pero yo supe que algo malo empezaba cuando Gustavo dijo que iba a escribir para el diario azul, cuando Jorge replicó, que él era rojo y que también escribiría en el diario rojo. Supe en ese momento que empezaba algo que terminaría mal. La violencia empieza cuando los hermanos se dividen.

MADRE: —¡No creo, no puedo creerlo!

PADRE: —¿Quién escribió esto? *(Avanza decidido hacia un rincón del escenario, que se ilumina bruscamente rompiendo la media luz, la casi oscuridad habida hasta este momento. Desde luego, sólo se ilumina el rincón, y lo demás sigue en penumbra. Esa luz, según se marque en el desarrollo, irá iluminando otros sitios del escenario y de platea, mientras el resto sigue a oscuras. En el rincón hay una mesa con su silla. Sobre la mesa, una vieja máquina de escribir. A lado y lado, en el suelo, papeles azules y rojos doblados como diarios. El* PADRE *revuelve la pila de diarios rojos, toma uno y avanza con él hacia el centro, saliéndose de la luz que permanece en el rincón de la máquina. Cuando empieza a leer, prácticamente en la oscuridad, sale Jorge —del fondo—, se sienta a la máquina y empieza a escribir. Jorge es un muñeco vestido de blanco. Además de ser muñeco, usa máscara roja).* ¿Quién, quién escribió esto? Escucha: "El cura párroco de esta localidad acusó hoy a los rojos de ser los autores de la muerte de Cristo, y azuzó a los azules para que formen milicias con las cuales acabar a los rojos, so pena de no entrar al Reino de los Cielos. Los buenos católicos que son los rojos se retiraron de la iglesia, pero en el atrio fueron recibidos a piedra por milicias azules preparadas de antemano por el cura y el alcalde." *(Luz sobre el* PADRE*, a tiempo que la máquina queda a oscuras.)* Te vuelvo a preguntar: ¿quién escribió esto?

MADRE: —*(Entrando a la luz.)* Parece una corresponsalía de Jorge…, seguramente por molestar un poco al señor cura.

PADRE: —Sí, es una corresponsalía de Jorge. Pero si solo quería molestar un poco, ha debido seguir molestando con su Concepción Cometa. Porque no es molestar un poco... tergiversar un sermón de las Siete Palabras.

(Y viene la VOZ DEL SEÑOR CURA *pregrabada en cinta magnetofónica que corre a la vista del público. Más claro: hay un púlpito —en el otro extremo— que se ilumina en ese momento; y sobre el púlpito —ostensiblemente colocada— una grabadora empieza a funcionar y a soltar la voz.)*

VOZ DEL SEÑOR CURA: —Así, pues, hermanos míos, Jesús murió en la cruz por causa de los pecadores. Y los pecadores de todos los tiempos, los de ayer y los de hoy —sobre todo los de hoy—, siguen dando muerte a Jesús. ¿Dónde están los católicos? ¿Los buenos católicos, de coraje y de acción? Si Jesús sigue muriendo es por causa de nuestra cobardía. Somos unos cobardes, incapaces de defender a Jesucristo. Y nos condenaremos, porque el cielo solo es de los valientes. Nos condenaremos porque los flojos nunca podrán hacer parte de las azules milicias celestiales.

(Las luces, abandonado el púlpito, enfocan al MUÑECO VOCEADOR ROJO *que está entre el público, con un lote de diarios rojos.)*

MUÑECO VOCEADOR ROJO: —¡Extra! ¡Extra! ¡Extra! El diario rojo con las noticias de las tropelías de los azules contra los rojos. ¡Extra! ¡Extra! ¡Extra! El cura párroco incita a los azules para que acaben con los rojos. El Directorio nacional rojo se queja al obispo por las tropelías del párroco. ¡Extra! ¡Extra! ¡Extra! Desde la iglesia disparan contra los rojos que salían pacíficamente de misa. ¡Extra! ¡Extra! ¡Extra! *(*MUÑECO VOCEADOR ROJO *termina por subir al escenario, de donde sale por un lateral. Luz sobre el* PADRE.*)*

PADRE: —*(Indicando al público.)* Mira las caras de la gente.

Azules y, rojos por igual están sorprendidos, pasmados, porque todo es mentira. Días después fue la fiesta de San Isidro. Mi compadre, como todos los años, se fue a quemar su pólvora, sus cohetes y sus voladores inofensivos al atrio de la iglesia.

(Luces para atrio de la iglesia, donde antes estuvo el púlpito. Puede haber un telón, alguna escenografía, o ser simplemente un atrio imaginario. Allí están MUÑECO ISIDRO *y dos o tres* MUÑECOS *más. Hacen la mímica pueblerina de quemar voladores, ayudados por el correspondiente efecto sonoro. Después de quemar algunos,* MUÑECO ISIDRO *empieza a dedicarlos.)*

MUÑECO ISIDRO: —Este va en honor de mi patrono San Isidro. *(Lo quema)*. Este va en honor de la Santísima Virgen. *(Lo quema.)* Este va en honor de San José *(Lo quema.)* Este va para el señor cura.

MUÑECO ACOMPAÑANTE: —No sea bruto, don Isidro, que los está echando para la iglesia y van a estallar allá adentro.

(Efectivamente —efecto sonoro más sonoro—, el cohete estalla dentro de la iglesia. Hay pánico, gritos y correr de la gente —muñecos— que estaban en la iglesia. Después de algunos momentos de barullo, luces sobre el PADRE, *que escarba entre los diarios azules. Con un diario en la mano se dirige hacia el centro, sa-*

liéndose de la luz, mientras Gustavo entra a la luz, es decir, a la máquina de escribir, donde se pone a teclear. Gustavo —MUÑECO GUSTAVO— es el mismo MUÑECO JORGE. Es Gustavo porque ahora lleva máscara azul.)

PADRE: —*(En la oscuridad, mientras Gustavo escribe.)* —Gustavo escribió entonces esta barbaridad: "Los rojos, en un acto de barbarie, dispararon contra el señor cura y los católicos que asistían a misa mayor el domingo pasado. Por fortuna, los azules reaccionaron varonilmente y castigaron a los miserables agresores, pero hay varios heridos, algunos de gravedad. Las víctimas de la masacre roja son atendidas por médicos llegados de la capital, pues el médico rojo de la localidad se negó a atenderlos.

MUÑECO VOCEADOR AZUL: —*(Luces sobre él entre el público.)* ¡Extra! ¡Extra! ¡Extra! El diario azul con las noticias del asalto rojo a una iglesia. ¡Extra! ¡Extra! ¡Extra! Abaleados el señor cura y los católicos por chusmas rojas que comandaba el médico del hospital. ¡Extra! ¡Extra! ¡Extra! Se desata la violencia. Muertos veinticinco azules. Huérfanos y viudas claman justicia. *(EL MUÑECO VOCEADOR AZUL sube al escenario y sale por un lateral.)*

MADRE: —*(Luz sobre ella y sobre el PADRE, al centro.)* Gustavo era zumbón. Le gustaba molestar a Jorge. Y lo del médico debió de ser sacada de clavo por la prohibición de visitarle la hija.

PADRE: —Pudo seguir siendo zumbón de otra manera. A costillas de las mulas de cría de don Fidel... o de los abuelos célibes de don Clemente. Pudo seguir inventando reinados y reinados, hasta que todas las muchachas fueran reinas de algo. ¡Mira! ¡Mira esas caras! *(Indicando al público.)* Ya no hay sorpresa ni pasmo. Ya empiezan el recelo y el rencor. ¡El odio! De ahí en adelante, las noticias, por más exageradas y mentirosas que fueran, tenían ya un fondo de verdad... Nadie sabe cuánto monte se puede quemar con un fósforo.

MUÑECO VOCEADOR AZUL: —*(Entre el público.)* ¡Extra! ¡Extra! ¡Extra! Diario Azuuulll...

MUÑECO VOCEADOR ROJO: —*(También entre el público.)* ¡Extra! ¡Extra! ¡Extra! Diario Rojooo...

MUÑECO VOCEADOR AZUL: —*(En otro sitio de platea, más cerca del escenario.)* ¡Extra! ¡Extra! ¡Extra! Diario Azuuulll...

MUÑECO VOCEADOR ROJO: —¡Extra! ¡Extra! ¡Extra! Diario Rojooo... *(También está ya más cerca del escenario.)*

MUÑECO VOCEADOR AZUL: —*(En el escenario.)* ¡Extra! ¡Extra! ¡Extra! Diario Azuuulll... *(Sale por un lateral.)*

MUÑECO VOCEADOR ROJO: —*(Desde el escenario, después de lo cual sale.)* ¡Extra! ¡Extra! ¡Extra! Diario Rojooo...

(Simultáneamente con los gritos de los MUÑECOS VOCEADORES, GUSTAVO y JORGE aparecen —son iluminados— en el rincón de la máquina de escribir. Pero como GUSTAVO y JORGE son el mismo actor con distinta máscara, el juego se reduce al cambio de máscaras. Máscara azul cuando grita MUÑECO VOCEADOR AZUL, máscara roja cuando grita el MUÑECO VOCEADOR ROJO. El cambio se hace a la vista del público, dejando la máscara que no se usa sobre la mesilla, al lado de la máquina. Con la salida de los Voceadores, Gustavo y Jorge quedan a oscuras.)

PADRE: —*(Al centro, con la MADRE, ambos bajo la luz.)* Lo demás está ahí. *(Muestra los montones de periódicos azules y rojos, que en ese momento se iluminan)*. Y ahí... *(Muestra los dos ataúdes.)* Y ahí.... y ahí..., y ahí... *(Muestra hacia distintos lados.)* Dondequiera que haya un rancho quemado, una cosecha perdida..., una cruz a la orilla del camino. Ahora se matan por su par de colores. Por su maldito azul. Por su maldito rojo. Pero esto es solo el comienzo. Más adelante se matarán... por nada, por matar, simplemente por el placer de matar. Por eso dije que no importa saber cómo empezó esto, sino cómo va a terminar, cuándo va a terminar.

MADRE: —¿Cómo pueden ser culpables los que ahora son víctimas?

PADRE: —El río jamás regresa a la fuente.

MADRE: —¡Me los mataron! ¡Azules asesinos que asesinaron a mi hijo Jorge! ¡Rojos asesinos que asesinaron a mi hijo Gustavo! ¡Malditos sean! ¡Fue con fusil! ¡Fue con fusil! *(Sale.)*

PADRE: —¿Adónde vas?

MADRE: —Ya vuelvo. *(Regresa enseguida con un fusil.)* Vamos a tirar esto, vamos a quemarlo, a destruirlo, porque esto tiene la culpa de lo que nos pasa... a nosotros..., a este pueblo. *(Lanza el fusil al PADRE, quien lo apara y lo pone a la luz para que se vea que es un Rémington calibre 22.)*

PADRE: —¿Te crees de verdad que esto tiene la culpa?

MADRE: —¿No murieron ellos de fusil? *(Indica hacia los hijos.)* ¿No dices que esto apenas empieza? ¿No será fusil lo que mañana vuelva a traer la muerte? ¿No es fusil eso que tienes en las manos?

PADRE: —Sí, es un fusil Rémington calibre veintidós.

MADRE: —¡Pues destrúyelo, si no quieres que nos destruya a nosotros!

PADRE: —Este fusil es un pobre fusil inútil, esperando siempre por unos ladrones que nunca llegaron. No niego que el fusil, el fusil de los otros, tiene que ver con la violencia. A Gustavo lo acabaron balas de fusil rojo. A Jorge, balas de fusil azul. Si mañana hay más muertos, serán balas de fusil de los dos colores. Pero... ¿quién puso en armas, en fusil, a las gentes? *(Manoteando sobre los diarios.)* ¿Tendré necesidad de leerte más papeles de estos? Yo conozco algo más poderoso, más peligroso.

MADRE: —¿Qué puede ser más peligroso que un fusil en manos de los asesinos de mis hijos?

PADRE: —¡Esto! *(Tira el fusil sobre la mesa y toma la máquina de escribir.)* Esto, en manos de los dos locos de nuestros hijos.

MADRE: —¡No! ¡No! (Se acerca y la palpa amorosamente.) La vieja máquina de escribir de nuestros hijos. ¿Cómo se te ocurre?

PADRE: —Es Rémington.

MADRE: —¿Rémington?

PADRE: —Modelo mil novecientos veintidós.

MADRE: —¡Dios mío! ¡Rémington veintidós! *(Se lanza sobre los dos ataúdes. Telón.)*

CUADRO SEGUNDO

ESCENOGRAFÍA

Calle bicolor, azul por un lado —derecha del público— y roja por el otro. Nada de detalles. Dos paneles completamente lisos, pintados de azul y rojo. A lo sumo, manchas, grandes brochazos en blanco o negro, para sugerir edificios. La calle tiene perspectiva hacia foro.

Al levantarse el telón, los vecinos aparecen cargando y rodeando los ataúdes de Gustavo y Jorge. MUÑECOS VECINOS AZULES —sólo hombres—, el ataúd de bandera azul; MUÑECOS VECINOS ROJOS —hombres—, el de bandera roja. Todos llevan fusiles. Por el centro —obvio que sin armas—, MADRE y PADRE. Es una marcha hacia el cementerio que, quizá, se podría iniciar desde platea, entre el público. Cuando la procesión llega al fondo y se pierde de vista, hay un breve oscurecimiento. Ahora regresan los vecinos, sin los padres. Se detienen al borde del escenario porque en ese momento aparecen, viniendo del fondo, por la acera que les corresponda según el color, MUÑECO VOCEADOR AZUL y MUÑECO VOCEADOR ROJO, voceando su mercancía.

MUÑECO VOCEADOR AZUL: —¡Extra! ¡Extra! ¡Extra!

MUÑECO VOCEADOR ROJO: —¡Extra!¡Extra! ¡Extra!

MUÑECO VOCEADOR AZUL: —¡ Asesinado por los rojos el corresponsal de este diario! ¡Extra! ¡Extra! ¡Extra!

MUÑECO VOCEADOR ROJO: —¡ Asesinado por los azules el corresponsal de este diario! ¡Extra! ¡Extra! ¡Extra!

(Era la chispa que fallaba. Los dos grupos compran los respectivos diarios y, mientras salen los voceadores, leen las noticias, se enardecen, se amenazan de grupo a grupo- —todo en mímica, sin voces— y terminan por atacarse. El sitio del encuentro es la mitad de la calle. Oscuridad, gritos y tiros. Después, silencio absoluto. Una luz suave muestra un revuelto montón de vecinos muertos, fusiles caídos y diarios desparramados. Aparecen los voceadores, por la acera respectiva, caminando hacia el foro. No vocean. Van despaciosamente, con una indiferencia total por los muertos. Detrás de ellos avanzan la oscuridad y un viento que agita los diarios sobre los caídos. De la iglesia distante llegan las doce campanadas del mediodía y los dobles del Angelus. Telón.)

CUADRO TERCERO

Escenario vacío y en completa oscuridad. Las voces y ruidos que siguen pueden estar grabados en disco o cinta magnetofónica.

VOZ DEL JEFE DE LOS BANDIDOS: —¿Usted qué es?

VOZ ATEMORIZADA: —Yo... seré azul.

VOZ DEL JEFE: —Dice que es azul, muchachos. *(Descarga cerrada. Y el golpe de un cuerpo al caer.)*

VOZ DEL JEFE: —¿Y usted?... ¿Qué es usted?

VOZ ESPERANZADA: —Rojo. Yo soy rojo.

VOZ DEL JEFE: —Este es rojo, muchachos. *(Descarga y golpe.)*

VOZ SIN NINGUNA ESPERANZA: —Nada, nada. ¡Dios mío!, yo soy... yo soy campesino. Yo no hice nada.

VOZ DEL JEFE: —¡Ajá!... Conque te quieres salvar. *(Risotada del JEFE y risotada de los otros bandidos.)* Conque nada. *(Risotadas generales.)* Conque campesino. ¿Y te estás pensando que los otros eran doctores? *(Más risas.)* Pues mejor que seas campesino, porque así te mueres con los calzones puestos. Esa es la diferencia entre los doctores y los campesinos: que los campesinos se mueren con los calzones puestos porque duermen con los calzones puestos. Y si resulta que eres doctor —un doctor debajo de esos calzones hediondos a meados—, tampoco es el primero que nos cargamos, ¡maldita sea! Doctorcitos en calzoncillos es lo que abunda en cualquier asalto a los pueblos, debajo de las camas. *(Risas.)* Doctorcitos sorprendidos, asustados, cobardes, que se dejan abusar la mujer y las hijas, con la jeta callada, sin soltar siquiera un carajo, que se dejan matar de rodillas, pidiendo perdón, con el revólver debajo de la almohada. ¿Sabes lo que eres? Pues un vivo, un vivo. Solo que te estás pasando de vivo, y eso es malo con nosotros. Con nosotros nadie se pasa de vivo, como no sea para muerto. *(Otra vez risas.)* Pues vas a ver.... ¡vivo! ¡Vas a verlo en seguida! ¡Candela, muchachos! *(Tercera descarga. Tercer cuerpo que cae. Ruido de personas armadas que salen. Y luego, en medio del silencio más absoluto, se empieza a hacer la luz.)*

> *(El fondo del escenario es un telón blanco y templado —una especie de bastidor— para que, mediante juego de luces, proyecte, agrande y hasta deforme las sombras. Detrás de ese telón está la escenografía propiamente dicha, de ambiente campesino, nocturna y trágica: puede ser otro telón, en el cual se haya dibujado con negro.*
>
> *A la izquierda —del público— se ve, humeante todavía, lo que fue un rancho campesino.*
>
> *Al otro lado —derecha— está el* GRINGO. *De espaldas al pú-*

blico, escribe en una vieja Remington. Su escritorio es un cajón desvencijado, o una tabla que se apoya sobre dos pilas de ladrillos. GRINGO es un corresponsal extranjero: los nombres de la Prensa que representa están escritos en tablillas muy visibles, clavadas a un madero, como señales de tránsito en el cruce de los caminos.

Al centro, los tres campesinos asesinados. Son tres muñecos reales. La paja que los rellena se les debe salir por las extremidades, a manera de manos y pies. La cabeza es un coco al cual se le dibujan toscamente los ojos, la nariz y la boca. Están tirados ridículamente, como tres espantapájaros caídos. Sus sombras se proyectan, se agrandan y se deforman en el telón del fondo.

El GRINGO, concentrado en su trabajo, no mira a ningún lado. Es obvio que escribe sobre lo que acaba de suceder. Solo se oye el tecleo de la Rémington.

Entra MUÑECO ÁNGEL NEGRO. Es ángel, pero es muñeco. ¿Hará falta repetir que todos los personajes —menos MADRE, PADRE y GRINGO— son muñecos que deben hablar y actuar y comportarse como tales? Desde luego, tiene alas. Mira sorprendido a los muñecos del suelo, al GRINGO, al público, a todas partes. No se explica lo ocurrido. Repite las miradas. Se acerca a los muñecos, les alza los brazos y se los deja caer; caen pesadamente, sin vida. Mira al GRINGO, le hace algunas señales, y termina por llamarlo al mismo tiempo que indica hacia los muñecos.)

MUÑECO ÁNGEL NEGRO: —*(Voz de muñeco, pero suave y dulce, porque es de muñeco ángel.)* Gringo..., Gringo...

(El GRINGO continúa escribiendo, sin hacer caso. MUÑECO ÁNGEL NEGRO repite la llamada.)

MUÑECO ÁNGEL NEGRO: —*(Voz más alta.)* ¡Gringo, Gringo!

(Tampoco, el Gringo hace caso. Teclea vigorosamente. Por tercera vez MUÑECO ÁNGEL NEGRO indica los muñecos caídos y llama.)

MUÑECO ÁNGEL NEGRO: —¡Gringo! ¡Gringo!

GRINGO: —*(Casi sin volverse.)* ¡Okey..., okey!... *(El GRINGO ha estirado el brazo izquierdo y mueve afirmativamente la mano. Con eso da a entender que está enterado. Es todo, porque vuelve a escribir. MUÑECO ÁNGEL NEGRO, con cierta dignidad, con cierta unción en el gesto, se inclina sobre los muñecos caídos y los recoge: dos en la mano derecha, uno en la izquierda. Sale con ellos. La luz se apaga lentamente. Lo último que se ve es el* GRINGO *aporreando la Rémington. La espalda del* GRINGO.*)*

(Entonces, sorpresivamente, se oyen gritos de mujer en la sala —"¡Socorro, socorro, socorro!"— detrás del público. Por el callejón de platea corre MUÑECO CAMPESINA *perseguido por tres* MUÑECOS BANDIDOS. *Mientras avanzan hacia el escenario, se hace la luz.*

Aparece lo mismo que antes: el rancho que humea, el GRINGO *que escribe —ha cambiado de lugar, pero sigue de espaldas— y, otra vez, los campesinos asesinados, es decir, los muñecos en el suelo en la misma postura.* MUÑECO CAMPESINA *y* MUÑECOS BANDIDOS, *perseguida y perseguidores —ella con sus gritos de socorro— suben al escenario, que cruzan y recruzan, saltando por encima de los muñecos del suelo. Hay momentos en que los* MUÑECOS BANDIDOS *alcanzan a tomar un brazo, la falda o algo de* MUÑECO CAMPESINA, *pero se zafa y sigue la persecución. Por último, corren por detrás del telón blanco del fondo, y es en ese momento cuando* MUÑECO CAMPESINA *es alcanzado y vencido. Las sombras proyectadas en el telón muestran cuando cae dando un grito más potente —"¡Socoorrooo!"— y a* MUÑECOS BANDIDOS *en confuso montón, tratando de apartarse entre sí, buscando cada uno ser el primero. Oscuridad lenta. Lo último que se ve es la espalda del* GRINGO.

Cuando vuelve la luz, segundos después, MUÑECO ÁNGEL BLANCO *se incorpora del sitio donde cayó* MUÑECO CAMPESINA. *Es blanco porque va de blanco, por oposición al negro, que va de negro. Al incorporarse, queda un momento de rodillas, con los brazos estirados y las manos en el suelo, abiertas porque tiene algo en ellas. Ya en pie, se ve que es* MUÑECO NIÑO *—muñeco real, de trapo y paja— lo que tiene en las manos; lo que muestra al* GRINGO, *que —"okey, okey" y sigue escribiendo— continúa de espaldas al público.* MUÑECO ÁNGEL BLANCO, *un tanto confuso, un tanto desorientado, inicia la salida. Se da cuenta, entonces, de los muñecos del suelo. Su confusión aumenta. No halla qué hacer. Finalmente, perdida la dignidad, su compostura de ángel, a pesar de ser muñeco, recoge todo atropelladamente, y sale. Breve oscurecimiento.*

En el escenario, iluminado de nuevo, aparecen ahora Gobernación, Alcaldía, Sección de Justicia y Rehabilitación. Son apenas unas puertas con su correspondiente letrero. Cada puerta es tan solo un simple marco de madera. Nada más. El fondo sigue siendo el telón blanco, *iluminado para que transparente la escenografía que está atrás, sugiriendo siluetas abstractas de edificios, y que puede ser otro telón con dibujos en negro.* GRINGO, *al centro, casi contra las candilejas, de espaldas, escribiendo.*

MUÑECOS CAMPESINOS *de todas las edades, hombres y mujeres, entran por uno de los lados. Van cargados con todas sus pertenencias de campesinos, desde las cosas útiles hasta las inútiles e inverosímiles, —todo aquello que se agarra, a la carrera, en el momento de salir huyendo de la fuga. Se inicia así un peregrinaje —doliente peregrinaje de muñecos— de puerta en puerta, de oficina en oficina.*

Van primero a la Gobernación. Simulacro de llamar a la puerta. Sale MUÑECO EMPLEADO PÚBLICO. *Diálogo de muñecos, sin palabras, a gestos. Es evidente que* MUÑECOS CAMPESINOS *son exiliados en busca de justicia, de ayuda. Quieren hablar con el gobernador porque piensan que él puede ayudarlos.* MUÑECO EMPLEADO PÚBLICO *dice que el gobernador siente hondamente, vivamente, la tragedia de los exiliados, quiere ayudarles, y va a ayudarles, pero ahora está ocupado para atenderlos. El Gobernador les recomienda hablar con el Alcalde.* MUÑECO EMPLEADO PÚBLICO, *muy acucioso, indica hacia la Alcaldía.* MUÑECOS CAMPESINOS *se resignan: hay que ir a la Alcaldía; ya están en marcha. En ese momento sale* MUÑECO FOTÓGRAFO *y los hace regresar. "Pose, flash". Ahora, sí, a la Alcaldía.*

En la Alcaldía se repite la escena: diálogo, foto y que vayan a la Sección de Justicia porque el Alcalde está muy ocupado. MUÑECO EMPLEADO PÚBLICO *y* MUÑECO FOTÓGRAFO *de la Alcaldía son los mismos de la Gobernación. Sencillamente van de una a otra oficina, sin salir del escenario, a la vista del público.*

De la Sección de Justicia —aquí no hay MUÑECO FOTÓGRAFO, *pero siempre los mismos diálogos gesticulados, siempre el mismo* MUÑECO EMPLEADO PÚBLICO— *los mandan a Rehabilitación.*

De Rehabilitación para la Gobernación. Otra vez para la Gobernación. La mímica muñequeril dice que no, que ya estuvieron allá, que no quieren más vueltas, más burlas. Y resignados, cansados, vencidos se van tendiendo, se van hacinando en el suelo, mientras MUÑECO EMPLEADO PÚBLICO y MUÑECO FOTÓGRAFO *quitan los carteles de las cuatro puertas, las cuatro oficinas. Las sombras de la noche prolongan sus sombras trágicas de muñecos, su hacinamiento, su miseria, en el iluminado telón blanco del fondo.*

Como una nueva burla, por detrás del telón cruzan los tres MUÑECOS CICLISTAS *y* MUÑECO LOCUTOR. *Por supuesto, nada de bicicletas. Los ciclistas pedalean vigorosamente, precedidos del locutor deportivo —jadeante, gesticulante, micrófono en mano—, pero todo en mímica. Esta vez una mímica casi "ballet". Detrás de ellos —con su mímica, como uno de esos ciclistas retrasados y solitarios—,* MUÑECO ÁNGEL BICOLOR. *Bicolor, porque está de blanco de la cintura para arriba, a tiempo que lleva pantaloneta deportiva negra y piernas velludas a la vista. Después llegan las reinas.*

Las reinas pueden ser las siguientes: REINA DE LA NUEVA OLA, REINA DE LA SEMANA SIN HUELGAS, REINA DEL TURISMO SIN CONTRABANDO, REINA DE LOS PARLAMENTARIOS AUSENTISTAS, REINA DE LAS FUGAS DE PRESOS, REINA DE LOS INVESTIGADORES ESPECIALES, REINA DE LA VENTA DEL FERROCARRIL DE ANTIOQUÍA, REINA DE LA PAZ FRÍA. *Desde luego, son muñecos. Muñecos Reinas.*

REINA DE LA NUEVA OLA *es un engendro de nadaísmo, constructivismo, existencialismo, nuevaolismo; de todas esas mujercitas, medio prostitutas, medio intelectuales, que pasean por el mundo sus desgreños físicos y sus noes espirituales.*

REINA DE LOS PARLAMENTARIOS AUSENTISTAS *se anuncia, pero no aparece: está ausente.*

REINA DE LA PAZ FRÍA *es un chiste cruel frente a lo que ocurre en todas partes, especialmente en el escenario.*

Así sucesivamente, con gran imaginación, con gran inventiva. Aquí es donde el director de la obra —no se debe perder el optimismo— tiene la responsabilidad de lograr, de caracterizar, con cada reina, la caricatura particular del reinado que ostenta; y la caricatura general de nuestra estúpida pasión por los reinados. Las siete reinas son una sola persona, una sola actriz capaz de dar, en segundos —¡bien dirigida!—, los cambios físicos y espirituales que necesita cada reinado. De lo contrario, acúdase a siete mujeres. En todo caso, los Muñecos Reinas van apareciendo y desapareciendo en los cuatro marcos que antes sirvieron de oficinas. Con el escenario en penumbra, se ilumina un marco y aparece una Reina; se oscurece dicho marco, se ilumina otro y aparece una nueva Reina. Así sucesivamente hasta presentar todas las Reinas. Es un juego de luces y de Reinas, rápido, vivaz. La Reina aparece en el marco iluminado mediante un salto desde la oscuridad del fondo, saluda y ejecuta la pantomima que convenga a su caracterización. Un segundo después de la Reina salta a la luz, por delante del marco, MUÑECO ÁNGEL DE ETIQUETA. Es ángel porque tiene alas. Es de etiqueta porque lleva frac. Y es muñeco. El muñeco encargado de presentar a las Reinas. Hace una reverencia y anuncia:

MUÑECO ÁNGEL DE ETIQUETA: —Señoras y señores... ¡La Reina de la Nueva Ola!... *(En esta forma, saltando de marco a marco, las va presentando. Sólo está ausente —marco vacío— la REINA DE LOS PARLAMENTARIOS AUSENTISTAS. Entonces...)*

MUÑECO ÁNGEL DE ETIQUETA: —Señoras y señores... ¡La Reina de... los Parlamentarios Ausentistas!... *(Cae en la cuenta de que no hay reina, ejecuta cualquier muñecada concordante con la situación, con el hecho de que un muñeco diga algo que no resulta cierto, y aclara:)*—Señoras y señores... LA REINA DE LOS PARLAMENTARIOS AUSENTISTAS... está sesionando.

(Hasta aquí todo es normal. El juego de luces y de reinas ha sido rápido, ágil, pero normal. De aquí en adelante se acelera el ritmo. Vienen nuevas presentaciones de las reinas —todas las presentaciones necesarias— con una velocidad que va en aumento hasta crear- una atmósfera alucinante, irreal, de verdadera pesadilla. Los marcos se encienden y apagan y las reinas aparecen y desaparecen con tal velocidad que MUÑECO ÁNGEL DE ETIQUETA pierde la sincronía, llega tarde para anunciarlas, frena, patina, se devuelve, trata de gritar sus nombres, parece un loco. Por último, empieza a equivocar los nombres: Reina de los Parlamentarios Con-

trabandistas, Reina de los Presos Turistas, Reina de los Investigadores de la Nueva Ola, Reina del Turismo sin Parlamentarios; Reina de la Semana sin Ferrocarril de Antioquía, Reina de la Paz en Huelga, etc., haciendo juegos verbales con los nombres de los reinados. Finalmente, se detiene, con las manos en La cabeza; y, vocifera:)

MUÑECO ÁNGEL DE ETIQUETA: —¡Reinas! ¡Reinas! ¡Reinas! *(Hasta que la vociferación se le dulcifica en sollozo.)* Reinas..., reinas..., reinas...

(Cae el telón. Y todavía se oyen los sollozos de MUÑECO ÁNGEL DE ETIQUETA: "Reinas..., reinas..., reinas..." Al caer el telón, GRINGO —que no ha dejado de teclear un solo momento— queda por fuera, a la vista del público. Recoge con toda calma sus papeles, su máquina, sus letreros, baja del escenario, y sale por el callejón de platea. Se detiene un momento para preguntar a cualquiera de los espectadores de primera fila:)

GRINGO: —"Where is the post office, please? I have a very interesting story about this country, to be published in my newspaper, and I have to send it inmediately." *(Al darse cuenta de que el espectador no lo entiende, repite la pregunta en castellano, con marcado acento gringo.)* Por favor, ¿dónde queda el correo? Tengo una historia muy interesante sobre este país y debo mandarla inmediatamente a mis periódicos. *(Finge que ha tenido respuesta y agrega, con indicación de brazo.)* ¿Por allá? Gracias. (En ese momento tropieza y deja caer la máquina. Entonces exclama:) ¡Oh caramba! *(La recoge.)* Mi máquina. La quiero mucho porque la compré, muy barata a un matrimonio que quería tirarla. Es muy buena, a pesar de lo vieja. Nada menos que una Rémington del año veintidós. Una Rémington veintidós. *(Sale definitivamente.)*

FIN DEL DRAMA

Osvaldo Dragún

Historia del hombre que se convirtió en perro

REPARTO

Actor 1
Actor 2
Actor 3
Actriz
Todos

Actor 2: — Amigos, la tercera historia vamos a contarla así...

Actor 3: —Así como nos la contaron esta tarde a nosotros.

Actriz: —Es la "Historia del hombre que se convirtió en perro".

Actor 3: —Empezó hace dos años, en el banco de una plaza. Allí, señor.... donde usted trataba hoy de adivinar el secreto de una hoja.

Actriz: —Allí donde, extendiendo los brazos, apretábamos al mundo por la cabeza y los pies y le decimos: "¡Suena, acordeón, suena!"

Actor 1: —Allí lo conocimos. (Entra el Actor 1) Era... *(Lo señala.)* así como lo ven, nada más. Y estaba muy triste.

Actriz: —Fue nuestro amigo. Él buscaba trabajo, y nosotros éramos actores.

ACTOR 3: —Él debía mantener a su mujer, y nosotros éramos actores.

ACTOR 1: —Él soñaba con la vida, y despertaba gritando por la noche. Y nosotros éramos actores.

ACTRIZ: —Fue nuestro gran amigo, claro. Así como lo ven... *(Lo señala.)* Nada más.

TODOS: —¡Y estaba muy triste!

ACTOR 3: —Pasó el tiempo. El otoño.

ACTOR 2: —El verano ...

ACTRIZ: —El invierno ...

ACTOR 3: —La primavera...

ACTOR 1: —¡Mentira! Nunca tuve primavera.

ACTOR 2: —El otoño ...

ACTRIZ: —El invierno ...

ACTOR 1: —El verano. Y volvimos. Y fuimos a visitarlo, porque era nuestro amigo.

ACTOR 2: —Y preguntamos: "¿Está bien?" Y su mujer nos dijo...

ACTRIZ: —No sé.

ACTOR 3: —¿Está mal?

ACTRIZ: —No sé.

ACTORES 2 y 3: —¿Dónde está?

ACTRIZ: —En la perrera. *(ACTOR 1 en cuatro patas.)*

ACTORES 2 y 3: —¡Uhhh!

ACTOR 3: —*(Observándolo.)*

Soy el director de la perrera,
y esto me parece fenomenal.
Llegó ladrando como un perro
(requisito principal);
y si bien conserva el traje,
es un perro, a no dudar.

ACTOR 2: —*(Tartamudeando.)*

S-s-soy el v-veter-r-inario,
y esto-toto es c-claro p-para mí.
Aun-que p-parezca un ho-hombre,
es un p-pe-perro el q-que está aquí.

ACTOR 1: —*(Al público.)* Y yo, ¿qué les puedo decir? No sé si soy hombre o perro. Y creo que ni siquiera ustedes podrán decírmelo al final. Porque todo empezó de la manera más corriente. Fui a una fábrica a buscar trabajo. Hacía tres meses que no conseguía nada, y fui a buscar trabajo.

ACTOR 3: —¿ No leyó el letrero? "NO HAY VACANTES".

ACTOR 1: — Sí, lo leí. ¿No tiene nada para mí?

ACTOR 3: —Si dice "No hay vacantes", no hay.

ACTOR 1: —Claro. ¿No tiene nada para mí?

ACTOR 3: —¡Ni para usted ni para el ministro!

ACTOR 1: —¡Ahá! ¿No tiene nada para mí?

ACTOR 3: —¡NO!

ACTOR 1: —Tornero…

ACTOR 3: —¡NO!

ACTOR 1: —Mecánico…

ACTOR 3: —¡NO!

ACTOR 1: —S...

ACTOR 3: —N...

ACTOR 1: —R...

ACTOR 3: —N...

ACTOR 1: —F...

ACTOR 3: —N...

ACTOR 1: —¡Sereno! ¡Sereno! ¡Aunque sea de sereno!

ACTRIZ: —*(Como si tocara un clarín.)* ¡Tutú, tu-tu-tú! ¡El patrón!

(Los ACTORES 2 y 3 hablan por señas.)

ACTOR 3: —*(Al público.)* El perro del sereno, señores, había muerto la noche anterior, luego de veinticinco años de lealtad.

ACTOR 1: —Era un perro muy viejo.

ACTRIZ: —Amén.

ACTOR 2: —*(Al ACTOR 1.)* ¿Sabe ladrar?

ACTOR 1: —Tornero.

ACTOR 2: —¿Sabe ladrar?

ACTOR 1: —Mecánico...

ACTOR 2: — ¿Sabe ladrar?

ACTOR 1: —Albañil...

ACTORES 2 y 3: —¡NO HAY VACANTES!

ACTOR 1: —*(Pausa.)* ¡Guau..., guau...!

ACTOR 2: —Muy bien, lo felicito...

ACTOR 3: —Le asignamos diez pesos diarios de sueldo, la casilla y la comida.

ACTOR 2: —Como ven, ganaba diez pesos más que el perro verdadero.

ACTRIZ: —Cuando volvió a casa me contó del empleo conseguido. Estaba borracho.

ACTOR 1: —*(A su mujer.)* Pero me prometieron que apenas un obrero se jubilara, muriera o fuera despedido, me darían su puesto. ¡Divertite, María, divertite! ¡Guau…, guau…! ¡Divertite, María, divertite!

ACTORES 2 y 3: —¡Guau…, guau… ! ¡Divertite, María, divertite!

ACTRIZ: —Estaba borracho, pobre ...

ACTOR 1: —Y a la otra noche empecé a trabajar... *(Se agacha en cuatro patas.)*

ACTOR 1: —¿Tan chica le queda la casilla?

ACTOR 1: —No puedo agacharme tanto.

ACTOR 3: —¿Le aprieta aquí?

ACTOR 1: —Sí.

ACTOR 3: —Bueno, pero vea, no me diga "sí". Tiene que empezar a acostumbrarse. Dígame: "¡Guau..., guau!"

ACTOR 2: —¿Le aprieta aquí? *(El ACTOR 1 no responde.)* ¿Le aprieta aquí?

ACTOR 1: —¡Guau…, guau…!

ACTOR 2: —Y bueno... *(Sale.)*

ACTOR 1: —Pero esa noche llovió, y tuve que meterme en la casilla.

ACTOR 2: —(Al ACTOR 3.) Ya no le aprieta..

ACTOR 3: —Y está en la casilla.

ACTOR 2: —(Al ACTOR 1.) ¿Vio cómo uno se acostumbra a todo?

ACTRIZ: —Uno se acostumbra a todo...

ACTORES 2 y 3: —Amén...

ACTRIZ: —Y él empezó a acostumbrarse.

ACTOR 3: —Entonces, cuando vea que alguien entra, me grita: "¡Guau…, guau!" A ver..

ACTOR 1: —*(El ACTOR 2 pasa corriendo.)* ¡Guau…, guau…! *(El*

Actor 2 pasa sigilosamente.) ¡Guau..., guau...! *(El Actor 2 pasa agachado.)* ¡Guau.... guau... guau...! *(Sale.)*

Actor 3: —*(Al Actor 2.)* Son diez pesos por día extras en nuestro presupuesto...

Actor 2: —¡Mmm!

Actor 3: —...pero la aplicación que pone el pobre los merece...

Actor 2: —¡Mmm!

Actor 3: —Además, no come más que el muerto...

Actor 2: —¡Mmm!

Actor 1: —¡Debemos ayudar a su familia!

Actor 2: —¡Mmm! ¡Mmm! ¡Mmm! *(Salen.)*

Actriz: —Sin embargo, yo lo veía muy triste, y trataba de consolarlo cuando él volvía a casa. *(Entra Actor 1.)* ¡Hoy vinieron visitas...!

Actor 1: —¿ Sí?

Actriz: —Y de los bailes en el club, ¿te acordarás?

Actor 1: —Sí.

Actriz: —¿Cuál era nuestro tango?

Actor 1: —No sé.

Actriz: —¡Cómo que no! "Percanta que me amuraste..." *(El Actor 1 está en cuatro patas.)* Y un día me trajiste un clavel... *(Lo mira, y queda horrorizada.)* ¿Qué estás haciendo?

Actor 1: —¿Qué?

Actriz: —Estás en cuatro patas... *(Sale.)*

Actor 1: —¡Esto no lo aguanto más! ¡Voy a hablar con el patrón! *(Entran los Actores 2 y 3.)*

Actor 3: —Es que no hay otra cosa.

Actor 1: —Me dijeron que un viejo se murió.

Actor 3: —Sí, pero estamos de economía. Espere un tiempo más, ¿eh?

Actriz: —Y esperó. Volvió a los tres meses.

Actor 1: —*(Al Actor 3.)* Me dijeron que uno se jubiló...

Actor 3: —Sí, pero pensamos cerrar esa sección. Espere un tiempito más, ¿eh?

Actriz: —Y esperó. Volvió a los dos meses.

Actor 1: —*(Al Actor 3.)* Deme el empleo de uno de los que echaron por la huelga...

ACTOR 3: —Imposible. Sus puestos quedarán vacantes...

ACTORES 2 y 3: —¡Como castigo! *(Salen.)*

ACTOR 1: —Entonces no pude aguantar más… ¡y planté!

ACTRIZ: —¡Fue nuestra noche más feliz en mucho tiempo! *(Lo toma del brazo.)* ¿Cómo se llama esta flor?

ACTOR 1: —Flor.

ACTRIZ: — ¿Y cómo se llama esa estrella?

ACTOR 1: —María.

Actriz: —*(Ríe.)* ¡María me llamo yo!

ACTOR 1: —¡Ella también.... ella también! *(Le toma una mano y la besa.)*

ACTRIZ: —*(Retira su mano.)* ¡No me muerdas!

ACTOR 1.- - No te iba a morder... Te iba a besar, María...

ACTRIZ: —¡Ah!, yo creía que me ibas a morder... *(Sale.)*

(Entran los ACTORES 2 y 3.)

ACTOR 2: —Por supuesto...

ACTOR 3: —...y a la mañana siguiente

ACTORES 2 y 3: —Debió volver a buscar trabajo.

ACTOR 1: —Recorrí varias partes, hasta que en una...

ACTOR 3: —Vea, este... No tenemos nada. Salvo que…

ACTOR 1: —¿Qué?

ACTOR 3: —Anoche murió el perro del sereno.

ACTOR 2: —Tenía treinta y cinco años, el pobre...

ACTORES 2 y 3: — ¡El pobre… !

ACTOR 1: —Y tuve que volver a aceptar.

ACTOR 2: —Eso sí, le pagábamos quince pesos por día. *(Los ACTORES 2 y 3 dan vueltas.)* ¡Hmm... ¡Hmmm…! ¡Hmmm…!

ACTORES 2 y 3: — ¡Aceptado! ¡Que sean quince! *(Salen.)*

ACTRIZ: —*(Entra.)* Claro que cuatrocientos cincuenta pesos no nos alcanza para pagar el alquiler…

ACTOR 1: —Mirá, como yo tengo la casilla, mudate vos a una pieza con cuatro o cinco muchachas más, ¿eh?

ACTRIZ: —No hay otra solución. Y como no nos alcanza tampoco para comer...

ACTOR 1: —Mirá, como yo me acostumbré al hueso, te voy a traer la carne a vos, ¿eh?

ACTORES 2 y 3: —*(Entrando.)* ¡El directorio accedió!

ACTOR 1 y ACTRIZ: —El directorio accedió... ¡Loado sea!

(Salen los ACTORES 2 y 3.)

ACTOR 1: —Yo ya me había acostumbrado. La casilla me parecía más grande. Andar en cuatro patas no era muy diferente de andar en dos. Con María nos veíamos en la plaza... *(Va hacia ella.)* Porque vos no podéis entrar en mi casilla; y como yo no puedo entrar en tu pieza... Hasta que una noche...

ACTRIZ: —Paseábamos. Y de repente me sentí mal...

ACTOR 1: —¿Qué te pasa?

ACTRIZ: —Tengo mareos.

ACTOR 1: —¿Por qué?

ACTRIZ: —*(Llorando.)* Me parece... que voy a tener un hijo...

ACTOR 1: —¿Y por eso llorás?

ACTRIZ: —¡Tengo miedo..., tengo miedo!

ACTOR 1: —Pero ¿por qué?

ACTOR 1: —¿Porqué, María? ¿Por qué?

ACTRIZ: —Tengo miedo... que sea... *(Musita "perro". El ACTOR 1 la mira aterrado, y sale corriendo y ladrando. Cae al suelo. Ella se pone en pie.)* ¡Se fue..., se fue corriendo! A veces se paraba, y a veces corría en cuatro patas...

ACTOR 1: —¡No es cierto, no me paraba! ¡No podía pararme! ¡Me dolía la cintura si me paraba! ¡Guau ... ! Los coches se me venían encima... La gente me miraba ... *(Entran los ACTORES 2 y 3)* ¡Váyanse! ¿Nunca vieron un perro?

ACTOR 2: —¡Está loco! ¡Llamen a un médico! *(Sale.)*

ACTOR 3: —¡Está borracho! ¡Llamen a un policía! *(Sale.)*

ACTRIZ: —Después me dijeron que un hombre se apiadó de él y se le acercó cariñosamente.

ACTOR 2: —*(Entra.)* ¿Se siente mal, amigo? No puede quedarse en cuatro patas. ¿Sabe cuántas cosas hermosas hay para ver, de pie, con los ojos hacia arriba? A ver, párese... Yo le ayudo... Vamos, párese...

ACTOR 1: —*(Comienza a pararse, y de repente:)* ¡Guau.... guau!... *(Lo muerde.)* ¡Guau..., guau!... *(Sale.)*

ACTOR 3: —*(Entra.)* En fin, que cuando, después de dos años sin verlo, le preguntamos a su mujer: "¿Cómo está?", nos contestó...

ACTRIZ: —No sé.

ACTOR 2: —¿Está bien?

ACTRIZ: —No sé.

ACTOR 3: —¿Está mal?

ACTRIZ: —No sé.

ACTORES 2 y 3: —¿Dónde está?

ACTRIZ: —En la perrera.

ACTOR 3: —Y cuando veníamos para acá, pasó al lado nuestro un boxeador...

ACTOR 2: —Y nos dijeron que no sabía leer, pero que eso no importaba porque era boxeador.

ACTOR 3: —Y pasó un conscripto...

ACTRIZ: —Y pasó un policía...

ACTOR 2: —Y pasaron..., y pasaron..., y pasaron ustedes. Y pensamos que tal vez podría importarles la historia de nuestro amigo...

ACTRIZ: —Porque tal vez entre ustedes haya ahora una mujer que piense: "¿No tendré..., no tendré...?" *(Musita: "perro".)*

ACTOR 3: —O alguien a quien le hayan ofrecido el empleo del perro del sereno...

ACTRIZ: —Si no es así, nos alegramos.

ACTOR 2: —Pero si es así, si entre ustedes hay alguno a quien quieran convertir en perro, como a nuestro amigo, entonces... Pero, bueno, entonces esa.... ¡esa es otra historia! *(Telón.)*

FIN DEL DRAMA

Virgilio Piñera

Estudio en blanco y negro

REPARTO

Hombre 1
Hombre 2
Hombre 3
Novio
Novia

Una plaza. Estatua ecuestre en el centro de la plaza. En torno a la estatua, cuatro bancos de mármol. En uno de los bancos se arrulla una pareja. Del lateral derecha sale un Hombre que se cruza con otro Hombre que ha salido del lateral izquierda exactamente junto a la estatua. Al cruzarse se inmovilizan y se dan vuelta como si se hubieran reconocido. La acción tiene lugar durante la noche.

Hombre 1: —Blanco...
Hombre 2: —¿Cómo ha dicho?
Hombre 1: —He dicho blanco.
Hombre 2: —*(Denegando con la cabeza.)* No... no... no... no... Blanco, no; negro.
Hombre 1: —He dicho blanco, y blanco tiene que ser.

HOMBRE 2: —Así que esas tenemos... *(Pausa.)* Pues yo digo negro. Cámbielo si puede.

HOMBRE 1: —Y lo cambio. *(Alza la voz.)* Blanco.

HOMBRE 2: —Alza la voz para aterrorizarme, pero no irá muy lejos. Yo también tengo pulmones. *(Gritando.)* Negro.

HOMBRE 1: —*(Ya violento, agarra a HOMBRE 2 por el cuello.)* Blanco, blanco y blanco.

HOMBRE 2: —*(A su vez agarra por el cuello a HOMBRE 1, al mismo tiempo que se libra del apretón de éste con un brusco movimiento.)* Negro, negro y negro.

HOMBRE 1: —*(Librándose con igual movimiento del apretón del HOMBRE 2, frenético.)* Blanco, blanco, blancooooo…

HOMBRE 2: —*(Frenético.)* Negro, negro, negrooooo...

(Las palabras "blanco" y "negro" llegan a ser ininteligibles. Después sobreviene el silencio. Pausa larga. HOMBRE 1 ocupa un banco. HOMBRE 2 ocupa otro banco. Desde el momento en que ambos hombres empezaron a gritar, los novios han suspendido sus caricias y se han dedicado a mirarlos con manifiesta extrañeza.)

NOVIO: —*(A la NOVIA.)* Hay muchos locos sueltos...

NOVIA: —*(Al NOVIO, riendo.)* Y dilo... *(Pausa.)* El otro día...

NOVIO: —*(Besando a la NOVIA.)* Déjalos. Cada loco con su tema. El mío es besarte. Así *(Vuelve a hacerlo.)*

NOVIA: —*(Al NOVIO, un tanto bruscamente.)* Déjame hablar. Siempre que voy a decir algo me comes a besos. *(Pausa.)* Te figuras que soy nada más que una muñequita de carne...

NOVIO: —*(Contemporizando.)* Mima, yo no creo eso.

NOVIA: —*(Al NOVIO, más excitada.)* Sí que lo crees. Y más que eso. *(Pausa.)* El otro día me dijiste que los hombres estaban para pensar y las mujeres para gozar.

NOVIO: —*(Riendo.)* ¡Ah, vaya! ¿Es eso lo que tenías guardado? Por eso dijiste: "El otro día..."

NOVIA: —*(Moviendo la cabeza.)* No, no es eso. Cuando dije "el otro día" es que iba a decir... *(Se calla.)*

NOVIO: —*(Siempre riendo.)* —Acaba por decirlo.

NOVIA: —*(Con mohín de pudor.)* Es que me da pena.

NOVIO: —*(Enlazándole la cintura con ambos brazos.)* Pena con tu papi...

NOVIA: —Nada, que el otro día un loco se me declaró, y si no llega a ser por un perro, lo paso muy mal. Figúrate que... *(Se calla.)*

NOVIO: —*(Siempre riendo.)* ¿Qué hizo el perro? ¿Lo mordió?

NOVIA: —No, pero le ladró, el loco se asustó y se mandó a correr.

NOVIO: —*(Tratando de besarla de nuevo.)* Bueno, Mima, ya lo dijiste. Ahora déjate dar besitos por tu papi. *(Une la acción a la palabra.)*

HOMBRE 2: —*(Mostrando el puño a HOMBRE 1 lo agita por tres veces.)* Negro.

HOMBRE 1: —*(Negando por tres veces con el dedo índice en alto.)* Blanco.

NOVIO: —*(A la NOVIA.)* Esto va para largo. Mima, vámonos de aquí. *(La coge por la mano.)*

NOVIA: —*(Negándose.)* Papi, ¡qué más te da!... Déjalos que griten.

NOVIO: —*(Resignado.)* Como quieras. *(Con sensualidad.)* ¿Quién es tu papito rico?

NOVIA: —*(Con sensualidad.)* ¿Y quién es tu mamita rica?

HOMBRE 1: —*(Se para, se acerca a la pareja, pregunta en tono desafiante.)* ¿Blanco o negro?

NOVIO: —*(Creyendo habérselas con un loco.)* Lo que usted prefiera, mi amigo.

HOMBRE 1: —Lo que yo prefiera, no. ¿Blanco o negro?

NOVIO: —*(Siempre en el mismo temperamento.)* Bueno, la verdad que no sé...

HOMBRE 1: —*(Enérgico.)* ¡Cómo que no sabe! ¿Blanco o negro?

NOVIA: —*(Mirando ya a HOMBRE 1, ya a su NOVIO, de súbito.)* Blanco.

NOVIO: —*(Mirando a su NOVIA y dando muestras de consternación.)* ¿Blanco?... No; blanco, no; negro.

NOVIA: —*(Excitada.)* Que te crees tú eso. He dicho blanco.

NOVIO: —*(Persuasivo.)* Mima, ¿me vas a llevar la contraria? *(Pausa.)* Di negro, como tu papi lo dice.

NOVIA: —*(Con mohín de disgusto.)* ¿Y por qué te voy a dar el gusto? Cuando el loco preguntó, yo dije blanco. *(Pausa.)* Vamos a ver: ¿por qué también no dijiste blanco?

NOVIO: —*(Siempre persuasivo, pero con violencia contenida.)* Mima, di negro, complace a tu papi. ¿Qué más te da decirlo?

NOVIA: —Pídeme lo que quieras, menos que diga negro. Dije blanco, y blanco se queda.

NOVIO: —*(Ya violento.)* ¿De modo que le das la razón a ese tipejo y me la quitas a mí? *(Pausa.)* Pues vete con él.

NOVIA: —*(Con igual violencia.)* ¡Ah!, ¿sí? ¿Conque chantage? Pues oye: ¡blanco, blanco, blanco, blanco! *(Grita hasta desgañitarse, terminando en un acceso de llanto. Se deja caer en el banco ocultando la cara entre las manos.)*

HOMBRE 1: —*(Se arrodilla a los pies de la NOVIA, saca un pañuelo, le seca las lágrimas, le toma las manos, se las besa, con voz emocionada y un tanto en falsete.)* ¡Gracias, señorita, gracias! *(Pausa. Se para. Gritando:)* ¡Blanco!

NOVIA: —*(Mirándolo extrañada.)* ¿Quién le dio vela en este entierro? *(Pausa.)* ¡Negro, negro, negro!

NOVIO: —*(Se sienta junto a la NOVIA, le coge las manos, se las besa.)* Gracias, mami; gracias por complacer a tu papi. *(Hace por besarla, pero ella hurta la cara.)*

NOVIA: —¡Que te crees tú eso! ¡Blanco, blanco!

HOMBRE 1: —*(A la NOVIA.)* Así se habla.

NOVIO: —*(Al HOMBRE 1, agresivo.)* Te voy a partir el alma...

HOMBRE 1: —*(Llegando junto al NOVIO.)* Dele dos bofetadas, señor. Usted es de los míos.

NOVIO: —*(A HOMBRE 2)* —No se meta donde no lo llaman.

HOMBRE 2: —*(Perplejo.)* Señor, usted ha dicho, como yo, negro.

NOVIO: — *(A HOMBRE 2)* ¡Y qué! Pues digo blanco. ¿Qué pasa?

NOVIA: —*(Amorosa.)* Duro y a la cabeza, papi. Te quiero mucho.

NOVIO: —*(A la NOVIA.)* Sí, mami; pero eso es aparte. No le permito a ese tipejo que hable en mi nombre. Si digo negro es porque yo mismo lo digo.

NOVIA: —*(Al NOVIO.)* Pero ahora mismo acabas de decir blanco.

NOVIO: —*(A la NOVIA.)* Por llevarle la contraria, mami; por llevársela. *(Pausa.)* —Desde un principio dije negro, y si tú me quieres también debes decir negro.

NOVIA: —*(Categórica.)* Ni muerta me vas a oír decir negro. Hemos terminado. *(Adopta una actitud desdeñosa y mira hacia otro lado.)*

NOVIO: —*(Igual actitud.)* Bueno, cuando te decidas a decir negro me avisas. *(Se sienta en otro banco.)*

(HOMBRE 1 y HOMBRE 2 ocupan los dos bancos restantes. La escena se oscurece hasta un punto en que no se distinguirán las caras de los actores. Se escuchará, en sordina, cualquier marcha fúnebre por espacio de diez segundos. De nuevo se hace luz.)

NOVIO: —*(Desde su banco, a la NOVIA.)* ¿Cómo se llama este parque?

NOVIA: —*(Con grosería, sin mirarlo.)* Ni lo sé ni me importa.

NOVIO: —*(Se para, va al banco de su novia, se sienta junto a ella.)* Vamos, mami, no es para tanto... *(Trata de abrazarla.)*

NOVIA: —*(Se lo impide.)* Suelta... Suelta...

HOMBRE 1: —*(Desde su banco.)* Éste es el Parque de los Mártires.

NOVIA: —*(Sin mirar a HOMBRE 1.)* No me explico, sólo se ve un mártir.

HOMBRE 1: —*(A la NOVIA.)* Se llama Parque de los Mártires desde hace veinticinco años. Hace diez erigieron la estatua ecuestre. Es la del general Montes.

HOMBRE 2: —*(Se para, camina hacia el banco donde están los novios.)* Perdonen que intervenga en la conversación. *(Pausa.)* Sin embargo, les interesará saber que el general Montes fue mi abuelo.

HOMBRE 1: —*(Se para, camina hacia el banco donde están los novios. A Hombre 2.)* ¿Es cierto, como se dice, que el general murió loco?

HOMBRE 2: —Muy cierto. Murió loco furioso.

HOMBRE 1: —*(A HOMBRE 2.)* Se dice que imitaba el ladrido de los perros. ¿Qué hay de verdad en todo esto?

HOMBRE 2: —*(A HOMBRE 1.)* No sólo de los perros, también de otros animales. *(Pausa.)* Era un zoológico ambulante.

HOMBRE 1: —*(A HOMBRE 2.)* La locura no es hereditaria.

HOMBRE 2: —*(A HOMBRE 1.)* No necesariamente. Que yo sepa, en mi familia ha sido el único caso.

NOVIA: —*(A HOMBRE 2.)* Perdone, pero soy tan fea como franca. Para mí, usted es un loco de atar.

HOMBRE 2: —*(Con suma cortesía y un dejo de ironía.)* Perdón, señorita; su opinión es muy respetable. Ahora bien: siento defraudarla. No estoy loco. Me expreso razonablemente.

NOVIA: —*(A HOMBRE 2.)* ¿Cuerdo usted? ¿Cuerdo se dice? ¿Y cuerdo se cree? *(Pausa.)* ¿Así que usted llega a un parque, se para y grita: "¡Negro!", y cree estar cuerdo? *(Pausa.)* Pues mire, por menos que eso hay mucha gente en el manicomio. *(Pausa. A HOMBRE 1.)* Y usted no se queda atrás. Entró por allí *(Señala el lateral derecho.)* gritando "¡Blanco!".

HOMBRE 1: —*(A la NOVIA.)* Siempre es la misma canción. Si uno grita blanco o cualquier otra cosa, en seguida lo toman por loco. *(Pausa.)* Pues sepa que me encuentro en pleno goce de mis facultades mentales.

HOMBRE 2: —*(A la NOVIA.)* Igual cosa me ocurre a mí. Nadie, que yo sepa, está loco por gritar blanco, negro u otro color. *(Pausa.)* Vine al parque; de pronto me entraron unas ganas locas de gritar algo. Pues grité "¡Blanco!" y no pasó nada, no se cayó el mundo.

NOVIO: —*(A HOMBRE 2.)* ¿Que no pasó nada? Pues mire: mi novia y yo nos hemos peleado.

HOMBRE 2: —Lo deploro profundamente. *(Pausa.)* Ahora bien: le diré que eso es asunto de ustedes. *(A HOMBRE 1.)* ¿Vive por aquí?

HOMBRE 1: —No, vivo en la playa; pero una vez por mes vengo a efectuar un pago en ese edificio de la esquina. *(Señala con la mano.)* Usted comprenderá que el tramo es más corto atravesando el parque. *(Pausa.)* Y usted, ¿vive en este barrio?

HOMBRE 2: —Allí, en la esquina. *(Señala con la mano.)* Es la casa pintada de azul. ¿La ve? La de dos plantas. En ella murió el general.

NOVIO: —*(Nervioso, a ambos hombres.)* ¡Oigan! Ustedes ahí muy tranquilos conversando después de haber encendido la candela...

HOMBRE 1: —*(Mirando a HOMBRE 2 y después mirando al Novio.)* ¿La candela?... No entiendo.

NOVIO: —¡Pues claro! Se pusieron a decir que si blanco, que si negro; nos metieron en la discusión, y mi novia y yo, sin comerlo ni beberlo, nos hemos peleado por ustedes.

HOMBRE 2: —*(Al NOVIO.)* Bueno, eso de sin comerlo ni beberlo se lo cuenta a otro. Usted se decidió por negro.

NOVIO: —Porque ella dijo blanco. *(Pausa. A la NOVIA.)* A ver, ¿por qué tenía que ser blanco?

NOVIA: —*(Al NOVIO.)* ¿Y por qué tenía que ser negro? A ver, dime.

NOVIO: —*(A la NOVIA.)* Mami, no empieces...

NOVIA: —*(Al NOVIO.)* ¡Anjá! Conque no empiece... ¿Y quién empezó?

NOVIO: —*(A la NOVIA.)* Mira, mami, yo lo que quiero es que no tengamos ni un sí ni un no. ¿Qué trabajo te cuesta complacer a tu papi?

NOVIA: —*(Al NOVIO.)* Compláceme a mí. Di blanco. Anda, dilo.

NOVIO: —*(A la NOVIA.)* Primero muerto y con la lengua cosida. Negro he dicho y negro seguiré diciendo.

HOMBRE 1: —*(Al NOVIO.)* Que se cree usted eso. Es blanco.

NOVIO: —*(Se levanta, desafiante.)* ¿Qué te pasa? Está bueno ya, ¿no? No me desmoralices a mi novia. *(A la NOVIA.)* Mami, di que es negro.

NOVIA: —*(Se levanta hecha una furia. Al NOVIO.)* No, no y mil veces no. Es blanco y seguirá siendo blanco.

HOMBRE 1: —*(Cuadrándose y saludando militarmente.)* Es blanco. *(Al NOVIO, presentándole el pecho abombado.)* Puede matarme, aquí está mi corazón; pero seguiremos diciendo blanco. *(A la NOVIA.)* ¡Valor, señorita!

NOVIO: —*(HOMBRE 1.)* Y yo te digo que es negro y te voy a hacer tragar el blanco.

HOMBRE 2: —*(Gritando.)* ¡Negro, negro!

NOVIA: —*(Gritando.)* ¡Blanco!

NOVIO: —*(Gritando.)* ¡Negro!

HOMBRE 1: —*(Gritando.)* ¡Blanco!

HOMBRE 2: —*(Gritando.)* ¡Negro!

(Ahora todos gritan indistintamente "blanco" o "negro". Las palabras ya no se entienden. Agitan los brazos)

HOMBRE 3: —*(Entrando por el lateral izquierda, atraviesa el parque gritando:)* ¡Amarillo! ¡Amarillo! ¡Amarillo!

(Los cuatro personajes enmudecen y se quedan con la boca abierta y los brazos en alto.)

HOMBRE 3: —*(Vuelve sobre sus pasos, siempre gritando:)* ¡Amarillo! ¡Amarillo! ¡Amarillo! *(Desaparece. Telón.)*

FIN DEL DRAMA

DRAMA

ESPAÑA

Antoni uero Vallejo

Historia na escalera

Porque el hijo deshonra al padre, la hija se levanta contra la madre, la nuera contra su suegra: y los enemigos del hombre son los de su casa.

(Miqueas, cap. VII, vers. 6)

ERSONAJES

COBRADO LUZ
GENEROSA
PACA
ELVIRA
DOÑA ASUN
DON MANU
TRINI
CARMINA
FERNANDO
URBANO
ROSA
PEPE
SEÑOR JUAN
SEÑOR BIEN VESTIDO
JOVEN BIEN VESTIDO
MANOLÍN
CARMINA, HIJA
FERNANDO, HIJO

Esta Obra se es 14 de octubre de 1949,
en el Te ñol, de Madrid.

ACTO PRIMERO

Un tramo de escaleras con dos rellanos, en una ca odesta de vecindad. Los escalones de bajada hacia los pisos ir res se encuentran en el primer término. La barandilla que los ea es muy pobre, con el pasamanos de hierro, y tuerce para cor lo largo de la escena limitando el primer rellano. Cerca del latera cho arranca un tramo completo de unos diez escalones. La bara lo separa a su izquierda del hueco de la escalera, y a su derecl una pared. que rompe en ángulo junto al primer peldaño, fo do en el primer término derecho un entrante con una sucia na lateral. Al final del tramo la barandilla vuelve de nuevo y t a en el lateral izquierdo limitando el segundo rellano. En el de éste, una polvorienta bombilla enrejada pende hacia el h de la escalera. En el segundo rellano hay cuatro puertas: dos l s y dos centrales. Las distinguiremos, de derecha a izquierda los números I, III, II, IV.

El espectador asiste, en este acto y en el sigui la galvanización momentánea de tiempos que han pasado. Los s tienen un vago aire retrospectivo.

(Nada más levantarse el telón cruzar y subir fatigosamente al COBRADOR DE LA LUZ, *p su grasienta cartera. Se detiene unos segundos para respi ma después con los nudillos en las cuatro puertas. Vuelve al le le espera ya en el quicio la* SEÑORA GENEROSA: *una pobre le unos cincuenta y cinco años).*

COBRADOR DE LA LUZ: —Dos sesent *iende el recibo. La puerta III se abre y aparece* PACA, *mujer de uenta años, gorda y de ademanes desenvueltos. El* COBRADOR *r ndiéndole el recibo.)* La luz. Cuatro diez.

Generosa: *(Mirando el recibo.)* —¡D ¡Cada vez más caro! No sé cómo vamos a poder vivir.

(Se mete.)

PACA: —¡Ya, ya! (Al COBRADOR.) no saben hacer otra cosa que elevar la tarifa? ¡Menuda la es la Compañía! ¡Les debía dar vergüenza chuparnos la san a manera! (El COBRADOR se encoge de hombros.) ¡Y toda

COBRADOR: —No me río, señora. *(A ELVIRA, que abrió la puerta II.)* Buenos días. La luz. Seis sesenta y cinco.

(ELVIRA, una linda muchacha vestida de calle, recoge el recibo y se mete.)

PACA: —Se ríe por dentro. ¡Buenos pájaros son todos ustedes Esto se arreglaría como dice mi hijo Urbano: tirando a más de cuatro por el hueco de la escalera.

COBRADOR: —Mire lo que dice, señora. Y no falte.

PACA: —¡Cochinos!

COBRADOR: —Bueno, ¿me paga o no? Tengo prisa.

PACA: —¡Ya va, hombre! Se aprovechan de que una no es nadie, que si no...

(Se mete rezongando. GENEROSA sale y paga al COBRADOR. Después cierra la puerta. El COBRADOR aporrea otra vez el IV, que es abierto inmediatamente por Doña Asunción, señora de luto, delgada y consumida.)

COBRADOR: —La luz. Tres veinte.

DOÑA ASUNCIÓN: —(Cogiendo el recibo.) —Sí, claro... Buenos días. Espere un momento, por favor. Voy adentro...

(Se mete. PACA sale refunfuñando mientras cuenta las monedas.)

PACA: —¡Ahí va!

(Se las da de golpe.)

COBRADOR: (Después de contarlas.) —Está bien.

PACA: —¡Está muy mal! ¡A ver si hay suerte, hombre, al bajar la escalerita!

(Cierra con un portazo. ELVIRA sale.)

ELVIRA: —Aquí tiene. *(Contándole la moneda fraccionaria.)* Cuarenta..., cincuenta..., sesenta..., y cinco.

COBRADOR: — Está bien.

(Se lleva un dedo a la gorra y se dirige al IV.)

ELVIRA: —*(Hacia dentro.)* —¿No sales, papá?

(Espera en el quicio. DOÑA ASUNCIÓN vuelve a salir, ensayando sonrisas.)

DOÑA ASUNCIÓN: —¡Cuánto lo siento! Me va a tener que perdonar. Como me ha cogido después de la compra, y mi hijo no está...

(DON MANUEL, padre de Elvira, sale vestido de calle. Los tra-

jes de ambos denotan una posición económica más holgada que la de los demás vecinos.)

DON MANUEL: *(A Doña Asunción.)* —Buenos días! *(A su hija.)* Vamos.

DOÑA ASUNCIÓN: —¡Buenos días! ¡Buenos días, Elvirita ¡No te había visto!

ELVIRA: —Buenos días, doña Asunción.

COBRADOR: —Perdone, señora, pero tengo prisa.

DOÑA ASUNCIÓN: —Sí, sí... Le decía que ahora da la casualidad que no puedo. ¿No podría volver luego?

COBRADOR: —Mire, señora, no es la primera vez que pasa y...

DOÑA ASUNCIÓN: —¿Qué dice?

COBRADOR: —Todos los meses es la misma historia. ¡Todos! Y yo no puedo venir a otra hora ni pagarlo de mi bolsillo. Conque si no me abona, tendré que cortarle el fluido.

DOÑA ASUNCIÓN: —Pero sí es una casualidad, ¡se lo aseguro! es que mi hijo no está, y...

COBRADOR: —¡Basta de monsergas! Esto le pasa por querer gastar como una señora, en vez de abonarse a tanto alzado. Tendré que cortarle.

(ELVIRA habla en voz baja con su padre.)

DOÑA ASUNCIÓN: *(Casi perdida la compostura.)* —¡No lo haga, por Dios! Yo le prometo...

COBRADOR: —Pida a algún vecino…

DON MANUEL: *(Después de atender a lo que le susurra su hija.)* Perdone que intervenga, señora.

(Cogiéndole el recibo.)

DOÑA ASUNCIÓN: —No, don Manuel ¡no faltaba más!

DON MANUEL: —¡Si no tiene importancia! Ya me lo devolverá cuando pueda.

DOÑA ASUNCIÓN: —Esta misma tarde; de verdad.

DON MANUEL: —Sin prisa, sin prisa. *(Al COBRADOR.)* Aquí tiene.

COBRADOR: —Está bien. *(Se lleva la mano a la gorra.)* Buenos días.

(Se va.)

DON MANUEL: *(Al COBRADOR.)* —Buenos días.

DOÑA ASUNCIÓN: *(Al COBRADOR.)* —Buenos días. Muchísimas gracias, don Manuel. Esta misma tarde...

DON MANUEL: *(Entregándole el recibo.)* —¿Para qué se va a molestar? No merece la pena. Y Fernando, ¿qué se hace?

(ELVIRA se acerca y le coge del brazo.)

DOÑA ASUNCIÓN: —En su papelería: Pero no está contento. ¡El sueldo es tan pequeño! Y no es porque sea mi hijo, pero él vale mucho y merece otra cosa. ¡Tiene muchos proyectosl Quiere ser delineante, ingeniero, ¡qué sé yo! Y no hace más que leer y pensar. Siempre tumbado en la cama, pensando en sus proyectos y escribe cosas también, y poesías. ¡Más bonitas! Ya le diré que dedique alguna a Elvirita.

ELVIRA: *(Turbada.)* —Déjelo, señora...

DOÑA ASUNCIÓN: —Te lo mereces, hija. *(A DON MANUEL.)* No es porque esté delante, pero ¡qué preciosísima se ha puesto Elvirita! Es una clavellina. El hombre que se la lleve...

DON MANUEL: —Bueno, bueno. No siga, que me la va a malear. Lo dicho, doña Asunción. *(Se quita el sombrero y le da la mano.)* Recuerdos a Fernandito. Buenos días.

ELVIRA: —Buenos días.

(Inician la marcha.)

DOÑA ASUNCIÓN: —Buenos días. Y un millón de gracias... Adiós.

(Cierra. DON MANUEL y su hija empiezan a bajar. ELVIRA se para de pronto para besar y abrazar a su padre.)

DON MANUEL: —¡Déjame, locuela! ¡Me vas a tirar!

ELVIRA: —¡Te quiero tanto, papaíto! ¡Eres tan buenol

DON MANUEL: —Deja los mimos, pícara. Tonto es lo que soy. Siempre te saldrás con la tuya.

ELVIRA: —No llames tontería a una buena acción... Ya ves, los pobres nunca tienen un cuarto. ¡Me da una lástima doña Asunción!

DON MANUEL: *(Levantándole la barbilla.)* —El tarambana de Femandito es el que a ti te preocupa.

ELVIRA: —Papá, no es un tarambana... Si vieras qué bien habla...

DON MANUEL: —Un tarambana. Eso sabrá hacer él... hablar. Pero no tiene dónde caerse muerto. Hazme caso, hija; tú te mereces otra cosa.

ELVIRA: *(En el rellano ya, da pueriles pataditas.)* —No quiero quehables así de él. Ya verás cómo llega muy lejos. ¡Qué importa que no tenga dinerol ¿Para qué quiere mi papaíto un yerno rico?

DON MANUEL: —¡Hija!

ELVIRA: —Escucha: te voy a pedir un favor muy grande.

DON MANUEL: —Hija mía, algunas veces no me respetas nada.

ELVIRA: —Pero te quiero, que es mucho mejor. ¿Me harás el favor?

DON MANUEL: —Depende...

ELVIRA: —¡Nada! Me lo harás.

DON MANUEL: —¿De qué se trata?

ELVIRA: —Es muy fácil, papá. Tú lo que necesitas no es un yerno rico, sino un muchacho emprendedor que lleve adelante el negocio. Pues sacas a Fernando de la papelería y le colocas, ¡con un buen sueldo!, en tu agencia. *(Pausa.)* ¿Concedido?

DON MANUEL: —Pero, Elvira, ¿y si Fernando no quiere? Además...

ELVIRA: —¡Nada! *(Tapándose los oídos.)* ¡Sorda!

DON MANUEL: —¡Niña, que soy tu padre!

ELVIRA: —¡Sorda!

DON MANUEL: —*(Quitándole las manos de los oídos.)* Ese Fernando os tiene sorbido el seso a todas porque es el chico más guapo de la casa. Pero me fío de él. Suponte que no te hiciera caso...

ELVIRA: —Haz tu parte, que de eso me encargo yo...

DON MANUEL: —¡Niña!

(Ella rompe a reír. Coge del brazo a su padre y le lleva, entre mimos, al lateral izquierdo. Bajan. Una pausa. TRINI —una joven de aspecto simpático— sale del III con una botella en la mano, atendiendo a la voz de PACA.)

PACA: *(Desde dentro.)* —¡Que lo compres tinto! Que ya sabes que a tu padre no le gusta el blanco.

TRINI: —Bueno, madre.

(Cierra y se dirige a la escalera. GENEROSA sale del I, con otra botella.)

GENEROSA: —¡Hola, Trini!

TRINI: — Buenos señora Generosa. ¿Por el vino?

(Bajan juntas.)

GENEROSA: —Sí. Y a la lechería.

TRINI: —¿Y Carmina?

GENEROSA: —Aviando la casa.

TRINI: —¿Ha visto usted la subida de la luz?

GENEROSA: —¡Calla, hija! ¡No, me digas! Si no fuera más que la luz ¿Y la leche? ¿Y las patatas?

TRINI: *(Confidencial.)*—¿Sabe usted que doña Asunción no podía pagar hoy al cobrador?

GENEROSA: —¿De veras?

TRINI: —Eso dice mi madre, que estuvo escuchando. Se la pagó don Manuel. Como la niña está loca por Fernandito…

GENEROSA: —Ese gandulazo es muy simpático.

TRINI: —Y Elvirita una lagartona.

GENEROSA: —No. Una niña consentida.

TRINI: —No. Una lagartona.

(Bajan charlando. Pausa. CARMINA sale del I. Es una preciosa muchacha de aire sencillo y pobremente vestida. Lleva delantal y una lechera en la mano.)

CARMINA: *(Mirando por el hueco de la escalera.)* —¡Madre! ¡Que se le olvida la cacharra! ¡Madre!

(Con un gesto de contrariedad se despoja del delantal, lo echa adentro y cierra. Baja por el tramo mientras se abre el IV suavemente y aparece FERNANDO, que la mira y cierra la puerta sin ruido. Ella baja apresurada sin verle y sale de escena. El se apoya en la barandilla y sigue con la vista la bajada de la muchacha por la escalera. FERNANDO es, en efecto, un muchacho muy guapo. Viste pantalón de luto y está en mangas de camisa. El IV vuelve a abrirse. DOÑA ASUNCIÓN espía a su hijo.)

DOÑA ASUNCIÓN: —¿Qué haces?

FERNANDO: *(Desabrido.)* —Ya lo ves.

DOÑA ASUNCIÓN: *(Sumisa.)* —¿Estás enfadado?

FERNANDO: —No

DOÑA ASUNCIÓN: —¿Te ha pasado algo en la papelería?

FERNANDO: —No

DOÑA ASUNCIÓN: —¿Por qué no has ido hoy?

FERNANDO: —Porque no.

(Pausa.)

DOÑA ASUNCIÓN: —¿Te he dicho que el padre de Elvirita nos ha pagado el recibo de la luz?

FERNANDO: *(Volviéndose hacia su madre.)* —¡Sí! ¡Ya me lo has dicho! *(Yendo hacia ella.)* ¡Déjame en paz!

DOÑA ASUNCIÓN: —¡Hijo!

FERNANDO: —¡Qué inoportunidad! Pareces disfrutar recordándome nuestra pobreza.

DOÑA ASUNCIÓN: —¡Pero, hijo!

FERNANDO: *(Empujádola y cerrando de golpe.)* ¡Anda, anda para adentro!

(Con un suspiro de disgusto, vuelve a recostarse en el pasamanos; Pausa. URBANO llega al primer rellano. Viste traje azul mahón. Es un muchacho fuerte y moreno, de fisonomía ruda, pero expresiva: un proletario. FERNANDO le mira avanzar en silencio. URBANO comienza a subir la escalera y se detiene al verlo.)

URBANO: —¡Hola! ¿Qué haces ahí?

FERNANDO: — Hola, Urbano, nada.

URBANO: —Tienes cara de enfado.

FERNANDO: —No es nada.

URBANO: —Baja al "casinillo". *(Señalando el hueco de la ventana.)* Te invito a un cigarro. *(Pausa.)* ¡Baja, hombre! *(FERNANDO empieza a bajar sin prisa.)* Algo te pasa. (Sacando la petaca) ¿No se puede saber?

FERNANDO: *(Que ha llegado.)* —Nada, lo de siempre... *(Se recuesta en la pared del "casinillo". mientras, hacen los pitillos.)* ¡Que estoy harto de todo esto!

URBANO: *(Riendo.)* —Eso es ya muy viejo. Creí que te ocurría algo.

FERNANDO: —Puedes reirte. Pero te aseguro que no sé cómo aguanto. *(Breve pausa.)* En fin, ¡para qué hablar! ¿Qué hay por tu fábrica?

URBANO: —¡Muchas cosas! Desde la última huelga de metalúrgicos, la gente se sindica a toda prisa. A ver cuándo nos imitáis los dependientes.

FERNANDO: —No me interesan esas cosas.

URBANO: —Porque eres tonto. No sé de qué te sirve tanta lectura.

FERNANDO: —¿Me quieres decir lo que sacáis en limpio de esos líos?

URBANO: —Fernando, eres un desgraciado. Y lo peor es que no lo sabes. Los pobres diablos como nosotros nunca lograremos mejorar de vida sin la ayuda mutua. Y eso es el sindicato. ¡Solidaridad!

Esa es nuestra palabra. Y sería la tuya si te dieses cuenta de que no eres más que un triste hortera . ¡Pero como te crees un marqués!

FERNANDO: —No me creo nada. Sólo quiero subir ¿comprendes? ¡Subir! Y dejar toda esta sordidez en que vivimos.

URBANO: —Y a los demás que los parta un rayo.

FERNANDO: —¿Qué tengo yo que ver con los demás? Nadie hace nada por nadie. Y vosotros os metéis en el sindicato porque no tenéis arranque para subir solos. Pero ése no es camino para mí. Yo sé que puedo subir y subiré solo.

URBANO: —¿Se puede uno reir?

FERNANDO: —Haz lo que te dé la gana.

URBANO: —*(Sonriendo.)* —Escucha, papanatas. Para subir solo, como dices, tendrías que trabajar todos los días diez horas en la papelería; no podrías faltar nunca, como has hecho hoy...

FERNANDO: —¿Cómo lo sabes?

URBANO: —¡Porque lo dice tu cara, simple! Y déjame continuar No podrías tumbarte a hacer versitos ni a pensar en las musarañas; buscarías trabajos particulares para redondear el presupuesto y te acostarías a las tres de la mañana contento de ahorrar sueño, y dinero. Porque tendrías que ahorrar, ahorrar como una urraca; quitándolo de la comida, del vestido, del tabaco... Y cuando llevases un montón de años haciendo eso, y ensayando negocios y buscando caminos, acabarías por verte solicitando cualquier miserable empleo para no morirte. de hambre... No tienes tú madera para esa vida.

FERNANDO: —Ya lo veremos. Desde mañana mismo...

URBANO: *(Riendo.)* —Siempre es desde mañana. ¿Por qué no lo has hecho desde ayer, o desde hace un mes? *(Breve pausa.)* Porque no puedes. Porque eres un soñador. ¡Y un gandul! *(FERNANDO le mira lívido, conteniéndoe y hace un movimiento para marcharse.)* ¡Espera, hombre! No te enfades. Todo te lo digo como un amigo.

(Pausa.)

FERNANDO: *(Más calmado y levemente despreciativo.)* —¿Sabes lo que te digo? Que el tiempo lo dirá todo. Y que te emplazo. (*Urbano le mira.)* Sí, te emplazo para dentro de... diez años, por ejemplo. Veremos para entonces quién ha llegado más lejos; si tú con tu sindicato o yo con mis proyectos.

URBANO: —Ya sé que yo no llegaré muy lejos; y tampoco tú llegarás. Si yo llego, llegaremos todos. Pero lo más fácil es que dentro de diez años sigamos subiendo esta escalera y fumando en este "casinillo".

FERNANDO: —Yo, no. *(Pausa.)* Aunque quizá no sean mucho diez años...

(Pausa.)

URBANO: *(Riendo.)* —¡Vamos! Parece que no estás muy seguro.

FERNANDO: —No es eso, Urbano. ¡Es que le tengo miedo al tiempo! Es lo que más me hace sufrir. Ver cómo pasan los días, y los años..., sin que nada cambie. Ayer mismo éramos tú y yo dos críos que veníamos a fumar aquí, a escondidas, los primeros pitillos... ¡Y hace ya diez años! Hemos crecido sin darnos cuenta, subiendo y bajando la escalera, rodeados siempre de los padres, que no nos entienden; de vecinos que murmuran de nosotros y de quienes murmuramos... Buscando mil recursos y soportando humillaciones para poder pagar la casa, la luz... y las patatas. *(Pausa.)* Y mañana o dentro de diez años que pueden pasar como un día, como han pasado estos últimos..., ¡sería terrible seguir así! Subiendo y bajando la escalera, una escalera que no conduce a ningún sitio; haciendo trampas en el contador, aborreciendo el trabajo..., perdiendo día tras día... *(Pausa.)* Por eso es preciso cortar por lo sano.

URBANO: —¿Y qué vas a hacer?

FERNANDO: —No lo sé. Pero ya haré algo.

URBANO: —¿Y quieres hacerlo solo?

FERNANDO: —Solo

URBANO: —¿Completamente?

(Pausa.)

FERNANDO: — Claro.

URBANO: —Pues te voy a dar un consejo. Aunque no lo creas, siempre necesitamos de los demás. No podrás luchar solo sin cansarte.

FERNANDO: —¿Me vas a volver a hablar del sindicato?

URBANO: —No. Quiero decirte que, si verdaderamente vas a luchara para evitar el desaliento necesitarás...

(Se detiene.)

FERNANDO: —¿Qué

URBANO: —Una mujer.

FERNANDO: —Ese no es problema. Ya sabes que...

URBANO: —Ya sé que eres un buen mozo con muchos éxitos. Y eso te perjudica; eres demasiado buen mozo. Lo que te hace falta es dejar todos esos noviazgos y enamorarte de verdad. *(Pausa.)* Hace tiempo que no hablamos de estas cosas... Antes, si a ti o a mí nos gustaba Fulanita, nos lo decíamos enseguida. *(Pausa.)* ¿No hay nada serio ahora?

FERNANDO: *(Reservado.)* —Pudiera ser.

URBANO: —No se tratará de mi hermana, ¿verdad?

FERNANDO: —De tu hermana? ¿De cuál?

URBANO: —De Trini.

FERNANDO: —No, no.

URBANO: —Pues de Rosita, ni hablar.

FERNANDO: —Ni hablar.

(Pausa.)

URBANO: —Porque la hija de la señora Generosa no creo que te haya llamado la atención... *(Pausa. Le mira de reojo, con ansiedad.)* ¿O es ella? ¿Es Carmina?

(Pausa.)

FERNANDO: —No.

URBANO: *(Ríe y le palmotea la espalda.)* —¡Está bien, hombre! ¡No busco más! Ya me lo dirás cuando quieras. ¿Otro cigarrillo?

FERNANDO: —No. *(Pausa breve.)* Alguien sube.

(Miran hacia el hueco.)

URBANO: —Es mi hermana.

(Aparece ROSA, que es una mujer joven, guapa y provocativa. Al pasar junto a ellos los saluda despectivamente, sin detenerse, y comienza a subir el tramo.)

ROSA: —Hola, chicos.

FERNANDO: —Hola, Rosita.

URBANO: —¿Ya has pindongueado bastante?

Rosa: *(Parándose.)* —¡Yo no pindongueo! Y además, no te importa.

URBANO: —¡Un día de éstos le voy a romper las muelas a alguien!

ROSA: —¡Qué valiente! Cuídate tú la dentadura por si acaso.

(Sube. URBANO se queda estupefacto por su descaro. FERNANDO ríe y le llama a su lado. Antes de llamar ROSA en el III se abre el I

y sale P*EPE. El hermano de* C*ARMINA ronda ya los treinta años y es un granuja achulado y presuntuoso. Ella se vuelve y se contemplan, muy satisfechos. El va a hablar, pero ella le hace señas de que se calle y le señala el "casinillo" donde se encuentran los dos muchachos ocultos para él.* P*EPE la invita por señas a bailar para después y ella asiente sin disimular su alegría. En esta expresiva mímica los sorprende* P*ACA, que abre de improviso.)*

PACA: —¡Bonita representación! *(Furiosa, zarandea a su hija.)* ¡Adentro, condenada! ¡Ya te daré yo diversiones!

(Fernando y Urbano se asoman.)

ROSA: —¡No me empuje! ¡Usted no tiene derecho a maltratarme!

PACA: —¿Que no tengo derecho?

ROSA: —¡No, señora! ¡Soy mayor de edad!

PACA: —¿Y quién te mantiene? ¡Golfa, más que golfa!

ROSA: —¡No insulte!

PACA: (Metiéndola de un empellón.) —¡Anda para adentro! *(A Pepe, que optó desde el principio por bajar un par de peldaños.)* ¡Y tú, chulo indecente! ¡Si te vuelvo a ver con mi niña te abro la cabeza de un sartenazo! ¡Como me llamo Paca!

PEPE: —Ya será menos.

PACA: —¡Aire! ¡Aire! ¡A escupir a la calle!

(Cierra con ímpetu. P*EPE baja, sonriendo con suficiencia. Va a pasar de largo, pero* U*RBANO le detiene por la manga.)*

URBANO: —No tengas prisa.

PEPE: *(Volviéndose con saña.)* —¡Muy bien! ¡Dos contra uno!

FERNANDO: *(Presuroso.)* —No, no, Pepe, *(Con sonrisa servil.)* Yo no intervengo; no es asunto mío.

URBANO: —No. Es mío.

PEPE: —Bueno, suelta. ¿Qué quieres?

URBANO: *(Reprimiendo su ira y sin soltarle.)* —Decirte nada más que si la tonta de mi hermana no te conoce, yo sí. Que si ella no quiere creer que has estado viviendo de la Luisa y de la Pili después de lanzarlas a la vida, yo sé que es cierto. ¡Y que como vuelva a verte con Rosa, te juro por tu madre que te tiro por el hueco de la escalera! *(Lo suelta con violencia.)* Puedes largarte.

(Le vuelve la espalda.)

PEPE: —Será si quiero. ¡Estos mocosos! *(Alisándose las mangas.)* ¡Que no levantan dos palmos del suelo y quieren medirse con hombres! Si no mirara...

(URBANO no le hace caso. FERNANDO interviene, aplacador.)

FERNANDO: —Déjalo, Pepe. No te... alteres. Mejor será que te marches.

PEPE: —Sí. Mejor será. *(Inicia la marcha y se vuelve.)* El mocoso indecente, que cree que me va a meter miedo a mí... *(Baja protestando.)* Un día me voy a liar a mamporros y le demostraré lo que es un hombre...

FERNANDO: —No sé por qué te gusta tanto chillar y amenazar.

URBANO: *(Seco.)* —Eso va en gustos. Tampoco me agrada a mí que te muestres tan amable con un sinvergüenza como ése.

FERNANDO: —¡Qué van a cumplirse! Cualquier día tiras tú a nadie por el hueco de la escalera. ¿Todavía no te has dado cuenta de que eres un ser inofensivo?

(Pausa.)

URBANO: —¡No sé cómo nos las arreglamos tú y yo para discutir siempre! Me voy a comer. Abur.

FERNANDO: —*(Contento por su pequeña revancha.)* ¡Hasta luego, sindicalista!

(Urbano sube y llama en el III. Paca abre.)

PACA: —Hola, hijo. ¿Traes hambre?

URBANO: —¡Más que un lobo!

(Entra y cierra. FERNANDO se recuesta en la barandilla y mira por el hueco. Con un repentino gesto de desagrado se retira al "casinillo" y mira por la ventana, fingiendo distracción. Pausa. DON MANUEL y ELVIRA suben. Ella aprieta el brazo de su padre en cuanto ve a Fernando. Se detienen, un momento; luego continúan.)

DON MANUEL: *(Mirando socarronamente a ELVIRA, que está muy turbada.)* —Adiós, Fernandito.

FERNANDO: *(Se vuelve con desgana. Sin mirar a ELVIRA.)* —Buenos días.

DON MANUEL: —¿De vuelta del trabajo?

FERNANDO: *(Vacilante.)* —Sí, señor.

DON MANUEL: —Está bien, hombre. *(Intenta seguir, pero ELVIRA lo retiene tenazmente, indicándole que hable ahora a Fernando. A regañadientes, termina el padre por acceder.)* Un día de éstos tengo que decirle unas cosillas.

FERNANDO: —Cuando usted disponga.

DON MANUEL: —Bien bien. No hay prisa, ya le avisaré. Hasta luego. Recuerdos a su madre.

FERNANDO: —Muchas gracias. Ustedes sigan bien.

(Suben. ELVIRA se vuelve con frecuencia para mirarle. El está de espaldas. DON MANUEL abre el II con su llave y entran. FERNANDO hace un mal gesto y se apoya en el pasamanos. Pausa. GENEROSA sube. Fernando la saluda muy sonriente.) ¡Buenos días!

GENEROSA: —Hola hijo. ¿Quieres comer?

FERNANDO: —Gracias, que aproveche. ¿Y el señor Gregorio?

GENEROSA: —Muy disgustado, hijo. Como lo retiran por la edad... Y es lo que él dice: "¿De qué sirve que un hombre se deje los huesos conduciendo un tranvía durante cincuenta años, si luego le ponen en la calle?" Y si le dieran un buen retiro... Pero es una miseria, hijo; una miseria. ¡Y a mi Pepe no hay quien lo encarrile! *(Pausa.)* ¡Qué vida! No sé cómo vamos a salir adelante.

FERNANDO: —Lleva usted razón. Menos mal que CARMINA...

GENEROSA: —Carmina es nuestra única alegría. Es buena, trabajadora, limpia... Si mi Pepe fuese como ella...

FERNANDO: —No me haga mucho caso, pero creo que Carmina la buscaba antes.

GENEROSA: —Sí. Es que se me había olvidado la cacharra de la leche. Ya la he visto. Ahora sube ella. Hasta luego, hijo.

FERNANDO: —Hasta luego.

(GENEROSA sube, abre su puerta y entra. Pausa. ELVIRA sale sin hacer ruido al descansillo, dejando su puerta entornada. Se apoya en la barandilla. Él finge no verla. Ella le llama por encima del hueco.)

ELVIRA: —Fernando...

FERNANDO: —¡Hola!

ELVIRA: —¿Podrías acompañarme hoy a comprar un libro? Tengo que hacer un regalo y he pensado que tú me ayudarías muy bien a escoger.

FERNANDO: —No sé si podré.

(Pausa.)

ELVIRA: —Procúralo, por favor. Sin ti no sabré hacerlo. Y tengo que darlo mañana.

FERNANDO: —A pesar de eso no puedo prometerte nada. *(Ella hace un gesto de contrariedad.)* Mejor dicho, casi seguro que no podrás contar conmigo.

(Sigue mirando por el hueco.)

ELVIRA: *(Molesta y sonriente.)* — ¡Qué caro te cotizas! *(Pausa.)* Mírame un poco, por lo menos. No creo que cueste mucho trabajo mirarme... *(Pausa.)* ¿Eh?

FERNANDO: *(Levantando la vista.)* —¿Qué?

ELVIRA: —Pero, ¿no me escuchabas? ¿O es que no quieres enterarte de lo que te digo?

FERNANDO: *(Volviendo la espalda.)* —Déjame en paz.

ELVIRA: *(Resentida.)* —¡Ah! ¡Qué poco te cuesta humillar a los demás! ¡Es muy fácil… y muy cruel humillar a los demás! Te aprovechas de que te estiman demasiado para devolverte la humillación…, pero podría hacerse…

FERNANDO: *(Volviéndose furioso.)* —¡Explica eso!

ELVIRA: —Es muy fácil presumir y despreciar a quien nos quiere, a quien está dispuesto a ayudarnos… A quien nos ayuda ya… Es muy fácil olvidar esas ayudas…

FERNANDO: *(Iracundo.)* —¿Cómo te atreves a echarme en cara tu propia ordinariez? ¡No puedo sufrirte! ¡Vete!

ELVIRA: *(Arrepentida.)* —¡Fernando, perdóname, por Dios! Es que…

FERNANDO: —¡Vete! ¡No puedo soportarte! No puedo resistir vuestros favores ni vuestra estupidez. ¡Vete! *(Ella ha ido retrocediendo muy afectada. Se entra, llorosa y sin poder reprimir apenas sus nervios. FERNANDO, muy alterado también, saca un cigarrillo. Al tiempo de tirar la cerilla)* ¡Qué vergüenza!

(Se vuelve al "casinillo". Pausa. PACA sale de su casa y llama en el I. GENEROSA abre.)

PACA: —A ver si me podía usted dar un poco de sal.

GENEROSA: —¿De mesa o de la gorda?

PACA: —De la gorda. Es para el guisado. *(GENEROSA se mete. PACA, alzando la voz.)* Un puñadito nada más... *(*GENEROSA *vuelve con un papelito.)* Gracias, mujer.

GENEROSA: —De nada.

PACA: —¿Cuánta luz ha pagado este mes?

GENEROSA: —Dos sesenta. ¡Un disparate! Y eso que procuro encender lo menos posible Pero nunca consigo quedarme en las dos pesetas.

PACA: —No se queje. Yo he pagado cuatro diez.

GENEROSA: —Ustedes tienen una habitación más y son más que nosotros.

PACA: —¡Y qué! Mi alcoba no la enciendo nunca. Juan y yo nos acostamos a oscuras. A nuestra edad, para lo que hay que ver...

GENEROSA: —¡Jesús!

PACA: —¿He dicho algo malo?

GENEROSA: *(Riendo débilmente.)* —No, mujer, pero..., ¡qué boca, Paca!

PACA: —¿Y para qué sirve la boca, digo yo? Pues para usarla.

GENEROSA: —Para usarla bien, mujer.

PACA: —No he insultado a nadie.

GENEROSA: —Aún así

PACA: —Mire, Generosa: usted tiene muy poco arranque. ¡Eso es! No se atreve ni a murmurar.

GENEROSA: —¡El Señor me perdone! Aún murmuro demasiado.

PACA: —¡Si es la sal de la vida! *(Con misterio.)* A propósito: ¿sabe usted que don Manuel le ha pagado la luz a doña Asunción?

(Fernando, con creciente expresión de disgusto, no pierde palabra.)

GENEROSA: —Ya me lo ha dicho Trini.

PACA: —¡Vaya con Trini! ¡Ya podía haberse tragado la lengua! *(Cambiando el tono.)* Y, para mí, que fue Elvirita quien se lo pidió a su padre.

GENEROSA: —No es la primera vez que les hacen favores de ésos.

PACA: —Pero, quien lo provocó, en realidad, fue doña Asunción.

GENEROSA: —¿Ella?

PACA: —¡Pues claro! *(Imitando la voz.)* "Lo siento, cobrador no puedo ahora. ¡Buenos días, don Manuel! ¡Dios mío, cobrador, si no puedo! ¡Hola, Elvirita, qué guapa estás!" ¡A ver si no lo estaba pidiendo descaradamente!

GENEROSA: —Es usted muy mal pensada.

PACA: —¿Mal pensada? ¡Si yo no lo censuro! ¿Qué va a hacer una mujer como ésa, con setenta y cinco pesetas de pensión y un hijo que no da golpe?

GENEROSA: —Fernando trabaja.

PACA: —¿Y qué gana? ¡Una miseria! Entre el carbón, la comida y la casa se les va todo. Además, que le descuentan muchos días de sueldo. Y puede que le echen de la papelería.

GENEROSA: —¡Pobre chico! ¿Por qué?

PACA: —Porque no va nunca. Para mí que ése lo que busca es pescar a Elvirita... y los cuartos de su padre.

GENEROSA: —¿No será al revés?

PACA: —¡Qué va! Es que ese niño sabe mucha táctica y se hace querer. ¡Como es tan guapo! Porque lo es; eso no hay que negárselo.

GENEROSA: *(Se asoma al hueco de la escalera y vuelve.)* —Y Carmina sin venir... Oiga, Paca: ¿es verdad que don Manuel tiene dinero?

PACA: —Mujer, ya sabe usted que era oficinista. Pero con la agencia esa que ha montado se está forrando el riñón. Como tiene tantas relaciones Y sabe tanta triquiñuela...

GENEROSA: —¿ Y una agencia, qué es?

PACA: —Un sacaperras. Para sacar permisos, certificados... ¡Negocios! Bueno, y me voy, que se hace tarde. *(Inicia la marcha y se detiene.)* ¿Y el señor Gregorio, cómo va?

GENEROSA: —Muy disgustado, el pobre. Como lo retiran por la edad... Y es lo que él dice: ¿De qué sirve que un hombre se deje los huesos durante cincuenta años conduciendo un tranvía, si luego le ponen en la calle? Y el retiro es una miseria, Paca. Ya lo sabe usted. ¡Qué vida, Dios mío! No sé cómo vamos a salir adelante. Y mi Pepe, que no ayuda nada...

PACA: —Su Pepe es un granuja. Perdone que se lo diga, pero usted ya lo sabe. Ya le he dicho antes que no quiero volver a verle con mi Rosa.

GENEROSA: *(Humillada)*. —Lleva usted razón. ¡Pobre hijo mío!

PACA: —¿Pobre? Como Rosita. Otra que tal. A mí no me duelen

prendas. ¡Pobres de nosotras, Generosa, pobres de nosotras! ¿Qué hemos hecho para este castigo? ¿Lo sabe usted?

GENEROSA: —Como no sea sufrir por ellos…

PACA: —Eso. Sufrir y nada más. ¡Qué asco de vida! Hasta luego, Generosa. Y gracias.

(Ambas se meten y cierran. FERNANDO, abrumado, llega a recostarse en la barandilla. Pausa. Repentinamente se endereza y espera, de cara al público. CARMINA sube con la cacharra. Sus miradas se cruzan. Ella intenta pasar, con los ojos bajos. FERNANDO la detiene por un brazo.)

FERNANDO: —Carmina.

CARMINA: —Déjeme…

FERNANDO: —No, Carmina. Me huyes constanteme y esta vez tienes que escucharme.

CARMINA: —Por favor, Fernando… ¡Suélteme!

FERNANDO: —Cuando éramos chicos nos tuteábamos... ¿Por qué no me tuteas ahora? *(Pausa.)* ¿Ya no te acuerdas de aquel tiempo? Yo era tu novio y tú eras mi novia... Mi novia.. Y nos sentábamos aquí *(señalando a los peldaños)*, en ese escalón, cansados de jugar..., a seguir jugando a los novios.

CARMINA: —Cállese.

FERNANDO: —Entonces me tuteabas y... me querías.

CARMINA: —Era una niña... Ya no me acuerdo.

FERNANDO: —Eras una mujercita preciosa. Y sigues siéndolo. Y no puedes haber olvidado. ¡Yo no he olvidado! Carmina, aquel tiempo es el único recuerdo maravilloso que conservo en medio de la sordidez en que vivimos. Y quería decirte... que siempre... has sido para mí lo que eras antes.

CARMINA: —¡No te burles de mí!

FERNANDO: —¡Te lo juro!

CARMINA: —¿Y todas… esas con quien has paseado y… que has besado?

FERNANDO: —Tienes razón. Comprendo que no me creas. Pero un hombre… Es muy difícil de explicar. A ti, precisamente, no podía hablarte..., ni besarte... ¡Porque te quería, te quería y te quiero!

CARMINA: —No puedo creerte.

(Intenta marcharse.)

FERNANDO: —No, no. Te lo suplico. No te marches. Es preciso que me oigas... y que me creas. Ven. *(La lleva al primer peldaño.)* Como entonces.

(Con un ligero forcejeo la obliga a sentarse contra la pared y se sienta a su lado. Le quita la lechera y la deja junto a él. Le coge una mano.)

CARMINA: —¡Si nos ven!

FERNANDO: —¡Qué nos importa! Carmina, por favor, créeme. No puedo vivir sin ti. Estoy desesperado.Me ahoga la ordinariez que nos rodea. Necesito que me quieras y que me consueles. Si no me ayudas no podré salir adelante.

CARMINA: —¿Por qué no se lo pides a Elvira?

(Pausa. Él la mira, excitado y alegre.)

FERNANDO: —¡Me quieres! ¡Lo sabía! ¡Tenías que quererme! *(Le levanta la cabeza. Ella sonríe involuntariamente.)* ¡Carmina, mi Carmina!

(Va a besarla, pero ella le detiene.)

CARMINA: —¿Y Elvira?

FERNANDO: —Quiere cazarme con su dinero. ¡No la puedo ver!

CARMINA: —Yo tampoco.

(Ríen, felices.)

FERNANDO: —Ahora tendría que preguntarte yo: ¿Y Urbano?

CARMINA: —¡Es un buen chico! ¡Yo estoy loca por él! *(Fernando se enfurruña.)* ¡Tonto!

FERNANDO: *(Abrazándola por el talle.)* Carmina, desde mañana voy a trabajar de firme por ti. Quiero salir de esta pobreza, de este sucio ambiente. Salir y sacarte a ti. Dejar para siempre los chismorreos, las broncas entre vecinos… Acabar con la angustia del dinero escaso, de los favores que abochornan como una bofetada, de los padres que nos abruman con su torpeza y su cariño, servil, irracional…

CARMINA: *(Represiva.)* —¡Fernando!

FERNANDO: —Sí. Acabar con todo esto. ¡Ayúdame tú! Escucha: voy a estudiar mucho, ¿sabes? Mucho. Primero me haré delineante. ¡Eso es fácil! En un año... Como para entonces ya ganaré bastante, estudiaré para aparejador. Tres años. ¡Dentro de cuatro años seré un aparejador solicitado por todos los arquitectos! Ganaré mucho dinero. Por entonces tú serás ya mi mujercita, y viviremos en otro barrio, en un pisito limpio y tranquilo. Yo seguiré estudiando. ¿Quién sabe? Puede que para entonces me haga ingeniero. Y como una cosa no es incompatible con la otra, publicaré un libro de poesías, un libro que tendrá mucho éxito…

Carmina: *(Que le ha escuchado extasiada.)* —¡Qué felices seremos!

FERNANDO: ¡Carmina!

(Se inclina para besarla y da un golpe con el pie a la lechera, que se derrama estrepitosamente. Temblorosos, se levantan los dos Y miran, asombrados, la gran mancha blanca en el suelo.)

TELÓN

ACTO SEGUNDO

Han transcurrido diez años que no se notan en nada: la escalera sigue sucia y pobre, las puertas sin timbre, los cristales de la ventana sin lavar.

(Al comenzar el acto se encuentran en escena GENEROSA, CARMINA, PACA, TRINI y el SEÑOR JUAN. Éste es un viejo alto y escuálido, de aire quijotesco, que cultiva unos anacrónicos bigotes lacios. El tiempo transcurrido se advierte en los demás: PACA y GENEROSA han encanecido mucho. TRINI es ya una mujer madura, aunque airosa. CARMINA conserva todavía su belleza: una belleza que empieza a marchitarse. Todos siguen pobremente vestidos, aunque con trajes más modernos. Las puertas I y III están abiertas de par en par. Las puertas II y IV, cerradas. Todos los presentes se encuentran apoyados en el pasamanos, mirando por el hueco. GENEROSA y CARMINA están llorando; la hija rodea con un brazo la espalda de su madre. A poco, GENEROSA baja el tramo y sigue mirando desde el primer rellano. CARMINA la sigue después.)

CARMINA: —Ande madre… *(Generosa la aparta sin dejar de mirar a través de sus lágrimas.)* Ande...

(Ella mira también. Sollozan de nuevo y se abrazan a medias, sin dejar de mirar.)

GENEROSA: —ya llegan al portal... *(Pausa.)* Casi no se le ve..

SEÑOR JUAN: *(Arriba, a su mujer.)* —¡Cómo sudaban! Se conoce que pesa mucho.

(PACA le hace señas de que calle.)

GENEROSA: *(Abrazada a su hija.)* —Solas, hija mía. ¡Solas! *(Pausa. De pronto se desase y sube lo más aprisa que puede la escalera. CARMINA la sigue. Al tiempo que suben.)* Déjeme mirar por su balcón, Paca. ¡Déjeme mirar!

PACA: —Sí, mujer.

(Generosa entra presurosa en el III. Tras ella, CARMINA y PACA.)

TRINI: *(A su padre, que se recuesta en la barandilla, pensativo)* —¿No entra, padre?

SEÑOR JUAN: —No, hija. ¿Para qué? Ya he visto arrancar muchos coches fúnebres en esta vida. *(Pausa.)* ¿Te acuerdas del de doña Asunción? Fue un entierro de primera, con caja de terciopelo…

TRINI: —Dicen que lo pagó don Manuel.

SEÑOR JUAN: —Es muy posible. Aunque el entierro de don Manuel fue menos lujoso.

TRINI: —Es que ése lo pagaron los hijos.

SEÑOR JUAN: —Claro. *(Pausa.)* Y ahora, Gregorio. No sé cómo ha podido durar estos diez años. Desde la jubilación no levantó cabeza. *(Pausa.)* ¡A todos nos llegará la hora!

TRINI: (Juntándosele.) —¡Padre, no diga eso!

SEÑOR JUAN: —¡Si es la verdad, hija! Y quizá muy pronto.

TRINI: —No piense en esas cosas. Usted está muy bien todavía...

SEÑOR JUAN: —No lo creas. Eso es por fuera. Por dentro… me duelen muchas cosas. *(Se acerca, como al descuido, a la puerta IV. Mira a TRINI. Señala tímidamente a la puerta.)* Esto. Esto me matará.

TRINI: *(Acercándose.)* —No, padre. Rosita es buena…

SEÑOR JUAN: *(Separándose de nuevo y con triste sonrisa.)* —¡Bueno! *(Se asoma a su casa. Suspira. Pasa junto al II y escucha un momento.)* Estos no han chistado.

TRINI: —No.

(El padre se detiene después ante la puerta I. Apoya las manos en el marco y mira al interior vacío.)

SEÑOR JUAN: —¡Ya no jugaremos más a las cartas, viejo amigo!

TRINI: *(Que se le aproxima, entristecida, y tira de él.)* —Vamos adentro, padre.

SEÑOR JUAN: —Se quedan con el día y la noche... Con el día y la noche. *(Mirando al I.)* Con un hijo que es un bandido...

TRINI: —Padre, deje eso.

(Pausa.)

SEÑOR JUAN: —Ya nos llegará a todos.

(Ella mueve la cabeza, desaprobando. GENEROSA, rendida, sale del III llevando a los lados a PACA y a CARMINA.)

PACA: —¡Ea! No hay que llorar más. Ahora a vivir. A salir adelante.

GENEROSA: —No tengo fuerzas...

PACA: —¡Pues se inventan! No faltaba más.

GENEROSA: —¡Era tan bueno mi Gregorio!

PACA: —Todos nos tenemos que morir. Es ley de vida.

GENEROSA: —Mi Gregorio...

PACA: —Hala. Ahora barremos entre las dos la casa. Y mi Trini irá luego por la compra y hará la comida. ¿Me oyes, Trini?

TRINI: —Sí, madre.

GENEROSA: —Yo me moriré pronto también.

CARMINA: —¡Madre!

PACA: —¿Quién piensa en morir?

GENEROSA: —Sólo quisiera dejar a esta hija... con un hombre de bien..., antes de morirme.

PACA: —¡Mejor sin morirse!

GENEROSA: —¡Para qué!...

PACA: —¡Para tener nietos, alma mía! ¿No le gustaría tener nietos?

(Pausa.)

GENEROSA: —¡Mi Gregorio!...

PACA: —Bueno. Se acabó. Vamos adentro. ¿Pasas Juan?

SEÑOR JUAN: —Luego entraré un ratito. ¡Lo dicho, Generosa! ¡Y a tener ánimo!

(La abraza.)

GENEROSA: —Gracias...

(El SEÑOR JUAN *y* TRINI *entran en su casa y cierran. Generosa, Paca y Carmina se dirigen al I.)*

GENEROSA: *(Antes de entrar.)* —¿Qué va a ser de nosotras, Dios mío? ¿Y de esta niña? ¡Ay, Paca! ¿Qué va a ser de mi Carmina?

CARMINA: —No se apure, madre.

PACA: —Claro que no. Ya saldremos todos adelante. Nunca os faltarán buenos amigos.

GENEROSA: —Todos sois muy buenos.

PACA: —¡Qué buenos ni qué... peinetas! ¡Me dan ganas de darle azotes como a un crío!

(Se meten. La escalera queda sola. Pausa. Se abre el II cautelosamente y aparece FERNANDO. *Los años han dado a su aspecto un tinte vulgar. Espía el descansillo y sale después, diciendo hacia adentro.)*

FERNANDO: —Puedes salir. No hay nadie.

(Entonces sale ELVIRA, *con un niño de pecho en los brazos.* FERNANDO *y* ELVIRA *visten con modestia. Ella se mantiene hermosa, pero en su cara no guarda nada de la antigua vivacidad.)*

ELVIRA: —¿En qué quedamos? Esto es vergonzoso. ¿Les damos o no les damos el pésame?

FERNANDO: —Ahora no. En la calle lo decidiremos.

ELVIRA: —¡Lo decidiremos! Tendré que decidir yo..., como - siempre. Cuando tú te pones a decidir, nunca hacemos nada. *(*FERNANDO *calla, con la expresión hosca. Inician la bajada.)* ¡Decidir! ¿Cuándo vas a decidirte a ganar más dinero? Ya ves que así no podemos vivir. *(Pausa.)* ¡Claro, el señor contaba con el suegro! Pues el suegro se acabó, hijo. Y no se te acaba la mujer, no sé por qué.

FERNANDO: —¡Elvira!

ELVIRA: —¡Sí, enfádate porque te dicen las verdades! Eso sabrás hacer: enfadarte y nada más. Tú ibas a ser aparejador, ingeniero y hasta diputado. ¡Je! Ese era el cuento que colocabas a todas. ¡Tonta de mí, que también te hice caso! Si hubiera sabido lo que me llevaba... Si hubiera sabido que no eras más que un niño mimado... La idiota de tu madre no supo hacer otra cosa que eso: mimarte.

FERNANDO: *(Deteniéndose.)* —¡Elvira, no te consiento que hables así de mi madre! ¿Me entiendes?

ELVIRA: *(Con ira.)* —¡Tú me has enseñado! ¡Tú eras el que hablaba mal de ella!

FERNANDO: *(Entre dientes.)* —Siempre has sido una niña caprichosa y sin educación.

ELVIRA: —¿Caprichosa? ¡Sólo tuve un capricho! ¡Uno sólo! Y...

(FERNANDO la tira del vestido para avisarle de la presencia de PEPE, que sube. El aspecto de PEPE denota que lucha victoriosamente contra los años para mantener su prestancia.)

PEPE: *(Al pasar.)* —Buenos días.

FERNANDO: —Buenos días.

ELVIRA: —Buenos días.

(Bajan. PEPE mira hacia el hueco con placer. Después sube monologando.)

PEPE: —Se conserva, se conserva la mocita.

(Se dirige al IV, pero luego mira al I, su antigua casa, y se acerca. Tras un segundo de vacilación ante la puerta, vuelve decididamente al IV y llama. Le abre ROSA, que ha adelgazado y empalidecido.)

ROSA: *(Con acritud.)* —¿A qué vienes?

PEPE: —A comer, princesa.

ROSA: —A comer, ¿eh? Toda la noche emborrachándote con mujeres y a la hora de comer, a casita, a ver lo que la Rosa ha podido apañar por ahí.

PEPE: —No te enfades, gatita.

ROSA: —¡Sinvergüenza! ¡Perdido! ¿Y el dinero? ¿Y el dinero para comer? ¿Tú te crees que se puede poner el puchero sin tener cuartos?

PEPE: —Mira, niña, ya me estás cansando. Ya te he dicho que la obligación de traer dinero, a casa es tan tuya como mía.

ROSA: —¿Y te atreves... ?

PEPE: —Déjate de romanticismos. Si me vienes con pegas y con líos, me marcharé, ya lo sabes. *(Ella se echa a llorar y le cierra la puerta. El se queda, divertidamente perplejo, frente a ésta. TRINI sale del III con un capacho. PEPE se vuelve.)* Hola, Trini.

Trini: *(Sin dejar de andar.)* —Hola.

PEPE: —Estás cada día más guapa... Mejoras con los años, como el vino.

TRINI: *(Volviéndose de pronto.)*-Si te has creído que soy tan tonta como Rosa, te equivocas.

PEPE: —No te pongas así, pichón.

TRINI: —¿No te da vergüenza haber estado haciendo el golfo mientras tu padre se moría? ¿No te has dado cuenta de que tu madre y tu hermana están ahí *(Señala al I.)*, llorando todavía porque hoy le dan tierra? Y ahora, ¿qué van a hacer? Matarse a coser, ¿verdad? *(Él se encoge de hombros.)* A ti no te importa nada. ¡Puah! Me das asco.

PEPE: —Siempre estáis pensando en el dinero. ¡Las mujeres no sabéis más que pedir dinero!

TRINI: —Y tú no sabes más que sacárselo a las mujeres. ¡Porque eres un chulo despreciable!

PEPE: *(Sonriendo.)* —Bueno, pichón, no te enfades. ¡Cómo te pones por un piropo!

(URBANO, que viene con su ropita de paseo, se ha parado al escuchar las últimas palabras y sube rabioso, mientras va diciendo:)

URBANO: —¡Ese piropo y otros muchos te los vas a tragar ahora mismo! *(Llega a él y le agarra por las solapas, zarandeándole.)* ¡No quiero verte molestar a Trini ¿Me oyes?

PEPE: —Urbano,que no es para tanto...

URBANO: —¡Canallá! ¿Qué quieres? ¿Perderla a ella también? ¡Granuja! *(Le inclina sobre la barandilla.)* ¡Que no has valido ni para venir a presidir el duelo de tu padre! ¡Un día te tiro! ¡Te tiro!

(Sale ROSA desalada del IV para interponerse. Intenta separarlos y golpea a URBANO para que suelte.)

ROSA: —¡Déjale! ¡Tú no tienes que pegarle!

TRINI: *(Con mansedumbre.)* —Urbano tiene razón... Que no se meta conmigo.

ROSA: —¡Cállate tú, mosquita muerta!

TRINI: *(Dolida.)* —¡Rosa!

ROSA: *(A Urbano.)* —¡Déjale, te digo!

URBANO: (Sin soltar a Pepe.) —¡Todavía le defiendes, imbécil!

PEPE: —¡Sin insultar!

URBANO: *(Sin hacerle caso.)* —Venir a perderte por un guiñapo como éste... Por un golfo... Un cobarde.

PEPE: —Urbano, esas palabras...

URBANO: —¡Cállate!

ROSA: —¿Y a ti qué te importa? ¿Me meto yo en tus asuntos? ¿Me meto en si rondas a Fulanita o te soplan a Menganita? Más vale cargar con Pepe que querer cargar con quien no quiere nadie...

URBANO: —¡Rosa!

(Se abre el III y sale el señor Juan, enloquecido.)

SEÑOR JUAN: —¡Callad! ¡Callad ya! ¡Me vais a matar! Sí, me moriré. ¡Me moriré, como Gregorio!

TRINI: *(Se abalanza a él, gritando.)* —¡Padre, no!

SEÑOR JUAN: *(Apartándola.)* —¡ Déjame! *(A Pepe.)* ¿Por qué no te la llevaste a otra casa? ¡Tenías que quedaros aquí para acabar de amargarnos la vida!

TRINI: —¡Calle, padre!

SEÑOR JUAN: —Sí. Mejor es callar. *(A URBANO.)* Y tú: suelta ese trapo.

URBANO: *(Lanzando a PEPE sobre ROSA.)* —Anda. Carga con él.

(PACA sale del I y cierra.)

PACA: —¿Qué bronca es ésta? ¿No sabéis que ha habido un muerto aquí? ¡Brutos!

URBANO: —Madre tiene razón. No tenemos ningún respeto por el duelo de esas pobres.

PACA: —¡Claro que tengo razón! *(A TRINI.)* ¿Qué haces aquí todavía? ¡Anda a la compra! *(Trini agacha la cabeza y baja la escalera. PACA interpela a su marido.)* ¿Y tú qué tienes que ver ni mezclarte con esta basura? *(Por PEPE y ROSA. Ésta, al sentirse aludida por su madre, entra en el IV y cierra de golpe.)* ¡Vamos adentro! *(Lleva al SEÑOR JUAN a su puerta. Desde allí, a URBANO.)* ¿Se acabó ya el entierro?

URBANO: —Sí, madre.

PACA: —¿Pues por qué no vas a decirlo?

URBANO: —Ahora mismo.

(PEPE empieza a bajar componiéndose el traje. PACA y el SEÑOR JUAN se meten y cierran.)

PEPE: *(Ya en el primer rellano, mirando a Urbano de reojo.)* —¡Llamarme cobarde a mí, cuando si no me enredo a golpes es por el asco que me dan! ¡Cobarde a mí! *(Pausa.)* ¡Peste de vecinos! Ni tienen educación, ni saben tratar a la gente, ni...

(Se va murmurando. Pausa. U*RBANO se encamina hacia el I. Antes de llegar abre* C*ARMINA, que lleva un capacho en la mano. Cierra y se enfrentan. Un silencio.)*

CARMINA: —¿Terminó el… ?

URBANO: —Sí…

CARMINA: *(Enjugándose una lágrima.)* —Muchas gracias, Urbano. Has sido muy bueno con nosotras.

URBANO: *(Balbuciente.)* —No tiene importancia. Ya sabes qué yo…, que nosotros… estamos dispuestos…

CARMINA: —Gracias. Lo sé.

(Pausa. Baja la escalera con él a su lado.)

URBANO: —¿Vas..., vas a la compra?

CARMINA: —Sí.

URBANO: —Déjalo. Luego irá Trini. No os molestéis vosotras por nada.

CARMINA: —Iba a ir ella, pero se le habrá olvidado.

(Pausa.)

URBANO: *(Parándose.)* —Carmina...

CARMINA: —¿Qué?

URBANO: —¿Puedo preguntarte… qué vais a hacer ahora?

CARMINA: —No lo sé... Coseremos.

URBANO: —¿Podréis salir adelante?

CARMINA: —No lo sé.

URBANO: —La pensión de tu padre no era mucho, pero sin ella…

CARMINA: —Calla, por favor.

URBANO: —Dispensa… He hecho mal en recordártelo.

CARMINA: —No es eso.

(Intenta seguir.)

URBANO: *(Interponiéndose.)* —Carmina, yo...

CARMINA: *(Atajándole rápida.)* —Tú eres muy bueno. Muy bueno. Has hecho todo lo posible por nosotras. Te lo agradezco mucho.

URBANO: —Eso no es nada. Aún quisiera hacer mucho más.

CARMINA: —Ya habéis hecho bastante. Gracias de todos modos.

(Se dispone a seguir.)

URBANO: —¡Espera, por favor! *(Llevándola al "casinillo".)* Carmina, yo… Yo te quiero. *(Ella sonríe tristemente.)* Te quiero hace muchos años, tú lo sabes. Perdona que te lo diga hoy; soy un bruto.

Es que no quisiera verte pasar privaciones ni un solo día. Ni a ti ni a tu madre. Me harías muy feliz si..., si me dijeras... que puedo esperar. *(Pausa. Ella baja la vista.)* Ya sé que no me quieres. No me extraña, porque yo no valgo nada... Soy muy poco para ti. Pero yo procuraría hacerte dichosa. *(Pausa.)* No me contestas...

CARMINA: —Yo... había pensado permanecer soltera.

URBANO: *(Inclinando la cabeza)* —Quizás continúas queriendo a algún otro...

CARMINA: *(Con disgusto.)* —¡No, no!

URBANO: —Entonces, es que... te desagrada mi persona...

CARMINA: —¡Oh, no!

URBANO: —Ya sé que no soy más que un obrero. No tengo cultura ni puedo aspirar a ser nada importante... Así es mejor. Así no tendré que sufrir ninguna decepción, como otros sufren.

CARMINA: —Urbano, te pido que...

URBANO: —Más vale ser un triste obrero que un señorito inútil... Pero si tú me aceptas yo subiré. ¡Subiré, sí! ¡Porque cuando te tenga a mi lado me sentiré lleno de energías para trabajar! ¡Para trabajar por ti! Y me perfeccionaré en la mecánica y ganaré más. *(Ella asiente tristemente, en silencio, traspasada por el recuerdo de un momento semejante.)* Viviríamos juntos: tu madre, tú y yo. Le daríamos a la vieja un poco de alegría, en los años que le quedasen de vida. Y tú me harías feliz. *(Pausa.)* Acéptame, te lo suplico.

CARMINA: —¡Eres muy bueno!

URBANO: —Carmina, te lo ruego. Consiente en ser mi novia. Déjame ayudarte con ese título.

CARMINA: *(Llora, refugiándose en sus brazos.)* ¡Gracias, gracias!

URBANO: *(Enajenado.)* —Entonces... ¿sí? *(Ella asiente.)* ¡Gracias yo a ti! ¡No te merezco!

(Quedan un momento abrazados. Se separan con las manos cogidas. Ella le sonríe entre lágrimas. PACA *sale de su casa. Echa una automática ojeada inquisitiva sobre el rellano y le parece ver algo en el "casinillo". Se acerca al IV para ver mejor, asomándose a la barandilla, y los reconoce.)*

PACA: —¿Qué hacéis ahí?

URBANO: *(Asomándose con Carmina.)* —Le estaba explicando a Carmina... el entierro.

PACA: —Bonita conversación. *(A Carmina.)* ¿Dónde vas tú con el capacho?

CARMINA: —A la compra.

PACA: —¿No ha ido Trini por ti?

CARMINA: —No.

PACA: —Se le habrá olvidado con la bronca. Quédate en casa, yo iré en tu lugar. *(A URBANO, mientras empieza a bajar.)* Acompáñalas, anda. *(Se detiene. Fuerte.)* ¿No subís? *(Ellos se apresuran a hacerlo. PACA baja y se cruza con la pareja en la escalera. A CARMINA, cogiéndole el capacho.)* Dame el capacho. *(Sigue bajando. Se vuelve a mirarlos y ellos la miran también desde la puerta, confusos. CARMINA abre con su llave, entran y cierran. PACA, con gesto expresivo:)* ¡Je! *(Cerca de la bajada, interpela por la barandilla a Trini, que sube.)* ¿Por qué no te has llevado el capacho de Generosa?

TRINI: *(Desde, dentro.)* —Se me pasó. A eso subía.

(Aparece con su capacho vacío.)

PACA: —Trae el capacho. Yo iré. Ve con tu padre, que tú sabes consolarle.

TRINI: —¿Qué le pasa?

PACA: *(Suspirando.)* —Nada... Lo de Rosa. *(Vuelve a suspirar.)* Dame el dinero. *(TRINI le da unas monedas y se dispone a seguir. PACA, confidencial.)* —Oye: ¿sabes que... ?

(Pausa.)

TRINI: (Deteniéndose.) —¿Qué?

PACA: —Nada. Hasta luego.

(Se va. TRINI sube. Antes de llegar al segundo rellano sale de su casa el SEÑOR JUAN, que la ve cuando va a cerrar la puerta.)

TRINI: —¿Dónde va usted?

SEÑOR JUAN: —A acompañar un poco a esas pobres mujeres. *(Pausa breve.)* ¿No has hecho la compra?

TRINI: *(Llegando a él.)* —Bajó madre a hacerla.

SEÑOR JUAN: —Ya. *(Se dirige al I, en tanto que ella se dispone a entrar. Luego se para y se vuelve.)* ¿Viste cómo defendía Rosita a ese bandido?

TRINI: —Sí, padre.

(Pausa.)

SEÑOR JUAN: —Es indignante... Me da vergüenza que sea mi hija.

TRINI: —Rosita no es mala, padre.

SEÑOR JUAN: —¡Calla! ¿Qué sabes tú? *(Con ira.)* ¡Ni mentármela siquiera! ¡Y no quiero que la visites, ni que hables con ella! Rosita se terminó para nosotros ¡Se terminó! *(Pausa.)* Debe de defenderse muy mal, ¿verdad? *(Pausa.)* Aunque a mí no me importa nada.

TRINI: *(Acercándose.)* —Padre...

SEÑOR JUAN: —Qué.

TRINI: —Ayer Rosita me dijo que su mayor pena era el disgusto que usted tenía.

SEÑOR JUAN: —¡Hipócrita!

TRINI: —Me lo dijo llorando, padre.

SEÑOR JUAN: —Las mujeres siempre tienen las lágrimas a punto. *(Pausa.)* Y¿qué tal se defiende?

TRINI: —Muy mal. El sirvergüenza ese no gana y a ella le repugna... ganarlo de otro modo.

SEÑOR JUAN: *(Dolorosamente.)* —¡No lo creo! ¡Esa golfa... ! ¡Bah! ¡Es una golfa, una golfa!

TRINI: —No, no, padre. Rosa es algo ligera, pero no ha llegado a eso. Se juntó con Pepe porque le quería... y aún le quiere. Y él siempre le está diciendo que debe ganarlo, y siempre la amenaza con dejarla. Y... la pega.

SEÑOR JUAN: —¡Canalla!

TRINI: —Y Rosa no quiere que él la deje. Y tampoco quiere echarse a la vida... Sufre mucho.

SEÑOR JUAN: —¡Todos sufrimos!

TRINI: —Y, por eso, con lo poco que él le da alguna vez; le va dando de comer. Y ella apenas come. Y no cena nunca. ¿No se ha fijado usted en lo delgada que se ha quedado?

(Pausa.)

SEÑOR JUAN: —No.

TRINI: —¡Se ve enseguida! Y sufre porque él dice que está ya fea y... no viene casi nunca. *(Pausa.)* ¡La pobre Rosita terminará por echarse a la calle para que él no la abandone!

SEÑOR JUAN: *(Exaltado.)* —¿Pobre? ¡No la llames pobre!. Ella se lo ha buscado. *(Pausa. Va a marcharse y se para otra vez.)* Sufres mucho por ella, ¿verdad?

TRINI: —Me da mucha pena, padre.

(Pausa.)

SEÑOR JUAN: *(Con los ojos bajos.)* —Mira, no quiero que sufras por ella. Ella no me importa nada, ¿comprendes? Nada. Pero tú, sí. Y no quiero verte con esa preocupación. ¿Me entiendes?

TRINI: —Sí, padre.

SEÑOR JUAN: *(Turbado.)* —Escucha. Ahí dentro tengo unos durillos... Unos durillos ahorrados del café y de las copas…

TRINI: —¡Padre!

SEÑOR JUAN: —¡Calla y déjame hablar! ¡Como el café y el vino no son buenos a la vejez…, pues los fui guardando. A mí, Rosa no me importa nada. Pero si te sirve de consuelo… puedes dárselos.

TRINI: —¡Sí, sí, padre!

SEÑOR JUAN: —De modo que voy a buscarlos.

TRINI: —¡Qué bueno es usted!

SEÑOR JUAN: *(Entrando.)* —No, si lo hago por ti… *(Muy conmovida, TRINI espera ansiosamente la vuelta de su padre mientras lanza expresivas ojeadas al IV. El Señor Juan torna con unos billetes en la mano. Contándolos y sin mirarla, se los da.)* Ahí tienes.

TRINI: —Sí, padre.

SEÑOR JUAN: *(Yendo hacia el I.)* —Se los das, si quieres.

TRINI: —Sí, padre.

SEÑOR JUAN: —Como cosa tuya, naturalmente.

TRINI: —Sí.

SEÑOR JUAN: *(Después de llamar en el I, con falsa autoridad.)* —¡Y que no se entere tu madre de esto!

TRINI: —No, padre.

(URBANO abre al SEÑOR JUAN.)

SEÑOR JUAN: —¡Ah! Estás aquí.

URBANO: —Sí, padre.

(El SEÑOR JUAN entra y cierra. TRINI se vuelve llena de alegría y llama repetidas veces al IV. Después se da cuenta de que su casa ha quedado abierta; la cierra y torna a llamar. Pausa. ROSA abre.)

TRINI: —¡Rosita!

ROSA: —Hola, Trini.

TRINI: —¡Rosita!

ROSA: —Te agradezco que vengas. Dispensa si antes te falté...

TRINI: —¡Eso no importa!

ROSA: —No me guardes rencor. Ya comprendo que hago mal defendiendo así a Pepe, pero...

TRINI: —¡Rosita! ¡Padre me ha dado dinero para ti.

ROSA: —¿Eh?

TRINI: —¡Mira! *(Le enseña los billetes.)* ¡Toma! ¡Son para ti!

(Se los pone en la mano.)

ROSA: *(Casi llorando.)* —Trini, no..., no puede ser.

TRINI: —Sí puede ser... Padre te quiere...

ROSA: —No me engañes, Trini. Ese dinero es tuyo.

TRINI: —¿Mío? No sé cómo. ¡Me lo dio él! ¡Ahora mismo me lo ha dado! *(ROSA llora.)* Escucha cómo fue. *(La empuja para adentro.)* Él te nombró primero... Dijo que...

(Entran y cierran. Pausa. ELVIRA y FERNANDO suben. FERNANDO lleva ahora al niño. Discuten.)

FERNANDO: —Ahora entramos un minuto y les damos el pésame.

ELVIRA: —Ya te he dicho que no.

FERNANDO: —Pues antes querías.

ELVIRA: —Y tú no querías.

FERNANDO: —Sin embargo, es lo mejor. Compréndelo, mujer.

ELVIRA: —Prefiero no entrar.

FERNANDO: —Entraré yo solo entonces.

ELVIRA: —¡Tampoco! Eso es lo que tú quieres: ver a Carmina, y decirle cositas y tonterías.

FERNANDO: —Elvira, no te alteres. Entre Carmina y yo terminó todo hace mucho tiempo.

ELVIRA: —No te molestes en fingir. ¿Crees que no me doy cuenta de las miraditas que le echas encima, y de cómo procuras hacerte el encontradizo con ella?

FERNANDO: —Fantasías.

ELVIRA: —¿Fantasías? La querías y la sigues queriendo.

FERNANDO: —Elvira, sabes que yo te he...

ELVIRA: —¡A mí nunca me has querido! Te casaste por el dinero de papá.

FERNANDO: —¡Elvira!

ELVIRA: —Y, sin embargo, valgo mucho más que ella.

FERNANDO: —¡Por favor! ¡Pueden escucharnos los vecinos!

ELVIRA: —No me importa.

(Llegan al descansillo.)

FERNANDO: —Te juro que Carmina y yo no…

ELVIRA: *(Dando pataditas en el suelo.)* —¡No me lo creo! ¡Y eso se tiene que acabar! *(Se dirige a su casa, mas él se queda junto al I.)* ¡Abre!

FERNANDO: —Vamos a dar el pésame; no seas terca.

ELVIRA: —Que no, te digo.

(Pausa. El se aproxima.)

FERNANDO: —Toma a Fernandito.

(Se lo da y se dispone a abrir.)

ELVIRA: *(En voz baja y violenta.)* —¡Tú tampoco vas! ¿Me has oído? *(Él abre la puerta sin contestar.)* ¿Me has oído?

FERNANDO: —¡Entra!

ELVIRA: —¡Tú antes! *(Se abre el I y aparecen CARMINA y URBANO. Están con las manos enlazadas, en una actitud clara. Ante la sorpresa de FERNANDO, ELVIRA vuelve a cerrar la puerta y se dirige a ellos, sonriente.)* ¡Qué casualidad, Carmina! Salíamos precisamente para ir a casa de ustedes…

Carmina: —Muchas gracias.

(Ha intentado desprenderse, pero URBANO la retiene.)

ELVIRA: *(Con cara de circunstancias.)* —Sí, hija… Ha sido muy lamentable…, muy sensible.

FERNANDO: *(Reportado.)* —Mi mujer y yo les acompañamos sinceramente en el sentimiento.

Carmina: *(Sin mirarle.)* —Gracias.

(La tensión aumenta, inconteniblemente, entre los cuatro.)

ELVIRA: —¿Su madre está dentro?

Carmina: —Sí; háganme el favor de pasar. Yo entro en seguida. *(Con vivacidad.)* En cuanto me despida de Urbano.

ELVIRA: —¿Vamos, Fernando? *(Ante el silencio de él.)* No te preocupes, hombre. *(A CARMINA.)* Está preocupado porque al nene le toca ahora la teta. *(Con una tierna mirada para FERNANDO.)* Se desvive por su familia. *(A CARMINA.)* Le daré el pecho en su casa. No le importa, ¿verdad?

CARMINA: —Claro que no.

ELVIRA: —Mire qué rico está mi Fernandito. *(CARMINA se acerca, después de lograr desprenderse de URBANO.)* Dormidito. No tardará en chillar y pedir lo suyo.

CARMINA: —Es una monada.

ELVIRA: —Tiene toda la cara de su padre. *(A FERNANDO.)* Sí, Sí: aunque te empeñes en que no. *(A Carmina.)* Él asegura que es igual a mí. Le agrada mucho que se parezca a mí. Es a él a quien se parece, ¿no cree?

CARMINA: —Pues... no sé. ¿Tú qué crees, URBANO?

URBANO: —No entiendo mucho de eso. Yo creo que todos los niños pequeños se parecen.

Fernando: *(A Urbano.)* —Claro que sí. Elvira exagera. Lo mismo puede parecerse a ella, que... a Carmina, por ejemplo.

ELVIRA: *(Violenta.)* —¡Ahora dices eso! ¡Pues siempre estás afirmando que es mi vivo retratol

CARMINA: —Por lo menos tendrá el aire de familia. ¡Decir que se parece a mí ¡Qué disparate!

URBANO: —¡Completo!

CARMINA: —*(Al borde del llanto.)* —Me va usted a hacer reír, Fernando, en un día como éste.

URBANO: *(Con ostensible solicitud.)* —Carmina, por favor, no te afectes. *(A FERNANDO.)* ¡Es muy sensible!

(FERNANDO asiente.)

CARMINA: *(Con falsa ternura.)* —Gracias, Urbano.

URBANO: *(Con intención.)* —Repórtate. Piensa en cosas más alegres... Puedes hacerlo...

FERNANDO: *(Con la insolencla de un antiguo novio.)* Carmina fue siempre muy sensible.

ELVIRA: *(Que lee en el corazón de la otra.)* —Pero hoy tiene motivos para entristecerse. ¿Entramos, Fernando?

FERNANDO: *(Tierno.)* —Cuando quieras, nena.

URBANO: —Déjalos pasar, nena.

(Y aparta a CARMINA, con triunfal solicitud que brinda a FERNANDO, para dejar pasar al matrimonio.)

TELÓN.

ACTO TERCERO

Pasaron velozmente veinte años más. Es ya nuestra época. La escalera sigue siendo una humilde escalera de vecinos. El casero ha pretendido, sin éxito, disfrazar su pobreza con algunos nuevos detalles concedidos despaciosamente a lo largo del tiempo: la ventana tiene ahora cristales romboidales coloreados y en la pared del segundo rellano, frente al tramo, puede leerse la palabra "Quinto" en una placa de metal. Las puertas han sido dotadas de timbre eléctrico, y las paredes, blanqueadas.

(Una viejecita consumida y arrugada, de obesidad malsana y cabellos completamente blancos, desemboca, fatigada, en el primer rellano. Es PACA. *Camina vacilante, apoyándose en la barandilla y lleva en la otra mano un capacho lleno de bultos.)*

PACA: *(Entrecortadamente.)* —¡Qué vieja estoy! *(Acaricia la barandilla.)* ¡Tan vieja como tú! ¡Uf! *(Pausa.)* ¡Y qué sola! Ya no soy nada para mis hijos ni para mi nieta. ¡Un estorbo! *(Pausa.)* ¡Pues no me da la gana de serio, demontre! *(Pausa. Resollando.)* ¡Hoj! ¡Qué escalerita! Ya podía poner ascensor el ladrón del casero. Hueco no falta. Lo que falta son ganas de rascarse el bolsillo. *(Pausa.)* En cambio, mi Juan la subía de dos en dos... hasta el día mismo de morirse. Y yo, que no puedo con ella...,no me muero ni con polvorones. *(Pausa.)* Bueno, y ahora que no me oye nadie. ¿Yo quiero o no quiero morirme? *(Pausa.)* Yo no quiero morirme. *(Pausa.)* Lo que quiero *(ha llegado al segundo rellano y dedica una ojeada al I)*, es poder charlar con Generosa, y, con Juan... *(Pausa. Se encamina a su puerta.)* ¡Pobre Generosa! ¡Ni los huesos quedarán! *(Pausa. Abre con su llave. Al entrar.)* ¡Y que me haga un peco más de caso mi nieta, demontre!

(Del IV sale un SEÑOR *bien vestido. Al pasar frente al I sale de éste un* JOVEN *bien vestido.)*

JOVEN: —Buenos días.

SEÑOR: —Buenos días. ¿A la oficina?

JOVEN: —Sí, señor. ¿Usted también?

SEÑOR: —Lo mismo. *(Bajan emparejados.)* ¿Y esos asuntos?

JOVEN: —Bastante bien. Saco casi otro sueldo. No me puedo quejar. ¿Y usted?

SEÑOR: —Marchando. Sólo necesitaría que alguno de estos vecinos se mudase, para ocupar un exterior. Después de desinfectarlo y pintarlo, podría recibir gente.

JOVEN: —Sí, señor. Lo mismo queremos nosotros.

SEÑOR: —Además, que no hay derecho a pagar tantísimo por un interior mientras ellos tienen los exteriores casi de balde.

JOVEN: —Como son vecinos tan antiguos…

SEÑOR: —Pues no hay derecho. ¿Es que mi dinero vale menos que el de ellos?

JOVEN: —Además, que son unos indeseables.

SEÑOR: —Ni me hable. Si no fuera por ellos… Por que la casa, aunque muy vieja, no está mal.

JOVEN: —No. Los pisos son amplios.

SEÑOR: —Únicamente la falta de ascensor.

JOVEN: —Ya lo pondrán. *(Pausa breve.)* ¿Ha visto los nuevos modelos de automóvil?

SEÑOR: —Son magníficos.

JOVEN: —¡Magníficos! Se habrá fijado en que la carrocería es completamente…

(Se van charlando. Pausa. Salen del III URBANO y CARMINA. Son ya casi viejos. Ella se prende familiarmente de su brazo y bajan. Cuando están a la mitad del tramo, suben por la izquierda ELVIRA y FERNANDO, también del brazo y con las huellas de la edad. Socialmente, su aspecto no ha cambiado: son dos viejos matrimonios, de obrero uno y el otro de empleado. Al cruzarse, se saludan secamente. CARMINA y URBANO bajan. ELVIRA y FERNANDO llegan en silencio al II y él llama al timbre.)

ELVIRA: —¿Por qué no abres con el llavín?

FERNANDO: —Manolín nos abrirá.

(La puerta es abierta por Manolín, un chico de unos doce años.)

MANOLÍN: *(Besando a su padre.)* —Hola, papá.

FERNANDO: —Hola, hijo.

MANOLÍN: *(Besando a su madre.)* —Hola, mamá.

ELVIRA: —Hola.

(MANOLÍN se mueve a su alrededor por ver si traen algo.)

FERNANDO: — ¿Qué buscas?

MANOLÍN: —¿No traéis nada?

FERNANDO: —Ya ves que no.

MANOLÍN: — ¿Los traerán ahora?

ELVIRA: —¿El qué?

MANOLÍN: —¡Los pasteles!

FERNANDO: —Pasteles? No, hijo. Están muy caros.

MANOLÍN: —¡Pero, papá! ¡Hoy es mi cumpleaños.

FERNANDO: —Sí, hijo. Ya lo sé.

ELVIRA: —Y te guardamos una sorpresa.

FERNANDO: —Pero pasteles no pueden ser.

MANOLÍN: —Pues yo quiero pasteles.

FERNANDO: —No puede ser.

MANOLÍN: —¿Cuál es la sorpresa?

ELVIRA: —Ya la verás luego. Anda adentro.

MANOLÍN: *(Camino de la escalera.)* —No.

FERNANDO: —¿Dónde vas tú?

MANOLÍN: —A jugar.

ELVIRA: —No tardes.

MANOLÍN: —No. Hasta luego. *(Los padres cierran. Él baja los peldaños y se detiene en el "casinillo". Comenta.)* ¡Qué roñosos!

(Se encoge de hombros y, con cara de satisfacción, saca un cigarrillo. Tras una furtiva ojeada hacia arriba, saca una cerilla y la enciende en la pared. Se pone a fumar muy complacido. Pausa. Salen del III ROSA y TRINI: una pareja notablemente igualada por las arrugas y la tristeza que la desilusión y las penas han puesto en sus rostros. ROSA lleva un capacho.)

TRINI: —¿Para qué vienes, mujer? ¡Si es un momento!

ROSA: —Por respirar un poco el aire de la calle. Me ahogo en casa. *(Levantando el capacho.)* Además, te ayudaré.

TRINI: —Ya ves; yo prefiero, en cambio, estarme en casa.

ROSA: —Es que… no me gusta quedarme sola con madre. No me quiere bien.

TRINI: —¡Qué disparate!

ROSA: —Sí, sí… Desde aquello.

TRINI: —¿Quién se acuerda ya de eso?

ROSA: —¡Todos! Siempre lo recordamos y nunca hablamos de ello.

TRINI: *(Con un suspiro.)* —Déjaló. No te preocupes.

(Manolín, que la ve bajar, se interpone en su camino y la saluda con alegría. Ellas se paran.)

MANOLÍN: — ¡Hola Trini!

TRINI: *(Cariñosa.)* ¡Mala pieza! *(Él lanza al aire, con orgullo, una bocanada de humo.)* ¡Madre mía! ¿Pues no está fumando? ¡Tira eso en seguida, cochino!

(Intenta tirarle el cigarrillo de un manotazo y él se zafa.)

MANOLÍN: —¡Es que hoy es mi cumpleaños!

TRINI: —¡Caramba! ¿Y cuántos cumples?

MANOLÍN: —Doce. ¡Ya soy un hombre!

TRINI: —Si te hago un regalo, ¿me lo aceptarás?

MANOLÍN: —¿Qué me vas a dar?

TRINI: —Te daré dinero para que te compres un pastel.

MANOLÍN: —Yo no quiero pasteles.

TRINI: —¿No te gustan?

MANOLÍN: —No. Prefiero que me regales una cajetilla de tabaco.

TRINI: —¡Ni lo sueñes! Y tira ya eso.

MANOLÍN: —No quiero. *(Pero ella consigue tirarle el cigarrillo.)* Oye, Trini... Tú me quieres mucho, ¿verdad?

TRINI: —Naturalmente.

MANOLÍN: —Oye... Quiero preguntarte una cosa.

(Mira de reojo a ROSA y trata de arrastrar a TRINI hacia el "casinillo".)

TRINI: —¿Dónde me llevas?

MANOLÍN: —Ven. No quiero que me oiga Rosa.

ROSA: —¿Por qué? Yo también te quiero mucho. ¿Es que no me quieres tú?

MANOLÍN: —No.

ROSA: —¿Por qué?

MANOLÍN: —Porque eres vieja y gruñona.

(ROSA se muerde los labios y se separa hacia la barandilla.)

TRINI: *(Enfadada.)* —¡Manolín!

MANOLÍN: *(Tirando de TRINI.)* —Ven... *(Ella le sigue, sonriente. Él la detiene con mucho misterio.)* ¿Te casarás conmigo cuando sea mayor?

(TRINI rompe a reír. ROSA, con cara triste, los mira desde la barandilla.)

TRINI: *(Risueña, a su hermana.)* —¡Una declaración!

MANOLÍN: *(Colorado.)* —No te rías y contéstame.

TRINI: —¡Qué tontería! ¿No ves que ya soy vieja?

MANOLÍN: —No.

TRINI: *(Conmovida.)* —Sí, hijo, sí. Y cuando tú seas mayor, yo seré una ancianita.

MANOLÍN: —No me importa. Yo te quiero mucho.

TRINI: *(Muy emocionada y sonriente, le coge la cara entre las manos y le besa.)* —¡Hijo! ¡Qué tonto eres! ¡Tonto! *(Besándole.)* No digas simplezas. ¡Hijo! *(Besándole.)* ¡Hijo!

(Se separa y va ligera a emparejar con ROSA.)

MANOLÍN: —Oye...

TRINI: *(Conduciendo a ROSA, que sigue seria.)* —¡Calla, simple! Y ya veré lo que te regalo: si un pastel... o una cajetilla.

(Se van rápidas. MANOLÍN las ve bajar y luego, dándose mucha importancia, saca otro cigarrillo y otra cerilla. Se sienta en el suelo del "casinillo" y fuma despacio, perdido en sus imaginaciones de niño. Se abre, el III y sale CARMINA, hija de CARMINA y URBANO. Es una atolondrada chiquilla de unos dieciocho años. PACA la despide desde la puerta.)

CARMINA, HIJA: —Hasta luego, abuela. *(Avanza dando fuertes golpes en la barandilla, mientras tararea.)* —La, ra, ra..., la, ra, ra...

PACA: —¡Niña!

CARMINA, HIJA: *(Volviéndose.)* —¿Qué?

PACA: —No des así en la barandilla. ¡La vas a romper! ¿No ves que está muy vieja?

CARMINA, HIJA: —Que pongan otra.

PACA: —Que pongan otra... Los jóvenes, en cuanto una cosa está vieja, sólo sabéis tirarla. ¡Pues las cosas viejas hay que conservarlas! ¿Te enteras?

CARMINA, HIJA: —A ti, como eres vieja, te gustan las vejeces.

PACA: —Lo que quiero es que tengas más respeto para... la vejez.

CARMINA, HIJA: *(Que se vuelve rápidamente y la abruma a besos.)* —¡Boba! ¡Vieja guapa!

PACA: *(Ganada, pretende desasirse.)* —¡Quita, quita hipócrita! ¡Ahora vienes con cariñitos!

(CARMINA la empuja y trata de cerrar.)

CARMINA, HIJA: —Anda para adentro.

PACA: —¡Qué falta de vergüenza! ¿Cres que vas a mandar en mí? *(Forcejean.)* ¡Déjame!

CARMINA, HIJA: —Entra…

(La resistencia de Paca acaba en una débil risilla de anciana.)

PACA: *(Vencida.)* —¡No te olvides de comprar ajos!

(CARMINA cierra la puerta en sus narices. Vuelve a bajar, rápida, sin dejar sus golpes al pasamanos ni su tarareo. La puerta del II se abre por FERNANDO, hijo de FERNANDO y ELVIRA. Sale en mangas de camisa. Es arrogante y pueril. Tiene veintiún años.)

FERNANDO, HIJO: —Carmina.

(Ella, en los primeros escalones aún, se inmoviliza y calla, temblorosa, sin volver la cabeza. Él baja en seguida a su altura. MANOLÍN se disimula y escucha con infantil picardía.)

CARMINA, HIJA: —¡Déjame, Fernando! Aquí, no. Nos pueden ver.

FERNANDO, HIJO: —¡Qué nos importa!

CARMINA, HIJA: —¡Déjame!

(Intenta seguir. Él la detiene con brusquedad.)

FERNANDO, HIJO: —¡Escúchame, te digo! ¡Te estoy hablando!

CARMINA, HIJA: *(Asustada.)* —Por favor, Fernando.

FERNANDO, HIJO: —No. Tiene que ser ahora. Tienes que decirme en seguida por qué me has esquivado estos días. *(Ella mira, angustiada, por el hueco de la escalera.)* ¡Vamos, contesta! ¿Por qué? *(Ella mira a la puerta de su casa.)* ¡No mires más! No hay nadie.

CARMINA, HIJA: —Fernando, déjame ahora. Esta tarde podremos vernos donde el último día.

FERNANDO, HIJO: —De acuerdo. Pero ahora me vas a decir por qué no has venido estos días.

(Ella consigue bajar unos peldaños más. El la retiene y la sujeta contra la barandilla.)

CARMINA, HIJA: —¡Fernando!

FERNANDO, HIJO: —¡Dímelo! ¿Es que ya no me quieres? *(Pausa.)* No me has querido nunca, ¿verdad? Esa es la razón. ¡Has querido coquetear conmigo, divertirte conmigo!

CARMINA, HIJA: —No, no…

FERNANDO, HIJO: —Sí. Eso es. *(Pausa.)* ¡Pues no te saldrás con la tuya!

CARMINA, HIJA: —Fernando, yo te quiero. ¡Pero déjame! ¡Lo nuestro no puede ser!

FERNANDO, HIJO: —¿Por qué no puede ser?

CARMINA, HIJA: —Mis padres no quieren.

FERNANDO, HIJO: —¿Y qué? Eso es un pretexto. ¡Un mal pretexto!

CARMINA, HIJA: —No, no…, de verdad… Te lo juro.

FERNANDO, HIJO: —Si me quisieras de verdad no te importaría.

CARMINA, HIJA: *(Sollozando.)* —Es que… me han amenazado y… me han pegado…

FERNANDO, HIJO: —¡Cómo!

CARMINA, HIJA: —Sí. Y hablan mal de ti… y de tus padres… ¡Déjame, Fernando! *(Se desprende. Él está paralizado.)* Olvida lo nuestro. No puede ser… Tengo miedo…

(Se va rápidamente, llorosa. FERNANDO llega hasta el rellano y la mira bajar abstraído. Después se vuelve y ve a MANOLÍN. Su expresión se endurece.)

FERNANDO, HIJO: —¿Qué haces aquí?

MANOLÍN: *(Muy divertido.)* —Nada.

FERNANDO, HIJO: —Anda para casa.

MANOLÍN: —No quiero.

FERNANDO, HIJO: —¡Arriba, te digo!

MANOLÍN: —Es mi cumpleaños y hago lo que quiero. ¡Y tú no tienes derecho a mandarme!

(Pausa.)

FERNANDO, HIJO: —Si no fueras el favorito… ya te daría yo cumpleaños.

(Pausa. Comienza a subir mirando a MANOLÍN con suspicacia. Éste contiene con trabajo la risa.)

MANOLÍN: *(Envalentonado.)* —¡Qué entusiasmado estás con Carmina!

FERNANDO, HIJO: *(Bajando al instante.)* —¡Te voy a cortar la lengua!

MANOLÍN: *(Con regocijo.)* —¡Parecíais dos novios de película! *(En tono cómico.)* "¡No me abandones, Nelly! ¡Te quiero, Bob!" *(FERNANDO le da una bofetada. A* MANOLÍN *se le saltan las lágrimas y se esfuerza, rabioso, en patear las espinillas y los pies de su hermano.)* ¡Bruto!

FERNANDO, HIJO: *(Sujetándole.)* —¿Qué hacías en el "casinillo"?

MANOLÍN: —¡No te importa! ¡Bruto! ¡Idiota?... ! ¡Romántico!

FERNANDO, HIJO: —Fumando, ¿eh? *(Señala las colillas en el suelo.)* Ya verás cuando se entere papá.

MANOLÍN: —¡Y yo le diré que sigues siendo novio de Carmina!

FERNANDO, HIJO: *(Apretándole un brazo.)* —¡Qué bien trasteas a los padres, marrano, hipócrita! ¡Pero los pitillos te van a costar caros!

MANOLÍN: *(Que se desase y sube presuroso el tramo.)* ¡No te tengo miedo! Y diré lo de Carmina, ¡Lo diré ahora mismo!

(Llama con apremio al timbre de su casa.)

FERNANDO, HIJO: *(Desde la barandilla del primer rellano.)* —¡Baja, chivato!

MANOLÍN: —No. Además, esos pitillos no son míos.

FERNANDO, HIJO: —¡Baja!

(FERNANDO, el padre, abre la puerta.)

MANOLÍN: —¡Papá, Fernando estaba besándose con Carmina en la escalera!

FERNANDO, HIJO: ¡ Embustero!

MANOLÍN: —Sí, papá. Yo no los veía porque estaba en el "casinillo" pero...

FERNANDO: *(A* MANOLÍN.*)* —Pasa para dentro.

MANOLÍN: —Papá, te aseguro que es verdad.

FERNANDO: —Adentro. *(Con un gesto de burla a su hermano,* MANOLÍN *entra.)* Y tú, sube.

FERNANDO, HIJO: —Papá, no es cierto que me estuviera besando con Carmina.

(Empieza a subir.)

FERNANDO: —¿Estabas con ella?

FERNANDO, HIJO: —Sí.

FERNANDO: —¿Recuerdas que te hemos dicho muchas veces que no tontearas con ella?

FERNANDO, HIJO: *(Que ha llegado al rellano.)* —Sí.

FERNANDO: —Y has desobedecido...

FERNANDO, HIJO: —Papá... Yo...

FERNANDO: —Entra. *(Pausa.)* ¿Has oído?

FERNANDO, HIJO: *(Rebelándose.)* —¡ No quiero! ¡Se acabó!

FERNANDO: —¿Qué dices?

FERNANDO, HIJO: —¡No quiero entrar! ¡Ya estoy harto de vuestras estúpidas prohibiciones!

FERNANDO: *(Conteniéndose.)* —Supongo que no querrás escandalizar para los vecinos…

FERNANDO, HIJO: —¡No me importa! ¡También estoy harto de esos miedos! *(ELVIRA, avisada sin duda por MANOLÍN, sale a la puerta.)* ¿Por qué no puedo hablar con Carmina, vamos a ver? ¡Ya soy un hombre!

ELVIRA: *(Que interviene con acritud.)* —¡No para Carmina!

FERNANDO: *(A ELVIRA.)* —¡Calla! *(A su hijo.)* Y tú entra. Aquí no podemos dar voces.

FERNANDO, HIJO: —¿Qué tengo yo que ver con vuestros rencores y vuestros viejos prejuicios? ¿Por qué no vamos a poder querernos Carmina y yo?

ELVIRA: —¡Nunca!

FERNANDO: —No puede ser, hijo.

FERNANDO, HIJO: —Pero, ¿por qué?

FERNANDO: —Tú no lo entiendes. Pero entre esa familia y nosotros no puede haber noviazgos.

FERNANDO, HIJO: —Pues os tratáis.

FERNANDO: —Nos saludamos, nada más. *(Pausa.)* A mí, realmente, no me importaría demasiado. Es tu madre…

ELVIRA: —Claro que no. ¡Ni hablar de la cosa!

FERNANDO: —Los padres de ella tampoco lo consentirían. Puedes estar seguro.

ELVIRA: —Y tú debías ser el primero en prohibírselo, en vez de halagarle con esas blanduras improcedentes.

FERNANDO: —¡Elvira!

ELVIRA: —¡Improcedentes! *(A su hijo.)* Entra, hijo.

FERNANDO, HIJO: —Pero mamá… Papá…¡Cada vez lo entiendo menos! Os empeñáis en no comprender que yo… ¡no puedo vivir sin Carmina!

FERNANDO: —Eres tú el que no nos comprendes. Yo te lo explicaré todo, hijo.

ELVIRA: —¡No tienes que explicar nada! *(A su hijo.)* Entra.

FERNANDO: —Hay que explicarle, mujer... *(A su hijo.)* Entra, hijo.

FERNANDO, HIJO: *(Entrando, vencido.)* —No os comprendo… No os comprendo...

(Cierran. Pausa. Trini y Rosa vuelven de la compra.)

TRINI: —¿Y no le has vuelto a ver?

ROSA: —¡Muchas veces! Al principio no me saludaba, me evitaba. Y yo, como una tonta, le buscaba. Ahora es al revés.

TRINI: —¿Te busca él?

ROSA: —Ahora me saluda, y yo a él, no. ¡Canalla! Me ha entretenido durante años para dejarme cuando ya no me mira a la cara nadie.

TRINI: —Estará ya viejo…

ROSA: —¡Muy viejo! Y muy gastado. Porque sigue bebiendo y trasnochando…

TRINI: —¡Qué vida!

ROSA: —Casi me alegro de no haber tenido hijos con él. No habrían salido sanos. *(Pausa.)* ¡Pero yo hubiera querido tener un niño, Trini! Y hubiese querido que él no fuese como era… y que el niño se le hubiese parecido.

TRINI: —Las cosas nunca suceden a nuestro gusto.

ROSA: —No. *(Pausa.)* ¡Pero, al menos, un niño! ¡Mi vida se habría llenado con un niño!

(Pausa.)

TRINI: —La mía también.

ROSA: —¿Eh? *(Pausa breve.)* Claro. ¡Pobre Trini! ¡Qué lástima que no te hayas casado!

TRINI: *(Deteniéndose, sonríe con pena.)* —¡Qué iguales somos en el fondo tú y yo!

ROSA: —Todas las mujeres somos iguales en el fondo.

TRINI: —Sí... Tú has sido el escándalo de la familia y yo la víctima. Tú quisiste vivir tu vida y yo me dediqué a la de los demás. Te juntaste con un hombre y yo sólo conozco el olor de los de la casa… Ya ves: al final hemos venido a fracasar de igual manera.

(ROSA le enlaza y aprieta suavemente el talle. TRINI la imita. Llegan enlazadas a la puerta.)

ROSA: *(Suspirando.)* —Abre…

TRINI: *(Suspirando.)* —Sí… Ahora mismo…

(Abre con el llavín y entran. Pausa. Suben URBANO, CARMINA y su hija. El padre viene riñendo a la muchacha, que atiende tristemente sumisa. La madre se muestra jadeante y muy cansada.)

URBANO: —¡Y no quiero que vuelvas a pensar en Fernando! Es como su padre: un inútil.

CARMINA: —¡Eso!

URBANO: —Más de un pitillo nos hemos fumado el padre y yo ahí mismo *(Señala al "casinillo".)* cuando éramos jóvenes. Me acuerdo muy bien. Tenía muchos pajaritos en la cabeza. Y su hijo es como él: un gandul. Así es que no quiero ni oírte su nombre. ¿Entendido?

CARMINA: —Sí, padre.

(La madre se apoya, agotada, en el pasamanos.)

URBANO: —¿Te cansas?

CARMINA: —Un poco.

URBANO: —Un esfuerzo. Ya no queda nada. *(A la hija, dándole la llave.)* Toma, ve abriendo. *(Mientras la muchacha sube y entra, dejando la puerta entornada)* ¿Te duele el corazón?

CARMINA: —Un poquito…

URBANO: —¡Dichoso corazón!

CARMINA: —No es nada. Ahora se pasará.

(Pausa.)

URBANO: —¿Por qué no quieres que vayamos a otro médico?

CARMINA: *(Seca.)* —Porque no.

URBANO: — ¡Una testarudez tuya! Puede que otro médico consiguiese…

CARMINA: —Nada. Esto no tiene arreglo; es de la edad… y de las desilusiones.

URBANO: —¡Tonterías! Podíamos probar…

CARMINA: —¡Que no! ¡Y déjame en paz!

(Pausa.)

URBANO: —¿Cuándo estaremos de acuerdo tú y yo en algo?

CARMINA: *(Con amargura.)* —Nunca.

URBANO: —Cuando pienso lo que pudiste haber sido para mí… ¿Por qué te casaste conmigo, si no me querías?

CARMINA: *(Seca.)* —No te engañé. Tú te empeñaste.

URBANO: —Sí. Supuse que podría hacerte olvidar otras cosas… Y esperaba más correspondencia, más…

CARMINA: —Más agradecimiento.

URBANO: —No es eso. *(Suspira.)* En fin, paciencia.

CARMINA: —Paciencia.

(PACA se asoma y los mira. Con voz débil, que contrasta con la fuerza de una pregunta igual hecha veinte años antes.)

PACA: —¿No subís?

URBANO: —Sí.

CARMINA: —Sí. Ahora mismo.

(PACA se mete.)

URBANO: —¿Puedes ya?

CARMINA: —Sí.

(URBANO le da el brazo. Suben lentamente, silenciosos. De peldaño en peldaño se oye la dificultosa respiración de ella. Llegan finalmente y entran. A punto de cerrar, URBANO ve a FERNANDO, el padre, que sale del II y emboca la escalera. Vacila un poco y , al fin, se decide a llamarle cuando ya ha bajado unos peldaños.)

URBANO: —Fernando.

FERNANDO: *(Volviéndose.)* —Hola. ¿Qué quieres?

URBANO: —Un momento. Haz el favor.

FERNANDO: —Tengo prisa…

URBANO: —Es sólo un minuto.

FERNANDO: —¿Qué quieres?

URBANO: —Quiero hablarte de tu hijo.

FERNANDO: —¿De cuál de los dos?

URBANO: —De Fernando.

FERNANDO: —¿Y qué tienes que decir de Fernando?

URBANO: —Que harías bien impidiéndole que sonsacase a mi Carmina.

FERNANDO: —¿Acaso crees que me gusta la cosa? Ya le hemos dicho todo lo necesario. No podemos hacer más.

URBANO: —¿Luego lo sabías?

FERNANDO: —Claro que lo sé. Haría falta estar ciego…

URBANO: —Lo sabías y te alegrabas, ¿no?

FERNANDO: —¿Que me alegraba?

URBANO: —¡Sí! Te alegrabas. Te alegrabas de ver a tu hijo tan parecido a ti mismo... De encontrarle tan irresistible como lo eras tú hace treinta años.

(Pausa.)

FERNANDO: —No quiero escucharte. Adiós.

(Va a marcharse.)

URBANO: —¡Espera! Antes hay que dejar terminada esta cuestión. Tu hijo:...

FERNANDO: *(Sube y se enfrenta con él.)* —Mi hijo es una víctima, como lo fui yo. A mi hijo le gusta Carmina porque ella se le ha puesto delante. Ella es quien le saca de sus casillas. Con mucha mayor razón podría yo decirte que la vigilases.

URBANO: —¡Ah, en cuanto a ella puedes estar seguro! Antes la deslomo que permitir que se entienda con tu Fernandito. Es a él a quien tienes que sujetar y encarrilar... Porque es como tú eras: un tenorio y un vago.

FERNANDO: —¿Yo un vago?

URBANO: —Sí. ¿Dónde han ido a parar tus proyectos de trabajo? No has sabido hacer más que mirar por encima del hombro a los demás. ¡Pero no te has emancipado, no te has libertado! *(Pegando en el pasamanos.)* ¡Sigues amarrado a esta escalera como yo, como todos!

FERNANDO: —Sí, como tú. También tú ibas a llegar muy lejos con el sindicato y la solidaridad. *(Irónico.)* Ibais a arreglar las cosas para todos..., hasta para mí.

URBANO: —¡Sí! ¡Hasta para los zánganos y cobardes como tú!

(CARMINA, la madre, sale al descansillo después de escuchar un segundo e interviene. El altercado crece en violencia hasta su final.)

CARMINA: —¡Eso! ¡Un cobarde! ¡Eso es lo que has sido siempre! ¡Un gandul y un cobarde!

URBANO: ¡Tú, cállate!

CARMINA: —¡No quiero! Tenía que decírselo. *(A Fernando.)* ¡Has sido un cobarde toda tu vida! Lo has sido para las cosas más insignificantes... y para las más importantes. *(Lacrimosa.)* ¡Te asustaste como una gallina cuando hacía falta ser un gallo con cresta y espolones!

URBANO: *(Furioso.)* —¡Métete para adentro!

CARMINA: —¡No quiero! *(A FERNANDO.)* Y tu hijo es como tú: un cobarde, un vago y un embustero. Nunca se casará con mi hija, ¿entiendes?

(Se detiene, jadeante.)

FERNANDO: —Ya procuraré que no haga esa tontería.

URBANO: —Para vosotros no sería una tontería, porque ella vale mil veces más que él.

FERNANDO: —Es tu opinión, de padre. Muy respetable. *(Se abre el II y aparece ELVIRA, que escucha y los contempla.)* Pero Carmina es de la pasta de su familia. Es como Rosita…

URBANO: *(Que se acerca a él rojo de rabia.)* —¡Te voy a…!

(Su mujer le sujeta.)

FERNANDO: —¡Sí! ¡A tirar por el hueco de la escalera! Es tu amenaza favorita. Otra de las cosas que no has sido capaz de hacer con nadie.

ELVIRA: *(Avanzando.)* —¿Por qué te avienes a discutir con semejante gentuza? *(FERNANDO, HIJO y MANOLÍN ocupan la puerta y presencian la escena con disgustado asombro.)* Vete a lo tuyo.

CARMINA: —¡Una gentuza a la que no tiene usted derecho a hablar!

ELVIRA: —Y no la hablo.

CARMINA: —¡Debería darle vergüenza! ¡Porque usted tiene la culpa de todo esto!

ELVIRA: —¿Yo?

CARMINA: —Sí, usted, que ha sido siempre una zalamera y una entrometida…

ELVIRA: —¿Y usted qué ha sido? ¡Una mosquita muerta! Pero le salió mal la combinación.

FERNANDO: *(A su mujer.)* —Estáis diciendo muchas tonterías…

(CARMINA, HIJA; PACA, ROSA y TRINI se agolpan en su puerta.)

ELVIRA: —¡Tú, te callasl! *(A CARMINA, por FERNANDO.)* ¿Cree usted que se lo quité? ¡Se lo regalaría de buena gana!

FERNANDO: —¡Elvira, cállate! ¡Es vergonzoso!

URBANO: *(A su mujer.)* —¡Carmina, no discutas eso!

ELVIRA: *(Sin atender a su marido.)* —Fue usted, que nunca supo retener a nadie, que no ha sido capaz de conmover a nadie… ni de conmoverse.

CARMINA: —¡Usted, en cambio, se conmovió a tiempo! ¡Por eso se lo llevó!

ELVIRA: —¡Cállese! ¡No tiene derecho a hablar! Ni usted ni nadie de su familia puede rozarse con personas decentes. Paca ha sido toda su vida una murmuradora… y una consentidora. *(A URBANO.)* ¡Como usted! Consentidores de los caprichos de Rosita… ¡Una cualquiera!

Rosa: ¡Deslenguada! ¡Víbora!

(Se abalanza y la agarra del pelo. Todos vocean. CARMINA pretende pegar a ELVIRA. URBANO trata de separarlas. FERNANDO sujeta a su mujer. Entre los dos consiguen separlas a medias. FERNANDO, HIJO, con el asco y la amargura pintados en su faz, avanza despacio por detrás del grupo y baja los escalones sin dejar de mirar, tanteando la pared a sus espaldas. Con desesperada actitud, sigue escuchando desde el "casinillo" la disputa de los mayores.)

FERNANDO: —¡Basta! ¡Basta ya!

URBANO: *(A los suyos.)* —¡Adentro todos!

ROSA: *(A ELVIRA)* —Si yo me junté con Pepe y salió mal, usted cazó a Fernando!…

ELVIRA: —¡Yo no he cazado a nadie!

ROSA: —¡A Fernando!

CARMINA: ¡Sí! ¡A Fernando!

ROSA: —Y le ha durado. Pero es tan chulo como Pepe.

FERNANDO: —¿Cómo?

URBANO: *(Enfrentándose con él.)* —¡Claro que sí! ¡En eso llevan razón! Has sido un cazador de dotes. En el fondo, igual que Pepe. ¡Peor! ¡Porque tú has sabido nadar y guardar la ropa!

FERNANDO: —¡No te parto la cabeza porque…!

(Las mujeres los sujetan ahora.)

URBANO: —¡Porque no puedes! ¡Porque no te atreves! ¡Pero a tu niño, se la partiré yo como le vea rondar a Carmina!

PACA: ¡Eso! ¡A limpiarse de mi nieta!

URBANO: *(Con grandes voces.)* ¡Ya se acabó! ¡Adentro todos!

(Los empuja rudamente.)

ROSA: *(Antes de entrar, a ELVIRA.)* —¡Pécora!

CARMINA: *(Lo mismo.)* —¡Enredadora!

ELVIRA: —¡Escandalosas! ¡Ordinarias!

(URBANO logra hacer etrar a los suyos y cierra con un tremendo portazo.)

FERNANDO: *(A ELVIRA y MANOLÍN.)* —¡Vosotros, para adentro también!

ELVIRA: *(Después de considerarle un momento, con desprecio.)* —¡Y tú a lo tuyo, que ni para eso vales!

(Su marido la mira violento. Ella mete a MANOLÍN de un empujón y cierra también con un portazo. FERNANDO baja tembloroso la escalera, con la lentitud de un vencido. Su hijo FERNANDO le ve cruzar y desaparecer con una mirada de espanto. La escalera queda en silencio. FERNANDO, HIJO, oculta la cabeza entre las manos. Pausa larga. CARMINA, HIJA, sale con mucho sigilo de su casa y cierra la puerta sin ruido. Su cara no está menos descompuesta que la de FERNANDO. Mira por el hueco y después fija su vista con ansiedad en la esquina del "casinillo". Baja tímidamente unos peldaños sin dejar de mirar. FERNANDO la siente y se asoma.)

FERNANDO, HIJO: —¡Carmina! *(Aunque esperaba su presencia, ella no puede reprimir un suspiro de susto. Se miran un momento y en seguida ella baja corriendo y se arroja, llorando, en sus brazos.)* ¡Carmina!...

CARMINA, HIJA: —¡Fernando! Ya ves... Ya ves que no puede ser.

FERNANDO, HIJO: —¡Sí puede ser! No te dejes vencer por su sordidez. ¿Qué puede haber de común entre ellos y nosotros? ¡Nada! ¡Ellos son viejos y torpes! No comprenden... Yo lucharé para vencer. Lucharé por ti y por mí. Pero tienes que ayudarme, Carmina. Tienes que confiar en mí y en nuestro cariño.

CARMINA, HIJA: —¡No podré!

FERNANDO, HIJO: —Podrás. Podrás... porque yo te lo pido. Tenemos que ser más fuertes que nuestros padres. Ellos se han dejado vencer por la vida. Han pasado treinta años subiendo y bajando esta escalera... Haciéndose cada día más mezquinos y más vulgares. Pero nosotros no nos dejaremos vencer por este ambiente. ¡No! Porque nos marcharemos de aquí. Nos apoyaremos el uno en el otro. Me ayudarás a subir, a dejar para siempre esta casa miserable, estas broncas constantes, estas estrecheces. Me ayudarás, ¿verdad? Dime que sí, por favor. ¡Dímelo!

CARMINA, HIJA: —¡Te necesito, Fernando! ¡No me dejes!

FERNANDO, HIJO: —¡Pequeña! *(Quedan un momento abrazados. Después, él la lleva al primer escalón y la sienta junto a la pared, sentándose a su lado. Se cogen las manos y se miran, arrobados.)* Carmina, voy a empezar en seguida a trabajar por ti. ¡Tengo muchos proyectos! *(CARMINA, la madre, sale de su casa con expresión inquieta y los divisa, entre disgustada y angustiada. Ellos no se dan cuenta.)* Saldré de aquí. Dejaré a mis padres. No los quiero. Y te salvaré a ti. Vendrás conmigo. Abandonaremos este nido de rencores y de brutalidad.

CARMINA, HIJA: —¡Fernando!

(FERNANDO, el padre, que sube la escalera, se detiene, estupefacto, al entrar en escena.)

FERNANDO, HIJO: —Sí, Carmina. Aquí sólo hay brutalidad e incomprensión para nosotros. Escúchame. Si tu cariño no me falta, emprenderé muchas cosas. Primero me haré aparejador. ¡No es difícil! En unos años me haré un buen aparejador. Ganaré mucho dinero y me solicitarán todas las empresas constructoras. Para entonces ya estaremos casados... Tendremos nuestro hogar, alegre y limpio... lejos de aquí. Pero no dejaré de estudiar por eso. ¡No, no, Carmina! Entonces me haré ingeniero. Seré el mejor ingeniero del país y tú serás mi adorada mujercita...

CARMINA, HIJA: —¡Fernando! ¡Qué felicidad...! ¡Qué felicidad!

FERNANDO, HIJO: — ¡Carmina!

(Se contemplan extasiados, próximos a besarse. Los padres se miran y vuelven a observarlos. Se miran de nuevo, largamente. Su miradas, cargadas de una infinita melancolía, se cruzan sobre el hueco de la escalera sin rozar el grupo ilusionado de los hijos.)

TELÓN

FIN DEL DRAMA

"ASSESSMENT"
Y BIBLIOGRAFÍA

"ASSESSMENT" Y BIBLIOGRAFÍA

"Assessment"[1] en el salón de clases

El "assessment" es un recurso muy valioso cuando se quiere medir efectividad, aprovechamiento, destrezas y desarrollo personal en el proceso enseñanza-aprendizaje. Se podría definir "assessment" como un procedimiento sistemático en el cual se utilizan múltiples técnicas para examinar la ejecución académica y afectiva. El propósito es, entre otros, obtener información de qué, cómo y cuán bien aprende el alumno. Además, para comprobar qué recursos promueven de forma creativa y eficaz el aprendizaje.

Todo centro docente tiene la obligación de evidenciar cuán bien los estudiantes están alcanzando sus metas educativas. Por tal razón, los centros de educación superior y secundaria han comenzado a buscar mecanismos para demostrar la efectividad de sus programas y de la enseñanza-aprendizaje en el salón de clases. También se ha convertido en un criterio importante en la certificación de programas y en la acreditación de las instituciones académicas.

El "assessment" debe implantarse en forma sistemática para que provea información útil y a tiempo, tanto al docente como al estudiante, de modo que sirva para mejorar la calidad del proceso educativo (Aguirre, 2001). La utilización de las variadas técnicas de "assessment" permite a la facultad percatarse del progreso conceptual del alumno y no sólo del producto final que es lo que persigue, por lo general, la evaluación tradicional. Cuando nos concentramos

[1] El término "assessment" ha sido traducido de diversas formas. Se han utilizado las palabras avaluar, avalúo, avaluación, valuación, evaluación, entre otras. Sin embargo, hemos decidido usar el vocablo en inglés, generalizado y aceptado en Puerto Rico, debido a que en español no hay ninguna traducción que recoja el verdadero significado de "assessment"

en esta forma de evaluar al estudiante, no es posible, en muchos casos, atender las lagunas que él pueda tener en el proceso. Es por esto, que los estudiosos recomiendan el uso frecuente de técnicas fáciles y sencillas que recojan cuán bien los alumnos están aprendiendo. Éstas pueden dar luz para que se atiendan los factores que afectan la calidad en la ejecución y la forma en que los estudiantes organizan, estudian y usan la información.

En el proceso, se debe considerar las siguientes interrogantes: ¿qué deben aprender los estudiantes?, ¿cuán adecuado es su aprendizaje? y ¿cómo sé que han aprendido? Una vez obtenida, organizada y presentada la información, el profesor dispondrá de datos que evidenciarán cuán bien están alcanzando las metas y objetivos establecidos en el curso. Los hallazgos obtenidos deberán servir de base para diseñar actividades que estructuren mejor la enseñanza, para así ayudar al estudiante a que adquiera los conocimientos de una forma más efectiva.

El "assessment", al estar enfocado primordialmente en qué y cómo aprende el estudiante, requiere de éste una mayor intervención. El alumno, al tomar parte en las técnicas de "assessment", refuerza los conocimientos obtenidos en el curso; a la vez, que aclara dudas y fortalece el conocimiento previo. También aprende a enfocar con más claridad, a participar más activamente, a sentirse más confiado de que puede triunfar, aumenta su motivación para querer hacer un mejor trabajo. Se siente valorado cuando percibe que el maestro está interesado e invierte tiempo para que él progrese en su aprendizaje (Aguirre, 2001 &, Angelo & Cross, 1993).

El "assessment" en el salón de clases es más formativo que sumativo. Su fin primordial es mejorar la calidad del aprendizaje del estudiante y no meramente proveer evidencia numérica de su aprovechamiento. Por consiguiente, casi nunca se evalúa para nota[2] y, por lo general, es anónimo.

Se le recomienda al docente interesado en integrar el "assessment" que comience con una o dos de las técnicas más sencillas. Las siguientes recomendaciones pueden servirle de ayuda:

[2] No debe confundirse el "assessment" con el proceso de evaluación del alumno.

- Seleccione sólo un curso hasta que esté lo suficientemente familiarizado con la técnica. Luego, puede aplicarla en otros cursos.
- Comience con aquél que esté más familiarizado y se sienta más cómodo. Decida a qué meta, objetivo o destreza aplicará el "assessment".
- Escoja la técnica que entienda que mejor se adapta a lo que quiere evaluar. Existen técnicas que responden a todos los niveles del pensamiento. Entre las más sencillas se encuentra la respuesta inmediata "minute paper", el resumen en una oración "one sentence summary" y, entre las más complejas y elaboradas, el portafolio, los mapas conceptuales, los diarios (véase modelo 9) y otras.

Los expertos (Angelo & Cross, 1993) recomiendan la técnica de respuesta inmediata y la del resumen en una oración como algunas de las preferidas por la facultad. Éstas son rápidas y de fácil administración y evaluación. Sirven para recoger información con mucha frecuencia sin tener que invertir mucho tiempo y energía. A través de su utilización, podemos detectar qué retuvieron de lo discutido o aprendido de un material previo y qué lagunas quedaron. Estas técnicas pueden utilizarse al principio, durante o al final de la clase. Cuando se utiliza al inicio de la clase, ayuda a detectar qué conocimientos previos trae un estudiante antes de comenzar la discusión de un contenido para determinar qué necesita aprender. Se aplica durante la clase para determinar cuán bien están captando lo que se va cubriendo. También, se puede hacer al final de la misma. Esto ayuda a reforzar el material enseñado o para aclarar aquéllos aspectos mal aprendidos antes de que se conviertan en obstáculos para aprendizajes futuros (Angelo & Cross, 1993).

La doctora Aguirre (2001) señala que estas técnicas, entre otras, sirven para medir conocimiento, actitudes y disposiciones para aprender. La información obtenida sirve al maestro para decidir qué ajustes o cambios necesita efectuar que lo ayuden a mejorar el proceso enseñanza-aprendizaje. Se deberá comentar con los estudiantes los hallazgos y contestar aquellas interrogantes que surjan del sondeo.

Las ventajas que esta técnica provee al alumno son: le ayuda a desarrollar la habilidad de sintetizar e integrar información e ideas, aumenta la habilidad de prestar atención, desarrolla la concentración, mejora las destrezas de escuchar, estudiar, así como aprender términos conceptos y teorías. (Angelo & Cross, 1993).

Las técnicas y modelos de "assessment" que aquí presentamos son a modo de sugerencias y deben tomarse como tal. Es la facultad la que debe decidir cuál es la que mejor se adapta a las metas y objetivos del curso.

Para administrar la técnica de respuesta inmediata siga los siguientes pasos:

1. Decida primero lo que quiere evaluar y cuándo.
2. Algunas preguntas que se pueden hacer son: ¿qué fue lo más importante que aprendiste de la clase hoy?, ¿qué interrogante quedó sin contestar?
3. El docente puede copiar las preguntas en la pizarra o traerlas en una transparencia.
4. Aclárele al estudiante que deberá contestar de forma anónima, el tiempo que tiene para contestar las preguntas (se recomienda de dos a cinco minutos por cada una), qué tipo de respuesta espera y cuándo van a recibir los comentarios a las respuestas.
5. Tabule la información y tome nota de algún comentario útil. Es recomendable guardar las respuestas del principio del semestre para compararlas con las posteriores con el propósito de observar los cambios y progresos en la claridad de éstas.
6. Luego, deberán discutir los hallazgos con los estudiantes para ofrecerles las aclaraciones o recomendaciones a seguir.

Otras dos maneras de utilizar esta técnica son:

1. Proveer tiempo de la clase para que los estudiantes comparen y discutan sus respuestas en parejas o en pequeños grupos.
2. Crear pequeños grupos y pedirles que formulen preguntas, para que las contesten y analicen. Cada grupo presentará las respuestas al resto de la clase. (Si desea más detalles de ésta y otras técnicas vea a Aguirre, 2001 o Angelo & Cross, 1993).

Modelos de "Assessment"

Modelos 1 al 4.

Modelos para técnica de respuesta inmediata (Minute Paper)

Modelo 1

Escribe (o comenta a tu compañero) lo más importante que aprendiste en la clase .

____

____

____

____

____

Modelo 2

El tema central de este poema es:

____

Otro tema presentado es:

____

Modelo 3

¿Qué te gustó de la clase de hoy?
¿Qué no te gustó?
Ofrece sugerencias.

____

____

____

____

____

Modelo 4

¿Qué te dice el título?

____

Dos maneras de interpretarlos son:

____

____

Modelos 5 al 8.

Modelos para técnica de respuesta inmediata (Minute Paper)

Modelo 5

Explica cómo podrías aplicar lo que has aprendido.

____
____
____
____
____

Modelo 6

Explica lo que entiendes por...

____
____
____
____
____
____

Modelo 7

Paráfrasis se diferencia de un resumen por:

____
____
____
____
____

Modelo 8

La paráfrasis de un poema se conoce como

____
____

Ésta se elabora eliminando del poema...

____
____

Modelo 9.
Características del Diario reflexivo

1. Definir el concepto
2. Objetivos
3. Instrucciones
4. Requisitos
5. Razones para usarlos

Razones para que un profesor utilice el Diario reflexivo

1. Los estudiantes lograrán articular coherentemente los conocimientos adquiridos con la nueva información.
2. Cuando se escribe sobre nuevas ideas e información (además de leer, hablar y escuchar) se aprende y se comprende la nueva información o idea.
3. Cuando se establece una relación entre la realidad conocida y lo escrito se aprende y se escribe mejor.
4. Los estudiantes pueden grabar el proceso mental por el cual atraviesan al realizar una lectura y esto permite que comprendan las lecturas de manera significativa.
5. Obliga al docente a enfocarse en un objetivo en particular.
6. Se puede utilizar como proceso de "assessment".
7. Sirve de retroalimentación de las ejecutorias del maestro en las clases.
8. Promueve el compromiso y el entusiasmo en los estudiantes.
9. Puede partir de los escritos para llevar a cabo una discusión de grupo.
10. Estimula la participación del estudiante.
11. Crea un diálogo o conversación con el estudiante. Evita el monólogo porque le indica al estudiante que a usted le importa y que tiene tiempo para hablar con ellos.

Beneficios para el estudiante al escribir un Diario reflexivo

Los estudiantes se benefician porque el proceso les permite:

a. perder miedo a escribir
b. fomentar la creatividad del estudiante
c. recolectar pensamientos, opiniones con actitud crítica
d. estimular la independencia de criterio
e. escribir sobre aspectos confusos o ideas (les ayuda a comenzar a comprender la lectura)
f. escribir sobre lo que leen (requiere que observen de forma más cuidadosa los diferentes aspectos, por lo tanto, estimula el pensamiento)
g. recoger los primeros pensamientos (éstos pueden desarrollarse o cambiar, de acuerdo al progreso del lector-escritor)

Contenido de los Diarios reflexivos

El contenido va a depender de los objetivos que usted elaboró para utilizarlos. Las entradas variarán según tenga de imaginación.

Se le motiva al estudiante para que se acerque a:
a. una predicción
b. una evaluación
e. una reacción
d. una asociación
e. un análisis
f. una relectura

Evaluación del Diario reflexivo

- Hay varias formas de evaluarlos.

- Los diarios no se corrigen como se hace con los exámenes, ensayos o trabajos de investigación porque cohibirían a los estudiantes de respuestas o reflexiones innatas. Evite usar tinta roja para que el estudiante no se sienta amenazado y sienta que se le corrige todo lo que escribe. Recuerde que éstos deben ayudar a fomentar la creatividad y a perderle miedo a escribir.

- Se le deben escribir comentarios para que el estudiante sepa que se lee el escrito y que se le "monitorea" su trabajo, sin hacerles sentir que su escrito es incorrecto.

- La forma de evaluar debe ir de la mano con los objetivos particulares que usted estableció para solicitar un diario.

- Cada una de las entradas debe tener un valor.

- Se puede evaluar cuantitativa y cualitativamente.

- Puede usarse el método holístico para la evaluación individual o grupal.

Bibliografía

AGUIRRE ORTIZ, M. *"Assessment" en la sala de clases.* Río Piedras: Publicaciones Yuquiyú, 2001.

ÁLVAREZ MÉNDEZ, Juan M. (editor). *Teoría lingüística y enseñanza de la lengua.* Madrid: Akal, 1987.

ALVERMAN, D., DILLON, D. y O'BRIEN, D. *Discutir para aprender. El uso de la discusión en el aula.* Madrid: Aprendizaje-Visor, 1990.

ANGELO, T. y CROSS, P.K. *"Classroom Assessment Techniques".* San Francisco: Jossey Bass, 1993.

APPLEBEE, A. "Teaching high-achievement students: A survey of the winners of the 1977, NCTE Achievement Awards in Writing". *Research in the teaching of English,* 1, 1978, 41-53.

ATWELL, M.A. "Reading, writing, speaking, listening: Language in response to context". En H. Hardt (ed.), *Teaching reading with other language arts,* Newark: IRA, 1983.

BORZONE DE MANRIQUE, A. y MARRO, M. Lectura y escritura: *Nuevas propuestas desde la investigación y la práctica.* Buenos Aires: Kapelusz, 1990.

BOUSOÑO, C. *Teoría de la expresión poética.* Madrid: Gredos, 1966.

BRIDDLE, A. y Fulwiler, T. *Reading, writing and the study of literature.* New York: Kanelon, 1989.

BURÓN, J. E*nseñar a aprender: introducción a la metacognición.* Bilbao: Ediciones Mensajeros, 1993.

CAIRNEY, T. H. *Enseñanza de la comprensión lectora.* Madrid: Ediciones Morata, 1992.

CAMERON, J. *El derecho y el placer de escribir-Curso de escritura creativa.* Madrid: Gaia Ediciones, 1998.

CASSANY, D. *Construir la escritura.* Barcelona: Paidós, 1999.

—— *Describir el escribir.* Barcelona: Paidós, 1989.

—— *La cocina de la escritura.* Barcelona: Anagrama, 1993.

—— *Reparar la escritura (Didáctica de la corrección de lo escrito).* Barcelona: Graó, 1993.

CASSANY, D., LUNA, M. y SANZ, G. *Enseñar Lengua.* Barcelona: Graó, 1994.

CHARRIA DE ALONSO, M.E. y GONZÁLEZ GÓMEZ, A. *La escuela y la formación de lectores autónomos: Hacia una nueva pedagogía de la lectura.* Colombia: Procultura, 1987.

CHARRIA DE GÓMEZ, M. J. y CHARRIA DE ALONSO, M. A. E. *La escuela y la formación de lectores autónomos: La biblioteca y la formación de lectores.* Colombia: Procultura, 1987.

CLAVIJO, Amparo. *Formación de maestros - Reflexión del maestro colombiano acerca de la lectura y la escritura.* Colombia: Plaza y Janés, 2000.

COLOMER, T. y CAMPS, A. *Enseñar a leer, enseñar a comprender.* Madrid: Celeste/ M.E.C., 1996.

CONDEMARÍN, M "Relaciones entre la lectura y la escritura en el desarrollo de la comprensión de la lectura". En *Lectura y Vida,* 6:2, 1985, 4-9.

COOMBER, E. J. "Perceiving the structure of written materials". *Reading in the teaching of English,* 9, 1975, 263-266.

COOPER, J. David. *Cómo mejorar la comprensión lectora.* Madrid: Aprendizaje - Visor, 1986.

CREWS, R. A. "A linguistic vs traditional grammar program of effects on written sentence structure and comprehension". *Educational Leadership,* 5, 1975, 145-149.

DE VRIES, T. "Reading, Writing frequency and expository writing." *Reading Improvement,* 7, 1970, 14-19.

DÍAZ BORQUE, J. M. *Comentario de textos literarios; Método y práctica.* Madrid: Playor, 1998.

Díaz Márquez, L. *Introducción a los géneros literarios.* Río Piedras: Plaza Mayor, 1998.

DUBOIS, M. E. *El proceso de la lectura: de la teoría a la práctica.* Buenos Aires: Aiqué, 1991.

—— "Lectura, escritura y formación docente". *Lectura y Vida,* 16:2, 1995, 5-11.

DYSON, A. H. *Collaboration Through Reading and Writing: Exploring Possibilities.* Urbana, Il: NCTE, 1989.

FERREIRO, E. y GÓMEZ Palacio, M. *Nuevas perspectivas sobre los procesos de lectura y escritura.* México: Siglo XXI, 1982.

FREIRE, P. *La importancia de leer y el proceso de liberación.* México: Siglo XXI, 1984.

FORD, N. y WATERS, E. "Improving the reading and writing skills of culturally disadvantaged college freshman". *ERIC Document* Reproduction Service E.D., 193367, 1967.

FOUCAMBERT, J. *Cómo ser lector.* Barcelona: Laia, 1989.

FULWILER, T. *The Journal Book.* New Hampshire. Boynton/Cook, 1987.

GANNETT, C. *Gender and the journal: Diaries and academic discourse.* Albany, N.Y.: State University of N.Y., 1992.

GARCÍA DEL TORO, A. y QUINTANA, H. E. *Hablemos de escribir: Didáctica de la expresión oral y escrita.* Río Piedras: Plaza Mayor, 1997.

GARCÍA PADRINO, J. y MEDINA, A. *Didáctica de la lengua y la literatura.* Madrid: Anaya, 1988.

GARDNER, R. "Metacognition and self-monitoring strategies". In S. J. Samuels y Farstrup, A. E. (eds.), *What research has to say about reading instruction*, 2da ed. (pp. 236-252). Newark, DE: International Reading Association, 1992.

GOODMAN, K. "El proceso de lectura: consideraciones a través de las lenguas y del desarrollo". En E. Ferrero y M. Gómez Palacio. *Nuevas perpectivas sobre los procesos de lectura y escritura.* México: Siglo XXI, 1982.

—— "Unity in reading. Becoming readers in a complex society": *83rd Yearbook of the National Society for the Study of Education.* (Part I). Chicago, Illinois: University of Chicago Press, 1982.

GOODMAN, Y. *Los niños construyen su lectoescritura.* Buenos Aires: Aiqué, 1991.

GOODMAN,Y. y BURKE, C. *Reading strategies: Focus on comprehension.* New York: Holt, Rinehart & Winston, 1982.

GRAVES, D. *Didáctica de la escritura.* Madrid: Ediciones Morata, 1991.

GRAVES, R. *Rhetoric and composition. A sourcebook for teachers and writers.* New Hampshire: Boynton Cook, 1990.

HEIMLICH, J. y PITTELMAN, S. *El mapa semántico.* Buenos Aires, Argentina: Aiqué, 1991.

HEYS, F. "The theme-a-week assumption: A report of an experiment". *English Journal,* 51, 1962, 320-322.

HOYT, L. *Revise, Reflect, Retell-Strategies for improving reading comprehension.* Portsmouth, N.H.: Heinemann, 1999.

HUGHES, T. O. "Sentence Combining: A means of increasing reading comprehension", 1975. (E. D. 112-421)

IRWIN, J. Y Doyle, M.A. *Conexiones entre la lectura y la escritura.* Buenos Aires, Argentina: Aiqué, 1992.

JENSEN, J. y ROSER, Nancy. "Are There Really 3 R's?" *Educational Leadership,* 47, 6, 1990, 7-12.

JOHNS, J.L. y DAVIS LENSKI, S. *Improving Reading-A handbook of strategies.* Dubuque, Iowa: Kendall/Hunt Publishing Co. Pergamon Institute, 1997.

JURADO VALENIA, F. y BUSTAMANTE ZAMUDIO, G. *Los procesos de la escritura.* Colombia: Cooperativa Editorial Magisterio, 1996.

KRASHEN, S. Writing: *Research, Theory and Applications.* Oxford: Pergamon Institute, 1984.

LEAL, L. *El cuento hispanoamericano.* Buenos Aires: Centro Editor de América Latina, 1967.

LOMAS, C. y OSORNO, A. *El enfoque comunicativo de la enseñanza de la lengua.* Barcelona: Paidós, 1994.

—— et al. *Ciencias del lenguaje, competencias comunicativas y enseñanza de la lengua.* Barcelona: Paidós, 1993.

LUCHETTI, E. "El texto como pretexto: Una propuesta de lectura creadora". *Lectura y Vida,* 12: 2, 1991, 35-36.

MARTÍN DUQUE, I. y FERNÁNDEZ CUESTA, M. *Iniciación a los estudios literarios. Método y práctica.* Madrid: Playor, 1987.

Maya Betancourt, A. *El taller educativo. ¿Qué es? Fundamentos, cómo organizarlo y dirigirlo, cómo evaluarlo.* Colombia: Cooperativa Editorial Magisterio, 1996.

McCormick Calkins, L. *Didáctica de la escritura en la escuela primaria y secundaria.* Buenos Aires: Aiqué, 1992.

Milian, M. y Camps, A. *El papel de la actividad metalingüística en el aprendizaje de la escritura.* Argentina: Homo Sapiens Ediciones, 2000.

Morduchowicz, R. *Ventanas de Papel. El diario en la escuela.* Buenos Aires: Aiqué, 1993.

Murphy, S. y Smith, M. A. *Writing Portfolios.* Markham, Ontario: Pippin Publishing Limited, 1992.

Novak, J. Y Gowin, D.B. *Aprendiendo a aprender.* Barcelona: Edciones Martínez Roca, 1988.

Obenchain, J. *Sequential steps to effective writing: A Programmed approach with directions of reading skills and literature appreciation.* Arlington, Virginia: Coper-Trent, 1972.

Onieva Morales, J. L. *Introducción a los géneros literarios a través del comentario de textos.* Río Piedras: Plaza Mayor, 1992.

Ontoria Peña, A., Molina Rubio, A. y de Luque Sánchez, A. *Los mapas conceptuales en el aula.* Argentina: Magisterio del Río de la Plata, 1996.

Palincsar, A. S. y Brown, A. L. "Reciprocal teaching of comprension in monitoring activities". *Cognition and Instruction,* 1, 1117-1175.

Parra Rojas, A. *La lectoescritura como goce literario.* Colombia: Aula Alegre, 1995.

Pasel, S. *Aula Taller.* Buenos Aires: Aiqué, 1991.

Pasut, M. *Viviendo la literatura.* Buenos Aires: Aiqué, 1993.

Pearson, P.D., Roehler, L. R., Dole, J. A., & Duffy, G. A. "Developing expertise in reading comprehension". In S. J. Samuels & A. E. Farstrup (eds.), *What research has to say about reading instruction*, 2da ed., Newark, DE: IRA, 145-199, 1992.

Pérez Grajales, H. *Nuevas tendencias en la composición escrita.* Bogotá, Colombia: Cooperativa Editorial Magisterio, 1999.

Philips, J. *Marry your muse (Making a lasting comitment to your creativity).* Wheaton, III: The Theosophical Publishing House, 1997.

Reeves, J. *A writers book of days.* Novato, California: New World Library, 1999.

Reyzabal, M.V. y Tenorio, P. *El aprendizaje significativo de la literatura.* Madrid: La Muralla, 1994.

Robb. L. *Reading strategies that work.* New York: Scholastic, 1994.

Rodari, G. *Gramática de la fantasía (Introducción al arte de inventar historias).* Barcelona: Aleorna, 1989.

Rosenblatt, L. M. *The reader, the text, the poem.* New York: Modern Language Association, 1978.

Ryan, J. "Family patterns of reading problems: The family that reads together", In M. Douglas (Ed). *Claremont Reading Conference,* Claremont, California; Claremont Graduate School, 1977, 159-163.

SERRA CAPALLERA, J. y OLLER DE BARNADA, C. "Las estrategias lectoras y su relación con los procesos generales de comprensión". Aula, 59, 37-39, 1997.

SHANAHAN, T. "The reading-writing relationship: Seven instructional principles" *The Reading Teacher,* 41:7, 1988, 636-647.

SALMON, K. *Lenguaje integral. Una alternativa para la enseñanza-aprendizaje de la lecto-escritura.* Quito: Abrapalabra, 1995.

—— *Múltiples formas de cultivar lectores y escritores autónomos.* Ecuador: Casa de la Cultura Ecuatoriana, 2001.

SÁNCHEZ JUÁREZ, J. *Un taller divertido. Actividades de lectura y redacción.* México ediciones Castillo. 1998.

SERAFINI, M. T. *Como redactar un tema.* Barcelona: Paidós. 1989.

—— *Cómo se escribe.* Barcelona: Paidós, 1994.

SMITH, Carl y DAHL, Karin. *La enseñanza de la lectoescritura: Un enfoque interactivo* Madrid: Aprendizaje Visor, 1984.

SMITH, F. R*eading.* London, England: Cambridge University Press, 1980.

—— *Para darle sentido a la lectura.* Madrid: Aprendizaje-Visor, 1990.

SOLÉ, I. *Estrategias de Lectura.* Barcelona: Graó, 1994.

—— "El placer de leer". *Lectura y Vida,* 16:3, 1995, 25-40.

TIERNEY, R. "Literacy assessment reform: Shifting beliefs, principled posibilities and emerging practices". *The Reading Teacher,* 51:5. 1998, 374-390.

TIERNEY, R.J. , CARTER, M.A. y DEASI, L.E. *Portfolio assessment in the reading-writing classroom.* Norwood, MA: Christopher Gordon Publishers, 1991.

TIERNEY, R. y CUNNINGHAM, J.W. "Research on teaching reading comprehension" En P.D. Pearson (Ed.) *Handbook of reading reseach.* White Plains, N.Y. Longman, 1984.

TIERNEY, R. y PEARSON, P.D. "Toward a composing miodel of reading". *Language Arts,* 60, 568-580, 1983.

TIMBAL-DUCLAUX, L. *Escritura creativa (Técnicas para liberar la inspiración y métodos de redacción).* Madrid: Edaf, 1993.

TORIJA DE BENDITO, A. "El resumen: Integrando la lectura y la escritura". *Lectura y Vida,* 3:13, 1992, 17- 23.

TWINING, J. *Reading and Thinking: A Process Approach.* NY: Holt, Rinehart and Winston, 1985.

WHITE, E. *Teaching and assessing writing.* San Francisco; Jossey Bass, 1988.

WOODLIEF, A. y CORNIS-POPE, M. *On the reading process.* [On line.] http://www.vcu.edu/engweb/home/theory.html, 1999.

ZARZOSA ESCOBEDO, L. G. "Repertorios básicos de comprensión de lectura", *Lectura y Vida,* XIII, 1, marzo 1992.

Referencias de direcciones en Internet[1]

Diccionarios

http://www.jamillan.com/ricciona.htm - *Página de los diccionarios*

http://www.rae.es - *Real Academia Española*

http://www.hispanicus.com/drle/ - Diccionario de regionalismos de la lengua española

http://www.diccionarios.com - Diccionario de sinónimos y antónimos

Bibliotecas

http://www.lcweb.loc.gov/rr/hispanic - *Sección de libros en español de la Biblioteca del Congreso ("Library of Congress", "Hispanic Reading Room")*

http://www.geocities.com/ewmaz/ - *Biblioteca virtual de P. R.*

http://www.cervantesvirtual.com - *Biblioteca Virtual Cervantes*

http://www.galem.com/bvespartaco/lalibertad.gif - *Biblioteca Virtual Espartaco*

http://www.fortunecity.es/poetas/relatos/166 - *La Biblioteca de El Trauko*

http://www.angelfire.com/biz/voxhispana - *Biblioteca virtual Voxhispana*

http://www.logos.it/literature/literatureest.html - *Logos - Biblioteca Literatura Española*

Como es de conocimiento de todos los internautas, en ocasiones no es posible acceder a los portales por diversas razones. A veces, hay muchos usuarios intentando entrar al portal; en otras, se está llevando a cabo alguna modificación o reparación en el servidor; y en el peor de los casos, la dirección cambió. Les recomendamos que entonces hagan una búsqueda por tema o autor.

http://www.elaleph.com/ - *Libros digitales*
http://www.biblioteca.org.ar/ - *Bibloteca virtual universal*

Periódicos

http://www.nueva-tierra.com/periodicos.html - *Periódicos en español en la red*
http://www.el-castellano.com/prensa.html -*La prensa en español por países*
http://www.endi.com - *El Nuevo Día*
http://www.listin.com.do - *El Listín Diario*

Publicaciones de cuentos

http://www.kdd.cl/cuentos - *Crea tu propio cuento*
http://www.letrasperdidas.galeon.com - *Letras Perdidas - Escribir, leer y publicar cuentos de terror*

Esquemas y mapas conceptuales

http://www.geocities.com/Athens/Olympus/3232
http://www.members.usbi.uv.mx
http://www.edu.net.co/docentes/formaion/mapas.htm
http://www.banrep.gov.co/blaanvirtual/pregfrec/mapa.htnm

Recursos educativos

http://dgenp.unam.mx/teleaulas/ligas.htm - *Liga (enlaces) de interés*
http://fyl.unizar.es/GCORONA/interlet.htm - *Fonoteca de escritores conocidos*
http://www.pntic.mec.es/recursos/enlaces_interes/lenguayliteratura.htm - *Recursos para cursos de lengua y literatura*
http://www.arrakis.es/~mapelo - *La página más educativa*
http://www.uv.es/~aliaaga/Spain.html - Enlaces educativos en España
http://www.inicia.es/de/lepv/pintes.htm - *El escribidor - Páginas interesantes*
http://www.fortunecity.es/expertos/abogado/52/litind.html - *Enlaces de literatura*
http://www.mse.jhu.edu:8001/research/germrom/latin/latelec.htm - *Recursos en la Internet para estudios latinoamericanos*

LENGUA, REDACCIÓN Y COMPOSICIÓN

http://www.cienec.or.cr/concurso2/concepto.html - *Un concepto de ensayo*

http://www.up.edu.pe/dephumanidades/Boletin5/taller.htm - *Pautas para la elaboración de un ensayo escolar*

http://unr.edu/homepage/tbevia/Span306_SO1/tarea18.html - *El ensayo sobre literatura*

http://www.fquim.unam.mx/html/cursos/montano/metodo/Ensayo.html - *El ensayo*

http://www.escritores.org - *Escritores.org*

http://www.rae.es/NIVEL1/ACADEMIA.HTM - *Real Academia Española*

http://www.efe.es - *El español urgente*

http://www.el-castellano.com - *La página del idioma español*

http://www.geocities.com/Athens/2982/index2.html - *La página de la lengua castellana*

http://www.arcom.net/belca/como_esc/ - *Página del idioma castellano*

http://www.cibernovela.com - *Novela cibernética*

http://www.iua.upf.es/literatura-interactiva/cas/ - *Literatura interactiva - producción, recepción y publicación de textos*

http://www.literatura.org/cuentos - *Cuentos*

http://www.tallerdeescritura.com - *Taller de escritura*

http://www.fortunecity.es/expertos/abogado/52/ - *Piélago - una página de lengua y literatura hispana*

http://www.encapitulos.com - *Literatura para internautas (se pueden escribir capítulos de una novela)*

http://biblioweb.dgsca.unam.mx/libros/normas/cap004.htm - *Normas de redacción e incorrecciones*

http://www.geocities.com/Athens/Delphi/3925/pl.htm - *Lingua web*

http://www.lenguaje.com/motores.htm - *Motores lingüísticos*

http://www.aznarepese.com/cuenosdesmontados/ - *¿Quieres escribir un cuento?*

http://salud.bayer.es/fcont_t_otros/ho/publ_artienc.html - *Cómo escribir un ensayo científico*

http://www.bariloche.com.ar/usuarios/accalvo/ - *Cyber Taller*

http://cvc.cervants.es/obref/agle/ - *Archivo gramatical de la Lengua Española de Salvador Fernández Ramírez*

http://www.rae.es - *Reglas ortográficas*
http://roble.pntic.mec.es/msanto1/ortografía/ - *Ortografía*
http://www.dt.etsit.upm.es/~mmonjas/espanol-largo.htm - *Página de la Lengua Española*
http://www.pagina.e/la_lengua_castellana/ - *La página de la lengua castellana*
http://www.geocities.com/SiliconValley/Horizon/7428/index.htm - *La lengua española*
http://www.webcom/rsoca/gramati.html - *Las normas del idioma español*
http://www.pals.com/resources/index_es.html - *Intercambio de correspondencia electrónica*
http://www.tera.es/personal/elg00001/ - *Lengua en secundaria*
http://www.roble.pntic.mec.es - *Educación secundaria obligatoria*
http://csgrs6k1.uwaterloo.ca/~dmg/lando/verbos/con-jugador.htm - *Web Conjugador*
http://www.geocities.com/Athens/Foum/2867 - *Asociación Taller de Talleres*
http://www.circulodelectores.com - *Círculo de lectores*

GÉNEROS LITERARIOS
http://members.tripod.com/-luised-win/generos.htm
http://www.atlas-iap.es/~pepcardo/index.shtml?http://www.atlas-iap.es/~pepcardo/estilo4.htm
http://www.apuntes.org/materias/cursos/clit/generos_literarios.htm
http://www.pntic.mec.es/mem/aventlitera/html/banco_c_generos.html
http://www.uchile.cl/facultades/filosofia/publicaciones/cyber/cyber14/tx3pampa.html

LITERATURA
http://www.geocities.com/Athens/Oracle/6807/index2.htm/ - *Don Pablo. Lengua y Literatura*
http://www.lander.es/~jvarilla - *Recursos relacionados con la literatura*
http://www.http://personal2.redest.es/ea5cph/link - *Enlaces relacionados con la literatura*

ıttp://www.xcastro.com/literatura.html - *Recursos literarios en la Internet*

ıttp://ca.geocities.com/el_rincon_de-nora_/rincon.htm - *El rincón de Nora - cuentos, poemas, cuentos infantiles, literatura para adolescentes*

ıttp://www.zap.cl/cuentos - *La página de los cuentos*

ıttp://www.librusa.com/escritores.htm - *Páginas de escritores: Neruda, Gabriela Mistral, Eduardo Galeano, Juan Ramón Jiménez, Julio Cortázar, etc.*

ıttp://personal2.redest.es/ea5cph/link - *Enlaces de literatura*

ıttp://www.librusa.com/index.htm - *Agencia internacional de noticias literarias*

ıttp://www.marcopolo.dgsca.unam.mx.bibliowe - *Obras y material didáctico de teatro para educación primaria, secundaria y superior*

ıttp://library.utoronto.ca/www/cch_subject_linguistics.htm - *Servidores para hispanistas*

ıttp://www.ipl.org/ref/litcrit/ - *Crítica literaria*

ıttp://www.cccbxaman.org/badosa/inlibris/main.pl?=es - *Directorio de recursos literarios*

ıttp://www.mse.jhu.edu:8001/research/germrom/latin/latelec.html - *Recursos en Internet para estudios latinoamericanos*

ıttp://www.ensayo.rom.uga.edu/enlaces/pensamiento.htm - *Enlaces sobre literatura*

ıttp://www.hys.com.pe/educanet/literatu.html - Libros electrónicos en la red - Lengua y Literatura

ıttp://personal2.redest.es/ea5cph/link - *Enlaces de literatura*

ıttp://www.arrakis.es/~reydesola/creatividad - *Literatura y animación lectora*

ıttp://www.literonauta.com/ - *Literatura en la red*

ıttp://www.geocities.com/Athens5662/recurs.html - *Enlaces a recursos literarios*

ıttp://www.millorsoft.es/~geral/literatura/index.htm - *El web de la literatura*

ıttp://www.poesia.com - *Internauta poesía*

ıttp://www.advance.com.ar/usuarios/climaya.inde.html - *Portal interactivo de cultura y literatura* http://www.webcom.com/rsoca/literatu.html - *Letras hispanas, So. Juana, etc.*

http://nobelprizes.com/nobel/nobel.html - *Premios Nobel de Literatura*

http://www.biblotecas.uchile.c/revistas/autores - *El autor de la semana*

http://www.ciudadfutura.com/elraton - *El ratón de biblioteca - Rincón de encuentro para los amantes de las letras*

http://www.terradixital.com/poesiaromantica - *Poesía romántica*

http://www.angelfire.com/id/ssims/cuentosvirtuales.html - *Antología virtual de cuentos*

http://www.members.tripod.com/sjuannavarro/narrativa.htm - *Enlaces sobre narradores*

http://campus.murraystate.edu/academic/faculty/mica.howe/webpages/Versificacion/index.htm - *Versificación y tipos de estrofa*

http://members.estripod.de/Trivium/Tretorica.htm#Inicio - *Métrica, figuras retóricas*

PUERTO RICO

Literatura Puertorriqueña

http://www.edifielemcal.com/direccionesdeinteres.htm - *Enlaces de interés*

http://www.prtc.net/~isavelez - *Página de la Dra. Isabel Vélez sobre literatura puertorriqueña*

Poesía Puertorriqueña

http://members.aol.com/coquijote/poetas.htm

http://members.aol.com/coquijote/coquijot.htm

http://members.tripod.com/~Arkangeles/

Bibliotecas

http://www.coqui.net/jalmeyda/biblioteca.htm -*Biblioteca Virtual de P.R.*

http://www.arecibo.inter.edu/CRE/puertor.htm -*Biblioteca Virtual - Sala de P.R.*

Refranes

http://www.ma.cup.edu/Pueblo/latino_cultures/refranes.html

SCRITORES

ttp://home.coqui.net/mallory.benitez.htm - *José Gautier Benítez*
ttp://www.ciudadseva.com/ - *Luis López Nieves*
ttp://www.patriagrande.net - *Personajes - (Juan Antonio Corretjer, Julia de Burgos, etc.)*
ttp://www.east-net.net/odalis/bigrafialrs.htm - *Luis Rafael Sánchez*
ttp://www.gwocities.com/froblesortega/autpuertoricoag.htm
ttp://www.cai.bc.inter.edu/Ciber-Info/Escritores/escritores.htm
ttp://www.prtc.net./~ciehl/serv03.htm - *Escritores de los años ochenta en P.R.*
ttp://www.xsn.netmichelle.laguerre.nuevo.htm - *Enrique Laguerre*
ttp://www.members.tripod.com/~llianaR/diez/res-10-1.htm - *Mayra Santos Febres - Sirena Selena vestida de pena*

ULIA DE BURGOS

ttp://members.tripod.com/juliadeburgos
ttp://uprhmate.01.upr.clu/espanol/JuliaDeBurgos/index.html

ED BIOGRÁFICA

ttp://www.angelfire.com/ny/conexin/r.htm

EYENDAS

ttp://www.geocities.com/The Tropics/9472/leyendas.html

ITERATURA

ttp://www.aspira.org/iprac_literatura.htm
ttp://www.ponce.inter.edu/cai/br/literatura.html - *Literatura e idiomas*

RÍTICA LITERARIA

ttp://www.ensayo.rom.uga.edu/filosofos/puertorico/fere/teser.htm - *Ensayos críticos sobre Rosario Ferré*

IISPANOAMÉRICA

ITERATURA HISPANOAMERICANA

ttp://www.isabelallende.com - *Isabel Allende*

ANTOLOGÍAS DE LA LITERATURA

http://www.angelfire.com/id/ssims/antologiageneral.html - *Antolo gía virtual de la literatura latinoamericana*

http://www.uni-mainz.e/~lustig/texte/antologia/antologi.htm - *La con quista de América - Antología comentada*

http://www.ensayo.rom.uga.edu - *Ensayo hispánico*

LITERATURA ARGENTINA

http://www.cbc.umn.edu-ernesto - *Literatura argentina*

http://www.bsasliteraria.com.ar - *Buenos Aires Literaria*

JORGE LUIS BORGES

http://www.hum.au.dk/romansk/borges/spanish.htm - *Centro de es tudios y documentación de Jorge Luis Borges*

http://www.literatura.org/Borges

http://www.fst.com.ar/tit_coleccion2.jpg

JULIO CORTÁZAR

http://www.juliocortazar.com.ar/

http://lenti.med.umn.edu/~ernesto/Cortazar/Cortazar.html

LEOPOLDO LUGONES

http://www.websitemaker.com/gorbato/magazine/nota0512.htm

MARIO BENEDETTI

http://www.el-castellano.com/benedett.html

http://www.angelfire.com/wi/arg/poemas.html/

http://personales.jet.es/isildur

http://www.geocities.com/SusetStrip/Studio/1424/benedetti.html

NICOLÁS GUILLÉN

http://freeweb.pdq.net/Heron5/c/guillen.html

POESÍA

http://www.tieradigital.net/poesiacastellana/index.html - *Poesía cas tellana Mario Benedetti, Rubén Darío, José de Espronceda, Jos Hierro, etc.*

ttp://www.culturacanaria.om/bibarchi/biblatd.diario.htm#guiaalfa - *Guía de escritores*

ttp://www.geocities.com/Paris/5698/ - *Poetas hispanohablantes*

ttp://www.poesia.com - *Revista trimestral de poesía argentina y latinoamericana - Foros, talleres, publicación de textos*

ttp://www.poesia-inter.net/default.htm - *Poesía en español desde el Romancero hasta el siglo XX*

ttp://www.nimbus.efes.ucr.ac.cr - *Poesía hispanoamericana*

ttp://www.angelfire.com/in/alga/ - *Sonetos soñados*

ttp://www.geocities.com/Paris/Café/6764/ - *Poesía hispanoamerican, literatura y entretenimiento*

ÓMULO GALLEGOS

ttp://members.tripod.com/~luisedwin/gallegos.htm - *Rómulo Gallegos*

IVERSOS ESCRITORES

ttp://www.geocities.com/Sotto/Café/9980 - *Solo Cuentos - Alfredo Brye Echenique, Julio Cortázar, Rómulo Gallegos, Ricardo Palma, Gabriel García Márquez y Mario Vargas Llosa*

ttp://spin.com.mx/~hvelarde/Galeano - *Personajes - Eduardo Galeano, Delmira Agustini, Claribel Alegría, Juan José Arreola, Mario Benedetti, Simón Bolívar, Julio Cortázar, Roque Dalton, Nicolás Guillén, etc.*

ttp://www.humanities.uchicago.edu/faculty/clases/daly/enlaces/literatura.html - *Literatura, Sor Juana, etc.*

ttp://www.coloquio.com/famosos/writers.htm - *Escritores hispánicos famosos*

ttp://www.mundolatino.org/cultural/Literatura - *Escritores, Andrés Bello, etc.*

ttp://www.pportaldellibro.com/escritores/index.htm - *Escritores y literatura*

ttp://www.angelfire.com/id/sims/antologiagenerl.html - *Antología virtual de la litertura latinoamericana- Andrés Bello, Sor Juana Inés de la Cruz, Cabeza de Vaca, Fray Bartolomé de las Casas, Cristóbal Colón, Bernal Díaz dell Castillo, Alonso de Ercilla, Joa-*

quín Fernández Lizardi, Garcilaso de la Vega, José Hernánde Jorge Isaacs, Domingo Faustino Sarmiento, etc.)
http://www.mundolatno.org/cultura/artista.htm - *Grandes escritor*
http://www.xcastro.com/literatura.html - *Recursos literarios en Internet) Sor Juana, Literatura indígena de México*
http://www.users.interport.net/edu/~ymbanco/lugares.html - *Revist Dariana- enlaces litertura latinoamericana*
http://www.monmouth.du/~pgacarti/belli_desafio_c_GIF - Reflexiones - *Ensayos sobre escritoras hispanoamericanas contemporánea*

Rubén Darío
http://www.tmx.com.ni/~teleda/12/c1.htm
http://www.users.interport.net/~ymblanco/dariana.html
http://www.sashimi.wwa.com
http://www.mirror.wwa.com/~roustan/dario.htm
http://www.poetarubendario.com/images/r1.gif

José Donoso
http://www.cbc.umn.edu/~ernsto/Donoso/Donoso.html

Gabriel García Márquez
http://www.themodenworld.com/gabo
http://www.10mb.com/colombia/garcia.htm
http://www.levity.com/corduroy/márquez.htm

Gabriela Mistral
http://www.uhile.clu/actividades_culturales/premios_nobel/mistr index.htm
http://www.elombligo.com.htm

Pablo Neruda
http://www.uchile.cl/WWW/NERUDA/Pablo_Neruda.htm
http://www.chile.cl/actividades_culturales/premios_nobel/neruda pablo_neruda.html
http://pages.nyu.edu/~pdn200/neruda.html
http://escueda.med.puc.cl/Departamentoa/Pdiat.2002.html

Horacio Quiroga
ttp://www.analitica.com/bitblio/hquiroga/desierto.htm
ttp://www.analitica.com/bitblio/hquiroga/muerto.htm
ttp://www.desk.nl/~sur/03surensayo02.html

uan Rulfo
ttp://www.arts-history.mx/rulfo/rulfo.html
ttp://www.pixel.com.mx/info-gral/info-mex/artistas/escritor/jrulfo.html
ttp://biblioweb.dgsca.unam.mx/libos/rulfo/indice.html
ttp://www.supermexianos.com/rulfo/

or Juana Inés de la Cruz
ttp://www.dartmouth.edu/~sorjuana
ttp://www.arts-history.mx/csorjuana

Realismo mágico
Mario Vargas Llosa
ttp://artcom.ruters.du/rtists/magicrealism
ttp://www.lasroas.comar/htm/58pag/vargas.htm

César Vallejo
ttp://www.ekeko/rcp.net.pe/rcp/vallejo
ttp://www.rcp.net.pe/rcp/vallejo
ttp://www.geocities.com/Paris/Gallery/6916/

scritores chilenos
ttp://www.escritores.cl

rnesto Sábato
ttp://www.afbuensaires.com/espacio/literatura.htm

iteratura mexicana
ttp://www.geocities.com/evollveddie/sp/home.html - *Los de abajo*
ttp://www.arts.nterbook.net - Diccionario de escritores de México

AUGUSTO MONTERROSO
http://www.web.umail.ucsb.edu/~jce2.mont.html

ERNESTO CARDENAL
http://www.sashimi.com

JOSÉ MARTÍ
http://www.josemarti.org/
http://www.wxilio.com

NANCY MOREJÓN
http://www.cervantesvirtual.com/bib_autor/nancy

JUANA DE IBARBOURU
http://members.tripod.com/Heron5/poets/juana.html
http://www.rjgeib/com/thought/lluvia/lluvia.html

ALFONSINA STORNI
http://www.cervantesvirtual.com/bib_autor/alfonsina/imagenes.htm

LUISA VALENZUELA
http://www.luisavalenzuela.com/

CARLOS FUENTES
http://carlos-fuentes.tripod.com/

EDUARDO GALEANO
http://www.patriagrande.net
http://inf.upv.es/~pausa/vi/Eduardo_Galeano/Galeano.htm

MIGUEL DELIBES
http://www.mcu.es/lab/libro/premos/iconos/Mdelibes.htm

ADOLFO BIOY CASARES
http://www.literatura.org/Bioy/Bioy_Casares.html

SPAÑA

ITERATURA ESPAÑOLA

NTOLOGÍAS DE LITERATURA ESPAÑOLA

ttp://parnaseo.uv.es/ - *Literatura Medieval y Renacimiento*

ttp://www.cefoim.com/biblio/lengua.htm - *Lista de enlaces relacionados con la lengua y la literaturas españolas*

ttp://www.geocities.com/Hollywood/Hills/7985/literatura.htm - *Literatura española e inglesa*

ttp://www.club.telepolis.com/8080 - *Lengua y literatura españolas*

UEVEDO

ttp://www.anselm.edu/homepage/tmfaith/quevedo.html

ttp://www.usc.es/~quevd/welcome.html - *Francisco Gómez de Quevedo*

IIGUEL DE CERVANTES

ttp://csdl.tamu.edu/cervantes/

ttp://www.okanagan.net/okanagan/quijote/Indice.htm - *El ingenioso hidalgo Don Quijote de la Mancha*

ttp://csdl.temu.edu/cervantes/cervantes

OESÍA

ttp://www.poesia-inter.net/default.htm - *Poesía en español desde el Romancero hasta el siglo XX*

ttp://www.terradixital.com/posiacastellana - *Poesía castellana*

ttp://www.geocities.com/SoHo/Studios/1118/romancero.htm - *El romancero Viejo*

ttp://www.ipfw.edu/cm1/jehle/web/poesia.htm - *Antología de la poesía española*

lasco Ibáñez

ttp://www.cbcp.comVBT - *Casa Museo de Blasco Ibáñez*

LARÍN

ttp://www.maptel.es/clarin

CAMILO JOSÉ CELA
http://www.celafund.es

ALMUDENAS GRANDES
http://www.mil-libros.commx./malena.htm

LUCÍA EXTEBARRIA
http://www.coverlink.es/libropolis.com/paginas/noticias_libropolis.htm

ZOÉ VALDÉS
http://www.libronet.es/Colecciones/Valde-sAUT.html

TEATRO
http://www.uqtr.uquebec.ca/dlmo/TEATRO/teatro.html - *Teatro de los siglos de oro*
http://campus.murraystate.edu/academic/faculty/mica.howe/webpage/Teatro/index.htm - *Teatro español*
http://www.coh.rizona.edu/spanish/comedia/escomedi.html - P*ágina de la Asociación de Teatro Hispánico Clásico*
http://parnaseo.uv.es/ - *Parnaseo - (teatro)*

TIRSO DE MOLINA, CALDERÓN Y QUEVEDO
http://www.unav.es/departamentos/literatura/so/teatro/indice.htm
http://www.langlab.wayne.edu/Romance/SPA6570/burlado.html
http://griso.cti.unov.es
http://www.rjgeib.com/thoughts/barca/barca.html

FEDERICO GARCÍA LORCA
http://www.circulodelectores.com/plus/Lorca.htm
http://www.vnet.es/~juliorod/bgl/FGL1.htm
http://www.garci-lorca.org

GUSTAVO ADOLFO BÉCQUER
http://www.xtec.es/~jcosta/
http://freeweb.pdq/heron5/a/beq/htm
http://www.geocities.com/Paris/Metro/3118/RIMAS.HTM

OSÉ DE ESPRONCEDA
tp://www.uji.es/ale/estud.htm

ZORÍN
tp://www.elquijote.com/ruta/rutasq.html

IGUEL DE UNAMUNO
tp://www.anselm.edu/homepage/migueldeunamuno
tp://208.13.0.1/users/dspurlin/unamuno.html
tp://www.geocities.com/Paris/LeftBank/2238/unamuno.html

NTONIO MACHADO
tp://www.tmfaith/machado.html

ENERACIÓN DEL 27
tp://www.docuweb.ca/SiSpain/spanish/language/1927.html

JAN RAMÓN JIMÉNEZ
tp://209.182.56.23/fundacion-jrj/

AFAEL ALBERTI
tp://www.quasar.es/trovadores/alberti1.htm
tp://www.rafaelalberti.es
tp://www.elpuertosm.es/1127/webs/RafaelAlberti/index.htm

IGUEL HERNÁNDEZ
tp://www.analitica.com/bitbio/mhdez
tp://usuros.tripod.es/mhernandez/
tp://freeweb.pdq.net/heron5/a/miguel.htm

ENITO PÉREZ GALDÓS
tp://www.shef.ac.uk/uni/projects/gep/index.html

OSA MONTERO
tp://www.clubcultura.com/clubliteratura/clubescritores/montero/index.htm